Der große ADAC
Reise- und Freizeitführer
Streifzüge durch das historische Deutschland

EIN
ADAC
BUCH

Der große ADAC
Reise- und Freizeitführer
Streifzüge durch das historische Deutschland

Die Autoren

Dr. Wilhelm Avenarius
Prof. Dr. Helmut Castritius
Dr. Gerald Deckart
Hildegard Fiedler
Dr. Wilfried Forstmann
Gesine Froese
Dr. Petra Gallmeister
Silvana Heß
Petra Knecht
Antonia Meiners

Wolfdietrich Müller
Klaus Niebel-Bender
Dr. Ekkehart Rotter
Dr. Bernd Schneidmüller
Christa Sturm
Inge Uffelmann
Kornelia Vogt-Praclik
Dr. Eva Walter
Barbara Winter

Dieses Buch entstand in Zusammenarbeit
zwischen dem ADAC Verlag GmbH, München,
und dem Verlag Das Beste GmbH, Stuttgart.

© 1989 ADAC Verlag GmbH, München, und Verlag Das Beste GmbH, Stuttgart

Redaktion: Jens Firsching, Walter Liedke

Redaktionelle Mitarbeit: Gabriele Brock, Dr. Mara Huber, Angelika Lenz,
Harald Marks, Andrea Mathy, Heidi Mergener, Birgit Scheel

Gestaltung: Rudi K. F. Schmidt, Cornelia Hammer
Bildbeschaffung: Christina Horut

Produktion: Heinz Franke

Karten, Fotos und Zeichnungen: siehe Bildnachweis (Seite 511/512)

Titelgestaltung: Graupner & Partner, München

Umschlagvorderseite: Rödelseer Tor in Iphofen
Umschlagrückseite: Osterstraße in Hameln
Einbandinnenseite vorn: Amphitheater in Trier
Einbandinnenseite hinten: Kloster Ettal
Seite 1: Landsknechtsgruppe beim Schloßfest in Neuburg a. d. Donau
Seite 2/3: Rothenburg ob der Tauber

Printed in Germany

ISBN 3-87003-321-5

Über dieses Buch

Geschichte – für manch einen ist das eine mehr oder weniger trockene Angelegenheit, eine Anhäufung von Namen und Daten, die man in der Schule gelernt und danach schnell wieder vergessen hat. Daß Geschichte eben nicht nur aus leblosen Jahreszahlen und nüchternen Fakten besteht, daß sie immer und in erster Linie die Geschichte von Menschen ist, daß Geschichte einmal Leben war mit allem, was dazugehört, mit Hoffnungen und Ängsten, mit Leidenschaften und Träumen, Krankheiten und menschlichem Elend, daß Geschichte einmal Alltag war und die ganz persönliche Erfahrung einer namenlosen Zahl von Frauen, Männern und Kindern – dies möchte das vorliegende Buch vermitteln.

Deutschland ist reich an historischen Sehenswürdigkeiten, an Schätzen und Kostbarkeiten aus vergangenen Jahrhunderten. Vieles blieb vor der Zerstörung durch Kriege, Katastrophen oder schlichte Unkenntnis verschont, vieles wurde originalgetreu restauriert oder wieder aufgebaut. Überall findet man Stätten von geschichtlicher Bedeutung und reichbestückte Museen, und man muß nicht einmal weit fahren: Oft liegen sie direkt vor der eigenen Haustür.

An diesen historischen Schauplätzen kann man Geschichte vor Ort aus erster Hand erleben. Kirchen, Schlösser, Bürgerhäuser sind Zeugen längst vergangener Epochen; sie dokumentieren die Lebensweise, das Denken und Fühlen und nicht zuletzt das künstlerische Schaffen ihrer Erbauer und Bewohner.

Führer zu diesen Kulturdenkmälern Deutschlands gibt es schon zur Genüge und Geschichtsbücher erst recht. „Streifzüge durch das historische Deutschland" aber ist mehr als ein kunsthistorisches Nachschlagewerk und mehr als ein reines Geschichtsbuch: Erstmals werden hier die historischen Zeugnisse Deutschlands im Rahmen ihrer jeweiligen Epoche vorgestellt und erklärt und in ihrem geschichtlichen Zusammenhang anschaulich vor Augen geführt.

Siebzehn Kapitel stellen die großen Epochen der deutschen Geschichte und die bedeutenden Stilrichtungen der deutschen Baukunst vor – von der Vorgeschichte bis zur Gründerzeit. Jedes Kapitel folgt dem gleichen Aufbau: Ein **Historischer Überblick** bildet den Einstieg; er liefert zusammen mit einer historischen Karte den geschichtlichen Rahmen und faßt die wichtigsten Ereignisse zusammen. Die nun folgenden **Touren** führen zu den für den jeweiligen Zeitabschnitt bedeutenden historischen Stätten in der Bundesrepublik Deutschland. Kleine Übersichtskärtchen im Inhaltsverzeichnis zeigen auf einen Blick, in welche Gebiete die einzelnen Touren führen. Wichtige Kulturdenkmäler abseits der vorgeschlagenen Routen – auch in der DDR und im angrenzenden Ausland – finden sich auf den Seiten **Streifzüge anderswo.** Das **Zeitbild** versetzt den Leser mitten hinein in den Alltag der jeweiligen Epoche. Eine spannende Erzählung mit einer eindrucksvollen Rekonstruktionszeichnung läßt ein ganz unmittelbares Bild vom Leben vergangener Tage entstehen. Den Abschluß eines jeden Kapitels schließlich bilden die **Zeitzeugen:** Hier kommt die Epoche in zeitgenössischen Texten selbst zu Wort. So vermittelt jedes einzelne Kapitel einen umfassenden Gesamteindruck, ein geschlossenes Panorama der jeweiligen Zeit.

Am Ende des Buches stellt eine übersichtliche **Zeittafel** die herausragenden Ereignisse der deutschen Geschichte in einen umfassenden weltgeschichtlichen Zusammenhang. Ein **Kleines ABC der Baukunst** schließlich faßt in knapper Form die Merkmale der großen Stilepochen zusammen.

Die chronologische bzw. thematische Gliederung bringt es mit sich, daß einige Städte oder Ortschaften mehrmals im Buch auftauchen; München etwa findet man u. a. in der Vorzeit, im Barock und in der Kaiserzeit. Dem ausführlichen **Register** kann man entnehmen, in welchem Kapitel bzw. Zusammenhang die einzelnen Orte auf den jeweiligen Seiten behandelt werden.

Natürlich sind die 101 Touren dieses Buches lediglich Vorschläge, Anregungen; jeder Leser kann sich nach Belieben andere, eigene Reiserouten zusammenstellen. Und wer zum Beispiel in Köln die zahlreichen Kirchen der Romanik besucht, braucht selbstverständlich vor der römischen Stadtmauer oder dem gotischen Dom nicht die Augen zu verschließen. Auch hier bietet das Register eine nützliche Hilfe, einen individuellen Stadtrundgang zu planen, der nicht nur den Spuren der Romanik folgt, sondern zu Sehenswürdigkeiten aus den verschiedensten Epochen führt.

Die erlebnisreichen Streifzüge durch unser geschichtsträchtiges Land sollen bleibende Eindrücke vermitteln, Kenntnisse auffrischen und – vor allem anderen – Vergnügen bereiten. Wenn wir dabei ab und zu feststellen, daß uns die Beschäftigung mit der Vergangenheit die eigene Gegenwart ein wenig näherbringt, dann hat das Buch gewiß seinen Sinn erfüllt.

Die Herausgeber

Inhalt

Die Vorzeit
Seite 12

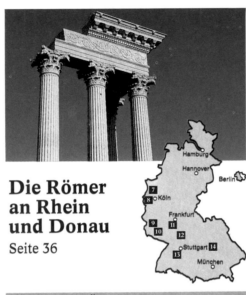

Die Römer an Rhein und Donau
Seite 36

Das Reich der Franken
Seite 70

Die Romanik
Seite 92

Die mittel-
alterlichen
Klöster
Seite 124

Die Gotik
Seite 152

Inhalt

Universitäten im Umbruch
Seite 270

Reformation und Bauernkrieg
Seite 288

Die Renaissance
Seite 308

Inhalt

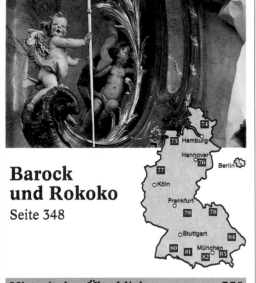

Die Industrialisierung
Seite 442

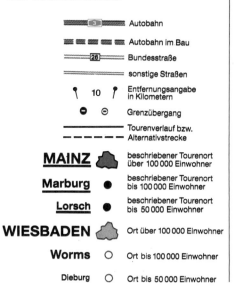

Der Weg ins Kaiserreich
Seite 466

Anhang

Hinweise für den Leser

101 Touren und zahlreiche Besichtigungsvorschläge führen zu den bedeutendsten historischen Sehenswürdigkeiten Deutschlands. Bedingt durch den thematisch-chronologischen Aufbau dieses Buchs, werden manche Orte in mehreren Touren erwähnt; eine genaue Übersicht bietet das Register ab Seite 501.

Auf jeder Tourendoppelseite finden Sie oben links das Tourengebiet und oben rechts die jeweilige Epoche. Eine präzise Karte zeigt den Routenverlauf: Die Reisestrecke ist rot gekennzeichnet, die angefahrenen Orte sind durch Unterstreichung hervorgehoben. Kilometerangaben sowie die Bezeichnung von Bundesstraßen und Autobahnen ermöglichen eine Planung der Reise bereits zu Hause. Die Ortseinträge im Text folgen dem Tourenverlauf. In alphabetischer Reihenfolge erscheinen die Ortstexte auf den Seiten „Streifzüge anderswo". Hier sind historische Stätten der jeweiligen Epoche beschrieben, die nicht Bestandteil einer Tour sind.

Der Informationsteil i am Ende eines Ortseintrags enthält praktische Hinweise zu den beschriebenen Objekten: z. B. Öffnungs- oder Führungszeiten für Innenbesichtigungen, wichtige Adressen, Telefonnummern für weitere Auskünfte. Die Daten sind auf dem Stand vom September 1988. Bei Objekten, die in erster Linie wegen ihres Äußeren interessieren, und bei Gebäuden, die jederzeit tagsüber zugänglich sind, wurde auf die Angabe einer Öffnungszeit verzichtet.

Zeichenerklärung der Tourenkarten:

3	Autobahn
	Autobahn im Bau
26	Bundesstraße
	sonstige Straßen
10	Entfernungsangabe in Kilometern
	Grenzübergang
	Tourenverlauf bzw. Alternativstrecke
MAINZ	beschriebener Tourenort über 100 000 Einwohner
Marburg ●	beschriebener Tourenort bis 100 000 Einwohner
Lorsch ●	beschriebener Tourenort bis 50 000 Einwohner
WIESBADEN	Ort über 100 000 Einwohner
Worms ○	Ort bis 100 000 Einwohner
Dieburg ○	Ort bis 50 000 Einwohner

Vom Neandertaler zu den Kelten

Die Menschen der Steinzeit waren Jäger und Nomaden. Ihr größter Feind war die Natur. Die harten Lebensbedingungen der Eiszeit prägten ihr Dasein, und die Angst vor wilden Tieren beherrschte den Alltag. Sie wohnten in Höhlen und siedelten bevorzugt am Wasser, wie die rekonstruierten Pfahlbauten in Unteruhldingen am Bodensee (Foto) veranschaulichen.

Während der Eisenzeit breiteten sich dann die Kelten in Mitteleuropa aus. Sie bauten Städte, trieben Handel und schufen beachtliche Kunstwerke. Die reichen Fürstengräber in Süddeutschland legen ein eindrucksvolles Zeugnis davon ab.

Von der steinzeitlichen Höhle zum keltischen Fürstensitz

Vor gut 500 000 Jahren fingen die Menschen der Vorzeit in Europa an, sich aus Quarzit oder Feuerstein Faustkeile herzustellen. Sie benutzten sie nicht nur als Waffen, sondern verwendeten sie auch zum Feuermachen und als Werkzeuge im täglichen Leben. Im europäischen Raum war diese altsteinzeitliche Phase der menschlichen Kultur ungefähr identisch mit der erd- und klimageschichtlichen Periode der Eiszeit, in der weite Gebiete Nord- und Mitteleuropas aus vegetationsarmen Tundren bestanden.

Der Mensch der Altsteinzeit war ein Wildbeuter und Sammler, der sich ausschließlich von der Jagd und von Pflanzen ernährte. Seine Lebensweise hing sehr stark von den besonderen klimatischen und geographischen Bedingungen ab. In dieser Hinsicht unterschied sich der Heidelbergmensch (etwa 500 000 v. Chr.) kaum vom Steinheimmenschen (etwa 250 000 v. Chr.) und dem Neandertaler, der bis vor etwa 35 000 Jahren in Mitteleuropa lebte; selbst der Menschentyp von Oberkassel (15 000–11 000 v. Chr.) gehörte noch zu den eiszeitlichen Jägern und Sammlern.

Erst in der Mittelsteinzeit (etwa 10 000–4 000 v. Chr.) begannen die Menschen seßhaft zu werden, den Boden durch Ackerbau zu kultivieren und Tiere zu züchten. Naturlandschaften wurden so allmählich in Kulturlandschaften umgewandelt. Man fertigte Gefäße aus Keramik und begann miteinander Handel zu treiben. Fellbespannte Einbäume und Holzkarren waren ab dem 3. Jahrtausend v. Chr. die wichtigsten Transportmittel. In dieser Zeit entstanden auch die ersten Megalithbauten in Norddeutschland. Die Errichtung von Großsteingräbern aus gewaltigen, zum Teil bearbeiteten Findlingen war Ausdruck eines ausgeprägten Toten- und Ahnenkults.

Die Bronzezeit (etwa 1700–800 v. Chr.) wurde im wesentlichen von der Urnenfelderkultur geprägt, für die die Leichenverbrennung und die Beisetzung der Urnen in Flachgräbern charakteristisch waren. Diese Bestattungsform hielt sich östlich der Elbe bis ins 3. Jh. v. Chr.

Der Bronze- folgte die Eisenzeit (800 v. Chr. bis zur Zeitenwende), in der sich in Europa das Eisen als Werkstoff für Geräte und Waffen durchsetzte. Nach den wichtigsten Fundorten und Bearbeitungszentren unterscheidet man zwischen der Hallstatt- und der La-Tène-Zeit. Als Träger der La-Tène-Kultur vermutet man die Kelten, die vornehmlich im süddeutschen Raum siedelten. Ihre Zivilisation war aufgrund der engen Handelskontakte mit der etruskischen und der griechischen Welt bereits ausgeprägt entwickelt. Die Gesellschaft war durch eine strenge Hierarchie gegliedert. An der Spitze stand der Adel, der die Macht über das Volk ausübte. Beredtes Zeugnis von diesen Herrschaftsverhältnissen, aber auch von den handwerklichen Fähigkeiten der Kelten legen die reich ausgestatteten Fürstengräber ab, die man in Südwestdeutschland fand (Hochdorf, Hohmichele, Reinheim). Auch in Böhmen entdeckte man bei dem Ort Bylan zahlreiche Gräber mit wertvollen Waffen und Kultgegenständen sowie einige spätkeltische Oppida.

Ein Oppidum war eine große stadtähnliche Siedlung mit einem Befestigungsgürtel, in der mehrere tausend Menschen wohnen konnten. Als politische, wirtschaftliche und strategische Zentren bildeten die Oppida, eine bis dahin nördlich der Alpen unbekannte Siedlungsform, das Rückgrat der keltischen Herrschaft. Die germanischen Stämme, die allmählich von Norden her nach Deutschland vordrangen, bedrohten jedoch bald auch den keltischen Kulturraum, und die römische Expansion im 1. Jh. v. Chr. nach Gallien und Germanien bedeutete schließlich den Untergang der keltischen Zivilisation in Mitteleuropa.

Keltische Kunst
Bronzebeschläge wie diese 8 cm hohe Gesichtsmaske fanden sich als Beigaben in zahlreichen Fürstengräbern.

Mitteleuropa im 1. Jahrtausend v.Chr.

- Keltischer Kulturkreis
- Frühgermanischer Kulturkreis
- Späte Urnenfelderkultur
- Alteuropäische Kulturen (Niederrhein)
- Überschneidung von Kulturkreisen

- ⋈ Keltische Stadtbefestigung (Oppidum)
- ○ Offene keltische Siedlung
- ▲ Keltisches Fürstengrab
- ⬗ Bedeutender altsteinzeitlicher Fundort mit ungefährer Datierung
- ⬭ Gebiet mit Megalithbauten (3./2. Jahrtausend v.Chr.)
- **Elbgermanen** Germanische Großgruppe (um 100 v.Chr.)

Die Riesenbetten des hohen Nordens

Der äußerste Norden Deutschlands bot mit seinen Küsten, Flüssen und Seen ideale Siedlungsplätze für die Menschen der Vorzeit. Wichtigstes und auch heute noch beeindruckendes Zeugnis der Existenz dieser Völker sind Grabanlagen, von denen einige ihrer erstaunlichen Ausmaße wegen als Riesen- oder Hünenbetten bezeichnet werden. Die aus oftmals gewaltigen Findlingsbrocken errichteten Gebilde heben sich deutlich aus der flachen Landschaft ab.

Schleswig Die archäologische Schatzkammer des Landes Schleswig-Holstein ist das Museum im Schloß Gottorf, in dem man sich bestens auf die Rundtour einstimmen kann. Eine besondere Attraktion sind die im Moor konservierten Funde aus der Eisenzeit, Objekte also, die bis zu 3000 Jahre alt sind. Aus dem Aukamper Moor bei Braak stammen beispielsweise zwei überlebensgroße Holzfiguren. Das (heute) armlose Paar stellt vermutlich Fruchtbarkeitsgottheiten dar.

Das Museum beherbergt auch Funde späterer Jahrhunderte. Vom Moor vollkommen mumifiziert sind die Leichen von Menschen, die wegen Verbrechen wie beispielsweise Landesverrat, Störung des Thingfriedens oder Ehebruch hingerichtet und dann, von Pfählen umstellt und mit Reisig bedeckt, wahrscheinlich aus religiösen Gründen im Moor versenkt worden waren. Die Funde von Nydam und Thorsberg führen bis in die Zeit um 500 n. Chr. Stolzestes Ausstellungsstück dieser Zeit ist ein 23 m langes, seetüchtiges Ruderboot aus Eichenholz.

ℹ Archäologisches Landesmuseum der Christian-Albrechts-Universität, Schloß Gottorf: Di–So 9–17 Uhr, Mo nur Nydamhalle (April–Oktober), sonst Di–So 9.30–16 Uhr.

Missunde Unmittelbar neben dem Ortseingang auf einem Hügel hinter einem Ehrendenkmal liegt das freigelegte Hünengrab von Missunde. Das etwa 4000 Jahre alte zugängliche Sippengrab ist aus Findlingssteinen erbaut, die mit Hebeln und Zugseilen an die gewünschte Stelle gerückt und dann aufgerichtet worden sind. Die Menschen jener Zeit, die schon Wildgetreide anbauten und

Heide Im Museum für Dithmarscher Vorgeschichte kann man die Rekonstruktion eines Marschenbauernhauses aus der Eisenzeit (oben) besichtigen.

Rothenstein In der Feldmark Altenhof steht dieser kleine, von einem Holunderbusch bewachsene Dolmen (oben links).

Das Mädchen von Windeby Die Leiche dieses etwa 14 Jahre alten Mädchens (links) wird im Archäologischen Landesmuseum in Schleswig ausgestellt.

Schafe und Schweine als Haustiere hielten, glaubten an ein Fortleben nach dem Tod und versorgten deshalb die Verstorbenen bei der Bestattung mit reichen Grabbeigaben.

Hemmelmark Auf dem Gutsgelände von Hemmelmark, rund 3 km nördlich des Ortes bei der Abzweigung nach Karlsminde, liegt das sogenannte Hünenbett, eine rund 3000 Jahre alte jungsteinzeitliche Grabanlage. Solche Anlagen sind eine Besonderheit früher nordischer Kulturen. Man nennt sie Riesen- oder Hünenbett, weil hier mehrere, in einer Reihe angelegte Steingräber von einem bis zu 100 m langen Rechteck aus Findlingsblöcken umgrenzt sind, so daß der Eindruck eines riesigen Bettes entsteht.

Rothenstein Bei Rothenstein, einem kleinen Weiler rechter Hand an der B 76 zwischen Eckernförde und Gettorf, wurde ein kleines Steingrab freigelegt, ein sogenannter Dolmen, was soviel wie Steintisch bedeutet. Man fährt auf der Straße nach Rothenstein bis zur Weggabelung und dort an einem Bungalow rechts in einen Feldweg, der nach 100 m zu dem links im Feld liegenden Grab führt. Die schmale, ebenerdige Steinkammer aus der Jungsteinzeit war vermutlich als Grablege für nur eine oder zwei Personen gedacht.

Birkenmoor Rechts und links der Straße von Gettorf nach Sprenge befinden sich viele Steingräber. Bei den meisten handelt es sich um gut erhaltene, von Baumgruppen bewachsene Hünenbetten aus der Jungsteinzeit, die leicht in der freien Flur zu finden sind. Bei den Ausgrabungen fand man reich verzierte Tongefäße und Steingeräte, die man im Schloß Gottorf in Schleswig besichtigen kann.

Hanerau-Hademarschen Nordwestlich von Hademarschen erhebt sich bei einem Sportplatz eine Anhöhe, die ein Steinkammergrab mit einem kurzen Gang birgt. Die Ausgrabungen brachten sogenannte Einzelgrabbecher, typische Gefäße der nordwestdeutschen und jütländischen Jungsteinzeit, zutage. Auch später wurde der Ort wieder als Grabstätte genutzt. Über der Steinkammer fand man aus der Bronzezeit (1600–800 v. Chr.) ein reich ausgestattetes Baumsarggrab, einen etwa 2–3 m langen ausgehöhlten Baumstamm, in dem der Tote bestattet wurde. Die Grabbeigaben dieser Menschen – Bronzeschwert, Streitaxt und Armreifen – sind heute im Archäologischen Landesmuseum von Schleswig zu besichtigen.

Bunsoh Rund 3 km hinter Albersdorf an der Straße nach Wrohm führt ein Fußweg etwa 100 m von

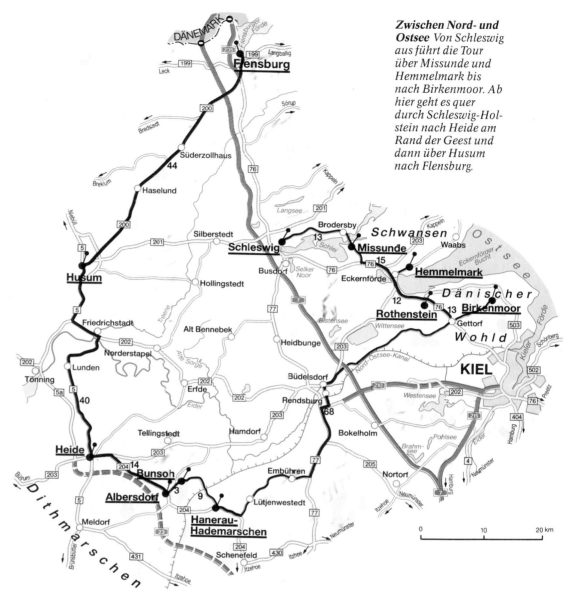

Zwischen Nord- und Ostsee *Von Schleswig aus führt die Tour über Missunde und Hemmelmark bis nach Birkenmoor. Ab hier geht es quer durch Schleswig-Holstein nach Heide am Rand der Geest und dann über Husum nach Flensburg.*

der Straße in östlicher Richtung zu einem baumbewachsenen Hügel, unter dem sich ein Steingrab befindet. Die rechteckige Steinkammer ist 4 m lang. Von den drei Decksteinen trägt einer einen besonderen Schmuck: Er ist mit runden Ausbohrungen übersät, die kleinen Schalen gleichen. Solche in Stein gemeißelte Vertiefungen findet man auch auf südschwedischen Felsbildern, wo sie zusammen mit religiösen Symbolen erscheinen. Man nimmt deshalb an, daß die Schalensteine für die Menschen der Bronzezeit von kultischer Bedeutung waren. Der Schalenstein von Bunsoh ist der größte dieser Art in Europa.

Albersdorf Das Gieselautal und die Gegend um Albersdorf sind reich an vorgeschichtlichen Grabstätten. In dem Waldstück südlich von Albersdorf liegt an der B 204 ein Parkplatz, von dem aus Rundwanderwege zu verschiedenen Riesenbetten führen.

Jenseits der Giesel an der Straße nach Meldorf liegt eine Reihe von Hünengräbern der jüngeren Bronzezeit (um 800 v. Chr.), aus denen Urnen und Grabbeigaben geborgen wurden, die man im Schloß Gottorf in Schleswig besichtigen kann.

Auf dem Brutkamp in Albersdorf findet sich ein Großsteingrab, das einen Deckstein von beachtlichen 10 m Länge hat, den berühmten Brutkampstein.

Heide Im Museum für Dithmarscher Vorgeschichte sind u.a. elf kleine Feuersteine ausgestellt, die auf die Existenz eines „Dithmarscher Neandertalers" hinweisen, der vor 60 000 Jahren gelebt haben dürfte. Ein rekonstruiertes 2000 Jahre altes Bauernhaus gibt Einblick in den Lebensstil der Eisenzeit.

ℹ Museum für Dithmarscher Vorgeschichte: Di–Fr 9–12, 14–17, So 10–17 Uhr (April–September), sonst Di–Fr 14–17, So 10–12, 14–17 Uhr.

Husum Die Vor- und Frühgeschichte des ehemals dichtbesiedelten Raumes Husum ist in den Ausstellungsstücken des Nissenhauses dokumentiert. Eindrucksvolle Waffen der Stein-, Bronze- und Eisenzeit sind hier neben Grabmodellen mit Urnen und verschiedenen Opfergaben zu besichtigen.

ℹ Nissenhaus, Herzog-Adolf-Straße 25: Mo–Sa 10–12, 14–17, So 10 bis 17 Uhr (April–Oktober), sonst Mo–Fr 10–12, 14–16, So 10–16 Uhr.

Flensburg Das Städtische Museum zeigt Funde aus der Stein- und Bronzezeit, die vor allem aus Urnen und Metallgeräten bestehen. Prunkstück aber ist ein im Nydammoor gefundener Silberschatz aus der Zeit um 450 n. Chr., darunter Beschläge für Schwertscheiden, Schnallen und Zierbleche.

ℹ Städtisches Museum, Lutherplatz 1: Di–Sa 10–13, 15–17, So 10–13 Uhr.

Opfertische und versteinerte Bräute

Gewaltige Bauwerke, von fürchterlichen Riesen errichtet, heidnische Altäre, auf denen vielleicht schauerliche Menschenopfer stattgefunden hatten – so deuteten frühere Generationen die Großsteingräber im Gebiet zwischen Ems und Weser. Heute weiß man es besser: Menschen der Steinzeit haben aus gewaltigen Findlingsbrocken ausschließlich mit Hebel, Zugseil und Körperkraft die riesigen Grabanlagen und kleineren Einzelgräber errichtet.

Osnabrück Das Kulturgeschichtliche Museum dokumentiert die Vor- und Frühgeschichte des Umlands. Neben dem Joch eines Großsteingrabes werden Waffen, Schmuck und Hausrat gezeigt, beispielsweise Bronzefibeln und schnurkeramische Gefäße. Skelette, Urnen und Grabbeigaben zeugen von den verschiedenen Bestattungsarten.
ℹ Kulturgeschichtliches Museum, Heger-Tor-Wall 28: Di–Fr 9–17, Sa 10–13, So 10–17 Uhr.

Westerkappeln Die Sloopsteine, nördlich der Straße von Westerkappeln nach Wersen gelegen, sind Reste eines rund 4000 Jahre alten Großsteingrabes. 22 Trägersteine bildeten die einst von einem Erdhügel überdeckte Grabkammer. Die gewaltigen Decksteine sind heute zum Teil abgerutscht.

Ueffeln Man fährt von der Neuenkirchener Straße zur Abzweigung Am Wiemelsberg. An der ersten Querstraße rechts kann man parken und geht dann zu Fuß auf dem Feldweg bis zum zweiten Waldweg links, an dem eine jungsteinzeitliche Grabkammer liegt. Die Trägersteine sind zwar abgerutscht, doch noch alle vorhanden. 1807 wurde das Grab freigelegt, in dem man Feuersteine, Pfeile, kleine Beile aus Kieselschiefer, Bernstein, Perlen und Gefäße entdeckte. Ein Teil dieser Funde wird im Landesmuseum Hannover aufbewahrt.

Westerholte An der Hauptstraße findet sich ein Hinweis auf den Lehrpfad „Steingräberweg im Giersfeld". An dem 2,5 km langen Rundwanderweg liegen Steingräber aus der Jungsteinzeit und einige unauffälligere Hügelgräber aus der Bron-

Sloopsteine bei Westerkappeln
Wuchtige Felsblöcke (oben) lassen die gewaltigen Ausmaße dieser jahrtausendealten Megalithgrabanlage ahnen.

Oldenburg *Im Museum für Naturkunde und Vorgeschichte befinden sich diese zwei wie Menschen geformten, ungefähr 1,2 m großen hölzernen Kultfiguren (links), die im 2. Jh. v. Chr. entstanden sind.*

Kleinenknetener Steine bei Wildeshausen *Das östliche der beiden Hünengräber (oben) hat man nicht wieder mit einem Erd-* wall aufgeschüttet, so daß die gewaltigen Steinbrocken gut sichtbar sind. Man kann sogar in die Grabkammer hinein- kriechen. Die Findlinge wurden in der Vorzeit mit hölzernen Schlitten mühsam an ihren Zielort gezogen.

zezeit. Im größten der Hügelgräber wurde Holzkohle zusammen mit verbrannten Knochen gefunden; daraus schloß man, daß es sich um einen überdeckten Scheiterhaufen gehandelt haben könnte.

Hekese Vom Parkplatz „Großsteingrab Hekese" aus an der Straße Bippen–Kettenkamp erreicht man ein einzigartiges Steingrab: Es besteht aus zwei Großkammern, die durch einen Steingang, eine gedeckte Galerie, verbunden sind. Solche Anlagen findet man auch in der Bretagne und in Irland. Die Gesamtlänge beträgt fast 100 m. Leider ist der mittlere Teil des Gangs stark beschädigt, doch die gewaltigen Decksteine liegen immer noch so, wie sie vor rund 5000 Jahren hinaufgewuchtet wurden. Der südlichste Deckstein ist oben wannenförmig vertieft und wird daher im Volksmund Opferstein genannt.

Haselünne Im Heimatmuseum wird aufbewahrt, was man in den Megalithgräbern der Umgebung gefunden hat: Steinbeile, Pfeilspitzen, Stichel, Messer, Schaber und Tongefäße.

ℹ Heimatmuseum, Lingener Straße: Besuch n. Vereinb., Tel.: 0 59 61/ 12 02.

Ostenwalde Hier im Nordosten des Emslands liegt der Hümmling, eine wellige Geestlandschaft inmitten weiter Moore. Er war seit der Steinzeit ein bevorzugtes Siedlungsgebiet, wovon die vielen Großsteingräber zeugen. In Ostenwalde hat man ein Ganggrab wieder aufgebaut, das wohl vor mehr als 4000 Jahren erstmals angelegt und in den folgenden Jahrhunderten für immer neue Bestattungen verwendet wurde.

Von Ostenwalde sind es rund 5 km nach Sögel, der Stadt am Südrand des Hümmlings. Hier liegen die steinzeitlichen Grabkammern so dicht wie sonst kaum irgendwo in Deutschland.

Werlte Das wie die meisten Gräber westöstlich ausgerichtete Steingrab ist seiner 27 m langen Kammer wegen berühmt. Die 14 paarweise angeordneten Trägersteine waren einst mit Decksteinen versehen, mit einem Erdhügel überwölbt und von einem Steinkranz umgeben, von dem noch Reste erhalten sind.

Oldenburg Fundstücke aus der Wildeshauser Geest – Tiefstichkeramik, Prachtdolche, Schmuck – sowie Funde aus den oldenburgischen Mooren, darunter Moorleichen, Holzgerät und Textilien, gehören zu den interessanten Exponaten des hiesigen Museums.

ℹ Museum für Naturkunde und Vorgeschichte, Damm 40–44: Di–Fr 9–17, Sa, So 10–17 Uhr.

Von Osnabrück zum Dümmer Die Tour durch Niedersachsen überquert den Mittellandkanal und die Hase, bevor sie über ausgedehnte Moorgebiete Oldenburg erreicht. Von dort geht es wieder zurück in südlicher Richtung zum Endpunkt der Reise, Lembruch am Ufer des Dümmers.

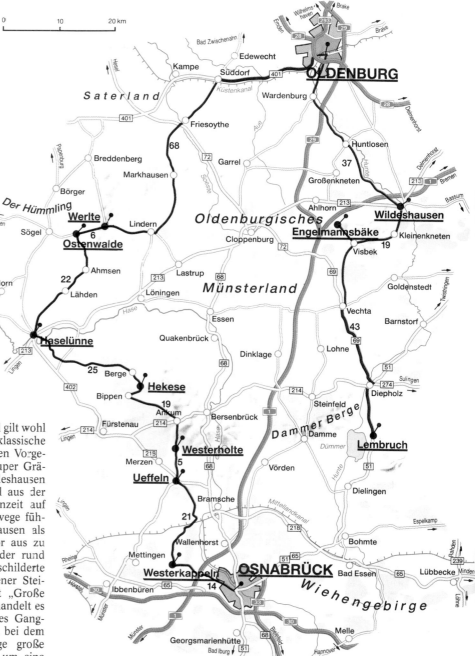

Wildeshausen Die Gegend gilt wohl nicht zu Unrecht als die klassische Quadratmeile der deutschen Vorgeschichte. Allein das Pestruper Gräberfeld südlich von Wildeshausen weist etwa 500 Grabhügel aus der Bronze- und frühen Eisenzeit auf (9.–2. Jh. v. Chr.). Wanderwege führen sowohl von Wildeshausen als auch vom Pestruper Moor aus zu den Anlagen. Vor allem der rund 2,5 km lange, gut ausgeschilderte Weg zu den Kleinenkneter Steinen im Naturschutzgebiet „Große Steine" lohnt sich. Dabei handelt es sich um ein rekonstruiertes Ganggrab aus der Jungsteinzeit, bei dem 85 Findlinge eine einzige große Grabkammer bilden, und um eine weitere Grabanlage mit drei Kammern.

Engelmannsbäke An der Straße zwischen Ahlhorn und Visbek liegt ein Ausflugslokal, von dem aus man Wanderungen zu den imposantesten Hünengräbern Deutschlands unternehmen kann. Nur wenige Meter lang, aber äußerst eindrucksvoll ist der nahe gelegene Heidenopfertisch. Er erhielt seinen Namen von dem riesigen Deckstein, der wirklich den Eindruck eines Altars oder Opfertisches entstehen läßt. In ungefähr 300 m Entfernung liegt das mächtigste Hünengrab, der Visbeker Bräutigam. Die westöstlich ausgerichtete Anlage ist 105 m lang und fast 10 m breit, ein von vielen Steinzeitgenera-

tionen genutztes Sippengrab. Nahebei befindet sich der sogenannte Brautwagen, eine vollständig erhaltene kleinere Grabanlage. Rund eine Dreiviertelstunde dauert die Wanderung zum vierten Hünenbett, der Visbeker Braut. Das 80 m lange und 7 m breite Grab wird von 84 Findlingen gebildet. Die romantischen Bezeichnungen der Hünengräber stammen aus dem örtlichen Legendenschatz. Eine junge Frau war einem Mann aus Visbek zur Ehe versprochen. Da sie ihn aber nicht liebte, wollte sie am Tag der Hochzeit in Stein verwandelt werden – und so geschah's, genauso auch mit dem Bräutigam und dem Brautwagen.

Lembruch In den Uferregionen des Dümmers entdeckte man mittel- und jungsteinzeitliche Siedlungsplätze. Das Dümmer-Museum gibt anhand eines rekonstruierten Steinzeitdorfes und von Funden aus den freigelegten Siedlungen Einblick in die Lebensweise der Steinzeitmenschen. Zu den Fundstücken gehören u. a. Beile, Äxte und Schaber; unverzierte Keramikgefäße werden auf ein Alter von 5500 Jahren geschätzt. Tiefstichverzierte Gefäße und Schnurkeramik ergänzen die Palette der ausgestellten Gegenstände.

ℹ Dümmer-Museum, Seestraße: Di–So 10–18 Uhr (Mitte März–Mitte Oktober).

Von der Höhle zum festen Haus

Natürliche Höhlen waren die ersten Unterkünfte der Urmenschen. Selbstgebaute Behausungen stellten dann einen großen Schritt vorwärts in der Menschheitsgeschichte dar: Jäger oder nomadisierende Stämme erfanden Zelte, die sie nach Bedarf auf- und abbauen konnten. Seßhafte Kulturen errichteten feststehende Häuser, hauptsächlich aus Holz, die dem Leben Beständigkeit gaben. Im uralten Siedlungsraum Westfalen findet man Spuren aller drei Wohnformen.

Oerlinghausen Cherusker oder Sachsen waren frühe Bewohner im Bereich des heutigen Oerlinghausen. Scherben, die man hier gefunden hat, belegen eine Besiedlung des Ortes zwischen 600 und 800 n. Chr. Die Spuren der Vergangenheit reichen hier allerdings noch wesentlich weiter zurück; ein in seiner Art einzigartiges Freilichtmuseum an der Ausgrabungsstelle des im Umkreis ältesten Siedlungsplatzes läßt anschaulich 11 000 Jahre Siedlungsgeschichte nachvollziehen. Besichtigen kann man vor allem Rekonstruktionen früher Behausungen, so das Sommerzelt altsteinzeitlicher Rentierjäger und das trapezförmige Langhaus jungsteinzeitlicher Bauern, wie es um ungefähr 3900 v. Chr. errichtet worden war. Anhand tief in den Boden reichender Bauspuren und Verfärbungen des Erdreichs konnte man Einblicke in die Ausmaße und die Pfostenbauweise gewinnen. Der Eingang der geräumigen Häuser, die im Innern wohl nicht unterteilt waren, lag an der südöstlichen Schmalseite.

🛈 Archäologisches Freilichtmuseum: Di–So 9–18 Uhr (April–Oktober), ab November nur n. Vereinb., Führung ebenfalls nur n. Vereinb., Tel. 0 52 02/22 20.

Externsteine Kurz vor Horn-Bad Meinberg liegt in einer Mulde des Teutoburger Waldes diese bizarre Felsengruppe. Die Bedeutung der vier gewaltigen, durch Verwitterung entstandenen Steinbrocken, zwischen denen früher die Straße nach Paderborn verlief, ist den Forschern nach wie vor unklar. Viele Experten halten sie für eine ehem. heidnische Kultstätte der alten Germanen. Dafür spricht der Umstand,

Rentierjägerzelt in Oerlinghausen *Die Jäger der jüngeren Altsteinzeit benutzten im Sommer solche leicht auf- und abbaubaren, mit Fellen gedeckten Zelte (links), wie sie heute noch bei den Eskimo und Lappen in Gebrauch sind.*

Mammut in Münster *Dieses vollständig erhaltene Skelett eines Mammuts (oben), das heute im Geologisch-Paläontologischen Museum steht, wurde in Ahlen in Westfalen gefunden. Beim Anblick seiner eindrucksvollen Größe* kann man sich die Gefühle der eiszeitlichen Menschen bei der Jagd auf einen solchen Koloß vorstellen.

Externsteine *Der östlichste dieser gewaltigen Felsen (rechts) trägt den Wackelstein, der den Eindruck erweckt, er könnte jeden Moment herunterfallen. Angeblich hat ihn der Teufel dorthin geworfen.*

daß sie an einem einst bedeutenden Verkehrsweg liegen, was durch die Erforschung vorgeschichtlicher Hügelgräber und die Funde von Steinzeitbeilen und römischen Münzen entlang der Strecke belegt ist. Außerdem wurden die Steine, deren westlichster mit einem mittelalterlichen Relief der Kreuzabnahme versehen ist, als christliche Wallfahrtsstätte benutzt, eine Tatsache, die ebenfalls häufig auf die Verehrung eines Ortes durch frühere Religionen hindeutet. Doch vielleicht wird man das Geheimnis dieser vor Jahrmillionen abgelagerten und verwitterten Sandsteinfelsen nie ergründen.

Warstein Im vorigen Jahrhundert wurden bei Wegearbeiten in dem steil aufragenden Bilsteinfelsen insgesamt vier Höhlen entdeckt, von denen drei als Kulturhöhlen mit eiszeitlicher Besiedlung gelten. Man fand hier mehrere tausend Jahre alte Knochen von Höhlenbär, Nashorn und Rentier und sogar Schädelfragmente menschlicher Wesen, die aber verlorengegangen sind. Die ab der Ortsmitte ausgeschilderte Bilsteinhöhle hat man heute durch einen künstlich geschaffenen Zugang begehbar gemacht.

🛈 Bilsteinhöhle: täglich 9–17 Uhr (April–November), sonst Mo–Sa 10–12, 14–16, So und feiertags 9–16 Uhr.

Balve Vor Jahrmillionen formten natürliche Kräfte am Rand der westfälischen Kreidemulde die Balver Höhle, eine der größten Kulturhöhlen Mitteleuropas. Als man vor 140 Jahren mit ihrer systematischen

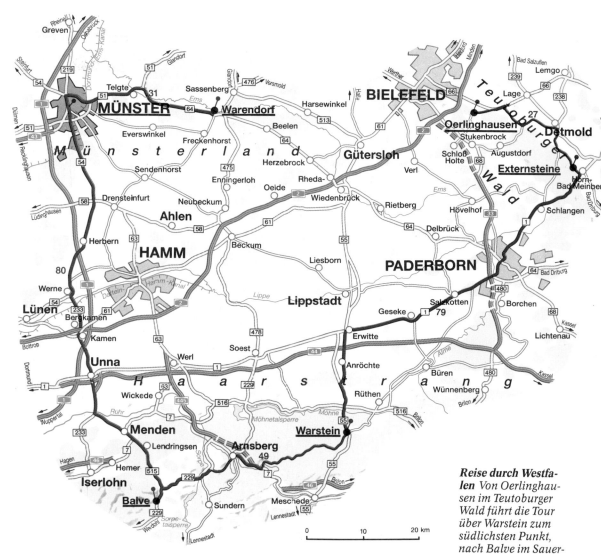

Reise durch Westfalen Von Oerlinghausen im Teutoburger Wald führt die Tour über Warstein zum südlichsten Punkt, nach Balve im Sauerland. Anschließend geht es zu den beiden nördlicher gelegenen Städten Münster und Warendorf.

Erforschung anfing, war der Innenraum 10 m hoch mit Geröll, Fossilien und primitiven Werkzeugen bedeckt. Diese Funde lassen den Schluß zu, daß hier im Hönnetal die Besiedlung vor rund 80 000 Jahren begann. Man fand Faustkeile, Schlagsteine, Schaber und Klingenkratzer aus Kieselschiefer, Feuerstein und Knochen, die den Erfindungsgeist der Neandertaler bezeugen. Spätere Siedler wie die Rentierjäger fertigten schon verfeinerte Waffen und Geräte wie Speer und Wurfholz, Steinaxt, Pfeil und Bogen sowie Pfriemen aus Knochen. Viele Fundstücke aus der Balver Höhle befinden sich in mehreren prähistorischen Sammlungen der Umgebung, doch auch das örtliche Heimatmuseum gibt einen Überblick über die Vorgeschichte der Region. Heute wird die Höhle regelmäßig als Fest- und Konzerthalle genutzt.

🛈 Balver Höhle: Di, Mi, Do, Fr 10–16, So 11–16 Uhr (April–Oktober).
Heimatmuseum, Kirchplatz: Di, Mi, Fr 15–18 Uhr.

Münster Prä- und frühhistorische Glanzpunkte bieten gleich zwei Museen in Münster. Im Westfälischen Museum für Archäologie befinden sich in drei Etagen reiche Funde von der Altsteinzeit bis zu den Sachsenkriegen im 8. Jh. n. Chr., so z. B. viele Stücke, die in den Sauerländer Höhlen entdeckt wurden, oder reichverzierte steinzeitliche Keramik.

Im Geologisch-Paläontologischen Museum geben wertvolle Exponate einen Einblick in die Umwelt unserer frühesten Vorfahren. Beispielsweise veranschaulichen die Knochenfunde von Höhlenbär, Mammut, Fellnashorn und Auerochse die damalige Fauna und Nahrungsgrundlage der prähistorischen Jäger. Beim Anblick dieser gewaltigen Skelette ahnt man, unter welchen Gefahren und mit wie großer Mühe sich die frühen Menschen, die sich mit ihren primitiven Waffen nahe an die Tiere heranwagen mußten, ihren Lebensunterhalt erkämpften.

🛈 Westfälisches Museum für Archäologie, Rothenburg 30: Di–So 10–18 Uhr.
Geologisch-Paläontologisches Museum, Pferdegasse 3: Mo–Fr 9 bis 12.30, 13–17, So 10.30–12.30 Uhr.

Warendorf Bereits in vorgeschichtlicher Zeit siedelten Jäger und Sammler an einer Furt durch die Ems, nahe der heutigen Stadt. Ihre Nachfahren, die Sachsen, legten im 7. Jh. dort ein Dorf an. Funde aus dieser altwestfälischen Siedlung, Scheren, Messer u. ä., sind im Heimathaus zu sehen. Ein Modell der Ansiedlung vermittelt einen lebendigen Eindruck von der damaligen Lebensweise.

🛈 Heimathaus (Rathaus), Markt 1: Di–Fr 10–17, Sa, So 10.30–12.30, So auch 15–17 Uhr (Führungen nur n. Vereinb.), Tel. 0 25 81/5 42 22.

Grabschätze und Zyklopenwälle

Angeblich hatten die Kelten zwei Leidenschaften: in Saus und Braus leben und Krieg führen. Die Archäologie scheint dies bestätigen zu können. In keltischen Fürstengräbern fanden sich unschätzbare Reichtümer in Form von Schmuck, kostbaren Gebrauchsgegenständen und verzierten Waffen. Die Überreste riesiger Ringwallanlagen in Hunsrück und Eifel belegen die Kriegslust, denn wer angreift, muß sich auch verteidigen können – und diese Anlagen boten größtmöglichen Schutz.

Saarbrücken In Reinheim, südöstlich von Saarbrücken, wird seit Jahren Kies und Sand abgebaut. 1954 stieß man dabei auf ein keltisches Grab aus der Zeit um 400 v. Chr. In der 3,5 × 2,7 m großen, mit Eichenholz ausgekleideten Grabkammer fand man einen wertvollen Grabschatz: goldene Arm- und Halsreifen, Fibeln aus Gold und Bronze mit Korallenverzierungen, goldene Fingerringe, Armreifen aus Glas und Schiefer, einen bronzenen Handspiegel mit Koralleneinlagen, ein kostbares Service aus vergoldeter Bronze, Bernsteinperlen sowie Schmuck aus Jaspis, Quarzit und Hornstein. Von dem Skelett war nichts mehr erhalten, doch aufgrund der Funde konnte man annehmen, daß es sich um das Grab einer Fürstin handelte. Das Grabinventar wird neben anderen Zeugnissen kel-

tischer und galloromanischer Kultur im Landesmuseum aufbewahrt.
ⓘ Landesmuseum für Vor- und Frühgeschichte, Am Ludwigsplatz 16–17: Di–Fr 9–16, So 10–17 Uhr.
Birkenfeld In der Umgebung des Ortes liegen mehrere keltische Gräberfelder aus der Zeit zwischen 600 und 220 v. Chr. Vorherrschende Bestattungsform dieser Zeit war die Körperbestattung in Erdgruben und in Bretter- oder Baumsärgen unter einem Erdhügel von 10–20 m Durchmesser und etwa 1 m Höhe. Im Birkenfelder Heimatkundemuseum sind Gräberfunde der Gegend ausgestellt. Aus den Fürstengräbern von Hoppstädten-Hasselt und Siesbach-Ameis sind Originalstücke und Repliken vertreten.
ⓘ Museum für Heimatkunde, Jahnplatz: So 10–12 Uhr (April–Oktober), sonst n. Vereinb., Tel. 0 67 82/57 72.

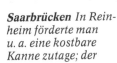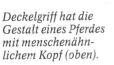

Saarbrücken *In Reinheim förderte man u. a. eine kostbare Kanne zutage; der* *Deckelgriff hat die Gestalt eines Pferdes mit menschenähnlichem Kopf (oben).*

Hunnenring bei Otzenhausen *Mehr als 200 000 m³ Steine mußten zum Bau des Ringwalls aus den urgeschichtlichen Blockmeeren der Umgebung herangeschleppt werden – kein Wunder, denn er umschließt ein dreieckiges Areal von 185 000 m² (oben).*

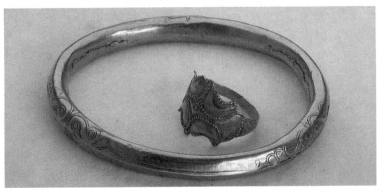

Goldschmuck in Trier *Wertvolle Fundstücke aus den Fürstengräbern von Schwarzenbach und anderen Orten im Hunsrück sind im Rheinischen Landesmuseum zu sehen. In einem Adelsgrab bei Weiskirchen fand man diesen Armreif und den Ring aus Gold (links).*

Gerüstet für eine weite Reise

Der Tod war für die Menschen der Vorzeit kein endgültiger Abschluß, sondern eine weite Reise ins Jenseits, für die man entsprechend gerüstet sein mußte. Art und Menge der Grabbeigaben sowie die Ausstattung des Grabes richteten sich nach dem sozialen Status des Toten. In einfachen Gräbern fanden sich immer eine Schüssel und ein bauchiger Tontopf; je mehr Macht und Ansehen der Tote genossen hatte, desto aufwendiger und reicher waren die Beigaben.

Von den Kelten ist im deutschsprachigen Raum u. a. eine Reihe von Prunk- oder Fürstengräbern erhalten. Den Archäologen gelang es, die Bauweise zu rekonstruieren. Zuerst wurde eine Grube ausgehoben und der Aushub kreisförmig um die Grube herum aufgeschichtet. In die Vertiefung stellte man einen quadratischen Blockbau aus Eichenbohlen, der seinerseits die eigentliche Grabkammer aufnahm. Der Zwischenraum wurde mit Steinen aufgefüllt. Über einer Decke aus Holzbalken wurden wiederum Steine aufgeschichtet, und zum Schluß wurde über die ganze Anlage Erde gehäuft.

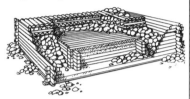

Otzenhausen Die Legende berichtet, daß der Hunnenkönig Attila bei Wadrill in der Nähe von Otzenhausen sein Grab gefunden habe, doch tatsächlich sind die Hunnen nie bis in diese Gegend gekommen. Der sogenannte Hunnenring auf dem Dolberg nordöstlich von Nonnweiler kann daher auch nicht, wie der Name vermuten läßt, von Hunnen errichtet worden sein; in Wirklichkeit waren es die Kelten. Früher hieß der 10–12 m hohe, an der Basis 30–40 m breite Ringwall Hünenring: Wegen seiner gigantischen Ausmaße glaubte man, Hünen hätten ihn erbaut. Der Hauptwall und der Vorwall an der Südspitze haben zusammen eine Länge von fast 2500 m. Im Kern des Ringareals hat man Waffen, Mahlsteine, Eisenschlacken und Schmuckstücke gefunden; daraus konnte man schließen, daß die Anlage im 1. Jh. v. Chr. besiedelt war.

Trier Im Rheinischen Landesmuseum ist u. a. die vorchristliche Eisenzeit, also die Zeit zwischen dem 7. und 1. Jh. v. Chr., dokumentiert. Am eindrucksvollsten sind Fundstücke aus Fürstengräbern, die in die Zeit zwischen 450 und 220 v. Chr. datiert werden. Neben den echten Funden geben Modelle – etwa von den Wagengräbern von Hillesheim und Hoppstädten oder den Ringwällen von Otzenhausen und Allenberg – einen guten Eindruck von Lebensart und Kultur der Kelten.
ℹ Rheinisches Landesmuseum, Ostallee 44: Mo–Fr 9.30–16, Sa 9.30–14, So und feiertags 9–13 Uhr.

Kordel Die sogenannte Hochburg ist ein 300 m hoher Bergsporn südlich von Kordel. Der Besucher folgt der Beschilderung zur Burgruine Ramstein; vom Parkplatz geht es dann zu Fuß weiter. Das steilwandige Felsplateau mußte man lediglich im Süden mit einem kurzen Vorwall und im Westen mit einem langen Hauptwall

sichern; damit war eine weitere keltische Festung fast bis zur Uneinnehmbarkeit verriegelt. Der Zugang zum Festungsareal lag im Westen. Das gut geschützte Gelände war Funden zufolge von keltischer bis in frühmittelalterliche Zeit besiedelt.

Anders mußte man auf dem Burgberg nordöstlich von Kordel verfahren. Hier war zur Befestigung ein umfassender Wall nötig, dessen Westseite heute eingeebnet ist. Die älteste Umwallung, eine Pfostenschlitzmauer aus Holz und Stein, entstand wohl schon um 500 v. Chr. Im 1. Jh. v. Chr. hat man Reparaturen und Ergänzungen vorgenommen. Zum Burgberg geht es von der Straße in Richtung Orenhofen nach etwa 3 km rechts ein Fußweg ab.

Gerolstein An den Ausläufern der Vulkaneifel liegt die 617 m hohe Dietzenley, ein steil aufsteigendes Felsplateau von rund 1 ha Fläche. Hier oben suchten schon vor 4000 Jahren, während der Übergangsphase von der Stein- zur Bronzezeit, Menschen Schutz und Zuflucht vor ihren Feinden. Im 7./6. Jh. v. Chr. legten Kelten der älteren Hunsrück-Eifel-Kultur zur zusätzlichen Sicherung einen Ringwall um die Dietzenley, und damit gehört der Ringwall zu den ältesten der Gegend. Heute ist die Anlage durch Steinraub so sehr zerstört, daß ihre alte Funktion als Schutzwall leider kaum noch zu erkennen ist. Zur Dietzenley fährt man auf der Straße Gerolstein–Büscheich bis zum Sportplatz am Ortseingang Büscheich und biegt dort links ein. Ein beschilderter Wanderweg führt zum Wall.

Weitere Zeugen der Vorzeit sind die steinzeitliche Buchenlochhöhle und einige Fossilienfundstellen. Zu den interessantesten Fundplätzen bietet das Fremdenverkehrsamt gelegentlich geführte Exkursionen an.
ℹ Exkursionen: Fremdenverkehrsamt, Tel. 06591/1380.

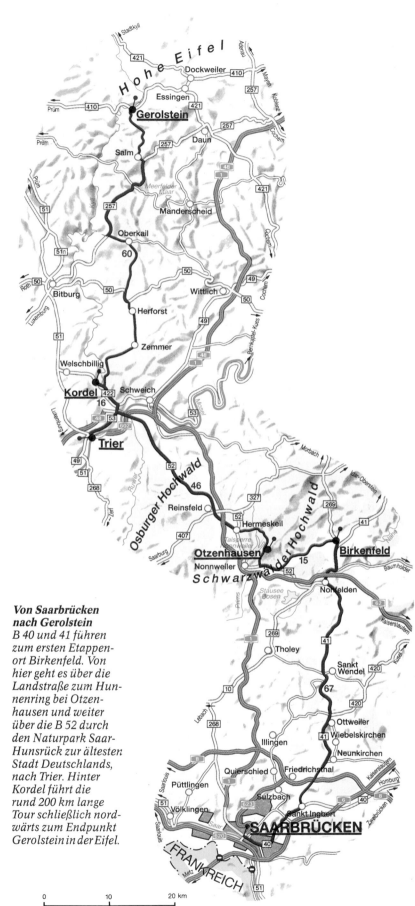

Von Saarbrücken nach Gerolstein
B 40 und 41 führen zum ersten Etappenort Birkenfeld. Von hier geht es über die Landstraße zum Hunnenring bei Otzenhausen und weiter über die B 52 durch den Naturpark Saar-Hunsrück zur ältesten Stadt Deutschlands, nach Trier. Hinter Kordel führt die rund 200 km lange Tour schließlich nordwärts zum Endpunkt Gerolstein in der Eifel.

Der Kampf mit dem Giganten

Wild gestikulierend stehen die Männer beisammen. Aufgeregt schreien sie durcheinander, und einer versucht den anderen in seinen Mutmaßungen zu übertreffen. Keiner kann der Meldung des Jungen richtig glauben, der nur einen halben Tag vom Siedlungsplatz entfernt die frischen Spuren eines Mammuts entdeckt haben will. Und doch – nachdem der Junge wieder und wieder die tiefen Abdrücke am morastigen Ufer des Flusses beschrieben hat, können auch die alten, erfahrenen Jäger kaum noch Zweifel hegen: Ein Mammut ist in der Gegend!

Die Nachricht verbreitet sich in Windeseile in der Siedlung. Frauen, Männer und Kinder eilen aufgeregt durch die Zeltreihen. Vergessen sind die Reusen im Bach, der halb gehäutete Hase – ein Mammut ist da! Kein Forellenfang zählt nun mehr, weder Wildpferde noch Rentiere, die jetzt im Sommer in ihren Herden überall Jungtiere mitführen. Einzig und allein das Mammut beherrscht ihre Gedanken.

Nur die hereinbrechende Dämmerung hindert die Männer, sofort aufzubrechen. Denn unheimlich sind ihnen die Schemen und Schatten, die das helle Mondlicht auf die Fluren zeichnet; schauerlich ist das Geheul der Wölfe aus dem hangwärts gelegenen Kiefernwald, bedrohlich das nachtleise Schleichen des Löwen, der sich aus der offenen Steppe oft bis nahe an ihr Lager heranwagt. Furchtbar und unerklärlich sind ihnen besonders die Nächte, in denen Blitze aus bleischwarzen Wolken die Finsternis grell zerschneiden und der Donner bedrohlich über das weite Land rollt.

Doch in dieser Nacht bleibt alles friedlich. Nur die vom Jagdfieber gepackten Männer finden noch lange keine Ruhe, und bis weit nach Sonnenuntergang kann man das Geräusch aufeinanderschlagender Steinwerkzeuge hören. Alte wie Junge sitzen vor den fellbespannten Zelten und schärfen ihre Steinmesser. Faustkeile werden neu zugehauen und die Splitter zu Pfeilspitzen verarbeitet. Mit scharfzackigen Steinblättern und spitzen Hornaufsätzen versehen sie die zahllosen Wurflanzen, mit denen sie das Mammut erlegen wollen.

Schließlich versammeln sich alle um ein großes Feuer. Kleine Schieferplättchen machen die Runde, auf denen in einfachen Linien verschiedene Tiere eingraviert sind. Doch weder Hirschkuh noch Eisfuchs, weder Schneehuhn noch Auerochse findet zu dieser späten Abendzeit das Interesse der Männer. Es sind die Tafeln mit den Abbildungen der Mammuts, die immer wieder mit einer Mischung aus Furcht und Faszination bestaunt werden. So also sieht es aus, das gewaltige Tier, das die meisten von ihnen noch nie mit eigenen Augen gesehen haben und bislang nur aus den Erzählungen der Älteren kennen. Denn die Riesen der Erde sind selten geworden.

Gebannt lauschen Männer, Frauen und Kinder einem betagten Jäger, der ihnen erklärt, wie man dem rauhen, peitschenden Rüssel und den starken, gebogenen Stoßzähnen des Kolosses ausweicht, denn zu viele schon sind früher bei der Jagd zu Tode gekommen. Vor allem aber sind die Männer begierig zu erfahren, wie sie an das mächtige Tier herankommen und es töten können.

Mit dem ersten fahlen Tageslicht brechen die Jäger auf. Sie fallen in einen rhythmischen Lauf, den sie über längere Strecken beibehalten können. Ihr Weg führt über eine weite Steppe, und bald haben sie den Auwald erreicht. Dahinter wissen sie den großen Strom – und die Mammutspur. Einen Augenblick halten sie inne; dann durchqueren sie den Erlenbruch. Alsbald geht er in dichtes Röhricht über, das sie von den weiten Wassern des Flusses trennt.

Und jetzt erblicken sie ihn: Wie ein Fels taucht ein kolossaler Mammutbulle vor ihnen auf, mehr als doppelt so hoch wie ein jeder von ihnen! Den Männern stockt der Atem. Doch das Tier hat seine Jäger noch nicht bemerkt. Bis zum Bauch im schilfbewachsenen Morast des flachen Ufers stehend, füllt es seinen Rüssel immer wieder

Mammutjagd am Rhein Mutig stürmen die Jäger mit ihren Lanzen und Spießen auf das Mammut zu, um es zu erlegen. Um 10 500 v. Chr. waren im Neuwieder Becken, das damals noch *eine weitläufige Steppenlandschaft war, solche altsteinzeitlichen Giganten – neben den Wollnashörnern die mächtigsten Lebewesen – allerdings schon selten geworden.*

mit Wasser, um sich damit zu besprühen. Lautlos und mit kaum merklichen Bewegungen pirschen sich die Männer heran. Der Wind steht günstig für sie. Doch in ihrem Eifer werden sie nicht gewahr, daß sie ein vom Alter gezeichnetes Tier vor sich haben, das kaum noch in der Lage ist, die baumstarken Beine aus dem tiefen Schlamm zu heben.

Jetzt sind sie dem zottigen braunen Pelz schon zum Greifen nahe gekommen, die Spanne eines Lanzenschafts nur noch entfernt, bereit, einander das Zeichen zum Angriff zu geben. Nun geht alles ganz schnell.

Mutig springt ein junger Jäger nach vorn, und mit aller Wucht rammt er dem Koloß seinen langen Speer in die Brust. Tief bohrt sich die Waffe in die dicke Haut über dem Herzen. Auch die anderen Männer dringen nun unter lautem Geschrei mit ihren Stichwaffen, mit Pfeilen, Steinen und hölzernen Speerschleudern auf das Mammut ein. Ihre groben Spieße reißen klaffende Wunden. Mit einem furchterregenden Trompeten bäumt sich der gepeinigte alte Bulle auf und schlägt mit dem Rüssel und den wuchtigen Hauern nach seinen Angreifern. Doch zu viele Speere haben das geschwächte Tier ge-

troffen; nach einem kurzen, verzweifelten Kampf bricht es erschöpft zusammen. Das aufgewühlte Wasser färbt sich blutrot.

Gebannt beobachten die Männer das langsame, qualvolle Sterben des Tiers. Doch erst am nächsten Morgen bricht der Glanz seines Auges. Das Mammut ist tot. Ein unsäglicher Stolz bemächtigt sich der Jäger: Sie haben den Riesen unter allen Kreaturen besiegt! Um das große Lagerfeuer im Dorf versammelt, werden sie beim abendlichen Festmahl noch bis tief in die Nacht hinein von ihrem Kampf mit dem Mammut erzählen, den keiner von ihnen je vergessen wird. Auch spätere Generationen werden die Geschichte hören und die Erinnerung an das Mammut selbst dann noch wachhalten, wenn das mächtigste Tier der Erde schon längst der Vergangenheit angehört.

Die ersten Menschen Europas

Die durch Funde belegte Entwicklungsgeschichte des Menschen ist in Europa rund eine halbe Million Jahre alt. Gerade die Gegend südlich des Neckars ist reich an solchen Zeugnissen. Von hier stammt der älteste menschliche Kieferknochen, der bisher in Europa gefunden wurde. Von der Altsteinzeit bis in die späte Jungsteinzeit hinein reichen die Funde, die, in Museen wohlbewahrt, dem interessierten Besucher Einblick in die Anfänge der Menschheit gewähren.

Mannheim Seit Ende 1988 kann man im Neubau des Städtischen Reiß-Museums in der Abteilung Ur- und Frühgeschichte Funde aus der Mittel- und Jungsteinzeit wie Keramik, Waffen und Werkzeuge besichtigen, die einen Einblick in steinzeitliches Leben erlauben.

Heidelberg Das Kurpfälzische Museum im Stadtzentrum besitzt eine archäologische Abteilung mit vor- und frühgeschichtlichen Funden aus dem unteren Neckarraum. Berühmtestes Ausstellungsstück ist eine Kopie des rund 500 000 Jahre alten menschlichen Unterkiefers, der in Mauer bei Heidelberg gefunden wurde. Das Original des Unterkiefers befindet sich im Institut für Geologie und Paläontologie der Universität Heidelberg. Über die stammesgeschichtliche Entwicklung des Menschen gibt im Museum eine große Tafel mit Erläuterungen in verschiedenen Sprachen Auskunft.
ⓘ Kurpfälzisches Museum: Di–So 10–13, 14–17 Uhr.

Mauer Am 21. Oktober 1907 wurde in der Sandgrube „Grafenrain" ein menschlicher Unterkiefer entdeckt. Seiner genauen zeitlichen Einordnung ist man durch vergleichende Untersuchungen schon recht nahe gekommen. Geologische Forschungen belegen nämlich, daß der Neckar während der ersten Eiszeit, der sogenannten Günzeiszeit (600 000–540 000 v. Chr.), zwischen Neckargemünd und Mauer eine Schleife bildete. Dort lagerte der Fluß Sand und Schotter, aber auch Tierleichen ab. Anhand der Überreste konnte man feststellen, daß es einst Waldelefanten, Nashörner, Flußpferde und Säbelzahntiger in dieser Region gab. Diese Tiere konn-

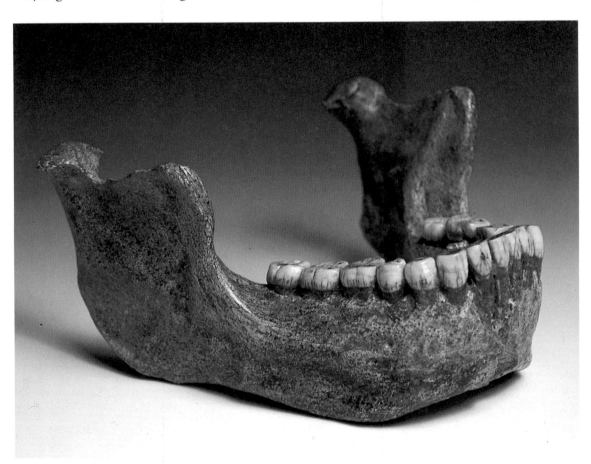

Unterkiefer des Heidelberg-Menschen
Dieses älteste Zeugnis des Menschen in Europa (links) gehört zum sogenannten homo heidelbergensis, der vor 500 000 Jahren lebte. Das Original des Knochens befindet sich in der Heidelberger Universität.

Städtisches Museum in Bruchsal Die Oberseite dieser 24,4 cm langen Dolchklinge aus Feuerstein (unten links) ist hervorragend bearbeitet. Das Gerät stammt aus der Jungsteinzeit.

Reiß-Museum in Mannheim Den prachtvollen Glasarmring (unten) aus der späten keltischen Zeit (2./1. Jh. v. Chr.) fand man in einem Brandflachgrab.

ten aber alle nur in einem warmen Klima existieren. Sie lebten in einer Zwischenwarmzeit, die bis 480 000 v. Chr. dauerte. Zwischen den Resten dieser Tiere fand sich der aufsehenerregende Unterkiefer – damit war belegt, daß es bereits um diese Zeit Menschen oder zumindest menschenähnliche Wesen am Neckar gegeben haben muß. Die Zähne, die fast vollständig erhalten sind, weisen auf den späteren *homo sapiens*, auch fehlen die für Affen typischen Eckzähne. Der fehlende Kinnvorsprung allerdings ist gar nicht menschlich und spricht dafür, den Fund von Mauer vielleicht eher einem Menschenaffen oder einer Nebenlinie zuzuordnen. Eine Kopie des Unterkiefers ist im kleinen Urgeschichtlichen Museum im Rathaus von Mauer ausgestellt. Der genaue Fundort selbst in der Sandgrube „Grafenrain" ist durch ein Denkmal gekennzeichnet. Man erreicht die ausgeschilderte Stelle vom Rathaus aus über die Straße Richtung Heidelberg.

ℹ Urgeschichtliches Museum: Mo bis Fr 8–12, 13–16.30, Mo bis 18.30 Uhr.

Steinheim an der Murr Hier entdeckte ein Arbeiter am 24. Juli 1933 in einer Kiesgrube den fast vollständig erhaltenen Schädel einer jungen Frau. Dieses Fragment des *homo steinheimensis* schätzt man auf ein Alter, das zwischen 250 000 und 320 000 Jahren liegt. Etwa gleich alte Tierfunde aus der Umgebung belegen jedenfalls, daß diese Frau während einer Warmzeit innerhalb des Riß-Eiszeitalters gelebt haben muß.

1968 wurde in Steinheim im zentral am Kirchplatz gelegenen Hans-Trautwein-Haus das Urmenschmuseum eröffnet. Es zeigt neben einer Kopie des Schädels, dessen Original im Staatlichen Museum für Naturkunde in Stuttgart ausgestellt ist, auch zahlreiche Reste von Großsäugetieren, darunter das 4 m hohe, rekonstruierte Skelett eines Steppenelefanten.

ℹ Urmenschmuseum, Kirchplatz 4: Di–So 10–12, 14–16 Uhr, im Sommer Sa, So und feiertags bis 17 Uhr.

Korb Im Ortsteil Kleinheppach befindet sich seit 1974 ein Steinzeitmuseum. Es verdankt seine Entstehung der Sammelleidenschaft des Remstalers Eugen Reinhard. Anfang der 30er Jahre fand er beim Bau seines Hauses Knochen eines eiszeitlichen Nashorns und eines Wildpferdes, später auch von Menschenhand bearbeitete Faustkeile. Diese etwa 50 000 Jahre alten Werkzeuge aus der mittleren Altsteinzeit sind früheste Nachweise einer Faustkeilkultur, die im Freiland, also nicht in einer

Von Mannheim nach Bruchsal Die Tour führt vom Ballungszentrum Mannheim über den Kraichgau bis nach Korb bei Waiblingen. Anschließend fährt man über die B 10 nach Karlsruhe und von dort zum Endpunkt der Tour, nach Bruchsal am Rand des Kraichgaus.

Höhle gefunden wurden. Mittelsteinzeitliche Feuersteinwerkzeuge (etwa 8000–4000 v. Chr.) wurden am Fuß des Belzbergs entdeckt. Sie sind ebenfalls im Museum ausgestellt, genauso wie weitere am selben Platz gefundene Geräte aus der Jungsteinzeit (4000–1800 v. Chr.).

ℹ Steinzeitmuseum Kleinheppach: So 14–16.30 Uhr.

Karlsruhe Auf dem Michelsberg bei Untergrombach bestand in der Jungsteinzeit eine mit einem Palisadenzaun befestigte Siedlung, die 1884 entdeckt und bis zur Jahrhundertwende ausgegraben wurde. Die Funde aus dieser sogenannten Michelsberger Kultur (2400–2000 v. Chr.) sind heute teilweise im Badischen Landesmuseum in Karlsruhe untergebracht und werden in der ur- und frühgeschichtlichen Abteilung gezeigt. Es fällt auf, daß die gefundenen Gefäße eigenartige Formen aufweisen und keinerlei Verzierung be-

sitzen. Da sind beispielsweise die sogenannten Tulpenbecher, die eher einer umgedrehten Glocke ähneln. Auch die Schöpfkellen mit meist ovaler Grundform und seitlich hochgezogenem Grifflappen sind ungewöhnlich. Der Henkelkrug schließlich wird als eine große Besonderheit der Michelsberger Kultur angesehen. Weitere eigentümliche Gerätschaften sind Schüsseln mit mehreren in einer Reihe angeordneten Ösen. Flache, als Backteller bezeichnete Tonscherben mit einem außen getupften Rand geben noch Rätsel auf.

ℹ Badisches Landesmuseum, Schloß: Di, Mi, Fr–So 10–17.30 Uhr, Do 10–21 Uhr.

Bruchsal Das Städtische Museum im Barockschloß beherbergt Funde aus der Steinzeitsiedlung auf dem Michelsberg südlich der Stadt bei Untergrombach (siehe oben). Auch hier beeindrucken die typische Ke-

ramik mit den bemerkenswerten tulpenförmigen Bechern sowie feine Gebrauchsware und grob gearbeitete Vorratsgefäße.

Im Zuge der Grabungsarbeiten wurden auf dem Michelsberg bisher insgesamt 90 von vorgeschichtlichen Menschen benutzte Gruben nachgewiesen, die unterschiedlichsten Zwecken dienten. Die Wohngruben beispielsweise waren flachmuldig, kreisrund angelegt und hatten einen Durchmesser von bis zu 5 m. Die 32 Herdgruben waren kesselförmig, hatten allerdings nur 80–140 cm Durchmesser. Außerdem hat man Vorrats- und Abfallgruben freigelegt und schließlich noch zehn Gruben, die als Gräber identifiziert wurden. Bei einer Wanderung über das zugängliche Gelände kann man sich die Ausmaße der Siedlung vor Augen führen.

ℹ Städtisches Museum, Schloß: Di–Fr 14–17, Sa, So 9–13, 14–17 Uhr.

Vorzeitliche Kunst im Südwesten

Über 30 000 Jahre spannt sich der weite Bogen künstlerischen Schaffens, dessen Zeugnissen man auf dieser Tour durch das Herz Baden-Württembergs begegnen kann. In der Hauptsache eine Museumsfahrt, führt sie von den staunenswerten Schnitzwerken aus Mammutelfenbein, die von Eiszeitmenschen geschaffen wurden, über die kunstvollen Bronzegüsse und Goldschmiedearbeiten der Kelten bis zu den reichen Funden aus alemannischen Gräbern.

Tübingen-Kilchberg 400 m nordöstlich der Kirche, im Neubaugebiet der Silcherstraße, befindet sich ein Grabhügel der Hallstattzeit. 1968 hatte man ihn bei Erschließungsarbeiten entdeckt, und die Archäologen kamen bei der Untersuchung zu der Erkenntnis, daß er zwei Bestattungen enthielt: eine Brandbestattung der älteren Hallstattzeit aus dem 7. Jh. v. Chr. und eine rund 100 Jahre jüngere Erdbestattung. In der 3 × 3,4 m großen Grabgrube fand man neben den Skelettresten ein Eisenmesser, einen Goldring und eine Bronzefibel. Ob es sich um die Überreste eines Mannes oder einer Frau handelt, ist unklar; das Messer spricht für einen Mann, der sonstige Fund für eine Frau. Außerdem lagen im Grab zwei Steinstelen, eine dritte fand man in einiger Entfernung. Heute umgibt den Hügel ein Steinkranz aus 48 Stubensandsteinplatten; die Kopie einer der Stelen bekrönt den Hügel.

Grabenstetten Über die Vordere Alb nordwestlich von Urach zieht sich die keltische Wallanlage Heidengraben, die einst ein Areal von rund 1660 ha umschloß. Innerhalb der teilweise noch umwallten Fläche lag, von einem zweiten Befestigungsgürtel umgeben, die Elsachstadt, ein keltisches Oppidum, das wohl im 2. Jh. v. Chr. gegründet wurde, aber nur bis etwa 50 v. Chr. besiedelt war. Reste ihrer Umgrenzung findet man linker Hand an der Straße von Grabenstetten zum Burrenhof, einem ehem. Bauernhof, der nach den in der Nähe noch deutlich sichtbaren Grabhügeln benannt wurde. Um Elsachstadt und durch den Heidengraben sind ausgeschilderte Wanderwege mit Parkplätzen angelegt.

Bad Urach Auf dem Runden Berg legten Alemannen nach dem Abzug der Römer um 260 n. Chr. eine Siedlung an, die bis etwa 500 bestand. Man vermutet, daß der Runde Berg Sitz eines Fürsten war, und seit einiger Zeit sind hier Ausgrabungen im Gang. Der Grundriß eines 20 × 8 m großen Hallenbaus ist im Boden des östlichen Plateaubereichs markiert. Den Gipfel erreicht man zu Fuß vom Wanderparkplatz „Uracher Wasserfall" aus in etwa einer Stunde.

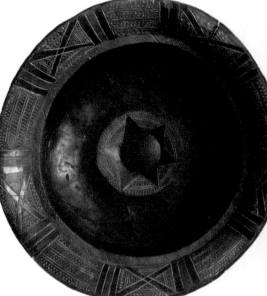

Heuneburg *Über der noch jungen Donau liegt auf einem natürlichen Bergsporn das Plateau, auf dem sich einst die keltische Burganlage erhob (links).*

Tonteller im Ulmer Museum *Im 7. Jh. v. Chr., in der älteren Hallstattzeit, entstand dieser wunderschöne Teller, dessen Rand mit geometrischen Mustern kunstvoll verziert ist (oben).*

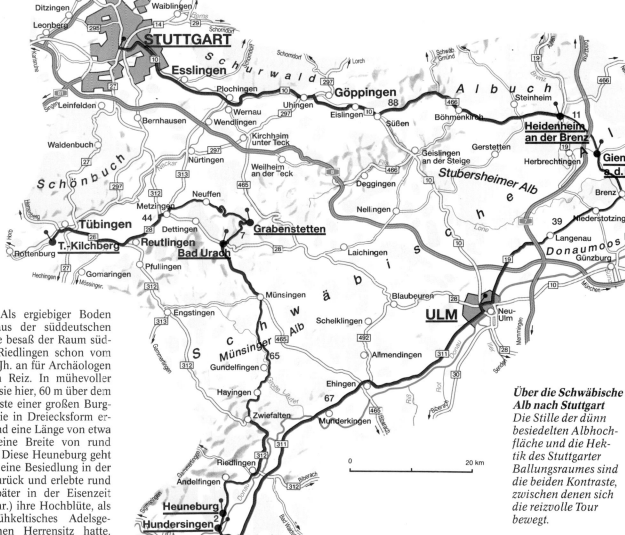

Über die Schwäbische Alb nach Stuttgart
Die Stille der dünn besiedelten Albhochfläche und die Hektik des Stuttgarter Ballungsraumes sind die beiden Kontraste, zwischen denen sich die reizvolle Tour bewegt.

Heuneburg Als ergiebiger Boden für Funde aus der süddeutschen Vorgeschichte besaß der Raum südöstlich von Riedlingen schon vom Ende des 19. Jh. an für Archäologen einen großen Reiz. In mühevoller Arbeit legten sie hier, 60 m über dem Donautal, Reste einer großen Burganlage frei, die in Dreiecksform errichtet war und eine Länge von etwa 300 m und eine Breite von rund 150 m besaß. Diese Heuneburg geht vielleicht auf eine Besiedlung in der Bronzezeit zurück und erlebte rund 700 Jahre später in der Eisenzeit (6.–5. Jh. v. Chr.) ihre Hochblüte, als hier ein frühkeltisches Adelsgeschlecht seinen Herrensitz hatte. Hinweise darauf geben die gewaltigen Grabhügel der Burgherren in der näheren Umgebung, so beispielsweise die Bestattungsplätze der sogenannten Hohmichele-Gruppe westlich der Anlage. Hier fand man prächtige Grabbeigaben aus Gold, Bronze und Ton, die sich heute zum Teil im Landesmuseum Stuttgart befinden.

Hundersingen 1985 wurde hier ein Museum errichtet, in dem der Besucher nachvollziehen kann, was die Ausgrabungsarbeiten an der Heuneburg (siehe oben) an Erkenntnissen gebracht haben. Daneben hat man ein Modell der Heuneburg mit ihrer berühmten Lehmziegelmauer nachgebildet, die an mediterrane Festungen erinnert. Eindrucksvolle Fundstücke wie griechische Vasen dokumentieren den weltoffenen Lebensstil der keltischen Fürsten.

Wer sich noch intensiver mit dieser Zeitepoche beschäftigen will, dem sei der „Archäologische Wanderpfad" empfohlen, der zu zahlreichen Grabhügeln führt. Ausgangspunkt ist das Museum; die Weglänge beträgt rund 8 km.

ℹ Museum Heuneburg: Mo–Sa 13–16.30, So und feiertags 10–12, 13–17 Uhr (April–Oktober).

Ulm Eine 33 000 Jahre alte, 28 cm große Figur aus Mammutelfenbein, die einen Menschen mit Löwenkopf darstellt, ist die älteste Vollplastik dieser Art, die man bisher in Mitteleuropa gefunden hat. In einer eiszeitlichen Höhle im Lonetal entdeckt, ist sie das wertvollste Stück der Prähistorischen Sammlungen. Weitere Ausstellungsschwerpunkte sind Reste eines Dorfes, das 1982 bei Grabungen in Ulm-Eggingen entdeckt wurde und als eines der ältesten Beispiele europäischer Bauernkultur gilt, sowie Fundstücke aus einem Dorf der Jungsteinzeit (4500–1800 v. Chr.), das im Blautal freigelegt wurde. Zeugnisse aus der Bronze- und Eisenzeit (ab 1800 v. Chr.) sind u.a. die Ausgrabungsstücke der Höhensiedlung Ehrenstein.

ℹ Ulmer Museum, Prähistorische Sammlungen, Marktplatz 9: Di–So 10–17 Uhr (Juni–September), sonst 10–12, 14–17 Uhr.

Giengen a. d. Brenz In der Irpfelhöhle, 1,5 km westlich von Giengen im Brenztal gelegen, fand man Reste von Tierknochen und Werkzeuge aus Feuerstein, die rund 50 000 Jahre alt sind. Sie werden ebenso im Heimatmuseum der Stadt ausgestellt wie Funde aus anderen Höhlen der Umgebung, in denen man auch auf Überreste aus vorzeitlichen Behausungen stieß. Besonders beachtenswert sind Zeugnisse aus der keltischen Kultur – z.B. Waffen und Schmuck –, die im 5.–4. Jh. v. Chr. ihren Höhepunkt erlebte.

ℹ Heimatmuseum, Marktstraße 11: Wiedereröffnung ab Sommer 1989, Information bei der Stadtverwaltung, Tel. 0 73 22/13 90.

Heidenheim an der Brenz In den zahlreichen Höhlen des nahen Lonetales fand man Arbeitsgeräte aus Knochen u. ä. aus der älteren und mittleren Steinzeit, die im Museum Schloß Hellenstein aufbewahrt sind.

Besonders bemerkenswert sind Nachbildungen der Funde aus der Vogelherdhöhle: 30 000 Jahre alte kleine Elfenbeinplastiken, die verschiedene Tiere darstellen. Die nur 5–7 cm großen Originale gehören zu den ältesten bekannten Kunstwerken der Menschheit. Aus der Zeit der frühen Kelten, der Hallstattzeit (800 bis 450 v. Chr.), besitzt das Museum Keramikgefäße und Münzen. Diese sogenannten „Regenbogenschüsselchen" belegen, daß die Menschen im Brenztal bereits in vorchristlicher Zeit nicht nur Naturalien als Zahlungsmittel verwendeten.

ℹ Museum Schloß Hellenstein: Di–So 10–12, 14–17 Uhr (April bis Oktober).

Stuttgart Das Württembergische Landesmuseum besitzt reichhaltige Sammlungen zur Vor- und Frühgeschichte des Landes. Neben Hinterlassenschaften eiszeitlicher Jägernomaden, darunter kleine Kunstwerke aus Mammutelfenbein, gehört zu seinen stolzesten Schätzen der Fund aus dem berühmten Grab des Keltenfürsten. 1979 fand man dank der

***Kessel des Kelten-
fürsten in Stuttgart***
*Nahezu 500 l faßt die-
ses prachtvolle Gefäß
(links), dessen Rand
mit drei Bronzelöwen
und drei Henkeln ver-
sehen ist. Die Rekon-
struktion des Kessels,
die einem großen
Puzzlespiel glich
(oben), dauerte rund
zwei Jahre.*

Aufmerksamkeit einer archäologisch
interessierten Lehrerin in Hochdorf
bei Ludwigsburg ein völlig intaktes
Prunkgrab. Es befand sich wie alle
bisher entdeckten im Umkreis eines
keltischen Herrschersitzes, in diesem Fall in der Nähe des Aspergs. In
dem um 530 v. Chr. angelegten Grab
war ein etwa 40jähriger Mann von
damals ungewöhnlicher Körper-
größe – 1,87 m – mit großem Aufwand bestattet worden. Der bedeutendste Fund ist seine Totenbahre,
eine von acht bronzenen Frauenfi-
guren getragene, fast 3 m lange Liege
aus Bronze mit Rücken- und Seiten-
lehnen, die durch ihre elegant geschwungenen Formen an das Aussehen eines Biedermeiersofas erinnern.
Bei der Untersuchung der Haar- und
Textilfaserreste stellte man fest, daß
sie früher mit Dachs- und Marderfel-
len gepolstert war. Ein Prunkwagen,
wie man ihn auch aus anderen Kel-
tengräbern schon kennt, war stark
beschädigt. Man restaurierte das mit
verziertem Eisenblech überzogene
leichte Gefährt, das wohl kaum
einen alltäglichen Gebrauchsgegen-
stand darstellte, vollständig.

Auf diesem Wagen lagen weitere

wertvolle Grabbeigaben des mutmaßlichen Fürsten, die ihn gut für
das Überleben im Jenseits rüsten
sollten. Neun Bronzeteller, bronzene Servierplatten und neun Trink-
hörner, davon eines aus Eisenblech,
lassen vermuten, daß der Tote zu
Lebzeiten wohl einem Eß- und
Trinkgelage mit Freunden nicht ab-
geneigt war. Darauf deutet auch der
gewaltige Bronzekessel, der rund
1 m Durchmesser hat und annähernd 80 cm hoch ist, hin. Seinen
Rand zieren drei liegende Bronzelöwen, zwischen denen jeweils ein
Henkel angebracht ist. Einstmals
war er wohl mit Met gefüllt, denn
auf seinem Boden fanden sich noch
Spuren von Honig. Eine im Durchmesser 13,4 cm große goldene
Schale in Form einer Halbkugel
diente als Schöpflöffel.

Da es sich um das Grab eines
Mannes handelte, fand man nur wenige, dafür aber sehr kostbare
Schmuckstücke. Äußerst wichtige
Zeichen der Würde waren wohl der
dreifach gegliederte goldene Halsreif
und ein 7,4 cm breites Goldarm-
band, das der Tote am rechten Arm
trug. Seine Kleidung hielten zwei
schlangenförmig gebildete Fibeln
aus purem Gold zusammen, und sogar die Beschläge seiner Schuhe waren aus Goldblech hergestellt. Ein
42 cm langer Dolch, vermutlich für
die Grablegung prunkvoll verziert,
hing an seinem Gürtel.

Alle diese beeindruckenden Exponate vermitteln einen lebendigen
Einblick in die vergangene Kultur
der Kelten.

ℹ Württembergisches Landesmuseum, Schillerplatz 6 (Altes Schloß):
Di–So 10–17, Mi 10–19 Uhr, Führungen So 11 Uhr und n. Vereinb.

Bad Buchau Erdbeeren, Himbeeren, Brombeeren, Haselnüsse und Äpfel standen neben Gerste und Weizen auf dem Speisezettel der Bauern und Fischer der sogenannten Urnenfelderzeit (1250–750 v. Chr.) im Federseegebiet. Zu dieser Erkenntnis gelangte man, als die „Wasserburg Buchau" ausgegraben wurde, eine im trockenen Moorboden hervorragend konservierte Ufersiedlung aus etwa 60 Einraumhäusern in Blockbauweise, die mit einer Palisade aus 15 000 Einzelpfählen gesichert war.

Im Federseemuseum ist zu besichtigen, was Grabungen in diesem geschichtsträchtigen Gebiet zutage förderten, denn bereits im 12. vorchristlichen Jahrtausend hatten hier Rentierjäger ihre Spuren hinterlassen, und aus der Zeit um 4000 v. Chr. sind jungsteinzeitliche Siedler nachgewiesen.

ℹ Federseemuseum, Adolf-Gröber-Platz: täglich 9–11.30, 13.30–17 Uhr (Mitte März–Oktober), sonst So 13–16 Uhr und n. Vereinb. Tel. 0 75 82/83 50.

Berlin Im Museum für Vor- und Frühgeschichte wird die ältere und mittlere Steinzeit u. a. anhand einer Höhle mit Eiszeitmalereien in Originalgröße veranschaulicht. Die Bronze- und Eisenzeit dokumentieren Schaustücke aus dem Berliner und brandenburgischen Raum. Besonders interessant sind das Diorama des bronzezeitlichen Dorfes im Lichterfelder Bäketal und die Gefäße, die man dort in einem Opferbrunnen gefunden hat.

ℹ Museum für Vor- und Frühgeschichte im Langhansbau von Schloß Charlottenburg: Mo–Do, Sa, So 9–17 Uhr.

Einbaum in Bad Buchau Tagelange Schwerstarbeit war nötig, um einen Baumstamm auszuhöhlen und ihn schwimmfähig zu machen. Dieses bronzezeitliche Boot mit Paddel ist der Stolz des Federseemuseums.

Bonn Das sogenannte Paar von Oberkassel, die fast vollständigen Skelettreste zweier Vorzeitmenschen aus der Cromagnonzeit (etwa 35 000 bis 12 000 v. Chr.), ist heute in einer Vitrine des Rheinischen Landesmuseums ausgestellt. Entdeckt hat man das ungleiche Paar 1914. Der 1,60 m große Mann, der in seinem Leben manch schwere Verletzung erlitt, dürfte etwa 60 Jahre alt geworden sein. Die 10 cm kleinere Frau wurde kaum mehr als 20 Jahre alt. Eine andere Abteilung hat einen sehr viel jüngeren Schatz zu bieten: Fundstücke aus dem keltischen Fürstengrab von Waldalgesheim bei Bingerbrück (4.–3. Jh. v. Chr.). Es barg ausnehmend schönen Schmuck, darunter offene Hals- und Armreifen mit einem typischen spiralförmigen Dekor und üppigen Verzierungen.

ℹ Rheinisches Landesmuseum, Colmantstraße 14–16: Di, Do 9–17, Mi 9–20, Fr 9–16, Sa, So, feiertags 11–17 Uhr.

Bremerhaven Um 80 v. Chr. errichtete die germanische Bevölkerung der Marschen zwischen Elb- und Wesermündung nahe dem heutigen Ort Mulsum eine Siedlung auf einer künstlichen Aufschüttung aus Erde und Mist, einer sogenannten Wurt. Grabungen der 50er Jahre ergaben,

daß sie auf einer Insel angelegt war. Im Lauf der Jahrhunderte erhöhte man immer wieder den Wohnplatz, um ihn vor Überflutungen zu sichern. Im 5. Jh. n. Chr. hatte die Wurt eine Höhe von 4,20 m und eine Ausdehnung von etwa 4 ha erreicht. Nach etwa 500 Jahren zwang jedoch das vordringende Meer die Bewohner, das Wurtendorf aufzugeben.

Im Bremerhavener Morgensternmuseum werden Leben und Arbeit der Bewohner des Wurtendorfs Feddersen-Wierde bestens dokumentiert. Zu den Arbeitsgeräten der Bauern gehörte, wie ein Fund im Museum belegt, ein von Ochsen im Doppeljoch gezogener Wendepflug mit Streichbrett.

ℹ Morgensternmuseum, Kaistraße 5–6: Di–Fr 10–16, Sa 10–13, So 10.30–12.30 Uhr.

Erkrath Eine Gedenktafel für den Naturforscher Johann Carl Fuhlrott erinnert heute am Rabenstein im Ortsteil Neandertal bei Düsseldorf daran, daß 1856 in der Nähe das Schädeldach sowie Skelettreste eines Urzeitmenschen gefunden worden waren, die Fuhlrott sogleich als Überreste eines vorzeitlichen menschlichen Wesens erkannte. Der Neandertaler, Vorläufer des *homo sapiens* in einer ausgestorbenen Nebenlinie, lebte etwa in der Zeit zwischen 150 000 und 35 000 v. Chr. in Europa, Asien und Afrika. Im Neandertal-Museum in Erkrath kann man sich über seine Lebensweise und Umwelt informieren. Das Schädeldach und die Skelettreste werden heute in einem feuersicheren Tresor im Rheinischen Landesmuseum in Bonn aufbewahrt.

ℹ Neandertal-Museum, Thekhauser Quall 2: Di–So 10–17 Uhr.

Erpfingen In der 1949 entdeckten Bärenhöhle fand man neben Skelet-

Die Sieben Steinhäuser bei Fallingbostel Daß sich hier statt sieben nur fünf Grabkammern finden, hat einige Verwirrung gestiftet. Dafür gibt es möglicherweise eine einfache Erklärung: Sieben bedeutet in der Volkssprache „mehrere".

ten von großen Höhlenbären, die hier vor 50 000–20 000 Jahren ihr Winterquartier hatten, auch Skelettreste von Menschen, die als Seuchenopfer in die Höhle geworfen worden waren.

ℹ Besichtigung täglich 8.30–17.30 Uhr (April–Oktober), sonst So und feiertags 9–17 Uhr.

Essing Die einzige altsteinzeitliche Felszeichnung auf deutschem Boden findet sich in einer unscheinbaren Höhle im Altmühltal zwischen Kelheim und Essing, dem Kleinen Schulerloch. Die etwa 15 000 Jahre alte handgroße Ritzzeichnung stellt einen Steinbock dar; daneben sieht man ein Gebilde, das als Fallgrube gedeutet wird, und ein rautenförmiges Fruchtbarkeitssymbol.

ℹ Kleines Schulerloch: Führungen für Gruppen n. Vereinb. (Juni bis August), Tel. 0 94 41/32 77.

Fallingbostel Mitten in einem Truppenübungsgelände in der Lüneburger Heide (Zugang von Ostenholz aus) liegt eine der schönsten Gruppen steinzeitlicher Riesengräber: die Sieben Steinhäuser. Es handelt sich um fünf Grabkammern, die von senkrecht gestellten Steinen eingefaßt und mit riesigen Steinplatten bedeckt sind. Die Gräber wurden zur Zeit der Trichterbecherkultur in

der zweiten Hälfte des 3. Jahrtausends errichtet. Die Menschen dieser Zeit haben im norddeutschen Flachland die bäuerliche Wirtschaftsform eingeführt.

ℹ️ Besichtigung jeden ersten und dritten Sonntag im Monat und n. Vereinb., Tel. 0 41 31/4 20 06.

München In Manching bei Ingolstadt befand sich vor 2200 Jahren eine urbane Keltensiedlung, in der rund 10 000 Menschen gelebt haben müssen. Hier war auch die wahrscheinlich erste Glasfabrikationsstätte nördlich der Alpen. Im Saal 6 der Prähistorischen Sammlung in München kann man Glaserzeugnisse aus Manchinger Werkstätten bewundern, darunter reichverzierte blaue, violette, purpurrote und gelbe Armreifen sowie Halsketten aus massiven Glasperlen. Daß die Kelten von Manching auch begabte Eisen- und Bronzeschmiede waren, bezeugen Waffen und Eisengeräte, darunter Schlüssel und Scheren sowie herrliche Bronzefibeln mit Korallenbesatz und Blutemaileinlagen.

Die alte Keltenstadt Manching war einst von einer 7 km langen Steinmauer umgeben und bedeckte eine Fläche von rund 380 ha. Eine Tonbildschau in der Prähistorischen Sammlung unterrichtet über die 1955 begonnenen archäologischen Grabungen. Weitere Manchinger Funde sind im Ingolstadter Stadtmuseum zu sehen.

ℹ️ Prähistorische Sammlung/Museum für Vor- und Frühgeschichte, Lerchenfeldstraße 2: Di–So 9–16, Do bis 20 Uhr.

Nürnberg Wer im Museum Natur und Mensch das Skelett eines Höhlenbären gesehen hat, der kann sich gut vorstellen, daß sich zahlreiche Mythen und Märchen, aber auch religiöse Vorstellungen um dieses furchterregend große, gefährliche Steinzeittier rankten. Beeindruckend ist es auch, zu sehen, mit welch einfachen Waffen – sie sind hier ebenfalls ausgestellt – der Mensch diesem Tier nachstellte, wie gefährlich nahe er sich heranwagen mußte, um es erlegen zu können. Rekonstruktionen, Grafiken und Modelle vervollständigen das Bild.

Alte Waffen sind auch im Germanischen Nationalmuseum zu sehen. Insgesamt stellt es über 10 000 Funde aus der Vor- und Frühgeschichte zur Schau.

ℹ️ Museum Natur und Mensch, Gewerbemuseumsplatz 4: Mo, Di, Do, Fr 10–17, Sa 9–12 Uhr.
Germanisches Nationalmuseum, Kornmarkt 1: Di–So 9–17, Do auch 20–21.30 Uhr.

Steden Östlich von Steden, das zur Gemeinde Holste in Niedersachsen gehört, führt ein um das Seemoor angelegter Vorgeschichtsweg an etwa 4000 Jahre alten steinzeitlichen Steingräbern, an bronze- und eisenzeitlichen Hügelgräbern aus der Zeit um 1000 v. Chr. und an einem sogenannten Schalenstein vorbei. Informationstafeln entlang des Weges geben weitere Erläuterungen über diese Zeugnisse einer frühen menschlichen Besiedlung.

Thalmässing In dem mittelfränkischen Ort beginnt ein 15 km langer archäologischer Rundwanderweg, auf dem man an zum Teil rekonstruierten historischen Zeugnissen aus rund neun Jahrtausenden vorbeikommt. Sammler und Jäger der mitt-

Manchinger Funde in München In der Keltensiedlung Manching fanden sich zwei aus Eisen geschmiedete Radnaben. Die Spitzen in Form von Euienköpfen sind aus Bronze.

leren Steinzeit (8000–5000 v. Chr.) durchstreiften einst das Gebiet und ließen Geräte und Waffen aus Feuerstein zurück. Aus der sich anschließenden Jungsteinzeit (5000–2000 v. Chr.) stammt ein erst 1986 entdecktes Hockergrab. Die nächste Attraktion am Weg sind Hügelgräber der späten Hallstattzeit (um 500 v. Chr.). Ganz in der Nähe dieses Gräberfelds wurde in der Hallstattzeit Erz geschürft; flache Bodenmulden verraten die Standorte der Schürfgruben. Die erwähnten Bodenfunde können im Museum besichtigt werden.

ℹ️ Informationen über den Rundwanderweg beim Landratsamt Roth, Tel. 0 91 71/8 13 29.
Vor- und Frühgeschichtliches Museum, Am Marktplatz 1: Di–So 10 bis 12, 13–16 Uhr.

Unteruhldingen In der Freilichtanlage des Pfahlbaumuseums Deutscher Vorzeit am Bodensee sind zwei komplette Pfahldörfer aus der Stein- und Bronzezeit wieder aufgebaut. Die steinzeitliche Rekonstruktion zeigt ein Dorf aus der Zeit um 2200 v. Chr., das bronzezeitliche Dorf ist rund 1000 Jahre jünger. Die 1922 und 1931 errichteten Rekonstruktionen entsprechen allerdings nicht mehr dem Stand neuester Forschung. Heute weiß man, daß es in den See hinaus gebaute „Pfahlbauten" nicht gegeben hat, vielmehr handelte es sich um ganz gewöhnli-

Goldkegel in Nürnberg Beeindruckende 88 cm hoch ist dieser kultische Gegenstand aus der Zeit um 1000 v. Chr. Zu sehen ist er im Germanischen Nationalmuseum.

che Landsiedlungen auf dem damals trockenliegenden Strand. Die rekonstruierten Häuser indessen geben einen richtigen Eindruck vom stein- und bronzezeitlichen Hausbau. Sie sind mit Jagd-, Fischerei-, Haushalts- und bäuerlichem Arbeitsgerät der jeweiligen Zeit ausgestattet und vermitteln so ein typisches Bild der damaligen Verhältnisse.

ℹ️ Pfahlbaumuseum Deutscher Vorzeit, Seepromenade 6: täglich 8–18 Uhr (April–Oktober) und n. Vereinb., Tel. 0 75 56/85 43.

Steinzeit

Bereits die ältesten erhaltenen Spuren menschlicher Gemeinschaft zeugen von hohen kulturellen Leistungen. Überreste von Behausungen, Steingeräte, Schmuck und Grabanlagen fügen sich zu einem detaillierten Mosaik menschlicher Lebensformen zusammen. In der jüngeren Altsteinzeit (35 000–8000 v. Chr.) zeigen die Spuren bildender Kunst eine neue Stufe der menschlichen Bewußtseinsentwicklung an. Erhalten sind Darstellungen von Menschen, Tieren und Pflanzen, die auf Höhlenwände gemalt oder in Steine, Geweih-, Elfenbein- oder Bernsteinstücke geritzt wurden. Sie dienten den Vorzeitmenschen als Schmuck, hatten aber auch eine religiös-magische Bedeutung. Neben schematischen Darstellungen sind zahlreiche erstaunlich naturgetreue Bilder erhalten, wie das abgebildete Mammut beweist:

Mammut *Etwa 10 500 Jahre v. Chr. entstand diese auf eine Schieferplatte gravierte Darstellung eines Mammuts. Gefunden wurde sie zusammen mit mehr als 200 weiteren Gravierungen Ende der 60er Jahre in Gönnersdorf bei Neuwied am Rhein. Die altsteinzeitlichen*

Darstellungen zeigen Wildpferde, Wisente, Hirsche, Wollnashörner, Elche und Vögel. Aber auch Menschen sind in Umrissen auf den Schieferplatten zu erkennen. Die unten abgebildete Darstellung eines Mammuts kann man im Kreismuseum Neuwied besichtigen.

Keltische Druiden

Die keltischen Priester, die Druiden, bildeten einen eigenen Stand. Ihre geheimnisvolle Kultur basierte allein auf mündlicher Überlieferung. Der römische Feldherr und Staatsmann Cäsar hat in seinem „Gallischen Krieg" das damalige Wissen über diese Kaste festgehalten:

Es [gibt] zwei Klassen von Menschen [bei den Kelten], die irgendwelche Geltung und Ehre genießen [...]: Der eine [Stand] ist der der Druiden, der andere der der Ritter. Die Druiden versehen den Götterdienst, besorgen die öffentlichen und privaten Opfer und legen die Religionssatzungen aus. Bei ihnen finden sich in großer Zahl junge Männer zur Unterweisung ein, und sie genießen hohe Verehrung. Denn bei fast allen öffentlichen und privaten Streitigkeiten urteilen und entscheiden die Druiden. [...] Fügt sich ein Privatmann oder ein Volksstamm ihrem Entscheid nicht, so schließen sie die Betroffenen vom Götterdienst aus. Das stellt bei ihnen die härteste Strafe dar. Die so Ausgeschlossenen gelten als gottlose Verbrecher. [...] An der Spitze aller Druiden steht der, der bei ihnen das höchste Ansehen genießt. Nach seinem Tod tritt an seine Stelle der, der unter den übrigen an Würde hervorragt, oder, wenn mehrere Bewerber da sind, entscheiden in dem Wettstreit die Stimmen der Druiden [...]. Sie tagen zu einer bestimmten Jahreszeit an einer geheiligten Stätte im Land der Carnuten [...].

Die Druiden ziehen gewöhnlich nicht mit in den Krieg und zahlen auch keine Abgaben wie die anderen, sind vom Waffendienst befreit und genießen Erlaß aller Leistungen. Durch so große Vorrechte verlockt, begeben sich viele freiwillig in ihre Lehre oder werden von ihren Eltern und Verwandten zu ihnen geschickt. Es heißt, daß sie dort Verse in großer Zahl auswendig lernen; deswegen bleiben einige zwanzig Jahre in der Lehre. Sie halten es für Sünde, sie schriftlich niederzulegen [...]. Dies scheinen sie mir aus zwei Gründen eingeführt zu haben: Sie wollen nicht, daß die Lehre unter der Menge verbreitet werde, noch daß die Schüler, sich auf das Geschriebene verlassend, das Gedächtnis weniger übten. [...] Vor allem wollen sie davon überzeugen, daß die Seelen [...] nach dem Tode von einem zum andern wandern.

Goldener Hut von Schifferstadt *Dieser kegelförmige Goldhelm, der aus einem Urnenfeld in der Nähe von Schifferstadt stammt und etwa 3300 Jahre alt ist, diente den keltischen Druiden als Kultsymbol. Der kunstvoll verzierte Gegenstand ist knapp 30 cm hoch und wiegt rund 350 g.*

Schriftlose Zeit

Mit der Erfindung der Schrift sah sich der Mensch in der Lage, sich über Zeiten und Entfernungen hinweg anderen mitzuteilen. Die Schrift ist ein ganz wesentliches Merkmal der Hochkulturen. Doch auch in den langen Jahrtausenden schriftloser Zeit davor besaß der Mensch der Vorzeit die Möglichkeit, das wiederzugeben, was ihn beschäftigte. Freilich bediente er sich anderer Mittel. So erzählte er z. B. seine Geschichten mit Hilfe von Abbildungen, wie die geschnitzte Figur beweist:

Elfenbeinfigur *Zu den interessantesten Objekten der frühzeitlichen Kleinkunst gehören geschnitzte Elfenbeinfiguren. An vielen Lagerplätzen und in Höhlen der Steinzeitmenschen hat man sie neben Steinwerkzeugen und Waffen gefunden. Besonders aufschlußreich sind Darstellungen menschlicher Figuren. Die hier abgebildete Halbplastik stammt aus der Geißenklösterle-Höhle in der Nähe von Blaubeuren. Die rund 33 000 Jahre alte Figur hebt die Arme – so vermutet man – zum Beten empor. Sie ist aus einer nur 3,8 cm langen Platte eines Mammutstoßzahns herausgearbeitet.*

Germanen

Dem gefürchteten Stamm der Germanen brachte man in Rom großes Interesse entgegen. Um das Jahr 100 verfaßte der römische Geschichtsschreiber Tacitus die „Germania", eine bemerkenswerte Darstellung Germaniens und seiner Bewohner. Darin heißt es unter anderem:

Wenn sich die Gefolgsherren und ihre Mannen nicht auf einer Heerfahrt befinden, verbringen sie nur einen kleinen Teil ihrer Zeit mit Jagden, den größeren jedoch mit Ausruhen, indem sie schlafen und essen. Dabei sind es gerade die Tapfersten und Kriegslustigsten, die überhaupt keinen Finger rühren. Die Sorge für Haus, Hof und Feld bleibt den Frauen, den Alten und allen Schwachen im Haushalt überlassen. Sie selbst leben in stumpfer Trägheit dahin. Ein seltsamer Widerspruch in ihrem Wesen: ein und dieselben Menschen lieben das Nichtstun so sehr und hassen die Ruhe des Friedens. […]

Wie hinlänglich bekannt, wohnen die Stämme der Germanen nicht in Städten und mögen nicht einmal geschlossene Siedlungen. Sie hausen vielmehr gesondert und einzeln, je nachdem ihnen ein Quell, ein Feld oder ein Hain zusagt. Ihre Dörfer legen sie nicht wie wir so an, daß die Häuser Wand an Wand stehen und eine Straße bilden. Jeder läßt vielmehr um seinen Hof einen freien Raum. […] Nicht einmal behauene Steine oder Ziegel benutzen die Germanen; ohne Rücksicht auf gefälliges und schönes Aussehen verwenden sie zu allem unbehauenes Holz. Doch bestreichen sie ihre Häuser an gewissen Stellen ziemlich sorgfältig mit einer blendendweißen Erdart […].

Als Getränk dient den Germanen ein Saft aus Gerste oder Weizen, der infolge von Gärung eine gewisse Ähnlichkeit mit Wein hat.

Bronzehelm *Diese germanischen Helme mit angedeuteten Augenpaaren und geschwungenen Hörnern stammen aus einem Moorfund. Sie dienten ausschließlich kultischen Zwecken.*

DIE RÖMER AN RHEIN UND DONAU

Provinz eines Weltreiches

Die Geschichte der Provinz Germanien begann im Jahr 55 v. Chr., als Cäsar erstmals den Rhein überquerte. In der Folgezeit eroberten römische Legionen das Land an Rhein und Donau. Legionslager und Kastelle sicherten die Grenze, der Limes schützte vor germanischen Angriffen. Im 3. Jh. wurde Trier Sitz des römischen Kaisers. Doch die einsetzende Völkerwanderung führte schließlich zum Zerfall des Imperiums. Geblieben sind noch zahlreiche Zeugnisse der römischen Kultur wie die Ruine des Hafentempels in Xanten (Foto).

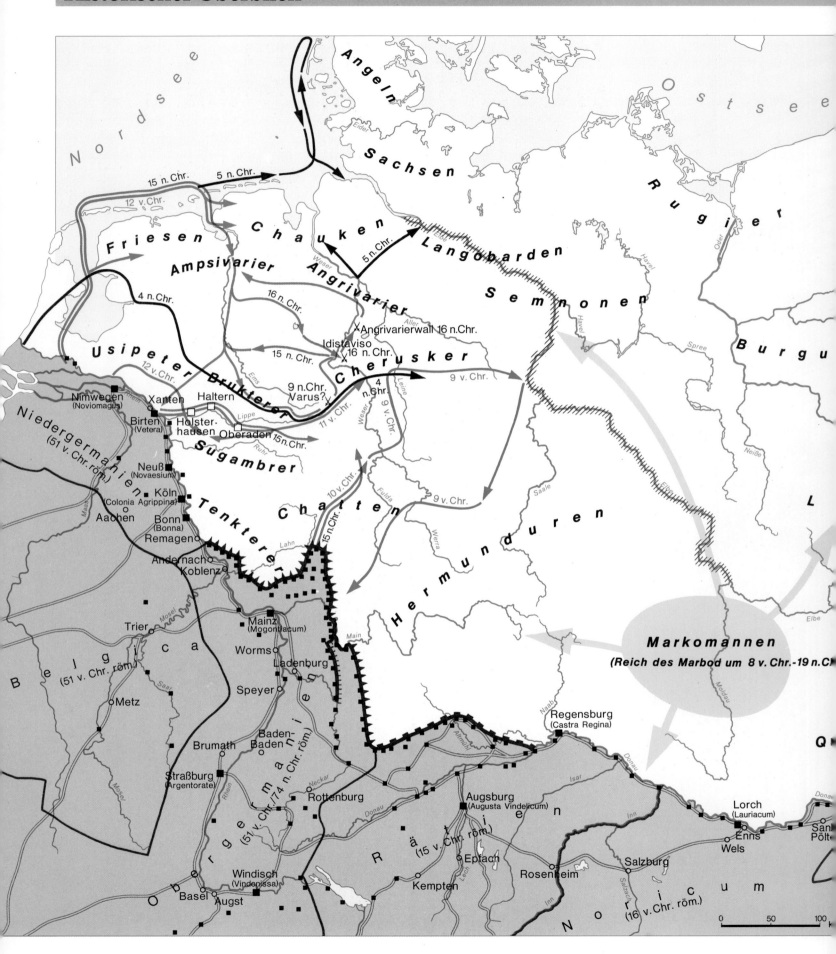

Von Cäsars Legionen bis zur Völkerwanderung

Dem römischen Feldherrn und Staatsmann Gaius Julius Cäsar gelang es nach langwierigen Kämpfen in den Jahren 58–51 v. Chr., das keltische Gallien zu erobern. Er konnte damit den römischen Machtbereich bis an den Rhein vorschieben und den Einfluß der dort ansässigen germanischen Stämme auf Gallien auf ein geringes Maß zurückdrängen.

Kaiser Augustus war nach Beendigung des römischen Bürgerkriegs 27 v. Chr. entschlossen, auf weitere Eroberungen zu verzichten und den Bestand des Imperium Romanum zu sichern. Doch an der Nordgrenze häuften sich germanische Angriffe, die schließlich den Anstoß zu einer Reihe von Feldzügen gegen die rechtsrheinischen Germanenstämme gaben. Die neue Politik des Augustus zielte nun darauf ab, an der Elbe eine strategisch günstiger scheinende Grenze zu errichten. Ausgangsbasis der militärischen Unternehmungen waren die römischen Stützpunkte am Nieder- und Mittelrhein.

Zuerst unterwarfen die Stiefsöhne des Kaisers, Tiberius und Drusus, das Alpenvorland (Provinzen Noricum und Rätien). Im Jahr 12 v. Chr. stieß Drusus zu Wasser und zu Land vor und unterwarf die Stämme an der Nordseeküste. Drei Jahre später erreichte er sogar die Elbe, starb aber auf dem Rückweg an den Folgen eines Reitunfalls. Seine Nachfolger im Oberkommando konnten zwar den offenen Widerstand der Germanen brechen, eine dauerhafte Unterwerfung des germanischen Raumes bis zur Elbe kam jedoch nicht zustande.

Vor dem verstärkten römischen Druck wichen die Markomannen kurz nach der Zeitenwende aus ihrem Gebiet am oberen Main nach Böhmen aus. Dort bildeten sie unter ihrem Führer Marbod das erste germanische Reich, dem sich zeitweise auch Hermunduren, Quaden, Lugier, Semnonen und Langobarden anschlossen. Marbod, einige Jahre Kommandant germanischer Hilfstruppen in römischen Diensten, organisierte ein Heer nach römischem Vorbild. Tiberius, der ab 4 n. Chr. das Kommando in Germanien innehatte, plante einen Feldzug gegen ihn, mußte das Unternehmen aber wegen eines Aufstandes der Pannonier abbrechen.

Inzwischen hatte der Cherusker Arminius mehrere germanische Stämme um sich geschart. Gemeinsam gelang es ihnen, im Jahr 9 im Teutoburger Wald drei Legionen unter Führung des römischen Statthalters Varus völlig zu vernichten. Trotz dieser Niederlage betrachtete Rom den Rhein und die Donau weiterhin als Grenze. Tiberius begann, eine römische Verwaltung aufzubauen, Straßen und Legionslager anzulegen und verdiente Kriegsveteranen anzusiedeln. In den Jahren 14–16 unternahm Germanicus noch mehrere Vergeltungsfeldzüge gegen Arminius, siegte auch in zwei Schlachten an der Weser, wurde dann aber abberufen.

Die spätere Ausweitung des römischen Gebiets über den Oberrhein hinaus diente vor allem der Verkürzung der Verteidigungslinie. Seit etwa 80 entstand als Grenzbefestigung gegen das „freie Germanien" der Limes, der in mehreren Phasen ausgebaut wurde. Das römische Germanien wurde in die Provinzen Nieder- und Obergermanien mit den Hauptstädten Köln und Mainz geteilt. Die einheimische Bevölkerung übernahm die römische Kultur und vermischte sich im Lauf der Zeit mit den Besatzern. Die Legionslager entwickelten sich zu blühenden Städten. Eine ähnliche Entwicklung nahm Rätien mit seiner Hauptstadt Augsburg. Das im keltisch-germanischen Mischgebiet der Provinz Belgica gelegene Trier wurde bei der Verwaltungsreform Kaiser Diokletians 293 sogar eine der vier Kaiserresidenzen des Imperium Romanum.

Jenseits des Limes bildeten sich indessen größere germanische Stämme heraus, die zur Bedrohung für die Römer wurden. So durchbrachen die Alemannen erstmals 233 auf breiter Front zwischen Rhein und Donau den Limes, der 260 ihrem Ansturm endgültig erlag. Die Rheingrenze hielt jedoch bis ins 5. Jh. der Völkerwanderung stand, und die Römerherrschaft brach erst zusammen, als aus Rom die Unterstützung ausblieb.

Die Römer an Rhein und Donau

▭	Römisches Reich (1. Jh. n. Chr.)
//////	Ungefähre Grenze der von Augustus angestrebten Provinz Germanien
▲▲▲	Obergermanischer Limes (Wall und Graben), ab ca. 80–260
▬▬▬	Rätischer Limes (Mauer), ca. 100–260
⊥⊥⊥⊥	Odenwaldlimes, um 90–155
——	Provinzgrenze
■	Legionslager
□	Zeitweiliges Legionslager
▪	Römisches Kastell
○	Bedeutende römische Stadt
═══	Wichtige römische Heerstraße
→	Feldzüge des Drusus
→	Feldzüge des Tiberius
→	Feldzüge des Germanicus und Caecina
9 n.Chr. X	Bedeutende Schlacht mit Jahresangabe
Goten	Germanischer Volksstamm
▭	Kernland des Markomannenfürsten Marbod

Kaiser Trajan Die Hälfte seiner fast 20jährigen Regierungszeit (98–117) verbrachte der Kaiser auf Feldzügen. Unter ihm erreichte das Römische Reich seine größte Ausdehnung. Doch der Feldherr ließ auch zahlreiche Städte, Kanäle und Straßen anlegen, in Deutschland u. a. die Siedlung Colonia Ulpia Traiana, das spätere Xanten.

Römische Legionen am Rhein

Die Schlacht im Teutoburger Wald im Jahr 9 n. Chr., bei der die römischen Truppen unter Varus vernichtend geschlagen worden waren, machte die ehrgeizigen Pläne Roms zunichte, das Reich bis an die Elbe auszudehnen. Statt dessen nutzte man den Rhein als natürliche Grenze und sicherte seinen Lauf mit einer Kette von Kastellen für Legionen und Hilfstruppen. Die Tour beginnt in Xanten am niedergermanischen Limes und endet in Boppard am obergermanischen Limes.

Xanten Nirgendwo sonst nördlich der Alpen können Archäologen die Anlage einer römischen Stadt so gut studieren wie in Xanten. Die um 100 n. Chr. gegründete Veteranensiedlung Colonia Ulpia Traiana bestand bis ins 4. Jh.; während ihrer Blüte dürfte sie 10 000 Einwohner gezählt haben. Auf dem ehem. Friedhof der Colonia bauten später die ersten Christen eine Kirche über dem Grab zweier Märtyrer. Daraus entwickelte sich dann die mittelalterliche Stadt. Ein Teil des einstigen, 73 ha umfassenden Stadtgeländes ist heute Archäologischer Park. Da die Stadt nach dem Abzug der Römer niemals überbaut wurde – die verbliebene Bevölkerung nutzte sie bis ins Mittelalter hinein als Steinbruch –, blieben unter den Äckern und Wiesen noch einige Grundmauern erhalten. Die freigelegten Reste und rekonstruierten Bauten kann man nun besichtigen. Außerdem sind nachgebildete Geräte zu sehen wie etwa ein hölzerner Baukran, der eine Last von 5 t heben konnte. Auch ein Amphitheater gehört zum Park. Das um 120 n. Chr. begonnene Bauwerk hatte zunächst Zuschauerränge aus Holz, die jedoch später durch steinerne ersetzt wurden. Das Regionalmuseum Xanten bewahrt die Funde der Colonia Ulpia Traiana: neben anderem Geschirre, Schmuck, Handwerkszeug und landwirtschaftliche Gerätschaften.
🛈 Archäologischer Park, Trajanstraße 4: täglich 9–18 Uhr, im Winter nach Wetterlage, Tel. 0 28 01/33 62. Regionalmuseum Xanten, Kurfürstenstraße 7–9: Di–Do 9–17, Fr 9–14, Sa, So 11–18 Uhr (Mai–September), sonst Di–Do 10–17, Fr 10–14, Sa, So 11–18 Uhr.

Grabstein des Durises in Bonn Im oberen Teil der Grabstele des römischen Kavalleristen Aemilius Durises ist der Verstorbene selbst zu sehen. Der Grabstein aus dem Köln des 1. Jh. steht heute im Rheinischen Landesmuseum in Bonn (oben).

Totenring in Neuss Nicht ohne Grund ist dieser Ring (rechts) aus dem 2./3. Jh. aus Bergkristall gefertigt. Die Römer hielten den Stein für verfestigtes Wasser und wollten damit den Toten auf seiner Reise ins Jenseits davor schützen, in den Feuerzonen verbrannt zu werden. Die Schauseite zeigt den Gott Mars Latobius als Jüngling mit Helm und Lanze.

Amphitheater Xanten 12 000 Zuschauer faßte das knapp 100 × 87 m große Oval (oben). Wie im römischen Kolosseum fanden wohl auch hier blutige Gladiatorenkämpfe und brutale Tierhetzen statt. Die Stadt war mit einer 6,6 m hohen und rund 3,5 km langen Mauer befestigt, die heute in Teilen rekonstruiert ist.

Birten Um 15 v. Chr. wurde am Fürstenberg ein Legionslager, Vetera Castra I, angelegt, das die Bataver um 70 n. Chr. zerstörten. Hier war u. a. die unglückliche 18. Legion stationiert, die in der Varusschlacht unterging. Das einzige ausgegrabene Bauwerk dieses Lagers, das der Vorgänger des Legionslagers in Xanten war, ist das nur aus Holz und Erde errichtete Amphitheater, das heute als Freilichtbühne dient (im Ort ausgeschildert).

Krefeld-Linn Am Rhein lag einst das römische Hilfstruppenkastell Gelduba. Funde aus der Umgebung des Kastells sind im Museum Burg Linn aufbewahrt, das in der römischen Abteilung über eine ansehnliche Sammlung römischer Gläser des 1.–4. Jh. verfügt. Zu den Beigaben eines Fürstengrabs aus dem 6. Jh. gehörte der berühmte „Goldhelm".

🛈 Museum Burg Linn, Albert-Steeger-Straße: Di–So 10–18 Uhr (April bis Oktober), sonst Di–So 10–13, 14–17 Uhr.

Neuss Für seine Germanienfeldzüge hatte Drusus am linken Rheinufer vier Ausgangsbasen errichten lassen, von denen eine Novaesium war, das heutige Neuss. Auf einem archäologischen Spazierweg, an dem verschiedene Steindenkmäler aufgestellt sind, kann man das Legionslager umrunden, wobei es sich empfiehlt, vorher der römischen Abteilung des Clemens-Sels-Museums einen Besuch abzustatten und ein dort ausliegendes Informationsblatt über das Kastell mitzunehmen. Im Museum kann man sich in einer nachgebildeten römischen Küche mit vielfältigem Inventar wie Tafelgeschirr, Keramik und Gläsern ein Bild von der Eßkultur der Römer machen. Eine Kultstätte der großen Göttermutter Kybele aus dem 4. Jh. erreicht man über den Grünen Weg und die Konradstraße.

🛈 Clemens-Sels-Museum, Am Obertor: Di–So 10–17 Uhr, am letzten Sonntag im August geschlossen.
Kybele-Kultstätte: Der Schlüssel ist im Haus Gepaplatz 3 erhältlich.

Bonn Im Rheinischen Landesmuseum kann man römische Baudenkmäler, die längst zerfallen sind, im Modell betrachten, so das Amphitheater von Xanten, eine römische Großbaustelle, eine Kalkbrennerei und eine Wasserleitung.

🛈 Rheinisches Landesmuseum, Colmantstraße 14–16: Di, Do 9–17, Mi 9–20, Fr 9–16, Sa, So, feiertags 11–17 Uhr.

Bad Neuenahr-Ahrweiler Am Fuß des Silberbergs wird seit 1980 eine 73 × 35 m große römische Villa ausgegraben. Die Mauern sind gut erhalten und farbig verputzt. Hypo-

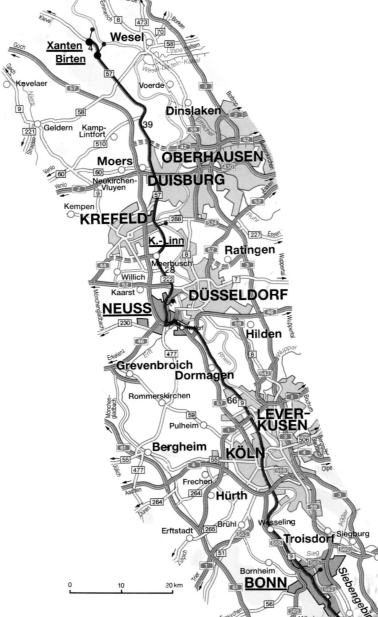

kaustenheizung (eine antike Fußbodenheizung) und anderer Komfort lassen darauf schließen, daß sie der Sommersitz eines reichen römischen Beamten aus Trier war.

🛈 Während der Ausgrabungen ist die Besichtigung der Villa in der Abfahrtsschleife der alten zur neuen B 267 kurz vor Ahrweiler nur werktags möglich.

Rheinbrohl Die Rekonstruktion eines steinernen römischen Wachturms mit hölzernem Umgang an der B 42 markiert den ungefähren Beginn des Limes. Im Ort ist der Wanderweg „Rhein- und Römerturm" ausgeschildert (2,5 km). Autofahrer biegen vor Bad Hönningen zum Rhein ein.

Koblenz Hier am Zusammenfluß von Rhein und Mosel stand eine römische Festung; unter mittelalterlichen Bauwerken sind noch Reste

Links und rechts des Rheins Die Tour beginnt in Xanten und führt linksrheinisch bis nach Bad Neuenahr-Ahrweiler. Bei Linz wechselt man mit der Fähre auf die rechte Seite. In Koblenz führen Brücken über den Rhein und die Mosel. Endpunkt ist Boppard.

der Grundmauern erhalten, so am Pfarrhaus der Frauenkirche, am Entenpfuhl 19, im Kirchgarten von Sankt Florin und in der Tiefgarage unter der Alten Burg.

Im Stadtwald ist vom Parkplatz „Eiserne Hand" aus (an der Straße Richtung Waldesch) zu Fuß ein rekonstruierter gallorömischer Umgangstempel zu erreichen. Er war dem Gott Merkur und seiner gallischen Begleiterin Rosmerta geweiht.

🛈 Kirchgarten Sankt Florin: 9–17 Uhr (Mai–August).

Winningen Integriert in den Rastplatz Winningen an der A 61 liegen über den Weinbergen die konservierten Fundamente eines römischen Gutshofs. Besonders gut erhalten sind die Grundmauern der Badeanlage im Westteil des Gebäudes. Der Gutshof ist zu Fuß über die Weinlehrpfade „Reitende Hexe" oder „Rebe" zu erreichen. Beim Verkehrsamt, August-Horch-Straße 3, ist ein Informationsblatt erhältlich.

Boppard Das Kastell Bodobriga gehört zu den Befestigungen, die Drusus um 20 v. Chr. entlang des Rheins errichten ließ. Es hielt sich, erweitert und umgebaut, bis in das 4. Jh., und noch heute ist von der Kastellmauer einiges recht gut erhalten. Im Stadtmuseum ist ein Faltblatt erhältlich, das als Führer bei einem informativen Rundgang entlang der römischen Reste dient. Außerdem sind hier auch römische Funde zu sehen.

🛈 Museum der Stadt, Burgstraße: Di–Fr 10–12, 14–17, Sa 10–12, So 14–17 Uhr (April–Oktober).

Die Kolonie der Kaiserin

Agrippina wurde 15 n. Chr. in einer von Römern angelegten Ubiersiedlung als Tochter des Germanicus geboren. Im Jahr 50, anläßlich ihrer Hochzeit mit Kaiser Claudius, erhob sie ihre Geburtsstadt, das Oppidum Ubiorum, zur römischen Kolonie und gab ihr den Namen Colonia Claudia Ara Agrippinensium. Fortan nannten die Römer ihre Stadt kurz CCAA. Der einstige Kern der Siedlung läßt sich auf einem Rundgang durch das heutige Köln an vielen Stellen noch erkennen.

Römisch-Germanisches Museum Der Gang durch das Köln der Römer beginnt in einem Museum, das über einem seiner berühmtesten Exponate errichtet wurde, dem 74 m² großen Dionysosmosaik, das man 1941 bei Bauarbeiten für einen Bunker entdeckte. Zweites Prunkstück des nach Sachgruppen und nicht nach chronologischen Gesichtspunkten geordneten Museums ist das 14,75 m hohe Grabmonument des Lucius Poblicius, eines Veterans der 5. Legion aus der Zeit um 40 n. Chr. In dem Museumsgebäude wurde auch der Hauptbogen des Nordtors aufgestellt, auf dessen profilierten Steinen die Buchstaben CCAA zu erkennen sind. Ursprünglich hatte es – bei einer Breite von 30 m – drei Durchgänge und war mit über 20 m Höhe das Prunktor der Stadt.

ⓘ Römisch-Germanisches-Museum, Roncalliplatz 4: Di, Fr–So 10–17, Mi, Do 10–20 Uhr.

Hafenstraße Die Museumslandschaft beginnt aber bereits auf der Straße davor, auf der frei stehende Steindenkmäler zu sehen sind. Südlich des Museums wurden ein 60 m langes Stück der alten römischen Hafenstraße und ein Brunnen mit Wasserspeier rekonstruiert.

Nordtor Westlich des Doms steht der 1971 wieder aufgebaute östliche Seitenbogen des Nordtors der römischen Stadtbefestigung. In der Tiefgarage unter dem Domplatz (Eingang: Unter Fettenhennen) sind Fundamentreste eines flankierenden Turms erhalten.

Römische Stadtmauer Verläßt man die Tiefgarage in Richtung Trankgasse, entdeckt man neben der Ausfahrt ein mächtiges Stück der alten

Grabmal des Lucius Poblicius *In den 60er Jahren hat man die einzelnen Teile des Grabmals ausgegraben und wieder zu einem mehrgeschossigen Bau zusammengesetzt (oben), der heute im Römisch-Germanischen Museum zu sehen ist. Eine Säulenreihe mit Schuppendach bildet das Obergeschoß.*

Römerturm *Er begrenzte das Areal der römischen Kolonie nach Nordwesten hin (oben). Der kunstvolle Ziegelbau wurde um 50 n. Chr. errichtet; seine Zinnen allerdings erhielt er erst im 19. Jh. Im Hintergrund der Kölner Dom.*

Römischer Reisewagen *Im Römisch-Germanischen Museum vermittelt diese Rekonstruktion eines Reisewagens ein Bild des römischen Alltags in Köln (rechts).*

römischen Stadtmauer. Sie umschloß ab 50 n. Chr. das etwa 1 km² große Areal des Oppidums, das um diese Zeit zur Kolonie erhoben wurde. Im heutigen Stadtbild läßt sich die Mauer mit ihren Toren und Wachtürmen an vielen Stellen noch ausmachen. So ist ein weiteres Stück in der Komödienstraße erhalten, der man bis zur Tunisstraße folgt.

Lysolphturm An dieser Straßenecke steht die besterhaltene Toranlage der Stadt. Am Zeughaus vorbei, das mit seiner Südseite auf Resten der römischen Stadtmauer errichtet wurde und in dem heute das Kölnische Stadtmuseum eingerichtet ist, geht es weiter bis zur Ecke Zeughaus/Sankt-Apern-Straße.

Römerturm Hier markiert der Römerturm den nordwestlichen Eckpfeiler der Befestigung. Mit seiner reich ornamentierten Fassade dokumentiert er die Ziegelbaukunst der Römer. Im Mittelalter wurde er allerdings zweckentfremdet und als Latrine benutzt.

Helenenturm Hinter dem Römerturm führt der Weg nach Süden durch die Apernstraße zum Helenenturm, einem wieder aufgebauten Rundturm mit original erhaltenem Fundament, und weiter durch Gertrudenstraße und Neumarkt zur Clemensstraße.

Griechenpforte Die Stadtmauer verlief bis zum Ende des Mauritiussteinwegs, wo linker Hand die Griechenpforte steht, ein 4 m hoher Rest des südwestlichen Eckturms. In der Straße Alte Mauer am Bach markiert eine moderne Ziegelmauer mit eingelassenen römischen Steinen den alten Mauerverlauf.

Römischer Turm 37 In der Kaygasse 1 ist der Grundriß eines weiteren Befestigungsturms im Straßenpflaster gekennzeichnet.

Ein Grab wie ein Speisezimmer

Eine der besterhaltenen römischen Grabkammern nördlich der Alpen ist den 9 km weiten Abstecher von Köln unbedingt wert. An der Aachener Straße 328 in Weiden-Lövenich befindet sich der 4,44 × 3,55 m große, heute mit Glaskuppel überwölbte Raum mit drei großen Nischen und nicht weniger als 29 Urnennischen. Die Kammer enthielt, als man sie vor rund 150 Jahren entdeckte, zwei Steinsessel, drei kostbare Marmorbüsten und einen herrlich gearbeiteten wannenförmigen Jahreszeitensarkophag. Die Männerbüste zeigt einen etwa 40–50jährigen Mann mit edlen Gesichtszügen, die der beiden Frauenbüsten eine Frau im gleichen Alter: vielleicht ein Ehepaar. Beide wurden um 190 vermutlich von demselben Meister geschaffen. In Ausmalung und Ausstattung ist der Raum wie das Speisezimmer

einer vornehmen römischen Villa gestaltet. Man vermutet, daß hier das Totenmahl abgehalten wurde.

Einige kleinere Gegenstände wurden an das Museum in Berlin verkauft; die Grabkammer selbst erwarb der Kölner Dombaumeister Ernst Friedrich Zwirner. Er ließ sie, soweit nötig, restaurieren; heute steht die Grabkammer täglich von 9 bis 16 Uhr zur Besichtigung offen.

Ubiermonument Weiter verlief die Mauer durch die heutige Blaubach- und Mühlenbachstraße, an deren Ende im Haus Nr. 1 in den Grundmauern das Ubiermonument erhalten ist, Reste eines mächtigen Turms aus großen Tuffsteinblöcken, der zum Schutz des Hafens errichtet worden war.

ℹ️ Führungen Do 16–18 und jeden ersten Sonntag im Monat 10.30 Uhr.

Prätorium Am Heumarkt vorbei geht es weiter zum Alten Rathaus. Hier stand einst der imposanteste Bau der Colonia: das Prätorium, der Palast des Legaten von Niedergermanien. Da das Rathaus im Zweiten Weltkrieg stark beschädigt wurde, war zum Teil ein Neubau nötig. Bei den Ausschachtungsarbeiten stieß man 1953 auf die Reste des Palastes, der dann von Archäologen sorgfältig ausgegraben und untersucht wurde. Insgesamt konnte man vier Bauperioden nachweisen: Der erste Bau – eine große Villa – geht auf das Jahr 50 n. Chr. zurück; ein Brand machte rund 20 Jahre später einen erweiterten Neubau nötig. Hier erfuhr Trajan vom Tod seines Adoptivvaters Nerva; damit erhielt er selbst im Jahr 98 die Kaiserwürde. Wegen Baufälligkeit wurde das Prätorium im 3. Jh. ersetzt, und im 4. Jh. schließlich ließ Konstantin der Große eine weitläufige Regia, einen Königspalast, errichten: seiner Bedeutung entsprechend ein riesiges, repräsentatives Gebäude, das für festliche Veranstaltungen genutzt wurde, mit einem Oktogon in der Mitte und einer dem Mittelbau vorgelagerten mächtigen Säulenterrasse, welche die beiden Ecktürme des Palastes miteinander verband. Das Prätorium war äußerst

komfortabel ausgestattet; die Hypokaustenheizung, eine Art Fußbodenheizung, fehlte beispielsweise nicht. Der wichtigste Teil der ausgegrabenen Palastmauern unter dem Rathaus ist heute, unter einer Spannbetondecke gesichert, für Besucher zugänglich.

ℹ️ Zugang Kleine Budengasse, Di bis So 10–17 Uhr.

Aquädukt In der Kleinen Budengasse bietet sich auch der beste Überblick über das Wasserversorgungssystem der Römer. Ihr Frischwasser bezogen sie als reines Quellwasser aus der Eifel – eine fast 100 km lange Wasserleitung mit Aquädukten führte aus dem Quellgebiet der Urft bis in die Stadt hinein. Auch in der Grünanlage Kolpingplatz/Drususgasse ist ein Teilstück des römischen Aquädukts zu sehen; 1930 war es in Efferen ausgegraben worden.

Stadtrundgang durch Köln Drei bis vier Stunden dauert der Fußmarsch auf den Spuren der Römer. Ein Tip für diejenigen, die danach noch etwas Zeit haben: Außerhalb der Strecke liegt unter der Kirche Sankt Severin in der Severinstraße ein römisch-fränkisches Gräberfeld mit Steinsarkophagen. Führungen Mo und Fr 16.30 Uhr und n. Vereinb., Tel. 02 21/5 79 09 51.

Im Bannkreis der Augusta Treverorum

Trier, die 15 v. Chr. gegründete Römersiedlung Augusta Treverorum, erlebte einen faszinierenden Aufstieg als Handelsstadt, Verwaltungssitz und Kaiserresidenz. Eine Fülle erhaltener Großbauten legt vom politischen und militärischen Machtpotential, aber auch von der wirtschaftlichen und kulturellen Kraft der Stadt Zeugnis ab. Das Umland mit seinen keltischen Bewohnern sonnte sich in ihrem Glanz – und war aber letztlich in der Zeit der Germanenstürme doch nur Bollwerk.

Nehren Schon lange wußten ansässige Winzer vom „Heidenkeller", einem in den Schieferhang getriebenen unterirdischen Raum, zu berichten, dessen Wände mit geometrischen Mustern, Weinbergmotiven und Blumenornamenten bemalt sind. Doch erst als man bei Untersuchungen 1973 und 1974 ganz in der Nähe eine zweite, ähnliche Anlage fand, schien die Rekonstruktion der beiden Bauten, bei denen es sich wahrscheinlich um die Grabstätte einer Gutsbesitzerfamilie des 4. Jh. handelte, lohnend. Heute liegen die beiden Häuschen vom Ort aus gut sichtbar in den Weinbergen. Die untere, tonnengewölbte Etage enthielt jeweils die Grabkammer; das nahezu frei stehende Obergeschoß ist als kleiner Grabtempel mit einem Hauptraum und einer Vorhalle gestaltet.

Neumagen-Dhron 1878 stieß man in Neumagen auf Zeugnisse römischer Besiedlung. Was seither vor allem an herrlichen Grabdenkmälern und Reliefs zutage kam, bewahrt das Rheinische Landesmuseum in Trier in einem eigenen Saal. In Neumagen, das gern als ältester Weinort Deutschlands bezeichnet wird, befinden sich jedoch entlang der Römerstraße einige Kopien – z.B. das Weinschiff vor der Peterskapelle und das Relief einer Pachtzahlung am Rathaus. Schon seit dem frühen 3. Jh. von römischen Weinhändlern bewohnt, wurde der Ort erst unter Kaiser Konstantin um 310 mit dem Kastell Noviomagus gesichert. Ein Modell der Anlage ist – neben weiteren römischen Exponaten – im Heimatmuseum zu sehen.

ℹ Heimatmuseum, Römerstraße 137: Mo–Fr 10–12, 14.30–17, Sa 14–16 Uhr (Mitte April–Oktober), sonst Mo–Fr 14.30–17 Uhr.

Trier Der Hauptort der keltischen Treverer, 15 v. Chr. als Augusta Tre-

Weinschiff in Neumagen Zum Weintransport auf der Mosel verwendeten die Römer auch ihre bis zu 50 m langen Kriegsschiffe, wie das berühmte Neumagener Weinschiff (rechts) belegt. Das Original dieses Grabmals für einen römischen Weinhändler (um 200 n. Chr.) steht heute im Rheinischen Landesmuseum in Trier.

Mosaikfußboden in Trier Das Mosaik mit Sternrosetten, Pflanzengirlanden und geometrischem Muster, dessen Mittelfeld das Medusenhaupt darstellt, wurde 1913 an der Nordseite der Ba-

silika entdeckt und 1983 gehoben (oben). Nach Abschluß der Umbauten des Rheinischen Landesmuseums wird es dort voraussichtlich 1989 ausgestellt werden.

Kaiserthermen in Trier Der Blick vom Palastgarten fällt auf das große halbrunde Caldarium, den Warmbadesaal mit seinen großen Rundbogenfenstern (links).

verorum von den Römern gegründet und vier Jahrhunderte von ihnen beherrscht, gilt als die älteste Stadt Deutschlands. Bekanntestes Bauwerk ist wohl die Porta Nigra, das im 2. Jh. erbaute Nordtor der einstigen Stadtbefestigung. Mit seinen 36 m Länge, 30 m Höhe und 21,5 m Breite ist es das größte erhaltene Stadttor des Römischen Reiches. Es wurde ohne Mörtel erbaut; lediglich Eisenklammern halten die großen Sandsteinblöcke zusammen.

Einst lag auf dem Gelände von Dom und Liebfrauenkirche der Palast der heiligen Helena, der Mutter Kaiser Konstantins. Unter der Vierung des Doms fand man die Reste des 7 × 10 m großen Prunksaals, der mit herrlichen Deckenmalereien verziert war; diese können heute im Bischöflichen Museum besichtigt werden.

Einen der Schwerpunkte des Rheinischen Landesmuseums bilden die reichen römerzeitlichen Funde aus Trier und dem Umland – Wandmalereien, Grabmale, Mosaiken, Bronzen und Gläser sind nur ein Teil des umfangreichen Bestands.

Die sogenannte Basilika, heute ev. Erlöserkirche, war ursprünglich eine römische Palastaula, der Kernbau der um 305 für Kaiser Konstantin errichteten Residenz. Der 67 m lange, 30 m hohe Apsidensaal mit seinen bis zu 3,4 m dicken Ziegelmauern machte eine ereignisreiche Geschichte als Wehrburg, Lazarett und Kaserne durch, ehe er im 19. Jh. in seiner ursprünglichen Gestalt wiederhergestellt und als Kirche eingerichtet wurde. Dem von außen zweigeschossig scheinenden Bau fehlen freilich die Säulenvorhalle an der Südfront, die seitlichen Vorhöfe und die Holzgalerien vor den Fenstern. Auch im Innern ist die Aula heute ein schlichter Kirchenbau – einst hatte sie Marmorfußböden und Goldmosaiken in der Apsis. Mauerreste von Vorgängerbauten des 1.–3. Jh. sind unter der Basilika erhalten und können besichtigt werden.

Die Ruinen der Kaiserthermen sind Überreste einer nie völlig fertiggestellten Badeanlage, die wohl schon unter Konstantins Vorgänger Diokletian zu Anfang des 4. Jh. begonnen wurde. Von dem einst 250 × 145 m großen Gebäude ist die Südostecke erhalten, weil sie in die mittelalterliche Stadtbefestigung als Wachturm und Stadttor integriert war. Alles andere, das im Bereich des heutigen Parks lag, fiel im Lauf der Zeit Steinräubern zum Opfer.

Der älteste Monumentalbau Triers ist das um 100 n. Chr. errichtete Amphitheater, dessen Ruinen an der Olewiger Straße liegen. Etwa 20 000 Besucher fanden auf den drei Zu-

Von Nehren nach Fließem-Otrang Den atemberaubenden Windungen der Mosel folgt man auf der Moselweinstraße zwischen Nehren und Trier (B 49 und B 53). Doch auch die Fahrt entlang der Sauer auf dem Weg nach Echternach, Weilerbach und Boliendorf ist landschaftlich reizvoll.

schauerrängen Platz; die ovale Arena mißt 75 × 50 m.

Während man noch an den Kaiserthermen baute, waren die um die Mitte des 2. Jh. errichteten Barbarathermen schon in Betrieb. Heute sind nur noch Reste der Grundmauern der einst mit Marmor, Stuck und Malereien ausgestatteten Thermenanlagen zu sehen. Ganz in der Nähe führt die Römerbrücke über die Mosel. Von den sieben Brückenpfeilern stammen fünf noch aus der Erbauungszeit um 150 n. Chr.

In Höhe des heutigen Krahnenufers befanden sich in römischer Zeit zwei Lagerhäuser für das Heer und den Hofstaat, sogenannte Horrea. Die beiden Hallen waren je 70 m lang, 19 m breit und 10 m hoch; zwischen ihnen verlief eine 12 m breite Ladestraße. In merowingischer Zeit zur Pfalz umfunktioniert, wurden sie später Bestandteil der Benediktinerinnenabtei Sankt Irminen. Im sogenannten Römersaal, dem Speisesaal des heutigen Altersheims, ist noch ein bedeutendes Stück Westwand von einem der Speicher erhalten.

Die wahrscheinlich in der Mitte des 4. Jh. von Kaiser Valentinian errichtete und dann noch von seinem Sohn Gratian genutzte kleine Palastanlage im Trierer Stadtteil Pfalzel, deren Hauptgebäude wohl 65 × 55 m

gemessen haben muß, war schon 590 Ruine. Sie wurde in den um 700 begonnenen Bau des Benediktinerinnenklosters mit einbezogen. Heute sind im Innenraum der ehem. Stiftskirche die unverputzten Reste der römischen Mauern gut von den weißen Wänden aus späterer Zeit zu unterscheiden.

ℹ Bischöfliches Museum, Windstraße: Mo–Sa 9–13, 14–17, So und feiertags 13–17 Uhr.
Rheinisches Landesmuseum, Ost-

allee 44: Mo–Fr 9.30–16, Sa 9.30–14, So 9–13 Uhr.
Basilika: Mo–Sa 9–13, 14–18, So und feiertags 11–13, 14–18 Uhr (Ostern–Oktober), sonst Di–Sa 11–12, 15–16, So 11–12 Uhr.
Porta Nigra, Amphitheater, Barbara- und Kaiserthermen: täglich 9–13, 14–18 Uhr (April–September), täglich 9–13, 14–17 Uhr (Oktober), Di–So 9–13, 14–17 Uhr (November, Januar–März), Barbarathermen Mo geschlossen.
Sankt Irminen: Zugang zum Römersaal auf Anfrage, Tel. 06 51/46 81.
Echternach Eine der größten römischen Villen des Trierer Landes wird

Römische Villa in Echternach Schon von weitem sind die weißen Säulen des Echternacher Herrenhauses auszumachen, dessen Ruine in völlig unverbautem Gelände liegt. Zahlreiche erhaltene Wasserbecken künden von der hohen Badekultur der Römer.

seit Abschluß der Ausgrabungen 1976 an der E 42 südwestlich von Echternach in Luxemburg konserviert und restauriert. Die erhaltenen Mauern und Säulen vermitteln einen guten Eindruck vom Aufbau der Anlage. Deutlich ist u. a. der Grundriß des Vorplatzes mit dem großen Wasserbecken, der Portikushalle, dem Mittelsaal mit Wohnbereich und dem Badetrakt mit verschiedenen Wannenräumen zu erkennen. Die Frage, wer sich hier zu Beginn des 1. Jh. ein Herrenhaus von palastartigen Ausmaßen (118 × 62 m) bauen ließ, ist noch nicht beantwortet. Vielleicht war es ein hochgestellter Treverer, der während der römischen Besetzung mit den Römern kollaborierte. Bis ins 4. Jh. war die Villa bewohnt.

In Echternach liegt direkt gegenüber der ehem. Benediktinerabtei der Petersberg, ein natürlicher kreisrunder Sporn, den schon die Römer im 4. Jh. mit einer ungleichmäßigen Ringbefestigung mit vier Wehrtürmen versahen. Innerhalb dieses „Burgus" erhebt sich eine kleine Andachtskirche, die auf fränkische Zeit zurückgeht.

Weilerbach Im Wald oberhalb von Weilerbach ließ ein gewisser Quintus Postumius aus einem Felsen eine Andachtsstätte mit dem Bildnis der Jagdgöttin Diana zu deren Verehrung herausmeißeln. Hierher führt der gut ausgeschilderte „Dianawanderweg". Dem Götterbild aus dem 2. Jh. fehlt heute der größte Teil der oberen Hälfte, vielleicht zerstört von eifrigen Christen, die gegen die Heidengötzen zu Felde zogen. Im weiteren Verlauf des Wanderwegs, in Richtung Diesberger Hof, findet man Zeugen einer gallorömischen Bestattungsweise: In einen Felsbrocken sind mehrere viereckige Löcher gehauen, die der Aufnahme von Aschenurnen dienten.

Bollendorf Glaubt man der lateinischen Literatur, so soll hier einst eine römische Brücke über die Sauer geführt haben – bisher hat die Archäologie allerdings noch keine Bestätigung dafür finden können.

Porta Nigra in Trier
Durch das einzige erhalten gebliebene römische Stadttor von Trier betritt man die nördliche Altstadt. Die Ostseite des Römertors wird von einer spätromanischen Apsis gebildet – um 1150 war die Porta Nigra zu einer Kirche umgebaut worden.

Wohl aber fand man in ausgesucht schöner Hanglage die Mauerreste eines römischen Landhauses aus dem 2.–4. Jh. Um 400 fiel die Villa in den Wirren der Germanenstürme einem Brand zum Opfer. Die Mauerzüge von Säuleneingangshalle, Treppe, Badeanlage, Heizungstrakt und Eckbauten sind erhalten.

Bitburg Ein römisches Straßenverzeichnis aus der Zeit Kaiser Caracallas (198–217) nennt an der großen Straße von Köln nach Trier die Keltensiedlung Beda, das heutige Bitburg. Unter Kaiser Konstantin erhielt der Ort eine von Römern gebaute, 3,8 m starke Ummauerung, vor der sich ein 9 m breiter Graben hinzog. Der Ort wurde so in das System befestigter Straßenposten zur Sicherung gegen die immer häufigeren Germaneneinfälle einbezogen.

In der Innenstadt des heutigen Bitburgs ist entlang der B 257 auf einer Länge von 170 m die Römermauer durch Ausmauerung konserviert. Hier sind auch noch vier der ursprünglich 13 oder 14 Rundtürme sichtbar. In einem Grünstreifen an der Ecke zur Dauner Straße stehen originale Mauerreste ohne moderne Ergänzungen, so daß der Aufbau des Gußmauerwerks genau zu erkennen ist. Das Kreismuseum der Stadt bewahrt Funde aus der Römerzeit, darunter Keramik aus dem römischen Töpferzentrum im Speicherer Wald.
🛈 Kreismuseum, Denkmalstraße: Mo, Di, Do, Fr 9–11 Uhr (April bis September), sonst Di und Do 9–11 Uhr.

Fließem-Otrang Seit Bauern 1825 bei der Feldarbeit auf die Fußbodenmosaiken einer römischen Villa stießen, ist man hier um die Erhaltung der Reste dieser ungewöhnlich luxuriösen und großen Gutsanlage bemüht, die insgesamt ein Areal von 400 × 190 m umschloß. Schon 1838 veranlaßte die preußische Regierung den Bau von Schutzhütten für die Bodenfunde – diese Biedermeierbauten stehen heute selbst unter Denkmalschutz. Das im Grundriß vollkommen konservierte Herrenhaus mit einer Grundfläche von 60 × 60 m barg mehr als 60 Räume, darunter 15 Zimmer mit herrlichen Mosaikfußböden. Das Haus hatte elegante Badeanlagen und Fußbodenheizung. Die Südfront der Villa mit ihrem Portikus ist wieder aufgebaut. Man vermutet, daß eine reiche keltische Bauernfamilie Erbauer dieses ab 180 n. Chr. angelegten und bis etwa 500 unterhaltenen Gutsbetriebes in römischem Stil war.
🛈 Römische Villa Otrang: Di–So 9–13, 14–18 Uhr (April–Oktober), sonst 9–13, 14–17 Uhr, im Dezember geschlossen.

Keltisches Herz in römischer Schale

Das Saarland blieb auch unter römischer Fremdherrschaft weitgehend seinen keltischen Lebensformen verhaftet. Hier, hinter der Reichsgrenze, konnten die Menschen von der Zeitenwende an fast 300 Jahre lang ein friedliches Leben führen, bis die Bedrohung durch die Germanen auch in diesem Gebiet ständige Militärpräsenz erforderte. Land und Leute waren daraufhin direkt dem fremden, römischen Einfluß ausgesetzt, der nun Bau- und Lebensformen immer deutlicher prägte.

Igel Rund 9 km vor Trier erhebt sich in der Ortsmitte von Igel ein 23 m hohes, viereckiges Pfeilergrabmal. Eine Inschrift auf der Südseite der Säule nennt als Inhaber die Familie der Secundinier, die es um 250 n. Chr. durch den Tuchhandel zu großem Reichtum gebracht hatte. Auf den Reliefs sind Bilder aus dem Arbeitsleben dargestellt, außerdem Szenen aus der Mythologie; Reste der ursprünglichen Bemalung sind mittlerweile völlig verwittert.

Konz Moselaufwärts, 8 km vor Trier, legte man 1959 beim Bau der neuen Pfarrkirche in Konz umfangreiche Reste einer römischen Villa frei, die als Aufenthaltsort für Kaiser Valentinian identifiziert werden konnte. Leider wurde diese Kaiservilla des 4. Jh. durch den modernen Kirchenbau fast völlig zerstört. Lediglich auf dem umliegenden Friedhof sind noch größere, wenn auch unzusammenhängende Mauerteile zu sehen, deren Funktion ein Grundrißplan am Kircheneingang erläutert. In der Krypta sowie unter der Sakristei sind weitere Mauerreste von Heizgang und Bedienungsraum einer Badeanlage der Villa zugänglich. ℹ Sankt Nikolaus, Martinstraße: Voranmeldung beim Organisten, Tel. 0 65 01/36 44.

Tawern Wenn man am Ortsende links in die Bachstraße einbiegt und nach den letzten Häusern einem Waldweg bis zur Kuppe des Metzenberges folgt, gelangt man an eine archäologische Ausgrabungsstätte, die ein Höhenheiligtum freilegt, das bis ins 5. Jh. begangen wurde. Weihinschriften und Funde römischer Münzen legen nahe, daß hier Merkur, der Gott des Handels und Verkehrs, verehrt wurde.

Römermuseum Homburg-Schwarzenacker *Die teilweise rekonstruierte Römersiedlung (oben) zeigt einen typischen Handelsplatz in der Provinz.*

Mosaik in der römischen Villa Nennig *Das Detail (links) stellt einen Gladiator dar, der den Triumph über einen Panther auskostet.*

Igeler Säule *Aus Sandstein, dem natürlichen Material der Region, ist das Grabmal der Familie der Secundinier (rechts) erbaut.*

Serrig „Da wohnen die Zwerge", heißt es vom Widdert- oder Wicherthäuschen bei Serrig, das man über die Umgehungsstraße entlang der Eisenbahnlinie am Ende des Neubaugebiets erreicht. Was von weitem tatsächlich wie ein kleines Haus aussieht, ist ein außergewöhnlich gestaltetes römisches Grabmal aus den ersten Jahrhunderten n. Chr.: Ein mächtiger Steinblock ist in den Boden versenkt, eine 2,2 × 2,4 m große Kammer ist 0,9 m tief aus dem Stein gehauen, und ein wuchtiger Felsblock in der Form zweier sich kreuzender Satteldächer verschließt das Grab wie ein Deckel.

Nennig Der berühmte römische Mosaikfußboden der Villa von Nennig wurde 1852 von einem Landwirt entdeckt, der in seinem Garten leuchtendbunte Steine, die einen Löwen darstellten, fand. Das rund 10 × 16 m große Mosaikfeld – das größte nördlich der Alpen – vermittelt den Eindruck eines auf Marmorfliesen liegenden Teppichs, dessen Mittelfelder und Bildmedaillons Szenen einer Vorstellung im Amphitheater zeigen, so beispielsweise Musikanten, die das Publikum unterhalten, einen Löwen, der aus der Kampfarena gebracht wird, und zwei Stockfechter, die die Zuschauer erheitern sollen. Das untere Mittelfeld stellt einen Gladiatorenkampf dar, das obere birgt ein Marmorbassin. Auf Schau- und Texttafeln werden die einzelnen Bilder des Mosaiks, das einst die Empfangshalle eines prächtigen Landsitzes aus dem 3. Jh. zierte, eingehend erläutert.

ℹ️ Mosaikvilla, Römerstraße 11: Di bis So 8.30–12, 13–18 Uhr (April bis Oktober), sonst 9–12, 13–16.30 Uhr.

Dillingen Zeugen der römischen Vergangenheit von Pachten bei Dillingen, auf dessen Boden zwischen dem 1. und 4. Jh. eine Zivilsiedlung, ein Kastell und mehrere Gräberfelder lagen, sind am Fundort nicht mehr zu sehen. An der Kirche Sankt Maximin stehen beschriftete Sitzsteine aus dem Kulttheater, ebenso in der Eingangshalle der Römerschule (Volksschule), die in einer kleinen Dauerausstellung auch ein Modell des römischen Kastells zeigt.

ℹ️ Römerschule, Jakobistraße: geöffnet zur Schulzeit, sonst Anmeldung beim Hausmeister in der Schule.

Wallerfangen Am Eingang zum unterirdischen Stollen eines römischen Kupferbergwerks, dem sogenannten Blauloch, findet sich die Felsinschrift: INCEPTA OFFICINA EMILIANI NONIS MARTIS – „Am 7. März eröffnete Emilianus dieses Bergwerk" – in welchem Jahr, hat er

Durch das Saarland
Auf ihrer ersten Hälfte,
bis Saarbrücken, folgt
die Tour strecken-
weise dem land-
schaftlich schönen,
gewundenen Lauf
der Saar.

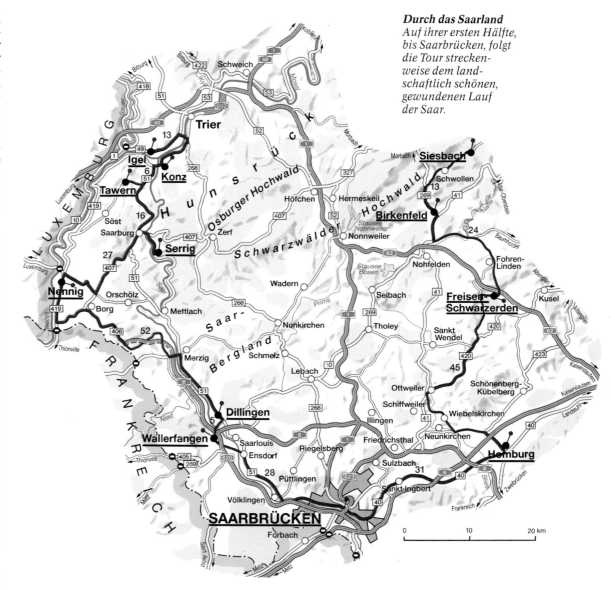

leider verschwiegen. Der eindrucksvolle zweigeschossige Stollenbau ist durch mannshohe Galerien erschlossen, die durch Rundschächte miteinander verbunden worden sind.

ℹ️ Römisches Bergwerk Sankt Barbara, Am Hanselberg: Besichtigung nach Voranmeldung, Tel. 0 68 31/ 6 18 24.

Saarbrücken Das Museum für Vor- und Frühgeschichte besitzt aus allen auf dieser Tour besuchten Orten einige Funde. Besondere Aufmerksamkeit verdienen die aus Pachten stammenden Münzfälscherförmchen und das Ensemble von Kinderspielzeug aus Pfeifenton. Außerdem beeindrucken die Malereien der Villa von Merzig mit Darstellungen, wie sie anderswo als Mosaik entstanden.

ℹ️ Landesmuseum für Vor- und Frühgeschichte, Ludwigsplatz 16 bis 17: Di–Fr 9–16, So 10–17 Uhr.

Homburg Das Römermuseum Homburg-Schwarzenacker zeigt – teilweise rekonstruierte – Wohnhäuser mit Einrichtungen und Kellern sowie ganze Straßenzüge einer römischen Handelssiedlung, die Mitte des 3. Jh. von Germanen zerstört wurde.

ℹ️ Römermuseum: Besichtigung Di bis So 9–12, 14–17.30 Uhr (April bis November), sonst Mi 9–16.30, Sa, So und feiertags 12–16.30 Uhr.

Freisen-Schwarzerden Von Persien aus verbreitete sich der Mithraskult durch römische Soldaten nach Italien und von dort dann ebenfalls in die nördlichen Provinzen. Auch bei Schwarzerden findet sich ein in den Fels gehauenes Kultbild des stiertötenden Gottes. Man erreicht es, wenn man der Straße „Zum Mithras" folgt.

Birkenfeld Das Museum am Ort dokumentiert gallorömische Kultur und Geschichte der Gegend, z. B. durch das vollständige Grabinventar

des Fürstengrabes „Ameis" bei Leisel mit seinem kostbaren Prunkschwert. Ein bronzenes italisches Weinservice, gefunden in Dienstweiler, war einer der seltenen Luxusartikel der damaligen Zeit.

ℹ️ Museum des Vereins für Heimatkunde: So und feiertags 10–12 Uhr (April–Oktober), sonst nach Voranmeldung, Tel. 0 67 82/57 72 oder 55 55.

Siesbach Den Abschluß der Tour bildet das Grabmal „Kipp" in der Nähe von Siesbach. Der örtliche Wanderweg dorthin trägt die Bezeichnung C 1 und C 2. Von einem Steinkranz umgeben, erhebt sich hier mitten im Wald ein 5 m hoher, runder Grabhügel von 21 m Durchmesser. Unter diesem Hügel fand man vier Opfergruben voller Scherben, wahrscheinlich vom Totenmahl, von dem wohl auch die verkohlten Dattel-, Kirsch- und Pflaumenkerne herrühren.

„Varus, gib mir meine Legionen wieder!"

Das weite, grüne Land zwischen Rhein und Weser liegt in tiefem Frieden. Die germanischen Stämme haben sich an die Römer gewöhnt und zahlen die ausgehandelten Tribute. Sie haben gelernt, die neuen Herren zu respektieren; germanische Hilfstruppen dienen treu und zuverlässig im römischen Heer.

Man schreibt das Jahr 9 n. Chr. Die ersten Herbststürme fegen über das Lager der drei römischen Legionen unweit der Weser hin. Der Feldherr und Statthalter Publius Quinctilius Varus gibt Befehl, für den Rückmarsch an die befestigte Rheingrenze zu rüsten, wo sie ihr Winterlager errichten wollen. Die germanischen Hilfstruppen unter ihrem Anführer Arminius sind zum Großteil schon zu ihren Stämmen zurückgekehrt. Der Cheruskerfürst Arminius ist ein enger Vertrauter von Varus. Er besitzt das römische Bürgerrecht und hat viele Jahre im Heer der Römer gedient. In die Aufbruchsvorbereitungen hinein platzen unerwartet Meldungen von Unruhen unter den Barbaren. Provoziert durch die verschärfte Steuer- und Verwaltungspolitik des Varus, ist Arminius zum Gegner Roms geworden. Er hat die Cherusker und einige benachbarte Stämme auf seine Seite gebracht und ihren Widerstand organisiert. Warnungen des römerfreundlichen Cheruskerfürsten Segestes schlägt Varus in den Wind.

In einem langen Zug verlassen die Römer ihr Sommerlager. 20 000 Menschen – darunter Frauen und Kinder sowie zahlreiche Sklaven – bilden den riesigen Troß. Varus ordnet keine Gefechtsbereitschaft an. Er rechnet noch nicht mit Feindberührung; die Unwegsamkeit des dicht bewaldeten, von tiefen Schluchten durchzogenen Geländes ließe die übliche Marschordnung in Sechserreihen ohnehin kaum zu. Der seit Tagen anhaltende Regen hat den Boden in einen sumpfigen Morast verwandelt. Mühsam schleppt sich der Heereszug über umgestürzte Bäume und an aufgeweichten Abhängen entlang vorwärts.

Plötzlich bricht das Verderben über Varus und seine Truppen herein. Übermächtig scheint die Zahl der Angreifer. Die Römer sind völlig überrumpelt. Schwer nur können sie den Freund vom Feind unterscheiden, denn die Gegner tragen die typische Kleidung und Bewaffnung germanischer Hilfstruppen. Als Varus begreift, daß es sich um die gut ausgebildeten Verbände des Arminius handelt, ist bereits kostbare Zeit verstrichen.

Mit ihrer leichten Rüstung und ohne Marschgepäck operieren die Germanen äußerst beweglich und entziehen sich behend jedem Zugriff, um sofort an anderer Stelle wieder zuzuschlagen und den Gegner aufzureiben. So riskieren sie selbst keine allzu großen Verluste. Dabei ist Varus ein erfahrener Feldherr. Als Statthalter in Syrien hat er erst vor einigen Jahren einen jüdischen Aufstand gegen die römische Besatzungsmacht brutal niedergeschlagen und Jerusalem zu einer Stadt des römischen Imperiums gemacht. Nicht zuletzt deshalb hat Kaiser Augustus ihn auf den schwierigen Posten nach Germanien berufen. Trotz heftigster Bedrängnis gelingt es Varus tatsächlich, seine angeschlagenen Truppen zusammenzuhalten.

Erst im Morgengrauen des folgenden Tages erkennt der Feldherr das wahre Ausmaß der Verluste. In formierten Reihen brechen die Römer auf; denn weiter müssen sie. Hier, in der unwegsamen Wildnis Germaniens, wird ihnen niemand zu Hilfe eilen. Erst wenn sie den Rhein erreicht haben, sind sie in Sicherheit. Neue Hoffnung kommt auf, als sie sich, wenn auch unter blutigen Verlusten, auf freies Gelände durchgekämpft haben. Doch nun ändern

die Germanen ihre Taktik und attackieren sie aus einiger Entfernung mit Pfeilen und Wurfspießen. Erst in einem nahen Wäldchen kommt es wieder zu dem mörderischen Schlagabtausch Mann gegen Mann.

Am vierten Tag sind die römischen Soldaten so entkräftet, daß sie kaum noch imstande sind, ihre Waffen zu heben. Und während sich ihre Reihen immer mehr gelichtet haben, sind den Germanen weitere Stämme aus der Umgebung zugeströmt. In einem brutalen Gemetzel werden die römischen Legionen schließlich von einer erdrückenden Übermacht niedergekämpft. Varus und seine Offiziere müssen erkennen, daß die Schlacht verloren ist. Die Schande der Gefangennahme vor Augen, stürzen sie sich in ihre eigenen Schwerter.

Sechs Jahre später besuchte der römische Feldherr Germanicus auf seinem Vergeltungszug den einstigen Schlachtort. Er sah die Reste der verzweifelten Schanzarbeiten und die Skelette gefallener Soldaten. An den Baumstämmen fand er Schädel angenagelt, auf den Waldlichtungen Altäre, an denen die Tribunen und Zenturionen hingeschlachtet worden waren. Germanicus ließ die Knochen der Gefallenen einsammeln und zum Zeichen seiner Achtung und Trauer einen Grabhügel darüber errichten.

Die Schlacht im Teutoburger Wald In wenigen Tagen schlugen die Germanen unter Arminius die Legionen des Varus; das unwegsame und unübersichtliche Gelände kam dabei ihrer variablen Kampfesweise entgegen. Als Kaiser Augustus in Rom von der Niederlage erfuhr, rief er zutiefst bestürzt aus: „Varus, gib mir meine Legionen wieder!" Obwohl der Triumph des Arminius eine Einzelaktion blieb, war damit der Plan Roms gescheitert, sein Imperium bis zur Elbe auszudehnen.

Weltmacht in der Provinz

Die Römer teilten das Land hinter dem Limes in verschiedene, genau abgegrenzte Gebiete auf. Die Bewohner behielten ihre Selbstverwaltung, waren aber römischem Recht verpflichtet, und es flossen nicht unbeträchtliche Steuersummen nach Rom. Die Romanisierung der besetzten Gebiete vollzog sich friedlich und tiefgreifend. Auf dieser Tour gewinnt man Einblick in das prosperierende Leben in der Provinz, lernt aber auch den militärischen Alltag an den Grenzen kennen.

Ladenburg Die Altstadt von Ladenburg – dem römischen Lopodunum – birgt reiche Überreste der römischen Vergangenheit, die hier bis in das Jahr 74 n. Chr. zurückreicht. Von der Mauer des Hilfstruppenkastells und einem Kastelltor wurden ebenso Reste freigelegt wie von der 47 × 43 m großen römischen Basilika (Markthalle), deren mächtige Quader in der Krypta der Kirche Sankt Gallus noch teilweise erhalten sind. Im Park des Bischofshofs, der heute das Lobdengaumuseum beherbergt, sind antike Hausmauern in eine kleine, informative Freilichtanlage integriert. Schönstes römisches Fundstück des Museums ist das steinerne Kultbild der Sonnengötter Sol und Mithras. Das Museum wird z. Zt. renoviert und kann frühestens 1990 wieder eröffnet werden.
ⓘ Sankt Gallus: täglich 9–17 Uhr.

Worms Die alte Keltensiedlung Borbetomagus kam, gerade erst von germanischen Vangionen überrannt, unter römischen Herrschaftseinfluß. Das Forum der römischen Civitas Vangionum lag genau dort, wo sich heute der mächtige Dom von Worms erhebt. Im Stadtbild sind nur wenige Reste aus der Römerzeit erkennbar, wie z. B. ein kleines Stück der Stadtmauer, doch um so reicher sind die Bestände des Museums im Andreasstift. Neben einer der größten Sammlungen römischer Gläser sind hier vor allem auch die Produkte der heimischen Töpferindustrie ausgestellt, die mit den sogenannten Wormser Gesichtskrügen aus dem 4. Jh. eine Besonderheit in der damaligen Zeit hergestellt hat.
ⓘ Museum im Andreasstift, Wekkerlingsplatz 7: Di–So 10–12, 14–17 Uhr.

Römischer Wachturm in Taunusstein
An diesem rekonstruierten Bauwerk, dessen Fundament auf der anderen Seite der Straße gefunden wurde, führt ein längeres Stück eines ebenfalls nachgebauten Pfahlgrabens (oben) vorbei und markiert so den Verlauf des Limes. Der Grenzwall des Römischen Reiches wurde im 1./2. Jh. n. Chr. mit solchen Holzpalisaden gesichert.

Ladenburg *Neben dem Lobdengaumuseum liegt das Ausgrabungsfeld (oben), in dem man antike Hausmauerreste und römische Säulen besichtigen kann.*

Legionär in Mainz *Im Zentralmuseum steht dieser römische Soldat (rechts) in Sommeruniform mit Helm, Lederpanzer und Sandalen. Seine Waffen sind der kompakte Legionärs-* schild, *das* pilum, *ein wurfkräftiger Speer, und das römische Kurzschwert, der* gladius.

Alzey Einem 223 n. Chr. geweihten Nymphenaltar, der heute im Museum von Alzey steht, verdanken wir die Information, daß der Keltenort Altiaia um diese Zeit als der römische Ort Vicus Altianiensis bekannt und besiedelt war. Erst um 365 wurde er mit einem Kastell gesichert. Heute finden hier Ausgrabungen statt. Im Fundament der Georgskirche fand man viele römische Werkstücke, darunter entstellte Göttergesichter von privaten Altären, die wohl zur Bannung heidnischer Dämonen in christlicher Zeit dienten.

ℹ Museum, Antoniterstraße: Di–So 10–12, 14–17 Uhr.

Bad Kreuznach Auch der Ort namens Vicus Cruciniacus ging wahrscheinlich aus einer keltischen Siedlung hervor. Bedeutendste Erinnerungsstücke an die römische Zeit sind zwei vielfarbige Mosaiken: das schon 1893 bei Ausgrabungen einer römischen Villa entdeckte „Gladiatorenmosaik", das Szenen aus dem Amphitheater zeigt, und das 1966 gefundene Mosaik mit Seemotiven, das den Gott Okeanos, umgeben von Fabelwesen, darstellt. Beide Fußböden befinden sich heute in der Römerhalle, die auch Funde aus dem Kastell birgt, in unmittelbarer Nähe der im Grundriß rekonstruierten Villa.

ℹ Römerhalle, Hüffelsheimer Straße 11: Di–So 9–12.30, 14.30–18 Uhr.

Bingen Nur das Museum bewahrt noch Erinnerungen an die Zeit römischer Kolonisation, darunter Musikinstrumente, Glassammlungen und ein römisches Arztbesteck aus 49 Teilen, das seinem Besitzer einst in einem Kupferkessel mit ins Grab gegeben worden war.

ℹ Heimatmuseum, Burg Klopp, Maria-Hilf-Straße: Di–So 9–12, 14–17 Uhr (April–Mitte Oktober).

Mainz Für das einstige Zweilegionenlager Mogontiacum war die Wasserversorgung eine lebenswichtige Frage. „Römersteine" genannte Reste des Aquädukts befinden sich noch in der Grünanlage an der Unteren Zahlbacher Straße. In der ehem. Zitadelle steht der Kern des sogenannten Drususturms, eines auch Eichelstein genannten Grabdenkmals, das wahrscheinlich Mitte des 1. Jh. errichtet wurde. Die Jupitersäule auf dem Deutschhausplatz und der Dativius-Victor-Bogen auf dem Ernst-Ludwig-Platz sind nur Kopien. Was von den Originalen geborgen werden konnte – allein die Jupitersäule mußte aus 2000 Teilen wieder zusammengesetzt werden –, befindet sich im Mittelrheinischen Landesmuseum, dessen Sammlungen die zahlreichen Exponate des Römisch-Germanischen Zentralmu-

Vom Neckar zum Taunus Von Ladenburg geht die Tour nordwestwärts über Alzey und Bad Kreuznach an der Nahe bis nach Bingen. Anschließend wendet sie sich nach Osten bis Mainz und führt dann über Wiesbaden bis in die Höhen des Taunus.

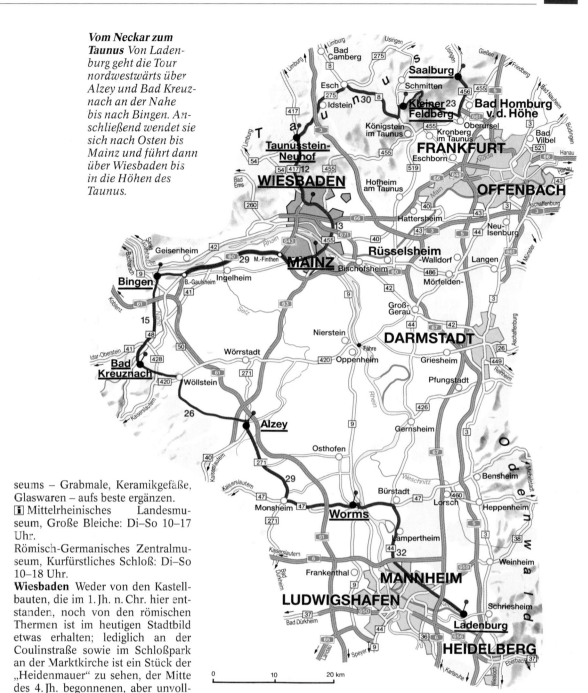

seums – Grabmale, Keramikgefäße, Glaswaren – aufs beste ergänzen.

ℹ Mittelrheinisches Landesmuseum, Große Bleiche: Di–So 10–17 Uhr.

Römisch-Germanisches Zentralmuseum, Kurfürstliches Schloß: Di–So 10–18 Uhr.

Wiesbaden Weder von den Kastellbauten, die im 1. Jh. n. Chr. hier entstanden, noch von den römischen Thermen ist im heutigen Stadtbild etwas erhalten; lediglich an der Coulinstraße sowie im Schloßpark an der Marktkirche ist ein Stück der „Heidenmauer" zu sehen, der Mitte des 4. Jh. begonnenen, aber unvollendet gebliebenen spätrömischen Befestigung. Das Museum der Stadt besitzt neben anderen römischen Funden eine eindrucksvolle Sammlung schöner Steindenkmäler aus den Mithrastempeln der Umgebung.

ℹ Museum, Friedrich-Ebert-Allee 2: Di–So 10–16, Di auch 17–21 Uhr.

Taunusstein-Neuhof 2,5 km nördlich von Neuhof liegt an der B 417 das Kohortenkastell Zugmantel. Der Parkplatz „Römerturm" ist Ausgangspunkt für Wanderungen auf den Spuren der Römer. Eine führt nach Norden in Richtung Limes, vorbei an der Rundschanze, wohl einem kleinen Amphitheater, bis zum rekonstruierten Wachturm 3/15. Nähere Einzelheiten über die Wege

und Sehenswürdigkeiten kann man der Wanderkarte am Parkplatz entnehmen.

Kleiner Feldberg Am Fuß des Kleinen Feldbergs liegt ein römisches Kastell. Man erreicht es über die Straße von Königstein nach Oberreifenberg. Am Roten Kreuz biegt man rechts ab und kann vom Parkplatz „Heidenkirche" zu Fuß gehen. Das 700 m hoch gelegene Bauwerk hat eine gut erhaltene Umfassungsmauer; Tordurchgänge und Teile der Innenbebauung können noch ausgemacht werden.

Saalburg Das nördlich von Bad Homburg gelegene Kastell war von 83 bis 260 n. Chr. besetzt. Mitte des

vorigen Jahrhunderts wurde es ausgegraben, erforscht und – wie eine Inschrift am Haupttor besagt – von Kaiser Wilhelm II. zu Ehren seiner Eltern wieder errichtet. Vieles mutet an diesem vollständig rekonstruierten Kastell daher auch eher wilhelminisch als antik an, dennoch gewinnt man einen guten Eindruck von einer Militäranlage zur Zeit römischer Machtentfaltung. Das in der ehem. Kommandantur und im Getreidespeicher untergebrachte Museum zeigt interessante Ausgrabungsfunde: Werkzeuge, Waffen, Haushaltsgeräte, Kleidung, ärztliche Instrumente, Schmuck und Gläser.

ℹ Saalburgmuseum: täglich 8–17 Uhr.

Ein Schutzwall gegen die Germanen

Pfosten an Pfosten, dahinter ein Graben und aus dem Aushub ein Wall: so präsentierte sich der obergermanische Limes im 2. Jh. Ab Lorch ging er in die nicht minder imposante rätische Mauer über. Und doch war die sichtbar in die Landschaft gestellte Grenze nur eine gewaltige Drohgebärde, die dem Feind keinen ernsthaften Widerstand entgegensetzen konnte. Diese Tour führt an dem rund 100 km langen Teilstück zwischen Miltenberg und Lorch und weiter am rätischen Limes entlang.

Miltenberg Der Main als „nasser Limes" trifft hier auf die obergermanische Mauer. Ein Numerus- und ein Kohortenkastell sicherten den strategisch wichtigen Platz. Auf dem Greinberg über der Stadt hatten die Römer dem Gott des Handels, Merkur, einen Tempel errichtet. Funde aus der Gegend bewahrt das Stadtmuseum.

Rätsel gibt noch immer der 1878 entdeckte Toutonenstein auf, der heute im Hof des Schlosses Mildenburg steht. Die von ungeübter Hand in den Grenzstein eingemeißelten römischen Schriftzeichen sind noch gut lesbar. Die Inschrift „Inter Toutonos" und die Anfangsbuchstaben C, A, H und F oder I gaben Anlaß zu mehr als 20 Deutungen, von denen sich jedoch keine allgemein durchzusetzen vermochte.

ⓘ Museum der Stadt, Marktplatz 171:

Wegen Renovierung bleibt das Museum bis 1990 geschlossen.
Mildenburg: Di–So 10.30–17.30 Uhr.
Walldürn Auf einem 6 km langen Limeslehrpfad (im Ort ausgeschildert) kann man, dem Verlauf des Limes folgend, zahlreiche Reste der ehem. Grenzbefestigung aus dem 2. Jh. entdecken.

5 km südlich von Walldürn liegt an der Straße nach Osterburken auf einer Anhöhe im Wald (ausgeschildert; drei Gehminuten) das Kleinkastell Hönehaus.
Osterburken Das heute noch durch einen mächtigen Graben und Mauerwerk beeindruckende Kastell war ab Mitte des 2. Jh. rund 100 Jahre lang mit der 3. Aquitanischen Reiterkohorte belegt. Über den freigelegten Fundamenten des Römerbads wurde ein Museum errichtet, in dem u. a. Weihesteine zu sehen sind.

Kastellmauer bei Rainau-Buch Aufgrund der Grabung von 1972 konnte man Rückschlüsse auf Ausmaße und Aussehen des Kohortenkastells ziehen: Es muß eine nahezu quadratische Fläche von etwa 2,1 ha umfaßt haben und nach Osten orientiert gewesen sein. Reste der Kastellmauern konnten konserviert werden (links).

Römisches Signalhorn in Aalen Dieses cornu *diente militärischen Zwecken, wurde aber auch bei Zirkusspielen eingesetzt (unten).*

ⓘ Römermuseum, Römerstraße: Mi, Sa, So 14.30–16.30 Uhr (im Winter nur Sa und So).

Jagsthausen Das in der Götzenburg untergebrachte Schloßmuseum bewahrt noch Erinnerungen an die römische Zeit: Auf dem Fortunaaltar, der im Kastellbad gefunden wurde und die Jahreszahl 248 trägt, ist die jüngste exakt datierbare Inschrift des gesamten Gebiets am vorderen Limes erhalten. Ein weiteres Schaustück des Museums ist eine Bronzestatuette, die einen sitzenden Herkules darstellt.

ⓘ Schloßmuseum: täglich 10–12, 13–17 Uhr (Ostern–Oktober).

Zweiflingen Im Waldstück Pfahldöbel ist ein um 155 n. Chr. erbautes Limesteilstück erhalten. (An der Straße von Pfahlbach nach Westernbach nicht links nach Friedrichsruhe, sondern rechts abbiegen und bis zum Parkplatz fahren.) Palisaden, Wall und Turm vermochten nicht zu verhindern, daß die Alemannen im Verlauf des 3. Jh. den Limes durchbrachen. An dieser Stelle beginnt ein markierter Limeswanderweg.

Öhringen Als die römische Reichsgrenze vom Neckar zur Hohenloher Ebene vorgeschoben wurde, errichteten die Römer Mitte des 2. Jh. östlich und nordwestlich der Stadt zwei Militärlager. An das Rendelkastell im Osten erinnert der Rendelstein, ein mittelalterlicher Bildstock auf dem Schaft einer römischen Säule, an der Ortsausfahrt Richtung Neuenstein (Ecke Haller-/Rendelstraße).

Grab In der Ortsmitte biegt man rechts in Richtung Morbach ab; vom Waldrand führt ein ausgeschilderter Fußweg zu einem originalgetreu rekonstruierten Wachturm mit Wall, Graben und Palisade. Einen weiteren Turm erreicht man, wenn man im Ort nach links abbiegt; der Fußweg zum Römerturm ist ausgeschildert.

Murrhardt Wo sich heute das Stadtzentrum ausbreitet, lag einst eine römische Siedlung, die zu einem Kastell der 24. Kohorte gehörte. Das Carl-Schweizer-Museum bewahrt u. a. Teile eines Blashorns sowie das Bronzeschwert einer Kaiserstatue, die auf dem Kastellgelände gefunden wurden.

ⓘ Carl-Schweizer-Museum, Seegasse 27: Mo–Fr 11–12, 16–17, Sa 11 bis 12, 15–17, So 10–12, 14–17 Uhr (Karfreitag–Oktober).

Welzheim Auch dieser Ort war den Römern zwei Kastelle wert. Das westliche Kastell ist heute vollständig überbaut, von dem kleineren Ostkastell wurde die Westmauer einschließlich begehbarer Toranlage wieder aufgebaut (im Ort ausgeschildert). Vermutlich war es entstanden,

Von Miltenberg nach Rainau Die Tour folgt dem beinahe schnurgeraden obergermanischen Limesverlauf bis Lorch und dann der rätischen Mauer bis Rainau-Buch. Auch an landschaftlichen Reizen hat diese Fahrt einiges zu bieten: Bayerischer Odenwald, Bauland, Hohenloher Land, Schwäbischer Wald und Albvorland versprechen eine abwechslungsreiche Reise.

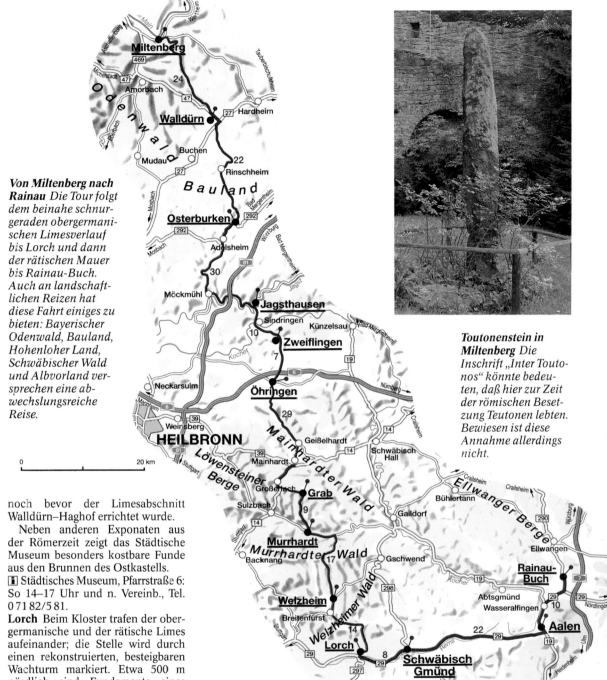

Toutonenstein in Miltenberg Die Inschrift „Inter Toutonos" könnte bedeuten, daß hier zur Zeit der römischen Besetzung Teutonen lebten. Bewiesen ist diese Annahme allerdings nicht.

noch bevor der Limesabschnitt Walldürn–Haghof errichtet wurde.

Neben anderen Exponaten aus der Römerzeit zeigt das Städtische Museum besonders kostbare Funde aus den Brunnen des Ostkastells.

ⓘ Städtisches Museum, Pfarrstraße 6: So 14–17 Uhr und n. Vereinb., Tel. 0 71 82/5 81.

Lorch Beim Kloster trafen der obergermanische und der rätische Limes aufeinander; die Stelle wird durch einen rekonstruierten, besteigbaren Wachturm markiert. Etwa 500 m nördlich sind Fundamente eines Feldwachgebäudes zu erkennen.

Das um 150 n. Chr. angelegte Kastell ist gänzlich überbaut, nur eine Inschrift, die wohl eines der Kastelltore zierte, ist heute über dem Westportal der Klosterkirche vermauert.

Schwäbisch Gmünd Grabungen im Ortsteil Weststadt haben hinter der Kirche Sankt Michael ein Kastell von rund 2 ha Fläche mit drei Wehrgräben zutage gebracht. Auch die Grundmauern des Kastellbads wurden freigelegt. Die hier gefundene Statue einer Brunnennymphe steht im Städtischen Museum.

ⓘ Städtisches Museum, Johannisplatz 3: Di–Fr 14–17, Sa, So 10–12, 14–17 Uhr.

Aalen Die Ala II Flavia milliaria, eine Reitertruppe von 1000 Mann, war 138–260 im Kastell Aalen stationiert. Das Lager war mit rund 6 ha das größte am gesamten obergermanisch-rätischen Limes. Seit 1954 werden die Kastellbauten ausgegraben und rekonstruiert. Äußerst informativ ist ein Besuch des Limesmuseums mit seinen zahlreichen Funden, Dioramen, Modellen und Rekonstruktionen.

ⓘ Limesmuseum, Berliner Platz: Di bis So 10–12, 13–17 Uhr.

Rainau-Buch Bei dem Weiler Buch ist in einem großflächig angelegten Freilichtmuseum Römisches wieder zum Leben erweckt. Zu dem ausgegrabenen Areal gehören ein Kastell, das um 260 ein Raub der Flammen wurde, das dazugehörige Bad sowie das römische Dorf. In einem Brunnen wurde einer der umfangreichsten Bronzegeschirr- und Eisenfunde Württembergs sichergestellt. Das Freilichtmuseum ist immer zugänglich und zugleich Ausgangspunkt eines Limesrundwanderwegs (11,5 km).

Tausend Gutshöfe und eine Stadt

Mit der Einrichtung der Provinz Obergermanien um 85 n. Chr. begann auch für das Gebiet am Neckarlimes die Zeit der römischen Zivilsiedlungen. Neben der einzigen Stadt auf der rechtsrheinischen Seite der Provinz, Rottweil, entstanden stadtähnliche Gründungen wie Rottenburg und Kastelldörfer wie Köngen. Der Hauptanteil ihrer Versorgung entfiel auf die Gutshöfe. Allein in Baden-Württemberg sind bis heute über 1000 dieser villae rusticae *bekannt.*

Bad Rappenau An einem Hang des Jungfernbergs wurden 1971 die Reste eines großen römischen Gutshofs entdeckt. Aus Keramikfunden läßt sich schließen, daß die ursprünglich vierflüglige, um einen rechteckigen Innenhof angeordnete Anlage zwischen 150 und 250 n. Chr. erbaut wurde. Der Nord- und Westtrakt wurden restauriert; den Mauerverlauf der übrigen Gebäude hat man durch Betonplatten im Boden kenntlich gemacht, so daß der Gesamtgrundriß gut zu sehen ist. Wegen der damaligen Hanglage wurde der 32 × 23 m große Gebäudekomplex terrassenartig angelegt: Die Wohnebene des Südflügels liegt 3,3 m tiefer als die des Nordflügels.

Durch die unterschiedliche Ausstattung sind Wohn- und Wirtschaftsräume deutlich zu unterscheiden. So kann man die drei Räume des Südflügels mit ihrem farbig bemalten Wandverputz, ihrem Estrich und der Bodenheizung klar als Wohntrakt erkennen. Eine Herdstelle im Ostteil deutet auf den Küchentrakt hin. Geheizt wurde vom Feuerungsraum aus, von dem ein Heizkanal zu den Wohngebäuden läuft.

Man erreicht die Anlage, indem man vom Rappenauer Ortsteil Zimmerhof aus 1 km in Richtung Siegelsbach fährt.

Weinsberg Vollständig konserviert ist die 1906 entdeckte kleine römische Badruine im Westen der Stadt. Alle für eine Badeanlage üblichen Räume sind zu erkennen: Auskleideraum, Kaltbad mit halbrundem Wasserbecken und einer hübschen Statue der Bade- und Glücksgöttin Fortuna balnearis, Warmluftraum, zwei Warmbäder, Heizraum und direkt daneben der von dessen Wärme

Hypokaustum in Weinsberg *Zu einem Gutshof gehörte diese guterhaltene Heizungsanlage (oben). Auf den gemauerten Pfeilern ruhte der Fußboden, dazwischen strömte die heiße Luft, die ihn erwärmte.*

Jupitergigantensäule in Hausen *7,35 m mißt die mächtige, aus verschiedenen Steinblöcken zusammengesetzte Säule, die Jupiter als dem Herrn des Wetters errichtet wurde (oben). Rote und weiße Farbspuren beweisen, daß sie ursprünglich einmal bemalt war.*

Gutshof am Neckarufer bei Lauffen *Der Neckar verband die Hofanlage (rechts) mit dem nächsten Handelsplatz bei Heilbronn-Böckingen.*

profitierende Schwitzraum. Sogar eine Toilette war vorhanden, deren „Wasserspülung" durch Badeabwässer gespeist wurde. Der aus Sandsteinen gehauene Abwasserkanal zum nahen Stadtseebach ist noch gänzlich intakt. Vom Befeuerungssystem sind Teile der Fußbodenheizung sowie Hohlziegel für die Wandheizung erhalten.

Daß die Badeanlage privaten Zwecken diente, belegen später in unmittelbarer Nähe freigelegte Teile eines römischen Gutshofs. Die Verbindungsmauern zwischen Wohngebäude und Badehaus sind deutlich sichtbar.

Lauffen am Neckar Mitten in den Weinbergen, in einer Senke dicht oberhalb des steil abfallenden Neckarufers, liegt ein rund 1 ha großer Gutshof mit vier Wohn- und Wirtschaftsgebäuden. Da deren Mauerzüge von einer Schwemmtonschicht überdeckt waren, sind sie sehr gut konserviert. Die Reste einer Weinkelter lassen darauf schließen, daß der Besitzer dieses Hofes neben Viehzucht und Ackerbau auch bereits Weinbau betrieben hat.

Zunächst stand innerhalb der Hofmauer (90 × 94 m) ein kleines Wohngebäude mit Nebenbauten. An manchen Wandresten ist noch der originale Verputz mit Fugenstrich zu sehen. Im 2. Jh. wurde die Hofanlage um ein größeres, repräsentativeres Wohngebäude erweitert. Die beheizten, als Wohnräume dienenden Eckbauten dieser Villa sind gut zu erkennen. Ihre Fundamente sind so breit, daß man eine zweistöckige Bauweise vermutet. Das Fragment einer dort geborgenen Sandsteinsäule wurde wieder aufgestellt.

Zu der *villa rustica* gelangt man über die Landstraße Lauffen–Ilsfeld auf der rechten Neckarseite. Nach 2 km biegt ein kurzer Fußweg durch die Weinberge zur Ausgrabungsstätte ab.

Hausen an der Zaber In dem kleinen Weinörtchen ist die Nachbildung einer Jupitergigantensäule von über 7 m Höhe aufgestellt. Bruchstücke des Originals wurden 1964 bei Ausgrabungen an einem Gutshof außerhalb des Orts gefunden. Die Säule wurde um 200 n. Chr. von einem römischen Bürger zu Ehren Jupiters errichtet, des Herrn über Donner und Blitz, als Dank für eine gute Ernte und mit der Bitte um Schutz vor Blitzschlag, Hagel und Gewitter. Im 3. Jh. wurde sie von den Alemannen zerstört.

Auf der Basisplatte erhebt sich zunächst ein quaderförmiger Viergötterstein, auf dem Apollo und Diana mit Köcher und Bogen, Venus sowie Vulkanus mit Hammer und Zange dargestellt sind. Der darüberliegende Block ist achteckig und trägt die Reliefs der sieben Wochengötter und einer geflügelten Victoria. Der Säulenschaft selbst ist aus sechs Steintrommeln zusammengesetzt, die erst nach dem Aufstellen skulptiert wurden. Auf dem Kapitell mit den Büsten der vier Jahreszeiten

Mit Holz, Stein und Mörtel

Römische Häuser wurden üblicherweise im Fachwerkbau errichtet. Die Räume zwischen den verzapften Holzpfosten wurden mit Lehmflechtwerk gefüllt, mit Kalkmörtel verputzt und bemalt. Die Dächer waren flach geneigt und mit Schindeln oder Ziegeln gedeckt. Blaugrünes, undurchsichtiges Fensterglas schützte vor Kälte. Große, repräsentative oder zur Verteidigung bestimmte Bauten waren aus Stein, entweder in Lagen oder in mosaikartigen Mustern wie z. B. Fischgrät gemauert. Der Mörtel wurde hauptsächlich mit Kalk, Lehm oder Gips gebunden, in Bädern auch mit wasserundurchlässigem Ziegelmehl.

Von Bad Rappenau nach Rottweil Ungefähr dem Lauf des Neckars folgt diese Römertour. Von der weiten, sanft hügeligen Landschaft des Kraichgaus kommt man über den Großraum der Landeshauptstadt Stuttgart bis hinauf in die Schwäbische Alb.

scheint der blitzeschleudernde Jupiter über einen Giganten hinwegzureiten, der als Sinnbild des Dienens am Boden liegt.

Oberriexingen Bei Bauarbeiten stieß man 1957/1958 auf Kellerfundamente einer *villa rustica*. Der ursprünglich 13,6 m lange Weinkeller lag unter dem Säulengang, der die Eckrisalite eines 40 × 25 m großen Wohngebäudes miteinander verband. Leider wurde man erst auf die wertvollen Mauern aufmerksam, als der Baubagger schon die Hälfte des Kellers zerstört hatte. Die andere Hälfte wurde restauriert und ist heute als kleines Museum eingerichtet. In den erhaltenen Nischen der aus regelmäßigen Muschelkalkquadern gemauerten Wände stehen Weinkrüge; an den Wänden entlang lagern rundbauchige Amphoren, zum besseren Halt in den Sandboden gedrückt. Original ist auch noch der schlanke Sockel des Kellertisches, den man wieder mit einer Platte versehen hat.

Auf der zerstörten Kellerhälfte hat man einen kleinen Vorraum errichtet, der mit Dioramen, Geschirr und Münzen über den Weinanbau in der Römerzeit informiert.

ℹ Römischer Weinkeller, Weilerstraße 14: So 14–16.30 Uhr und n. Vereinb., Tel. 0 70 42/45 70.

Benningen am Neckar Etwa 20 m über dem Fluß stand im 2. Jh. n. Chr. eines der Römerkastelle, die die lange Reihe der Befestigungen am Neckarlimes bildeten. Ein Weihestein besagt, daß hier die 24. Kohorte in Garnison lag. Abgesehen von einem Wall, der von drei Seiten um das Kastell herum anstieg, ist vom Lager allerdings heute nichts mehr zu erkennen. Dafür kann man die dort gemachten Funde – beispielsweise den Kopf einer Kaiserstatue, die vermutlich Commodus darstellt – im Benninger Museum im Rathaus betrachten. Der Freilichtteil zeigt zahlreiche Abgüsse von römischen Inschriftsteinen. In einer Inschrift werden die „Veteranen der 24. Kohorte freiwilliger römischer Bürger" genannt, was darauf hindeutet, daß nach Verlegung der Kohorte an den neuen Limes bei Murrhardt in Benningen weiterhin eine römische Zivilsiedlung bestand. Unter den Exponaten befindet sich auch die Kopie einer dort in rund 900 Bruchstücken gefundenen, 10 m hohen Jupitergigantensäule. Ebenfalls einbezogen in den Freilichtteil wurde ein Stück der noch erhaltenen Römerstraße. Sie verlief unmittelbar an der Ostseite des Rathauses vorbei nach Norden und ist derzeit der einzige zugängliche Teil einer Römerstraße in Baden-Württemberg.

ℹ Römisches Museum, Studionstraße 10: Mo–Fr 10–12, Di auch 15–18 Uhr, und n. Vereinb., Tel. 0 71 44/70 66.

Stuttgart Die Antikensammlung des Württembergischen Landesmuseums im Alten Schloß gibt einen hervorragenden Einblick in die Römerzeit Baden-Württembergs. Zu den nach Fundorten geordneten Exponaten zählen marmorne Kaiserportraits, Glaswaren, Terrakotten und Schmuck. Größere Steindenkmäler, wie z. B. eine Nachbildung der Hausener Jupitergigantensäule, sind im benachbarten Römischen Lapidarium ausgestellt.

Reste eines römischen Gebäudes findet man im Rotwildpark unweit des Bärenschlößles am Glemsbachweg. Der Bau war vermutlich kein Wohnhaus, die regelmäßige Viereckform läßt vielmehr auf eine Kultanlage schließen. Sie hatte vier Eingänge; bei dreien sind die Schwellensteine sehr gut erhalten. Interessant ist, daß die Türen direkt an den Ecken liegen. Man vermutet religiöse Gründe dafür.

ℹ Württembergisches Landesmuseum im Alten Schloß: Di–So 10–17, Mi 10–19 Uhr.
Römisches Lapidarium, Planieflügel Neues Schloß: Besichtigung ab Frühjahr 1989, Öffnungszeiten zu erfragen unter Tel. 07 11/2 00 31.

Kernen-Rommelshausen Eine kleine *villa rustica* entdeckte man 1971 etwa 500 m südlich von Rommelshausen. Sie war von einer Mauer umgeben; in der Mitte des 95 × 72 m großen Grundstücks lag das rechteckige Hauptgebäude, das heute restauriert ist. Abgesehen von einem Wohnraum mit Fußbodenheizung sowie einem Kellerraum konnte bisher keine Zuordnung der Fundamente getroffen werden. Klar erkennbar ist, daß der Keller später zwischen zwei vorspringende Eckräume eingebaut wurde: Der Mauerverband ist durch eine deutliche Fuge unterbrochen. Auch die beiden Lichtschächte und die Nische neben der Kellertür, die den Bewohnern zum Abstellen von Gegenständen diente, sind gut zu sehen.

Unter den zahlreichen Kleinfunden der Ausgrabung befanden sich auch ein Parfümfläschchen der Gutsherrin, beinerne Haarnadeln sowie Tür- und Möbelbeschläge aus Eisen (heute im Landesmuseum in Stuttgart).

Köngen Einen interessanten Einblick in die römische Vergangenheit bietet das restaurierte Kohortenkastell Grinario mit dem erst 1988 eröffneten Museum Römerpark.

Das Kastell wurde um 85 n. Chr. gegründet; der wenig römisch klin-

gende Name weist auf eine frühere Keltensiedlung zurück. Das Kastell lag an einem strategisch wichtigen Punkt an der Römerstraße von Mainz nach Augsburg – genau dort, wo Neckarlimes und Alblimes aufeinandertrafen.

Die Südecke des Lagers wurde um die Jahrhundertwende entdeckt; der zweistöckige Eckturm und ein Stück der Lagermauer wurden schon damals rekonstruiert. Heute sind die Reste der anderen Tore, des Stabs- und des Badegebäudes freigelegt und in einen Park eingebunden, der denselben Grundriß wie das alte Lager hat (160,5 × 151 m). Sogar das originale Wegenetz ist nachempfunden.

Ein Schaugarten zeigt Pflanzen aus der Römerzeit; Steindenkmäler auf dem Gelände sind nach Themenkreisen wie Verwaltung, Religion und Totenkult zu Gruppen zusammengestellt. Im Südturm ist ein Museum zum Thema römisches Militär untergebracht. Glanzpunkt allerdings ist der neue Museumspavillon. Er beherbergt Kostbarkeiten wie das Bruchstück eines der größten Reliefs des persischen Soldatengottes Mithras und das Relief der keltischen Pferdegöttin Epona. Eine römische Wohnecke wurde eingerichtet, und eine große Zahl verschiedenster Kleinfunde illustriert Alltagsbereiche wie Geldwesen, Kleidung, Verkehr, Spiel und Kosmetik. Sogar ein Skelett ist zu sehen, das im Jahr 1972 bei Ausgrabungen gefunden wurde.

Von der Aussichtskanzel hat man einen hervorragenden Blick über die gesamte Kastellanlage sowie über das Gebiet bis zur Schwäbischen

Rottweiler Römerfunde Im Stadtmuseum ausgestellt sind diese Grabbeigaben, die auf einem der drei Friedhöfe Arae Flaviae entdeckt wurden: Öllampen aus Keramik sowie ein Glas mit Facettenschliff (oben).

Alb, in der Richtung, in der früher die nächsten Kastelle lagen.

ℹ Museum Römerpark: So 10–18 Uhr (April–Oktober).

Rottenburg Kaiser Domitian gründete im ausgehenden 1. Jh. n. Chr. an der römischen Fernstraße von Rottweil nach Köngen eine Siedlung mit dem keltischen Namen Sumelocenna. Sie wird in der alten Straßenkarte „Tabula Peutingeriana" zusammen mit Augsburg als besonders großer und wichtiger Römerort hervorgehoben. Mit einer insgesamt fast 2 km langen Stadtmauer war sie auch weitaus größer als später das mittelalterliche Rottenburg.

Freigelegt sind bisher Teile von drei Badeanlagen. Die größte wurde 1962 beim Bau des Eugen-Bolz-Gymnasiums entdeckt; sie wurde restauriert und ist als Museumsraum unter der Schule zugänglich. Die Einteilung des Bades in fünf Räume ist leicht erkennbar, ebenso Reste des dekorativen Wandverputzes: Das Badebecken war mit Darstellungen von Fischen geschmückt, der Warmbaderaum mit geometrischen Ornamenten.

Eine Seltenheit auf rechtsrheinischem Gebiet ist ein Stück der ur-

Römischer Weinkeller in Oberriexingen
So wie in der hier
gestellten Gruppe
könnten auch schon
die Römer an dem
Kellertisch im kleinen
Weinmuseum den
Württemberger
Rebensaft probiert
haben (links).

Münzschatz im Lager Köngen-Grinario Aus
genau 555 silbernen
Münzen bestand der
Schatzfund, den man
1967 in Köngen ent-
deckte. Die Münzen,
heute im Museums-
pavillon des Römer-
parks Köngen, stam-
men aus der Zeit von
216–246 n. Chr.
(unten).

dehaus mit seinem Lau-, Warm- und
Kaltbad. Er wurde errichtet, um den
Bewohnern einen unüberdachten
Weg zu ersparen. Die halbrunde
Mauerform an der Knickstelle des
Gangs nimmt die Wölbung des Zim-
mers an der gegenüberliegenden
Hausecke wieder auf, so daß zusam-
men mit den Eckbauten ein symme-
trischer Grundriß entsteht. Gut
sichtbar sind auch die Hypokausten
der ehemals heizbaren Räume.
ⓘ Führungen veranstaltet der örtli-
che Förderverein, Tel. 0 74 71/55 65.
Ausstellung im Eckrisalit: So 14–18
Uhr.
Rottweil Arae Flaviae, Altäre zu
Ehren der flavischen Kaiserfamilie,
lautete der Name der römischen
Siedlung, die als einzige auf der
rechtsrheinischen Seite der Provinz
Obergermanien den Rang eines Mu-
nicipiums, einer römischen Stadt
nach italischem Recht, besaß.

Im Jahr 73 n. Chr. befestigten die
Römer den verkehrsgünstigen Nek-
karübergang auf dem Weg von
Straßburg zur oberen Donau. Ein
Militärstützpunkt und Verkehrskno-
ten von großer Bedeutung entstand.
Um die mindestens fünf nachgewiesenen Kohortenkastelle wuchs eine
blühende Zivilsiedlung mit großflächigen Wohnvierteln, drei Tempeln,
drei öffentlichen Bädern, Werkstätten und Friedhöfen.

Zahlreiche Kleinfunde im Stadtmuseum, darunter auch wertvolle
Schmuckstücke, belegen den Reichtum der Bürger. Besonders erwähnenswert sind die beiden kostbaren
farbigen Mosaikfußböden, die in
Bruchstücken nur 100 m voneinander entfernt gefunden wurden und
die einmal zwei vornehme Römer-
villen schmückten. Das fast intakte
Orpheusmosaik, eines der schönsten Kunstwerke der Römerzeit, besteht aus 576 000 Steinchen aus
Jurakalk, Buntsandstein und Mu-
schelkalk der Umgebung. Es hatte
eine Größe von 8 × 8 m.

Kostbar mit Mosaiken ausgestattet waren auch die Räume der großen Therme auf dem sogenannten
Nikolausfeld innerhalb eines der
fünf Kastelle. Der gutrestaurierte
Bau ist symmetrisch zur Längsachse
angeordnet. Einzige Ausnahme ist
der Anbau eines kleinen kreisrunden
Schwitzbads, zu dem nur Männer
Zutritt hatten. In den Heizkanälen
wurden Ziegelbruchstücke mit
Stempeln verschiedener in Rottweil
stationierter Einheiten gefunden. Im
Abwasserkanal stieß man auf Münzen, beispielsweise einen Denar mit
einem Augustuskopf.
ⓘ Stadtmuseum, Hauptstraße 20:
Mo–Do, Sa 9–12, 14–17, Fr 9–12, So
10–12 Uhr.

sprünglich 7,2 km langen Wasserleitung vom Rommelstal nach Rottenburg. Sie brachte Sumelocenna bei
einem Gefälle von nur 0,2 % 74 l
Wasser in der Sekunde. Öffentliche
Gebäude waren direkt an sie angeschlossen; Privathaushalte holten
sich ihr Wasser an einem großen
Sammelbecken, das ebenfalls von
der Wasserleitung gespeist wurde.
Südlich des Eugen-Bolz-Platzes ist
ein erhaltenes Stück aufgestellt; man
kann sich sehr gut vorstellen, wie
durch den auf ein Fundament gemauerten und sauber mit altem rö-

mischem Beton ausgekleideten Kanal seinerzeit das Wasser floß.
ⓘ Römerbad, Mechthildstraße 26:
Besichtigung nur n. Vereinb., Tel.
0 74 72/16 50.
Hechingen-Stein Eine der größten
und besterhaltenen Anlagen im
fruchtbaren, an Gutshöfen reichen
mittleren Neckarraum liegt im Wald
„Tüfelbach" am Ortsausgang des
Dörfchens Stein. Die Grabungsarbeiten förderten von den mindestens
acht nachgewiesenen Gebäuden
(Scheune, Ställe, Gesindewohnun-
gen, Handwerkerbauten) das Wohn-

haus und das Badehaus zutage. Das
Wohnhaus, aufwendig ausgestattet
wie kaum ein anderes in Süddeutschland, wurde in mehreren Bauphasen
errichtet. Auf der 46 m langen Front-
seite verband eine offene Säulenhalle
die beiden großen Eckrisalite, von
denen einer vollständig wieder aufgebaut wurde. Er beherbergt heute
eine kleine Ausstellung örtlicher
Fundstücke. Die Reste einer breiten
Freitreppe markieren den Aufgang
zu der Säulenhalle.

Von der Villa führte ein offener
Säulengang zum angegliederten Ba-

Eine Grenze aus Holz und Stein

In einem atemberaubenden Feldzug von nur wenigen Monaten Dauer eroberten die Römer 15 v. Chr. das Land zwischen Alpen und Donau und bildeten daraus die Provinz Rätien. Sie überschritten dann bei Kelheim die Donau, um eine Landbrücke zu den Legionen am Rhein herzustellen. Damit begann der Ausbau des rätischen Limes. Diese Tour folgt ein Stück weit dem einstigen Lauf dieses Bollwerks und berührt auch die wichtigsten Grenzbefestigungen an der Donau.

Ellingen Gut 1,5 km östlich von Ellingen, an der Straße nach Höttingen, liegt Sablonetum, eines jener zahlreichen kleineren Militärlager, die zwischen den großen Kastellen den Limes sicherten. Bereits 1895 entdeckt, wurde es erst 1980–1982 im Zuge der Flurbereinigung umfassend erforscht. Den Nordwestturm sowie die Nordmauer samt Wehrgang hat man teilweise rekonstruiert. Die Grabungsfunde kamen ins Weißenburger Römermuseum.

Am Rand des Lagers informiert eine Schautafel mit Bauskizzen über das damalige Lagerleben. Daneben steht eine Kopie des wohl interessantesten Fundes, der römischen Bauinschrift aus dem Jahr 182 n. Chr. Aus dieser erst 1980 aufgefundenen Platte geht nicht nur der bis dahin unbekannte Name der Garnison, Castellum Sablonetum, hervor, sondern auch, daß die zunächst hölzerne Anlage unter Kaiser Commodus in Steinbauweise erneuert wurde. Dank dieser Tafel ist Sablonetum das einzige Numeruskastell, dessen Namen wir heute noch kennen. Das Kastell hatte eine Grundfläche von rund 80 × 90 m und war mit etwa 160 Soldaten besetzt. Im Lauf der Alemannenkriege wurde es um 230 n. Chr. endgültig zerstört.

Weißenburg Der Raum um Weißenburg zählt zu den größten und bedeutendsten römischen Siedlungsplätzen im Bereich des rätischen Limes. Ausdehnung und Ausstattung des Römerlagers Biriciana und der zugehörigen Therme machen dies deutlich. Das Lager – es liegt westlich des Weißenburger Bahnhofs und ist von der Stadt aus auf ausgeschildertem Weg gut zu erreichen – wurde 1890 entdeckt. Heute präsentiert es sich als fast quadratische Rasenfläche auf einem flach gewölbten Höhenrücken, in den mit Betonplatten die Grundrisse der ehemaligen Bauten eingelassen sind. Von einem Aussichtsturm hat man einen recht guten Überblick über die Anlage, in der einst 500 Reiter stationiert waren. Ausgegraben und sichtbar sind z. Zt. ein Brunnenschacht sowie die Heizsysteme zweier Wohnbauten. Gegenwärtig werden jedoch im Bereich des Nordtors umfangreiche Grabungen durchgeführt, mit dem Ziel, Teile von Tor, Mauer

Statuette in Weißenburg *Im Römermuseum ist der Schatzfund zu bewundern, der erst kürzlich zufällig neben der Therme entdeckt wurde. Dazu gehört auch diese silberverzierte Bronzestatuette des Götterboten Merkur (rechts).*

Limesfest in Kipfenberg *Alljährlich wird hier die Vergangenheit lebendig: Beim Limesfest führen kostümierte Römer und Germanen den Festzug an (oben).*

Ellinger Militärlager *Auf einer Hochfläche unweit des alten Städtchens fand man die Überreste dieses kleinen, heute gut restaurierten Numeruskastells (rechts).*

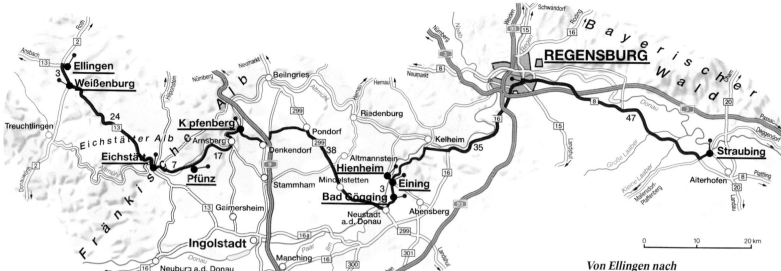

Von Ellingen nach Straubing Auf den rund 180 km dieser Tour berührt die künstliche Grenze des Limes immer wieder die natürliche Grenze, die von Flußläufen gebildet wird: Hier sind es die Altmühl in ihrem tief eingeschnittenen Tal und die schon ansehnlich breite Donau.

und Graben in ihrer ursprünglichen Form wiederherzustellen.

Die lebendigste Vorstellung, die man derzeit in Bayern vom Leben der Römer gewinnen kann, vermittelt die erst 1977 entdeckte größte römische Thermenanlage Süddeutschlands. Unter einem großen Zeltdach, das man schützend über den ausgegrabenen Fundamenten errichtet hat, wird der Besucher auf brückenartigen Laufstegen über das gesamte, gut restaurierte Areal geführt und mit der Funktionsweise des Bades vertraut gemacht.

Die etwa 42 × 65 m große Thermenanlage wurde vermutlich im späten 1. Jh. n. Chr. erbaut. Sie war durch eine Fußbodenheizung versorgt und umfaßte mehrere Umkleideräume, einen Gymnastiksaal und die eigentlichen Baderäume, wo man zwischen Heiß-, Warm- und Kaltwasserbecken wählen konnte. Selbst eine Sauna gab es. Die Versorgungsleitungen, teils aus gebrannten Tonröhren, teils aus Blei, sind noch zu erkennen. Und das Ka-

nalisationssystem, das die Abwässer in die nahe Schwäbische Rezat leitete, ist immer noch bewundernswert intakt. Man traf sich allerdings hier nicht allein zum Baden, sondern auch zu Gesprächen und Spielen. Zahlreiche Ausgrabungsfunde lassen darauf schließen, daß die Römer hier einen recht noblen, kultivierten Lebensstil pflegten, der allerdings ein jähes Ende fand, als die Alemannen den Limes überrannten.

Eine ausgezeichnete Ergänzung zu diesen historischen Plätzen bietet Weißenburgs Römermuseum. Seine reichen Sammlungen enthalten Grabungsfunde aus Lager und Therme sowie vom Limes und von weiteren Fundstellen der Umgebung. Ein bemerkenswertes Exponat ist das bronzene Militärdiplom aus dem Jahr 107 n. Chr., das einzige vollständig erhaltene Rätiens. Es beglaubigt die ehrenvolle Entlassung verschiedener Soldaten. Glanzpunkt des Museums ist der größte römische Schatzfund Deutschlands. In einem Spargelfeld nahe der Römer-

straße war 1979 von einem Hobbygärtner eine Sammlung von insgesamt 156 Gegenständen entdeckt worden: von der Bronzestatuette über die Gesichtsmaske einer Paraderüstung bis zum römischen Klappstuhl.

ℹ️ Römische Thermen, Am Römerbad: Di–So 10–12.30, 14–17 Uhr (März–Dezember).

Römermuseum, Dr.-Martin-Luther-Platz 3: Di–So 10–12.30, 14–17 Uhr (April–Oktober).

Eichstätt Zwar wurden in und um Eichstätt nur wenige römische Spuren entdeckt, doch enthält das Museum auf der Willibaldsburg eine gut aufbereitete Sammlung von Grabungsfunden aus der weiteren Umgebung, durch die während der römischen Besatzungszeit ja auch der Limes verlief. Aus den Militärlagern und Zivilsiedlungen entlang dieses Grenzwalls hat man vielerlei Waffen, aber auch Zivilgerät geborgen, das Einsichten in die erstaunlich hohe Entwicklung der damaligen Alltagskultur gewährt. Besonders bemerkenswert ist ein Fundus von Bauwerkzeugen, darunter als aufsehenerregendstes das Visiergerät eines römischen Feldmessers zur Berechnung des rechten Winkels (*groma*). Es ist das einzige dieser Art, das nördlich der Alpen erhalten ist.

ℹ️ Ur- und Frühgeschichtliches Museum in der Willibaldsburg: Di–So 9–12, 13–17 Uhr (April–Oktober), sonst Di–So 10–12, 13–16 Uhr.

Pfünz Mehr als 40 m hoch über dem Tal der Altmühl und dem des Pfünzer Bachs liegt auf einem Geländesporn das römische Kohortenkastell Vetoniana. Es gehörte zu jenen größeren Lagern mit angeschlossener Zivilsiedlung, die jeweils im Hinterland des Limes die weiträumige Ge-

ländesicherung übernahmen. In diesem Fall ging es vor allem um die Kontrolle über das Altmühltal. Die Zufahrt zu diesem Kastell führt von Pfünz aus – leider unbeschildert – über die Straße Am Römerberg südwärts. Auf dem rechteckigen Areal von 2,5 ha Größe sind etliche Fundament-, Tor- und Mauerreste sowie lange, tiefe Gräben zu besichtigen. Da man die Gräben in den felsigen Untergrund schlagen mußte, konnte ihnen die Zeit wenig anhaben: So vollständig erhaltene Gräben findet man am Limes selten. Eine Schautafel zeigt das vermutliche Aussehen des Kastells und nennt die wichtigsten geschichtlichen Daten. Die reichhaltigen Funde, die man hier von 1884 bis 1960 gemacht hat, sind in der Willibaldsburg in Eichstätt ausgestellt.

Kipfenberg Hier überquerte einst der Limes, den die Kipfenberger jährlich mit ihrem Limesfest feiern, die Altmühl und lief – von nun an überwiegend schnurgerade – auf die Donau zu. Vor allem westlich der Altmühl ist der Grenzwall noch recht gut im Gelände zu verfolgen, so daß sich hier eine Wanderung lohnt.

Am Waldrand nördlich von Kipfenberg (Zufahrt vom Ort ausgeschildert) beginnt der zuerst mit ei-

Eine Verteidigungslinie von 548 km

Über diese Streckenlänge, von Rheinbrohl bis fast nach Kelheim an der Donau, zogen die Römer den obergermanisch-rätischen Limes. Das Bauprinzip des gigantischen Schutzwalls gegen die Germanen war immer dasselbe: Zuerst wurde eine hölzerne Palisade errichtet; dahinter legte man einen Graben an. Die ausgehobene Erde diente zum Aufschütten eines Walls. Beim Teilstück des rätischen Limes allerdings wurde die Palisade durch eine 2,5–3 m hohe und 1,2 m breite Steinmauer ersetzt, als man zu Zeiten Kaiser Caracallas alemannische Angriffe befürchtete. Im Volksmund hieß dieses Bollwerk Teufels-

mauer: Daß menschliche Kraft allein einen solchen Wall zustande bringen sollte, konnte man sich nicht vorstellen. Am Limes entlang baute man im Abstand von 200–1000 m rund 10 m hohe Wachtürme, zuerst aus Holz, später aus Stein.

ner 11, dann mit einer 14 markierte, rund 6 km lange Wanderweg. An einer Stelle verläuft er etwa 1 km fast schnurgerade durch eine noch heute gut erkennbare Waldschneise: Auf den Steinfundamenten der einstigen Grenzmauer findet auch in unseren Tagen kein Baum Halt für seine Wurzeln. Streckenweise wandert man auf dem rund 1 m hohen Schutthügel der Wallkrone entlang. Parallel zum Wanderweg läßt sich der Graben erkennen. Auf der Strecke passiert man auch zwei gut erkennbare Wachturmfundamente.

Der Wanderweg führt zurück zum Ausgangspunkt über den Kipfenberger Ortsteil Böhming. Vom dortigen 95 × 78 m großen Numeruskastell ist allerdings nur noch die deutliche Niveauerhöhung im Boden zu erkennen. Heute steht hier die Kirche. Böhming, einst dem Kastell Pfünz unterstellt, hatte die unmittelbare Bewachung des Altmühlübergangs zur Aufgabe.

ⓘ Limesfest: jedes Jahr im August, Tel. 0 84 65/17 40.

Bad Gögging Auf römische Ursprünge blickt auch dieser Kurort an der Donau zurück. Unter der alten Kirche Sankt Andreas wurde bereits vor geraumer Zeit eine beachtliche römische Badeanlage ausgegraben, die sich durchaus mit den Römerthermen in Aachen oder Wiesbaden vergleichen läßt. In diesem Bad, das seine Blütezeit im 2. Jh. n. Chr. hatte, genossen die Offiziere des nahen römischen Kastells Abusina mit ihren Familienangehörigen die heilsame Wirkung des schwefelhaltigen Wassers, das noch heute in Bad Gögging aus der Erde sprudelt. Die altrömische Badeanlage mit ihrem Heizsystem und ihren sonstigen Einrichtungen kann besichtigt werden.

ⓘ Museum Sankt-Andreas-Kirche, Trajanstraße: Führungen Di, Do, Sa 14 und 14.30, So 10.30 und 11 Uhr (März–Oktober), sonst So 14 und 14.30 Uhr.

Eining Das Kastell Abusina, nahe der Ortschaft Eining an der Straße nach Bad Gögging gelegen, wurde rund 4 km südlich von jener Stelle am Donauufer errichtet, an der einst der rätische Limes endete. Vom erhöhten Standort des Lagers unweit der Mündung des kleinen Donauzuflusses Abens aus hatte man einen ungehinderten Blick auf den Lauf der Donau, den Schiffs- und Durchgangsverkehr und auf das Land jenseits des Flusses. Von hier aus sowie von dem 2 km nach Norden vorgeschobenen Posten auf dem Weinberg ließ sich die Nahtstelle zwischen dem künstlichen Grenzwall und der natürlichen Flußgrenze besonders gut überwachen.

Nirgendwo in Bayern ist die Ausgrabung eines römischen Kastells bislang vollständiger gelungen, nirgends konnten die Grundmauern besser konserviert werden als in Eining: Ein besonders guter Eindruck von der Anlage eines römischen Kohortenlagers wird hier vermittelt.

Ein älteres Holz-Erde-Kastell, von Kaiser Titus in den Jahren 79–81 errichtet, liegt unter den Steinmauern des Neubaus von Kaiser Antoninus Pius. Die Ursache für den asymmetrischen Grundriß der 125 × 147 m großen Anlage ist noch nicht geklärt; man vermutet, daß dieser sich durch eine Verlegung des Haupttors von Norden nach Osten noch während der Bauzeit ergab.

Seit Mitte des 2. Jh. war in Abusina ein gemischter Verband aus Infanterie und Reiterei – insgesamt 500 Mann – stationiert. Im Zentrum des Kastells befinden sich das Stabsgebäude mit den Verwaltungsbüros, die Waffenkammern und der Appellplatz sowie das Lagerheiligtum und im Innenhof ein Brunnen. Die Existenz von Lazarett, Werkstätten und Speichern wird vermutet, ist aber nicht bewiesen. Mannschaftsbaracken und Ställe füllten früher die restliche Innenfläche.

Zum Kastell gehörte auch das Mannschaftsbad, dessen Reste noch zu sehen sind. Die römischen Offiziere, die sich nicht unter die weitgehend fremdländischen Legionäre mischten, badeten hier nicht; sie gingen in die vornehme Therme von Bad Gögging. Gegenüber der Lagertherme befand sich ein Rasthaus, in dem fast alle Räume Fußbodenheizung hatten.

Das Lager wurde mit vielen anderen während der Alemanneneinfälle ab 233 einige Male zerstört und wieder instand gesetzt. Um 260 ist es wohl endgültig aufgegeben worden.

ⓘ Römerkastell Abusina: Vereinbarung von Besichtigungen und Führungen im Haus direkt gegenüber dem Kastell.

Hienheim Von Eining aus gelangt man mit einer Autofähre über die Donau nach Hienheim. 2 km nördlich des Städtchens markiert die sogenannte Hadrianssäule das Limesende. Dieser kleine, steinerne Obelisk ist kein Denkmal aus römischer Zeit; er wurde erst 1861 von König Maximilian II. von Bayern errichtet, um an den langen Weg des Limes vom Rhein bis zur Donau zu erinnern.

Von hier aus führt, parallel zum noch deutlich im Gelände sichtbaren Fundament des einstigen Grenzwalls, ein Feldweg nach Westen zu einem nachgebauten hölzernen

Das Römerlager von Eining Aus der Luft überblickt man die 1,8 ha des Kastells Abusina am besten. Jahrhundertelang war hier dieselbe Einheit stationiert, die III. Britannische Kohorte.

Wachturm. Er wurde an der Stelle errichtet, an der einst ein 4,5 × 4,8 m großer Steinturm stand. Der Holzturm ist besteigbar und bietet einen weiten Ausblick bis hinüber nach Eining – so wie ihn einst auch die römischen Legionäre hatten. Der Limes läßt sich zu Fuß noch etwa 3 km in Richtung Westen weiterverfolgen. Nacheinander stößt man dabei auf Reste von vier Wachtürmen.

Regensburg Um das Jahr 80 n. Chr. legten die Römer im heutigen Regensburger Stadtteil Kumpfmühl ein Lager an, das jedoch in den Markomannenstürmen der Jahre 170–175 unterging. Als stärkerer Ersatz wurde 179 n. Chr. unter Marc Aurel die erste Ansiedlung im Bereich des heutigen Stadtkerns von Regensburg vollendet: das Lager Castra Regina, benannt nach dem hier in die Donau mündenden Flüßchen Regen. Die III. Italische Legion war

*Modell im Regens-
burger Stadtmuseum*
*Diese detailgetreue
Nachbildung der Porta
Praetoria versetzt den
Betrachter zurück ins
2. Jh., als das Militär-
lager Castra Regina ge-
baut wurde. Hier ist
die Arbeit an der Porta
und der Lagermauer
dargestellt.*

Regensburgs immer wieder Reste
des Römerlagers ausgegraben.
ℹ Museum der Stadt Regensburg,
Dachauplatz 2–4: Di–Sa 10–16, So
10–13 Uhr.
Niedermünster: Führungen täglich
13, 13.30 Uhr und n. Vereinb., Tel.
09 41/5 77 96 (Mitte Mai–Oktober).
Straubing Sorviodurum, das heutige Straubing, war eines der wichtigsten und größten Kastelle an der
Nordgrenze des römischen Weltrei-
ches, der Donau. Zeitweise lagen
hier 1000 Soldaten in Garnison. Das
Kastell befand sich östlich des heutigen Stadtkerns, am Prallhang der
Donau auf dem sogenannten Osten-
feld. Erbaut wurde es unter Kaiser
Vespasian, von Kaiser Hadrian
wurde es auf die Größe von mehr als
3 ha erweitert. Stationiert war hier
u. a. die I. Kentische Kohorte. An
das Lager schloß sich ein bedeutendes Zivildorf mit Bauern, Handwerkern und Händlern an. Von beiden
ist allerdings nichts mehr erhalten:
Im Jahr 233 n. Chr. fielen Lager und
Dorf den Alemannenstürmen zum
Opfer.

Doch bei Herannahen dieser Gefahr muß ein Römer, der Zugriff zur
wertvollsten Habe des Lagers hatte,
die kostbarsten Rüstungen, Waffen
und Werkzeuge noch rasch in einen
Bronzekessel gepackt und vergraben
haben. Erst 1950 wurde dieser Kessel bei landwirtschaftlichen Arbeiten
wieder entdeckt: einer der größten
archäologischen Schatzfunde nördlich der Alpen. Zu besichtigen sind
die bronzenen, teilweise vergoldeten
Kopfschutzplatten und Beinschie-
nen für Pferde, die Gesichtsmasken,
Waffen und kleinen Kultstatuetten
im Gäubodenmuseum. Daneben
zeigt dieses Museum eine Fülle weiterer Waffen und Gebrauchsgegenstände aus Kastell und Zivilsiedlung.
Sehr sehenswert ist hier der mit
Lack konservierte Schnitt, der bei
der Ausgrabung im Bereich des
Nordtores angelegt wurde und die
deutlich im Boden sichtbaren Schichten der verschiedenen Bauphasen des
Tores und der Gräben zeigt.
ℹ Gäubodenmuseum, Fraunhofer-
straße 9: Di–So 10–16 Uhr.

*Der Schatzfund von
Straubing* Auf dem
*Gebiet des Römer-
lagers Sorviodurum
wurde erst vor knapp
40 Jahren ein Schatz-
fund gehoben, der zu
den größten in Nord-
europa zählt. Diese
Gesichtsmaske
(links) – heute im
Gäubodenmuseum
von Straubing –
gehört zu einer der
Paraderüstungen, die
die römischen Solda-
tenführer seinerzeit
schmückten.*

dem größten römischen Bestat-
tungsplatz in Bayern, dazu zahlreiche Steinreliefs und -figuren, wertvolle Ton- und Glasgefäße sowie
unzählige weitere Gegenstände des
täglichen Lebens aus den blühenden Zivilsiedlungen rund um das
Lager.

Da das frühmittelalterliche Regensburg dann später auf dem Gelände dieses Lagers erbaut wurde,
sind nur wenige Bauzeugnisse der
Römerzeit erhalten geblieben. Der
rechteckige Lagergrundriß zeichnet
sich bis heute deutlich im Plan der
Regensburger Altstadt ab. Die
Grundmauern einer Mannschafts-
baracke des Lagers sieht man in der
konservierten Ausgrabung unter
dem Niedermünster. Hier zeigt sich
klar die Abfolge der Bebauung bis
ins Mittelalter. Bedeutendstes Monument ist die Porta Praetoria, das
ehemalige Nordtor des Lagers, von
dem noch Torbogen und Flanken-
turm stehen. Sie und die Porta Nigra
in Trier sind die ältesten römischen
Stadttore in Deutschland. Eine weitere sichtbare Erinnerung an das
große Römerlager sind die Überreste
seiner Südostecke nahe dem Ernst-
Reuter-Platz sowie die Nordostecke
beim heutigen Kolpinghaus. Neuer-
dings werden auch im Rahmen der
großangelegten Altstadtsanierung

hier stationiert. Mit Ausmaßen von
540 × 450 m und einer Besatzung
von 6000 Soldaten war das Legionslager politisch und militärisch zum
Machtzentrum der Provinz Rätien
geworden, auch wenn der Legions-
legat als oberster Befehlshaber weiterhin in der Provinzhauptstadt Augusta Vindelicum (Augsburg) residierte. Die Vollendung des Lagers
wurde von römischen Steinmetzen

in einer rund 8 × 1 m großen Stein-
tafel dokumentiert, die über einem
der Lagertore angebracht war. Diese
im Jahr 1873 entdeckte gewaltige
„Gründungsurkunde" Regensburgs
kann man heute neben zahllosen
anderen Funden in der römischen
Abteilung des Stadtmuseums bewundern. Das Museum enthält u. a.
auch die geborgenen Grabbeigaben
aus dem Kumpfmühler Gräberfeld,

Streifzüge anderswo

Aachen Hier war einst ein römisches Militärbad. Zwischen 89 und 120 n. Chr. errichteten die Soldaten der in Neuss und Xanten stationierten 6. und 30. Legion die sogenannten Dom- und Büchelthermen, in denen sie die Wohltat der heißen, schwefelhaltigen Quellen genossen. Über den Thermen wurde später die Kaiserpfalz errichtet.

Zu den wenigen römischen Spuren im heutigen Aachen gehört der Portikus auf dem Hof hinter der Pfalzkapelle Karls des Großen. Grabungsfunde haben erwiesen, daß dieser Platz früher der Tempelbezirk war, den eine römische Wandelhalle umzog; nur der Portikus ist heute noch davon erhalten. Allerdings handelt es sich bei einer aus den Quadern eines anderen römischen Baus gemauerte Nachbildung; das Original steht im Rheinischen Landesmuseum in Bonn.

Augsburg 15 v. Chr., während der Regierungszeit des Kaisers Augustus, errichtete eine römische Legion ihr Lager am Zusammenfluß von Lech und Wertach. Dies gab den Anstoß zur Gründung der Stadt, die den Namen Augusta Vindelicum erhielt. Südlich des Doms hat man eine spätrömisch-frühchristliche Taufanlage ausgegraben, die in das frühe 6. Jh. datiert wird. Ein weiteres Zeugnis der spätrömischen Zeit ist der Steinsarkophag der heiligen Afra, die angeblich 304 in Augsburg den Märtyrertod erlitt, weil sie dem Christenglauben nicht abschwören wollte. Er steht heute in der Gruft unter dem rechten Seitenaltar der Pfarrkirche Sankt Ulrich und Afra.

Augsburg Dieser lebensgroße bronzene Pferdekopf aus dem 2. Jh. wurde 1769 aus der Wertach geborgen. Vermutlich gehörte er zu einem Reiterstandbild Marc Aurels, das in der rätischen Hauptstadt geschaffen wurde.

Funde aus der einstigen Hauptstadt der Provinz Rätien sind im Römischen Museum in der ehem. Dominikanerkirche Sankt Magdalena zu sehen. Die römische Präsenz im Raum Augsburg bis etwa 400 n. Chr. ist hier belegt. Die ältesten Ausgrabungsstücke stammen von dem Militärlager, das 15 v. Chr. am linken Wertachufer errichtet worden war. Neben Waffen und Rüstungsteilen sowie Hufeisen, Zangen und Nägeln ist vor allem die Münzsammlung von hohem Wert. Darunter befindet sich als älteste Münze ein Silberdenar aus dem ausgehenden 2. Jh. v. Chr., der aus einer Prägeanstalt der römischen Republik stammt. Das Kalksteingrabmal des Weinhändlers Pompeianius Silvinus aus der Zeit um 200 zeigt an den beiden Längsseiten Darstellungen aus dem Leben des Verstorbenen.

ℹ Römisches Museum, Dominikanergasse 15: Di–So 10–17 Uhr (Mai bis September), sonst nur bis 16 Uhr.

Augst Der Statthalter Lucius Munatius Plancus gründete 44 v. Chr. im Gebiet des heutigen Augst bei Basel die Colonia Raurica; Namengeber waren die keltischen Rauriker. Im

2. Jh. war die Stadt, die nun Colonia Augusta Raurica hieß, wirtschaftliches, religiöses und kulturelles Zentrum. Dafür sprechen die sehr gut erhaltenen, zum Teil auch rekonstruierten Ruinen der vielfältigen Anlage. Sie umfaßt Reste der Stadtmauer, Wohnquartiere und einen Töpferbezirk, Tempel, Foren und Thermen. Das bedeutendste Bauwerk ist das Theater, an dem drei Bauperioden zu erkennen sind. In den 70er Jahren des 1. Jh. wurde der erste Bau von Legionären zur Arena für blutige Zirkusspiele umgebaut. Etwa 80 Jahre später wurde dieses Amphitheater durch ein Theater ersetzt, an dem nun Komödien und Tragödien aufgeführt wurden. Die hintere Bühnenmauer ist offen, um den Blick freizugeben auf den großen Schönbühltempel, der mit dem Theaterbau eine architektonische Einheit bildet. Östlich hinter dem Theater erstreckt sich das Hauptforum mit Basilika und Curia als Abschluß. In diesem Rundbau mit ansteigenden Sitzreihen versammelte sich der Rat der Stadt. In den Kellerräumen sind Mosaiken ausgestellt.

Ein rekonstruiertes römisches Peristylhaus mit sämtlichen Einrichtungen, Möbeln und Hausrat zeigt gleichzeitig als Museum die Funde aus Augst: Keramik, Glas, Bronzestatuetten, Münzen und Gemmen. Die größte Kostbarkeit ist ein Silberschatz aus dem 4. Jh., bestehend aus Platten, Schüsseln, Bechern, Löffeln, Münzen, Medaillons und einer Venusstatuette. Er wurde im Castrum Rauracense, dem heutigen Kaiseraugst, entdeckt. Das stark befestigte Legionslager ließ Kaiser Diokletian um 300 errichten, nachdem die Colonia Augusta Raurica im Jahr 260 von den Alemannen abgebrannt worden war.

Augst bei Basel Zur Zeit der Römer erreichte die Mosaikkunst eine hohe Blüte. Im Römermuseum von Augst zieren Teile eines großflächigen Mosaiks die Wand einer römischen Villa.

ℹ Besichtigung der Colonia Augusta Raurica täglich 7.30–17 Uhr (März–November); Römermuseum, Griebenacherstraße 17: Mo 13.30 bis 18, Di–So 10–12, 13.30–18 Uhr (März–Oktober), sonst nur bis 17 Uhr.

Baden-Baden Seit etwa 220 nannte sich der römische Badeort stolz Civitas Aurelia Aquensis. Zwar ist historisch nicht belegt, wie es zu diesem Beinamen kam, doch ist die Geschichte allemal hübsch zu erzählen: Kaiser Caracalla soll hier 213 zur Kur geweilt haben, um sich von einer Erkrankung zu erholen, die er sich auf einem soeben beendeten Feldzug gegen die Alemannen zugezogen hatte. Die Kur schien Erfolg gebracht zu haben, denn zum Dank durfte das einfache Bad von nun an des Kaisers Namen führen.

Außerdem ließ sich der berühmt-berüchtigte Imperator die gründliche Erweiterung und komfortable Ausstattung der ebenfalls nach ihm benannten Kaisertherme eine Stange Geld kosten. Diese pompöse Anlage (unter dem heutigen Marktplatz) mußte wegen Einsturzgefahr wieder zugeschüttet werden. Dagegen konnte eine östlich des heutigen Friedrichsbads gelegene römische Badeanlage freigelegt werden und steht heute interessierten Besuchern zur Besichtigung offen: eine verhältnismäßig bescheidene Anlage, deren Eingang, Heizraum sowie Warm-,

Lau- und Schwitzbad konserviert sind. Ein aus Bruchsteinen gemauerter Abwasserkanal führte vom Bad in einen Sammelkanal, der auch die Abwässer anderer Bäder und der Privathäuser im Stadtbezirk aufnahm; erst im 19. Jh. wurde dieser fortschrittliche Stand der Kanalisation wieder erreicht.

Zahlreiche Ausgrabungsstücke aus der Römerzeit zeigen die Stadtgeschichtlichen Sammlungen, darunter Jupitergigantensäulen, Bronzefibeln und Münzen aus der Kaiserzeit sowie als wertvollstes Exponat einen Soldatengrabstein.

ⓘ Römische Badruinen, Römerplatz: täglich 10–12, 13.30–16 Uhr (Ostern–September). Stadtgeschichtliche Sammlungen, Schloßstraße 22: Di–So 10–12.30, 14–17 Uhr (Mai–September).

Badenweiler Durch einen Zufall stieß man vor mehr als 200 Jahren in dem Schwarzwaldort auf die Ruinen eines römischen Bades. 1783 hatte Markgraf Karl Friedrich von Baden den Auftrag gegeben, ihm in Badenweiler ein Besuchsquartier zu errichten; Baumaterial könne dem Gemäuer unterhalb des Badeorts entnommen werden. Doch dabei stieß man auf Reste aus der Römerzeit, und so entschied der Markgraf, daß „mit der vorsichtigen Räumung dieser kostbaren Ruinen fortgefahren werden" solle.

Die weiträumige Badeanlage im heutigen Kurpark, die zum Teil mit fließendem Thermalwasser gespeist wurde und u.a. ein Atrium und vier Baderäume enthielt, ist von einem Holzdach überdeckt und nur im Rahmen von Führungen zu besichtigen. Sichtbar ist dagegen die Nordmauer der teilweise bis zu einer Höhe von 2 m erhaltenen Ruine.

Römische Badruinen in Baden-Baden Ein Gang durch die Ruinen unter dem heutigen Friedrichsbad vermittelt einen Eindruck von der Badekultur der Römer.

ⓘ Römerbad: Führungen Di 17, So 11.15 Uhr (März–Mitte Oktober).

Bad König Von dem nördlich von Michelstadt gelegenen hessischen Kurort bietet sich eine rund anderthalbstündige Wanderung (einfache Strecke) zum Römerkastell Hainhaus an (ostwärts durch den Wald, am Gesundheitsbrunnen vorbei).

Das Numeruskastell war Teil des Odenwaldlimes, an dem sich, vor allem im nördlichen Abschnitt, noch weitere kleinere Kastellbauten finden. Als Numerus bezeichnete man eine selbständige militärische Einheit mit eigenem Verwaltungsapparat. Die Kastelle wurden alle nach dem gleichen Schema angelegt: als fast quadratische Rechtecke mit abgerundeten Ecken. So auch das nach Osten gerichtete Kastell Hainhaus, das mit Seitenlängen von 72 m bzw. 79 m eine Fläche von rund 0,57 ha einnimmt. Man vermutet, daß es um 100 n. Chr. erbaut wurde.

Von der Umfassungsmauer sind größere Teile erhalten, und auch der dahinter aufgeschüttete Wall ist heute noch gut sichtbar. Einst besaß das Kastell drei Tore, die jeweils durch Türme verstärkt waren, während es nach Westen hin nur einen schlichten Durchgang hatte. Vom einstigen Badehaus nordwestlich des Kastells sind leider nur noch geringe Reste erhalten.

Im 18. Jh. wurde im Innern der Kastellruinen ein Jagdschloß errichtet; ein Nebengebäude lädt heute als

Gasthaus zur gemütlichen Einkehr und Rast ein.

Butzbach Im Schrenzer, dem Stadtwald des hessischen Ortes, dient der Überrest des römischen Erdwalls heute als Promenade. Ein hölzerner Wachturm wurde rekonstruiert und hier aufgestellt.

89–139 n. Chr. war der Ort Garnison der 2. Rätischen und danach der 2. Cyrenaicischen Kohorte. Das am Nordrand der Stadt gelegene Kastell Hunnenburg war vom 1. Jh. bis um 260 besetzt. Zu sehen ist nicht mehr viel; allein die Kopie einer Jupitergigantensäule – das Original steht im Landesmuseum Darmstadt – erinnert an die Römer. Einen Teil der Kastellfunde bewahrt das Heimatmuseum, darunter Vorratsgefäße, Eisenwerkzeuge und Ziegel mit Truppenstempeln.

ⓘ Heimat- und Trachtenmuseum, Griedeler Straße 18–20: Di, Do, Fr 10–12, Mi 10–12, 14–17, Sa 15–18, So 11–13, 14–17 Uhr (April–September).

Frankfurt Offensichtlich war die Mainmetropole einst ein römischer Militärstützpunkt. Am heutigen Römerberg sind Reste einer Badeanlage der Römer in einer abgesenkten Ebene vor dem Dom freigelegt.

Das Museum für Vor- und Frühgeschichte kann mit einem reichhaltigen Bestand archäologischer Funde aus sechs Jahrtausenden aufwarten. Zeugnisse römischer Präsenz sind u.a. Funde aus Nida-Heddernheim; die Römerstadt Nida war 120–260 n. Chr. Hauptort der Civitas Taunensium. Ab dem Beginn des

Römischer Helm in Frankfurt In Nida-Heddernheim hat man u. a. diesen Helm gefunden, der nicht im Kampf, sondern bei Reiterspielen getragen wurde.

3. Jh. griffen die Alemannen diese Bastion des Römischen Reichs vermehrt an, und Mitte desselben Jahrhunderts schließlich war das gesamte Gebiet um Frankfurt den Römern abgerungen.

Von den Ausstellungsstücken des Museums sind z. B. römische Legionärshelme und drei gut erhaltene, 12 m hohe Jupitergigantensäulen zu erwähnen, die einst zu Ehren des obersten römischen Gottes errichtet wurden.

ⓘ Das Museum ist derzeit im Umzug begriffen; Eröffnung im Neubau, Karmelitergasse 1, Ende Februar 1989. Öffnungszeiten zu erfragen unter Tel. 069/2125896.

Römisches Geschirr in Friedberg Im *Wetterau-Museum vermitteln u. a. ein Keramikkrug und ein Becher ein Bild vom römischen Alltag.*

Friedberg Die strategisch günstige Lage auf einem Bergsporn nutzten die Römer, um hier ein Kastell zu errichten, das den nördlichen Zugang zur Mainebene sichern sollte. Eine mittelalterliche Burg ersetzte später das Kastell, von dem man noch einen Teil des Bades fand.

Die provinzialrömische Abteilung im Wetterau-Museum der hessischen Stadt dokumentiert die Römerzeit u. a. mit Kultaltären für den Gott Mithras und in Friedberg gefertigtem Speisegeschirr.

ℹ️ Wetterau-Museum, Haagstraße 16: Di–Fr 9–12, 14–17, Sa 9–12, So 10–17 Uhr.

Großkrotzenburg Hier, wo der Limes den Main erreicht, war einst ein römischer Stützpunkt mit einem Kastell, von dem noch Reste der Wehrmauer und eines Eckturms zu sehen sind. Im Museum auf dem Gelände verdeutlicht ein Modell, wie man sich die einstige Anlage mit Ziegelei, Zivilsiedlung und Mainbrücke vorstellen muß. Von dieser werden Pfähle mit eisernem Pfahlschuh gezeigt; aus der Ziegelei stammen gestempelte Militärziegel. Waffen, Handwerksgerät und Gebrauchsgegenstände aus römischer Zeit vervollständigen das Bild.

ℹ️ Museum der Gemeinde, Breitestraße 20: jeden zweiten So im Monat 10–15 Uhr.

Heidenheim an der Brenz Unter Kaiser Domitian wurde der Ort im 1. Jh. römische Garnison und Standort der rund 1000 Mann starken Reitertruppe Ala II Flavia. Sie baute an einem wichtigen Straßenknotenpunkt das Kastell Aquileja. Ab 1980 hat man bei Ausgrabungen gut erhaltene Reste einer im 2. Jh. errichteten Badeanlage entdeckt. Sie ist heute gleichzeitig ein Museum, das anhand von Fundstücken und Kopien über die Römerzeit der Stadt und spezielle Themen wie Münzwesen und Heiztechnik informiert.

ℹ️ Museum im Römerbad, Theodor-Heuss-Straße 3: Mi–So 10–12, 14–17 Uhr.

Hüfingen Mitte des 19. Jh. wurde das römische Kastellbad bei Hüfingen südlich von Donaueschingen ausgegraben. Es wurde gegen 70 n. Chr. erbaut und war ein reines Soldatenbad. Von einem Heizraum zog die Wärme durch einen Kanal unter dem erhöhten Fußboden in das Warm- und Laubad. Beide Räume hatten einen mit blauen und gelben Mosaiksteinen ausgelegten Fußboden. In der Apsis des Warmbades befand sich ein Waschbecken, das aus einem einzigen Steinblock herausgemeißelt und fein geschliffen war. Nach dem Abzug der römischen Truppen wurde die Badeanlage bis ins 3. Jh. hinein von der Zivilbevölkerung benutzt. Erst als auch sie den anstürmenden Germanen weichen mußte, verfiel der Bau.

ℹ️ Besichtigung n. Vereinb., Tel. 07 71/6 24 89.

Jülich An einem wichtigen Knotenpunkt der Straße Köln–Maastricht erbauten die Römer an der Rur das Kastell Juliacum. Im Museum sind Funde aus römischer Zeit ausgestellt, darunter Architekturfragmente, Matronenaltäre, Jupitersteine und Münzen. Eine reiche Keramiksammlung zeigt, wie sich die römischen Gefäßformen zwischen dem 1. und 4. Jh. wandelten.

ℹ️ Römisch-Germanisches Museum im Alten Rathaus: jeden 1. So im Monat 10–12 Uhr.

Kempten 15 v. Chr. eroberten Drusus und Tiberius die Provinz Rätien. Auch das keltische Cambodunum fiel dem Eroberungszug zum Opfer und wurde zu einer römischen Provinzstadt. In der Römischen Sammlung Cambodunum sind alle Funde zusammengetragen und ausgestellt. Modelle und Dokumentationen helfen zwischen den ausgestellten Gegenständen – Waffen, Schmuck, Handwerksgeräten – und ihrer einstigen Verwendung einen Bezug herzustellen.

ℹ️ Römische Sammlung Cambodunum, Residenzplatz 31: Di, Fr 10–12, 14–16.30, Mi, Do, Sa 14–16.30, So 9–12 Uhr (Mai–Oktober), sonst Di 10–12, 14–16, Mi, Sa 14–16, Fr 10–12, So 9–12 Uhr.

Laufenburg Direkt neben dem Umspannwerk des südbadischen Ortes liegen die restaurierten Mauerfundamente eines wahrscheinlich im 1. Jh. angelegten und bis ins 3. Jh. bewirtschafteten Gutshofs, einer *villa rustica*. Nach einem Brand um 120 wurde die Villa wieder aufgebaut, wobei man an der Südostecke neue Baderäume mit farbigen Wanddekorationen hinzufügte. Aus dem 2.–3. Jh. stammen die noch sichtbaren Reste zweier Ecktürme an der Westfassade.

Römerbad in Heidenheim an der Brenz Bereits zur Zeit der Römer gab es hier hölzerne Deichelleitungen, in denen Wasser transportiert wurde. Solche Wasserleitungen haben sich bis in die Neuzeit hinein gehalten.

Meßkirch Wer auf der B 311 von Tuttlingen nach Meßkirch fährt, durchquert das etwa 8 ha große ummauerte Gelände eines römischen Gutshofs, der gegen Ende des 1. Jh. angelegt wurde. 70 m außerhalb der Nordmauer stand ein Tempelchen, in dem man einen Altar mit einer Inschrift fand. Dieser ist zu entnehmen, daß der Tempel der Jagdgöttin Diana geweiht war. Die nicht ausgegrabenen Gebäude, darunter die Villa, zeichnen sich im Gelände deutlich als Hügel ab.

München Im Jahr 15 v. Chr. marschierten die Römer im Voralpenland ein, und in der Folgezeit gelang es ihnen, bis zur Donau vorzurücken und sie sogar zu überschreiten. Über die römische Zeit Bayerns informiert eine umfangreiche Abteilung des Museums für Vor- und Frühgeschichte. U.a. sind hier Siedlungs- und Grabfunde, der Künzinger Hortfund mit Waffen und Gerätschaften einer vollständigen römischen Truppeneinheit sowie der Schatzfund von Eining mit seinen Gesichtsmasken und verzierten Pferdepanzern zu bewundern.

ℹ️ Prähistorische Staatssammlung, Museum für Vor- und Frühgeschichte, Lerchenfeldstraße 2: Di–So 9–16, Do bis 20 Uhr.

Nettersheim Wandern auf den Spuren der Römer kann man seit 1988 auf dem rund 100 km langen Römerkanalweg von Nettersheim nach Köln. Die Strecke folgt der römischen Eifelwasserleitung, die mit 94,5 km Trassenlänge eine der längsten Fernwasserleitungen im Römischen Reich war und vom 1. bis 3. Jh. Köln mit Trinkwasser versorgte. Immer wieder stößt man auf Wasserfassungen, Reste von Aquäduktbrücken und Kleinbauwerke.

ℹ️ Auskunft und Informationsmaterial beim Eifelverein, 5160 Düren, Tel. 0 24 21/1 31 21.

Obernburg Einst hatte hier am „nassen Limes", dem Main, die 4. Aquitanische Reiterkohorte im Kastell Nemaninga ihren Standort. Im Museum Römerhaus ist aufbewahrt, was hier und in der Umgebung an Hinterlassenschaften gefunden wurde. In einem Brunnenschacht kamen z. B. zwei Jupitergigantenfiguren zum Vorschein. Grabsteine, Urnen, Benefiziarieraltäre sowie Geschirr und Münzen geben Aufschluß über die Lebensweise der Kastellbewohner. Benefiziarieraltäre sind Weihesteine, die römische Straßenbaumeister *(beneficiarii)* zu Ehren der Götter am Ende ihrer Dienstzeit errichten ließen.

ℹ️ Römerhaus, Mainstraße 1: geöffnet während der Dienstzeiten der Stadtverwaltung und n. Vereinb., Tel. 0 60 22/90 34.

Pferdekopfschutz in München Prachtvoll gerüstet nahmen Roß und Reiter an Paraden teil. Diese Kopfschutzplatte ist Teil des Schatzfundes von Eining, den man vor wenigen Jahren entdeckt hat.

Passau In dieser Stadt hielt sich die Römerherrschaft am längsten in Bayern. Doch als die Alemannen 475 näher rückten, organisierte der römische Geistliche Severin zunächst erfolgreich die Verteidigung der Stadt, betrieb dann aber angesichts der Hoffnungslosigkeit der Lage die Evakuierung der Römer donauabwärts nach Lauriacum bei Enns. Damit hatten die letzten römischen Soldaten Rätien verlassen.

Zwei Lager hatten die Römer auf dem Gebiet der heutigen Stadt unterhalten. Das eine, Batavis, lag etwa dort, wo sich jetzt das Kloster Niedernburg erhebt, auf der Landspitze zwischen Donau und Inn. Spuren davon finden sich nur noch im Oberhausmuseum. Anders das Kastell Boiotro auf dem östlichen Innufer, dessen Fundamente man 1974 teilweise ausgegraben hat. Das benachbarte Gruberhaus wurde als Museum eingerichtet.

ℹ️ Oberhausmuseum, Ferdinand-Wagner-Straße: Di–So 9–17 Uhr (Mitte März–Oktober), sonst 10–16 Uhr.

Römermuseum Kastell Boiotro, Ledergasse 43: Di–So 10–12, 14–17 Uhr (Juni–August), 10–12, 15–17 Uhr (März–Mai, September–November).

Pforzheim Im Hagenschieß, einem Waldgebiet südlich der Enz, sind die konservierten Grundmauerreste eines römischen Gutshofs zu sehen. (An der Kanzlerstraße Richtung Mäuerach beim Hinweisschild rechts abbiegen.) Die Umfassungsmauer des Anwesens, die wie die Grundmauern der Villa, des Gesindehauses, des Badehauses und vier weiterer Nebengebäude bis zu einem halben Meter hoch erhalten ist, umschloß einst ein Areal von knapp 100 × 100 m – ein für römische Verhältnisse sehr bescheidenes Anwesen.

Das Gut wurde wahrscheinlich nur rund 100 Jahre lang bewirtschaftet; den Funden zufolge muß es Mitte des 3. Jh. von einfallenden Alemannen zerstört worden sein. Von der einstigen Badeanlage wurden das Kaltbad mit Badewanne, der Übergangsraum, das Warmbad und der Heizraum freigelegt.

Tengen-Büßlingen Der große Gutshof bei Büßlingen nahe der Schweizer Grenze, der ein Areal von 5,5 ha umschließt, ist eine der wenigen vollständig konservierten Römeranlagen überhaupt; alle Mauern der zum Gehöft gehörigen Gebäude wurden bis zu einer gewissen Höhe ausgegraben und, wo nötig, restauriert, so daß ein guter Eindruck von der Gesamtanlage entsteht. Im Wirtschaftsgebäude nördlich des Wohnhauses hatte der Besitzer einen nicht unerheblichen Schatz von Silbermünzen vergraben. Wohl aus gutem

Amphitheater in Windisch In der heute so harmlos wirkenden Arena veranstalteten die Römer blutige Zirkusspiele, Gladiatorenkämpfe und Tierhetzen.

Grund, denn um 250 gab es ständig Kämpfe am Limes, die Alemannen fielen in Rätien ein und stießen 258 gar bis Oberitalien vor. In dieser Zeit muß auch der Büßlinger Gutshof dem Alemannensturm zum Opfer gefallen sein, denn sein Besitzer hatte keine Zeit mehr, den sorgfältig versteckten Schatz mitzunehmen. Der zum Anwesen gehörende Tempel mit Kultraum erscheint gegenüber den anderen Gebäuden fast überdimensional. Zum Hof gehörten ein Schlachthaus und eine Schmiede, in der das landwirtschaftliche Gerät hergestellt und gewartet wurde.

Windisch Vindonissa (bei Brugg, nordwestlich von Zürich) war das südlichste der römischen Legionsstandlager an der Rheinfront. Die um 17 n. Chr. aus Holz errichtete Anlage wurde von der hier stationierten berüchtigten 21. Legion – sie führte den Beinamen Rapax, die Reißende – um 50 n. Chr. in Stein neu aufgebaut. Das 112 m lange und 98 m breite Oval des recht gut erhaltenen Amphitheaters faßte 10 000 Besucher – eine ganze Legion also. Die Funde, darunter noch lesbare Schrifttafeln, sind im Vindonissa-Museum im nahen Brugg ausgestellt.

ℹ️ Vindonissa-Museum, CH-5200 Brugg: Di–So 10–12, 14–17 Uhr.

Germanensturm

Die Kämpfe Julian Apostatas, des späteren römischen Kaisers, gegen die Alemannen in den Jahren 356 und 357 signalisieren den Beginn der Völkerwanderung. Der römische Historiker Ammianus Marcellinus, Augenzeuge des Untergangs der römischen Macht am Rhein, berichtet darüber:

Auf die Meldung hin, die Barbaren seien im Besitz von Straßburg, Brumat, Zabern, Selz, Speyer, Worms und Mainz und hätten sich auf deren Gemarkung häuslich eingerichtet [...], wollte er [Julian Apostata] als erste von allen diesen Städten Brumat besetzen, aber bereits, als er anrückte, marschierte ihm eine Streitmacht der Barbaren entgegen, um ihm eine Schlacht zu liefern. Julian ordnete seine Truppen in halbmondartiger Aufstellung; als dann der Nahkampf begonnen hatte und die Feinde von beiden Seiten her von Vernichtung bedroht wurden, gerieten einige von ihnen in Gefangenschaft, andere wurden in heißem Kampf niedergehauen, und der Rest entkam und fand Rettung in schneller Flucht.

Nach diesem Erfolg stieß Julian auf keinen Widerstand mehr und beschloß, Köln zurückzuerobern, das kurz vor seiner Ankunft in Gallien zerstört worden war. In dieser Gegend sieht man keine Stadt und kein Kastell; nur bei Koblenz [...] liegt die Stadt Remagen und ganz in der Nähe von Köln eine Burg. Er zog also in Köln ein und verließ es nicht eher, bevor er mit den bestürzten Frankenkönigen, deren Kampfeseifer nachließ, einen Frieden schließen konnte, der dem Staat eine Zeitlang von Nutzen sein sollte [...]. Froh über die ersten siegreichen Anfänge, zog er über Trier ab, um in Sens zu überwintern. [...]

In diesen Tagen sperrten die Barbaren, die sich diesseits des Rheins angesiedelt hatten [...], die schlechten [...] Straßen durch Verhaue, für die sie Bäume von außerordentlicher Stärke fällten. Andere hingegen besetzten die vielen im Strom verstreuten Inseln.

Mit wildem und jämmerlichem Geheul beschimpften sie die Römer und den Cäsar. [...] Vom [Rhein] aus wandte sich Julian nach Zabern, einer Festung dieses Namens, um es wieder instandzusetzen. Vor noch nicht langer Zeit war es bei einer hartnäckigen feindlichen Belagerung zerstört worden.

Roms Rache

Die Weltmacht reagierte auf die vernichtende Niederlage im Teutoburger Wald im Jahr 9 mit Vergeltungsaktionen. Der römische Feldherr Germanicus unternahm in den Jahren 14–16 mehrere Strafexpeditionen gegen die Germanen. Der Historiker Tacitus schreibt darüber in seinen „Annalen":

Nach dem Übergang über die Weser erfuhr Germanicus durch die Aussage eines Überläufers, daß sich Arminius [germanischer Heerführer] bereits für einen Kampfplatz entschieden habe. Auch seien schon andere Stämme in einem dem Herkules [Donar] geweihten Hain zusammengekommen, und so werde wohl in der Nacht ein Sturm auf das Lager gewagt werden. [...]

Unser Heer trat folgendermaßen an: gallische und germanische Hilfstruppen an der Spitze, hinter ihnen Bogenschützen zu Fuß. Es folgten vier Legionen und Germanicus selbst mit zwei Prätorianerkohorten und ausgesuchter Reiterei, hierauf die vier anderen Legionen, die Leichtbewaffneten mit reitenden Bogenschützen und die übrigen Bundeskohorten. [...]

Kaum hatte Germanicus die Heerhaufen der Cherusker erblickt, die in wildem Ungestüm schon vorgebrochen waren, da befahl er dem Kern der Reiterei, ihnen in die Flanke zu fallen. Stertinius erhielt den Befehl, den Feind zu umgehen und im Rücken zu fassen. [...] Unter ihnen konnte man Arminius erkennen, wie er mit dem Schwert, durch anfeuernde Zurufe und durch den Hinweis auf seine Wunde den Kampf zum Stehen zu bringen suchte. Ja, er hatte sich schon auf die Bogenschützen gestürzt, um dort durchzubrechen, [und es wäre gelungen], hätten sich ihm nicht die Truppen der Räter, Vindelicier und Gallier entgegengeworfen. Eigene Anstrengung und seines Rosses Geschwindigkeit half ihm dann doch noch hindurch, zumal er sich das Antlitz mit seinem Blut bestrichen hatte, um nicht erkannt zu werden. Manche Schriftsteller berichten, er sei von den unter den römischen Hilfstruppen befindlichen Chauken zwar erkannt aber durchgelassen worden. [...] Die übrigen wurden haufenweise hingemordet. [...]

Es war ein großer Sieg, und dabei für uns nicht blutig. Von 10 Uhr morgens bis zum Einbruch der Nacht dauerte das Morden [...].

Gefesselte Germanen *Die Darstellung aus dem 1. Jh. zeigt Germanen, die an Hals, Händen und Füßen gefesselt sind. Das Relief stammt aus dem römischen Legionslager in Mainz. Ihre Kriegsgefangenen verkauften die Römer häufig als Sklaven oder schickten sie auf Galeeren.*

Gaius Julius Caesar Germanicus *Der älteste Sohn des Drusus, Befehlshaber der Rheinarmee, erhielt seinen Beinamen Germanicus aufgrund seiner Feldzüge gegen die Germanen. Im Jahr 17 feierte er seinen militärischen Erfolg in Rom mit einem großartigen Triumph.*

Eroberungskrieg

Im letzten Jahrzehnt vor Christi Geburt drangen römische Legionen unter dem Feldherrn Drusus auf ihren Feldzügen bis an die Elbe vor. Die wichtigsten Etappen dieses Eroberungskriegs hat der spätantike griechische Autor Cassius Dio in seiner „Römischen Geschichte" festgehalten:

Drusus schlug die Germanen zurück, indem er den Augenblick abpaßte, zu dem sie über den Rhein setzten. Danach rückte er selbst bei der Insel der Bataver über den Fluß und in das Land der Usipeter ein. Von dort unternahm er noch einen Zug in das Gebiet der Sugambrer und verheerte weite Strecken des Landes. Dann fuhr er zu Schiff den Rhein entlang bis an den Ozean und gewann die Friesen als Verbündete. Als er über das Wasser in das Land der Chauken vorrückte, kam er in Gefahr, als die Schiffe bei Ebbe aufs Trockene gerieten. Von den Friesen, die als Flußmannschaft den Zug mitmachten, aus dieser Not befreit, kehrte er wegen des einbrechenden Winters um und begab sich nach Rom.

Mit Frühlingsbeginn brach er jedoch erneut zum Krieg auf, ging über den Rhein und unterwarf die Usipeter. Nachdem er über die Lippe eine Brücke geschlagen hatte, fiel er auch in das Land der Sugambrer ein, durchzog es und gelangte in das Land der Cherusker und bis an die Weser. Das konnte er, weil die Sugambrer aus Zorn über die Chatten, die allein von allen angrenzenden Stämmen nicht ihre Bundesgenossen sein wollten, mit ihren ganzen Leuten zu Feld gezogen waren, und er diesen Zeitpunkt nutzte, um heimlich durch ihr Land zu ziehen. Auch über die Weser wäre er wohl gegangen, wenn es ihm nicht am Nötigsten gefehlt hätte und der Winter nicht vor der Tür gestanden wäre [...]

Im folgenden Jahr [...] fiel [Drusus] in das Land der Chatten ein und drang bis zu den Sueben vor.

Nero Claudius Drusus *Der Feldherr war Statthalter der Provinz Gallien. Er erreichte als erster Römer die Elbe, starb aber auf dem Rückweg nach einem Reitunfall.*

Landeskunde

Die Römer waren hervorragende Landvermesser. Sie versäumten es nicht, die Gebiete, die sie kriegerisch durchzogen, zu kartographieren und im Hinblick auf eine spätere Unterwerfung Erkundungen über Land und Leute einzuholen. Ihre Kenntnisse verwendeten sie u. a. im Straßenbau, der für die Versorgung ihrer in Germanien stationierten Truppen von großer militärischer Bedeutung war. Ein anschauliches Bild Germaniens gibt die um das Jahr 18 entstandene Schrift des griechischen Geographen Strabo, die vollständig erhalten ist:

Ihrer Natur und ihren Einrichtungen nach sind sich beide Völker [d. h. Kelten und Germanen] ähnlich und verwandt; auch scheidet nur der Rheinstrom die von ihnen bewohnten Länder [...]. Daher kommt es, daß die Germanen sich leicht zu Übersiedlungen entschließen und in Scharen sowie mit voller Heeresmacht aufbrechen bzw. mit Hab und Gut auswandern, wenn sie von anderen Mächtigeren vertrieben werden. [...]

Das Land also [...], das unmittelbar jenseits des Rheins beginnt und sich nach Osten erstreckt, bewohnen die Germanen, wenig dem keltischen Stamm unterschieden, es sei denn durch größere Wildheit, größeren Wuchs und größere Blondheit, sonst an Gestalt, Sitte und Lebensart ihnen ähnlich. [...] Deshalb scheinen mir die Römer ihnen mit Recht diesen ihren Namen gegeben zu haben, gleichsam um sie als echte Gallier zu bezeichnen: denn echt heißt in der römischen Sprache germanus.

Der erste Teil dieses Landes ist die Region am Rhein, von seiner Quelle bis an die Mündung; dieses Uferland im Ganzen bezeichnet ungefähr die Breite Germaniens im Westen. Von den dortigen Stämmen haben die Römer einige nach Gallien übergesiedelt, andere sind dem zuvorgekommen und haben ihre Wohnsitze landeinwärts verlegt wie die Marser [...]. Auf diese Völkerschaften am Fluß folgen die anderen zwischen dem Rhein und der Elbe, die [...] zum Ozean hinströmt [...]. Dazwischen gibt es noch andere schiffbare Flüsse, die ebenfalls von Süden nach Norden zum Ozean hinfließen, darunter die Ems, auf der Drusus zu Schiff die Brukterer besiegte. Denn nach Süden erhebt sich das Land und bildet einen Bergrücken, der sich bis zu den Alpen erstreckt. [...] Dort liegt der herzynische Wald, und dort sind die Stämme der Sueben, die zum Teil innerhalb des Waldes wohnen. [...] Auch Böhmen liegt in jener Gegend.

Strabo *Nach eigenen Angaben bereiste der griechische Geograph und Geschichtsschreiber Strabo die Mittelmeerwelt von Armenien bis Sardinien und vom Schwarzen Meer bis Äthiopien. Seine Anschauungen hat er in der 17bändigen „Geographica" zusammengetragen.*

DAS REICH DER FRANKEN

Im Bann der Karolinger

Karl der Große nannte sich Augustus
und beherrschte das Abendland, seine
Hauptstadt Aachen galt als das neue Rom:
Die Karolinger besannen sich auf die
römischen Traditionen. Darin lag das
Geheimnis ihres Erfolges.
Augenfälliges Sinnbild dafür ist bis
heute die Torhalle in Lorsch (Foto)
mit ihren antiken Bogen und Verzierungen.

KÖNIGREICH DÄNEMARK

Nordsee

Ostsee

Normanneneinfälle 9. Jh.

Normanneneinfälle 9. Jh.

Normanneneinfälle 9. Jh.

Normanneneinfälle 9. Jh.

Danewerk

● Haithabu

† Stellerburg

✗ 798 Schwentine

Pom

808

798

845

Obodriten

† Hamburg (834-845)

812

Wilzen

F r i e s l a n d

† Bremen (864, mit Hamburg 847 vereinigt)

789

Heveller

● Verden

Osnabrück †

● Minden †

(772/804 zum Frankenreich)

Magdeburg ●

Münster †

● Hildesheim

S a c h s e n

Süntel ✗ 782

Lippspringe

● Corvey

† Brunshausen

† Halberstadt

Sorben

Paderborn

Spree

Nimwegen 864

Xanten

✗ 775 Sigiburg

✗ 772 Eresburg

Magdeburg

Westfränkisches Königreich

Duisburg 883/84

Werden †

† Fritzlar

Ungarneinfä

Meersen

881/82 Köln (um 800)

775

772

Hersfeld †

Thüringen

806

Elbe

Aachen

● Fulda

806

Böhmen

† Prüm

Mainz (780/82)

● Frankfurt

Schlüchtern

F r a n k e n

Neiße

(um 800) †

Trier

Ingelheim

Seligenstadt

Main

● Würzburg

806

L o t h a r i n g i e n

Worms S

Lorsch

Steinbach

Mähre

○

● Forchheim

N o r d g a u

805

Speyer

Metz †

Ellwangen

Regensburg

Weißenburg

A l a m a n n i e n

Esslingen

Eichstätt

Nieder- altaich †

Donau

Straßburg †

Neckar

Augsburg †

Passau

Ost-

791/96

Donau

B a y e r n (788 zum Frankenreich)

Freising

mark

805

Basel † (7. Jh.?)

Reichenau †

Konstanz

Kempten

Wessobrunn †

Frauenchiemsee †

Salzburg (798)

A w a

Sankt Gallen †

0   50   100 km

Karl der Große – ein Franke auf dem Kaiserthron

Unter dem Ansturm der Völkerwanderung brach das Römische Reich im 5. Jh. zusammen. Die Merowinger errichteten auf den Trümmern der lateinischen Kultur ein dauerhaftes fränkisches Reich. Ende des 7. Jh. gelang es dann den karolingischen Dienstleuten, die merowingischen Könige abzulösen. Glanzvoller Höhepunkt der neuen Herrschaft war die Kaiserkrönung Karls des Großen am Weihnachtsfest des Jahres 800 in Rom.

Als einflußreichster Herrscher des Abendlandes befand sich Karl der Große (742–814) auf dem Gipfel seiner Macht: Sein Reich erstreckte sich von der Nordsee bis zum Ebro, von der Ostsee bis zum Tiber und vom Atlantik bis in die ungarische Tiefebene. Das Kaisertum hob Karl über alle europäischen Könige hinaus und stellte ihn ranggleich an die Seite des byzantinischen Kaisers.

Die Grundlage der karolingischen Königsherrschaft hatte Pippin, der Vater Karls des Großen, gelegt, als er 751 von den Franken zum König gewählt worden war. Der Papst bestätigte die Wahl und stellte damit die karolingische Herrschaft auf ein christliches Fundament. Diese Verknüpfung von Kaiser- und Papsttum prägte bis zum ausgehenden Mittelalter den Verlauf der deutschen Geschichte.

Als Karl der Große 768 die Herrschaft übernahm, suchte er sein Reich vor allem auf Kosten heidnischer Völker zu erweitern. Fränkische Herrschaft und christliche Missionstätigkeit gehörten dabei untrennbar zusammen. In den eroberten Gebieten entstanden zahlreiche Klöster und Bischofssitze. Karl der Große unterwarf die Langobarden in Norditalien (774), zog gegen die Awaren (791–796), machte die slawischen Stämme im Osten (Obodriten, Wilzen, Sorben, Böhmen) tributpflichtig (789–812) und kämpfte gegen die Araber in Nordspanien (778).

Besonders die Ausdehnung nach Osten veränderte das Bild des Fränkischen Reiches. Der Kampf gegen die heidnischen Sachsen unter ihrem Führer Widukind sollte 32 Jahre dauern (772–804), ehe der Widerstand endgültig gebrochen war. Dadurch verlagerte sich der Schwerpunkt der karolingischen Herrschaft von Nordfrankreich nach Osten, besonders nach Aachen und in das Rhein-Main-Gebiet.

Die Macht der karolingischen Herrscher beruhte auf dem königlichen Hof. Die Kanzlei, die Schaltzentrale des Königreiches, leitete meist ein Kleriker, der das Lateinische in Wort und Schrift beherrschte. Der König hatte keine feste Hauptstadt, sondern zog mit seinem Hof von Pfalz zu Pfalz durch sein Reich und übte auf diese Weise vor Ort seine Macht aus.

Großes Ansehen genoß vor allem in Aachen die königliche Hofschule, das Zentrum der abendländischen Gelehrsamkeit. Die dort versammelten Gelehrten bemühten sich, die geistige und religiöse Bildung von Klerus und Volk zu erneuern. Ihren Reformbestrebungen – auch karolingische Renaissance genannt, weil man bewußt auf antikes Gedankengut zurückgriff – ist es zu verdanken, daß uns die literarischen Werke der Antike und der frühchristlichen Zeit überliefert sind.

Unter den Nachfolgern Karls des Großen ging die Einheit des karolingischen Reiches verloren. 843 teilten seine Enkel in Verdun das Reich zum erstenmal untereinander auf: Karl der Kahle erhielt das westfränkische Gebiet, die Keimzelle des späteren Frankreich; Lothar I. bekam das Mittelreich, das von der Nordsee bis nach Italien reichte, und Ludwig der Deutsche wurde Herrscher über das Ostfränkische Reich, das spätere Deutschland. Weitere Teilungen 870 (Meersen) und 880 (Ribbemont) vernichteten das Mittelreich und vergrößerten das Gebiet des Ostfränkischen Reiches nach Westen.

Andauernde Invasionen aus dem Norden und Osten schwächten die königliche Gewalt. Vor allem die Sachsen, Thüringer und Bayern, die das Reich im Osten und Norden gegen die einfallenden Ungarn und Normannen verteidigten, gewannen an Einfluß. Mit König Ludwig dem Kind starb 911 die ostfränkische Linie der Karolinger aus. In der Pfalz Forchheim wählte der ostfränkische Adel den fränkischen Herzog Konrad I. zu seinem König: Der Zerfall des Karolingerreiches war die Geburtsstunde von Deutschland und Frankreich.

Karl der Große
Die bronzene Reiterstatuette zeigt den karolingischen Herrscher hoch zu Roß mit den Insignien seiner königlichen Gewalt: Reichsapfel und Krone. In den 46 Jahren seiner Regierung schuf er ein imposantes Reich, in dem Grafen, treue Gefolgsmänner, die königlichen Interessen vertraten. Königsboten wiederum kontrollierten die Tätigkeit der Grafen und wachten über die Einhaltung der Verwaltungsanordnungen.

Ostfranken im Karolingerreich

- ///// Ostgrenze des Reichs Karls des Großen (814)
- ▭ Karolingisches Einflußgebiet
- ▭ Westgrenze des Ostfränkischen Reiches 843 (Vertrag von Verdun)
- — Westgrenze des Ostfränkischen Reiches 870 (Vertrag von Meersen)
- — Gaugrenzen
- ■ Pfalz
- (775) ✝ Erzbistum mit Gründungsdatum
- ✝ Bistum
- + Kloster
- ● Wichtiger Ort
- 772 ✕ Bedeutende Schlacht Karls des Großen mit Jahresangabe
- 805 → Feldzüge Karls des Großen mit Jahresangabe
- → Einfälle fremder Völker
- 864 @ Normannenüberfälle mit Jahresangabe
- **Sorben** Slawischer Volksstamm

(Kartenbeschriftungen:) ranen · Polanen · Netze · Weichsel · Warthe · Oder · 896 · Ungarneinfälle seit 896

Karl der Große und die Sachsen

Die karolingischen Könige vergrößerten das Fränkische Reich gewaltig. Den hartnäckigsten Widerstand gegen die Eroberer leisteten die Sachsen unter ihrem mächtigen Führer Widukind. Über 30 Jahre, von 772 bis 804, benötigte Karl der Große, um sie endgültig zu besiegen und seinem Reich einzuverleiben. Er legte damit den Grundstein für die Einigung der deutschen Stämme beiderseits des Rheins. Die Tour führt vom fränkischen Kernland in die damals neu eroberten Gebiete.

Aachen Wie kein anderer Ort im Fränkischen Reich ist Aachen mit der Person und der Geschichte Karls des Großen verbunden. Der Herrscher schätzte den Platz nicht nur wegen seiner während der Sachsenkriege strategisch günstigen Lage. Besonders liebte er die warmen Quellen, die bereits die Römer genutzt hatten. Ab 795 machte er, der mächtigste Herrscher des Abendlandes, Aachen zu seiner Lieblingspfalz. Den größten Teil seiner letzten Regierungsjahre verbrachte er hier, Linderung von seinem Gichtleiden suchend.

Kurz vor und nach der Kaiserkrönung in Rom im Jahr 800 entstand in Aachen eine gewaltige Palastanlage mit der Marienkapelle. Vom ursprünglichen Palast, der durch Holzgänge mit der Kapelle verbunden war, ist vor der Ostfassade des heutigen Rathauses der Granusturm noch erhalten. Über einer Latrinenanlage der Karolingerzeit liegen drei Geschosse mit gewölbten Räumen; das mittlere konnte auch beheizt werden. Schon im Mittelalter erwarben die Aachener Bürger den verfallenden Palast und bauten ihn als Rathaus um. Die verschiedenen Bauphasen bis zu den Beschädigungen durch den Zweiten Weltkrieg kann man bei einem Rundgang erkennen. Außerdem sind eine Ausstellung zur Geschichte des Rathauses seit karolingischer Zeit und Repliken der in Wien aufbewahrten Reichskleinodien sowie weitere Ausstellungsstücke zu sehen.

Die zur Pfalz gehörende Marienkapelle, heute das Aachener Münster, entsprang einem besonderen Bauplan, der römische, byzantinische und fränkische Elemente

Karlsthron in Aachen
Im Obergeschoß des Aachener Münsters nimmt der Thron Karls des Großen (links) den zentralen Platz ein: Von hier aus konnte der Kaiser alles sehen und von allen gesehen werden. Die Sitzplatte wurde später zur Krönung Ottos des Großen 936 angebracht.

Essen-Werden *Das früher als Reliquienschrein benutzte Holzkästchen (links), das heute im Kirchenschatz von Sankt Ludgerus aufbewahrt wird, zeigt den betenden Heiland (Text auf Seite 77).*

vereinte und der oströmischen Prachtkirche San Vitale in Ravenna nachempfunden ist. Zum Baumeister berief Karl der Große den Magister Odo aus Metz, der vom späteren Biographen des Kaisers, Einhard, beraten wurde. Neu war der Zentralbau in Achteckform, von einem Sechzehneck ummantelt. Früher schlossen sich Anbauten und im Osten ein kleiner Chor an. Im Westen lag ein Atrium mit einem Hof. Aus diesem Bereich sind heute in der Vorhalle der Bronzeguß eines Pinienzapfens aus dem 9. Jh. und einer Bärin aus dem 3. Jh. noch erhalten, eindrucksvolle Kunstwerke, die einstmals wahrscheinlich einen

Brunnen schmückten. Aus karolingischer Zeit stammen wunderbare Metallarbeiten wie die zweiflügeligen Bronzetüren, die ältesten Deutschlands, und die Gitter im Kircheninneren. Sie schließen die Emporen ab und sind prächtig mit den verschiedensten Mustern und Formen verziert. Aus Rom und Ravenna ließ Karl der Große antike Säulen aus Marmor und rotem Porphyr für den Innenraum herbeischaffen; er erinnerte damit an die Erneuerung der antiken römischen Kaisermacht durch die fränkischen Herrscher.

Das Kircheninnere wird durch die Stellung von Thron im Obergeschoß und Altar, also die augenfällige Betrachtung der Hierarchie von Kaiser und Gott, bestimmt. Der nobel-

seinen Hof mit berühmten Theologen, Philosophen und Künstlern versammelte, sind in der Domschatzkammer zu sehen: Neben vielen mittelalterlichen Prachtstücken sei hier vor allem auf ein Elfenbeindiptychon und mehrere Reliquiare hingewiesen.

Der Staufer Friedrich I. knüpfte bewußt an die karolingische Tradition an und ließ Karl den Großen 1165 heiligsprechen. So wurde in Aachen der prächtige goldene Reliquienschrein in Auftrag gegeben, den Friedrich II. 1215 selbst schloß. Nach sechsjährigen Restaurierungsarbeiten kann der Prunkschrein nun wieder im Dom besichtigt werden.

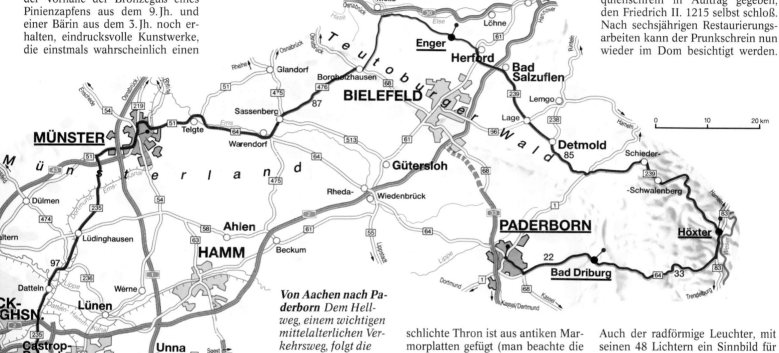

Von Aachen nach Paderborn *Dem Hellweg, einem wichtigen mittelalterlichen Verkehrsweg, folgt die Tour streckenweise von West nach Ost. Von Aachen bis Essen führt sie durch den Ballungsraum von Rhein und Ruhr, bevor sie im Südosten der Münsterländer Bucht ihren Endpunkt erreicht.*

schlichte Thron ist aus antiken Marmorplatten gefügt (man beachte die Ritzzeichnungen für ein Figurenspiel) und über sechs Stufen zu erreichen. Von hier konnte der Herrscher der heiligen Messe folgen und gleichzeitig vom Volk, das im unteren Kirchenraum am Gottesdienst teilnahm, und dem Hofstaat, der sich auf der Empore versammeln durfte, gesehen werden.

Frühe Zeugnisse aus der Glanzzeit Aachens, als Karl der Große hier

Auch der radförmige Leuchter, mit seinen 48 Lichtern ein Sinnbild für das himmlische Jerusalem, stammt aus staufischer Zeit.

Wie bedeutsam das Münster, in dem Karl sein Grab fand, für seine Nachfolger und die deutsche Geschichte überhaupt wurde, zeigt sich darin, daß hier zwischen 936 und 1531 immerhin 30 deutsche Könige gekrönt wurden. Festgelegt wurde dies 1356 in der Goldenen Bulle Karls IV., dem bedeutendsten Gesetz des Heiligen Römischen Reiches.

Im Museum Burg Frankenberg befinden sich neben römischen und prähistorischen Funden anschauliche Modelle der Aachener Pfalzanlage und des Sankt Gallener Klosterplans aus karolingischer Zeit.

ℹ️ Domschatzkammer: Mo 10–14, Di, Mi, Fr, Sa 10–18, Do 10–20, So 10.30–17 Uhr (während der Sommerzeit), sonst Mo 10–14, Di–Sa 10–17, So 10.30–17 Uhr.

Innenräume des Rathauses: Mo–Fr 8–13, 14–17, Sa–So 10–13, 14–17 Uhr.

Museum Burg Frankenberg, Bismarckstraße 68 (Eingang Rehmannstraße): Di–Fr 10–17, Sa, So 10–13 Uhr.

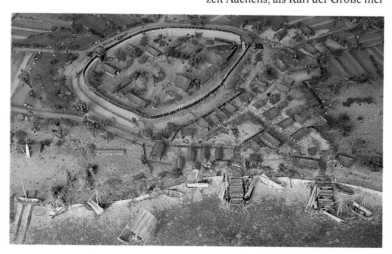

Duisburg in karolingischer Zeit *Das Modell des Königshofs von 880 im Niederrheinischen Museum (rechts, Text auf Seite 77) zeigt, wie die Befestigungen in hochwassergeschützter Lage und die Handwerker- und Händlersiedlung vor den Mauern der Stadt zusammenhingen.*

Köln Das Kölner Schnütgen-Museum beherbergt seit 1957 eine der wertvollsten und auch berühmtesten Sammlungen mittelalterlicher Kunst. Gründer war der Domkapitular Alexander Schnütgen, der es sich zur Aufgabe gemacht hatte, die vielen alten Kunstwerke in und um Köln vor dem Verfall zu retten. Ein ausführlicher Gang durch die in der ehem. Cäcilienkirche untergebrachte Ausstellung ist äußerst lohnend; hier soll hauptsächlich auf zwei Meisterwerke karolingischer Elfenbeinarbeit aus dem frühen 9. Jh. hingewiesen werden. Eine Elfenbeinplatte, im 7. Jh. in Spanien gefertigt, wurde in der Hofschule Karls des Großen nochmals bearbeitet. Auf ihrer ursprünglichen Rückseite ist sie mit Bildern der vier Evangelisten und mit Szenen, die die Verkündigung, Geburt, Kreuzigung und Auferstehung Christi zeigen, verziert. Eine Kostbarkeit ist auch der Elfenbeinkamm des heiligen Heribert, der bei Krönungen und Bischofsweihen benutzt wurde. Seinen oberen Teil schmücken filigrane Darstellungen des gekreuzigten Christus, umgeben von Maria und Johannes sowie Engeln und Himmelskörpern.

ℹ Schnütgen-Museum, Cäcilienstraße 29: Di–So 10–17 Uhr, an jedem ersten Mi im Monat bis 20 Uhr.

Duisburg Dem wachsenden Engagement der Franken in den Sachsenkriegen verdankt die ganze Region ihren Aufstieg. Von hier aus führt der Hellweg nach Osten, einer der wichtigsten mittelalterlichen Verkehrswege, dem diese Tour in wesentlichen Zügen folgt. Ab dem 9. Jh. war Duisburg eine Königspfalz, deren Befestigung sie freilich nicht vor den Plünderungen der Wikinger zu Ende des Jahrhunderts schützte.

Die Stadtarchäologen in Duisburg haben in mühevoller Arbeit spätkarolingische Fundamente freigelegt, die im Niederrheinischen Museum ausgestellt sind. Hier befinden sich auch mehrere Stadtmodelle und der Abguß eines eindrucksvollen frühmittelalterlichen Töpferofens.

ℹ Niederrheinisches Museum, Friedrich-Wilhelm-Straße 64: Di, Do, Fr 10–17, Mi 10–16, So 11–17 Uhr.

Aachener Karlsschrein Der Ausschnitt des Prunkschreins, in dem die Gebeine Karls des Großen ruhen, zeigt die Gottesmutter und Friedrich II. mit dem Modell der Pfalz.

Essen-Werden Streckenweise dem Hellweg folgend, erreicht man das ehem. Benediktinerkloster in Werden an der Ruhr, heute Stadtteil von Essen. Um 800 befand sich hier ein Missionsstützpunkt des friesischen Priesters Liudger, der sich um die Christianisierung von Sachsen und Friesen bemühte und später hier als Heiliger verehrt wurde.

Zunächst dienten nebeneinander zwei Abteikirchen den Mönchen und der Bevölkerung als Gotteshaus: die Salvator- und die Peterskirche, von denen noch romanische Reste erhalten sind. Beide wurden im 13. Jh. in einem Neubau vereint, der den Übergang von der Romanik zur Gotik signalisiert. Einer der ältesten Gebäudeteile ist die Krypta, deren Ringform hierzulande selten ist. Hier ruhen die Gebeine des heiligen Liudger. Im Kirchenschatz befinden sich aus der frühen Zeit zwei Kunstwerke, ein fränkischer Reliquienkasten und ein Abendmahlskelch. Auch wenn dieser nicht, wie es die Überlieferung will, vom heiligen Liudger benutzt wurde, sondern erst um 900 entstand, kann das schlicht und edel geformte Gefäß aus vergoldetem Kupfer doch als einer der ältesten erhaltenen Kelche des Abendlandes gelten.

ℹ Schatzkammer der Propsteikirche Sankt Ludgerus: Di–So 10–12, 15–17 Uhr.

Münster Die wesentlichen Phasen der gewaltigen Auseinandersetzung zwischen Franken und Sachsen im 8. und 9. Jh. werden in der informativen Ausstellung des Westfälischen Museums für Archäologie deutlich. Neben römischen Funden zeigt dieses Museum, das man auch durch das Gebäude des Westfälischen Landesmuseums erreichen kann, das Ergebnis umfangreicher Grabungstätigkeit in Westfalen. Eindrucksvoll sind die fränkischen Waffen des 7. und 8. Jh.: In zwei Vitrinen sind fünf frühmittelalterliche Schwerter und zwei Prunkschwerter aus dem Gräberfeld Lembeck ausgestellt. Das ausgesprochen enge Verhältnis zwischen dem Kämpfer und seiner Waffe kommt in der mittelalterlichen Dichtung zum Ausdruck, die besonders wertvollen und „erfolgreichen" Schwertern Namen gab. So hieß beispielsweise das Schwert des Helden Roland Durendal. Die ungewöhnlich hohe Qualität der fränkischen Waffen, die den fortschrittlichen Herstellungsmethoden zu verdanken war, wird durch das strikte Ausfuhrverbot belegt. Freilich wurde, wie auch in anderen historischen Epochen, das karolingische Embargo durch findige Händler unterlaufen.

Grabbeigaben aus den Ausgrabungen von Beckum zeigen die damals üblichen Sitten: Die mit dem Toten begrabenen Tiere sollten ihm auch im Jenseits dienen. Die Dokumentation der seit den 50er Jahren zum größten Teil freigelegten sächsischen Siedlung bei Warendorf gewährt Einblicke ins Dorfleben: Verschiedene Haustypen des 8. Jh. hat man nachgebaut. Da die Siedlung später nicht karolingisch überbaut wurde, ist der sächsische Charakter besonders klar zu erkennen. Die Befunde dokumentieren, daß auch die Sachsen erst um 700 von Norden her nach Westfalen vorstießen und hier bald auf die ebenfalls expandierenden Franken trafen.

ℹ Westfälisches Museum für Archäologie, Rothenburg 30: Di–So 10–18 Uhr.

Enger Die Geschichte des zuletzt verzweifelten Widerstandes der Sachsen gegen die Franken scheint sich in der Stadt Enger besonders zu konzentrieren. Nicht ohne Stolz nennt sie sich „Widukindstadt" und greift eine mittelalterliche Überlieferung auf, nach der Widukind, der zwangsweise getauft worden war, hier begraben worden sei. Jedenfalls befindet sich im Chor der hochmittelalterlichen Stiftskirche eine Grabplatte des Sachsenführers aus dem 12. Jh. Näheres über die Frage, ob es sich bei den vor einiger Zeit geborgenen Gebeinen um die Überreste Widukinds handelt, erfährt man im Widukind-Museum. Informative Pläne und Schaubilder unterrichten hier über die Sachsenkriege und über die Nachfahren Widukinds, die mehr als 100 Jahre nach seinem Tod als Königsgeschlecht der Ottonen selbst die Geschicke des deutschen Reiches bestimmten. Wie Geschichte in den Dienst der Politik gestellt werden kann, zeigt schließlich die Abteilung über das Widukindbild im Wandel der Zeit.

In besonderer Weise gedenkt man noch heute in Enger des Todestages Widukinds: Am 6. Januar erhalten die Kinder sogenannte Timken, süße Brötchen – ein Brauch, der sich bis ins 16. Jh. zurückverfolgen läßt.

ℹ Stiftskirche: Di–Fr 9–12, 14–16, Sa 9–12, So 15–17 Uhr.
Widukind-Museum, Kirchplatz 10: Di, Fr, Sa 15–17, Mi, Do, So 10–12, 15–17 Uhr.

Höxter Mit der Errichtung der sächsischen Bistümer hatte Karl der Große den Grundstein für die Einbeziehung Sachsens ins Frankenreich gelegt. Aber die wirkliche Christianisierung sollte noch einige Zeit dauern. Eine kontinuierliche Missionierung begann erst unter Karls Sohn Ludwig dem Frommen. Um 830 kamen Mönche aus Corbie, einem bedeutenden nordfranzösischen Kloster, nach Sachsen, um durch ihr Vorbild des Betens und Arbeitens sowie der Pflege von Kultur und Wissenschaft Überzeugungsarbeit zu leisten. Ihr Kloster erhielt nach glücklosen Anfängen seinen festen Platz in hochwassersicherer Lage am Weserknie. Hier, in der Nähe des Hellwegs, entstand bei Höxter Neu-Corbie, Corvey. Für lange Zeit sollte Corvey das einzige Kloster in Sachsen bleiben, Zentrum der Missionsarbeit für den Norden. Wie ein Fremdkörper mochte es in der Region gewirkt haben. Bedeutende Äbte sorgten für die Überlieferung der antiken Kultur; aus der berühmten Klosterbibliothek stammt die einzige Handschrift der ersten Bücher von Tacitus' „Annalen". Lange übten westfränkische Mönche bestimmenden Einfluß aus, und erst allmählich faßte der sächsische Hochadel Fuß. Doch im 10. Jh. wurde Corvey ein sächsisches Kloster, eng mit dem Kaiserhaus der Ottonen verbunden. Hier schrieb der berühmte Mönch Widukind, vielleicht ein Nachfahre des legen-

dären Sachsenführers, um die Mitte des 10. Jh. die erste Geschichte der Sachsen.

Die enge Bindung der Herrscher an das Kloster zeigt sich in den Bauten. Früher betrat man die Klosterkirche durch einen Vorhof, dessen Maße durch die Pflasterung deutlich werden. Zunächst kam man in das mächtige, mehrgeschossige Westwerk, eines der ältesten erhaltenen Bauwerke der ganzen Region. Es wurde 885 geweiht und vermutlich für den Aufenthalt des Herrschers genutzt. Über dem unteren Geschoß, der sogenannten Krypta, erhebt sich der zweigeschossige Johannischor. Dort nahm der Kaiser Platz, wo er sowohl dem Gottes-

Grabplatte Widukinds in Enger Der Fotograf kolorierte nach alten Vorlagen diese über 800 Jahre alte, heute verblaßte Plastik des Sachsenführers (oben).

dienst in diesem Gebäudeteil folgen als auch das Langhaus der Mönchskirche einsehen konnte. Reste von Wandmalereien des 9. Jh. lassen die Pracht im Inneren des Westwerks erahnen. Die sich dahinter anschließende Klosterkirche hat mit ihrer mittelalterlichen Vorgängerin nichts mehr gemein; sie ist – ebenso wie die

---

Kaiserpfalzen und ihre Erforschung

Im 19. Jh. erfuhr die historische Forschung einen mächtigen Auftrieb, und man bemühte sich, die Geschichte der mittelalterlichen Kaiser näher zu ergründen. Diese regierten in einem Reich ohne Hauptstadt und zogen von Pfalz zu Pfalz, um dort in dem jeweils zugehörigen Teil des Herrschaftsgebiets nach dem Rechten zu sehen. Die Pfalzen mußten darum Räumlichkeiten für die Amtshandlungen und privaten Tätigkeiten des Kaisers bieten, also Regierungssitz, Kirche, Gerichtsgebäude, Wohn- und Gästehaus in einem sein. Um sich ein genaues Bild von diesen vielfältigen Aufgaben einer Pfalz machen zu können, hat man schon im vorigen

Jahrhundert erhaltene Teile solcher Anlagen, wie beispielsweise in Goslar, untersucht und restauriert. Außerdem liefert die Archäologie neue Erkenntnisse, wie hier in der Ausgrabungsstätte in Paderborn, wo ab 1964 eine karolingische Pfalz freigelegt worden ist.

Die lokale Geschichtstradition hat den unbestreitbaren Rang dieses Komplexes ausgeschmückt: Karl der Große habe seinen Krieg 772 mit der Eroberung der Iburg und der Zerstörung der angeblich dort befindlichen Irminsul, eines sächsischen Stammesheiligtums, begonnen und dann auf deren Resten die Petruskirche errichtet. Freilich sind dies nur Spekulationen, aber keine besonders abwegigen. Wer sich dafür näher interessiert, kann das kleine, im Geburtshaus des Heimatdichters Friedrich Wilhelm Weber untergebrachte Museum im nahen Alhausen besuchen und sich aus der romantischen Sicht des 19. Jh. über Irminsul und Karl den Großen informieren lassen.

ℹ️ Museum in Bad Driburg-Alhausen: täglich 10–12, 15–19 Uhr, Tel. 0 52 53/59 12.

Paderborn Dem Platz am Paderquellgebiet maß Karl der Große entscheidende Bedeutung bei seiner Unterwerfung der Sachsen zu. Wahrscheinlich ließ er schon 776 hier eine Burg errichten, die seinen Namen trug. Die Ausgrabungen der letzten Jahrzehnte im Dombereich haben die Reste einer für die karolingische Zeit gewaltigen Anlage zutage gefördert; sie wurde in den Sachsenkriegen zerstört und wieder aufgebaut, wie entsprechende Brandschichten beweisen. Schon 777 wurde die Kirche der Königspfalz geweiht. Der wohl in dieser Zeit entstandene Saalbau des Königs, sein Palast, hatte beachtliche Ausmaße: 30,90 × 10,30 m. Die ausgegrabenen Fundamente hat man konserviert. Sie können neben dem Dom und der späteren ottonisch-salischen Pfalzanlage besichtigt werden und lassen die Ausmaße der karolingischen Anlage erahnen. Durch ein kleines Fenster kann man der bei den Grabungen gefundene Unterbau eines Throns Karls des Großen betrachtet werden. Damit schließt sich der Kreis dieser Tour, die beim Thron Karls in Aachen begann und bei der Paderborner Thronanlage endet.

Von der Kirche, die 799 zur Bischofskirche erhoben wurde, sind nur wenige Reste erhalten. Schon im 9. Jh. wurde ein Neubau nötig, um die damals von Le Mans überführten Reliquien des heiligen Liborius aufzunehmen. In Pfalz und Kirche fand 799 das berühmte Treffen Karls des Großen mit Papst Leo III. statt, dem sich dann im Jahr 800 die Kaiserkrönung in Rom anschloß. Grabungsfunde sowie Modell und Pläne sind im Museum in der ottonisch-salischen Pfalz ausgestellt.

ℹ️ Museum in der Kaiserpfalz, Ikenberg: Di–So 10–17 Uhr.

Liboriprozession in Paderborn Von Le Mans kamen 836 die Reliquien des heiligen Liborius nach Paderborn. Diesem Schutzpatron gilt das jährliche Fest, das am Samstag nach dem Todestag (23. Juli) beginnt (oben).

Klosterkirche in Höxter-Corvey Nur das mächtige Westwerk (links), das 885 geweiht wurde, stammt – jedenfalls bis zur Nischenfigur des mittleren Vorbaus – noch aus der karolingischen Epoche; die Turmanlage wurde erst im 12. Jh. gestaltet.

Abteigebäude – eine Schöpfung des Barock. Im Schloß kann man im Sommer eine Ausstellung u. a. zur Geschichte Corveys sehen.

ℹ️ Klosterkirche: 9–18 Uhr (April bis Oktober), sonst 10–16 Uhr.
Ausstellung im Schloß: 9–18 Uhr (April–Oktober); Auskünfte bei der Rentkammer, Tel. 0 52 71/68 10.

Bad Driburg Südwestlich der Kurstadt Bad Driburg erhebt sich eine Burganlage des frühen und hohen Mittelalters, die Iburg. Schon in frühgeschichtlicher Zeit existierten hier ausgedehnte Befestigungsanlagen, die man auf dem Weg vom Parkplatz her schneidet. Der aus Steinen und Erde aufgeschüttete Wall stammt wohl aus sächsischer Zeit und wurde von den fränkischen Eroberern übernommen, die zusätzlich dann noch eine Mauer darauf errichteten. Solche archäologischen Erkenntnisse lassen die Bedeutung des Ortes in den früheren Kriegszeiten erahnen.

Nach ihrem Sieg errichteten die Franken auf dem Burggelände eine Petruskirche, von der Fundamentreste noch vorhanden sind. Der schlichte Bau wurde später in die teilweise erhaltene Burganlage der Paderborner Bischöfe einbezogen.

Das Gipfeltreffen zu Paderborn

Morgennebel liegt über der Ebene. Tau bedeckt die Wiesen an Pader und Lippe. Schemenhaft kann man im Dunst die wehrhaften Gebäude auf der kleinen Anhöhe erkennen: das starke Mauerwerk der Paderborner Pfalzbauten, beschützt von dem gedrungenen Turm des Doms. Langsam bricht die Sonne durch, der Tau glitzert im hellen Licht, ein warmer Sommertag kündigt sich an. Man schreibt das Jahr 799 – ein besonderes Datum in der jungen Geschichte der königlichen Pfalz.

Wie ein Lauffeuer verbreitet sich die sensationelle Kunde im Heerlager der Franken. Der Papst, der oberste Hirte der Christenheit, soll heute hier in Westfalen eintreffen! Die Krieger erfüllt ehrfürchtiges und ungläubiges Staunen. Ihr Herr, der Frankenkönig Karl aus dem ruhmvollen Geschlecht der Karolinger und mächtigster Herrscher des Abendlandes, trifft den Stellvertreter Christi auf Erden.

Trotz der frühen Stunde herrscht reges Treiben in der Pfalz. Kuriere verlassen Paderborn, um die Neuigkeit in alle Himmelsrichtungen zu verbreiten. König Karl befiehlt die fränkischen Herzöge und Grafen zu sich. Letzte Vorbereitungen müssen getroffen werden. Man einigt sich auf einen ehrenvollen, einem weltlichen Herrscher gemäßen Empfang. König Karl gebietet sei-

Karl der Große und Papst Leo III. *Unter dem Jubel der anwesenden fränkischen Krieger treffen in der karolingischen Pfalz zu Paderborn das geistliche und das weltliche Oberhaupt des Abendlandes zu politischen Gesprächen zusammen. Es ist das erste Treffen dieser Art auf deutschem Boden. Der Papst weilt drei Monate an den Quellen der Pader.*

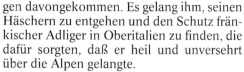

nem Sohn Pippin, Papst Leo entgegenzureiten und ihn sicher nach Paderborn zu geleiten. Mit einem Aufgebot von mehreren hundert Reitern bricht Pippin auf, begleitet vom Beifall der Anwesenden. Die Rüstungen der Krieger schimmern in der Morgensonne, bunt flattern die Wimpel an den Lanzen.

Die Ankunft Leos III. trifft den fränkischen König nicht unvorbereitet. Noch bevor Karl mit dem gesamten Hofstaat – Kanzlei, Troß und Krieger – nach Paderborn aufbrach, erreichte ihn in seiner Pfalz Aachen,

wo er das Osterfest verbrachte, die Nachricht, eine Gruppe römischer Adliger habe auf den Papst ein Attentat verübt. Die römische Opposition, so hieß es, zweifle an seiner Eignung für das höchste kirchliche Amt und wolle einen anderen, geeigneteren Mann als Papst einsetzen. Es ging das Gerücht, Leo sei geblendet worden und man habe ihm die Zunge verstümmelt. Nur mit Mühe und dank Gottes Hilfe sei es ihm gelungen, aus Rom zu fliehen.

Diese Version der Geschehnisse im fernen Rom verbreitete sich in Windeseile im Fränkischen Reich und kam auch Karl in Aachen zu Ohren. Wie sich später herausstellte, war der Papst mit leichten Verletzun-

gen davongekommen. Es gelang ihm, seinen Häschern zu entgehen und den Schutz fränkischer Adliger in Oberitalien zu finden, die dafür sorgten, daß er heil und unversehrt über die Alpen gelangte.

Karl erwog, ein Heer aufzustellen und nach Rom zu ziehen, um den Aufstand der Verschwörer niederzuschlagen. Als Schutzpatron des Papstes hatte Karl das Recht dazu, ja es war sogar seine Pflicht, dem Oberhirten der Christenheit zu helfen. Doch Karl war mitten in den Vorbereitungen für einen Feldzug gegen die seit Jahren aufständischen Sachsen, so daß er die römische Angelegenheit verschob und im Frühsommer, wie schon seit längerem geplant, nach Paderborn aufbrach. Dort, so war seine politische Absicht, wollte er den hilfesuchenden Papst empfangen – mitten im Feindesland als Vorkämpfer des christlichen Glaubens und als siegreicher Feldherr über die heidnischen Sachsen.

Am späten Nachmittag trifft der Papst in Begleitung der Eskorte Pippins in Paderborn ein. Die fränkischen Truppen haben in schimmernder Wehr Aufstellung genommen. Sie bilden einen weiten Kreis, in dem König Karl, hoch zu Roß und in voller Rüstung, Papst Leo III. erwartet. Der Empfang ist herzlich. Unter dem Schall der Posaunen tritt der Papst auf Karl zu, der ihm die Ehre des Kniefalls erweist. Die Krieger im weiten Rund folgen seinem Beispiel. Leo III. spricht daraufhin ein Gebet für die Anwesenden. Die fränkischen Priester stimmen ihre Lobgesänge an, während beide Herrscher zur Pfalz hinaufschreiten, um an einer feierlichen Messe teilzunehmen. Danach begibt man sich zum festlichen Bankett in den Saal, der zu Ehren des hohen Gastes in Gold und Purpur erstrahlt.

Die folgenden Tage sind politischen Gesprächen gewidmet – mit weitreichenden Folgen für das Abendland. Karl sichert dem Papst Hilfe im Kampf gegen die römische Adelsopposition zu. Leo III. verpflichtet sich im Gegenzug, die Kaiserkrönung Karls vorzubereiten.

Die Verschwörer werden in den folgenden Monaten von fränkischen Parteigängern auf Geheiß Karls des Großen dingfest gemacht. Leo III. kann ohne Befürchtungen nach Rom zurückkehren und die Amtsgeschäfte wiederaufnehmen. 18 Monate nach dem denkwürdigen Treffen in Paderborn – am Weihnachtstag des Jahres 800 – wird Papst Leo III. den Karolinger in Rom zum Kaiser krönen. Fränkische, später deutsche Könige werden von da an nach Rom ziehen, um sich dort zum Kaiser krönen zu lassen. Kaiserliche Politik ist damit im Mittelalter auch immer Italienpolitik, Verpflichtung, aber auch, wie die geschichtliche Erfahrung lehrt, eine Belastung.

Reisekönige und Klostergründer

Die Herrscher des Mittelalters waren Reisekönige. Sie hatten keinen festen Wohnsitz; ihr Reich kannte keine Hauptstadt. Ständig unterwegs, zogen sie mit ihrem großen Gefolge durch ihr Herrschaftsgebiet, machten in Klöstern und Pfalzen Station, um dort Streit zu schlichten, Gesetze zu erlassen und Abordnungen aus den einzelnen Reichsgebieten und aus fernen Ländern zu empfangen. Diese Tour folgt den wichtigen Versammlungsorten der Karolinger in der Rheinebene und im Odenwald.

Ingelheim Möglicherweise wurde Karl der Große in der kleinen Weinbaugemeinde geboren. Das alte fränkische Königsgut entwickelte sich im 8. und 9. Jh. unter ihm und seinem Sohn und Nachfolger Ludwig dem Frommen neben Frankfurt, Aachen und Regensburg zu einer bedeutenden karolingischen Pfalz, die mehrere glanzvolle Reichsversammlungen erlebte: Hier trafen sich die Großen des Reichs, um ihre Besitz- und Herrschaftsansprüche zu regeln. Von dem gewaltigen Pfalzbezirk, nach Aachen die größte Pfalz im Reich, sind im Ort (ausgeschildert) noch Reste der Aula regia, des Königssaals, zu sehen. Die heute schmucklose Ostwand und Apsis zierten im 9. Jh. prächtige Wandmalereien mit Motiven heidnischer und christlicher Herrscher. Von den vier Fenstern der Apsis kann man noch zwei im Mauerwerk erkennen. Der Saal – Empfangshalle und Versammlungsort zugleich – war 788 Schauplatz einer Reichsversammlung, die Herzog Tassilo III., den bayerischen Gegenspieler Karls des Großen, wegen Hochverrats zu lebenslänger Klosterhaft verurteilte (siehe S. ☐). Aus dem 10. Jh. steht noch der gut erhaltene Saalkirche (ev. Pfarrkirche).

ℹ️ Schlüssel für die Aula regia und Saalkirche (Schautafeln zur Pfalzgeschichte) im Stadtarchiv, Rathausplatz

Mainz Zahlreiche Überreste aus der Ingelheimer Pfalz sind heute im Landesmuseum ausgestellt. Hier findet man mehrere Fensterstürze und Kämpferkapitelle aus karolingischer Zeit (um 800).

ℹ️ Landesmuseum, Große Bleiche 49–51: Di–So 10–17 Uhr

Einhardbasilika *Mit ihren sparsamen Schmuckformen und ausgewogenen Proportionen gehört die Kirche zu den wenigen eindrucksvollen Zeugnissen karolingischer Baukunst.*

Sankt Justinus in Höchst *Die im 9. Jh. angefertigten Kapitelle sind die einzig erhaltenen Zeugnisse der ältesten Kirche Frankfurts (links).*

Kloster Lorsch *Unweit der heutigen Abtei stand die erste fränkische Kirche Altenmünster (764). Man sieht die Rekonstruktion vor dem Panorama der Bergstraße mit der Starkenburg über Heppenheim (oben).*

Lorsch Das 764 vom fränkischen Adel gestiftete Kloster galt als Lieblingsaufenthalt König Ludwigs des Deutschen, der hier auch begraben liegt. Eine Bronzetafel auf dem Gelände erinnert an die ehem. Grabkirche. Die fränkischen Herrscher machten das Reichskloster zu einem Zentrum karolingischer Kultur und fränkischen Geisteslebens (karolingische Renaissance). Hier verfaßten gelehrte Mönche die fränkische Reichsgeschichte, hier entstanden prächtige Buchmalereien.

Von dem Kloster ist heute nur noch die Torhalle zu sehen, ein Kleinod karolingischer Baukunst. Mit ihrer farbenfrohen Front und ihren drei Toren erinnert sie lebhaft an die Triumphtore der römischen Antike. Der kleine Saal im Obergeschoß, in dem Karl der Große Gesandtschaften aus dem Orient empfing und die Gaben der tributpflichtigen slawischen Stämme entgegennahm, beherbergt seltene karolingische Wandmalereien.

ⓘ Kloster Lorsch, Nibelungenstraße 32: Di–So 10–12, 13 bis 17 Uhr (März–Oktober), sonst 10 bis 12, 13–16 Uhr.

Michelstadt Im Ortsteil Steinbach (ausgeschildert) steht die Klosterkirche Einhards, des Biographen und politischen Beraters Karls des Großen. Auf dem ihm überlassenen königlichen Besitz ließ Einhard diese schlichte Basilika errichten (827 geweiht), die in wesentlichen Teilen unverändert geblieben ist. Ursprünglich sollte die Kirche die Reliquien von zwei römischen Märtyrern aufnehmen, die Einhard sich in Italien verschafft hatte, doch nahm er sie mit in das von ihm neu gegründete Kloster Seligenstadt, in dem er bis zu seinem Tod 840 zurückgezogen lebte. Die Basilika, die zum Teil nach römischer Art aus flachen Ziegeln erbaut ist, besitzt eine gut erhaltene Krypta mit den allerdings nicht benutzten Grabnischen für Einhard und seine Frau, da beide in Seligenstadt ihre letzte Ruhe fanden.

ⓘ Einhardbasilika, Schloßstraße 23: Di–So 10–12, 13–18 Uhr (März bis Oktober).

Seligenstadt Folgt man Einhards Spuren, stößt man auf seine zweite Klostergründung in Mulinheim, wie Seligenstadt im 9. Jh. hieß. Die in den nachfolgenden Jahrhunderten mehrfach veränderte Klosteranlage liegt direkt am Main, unweit der staufischen Pfalz. Die Basilika ist die Grablege des Stifterehepaares Einhard und Imma. Ihre Gebeine ruhen – im 18. Jh. in einen Barocksarkophag umgebettet – in der Einhardkapelle im nördlichen Querhausflügel

Von Ingelheim nach Hofheim Die Tour führt über die B 9 und B 47 nach Lorsch. Auf landschaftlich reizvoller Strecke durch den Odenwald erreicht man Michelstadt. Der Weg führt weiter nach Seligenstadt (über Obernburg) und Frankfurt an den Rand des Taunus. Im Zeitplan sollte man die Verkehrsdichte dieses Ballungsraumes berücksichtigen.

der Basilika. Die Reliquien der beiden römischen Schutzheiligen werden in einem kostbaren Silberschrein aufbewahrt. Sie befinden sich in einem 1983 geweihten Reliquienaltar, der für Besucher gut sichtbar hinter dem Chorgitter aufgestellt ist.

Trotz zahlreicher Umbauten und obwohl sie um einiges größer ausgefallen ist, ähnelt die dreischiffige Basilika dem Bau in Michelstadt: Sie besitzt die karolingische Flachdecke, die eingeschnittenen Rundbogen an den Mittelschiffwänden, und außerdem verwendete man dasselbe Baumaterial (flache römische Ziegel, am Nordostpfeiler freigelegt).

Am Marktplatz (Aschaffenburger Straße) befindet sich das Einhardhaus, ein ansehnlicher Fachwerkbau von 1569, so benannt nach der Inschrift im Erker: „Selig sei die Stadt genannt, da ich meine Tochter wiederfand." Der Sage nach soll Karl der Große diesen Ausspruch getan haben, als er in Seligenstadt seine Tochter Imma, die mit Einhard durchgebrannt war, wiederfand.

ⓘ Klosterführungen n. Vereinb., Tel. 06182/22640; Abteimuseum, Klosterhof 1: Führungen Di–So 10, 11, 13, 14, 15, 16 Uhr (März–Oktober), sonst nur bis 15 Uhr.

Frankfurt Der Ort wird erstmals 794 in einer Urkunde, als Karl der Große hier eine Reichsversammlung abhielt, als *Franconofurd* – Furt der Franken – erwähnt. Teile einer 822 von Kaiser Ludwig dem Frommen vollendeten Königspfalz sind vor dem Dom freigelegt. Mehr als 20mal weilten karolingische Kaiser und Könige während ihrer Regierungszeit im 9. Jh. hier auf dem Römerberg. Sie begründeten Frankfurts Tradition als Zentrum mittelalterlicher Herrschaft.

ⓘ Historisches Museum, Saalgasse 19 (am Römerberg): Di–So 10–17, Mi 10–20 Uhr.

Frankfurt-Höchst In der am Mainufer gelegenen Kirche Sankt Justinus kann man die aus dem 9. Jh. erhaltenen wunderschönen Kapitelle bewundern, ein Schmuckstück karolingischer Bauplastik.

Hofheim am Taunus Das Karolus-Magnus-Archiv im Ortsteil Diedenbergen informiert mit zahlreichen Bildern und Gegenständen (Replikate des Tassilo-Kelchs und des Schwerts Karls des Großen) über Leben und Werk des fränkischen Herrschers.

ⓘ Karolus-Magnus-Archiv, Weilbachstraße 19: Tel. 06192/37605, Führungen n. Vereinb.

Langobardische Reliefplatte in Mainz Manche künstlerische Anregung übernahmen die Karolinger von den unterworfenen Langobarden in Norditalien, wie diese plastische Steinmetzarbeit aus der Kaiserpfalz Ingelheim zeigt.

Die Kirche als Stütze der Reichseinheit

Papst Gregor II. beauftragte im Jahr 719 den angelsächsischen Benediktiner Bonifatius mit der Missionierung der Germanen. Der Mönch gründete zahlreiche Klöster und Bistümer, die als Träger der Christianisierung die fränkische Reichseinheit förderten. Auch als kulturelle und politische Zentren trugen sie zur Verbreitung der Reichsidee Karls des Großen und der karolingischen Renaissance bei. Die Tour folgt den Spuren dieser frühen Glaubensverbreitung.

Würzburg Herzog Hetan II. soll 706 innerhalb der Befestigungsanlage auf dem Marienberg die Marienkirche als Sühnekirche für den irischen Missionar und Märtyrer Kilian erbaut haben. Damit wäre der Rundbau die älteste erhaltene Kirche in Deutschland östlich des Rheins. Grabungen legen allerdings die Entstehungszeit um das Jahr 1000 nahe. 741/742 machte Bonifatius Würzburg zum Bischofssitz. Karl der Große ehrte die Stadt, indem er hier 788 gleichzeitig das 100jährige Bestehen der Karolingerherrschaft und den 100. Todestag Kilians feierte. Ein Jahr später wohnte er der Weihe des ersten Doms über dem Grab des Märtyrers bei. Heute erhebt sich über der Kiliansgruft die barocke Neumünsterkirche.

Schlüchtern Von der frühkarolingischen Kirche des im 8. Jh. gegründe-

ten ehem. Benediktinerklosters ist die Krypta erhalten. Ihr tonnengewölbter Gang mit Kreuzarmen im Osten erinnert an die Petersberger Krypta bei Fulda.
ℹ️ Klosterführungen: Mi 14.30 Uhr (Mai–September), sonst jeden ersten Mi im Monat 14.30 Uhr.

Fulda Der Mönch Sturmius, ein Schüler der Fritzlarer Klosterschule, gründete 744 im Auftrag von Bonifatius das ehem. Benediktinerkloster. Bonifatius starb 754 den Märtyrertod und wurde in Fulda bestattet. So entwickelte sich die Stadt zu einem bedeutenden Wallfahrtsort. Ende des 8. Jh. wirkten im Kloster bereits über 400 Mönche. Hrabanus Maurus, der „Lehrer der Germanen", und Einhard, der Biograph Karls des Großen, gingen aus der berühmten Klosterschule hervor. Karl der Große erhob Fulda 774 zum Reichs-

Museum Fritzlar *Zu den Grabbeigaben einer Frau der fränkischen Führungsschicht gehören diese Tongefäße aus dem 7. Jh. (unten).*

Lullusfest in Bad Hersfeld *Alljährlich um den 16. Oktober, den Todestag des heiligen Lullus, wird das Lullusfeuer (oben)*

entzündet. Es war einst das Symbol für die Befreiung von Gemeindeabgaben während des einwöchigen Festes.

Sankt Michael in Fulda *Hrabanus Maurus entwarf den Grundriß nach dem Vorbild des runden Zentralbaus der Grabeskirche in Jerusa-*

lem. Die Rotunde (oben), deren acht Säulen einen zweigeschossigen Umgang begrenzen, wurde im 10. und 11. Jh. unter Verwendung alter

Bauteile erneuert. Sie erhebt sich über der Krypta aus dem 9. Jh.

kloster. Von der großen politischen und kulturellen Bedeutung zeugte die Basilika, die Abt Ratgar 791 über dem Grab des heiligen Bonifatius errichtete. Sie übertraf in ihren Ausmaßen den heutigen, an ihrer Stelle erbauten barocken Dom. Im Dommuseum, das man durch die barocke Krypta, die Bonifatiusgruft, betritt, ist der um 700 in Burgund entstandene „Ragyntrudiscodex" mit den Lehren der Kirchenväter Benedikt und Augustinus das bedeutendste karolingische Exponat neben zwei Kapitellen aus der Ratgarbasilika. Die Einschnitte auf dieser im Nachdruck ausgestellten Handschrift, die Bonifatius bei seiner letzten Mission in Friesland bei sich hatte, stammen der Legende nach von den Schwerthieben seiner Mörder.

Die ehem. Friedhofskapelle der Abtei, Sankt Michael, ist die älteste

Marienkirche Würzburg *3,65 m stark ist die Mauer des Rundbaus der Pfalzkapelle auf dem Marienberg, die auf das 8. Jh. zurückgehen soll.*

Nachbildung der Grabeskirche in Jerusalem auf deutschem Boden. Von dem um 820 errichteten Bau ist die Gangkrypta erhalten. Ihr Tonnengewölbe wird von einer Mittelsäule mit ionischem Kapitell getragen. Aus dieser Zeit stammen vermutlich auch die vier Akanthuskapitelle im Oberbau, der im 10. und 11. Jh. erneuert wurde. Sie zeigen, daß die karolingische Renaissance sich auch in der Baukunst der Antike zuwandte.
ℹ Dommuseum: Mo–Fr 10–17.30, Sa 10–14, So 12.30–17.30 Uhr (April

bis Oktober), November geschlossen, sonst Mo–Fr 10–12, 13.30–16, Sa 10–14, So 12.30–16 Uhr.
Sankt Michael: täglich 9.30–12, 14–17 Uhr (April–Mitte Oktober), sonst täglich 14–16 Uhr.
Petersberg Hrabanus Maurus ließ 836 die Gebeine der heiligen Lioba, einer Gefährtin des Bonifatius, nach Petersberg überführen. Damit wurde das Benediktinerkloster zu einem wichtigen Wallfahrtsort für Frauen, denen der Zugang zum Bonifatiusgrab damals verwehrt war. In der eindrucksvollen Gangkrypta befindet sich der Steinsarkophag der Heiligen. Die Frontplatten der Altäre gehen ebenfalls auf karolingische Zeit zurück.
Bad Hersfeld Hier errichtete der Mönch Sturmius 736 eine Einsiedelei, die von Lullus, dem Nachfolger des Bonifatius als Bischof von Mainz, in ein Kloster umgewandelt und 775 von Karl dem Großen zum Reichskloster erhoben wurde. Ein Kapitell im Stiftsmuseum und Mauerreste der Klosterbefestigung stammen aus dieser Zeit. Mit dem Lullusfeuer gedenkt die Stadt alljährlich des Stiftsgründers. Bei der Entzündung läutet eine der ältesten Glocken Deutschlands, die Mitte des 11. Jh. gegossene Lullusglocke.
ℹ Stiftsmuseum, Im Stift 7: Di–So 10–12, 15–17 Uhr.
Fritzlar Als Symbol für den Siegeszug des Christentums soll Bonifatius 723 im heutigen Stadtteil Geismar eine dem Gott Donar geweihte Eiche gefällt und aus ihrem Holz im fränkischen Kastell Fritzlar eine Kapelle erbaut haben. Heute erhebt sich hier der Sankt-Petri-Dom. Im Domschatz befindet sich ein Blatt der spätlateinischen Grammatik des Priscianus (um 740) sowie ein Bursenreliquiar, dessen Oberteil eine Goldschmiedearbeit aus dem 7. oder 8. Jh. ist. Vor- und frühgeschichtliche Funde aus der Region bilden einen Schwerpunkt des Museums im Hochzeitshaus.
ℹ Domschatz: Mo–Fr 10–12, 14–17, Sa 10–12, So 14–17 Uhr (April–September), sonst Mo–Fr 10–12, 14–16, Sa 10–12, So 14–16 Uhr.
Museum, Hochzeitshaus: So–Fr 10–12, 15–17, Sa 10–12 Uhr.
Fritzlar-Ungedanken Im Schutz des fränkischen Kastells auf dem Büraberg gründete Bonifatius 741 das gleichnamige Bistum, das aber bald erlosch. Bischofskirche war die von iroschottischen Missionaren gegründete Kirche Sankt Brigida, die heute eine schlichte, im 17. Jh. neu errichtete Wallfahrtskapelle ist. Außerhalb sind Fundamente eines ovalen Taufbrunnens aus der Zeit des Bonifatius erhalten.

Von Würzburg nach Fritzlar B 27 und B 26 folgen ab Würzburg dem reizvollen Lauf des Mains bis Gemünden. An den Ausläufern von Spessart und Vogelsberg vorbei fährt man durch das Knüllgebirge bis zum Edertal.

Wikinger – Händler und Plünderer

Die historische Bedeutung des Gebiets zwischen Schlei und Treene dokumentiert bis heute ein kompliziertes System von Gräben und Wällen. Mit ihm grenzten sich die Wikinger gegen das Frankenreich ab und schützten ihre Handelsstadt Haithabu. Ausgrabungen enthüllten die ganze Lebensfülle der damals einzigartigen Metropole des Nordens, von der aus diese Raubritter der Meere, die gleichzeitig Kaufleute waren, die gesamte Ostsee, aber auch den Nordseeraum beherrschten.

Museum Haithabu Reges Leben muß den Hafen und die kleinen Gassen der ersten Welthandelsmetropole des Nordens, etwa 2 km südöstlich von Schleswig, beseelt haben. Nahe beim historischen Haithabu zeigt ein Museum die aus der einstigen Wikingerstadt geborgenen Kunstschätze und Alltagsgegenstände, die von schweren Schmuckanhängern, Bronzebarren, Gewichts- und Münzgeld bis zu Glocken, Haushaltsgefäßen, Schuhen, Kämmen und Sklavenfesseln reichen. Schiffs- und Hausmodelle runden das Bild ab. Dank der reichen Ausgrabungsfunde läßt sich vieles rekonstruieren: Herz der Stadt war der Hafen im Haddebyer Noor. Hier landete Handelsgut aus dem ganzen Ostseeraum an, aber auch – über die russischen Flüsse – aus den Mittelmeerländern, z. B. arabi-

sche Münzen, Sklaven und Pelze. Dagegen kamen Tuche, Wein, Gläser, Schmuck, Mahlsteine oder fränkische Waffen meist über den von Süd nach Nord verlaufenden uralten Heer- oder Ochsenweg oder über den Flußweg auf Eider und Treene von der Nordsee. Die Stadt prägte schon im 9. Jh. eigenes Geld, Nachbildungen fränkischer Münzen. Christliche Kaufleute schlossen sich den Wikingern an. Die Angehörigen der heidnischen und der christlichen Religion lebten überwiegend friedlich nebeneinander. Zahlreiche Amulette zeugen davon, z. B. ein Anhänger aus Bernstein, der den Hammer des nordischen Gottes Thor darstellt, und ein kleines Bronzekreuz. 948 wurde Haithabu mit Erlaubnis des dänischen Königs Harald Blauzahn, der sich später selbst taufen ließ, sogar Bistum. Aus dieser

Haithabu *Der hohe Baumbestand zeichnet den halbkreisförmigen Ringwall nach, der das Gelände der Wikingermetropole mit ihrem Hafen am Haddebyer Noor umschloß (oben).*

Busdorfer Runenstein *Wahrscheinlich vom Ende des 10. Jh. stammt dieser Stein (oben rechts), den König Sven Gabelbart zum Gedenken an einen Gefolgsmann errichten ließ.*

Wikingermuseum Haithabu *Vom Kinderstiefel aus feinem Ziegenleder über gröberes Schuhwerk bis zum modischen Halbstiefel mit verlängerter Spitze reicht die Palette der in Haithabu gefundenen Schuhe (rechts).*

Wandertour um Haithabu *Zu Fuß kann man die archäologischen Höhepunkte dieser Tour am besten erschließen. Vom Parkplatz am Museum Haithabu ausgehend, umrundet* *man das Haddebyer Noor und gelangt über Busdorf schließlich zu den weitläufigen Wallanlagen des Dannewerks.*

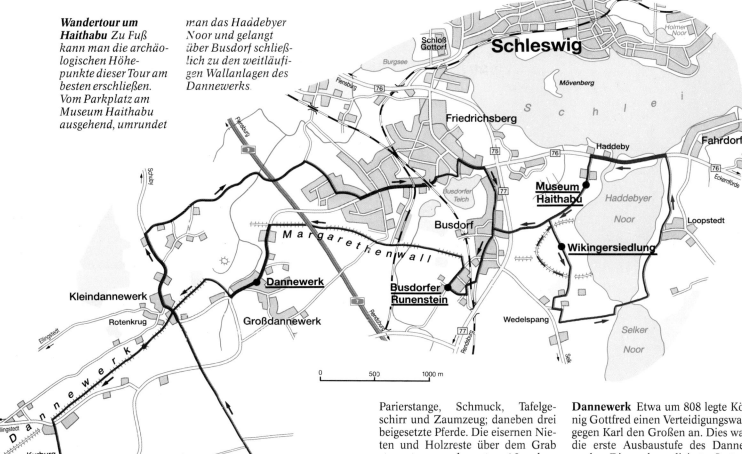

Zeit stammt die älteste vollständig erhaltene, wahrscheinlich auch in Haithabu gegossene Läuteglocke Nordeuropas. Sie wurde im Hafen gefunden. Der Ort war in die Altstadt und eine Oberstadt für die ärmere Bevölkerung unterteilt. Sogar Eisen wurde in der Stadt verhüttet, außerdem produzierte man Glas und vermutlich auch Bier. Wann mit dem Bau des halbkreisförmigen Ringwalls begonnen wurde, der bis heute das insgesamt 24 ha große Stadtgelände Haithabu umschließt, ist ungewiß. Wahrscheinlich stammen die bis zu 10 m hohen Wälle aus dem 10. Jh. Im Museum wird vor den Augen der Besucher das über 20 m lange verkohlte Wikingerschiff rekonstruiert, das 1979 aus dem Schlick des einstigen Hafens geborgen wurde.

ℹ️ Wikingermuseum Haithabu: täglich 9–18 Uhr (April–Oktober), sonst Di–Fr 9–17, Sa, So 10–18 Uhr.

Wikingersiedlung Vom Museum führt ein ausgeschilderter Wanderweg zunächst am Ufer des Haddebyer Noors entlang, vorbei an der links gelegenen Hochburg, einer bewaldeten Kuppe, die ein niedriger Erdwall umgibt. Hier, in den kaum erkennbaren 30–40 Hügeln, wurde die Asche von Toten bestattet. Es geht weiter ein Stück über den Ringwall und dann quer durch das historische (nicht mehr erhaltene) Stadtgelände. Der Blick zum Wasser zeigt den alten Hafen, der früher zur Hälfte von Palisaden eingegrenzt war. Zur Rechten lagen zwei große Friedhöfe, in denen die Wikinger ihre Toten in Grüften, zum Teil in Särgen, beisetzten. Der prächtigste Fund wurde im Bootkammergrab gemacht, das sich einige Schritte weiter, außerhalb des Ringwalls, befindet. In der Grabanlage, von der heute nur noch eine ovale niedrige Kuppe zu sehen ist, wurde um das Jahr 1000 ein hoher Herr mit zwei Gefolgsleuten unter einem Wikingerschiff bestattet. Als Grabbeigaben (heute im Museum ausgestellt) fand man reichverzierte Waffen, darunter ein Prunkschwert mit aufwendigen Silberverzierungen an Knauf und Parierstange, Schmuck, Tafelgeschirr und Zaumzeug; daneben drei beigesetzte Pferde. Die eisernen Nieten und Holzreste über dem Grab stammten von dem etwa 16 m langen Boot.

Der Wanderweg verläuft nun entlang der Straße zwischen Busdorf und Selk, vorbei am flachen Kreuzberg mit drei kaum noch erkennbaren Grabhügeln; zwischen ihnen stand der Erikstein, der heute im Museum ausgestellt ist. Wie seine Runeninschrift besagt, ist er das Denkmal für den „Steuermann und wohlgeborenen Krieger" Erik, der bei einer Belagerung Haithabus den Tod fand.

Der Rundwanderweg führt im weiteren Verlauf am Ostufer des Haddebyer Noors entlang zum Standort des großen Sigtryggsteins. Laut Inschrift, die in schwedischen Runenzeichen geritzt ist, wurde er Sigtrygg, dem Sohn des schwedischen Königs Knuba und seiner Frau Asfrid, gewidmet.

Busdorfer Runenstein Vom Nordrand des Ringwalls nach Westen passiert man auf der Höhe des Kirchenwegs einen Wikingergrabhügel. Über die Rendsburger gelangt man in die Dannewerker Straße. Ab hier ist der Weg ausgeschildert. Die Inschrift des Steins, dessen Original im Museum steht, ist in Altdänisch abgefaßt und lautet: „König Sven setzte diesen Stein für Skarthe, seinen Gefolgsmann, der nach Westen [England] gefahren war, aber nun fiel bei Haithabu."

Dannewerk Etwa um 808 legte König Gottfred einen Verteidigungswall gegen Karl den Großen an. Dies war die erste Ausbaustufe des Dannewerks. Dieses komplizierte System von Wällen prägt bis heute die Landschaft westlich von Haithabu. Es hatte die Aufgabe, die Schleswiger Landenge gegen Süden zu sperren.

Der Wanderweg von Busdorf zur Ortschaft Dannewerk verläuft zum Teil entlang des insgesamt 3 km langen Margarethenwalls, der Haithabu mit dem Hauptwall des Dannewerks verband. Beim Ortsteil Rotenkrug befinden sich die Reste der mächtigen Ziegelmauer, die König Waldemar der Große im 12. Jh. dem Verteidigungssystem hinzufügte. Der Hauptwall des Dannewerks ist teilweise noch bis zu 5 m hoch und 20–30 m breit. Auf dem Wall, der durch eine Holzwand abgestützt war, lief eine Holzpalisade wie ein Zaun entlang.

Kograben An der Straße zwischen Dannewerk und Klein Rheide trifft man auf den Kograben. Dieses vorgeschobene Bollwerk wurde vermutlich errichtet, um sich gegen von Süden auf dem Ochsenweg anrückende Feinde zu schützen. Der Graben, der rund 2 km südlich vom Hauptwall als schnurgerade Befestigung verläuft, trug offenbar als zusätzliche Sicherung eine Holzplankenwand. Der Kograben endet am Ochsenweg, der Heerstraße aus der Wikingerzeit, die bis heute gut erhalten blieb und nach Dannewerk zurückführt.

Berliner Bursa
*Die Anordnung der
13 Edelsteine auf der
Reliquientasche hat
symbolische Bedeu-
tung. Der von Perlen
gerahmte Stein in der
Mitte verkörpert Chri-
stus. Die zwölf ande-
ren Edelsteine stellen
die zwölf Apostel
dar, darunter die
vier Evangelisten,
die durch die
hellen Steine gekenn-
zeichnet sind.*

Berlin Als der Sachsenführer Widukind sich 785 in der Königspfalz
Attigny (Champagne) taufen ließ,
überreichte ihm Karl der Große
mehrere wertvolle Geschenke. Eines
der Patengeschenke, so vermutet die
Historikerzunft, ist das erhaltene
Bursenreliquiar, das der Besucher
im Berliner Kunstgewerbemuseum
bestaunen kann. Es gilt als eines der
kostbarsten Werke karolingischer
Goldschmiedekunst und ist wahrscheinlich von einem alemannischen Künstler angefertigt worden.
Das Reliquiar ähnelt einer kleinen
Handtasche, einer *Bursa*, wie man
im Mittelalter einen Stoff- oder Le-
derbeutel nannte, in dem man wertvolle Reliquien verwahrte. Es besteht aus Eichenholz und ist mit
dünnem Goldblech verziert. 13
Edelsteine schmücken die Vorderseite. Welche Reliquien man einst
darin aufbewahrte, ist heute nicht
mehr bekannt. Das Stück gehört
zum bekannten Dionysiusschatz,
der von Enger, der Widukindstadt,
über Herford 1885 nach Berlin kam.
ⓘ Kunstgewerbemuseum, Tiergar-
tenstraße 6: Di–So 9–17 Uhr, Führungen n. Vereinb.

Esslingen Unter der ev. Stadtkirche, einem wuchtigen Bau aus dem
13. Jh. mit unterschiedlichen Türmen, befinden sich die Fundamente
von zwei karolingischen Kirchenbauten. Interessierte Bürger können
die freigelegten und gut erhaltenen
Mauerreste besichtigen. Die Grabungen haben ergeben, daß im ersten Bau aus dem 8. Jh. die Reliquien
des heiligen Vitalis aufbewahrt wurden. 777 vermachte Abt Fulrad, kir-
chenpolitischer Berater am fränkischen Königshof, diesen Besitz seinem Heimatkloster Saint-Denis bei
Paris. Noch heute heißt die Kirche
nach dessen Patron Sankt Dionysius. Während der Regierungszeit
Kaiser Ludwigs des Frommen – er
herrschte von 814 bis 840 – wurde
die ursprüngliche Mönchszelle zu
einer doppelt so großen Saalkirche
erweitert. Zwei römisch anmutende
Säulenstümpfe und Fundamentteile
geben ein Bild von der damaligen
Bauweise. Die Esslinger Kirchen-
gründung war Teil karolingischer
Reichspolitik im alemannischen
Raum. Sie richtete sich gegen die
bayerischen Machtansprüche Herzog Tassilos III. Um 800 erhielt der
Ort am Neckar das Recht, Markt ab-
zuhalten. Seine hohe Zeit hatte Esslingen jedoch erst in der Gotik.
ⓘ Ausgrabungsmuseum, Marktplatz 18: Mi 14–18 Uhr, Führungen
n. Vereinb. und jeden 3. So im Monat 14.30–17 Uhr. Auskunft beim
Mesneramt, Tel. 0711/357129.

**Ev. Stadtkirche in
Esslingen** *Anfang der
60er Jahre glich der
Innenraum der Kirche
Sankt Vitalis und
Sankt Dionysius einer
einzigen Baustelle.
Die Ergebnisse der
damaligen Grabun-
gen kann man heute
besichtigen.*

Frauenchiemsee Das Inselkloster
Frauenwörth ist eine Gründung des
Bayernherzogs Tassilo III. Nach seinem Sturz 788 kam es in den Besitz
der Karolinger.
Die erste Äbtissin, Irmengard (um
833–866), eine Enkelin Karls des
Großen, ließ das Kloster um die
Mitte des 9. Jh. zur Pfalz ausbauen.
Aus dieser Zeit stammt die gut erhaltene und kaum veränderte Torhalle.
Neben der Gnadenkapelle in Altötting ist sie das älteste Baudenkmal
Bayerns. Über dem von Arkaden
durchbrochenen Durchgang, der in
den Klosterbezirk führt, liegt im
ersten Stock die Michaelskapelle.
Die freigelegten herrlichen Wandmalereien gelten unter Kunsthistorikern als Kleinod karolingischer Mal-
kunst. Die Fresken stellen fünf von
ursprünglich sechs Erzengeln dar.
Die Zeichnungen sind direkt mit roter Farbe auf die weißen Wände gemalt worden, ein in damaliger Zeit
verbreitetes Verfahren.
Die ursprüngliche Grablege der
1928 vom Papst seliggesprochenen
Irmengard befindet sich – heute
nicht mehr sichtbar – im Fundament
des ersten Kirchenbaus. Die Reliquien der ersten Äbtissin werden in
einem Schrein aus Kristallglas in der
Irmengardkapelle aufbewahrt.
907 brandschatzten ungarische
Reiterhorden das Kloster. Die heutige Kirche geht auf einen Neubau in

Frauenchiemsee *Auf
der Fraueninsel gibt
es nicht nur historisch
Interessantes, son-
dern sie lädt auch
zum Spaziergang ein.
Vom Nordsteg, wo
die Schiffe anlegen,
kann man bequem in
20 Minuten die Insel
zu Fuß umrunden.*

romanischer Zeit zurück; sie ist innen barock ausgestaltet. Gelungene
Kopien der 1961 in der Kirche entdeckten wertvollen Fresken aus dem
12. Jh. kann man heute im Treppenhaus der karolingischen Torhalle bewundern.
ⓘ Agilolfingerausstellung in der
Torhalle: täglich 11–18 Uhr (Pfingsten–Ende September).

Freiburg Ein einzigartiges Zeugnis
karolingischer Kunstfertigkeit kann
man im Augustinermuseum besichtigen. Es handelt sich um einen der
wenigen erhaltenen Tragaltäre, von
dem man nur weiß, daß er um das
Jahr 800 entstanden ist. Der Altar-
stein besteht aus weißgesprenkel-
tem, rotem Porphyr, gerahmt von
verzierten Silberplatten und bunten
Emaillestreifen.
Tragaltäre waren in karolingischer
Zeit weit verbreitet; sie gehörten
zum Reisegepäck des Herrschers
bzw. seiner Gefolgsleute. Man führte
sie im Troß mit und konnte so, unabhängig vom Ort, jederzeit einen
Gottesdienst abhalten. Bedenkt
man, daß der gesamte Hof in damaliger Zeit fast ständig unterwegs war
und Kirchen bzw. Klöster weit auseinander lagen, so war ein solcher
Tragaltar eine überaus praktische
Einrichtung.
ⓘ Augustinermuseum, Salzstr. 32:
Di–So 10–17 Uhr, Mi 10–20 Uhr.

Hamburg Die Gründungsgeschichte der Elbmetropole ist eng mit dem Namen Kaiser Ludwigs des Frommen verknüpft. 825 ließ er im unwegsamen Sumpfgelände die Siedlung Hammaburg errichten. Für den Bau der Wallanlage und der Gebäude mußten 8000 Bäume gefällt und 20 000 m³ Erde bewegt werden. 834 erhob Ludwig den Ort zum Erzbistum und betraute Erzbischof Ansgar, den „Apostel des Nordens", mit der Heidenmission in Nordeuropa. Ein Modell der damaligen Siedlung ist im Museum für Hamburgische Geschichte ausgestellt. Die Missionstätigkeit nahm ein jähes Ende, als im Sommer 845 Wikinger auf einem ihrer Raubzüge elbaufwärts segelten und die Ansiedlung samt Kirche und Kloster plünderten und brandschatzten. Erst im 13. Jh. machte Hamburg als Hansestadt wieder von sich reden.

ℹ️ Museum für Hamburgische Geschichte, Holstenwall 24: Di–So 10–17 Uhr.

Regensburg Aus der frühen Karolingerzeit stammt die noch heute erhaltene Emmeramskrypta von 740, ein gewölbter Gang unter der Apsis der Klosterkirche Sankt Emmeram, in der der Namengeber, einer der bedeutendsten fränkischen Missionare Bayerns, begraben liegt.

Im 9. Jh. war Regensburg Kaiserstadt der Karolinger und bevorzugte Pfalz des ostfränkischen Königs Ludwig des Deutschen, dessen Tochter Irmengard erste Äbtissin des Klosters Frauenwörth auf der Fraueninsel im Chiemsee war. In der ehem. Benediktinerabtei erinnert ein Grabdenkmal an seine welfische Gemahlin, Königin Hemma.

Der Aufstieg Regensburgs zur wichtigsten süddeutschen Kaiserpfalz erfolgte 788, als Karl der Große

Königin Hemmas Grab in Regensburg
Das aufgrund seiner Detailfreude beeindruckende Grabdenkmal befindet sich im nördlichen Teil der Klosterkirche Sankt Emmeram. Die Welfin, 827 mit Ludwig dem Deutschen vermählt, starb 876.

seinen Gegenspieler, den Agilolfinger Tassilo III., absetzte. Die Residenz der Bayernherzöge befand sich bis zu diesem Zeitpunkt an der Stelle der heute vom Spätbarock und Rokoko geprägten Alten Kapelle am Alten Kornmarkt.

Verden Die Geschichte Verdens beginnt mit einem Blutbad. 782 ließ Karl der Große bei der altgermanischen Kult- und Gerichtsstätte Lugenstein angeblich 4500 vornehme sächsische Adlige hinrichten. Die Zahl der Getöteten ist jedoch nicht verbürgt. Die Aller, so erzählen die Quellen, färbte sich vom Blut der Hingerichteten rot.

Der Widerstand gegen die gewaltsame Christianisierungspolitik Karls des Großen dauerte bereits zehn Jahre an. Karls Strafaktion richtete sich gegen die heidnischen Sachsen, die kurz zuvor unter der Führung des westfälischen Adligen Widukind ein fränkisches Heer am Süntel vernichtet hatten.

Heute erinnern 4500 Findlinge, die in den 30er Jahren des 20. Jh. im Sachsenhain aufgestellt wurden, an das damalige Blutgericht. Die Gedenkstätte liegt auf halbem Weg zwischen Verden und Verden-Dauelsen im Ortsteil Halsmühlen.

Seine Bedeutung verdankt Verden seiner strategisch günstigen Lage an den Furten über die Aller und die Weser. Hier kreuzte die vom Rheinland nach Skandinavien führende fränkische Handels- und Militärstraße die beiden Flüsse. Im 9. Jh. erhoben die Karolinger den Ort zum Bischofssitz, um von hier aus die Missionstätigkeit und Ostkolonisation gegenüber den heidnischen Slawen voranzutreiben.

Sachsenhain in Verden Dort, wo heute Spaziergänger die Ruhe der von Findlingen und Bäumen gesäumten Allee genießen, fand 782 ein Strafgericht an 4500 aufständischen Sachsen statt. Die Findlinge erinnern an dieses blutige Ereignis.

Wolfenbüttel Die Handschriftensammlung der Herzog-August-Bibliothek – sie umfaßt rund 11 700 Handschriften von der Antike bis zur Neuzeit – besitzt einige wertvolle Dokumente aus karolingischer Zeit. Von besonderem Wert ist die einzige Handschrift des *Capitulare de villis* Karls des Großen aus dem frühen 9. Jh. Kapitularien – so benannt nach ihrer Einteilung in Kapitel – sind Verfügungen und Anordnungen der karolingischen Könige. Gelehrte Mönche verfaßten sie in lateinischer Sprache; die Dokumente geben Auskunft über mittelalterliche Herrschaftspraxis. Das Wolfenbütteler Kapitular enthält genaue Vorschriften über die königliche Gerichtsbarkeit und über die Verwaltung der Krongüter.

ℹ️ Herzog-August-Bibliothek, Handschriftensammlung, Lessingplatz 1: täglich 10–17 Uhr.

Normannen

Von der Mitte des 9. Jh. an mehrten sich die Raubzüge der Normannen ins Frankenreich. Mit ihren schnellen, wendigen Schiffen fuhren sie die Flüsse hinauf und brandschatzten fränkische Klöster und Städte. So berichten die Xantener Jahrbücher von einem dieser vielen Raubzüge den Rhein hinauf:

Bei der ungeheuren Anschwellung der Gewässer kamen die schon oft genannten Heiden, wobei sie überall die Kirche Gottes verwüsteten, den Rhein herauf bis Xanten und verheerten den so berühmten Ort. Und zum Schmerz aller, die es hörten und sahen, verbrannten sie die Kirche des hl. Victor, ein wundersames Bauwerk; alles was sie innerhalb und außerhalb des Heiligtums fanden, raubten sie. Doch die Geistlichkeit und das ganze Volk entkam nur knapp. Aber den Kirchenschatz selbst ließen sie nachher ganz von Tollheit ergriffen dort an Ort und Stelle liegen. Den heiligen Leib Victors aber brachte der Propst der Brüder, der ein Pferd bestieg und die Kiste vor sich setzte, mit einem einzigen Priester bei Nacht nach Köln unter großer Gefahr, nur dank der Verdienste des Heiligen. [...] Die Räuber suchten nun nach vollbrachter Schandtat nicht weit von dem Kloster eine kleine Insel auf, bauten eine Befestigung und wohnten da eine Zeitlang. Aber ein Teil von ihnen fuhr den Fluß hinauf, verbrannte einen großen Königshof, und es wurden dabei von ihnen über 100 Menschen niedergehauen, so daß eins ihrer Schiffe daselbst leer zurückblieb. Die übrigen aber kehrten, sobald sie nur ihre Schiffe bestiegen hatten, bestürzt zu den Ihrigen zurück. Nun rüstete Lothar [König Lothar II.] Schiffe und gedachte sich auf sie zu werfen; aber die Seinigen stimmten ihm nicht bei.

Züge der Normannen
Mit ihren robusten Langschiffen machten die Normannen nicht nur Europas Küsten unsicher, sondern sie unternahmen auch waghalsige Entdeckungsfahrten über das Meer.

Karl der Große

Der aus dem Maingau stammende Adlige Einhard (um 770–840), Laienabt in Seligenstadt, war einer der wichtigsten und einflußreichsten politischen Berater Kaiser Ludwigs des Frommen. Er verfügte über hervorragende Kenntnisse in der Baukunst und leitete als Oberaufseher die Bauarbeiten an der Kaiserpfalz in Aachen. 830 zog er sich aus dem politischen Tagesgeschehen zurück nach Seligenstadt. In seiner lesenswerten Biographie Karls des Großen schildert er anschaulich die Person des fränkischen Herrschers:

Er war von breitem und kräftigem Körperbau, hervorragender Größe, die jedoch das richtige Maß nicht überschritt – denn seine Länge betrug, wie man weiß, sieben seiner Füße –, das Oberteil seines Kopfes war rund, seine Augen sehr groß und lebhaft, die Nase ging etwas über das Mittelmaß, er hatte schönes graues Haar und ein freundliches, heiteres Gesicht. So bot seine Gestalt im Stehen wie im Sitzen eine höchst würdige und stattliche Erscheinung, wiewohl sein Nacken feist und kurz, sein Bauch etwas hervorzutreten schien: das Ebenmaß der andern Glieder verdeckte das. Er hatte einen festen Gang, eine durchaus männliche Haltung des Körpers und eine helle Stimme, die jedoch zu der ganzen Gestalt nicht recht passen wollte; seine Gesundheit war gut, außer daß er in den vier Jahren vor seinem Tod häufig von Fiebern ergriffen wurde und zuletzt auch mit einem Fuß hinkte. [...] Beständig übte er sich im Reiten und Jagen, wie es die Sitte seines Volkes war: man wird ja nicht leicht auf Erden ein Volk finden, das sich in dieser Kunst mit den Franken messen könnte. Sehr angenehm waren ihm auch die Dämpfe warmer Quellen; er übte sich fleißig im Schwimmen und verstand das so trefflich, daß man ihm keinen darin vorziehen konnte. Darum erbaute er sich zu Aachen ein Schloß und wohnte in seinen letzten Lebensjahren bis zu seinem Tod beständig darin. Und er lud nicht bloß seine Söhne, sondern auch die Vornehmen und seine Freunde, nicht selten auch sein Gefolge und seine Leibwächter zum Bade, so daß bisweilen 100 und mehr Menschen mit ihm badeten. Die Kleidung, die er trug, war die seiner Väter d. h. die fränkische. Auf dem Leib trug er ein leinenes Hemd und leinene Unterhosen; darüber ein Wams, das mit einem seidenen Streifen verbrämt war, und Hosen; sodann bedeckte er die Beine mit Binden und die Füße mit Schuhen, und schützte mit einem aus Fischotter- oder Zobelpelz verfertigten Rock im Winter Schultern und Brust; dazu trug er einen blauen Mantel und stets ein Schwert, dessen Griff und Gehenk von Gold oder Silber war. [...] An andern Tagen unterschied sich seine Kleidung wenig von der gemeinen Tracht des Volkes.

Reichsgründer
Karl der Große (links) und sein Sohn Pippin, König von Italien, schufen die Grundlage des karolingischen Imperiums. Ein Schreiber notiert ihre Anweisungen.

Herzog Tassilo

Die politischen Auseinandersetzungen zwischen Agilolfingern und Karolingern um das bayerische Herzogtum endeten damit, daß Karl der Große 788 den Bayernherzog Tassilo III. absetzen ließ. Über die entscheidenden Auseinandersetzungen berichten die Reichsannalen:

Wie nun Tassilo erkannte, daß er von allen Seiten umschlossen war, und mitansah, wie die Baiern alle dem König Karl mehr treu waren als ihm und das Recht des erwähnten Königs anerkannten und lieber ihm sein Recht zubilligen als sich widersetzen wollten, da kam er, von allen Seiten gezwungen, persönlich und gab sich dem König Karl als Vasall in die Hände und gab das ihm von König Pippin übertragene Herzogtum heraus und gestand, in allem gefehlt und übel getan zu haben. Dann erneuerte er wieder den Eid und stellte zwölf auserlesene Geiseln und seinen Sohn Theodo als dreizehnten. Nach Empfang der Geiseln und des Eides kehrte der genannte ruhmreiche König [Karl] nach Francien zurück. Und er feierte

Kelch des Tassilo

Die um 780 entstandene Goldschmiedearbeit ist ein Geschenk des bayerischen Herzogs und seiner Gemahlin Liutberga an das Benediktinerstift Kremsmünster.

Weihnachten [787] auf dem Hofgut Ingelheim, ebenso Ostern [30. März 788]. [...] Dorthin kam Tassilo auf Weisung des Königs wie auch seine andern Vasallen [zum Reichstag], und zuverlässige Baiern fingen an zu sagen, Tassilo halte sein Wort nicht, vielmehr erwies er sich nachher als eidbrüchig, nachdem er schon unter andern Geiseln auch seinen Sohn gegeben und den Eid [auf Karl] geleistet hatte, und zwar auf Betreiben seiner Frau Liutberga. Das konnte auch Tassilo nicht bestreiten, sondern mußte gestehen, daß er nachher Boten zu den Awaren geschickt, die Vasallen des genannten Königs zu sich entboten und ihnen nach dem Leben getrachtet habe. Wenn seine Leute Treue schworen, forderte er sie auf, eine andere Gesinnung festzuhalten und den Schwur arglistig zu leisten. Ja er bekannte sich sogar zu der Äußerung, auch wenn er zehn Söhne hätte, wollte er sie alle verderben lassen, ehe die Abmachungen gültig bleiben und er zu dem stehe, was er beschworen habe. Nachdem all das gegen ihn erwiesen war, zeigte sich, daß die Franken und Baiern, Langobarden und Sachsen und wer aus allen Ländern auf diesem Reichstag versammelt war, in Erinnerung an seine früheren Übeltaten und wie er bei einem Heereszug den König Pippin verließ [...], diesen Tassilo zum Tode verurteilten. Während aber alle einstimmig ihm zuriefen, er solle den todbringenden Richterspruch fällen, erreichte der genannte fromme König Karl voll Erbarmen aus Liebe zu Gott und weil er sein Vetter war, bei diesen Gott und ihm getreuen Männern, daß er nicht sterben mußte. Und auf die Frage des genannten milden Königs, was sein Begehren sei, bat Tassilo darum, sich scheren zu lassen, in ein Kloster eintreten und seine vielen Sünden bereuen zu dürfen, um seine Seele zu retten. Desgleichen wurde sein Sohn Theodo abgeurteilt, geschoren und ins Kloster gesteckt und einige Baiern, die in Feindschaft gegen König Karl verharren wollten, wurden verbannt.

Ludwig der Fromme

Seine tiefe Frömmigkeit trug Kaiser Ludwig I. den Beinamen „der Fromme" ein. Daß sein christlicher Glaube nicht bloßes Lippenbekenntnis war, davon zeugt die Geschichte des alemannischen Mönches Notker (um 840–912), eines angesehenen Gelehrten im Kloster Sankt Gallen:

Wenn der friedliche Kaiser Ludwig von allen feindlichen Einfällen Ruhe hatte, widmete er sich nur gottesfürchtigen Werken, nämlich Gebet, Almosen und dem Anhören und gerechten Entscheiden von Streitfällen. [...] Auf Almosen war der barmherzige Ludwig so sehr bedacht, daß er sie nicht bloß vor seinen Augen geben ließ, sondern noch lieber persönlich gab. [...] Besonders war das der Fall an dem Tage, da Christus seiner sterblichen Hülle ledig sich anschickte, die unvergängliche wieder anzulegen [Ostern]. An diesem Tage teilte er auch allen, die im Palast aufwarteten und am Hofe des Königs dienten, je nachdem, was der einzelne war, Geschenke aus, sodaß er den Vornehmeren allen Wehrgehänge oder Gürtel und wertvolle Kleidungsstücke, die man aus dem weiten Reich herangeholt hatte, austeilen ließ, den Geringeren aber friesische Mäntel von jeder Farbe gegeben wurden, während Pferdewärter, Bäcker und Köche mit Kleidern aus Leinen und Wolle und halblangen Schwertern, wie sie es brauchten, bedacht wurden. So gab es bei ihnen nach den Taten und Worten der Apostel keinen Bedürftigen mehr, und bei allen war der Dank groß, da die zerlumpten Armen jetzt in erfreulichstes Weiß gekleidet durch den weiten Hof von Aachen und durch die kleinen Höfe zogen, die man üblicherweise lateinisch als Porticus bezeichnet, und ihr Kyrieleison für den glückseligen Ludwig bis zum Himmel erschallen ließen.

Ludwig der Fromme

Der Kaiser, ein gebildeter Herrscher, galt als großzügiger Förderer der Kirche. Das Regieren überließ er vornehmlich seinen Ratgebern.

Blütezeit des Kaisertums

Die deutschen Herrscher waren im Mittelalter die Herren Mitteleuropas. Sie geboten über Italien und weite Teile Frankreichs und ließen sich in Rom vom Papst zum Kaiser krönen. Ihre Herrschaft beruhte auf einem starken Königtum. Von mächtigen Pfalzen aus, wie der Stauferpfalz in Wimpfen (Foto), regierten sie ihr Reich.

KÖNIGREICH DÄNEMARK

Dänen 1168

Dänen 1168

O s t s e e

Nordsee

Dänen

X Bornhöved
1227

† Kammin

Lübeck †
Ratzeburg †
Hamburg
Schwerin †

Hzm.

Pommern
(1181 Reichslehen)

Friesland

† Bremen

Lüneburg

S a c h s e n

Elbe

Verden † (Ottonen. Deutsche Kaiser 919-1024)

† Havelburg

Aller

Oder

Utrecht
(4)

Osnabrück †

Minden †

Braunschweig

Süpplingenburg ▸

M. Brandenburg
(1157 Mark)

† Lebus

Nimwegen (4)

Rhein

Münster †

Hildesheim †

Werla

Königslutter
(Lothar v. Süpplin-
genburg)

Magdeburg (4)

† Brandenburg

Lehnin
(Askanier)

M.
Lausitz
(965 Mark)

Hz

Lieg
12

Kaiserswerth ■

Köln † (9)

Aachen (7)

Hzm.

Lippe

■ Dortmund

Paderborn †

Ruhr

Grone ■

Gandersheim †
(Ottonen)

Goslar
(11)

Bodfeld ■

Pöhlde ■

Halberstadt †

Quedlinburg †

Petersberg †
(Wettiner)

Allstedt ■

M.
Merseburg (5)

Landsberg
(1174 Mark)

M. Meißen
(965 Mark)

Meißen †
Dresden †

Reinhardsbrunn
(Ludowinger)

Tilleda ■

Naumburg †

Hohenmölsen † X 1080

Niederlothringen
(870, 925 zum Reich)

Maas

Mosel

L g f t. T h ü r i n g e n
(1130 Landgrafschaft)

Werra

Erfurt (11)

Altenburg (7)

Pleißner
Land

Vogtland

Kgr. B
(1158 Kö

Hzm. Ober-
(870, 925 zum Reich)

Trier †

Lahn

Fulda (9)

Eger ■

† Prag

Gelnhausen (6)

Frankfurt (12)

Mainz † (5)

Seligenstadt †

F r a n k e n
(Salier: Deutsche Könige und Kaiser 1024-1125)

Bamberg (7)

Würzburg (17)

Elbe

Moldau

Ungarneinfälle

Ingelheim
(5)

Tribur ■

Limburg
(frühe Salier)

Worms (18)

Main

Forchheim

Kaiserslautern
(8)

Speyer (10)

Wimpfen

Nürnberg (14)

Metz †

Saar

Trifels ▸

Neckar

Regensburg (16)

Naab

Donau

Hzm.

Selz (4)

Eichstätt †

Passau † (4)

Hagenau (9)

Lorch † ▸
(frühe Staufer)

Hohenstaufen ▸

Donauwörth †

Scheyern
(Wittelsbacher) †

Straßburg (7)

H z m. S c h w a b e n
(Staufer: Deutsche Könige und Kaiser 1138-1254)

Freising †

Kgr. Arelat
(1033 zum Reich)

lothringen

Mosel

Rhein

Zähringen ▸
Sankt Peter
(Zähringer) †

Colmar
(4)

Freiburg

Donau

Ulm (14)

Augsburg (10)

955 X
Lechfeld

München

B a y e r n
(Welfen: Herzöge seit 1101; Wittelsbacher:
Herzöge seit 1180)

Lech

Inn

Isar

Chiemsee †

Salzburg †
Salzach

Ungarneinfälle 10. Jh.

Österreich
(Babenberger: Herzöge seit

Hz

Basel †
(4)

Konstanz
(6)

Weingarten †
(Welfen)

0   50   100
km

Große Dynastien – von den Ottonen zu den Staufern

Aus dem zerfallenden Groß-reich der Karolinger entstand allmählich das Deutsche Reich des Mittelalters. Getragen wurde es vom Willen der großen Stämme (Franken, Sachsen, Schwaben, Bayern und seit 925 Lothringer) zum Zusammenleben. Der Adel dieser Stämme wählte auch den König.

Nach dem Aufstieg der ottonischen Dynastie zum Königtum (919–1024) verlagerte sich der Schwerpunkt der Reichsherrschaft nach Norden. Nur im Bündnis mit Adel und Kirche gelang es diesen Herrschern, sich gegen äußere Feinde zu behaupten. So wurden die gefürchteten Ungarn 955 auf dem Lechfeld vernichtend geschlagen. Als strahlender Sieger ließ sich Otto I., der Große, 962 in Rom zum Kaiser krönen: Damit war der Glanz der karolingischen Kaisermacht wiederhergestellt, die Kaiserwürde für

viele Jahrhunderte fest an die deutschen Herrscher gebunden. Macht und Ansehen der Ottonen beruhten auf der Einheit von Kirche und Reich. So setzten sie Bischöfe nach eigenen Vorstellungen ein und übertrugen ihnen bedeutende Reichsämter. Schließlich bestimmten die deutschen Kaiser sogar über die Päpste.

Unter den Saliern (1024–1125) erlebte dieses Herrschaftssystem seine große Krise. Die Päpste sprachen dem Kaiser das Recht ab, Bischöfe einzusetzen. Damit war die wesentliche Grundlage der kaiserlichen Macht bedroht. Der Konflikt gipfelte 1077 im Gang nach Canossa, als sich Heinrich IV. dem Papst unterwarf und vom Kirchenbann gelöst wurde. Doch es ging um mehr: Die grundlegende Einheit der frühmittelalterlichen Welt, der Einklang von weltlicher und geistlicher Autorität, war zerbrochen.

Noch einmal gelang es dem dritten großen Kaisergeschlecht des deutschen Mittelalters, den schwäbischen Staufern (1138–1254), den Glanz kaiserlicher Herrschaft in Europa wiederherzustellen, ja selbst noch Süditalien und Sizilien mit dem Reich zu vereinigen. Geschickt verstand es der berühmteste Kaiser dieser Dynastie, Friedrich I. Barbarossa, die aufstrebenden Fürsten des Reiches für seine Politik zu gewinnen. Kultur und Wissenschaft wurden besonders durch die Ideale des Rittertums und des adligen Hofes bestimmt. Hier entstanden die großen Werke der mittelhochdeutschen Dichtung.

Die Königsherrschaft ruhte jedoch auf bedrohten Grundlagen. Es gelang den Staufern nicht, das Recht der Erbfolge im Königtum durchzusetzen. Der hohe Adel dagegen hatte die Erblichkeit seiner Besitzungen erreicht und bedeutende Herrschaftsgebiete ausgebildet. Barbarossas schärfster Rivale im Reich war der Welfe Heinrich der Löwe, der über die Herzogtümer Sachsen und Bayern gebot und zeitweilig fast so mächtig war wie der Kaiser selbst. Nach jahrelangen Auseinandersetzungen ließ ihn Barbarossa 1180 schließlich absetzen.

Um ihre Macht wirkungsvoll ausüben zu können, mußten die Könige ständig im Reich umherziehen. Neben den Bischofssitzen und Abteien suchten sie königliche Pfalzen auf, wo sie Gerichts- und Hoftage abhielten, aber auch große Feste feierten. Besondere Bedeutung erlangte die Pfalz in Frankfurt, wo seit der Erhebung Barbarossas 1152 der deutsche König gewählt wurde; in Aachen, der vornehmen Pfalz Karls des Großen, schloß sich dann im Mittelalter die Krönung an.

Mit dem Untergang des staufischen Herrschergeschlechts im Jahr 1254 endete diese Epoche des starken Königtums.

Barbarossa als Kreuz-fahrer Der Dritte Kreuzzug endete für Kaiser Friedrich I. tödlich. Am 10. Juni 1190 ertrank er beim Baden im Saleph, einem Fluß in Kleinasien.

Karte

Danzig
Elbing
Deutsch-
Marienwerder
rdensland
(seit 1226)
Kulm
Thorn
Weichsel
ÖNIGREICH POLEN
‡Gnesen
†Posen
Warthe
†Breslau
Oder
S c h l e s i e n
lehnsabhängig vom Reich
Mongolenvorstoß 1241
h r e n
Böhmen, 1182 Reichslehen)
†Olmütz

Deutschland im Reich der Staufer

///// Grenze des Heiligen Römischen Reiches (um 1200)

— — — Grenze des umstrittenen Gebietes, zeitweilig nicht im Einflußbereich des Reiches

• • • • • Grenze des Ordenslandes (bis 1309)

——— Grenzen der Herzogtümer, Marken u. ä.

● (9) Aufenthaltsorte von Kaiser Friedrich I. Barbarossa 1152–1189 (Anzahl der Aufenthalte)

■ Pfalz

‡ Erzbistum

† Bistum

✝ Hauskloster einer bedeutenden Dynastie

▲ Wichtige Burg

● Wichtiger Ort

1080 ✕ Bedeutende Schlacht mit Jahreszahl

➤ Einfälle fremder Völker

Kgr. = Königreich; Hzm. = Herzogtum; M. = Mark; Lgft. = Landgrafschaft

Kolonisation im Namen der Kirche

Nach dem Slawenaufstand von 1066 hatte sich lange Zeit kein Christ mehr in das heidnische Ostholstein vorgewagt. Erst der Erzbischof von Bremen und Heinrich der Löwe unternahmen im 12. Jh. wieder einen Vorstoß: Mit Hilfe treu ergebener Priester – allen voran der spätere Bischof Vizelin – starteten sie Eroberungsfeldzüge in das von den Wenden bewohnte Gebiet. Trutzige Feldsteinkirchen und erste Backsteinbasiliken sind heute noch Zeugen dieser finsteren Zeit.

Bad Segeberg Kaum hatte der von Bremen entsandte Priester Vizelin seinen neuen Missionsstützpunkt, ein Augustinerchorherrenstift zu Füßen des Kalkbergs, bezogen, da wurde er von den Wenden schon wieder zerstört (1138). Dafür wurde die Stiftskirche im späteren Anlauf um so prächtiger wieder aufgebaut: Die heutige Segeberger Pfarrkirche Sankt Marien (um 1160 begonnen) hat sich, obwohl ihr Äußeres im 19. Jh. stark verändert und ergänzt wurde, ihre einstige Schönheit bewahrt. Vor allem in ihrem Innern strahlt die dreischiffige Backsteinbasilika die monumentale Strenge der Romanik aus. Vom Ursprungsbau stammen noch das Langhaus mit seinen rundbogigen Arkaden und dem Kreuzgratgewölbe sowie die Stuckornamente an den Kapitellen der Backsteinsäulen.

ℹ Die Kirchen dieser Tour sind in der Regel täglich von morgens bis Einbruch der Dunkelheit geöffnet.

Pronstorf Aus groben Feldsteinen gemauert, wirkt die auf einer Anhöhe erbaute Dorfkirche wie ein Relikt aus ferner Missionszeit. Zuerst stand der Turm (1108), der vermutlich aus Teilen einer wendischen Burg errichtet wurde. Er war Festung und Taufkapelle zugleich. Unter dem Priester Vizelin kam dann die Kirche hinzu, deren Hauptteil noch rein romanisch ist und eine rustikale, im 17. Jh. mit biblischen Szenen bemalte Holzdecke besitzt.

Bosau 1150 erhielt Vizelin in seiner Eigenschaft als neubestellter Bischof von Oldenburg das Gut Bosau am Plöner See und erbaute auf einer Insel eine Bischofskirche. Von diesem Stützpunkt aus versuchte er, in dem missionarisch noch unerschlosse-

Ratzeburg Malerisch liegt der mächtige Backsteindom an der äußersten Spitze einer Insel zwischen dem Großen Ratzeburger See und dem Küchensee. Bis heute hat die erste Backsteinkirche Norddeutschlands nichts von ihrer enormen Wirkung eingebüßt. Auf Veranlassung Heinrichs des Löwen wurde 1154 mit dem Bau begonnen; um 1220 war er vollendet. Vor dem Dom erinnert eine Nachbildung des Braunschweiger Löwen mit Inschrifttafel an den Domstifter.

nen Gebiet Fuß zu fassen. Wenige Jahre nach Vizelins Tod berichtete der Bosauer Pfarrer Helmold in seiner „Slawenchronik" vom Wirken des Priesters und den Schwierigkeiten, denen er sich gegenübersah: „Freilich waren die Anfänge des Bistums sehr kümmerlich, weil der Graf, sonst so trefflich, gerade dem Bischof wenig wohlgesonnen war." Auf diese Chronik stützen sich nahezu alle Kenntnisse über die Christianisierung des Nordens.

Aus der Insel ist mittlerweile eine Halbinsel geworden. An der äußersten Spitze prangt blendend weiß die alte Kirche; von Vizelins Basilika, die nach 1200 zu einer typischen Landkirche umgebaut wurde, stehen noch die Seitenwände des Langhauses am Südportal. Auch innen zeigt das Gotteshaus Spuren der Erbauerzeit: in der Apsis die alten Feldsteingewölbe und gemalte Blumenornamente an den Wänden.

Altenkrempe Von weitem grüßt auf einer Anhöhe die prächtige Backsteinkirche, die zwischen 1190 und 1240 erbaut wurde und äußerlich fast original erhalten ist. Schon Mitte des 12. Jh. hatte der Priester Deilaw damit begonnen, die christliche Lehre im Gebiet der sumpfigen Kremper Aue zu verbreiten, die wendischen Seeräubern als Schlupfwinkel diente.

Die Basilika ist außen formenreich verziert mit dekorativen Lagen dunkel glasierter Ziegel und weißen Schmuckelementen, Merkmalen einer typisch nordischen Bauweise. Im Innern sind die unterschiedlichen Raumhöhen harmonisch verbunden.

Beim Bau der ostholsteinischen Kirchen der Kolonisationszeit wurden unbehauene Findlingsblöcke aufeinandergeschichtet und mit Mörtel verfugt. Ein schönes Beispiel ist die aus bunten Steinen errichtete Süseler Kirche.

Süsel Die Christianisierung des slawischen Gaus Süsel, mit seinen Seen und Wasserläufen traditionelles Siedlungsgebiet der Wenden, war ein hartes Stück Arbeit. Zur Unterstützung hatte man friesische Bauern ins Land geholt. Nach der Neugründung des Bistums Oldenburg entstand eine sorgfältig ausgeführte Kirche aus bunten Feldsteinen, die dem heiligen Laurentius geweiht wurde. Sie ist bis auf den Rundturm noch gut erhalten. Chorgestalt und Bauornamentik im Gewölbe sowie die Priestertür des Chores lassen den Einfluß der Segeberger Kirche erkennen.

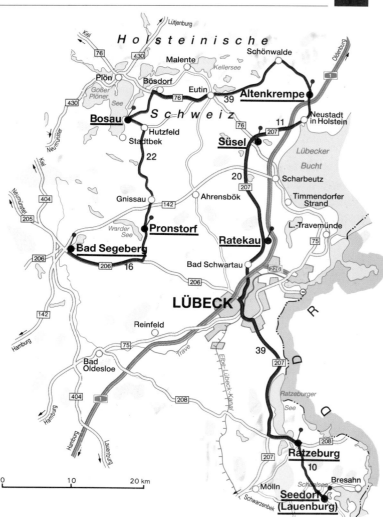

Brooksscher Hof in Bosau Das ursprüngliche Gebäude am Kirchplatz entstand etwa zur gleichen Zeit wie die Vizelinbasilika, und seitdem befindet sich das Anwesen im Besitz dieses wohl ältesten holsteinischen Bauerngeschlechts. Viele Generationen haben unter dem ausladenden Reetdach eine Heimat gefunden.

Ratekau Die zum Teil aus Backstein, vor allem aber aus unbehauenen Findlingsblöcken und Segeberger Gipsmörtel erbaute Ratekauer Kirche wurde um 1200 gleichsam in der Wildnis errichtet; der Ort entwickelte sich erst später. Der hohe Rundturm dürfte als Zufluchtsstätte gedient haben. Das Innere der Feldsteinkirche, der besterhaltenen aus der Zeit der ostholsteinischen Kolonisation, wurde in den 60er Jahren wiederhergestellt.

Ratzeburg Der 1154 von Heinrich dem Löwen gegründete rote Backsteindom entstand vermutlich an der Stelle einer älteren, im Slawenaufstand von 1066 zerstörten Kirche. Während dieser Erhebung wurde Ratzeburgs erster Mönch, der aus vornehmer Schleswiger Familie stammende Abt Ansverus, zusammen mit seinen Klosterbrüdern von den Heiden zu Tode gesteinigt.

Ältester erhaltener Bauteil der auf kreuzförmigem Grundriß errichteten dreischiffigen Pfeilerbasilika ist der um 1170 entstandene Chor. Aus der Schlußphase der rund 65 Jahre währenden Bauzeit stammt die Südvorhalle mit ihrer reich gegliederten Giebelfront und den farbig wechselnden Ziegeln im Innern.

Ostholstein und Lauenburg Von Bad Segeberg geht es über Pronstorf und Bosau am Großen Plöner See durch die ostholsteinische Seenplatte nach Altenkrempe. Im Hinterland der Lübecker Bucht liegen Süsel und Ratekau. Über Lübeck erreicht man Ratzeburg und Seedorf.

Seedorf (Lauenburg) Im Wirkungskreis des Ratzeburger Doms wuchs im Lauenburgischen eine Reihe von Kirchen empor, von denen viele größtenteils unverändert erhalten blieben. So präsentiert sich die kleine Seedorfer Kirche, abgesehen vom Turmanbau, als charaktervoller Backsteinbau mit klarem Innern, der schon Merkmale der frühen Gotik trägt. Ältester Teil ist der Chor mit Rippengewölbe, das sich nach einer Restaurierung im alten Farbgewand mit Malereien von Christus, Maria und Johannes zeigt.

Steinerne Spuren mächtiger Herrscher

Durch den Herrschaftsantritt der Liudolfinger gewann das Gebiet um Paderborn, Minden, Hildesheim, Braunschweig und Goslar an reichspolitischer Bedeutung. Hier fanden im 11. und 12. Jh. entscheidende Auseinandersetzungen der führenden Adelsfamilien statt. Die Geschichte der Kämpfe um Königs- und Herzogspfalzen, um Dome und Kirchen läßt sich an den zahlreichen steinernen Zeugnissen ablesen, die uns aus dieser Zeit geblieben sind.

Paderborn Das unter Karl dem Großen entstandene Bistum erlebte im frühen 11. Jh. seine zweite Blüte. Kaiser Heinrich II. setzte seinen Verwandten Meinwerk als Bischof ein und förderte das Bistum entscheidend. Meinwerk ließ in seiner Amtszeit viele Kirchen errichten und begann mit dem Neubau eines Doms.

Auch die Kaiserpfalz wurde nach einem Brand an der Nordseite des Doms völlig neu errichtet. In weiten Teilen erneuert – so auch der 44 × 16 m große Saalbau –, läßt diese ottonisch-salische Kaiserpfalz immer noch die Größe und den Prunk kaiserlicher Herrschaft erahnen. Heute ist im Saalbau ein Museum eingerichtet, in dem Modelle und Fotos sowie archäologische Funde die Glanzzeit der Paderborner Geschichte im 11. Jh. illustrieren.

Im heutigen Dom aus dem 12. und 13. Jh. sind noch Teile des Meinwerkbaus enthalten. 1002 war hier Kunigunde, die Gemahlin Heinrichs II., zur Königin gekrönt worden. Das Äußere ist geprägt durch Maßwerkfenster, Portale und den gewaltigen Westturm. Unter dem Ostchor ist eine romanische Krypta erhalten, die mit 32 m Länge und 12,3 m Breite zu den größten in Deutschland zählt. Grabungen unter dem Westchor haben jüngst eine weitere Krypta freigelegt. Das Diözesanmuseum beherbergt reiche mittelalterliche Kunstschätze, darunter die von Bischof Imad gestiftete Madonna (um 1055) und Tragaltäre aus Edelmetall.

Dom in Minden
Imposant ist das mächtige Westwerk aus dem 12. Jh., das noch Bauteile aus spätkarolingischer Zeit enthält (links). Die Kirche gilt als Wahrzeichen der alten Bischofsstadt.

Paderborner Dom
Das Paradiesportal (13. Jh.) überrascht durch seine monumentalen Figuren und phantastischen Friese (oben).

Idensen *Die einzigartigen Wand- und Gewölbemalereien im Innern von Sankt Sigward wurden erst in diesem Jahrhundert freigelegt (rechts).*

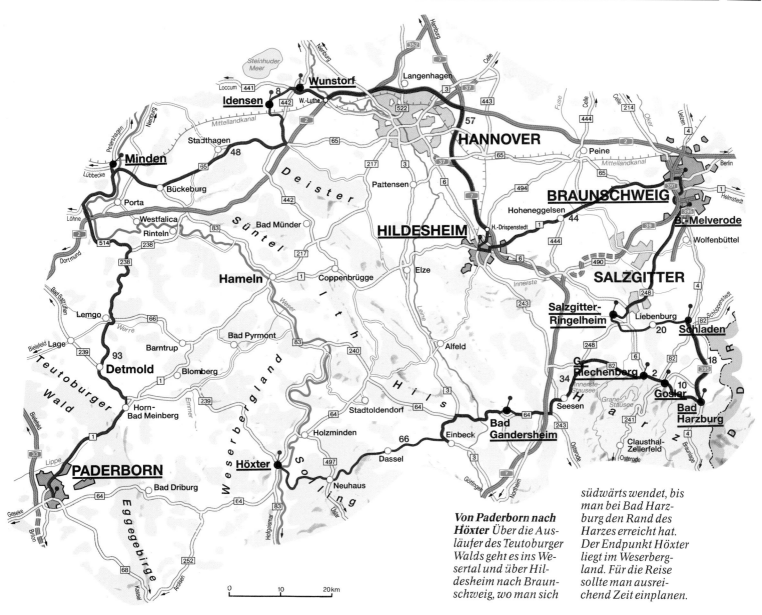

Von Paderborn nach Höxter Über die Ausläufer des Teutoburger Walds geht es ins Wesertal und über Hildesheim nach Braunschweig, wo man sich

südwärts wendet, bis man bei Bad Harzburg den Rand des Harzes erreicht hat. Der Endpunkt Höxter liegt im Weserbergland. Für die Reise sollte man ausreichend Zeit einplanen.

Auch vier Paderborner Kirchen verdanken ihre Entstehung der regen Bautätigkeit des Bischofs Meinwerk: die Bartholomäuskapelle, deren Säulenkapitelle im Innern bedeutende Zeugnisse ottonischer Bauplastik darstellen, die ehem. Klosterkirche Abdinghof, in der eine Krypta des 11. Jh. erhalten ist, die Busdorfkirche und die Gaukirche Sankt Ulrich. Die Busdorfkirche stellt in ihren Fundamenten ein mittelalterliches Abbild der Grabeskirche in Jerusalem dar. Sie wurde in den folgenden Jahrhunderten umgebaut.

ℹ Museum in der Kaiserpfalz: Di–So 10–17 Uhr, Führungen Do 16 Uhr und n. Vereinb., Tel. 05251/ 22910.

Diözesanmuseum, Markt 17: Di bis So 10–17, Do auch 19–21 Uhr.

Abdinghofkirche: Besichtigung n. Vereinb., Tel. 05251/25372.

Minden Vermutlich war es die äußerst günstige Lage an einem Weserübergang und einem Kreuzungspunkt wichtiger Handelsstraßen, die Karl den Großen um 800 bewog, hier einen Bischofsitz zu errichten. Dreieinhalb Jahrhunderte später, 1168, fand in der Domkirche Sankt Peter und Sankt Gorgonius die Hochzeit Heinrichs des Löwen mit der englischen Königstochter Mathilde statt. Aus dieser Epoche ist das mächtige sächsische Westwerk erhalten; die übrige Kirche wurde im 13. Jh. zuerst spätromanisch, dann gotisch weitergebaut. Auf der dreibogigen Kaiserempore im Westwerk saßen vom 10. bis 12. Jh. bei Gottesdiensten die zu Besuch weilenden deutschen Kaiser. Der Domschatz mit wertvollen Kunstgegenständen aus dem 9.–13. Jh. wird in einem Neubau gezeigt; wertvollstes Stück ist das Mindener Kreuz von 1070.

ℹ Domschatzkammer: Di, Do, Sa, So 10–12, Mi, Fr 15–17 Uhr.

Idensen In dem abgelegenen Dörfchen erwartet man kaum eine so außergewöhnliche Kirche wie Sankt Sigward, die sich der gleichnamige Mindener Bischof 1120–1140 als Grablege bauen ließ. Neben der klaren Architektur werden die wunderbaren Wand- und Deckenfresken aus dem 12. Jh. gerühmt. Sie waren lange übertüncht und wurden erst in den 30er Jahren unseres Jahrhunderts wieder freigelegt. Ihre byzantinisch beeinflußten Formen verraten die weitreichenden Beziehungen sächsischer Herren der damaligen Zeit.

ℹ Schlüssel im Pfarrhaus, Brinkstraße 2.

Wunstorf Die Stiftskirche wurde von einem Mindener Bischof errichtet und schon im 9. Jh. unter königlichen Schutz gestellt. Nach ihrer Zerstörung durch Blitzschlag wurde

die heutige Basilika gegen Ende des 12. Jh. in Werkstein erbaut. Reizvolle Akzente setzen Rundbogen und Tierreliefs. Chor und Turm der gegenüberliegenden Marktkirche stammen ebenfalls aus der Romanik.

ℹ Stiftskirche Sankt Cosmas und Damian: Mo–Fr 8–12 Uhr, Schlüssel bei der Superintendentur, Stiftsstraße 20.

Hildesheim 815 bestimmte Kaiser Ludwig der Fromme den Ort an einem bedeutenden Fernhandelsweg zum Bischofsitz. Ihre Blütezeit erlebte die Stadt im 11. Jh. Die Hildesheimer Domschule galt damals als eine der führenden Ausbildungsstätten der Zeit. Die Kirchenbauten in Hildesheim ließen eine regelrechte Kirchenlandschaft entstehen, gefördert von den kunstsinnigen Bischöfen Bernward, Godehard, Hezilo und Bernhard. Nach einem Brand entstand ab 1046 ein romanischer

Domneubau mit Kreuzgang. Die fast völlige Zerstörung 1945 überlebte wie durch ein Wunder der angeblich 1000jährige Rosenstock an der Choraußenseite.

Wichtigste Ausstattungsstücke sind die Bronzetüren, 1015 eigentlich für die Michaelskirche geschaffen, die bronzene Bernwardssäule mit einer Darstellung des Lebens Jesu und der Heziloleuchter mit einem Abbild des himmlischen Jerusalems. Von ähnlich herausragender Bedeutung sind die hochmittelalterlichen Exponate, die im Diözesanmuseum gezeigt werden, darunter das Bernwardskreuz aus der Zeit um 1000 und die große Goldene Madonna (um 1010), vor der Lehnsträger und hohe Ministerialen bis ins 16. Jh. ihren Treueid leisteten.

Aber auch weitere romanische Kirchen laden zur Besichtigung ein: Sehenswert sind die Kapitellplastik und das spätmittelalterliche Chorgestühl im Innern der Klosterkirche Sankt Godehard. Sie wurde für Godehard, den Nachfolger Bernwards, 1133 bis 1172 errichtet. Die Michaelskirche besticht durch die Plastik der Chorschranken und die flache Holzdecke: In prächtigen Farben ist hier der Stammbaum Jesse dargestellt. In der Krypta steht Bernwards Sarg.

ⓘ Dom: Mo–Fr 9.30–17, Sa 9.30 bis 14.30 Uhr; Diözesanmuseum: Di–Sa 10–17, So 12–17 Uhr.
Sankt Godehard: Schlüssel beim Küster, Godehardsplatz 4.
Sankt Michael: Mo–Sa 8–18, So 11.30–18 Uhr (April–September), sonst Mo–Sa 9–16, So 11.30–16 Uhr.

Braunschweig Hier war im Mittelalter eine für den Ost-West-Handel wichtige Furt über die Oker. Heinrich der Löwe baute die Burgsiedlung zu einer prachtvollen Residenz aus. Auch nach seinem Sturz durch Friedrich Barbarossa 1180 blieb Braunschweig bis 1918 neben Lüneburg Stammsitz der Welfen und ihrer Nachfahren.

Bernwardstür im Hildesheimer Dom Auf den beiden 4,72 m hohen bronzenen Türflügeln sind in 16 Reliefs biblische Szenen dargestellt, die in ihrer Figürlichkeit seltsam modern anmuten (links).

An der Stelle einer älteren Stiftskirche ließ Heinrich Sankt Blasius, die heutige Domkirche, bauen. In der noch nicht ganz vollendeten Kirche wurde das Stifterpaar, Heinrich und seine Gattin Mathilde, beigesetzt; anschließend wurde die Kirche zur Welfengrablege. Das Langhaus und der Chor stammen aus dem 12. und 13. Jh.; Vierung und Chor wurden im 13. Jh. reich mit Fresken geschmückt. Aus hochmittelalterlicher Zeit stammen auch der Marienaltar (1188) und ein hölzernes Kruzifix. Die frühen Kunstwerke sind in engem Zusammenhang mit dem Bronzelöwen auf dem Burgplatz vor der Kirche zu sehen. Diese älteste frei stehende weltliche Großplastik nördlich der Alpen dokumentiert die königsgleiche Macht Heinrichs des Löwen. Auf der Säule befindet sich allerdings nur eine Kopie des Wappentiers; das jüngst restaurierte Original ist in der Mittelalterabteilung des Herzog-Anton-Ulrich-Museums zu sehen, das in der im 19. Jh. erneuerten Burg Dankwarderode – ebenfalls am Burgplatz – eingerichtet wurde. Der Kaisermantel Ottos IV. von 1218 verdient hier besondere Beachtung. Der eindrucksvolle Burgplatz mit seinem Gebäudeensemble ist sicher einer der wichtigsten herrschaftlichen Plätze aus dem Hochmittelalter in Deutschland.

ⓘ Dom Sankt Blasius: Mo–Sa 10–13, 15–17, So 15–17 Uhr.
Braunschweigisches Landesmuseum, Burgplatz 1: täglich 10–17 Uhr.
Herzog-Anton-Ulrich-Museum, Burg Dankwarderode: Di–So 10–17 Uhr.

Braunschweig-Melverode Die Nikolauskirche (um 1200) wurde nach dem mildtätigen Bischof aus dem 4. Jh. benannt, dessen Gedenken noch immer im Volksbrauch bewahrt wird. Eine Malerei im Altarraum der außen schlichten Kirche zeigt Szenen aus der Nikolauslegende. Die spätromanische Dorfkirche, die zum Stift Steterburg in der Diözese Hildesheim gehörte, entwickelte sich zu einem bedeutenden Wallfahrtsort.

ⓘ Schlüssel bei der Kirchengemeinde, Görlitzstraße 17.

Salzgitter-Ringelheim In der ehem. Klosterkirche des Nonnenklosters aus dem 11. Jh. ist ein romanisches Kruzifix aus der Zeit um 1000 erhalten, das aus dem Hildesheimer Kunstkreis stammt. Das hölzerne Kreuz ist 1,62 m hoch. Heute gehört die Kirche der kath. Gemeinde.

ⓘ Kirche Sankt Abdon und Sennen: Sa 15–20, So 9.30–18 Uhr, werktags n. Vereinb., Tel. 0 53 41/3 33 28.

Schladen Auf einem Steilufer über der Okerniederung lag einst die wichtigste sächsische Kaiserpfalz des 10. und 11. Jh., die Pfalz Werla. Heute sind dort nur noch wenige Grundmauern zu sehen, welche die große Bedeutung der Anlage kaum mehr ahnen lassen. König Heinrich I. erbaute sie nach 920 und verteidigte sie gegen die anstürmenden Ungarn. Unter den Sachsenkaisern war Werla des öfteren Versammlungsort ihres Stammes. Heinrich II. wurde am 7. Juni 1002 auf der Pfalz zum König erklärt. Als letzter Kaiser weilte 1180 Friedrich Barbarossa auf der Pfalz; danach verlor sie mehr und mehr an Bedeutung. Die Ausgrabungsgegenstände und ein Mo-

Ein Löwe als Wappentier

Seit dem hohen Mittelalter sind Wappen weltlicher Adelsfamilien bezeugt. Mit der Abbildung starker und wilder Tiere wollte man die eigene Macht dokumentieren; besonders beliebt waren Adler, Löwe und Bär. Unter den Staufern wurde der Adler das Wappentier des Reichs, doch wie die Welfen führten auch sie den Löwen als Wappentier der Familie. Besondere Bedeutung erlangte der Löwe für den Welfen Heinrich, der schon von seinen Zeitgenossen als Leo, Löwe, bezeichnet wurde. Er führte den Löwen im Siegel, und als Zeichen seiner Herrschaft ließ er 1166 auf dem Braunschweiger Burgplatz einen Bronzelöwen errichten.

Kaiserpfalz in Goslar Die nicht ganz originalgetreue Restaurierung der Pfalz ist ein Werk des 19. Jh. Die beiden Reiterstandbilder stellen die Kaiser Friedrich I. und Wilhelm I. dar. Wie die Kopien des Braunschweiger Löwen wurden auch sie erst im vorigen Jahrhundert aufgestellt.

Domfestspiele in Bad Gandersheim
Vor der historischen Kulisse der Stiftskirche finden alljährlich Freilichtaufführungen statt (links). Mysterienspiele, griechische Tragödien, klassische und moderne Dramen, nicht zu vergessen unterhaltsame Komödien und Musicals bestimmen das abwechslungsreiche Programm. Hier eine Szene aus Friedrich Schillers „Maria Stuart".

ser, die sich hier im 11. Jh. eine bedeutende Pfalz errichteten. Goslar war der Lieblingsaufenthalt Kaiser Heinrichs III. Er gründete die Stiftskirche Sankt Simon und Judas; von dem mächtigen romanischen Dom, der 1819 abgerissen wurde, ist die Vorhalle erhalten. Blickfang der Fassade sind die farbigen Stuckfiguren im Giebelfeld.

In der Kaiserpfalz hielten die salischen und staufischen Könige glanzvolle Reichsversammlungen ab. Das Kaiserhaus, das in seinen Anfängen in die Zeit Heinrichs III. zurückreicht, wurde im 19. Jh. rekonstruiert und der große Palassaal mit Bildern zur deutschen Geschichte ausgemalt. Von der einstigen Herrlichkeit kündet heute noch der Thronsessel der Salier und Hohenstaufen. Als Ausdruck der Verbundenheit Heinrichs III. mit Goslar wurde das Herz des 1056 verstorbenen Herrschers in der Doppelkapelle Sankt Ulrich beigesetzt. Aus Goslars Glanzzeit stammen weitere romanische Kirchenbauten, so die unverändert erhaltene Klosterkirche Neuwerk, die Pfarrkirche Sankt Peter und Paul auf dem Frankenberg und die Marktkirche Sankt Cosmas und Damian, von der wundervolle Glasfenster erhalten sind; sie sind heute in einer Vitrine in der Kirche ausgestellt.

ℹ Vorhalle der Stiftskirche: täglich 10.30–12 Uhr.
Kaiserpfalz: Besichtigung nur mit Führung täglich 9.30–17 Uhr (Mai bis September), 10–16 Uhr (März, April, Oktober), sonst 10–15 Uhr.
Sankt Cosmas und Damian: Mo–Sa 10.30–13, Mo, Di, Do, Sa auch 14–16 Uhr (April–Oktober), sonst nur Sa 10.30–13, 14–16 Uhr.
Goslar-Riechenberg Die Gebäude des im 12. Jh. gegründeten Augustinerchorherrenstifts Riechenberg

nordwestlich von Goslar, dessen Ländereien heute als Domäne bewirtschaftet werden, sind in Resten bewahrt. Von der Kirche selbst stehen eindrucksvolle Ruinen. Gut erhalten ist die Krypta mit hervorragender Kapitellplastik, die auf italienische Einflüsse deutet.

ℹ Wegen Bauarbeiten ist die Krypta bis 1990 nicht zu besichtigen.
Bad Gandersheim Das Kanonissenstift Gandersheim war das Familienstift der liudolfingischen Gründerfamilie und hatte Anteil am kometenhaften Aufstieg des Geschlechts zur Königs- und Kaiserwürde (919–1024). Vom engen Kontakt zu den ottonischen Herrschern zeugen die Dichtungen der Kanonisse Roswitha von Gandersheim, einer sächsischen Adligen, deren historisches Epos über Otto den Großen den Geschichtswissenschaftlern noch heute als Quelle dient. Der heutige Bau des Münsters mit dem eindrucksvollen zweitürmigen Westwerk und einer dreischiffigen Krypta entstammt dem hohen Mittelalter; die Kapellen wurden erst später hinzugefügt. Zum Kirchenschatz gehören u. a. sechs Apostelfiguren aus Stuck (12. Jh.). Im Juni finden alljährlich auf dem Münsterplatz vor einer stimmungsvollen historischen Kulisse sehenswerte Freilichtaufführungen statt.

ℹ Münster: täglich 10–12, 14–16 Uhr (außer zu den Gottesdienstzeiten).
Freilichtspiele: Auskunft bei der Kurverwaltung, Tel. 0 53 82/7 34 40.
Höxter Im Schatten des Benediktinerklosters Corvey entstand hier eine Siedlung, deren Pfarrkirche aus dem späten 11. Jh. stammt. Das sächsische Westwerk der Kilianikirche ist für die Gegend recht ungewöhnlich. Die flache Hallenkirche wurde um 1200 eingewölbt.

dell der Pfalz sind in der Wolfenbütteler Außenstelle des Braunschweigischen Landesmuseums (etwa 18 km von Schladen) zu sehen.
Vom Parkplatz zwischen Werlaburgdorf und Schladen ist die Pfalz in 15 Minuten zu Fuß zu erreichen.
Bad Harzburg Auf dem Großen und Kleinen Burgberg ließ Kaiser Heinrich IV. Mitte des 11. Jh. die Harzburg errichten, die eigentlich aus zwei Burgen besteht. Als wichtigstes Glied in der Reihe der Harzburgen sollte sie den Widerstand der oppositionellen Sachsen brechen und des Kaisers Macht im sächsischen Gebiet stärken. Freilich konnte auch die Burg nicht verhindern, daß der Kaiser den Sachsen

mehrfach unterlag. Von der mächtigen Anlage sind eindrucksvolle Reste erhalten: Gräben, Wälle und Mauern der Außenbefestigung sowie das Untergeschoß des Turms und ein Brunnen. Die Burg ist heute bequem mit der Seilbahn zu erreichen.
Goslar Ihren Wohlstand und ihre Bedeutung verdankt die Stadt der Entdeckung der reichen Erzvorkommen im Rammelsberg. Ab dem 10. Jh. wurde hier Silber gewonnen. Ein großer Teil der um das Jahr 1000 geprägten Münzen (Otto-Adelheid-Pfennige), die man in weiten Teilen Europas gefunden hat, sind aus dem Silber des Rammelsbergs gefertigt. Bald schon fand der Ort das Interesse der deutschen Könige und Kai-

Kaiserliche Pracht am Rhein

Des Kaisers Neffen und Brüder auf dem Stuhl der Erzbischöfe, seine Töchter und Enkelinnen als Äbtissinnen bedeutender Klöster – so konnten Macht und Einfluß im Reich in bisher nicht gekanntem Ausmaß konzentriert werden. Vor diesem finanzkräftigen Hintergrund entwickelte sich der Kirchenbau des Mittelalters in voller Pracht. In Köln war es der Bruder Ottos des Großen, Erzbischof Bruno, der im 10. Jh. mit seinen Kirchenbauten der Stadt zu einer ersten Blüte verhalf.

Köln Wesentlich älter als der berühmte Dom sind die zwölf romanischen Kirchen der Stadt. (Ein Führer ist beim Verkehrsamt gegenüber dem Dom erhältlich.) Die Räume der spätromanischen Cäcilienkirche (12. Jh.) beherbergen heute das Schnütgenmuseum. 1200 Objekte vermitteln ein abgerundetes Bild der sakralen Kunst des Rheinlands vom 9. Jh. bis zum Barock. Ganz in der Nähe steht die Kirche Sankt Aposteln, deren Kleeblattchor eines der reifsten Beispiele seiner Art ist.

Keimzelle von Sankt Gereon war ein römischer Ovalbau, der später zum Zehneck vergrößert wurde. Im 13. Jh. wurde er mit einer gewaltigen Kuppel überwölbt – eine architektonische Glanzleistung der damaligen Zeit. Die Kirche Sankt Pantaleon ist heute ihrem ursprünglichen Zustand wieder sehr nahe. Das großartige Westwerk mit seinem massigen Mittelturm und den beiden flankierenden Türmen erweist sich einer Kaiserkirche würdig.

ⓘ Schnütgenmuseum in der Cäcilienkirche, Cäcilienstraße 29: Di–So 10–17 Uhr.

Brauweiler Die romanische Kirche der ehem. Benediktinerabtei entstand in ihrer heutigen Form zwischen 1048 und 1200. Im teilweise erhaltenen Kreuzgang und im Kapitelsaal sind noch schöne Reste der ursprünglichen Gewölbemalereien zu sehen.

Knechtsteden Die in der Ebene weithin sichtbare Prämonstratenser-

Essen Das reich mit Edelsteinen geschmückte Vortragekreuz aus getriebenem Gold (10. Jh.) der Äbtissin Mathilde ist im Domschatz zu sehen (links).

Köln Im 12. Jh. erhielt der Ostchor von Sankt Gereon einen kunstvollen Mosaikfußboden. Reste davon zieren heute die Krypta: Quadratische Bildfelder erzählen aus dem Leben Davids und Samsons (unten).

Sankt Aposteln in Köln Friedrich Schlegel hat diese Stiftskirche als „eine stolze Trophäe mehrerer, einer über den andern sich erhebender Tempel" gepriesen (oben). Weithin sichtbar ist der 67 m hohe Westturm mit seinem markanten Rautenhelm.

abteikirche entstand im 12. Jh. Die monumentalen Malereien in der Westapsis gehören zum Besten, was diese Zeit hervorgebracht hat.

Mönchengladbach Der Legende nach soll ein göttliches Zeichen den Standort des Benediktinerklosters Gladbach bestimmt haben: Auf der Suche nach einem geeigneten Ort hörte Erzbischof Gero im Innern des Abteibergs eine Glocke. Er folgte dem Klang und fand in einem hohlen Stein Reliquien aus der zerstörten Balderichskirche, die früher hier gestanden hatte. Damit hatte Gero einen Platz für die Klostergründung gefunden. Das mächtige Westwerk des Sankt-Vitus-Münsters sowie die weitläufige Hallenkrypta entstanden im 12. Jh. In der Münsterschatzkammer ist u. a. ein kostbarer Tragaltar (um 1160) zu sehen.

ℹ Schatzkammer im Münster: Di–Sa 14–18, So 12–18 Uhr.

Neuss Die Wallfahrt zu den Gebeinen des heiligen Quirinus machte im ersten Drittel des 13. Jh. den Ausbau der alten Benediktinerinnenklosterkirche notwendig. Stilistisch werden die verschiedenen Bauphasen in den einzelnen Stockwerken des herrlichen Westwerks deutlich, das zu Recht als die letzte Steigerung der rheinischen Spätromanik gerühmt wird. Die Krypta (11. Jh.) ist der älteste Sakralraum der Stadt.

ℹ Besichtigung der Krypta n. Vereinb., Tel. 0 21 01/27 63 49.

Düsseldorf-Kaiserswerth Über karolingischen Vorgängerbauten wurde Sankt Suitbertus Mitte des 13. Jh. im rheinischen Übergangsstil, der schon Elemente der Gotik enthält, ausgebaut, um die zahlreichen Wallfahrer zum Schrein des Heiligen aufnehmen zu können. Der vergoldete Schrein steht heute wie damals im Chor der strengen Basilika.

Die salische Kaiserpfalz war im Mittelalter ein begehrter Aufenthaltsort der deutschen Herrscher und wurde um 1184 von Friedrich Barbarossa erneuert. Von der einstigen Größe künden heute noch die Überreste; vom Palas sind 50 m lange Außenmauern erhalten.

ℹ Sankt Suitbertus: Di–Do 10–12, 15–17, Fr 17–19, Sa 10–12, 15–18, So 15–17 Uhr.
Kaiserpfalz: Mo–Fr 15–19, Sa, So 10–19 Uhr.

Essen-Werden Als Eigenkirche eines der Fronhöfe der Werdener Abtei entstand 995 die Kirche Sankt Lucius zunächst als Saalbau; später hat man sie zu basilikaler Form umgestaltet. Nachdem die 1063 geweihte Kirche im 19. Jh. als Wohnhaus herhalten mußte, legte man zu Beginn unseres Jahrhunderts den Chor frei und baute die dreischiffige

Von Köln nach Essen *Die Tour führt über kleinere Ortschaften nach Mönchengladbach. Bei Neuss ist man wieder am Rhein, den man bei Meerbusch überquert. Krönender Abschluß des Streifzugs ist das Essener Münster.*

Allein für die zwölf Kölner Kirchen sollte man sich einen ganzen Tag Zeit nehmen (Achtung: unterschiedliche Öffnungszeiten; in der Regel 10–12, 15–17 Uhr).

Basilika in den 60er Jahren originalgetreu wieder auf. Ihr schlicht-trutziges Äußeres läßt nicht vermuten, daß sie einen Schatz an spätromanischer Apsisausmalung birgt.

ℹ Sankt Lucius: Besichtigung n. Vereinb., Tel. 02 01/49 15 65.

Essen Das Essener Münster entstand ab 870 als prächtige Kirche eines adligen Damenstifts. Das ottonische Westwerk, das Atrium und die Krypta überstanden einen Brand im 13. Jh. Seinen Charakter als dreischiffige Hallenkirche erhielt das Münster erst später. Die Exponate des Münsterschatzes, eines der wertvollsten aus ottonischer Zeit, zeugen vom Einfluß und Wohlstand des Stifts.

ℹ Münsterschatzkammer, Am Burgplatz: Di–So 10–15.30 Uhr.

Düsseldorf-Kaiserswerth Durch die gewaltigen Ruinen der Kaiserpfalz weht ein Hauch der großen Vergangenheit.

Romanik im Wandel der Zeiten

Das architektonische Ideal der Romanik war die standhaft ruhende, burgähnliche Basilika mit stolzen Türmen. Freilich hat sich der Stil im Lauf der Zeit stark gewandelt. Die einfachen, schweren Formen der ersten Phase machen gegen Ende der Epoche leichteren, stärker verzierten Formen Platz. An den Sakralbauten des Westerwalds läßt sich diese Entwicklung nachvollziehen, die im schon gotisch beeinflußten Limburger Dom einen ihrer letzten Höhepunkte erlebt.

Bonn Aus einer karolingischen Klosteranlage entstand im 11. Jh. zur Zeit des Erzbischofs Anno von Köln eine dreischiffige Basilika, der ab Mitte des 12. Jh. ein mächtiger romanischer Neubau mit mehreren Türmen folgte, das heutige Münster Sankt Martin. Der westliche Teil der kreuzgewölbten Krypta stammt noch vom älteren Bau. Besonders eindrucksvoll ist auch der zweigeschossige Kreuzgang (12. Jh.); seine Säulenkapitelle sind auf vielfältigste Weise gestaltet.

Auf dem Alten Friedhof steht seit Mitte des 19. Jh. die Ramersdorfer Kapelle. Der Bau aus dem 13. Jh. stand ursprünglich im Stadtteil Ramersdorf, wo er wegen Baufälligkeit abgebrochen werden mußte. Am neuen Standort wurde die Kapelle Stein für Stein wieder aufgebaut. Das zierliche dreischiffige Hallengebäude wirkt leicht und schlank.

🛈 Ramersdorfer Kapelle, Bornheimer Straße: Führungen Di, Do 15 Uhr sowie jeden ersten Sa im Monat 11 Uhr (März–September).

Bonn-Schwarzrheindorf Die Doppelkapelle Sankt Maria und Clemens in der Stiftsstraße wurde 1151 geweiht. Graf Arnold von Wied, späterer Erzbischof von Köln, hatte sie an der einstigen Karolingerburg nahe der alten Siegmündung erbauen lassen. Die obere Kapelle war für den Burgherrn, die untere für seine Gefolgschaft bestimmt.

Siegburg In den Mauern einer pfalzgräflichen Burg gründete Erzbischof Anno II. von Köln eine Benediktinerabtei; die Kirche Sankt Michael wurde 1066 geweiht. Anno fand hier sein Grab; sein Schrein ist in einer Seitenkapelle des neuromanischen Neubaus zu sehen. Die romanische Krypta stammt noch vom ursprünglichen Gebäude.

Detail des Siegburger Annoschreins Die kostbare Holzlade in der Michaelskirche ist auf das prunkvollste verziert (links).

Bonner Münster *Die beiden steinernen Chorstuhlwangen sind Meisterwerke der rheinischen Plastik des frühen 13. Jh. Hier schreibt sich ein Teufel die Namen der unfrommen Stiftsherren auf (oben).*

Limburg *Der Dom auf steilem Fels über der Lahn ist ein hervorragendes Beispiel einer Gottesburg des hohen Mittelalters (rechts). Die massige Westfassade atmet noch ganz den Geist der Romanik.*

Die Servatiuskirche mit ihrem hohen Westturm geht auf eine romanische Emporenbasilika zurück, die später gotisch verändert wurde. Der kostbare Kirchenschatz ist der reichste des Rheinlands. Vorübergehend ist er im Kölner Schnütgenmuseum zu sehen (bis Ende 1989).

Hachenburg Die Pfeilerbasilika Sankt Bartholomäus im Stadtteil Altstadt geht im Kern auf das 12. Jh. zurück. Aus dem 13. Jh. stammt der zwölfeckige romanische Taufstein. Spätere Anbauten und ein neuer Außenverputz haben das Aussehen der Kirche stark verändert.

Dietkirchen Das berühmte Kopfreliquiar des heiligen Lubentius steht neben dem Eingang der auf einem steilen Kalkfelsen über der Lahn gelegenen Kirche, die nach dem Heiligen benannt wurde. Aus romanischer Zeit sind seltene Türbeschläge am rundbogigen Portal und an der Sakristeitür sowie ein Taufstein und Malereien erhalten.

Limburg an der Lahn Der siebentürmige Dom Sankt Georg zeigt sich heute wieder in der Ausstattung der Erbauungszeit (1211–1250). Die Freskomalereien, der wertvolle Taufstein und das Stiftergrab des Grafen Konrad Kurzbold im nördlichen Querhaus sowie das neue Diözesanmuseum mit Domschatz verdienen besondere Beachtung. Der blockhafte romanische Bau ist bereits mit gotischen Elementen aufgelockert.

ℹ Führungen Di–Fr 11, 15, So und feiertags gegen 11.30 Uhr sowie n. Vereinb., Tel. 0 64 31/29 53 32.

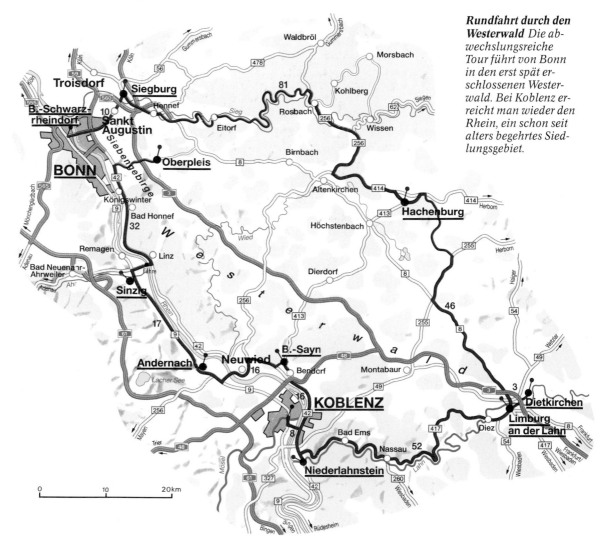

Rundfahrt durch den Westerwald *Die abwechslungsreiche Tour führt von Bonn in den erst spät erschlossenen Westerwald. Bei Koblenz erreicht man wieder den Rhein, ein schon seit alters begehrtes Siedlungsgebiet.*

Bonn-Schwarzrheindorf *Die beiden übereinandergebauten Kapellen der Doppelkirche Sankt Maria und Clemens – eines der prächtigsten Denkmäler romanischer Baukunst im Rheinland – sind durch eine achteckige Öffnung unter der Kuppel miteinander verbunden. In seltener Vollständigkeit ist die Bemalung im Innern erhalten geblieben. Vier große und 16 kleine Bilder der Unterkirche zeigen auf stumpfblauem Grund Szenen aus dem Buch Hesekiel.*

Diözesanmuseum: Di–Sa 9.30 bis 12.30, 14–17, So und feiertags 11–17 Uhr (Mitte März–Mitte November).

Niederlahnstein Direkt an der Lahnmündung steht die älteste Emporenbasilika des Mittelrheins, die Klosterkirche Sankt Johannes (12. Jh.). Der mächtige Turm bildet die westliche Vorhalle, in der noch ein romanischer Taufstein steht.

Koblenz In der 836 geweihten Sankt-Kastor-Kirche wurden zahlreiche politische Entscheidungen gefällt. 1138 fand hier die Wahl des ersten Stauferkaisers, Konrad III., statt. Am reichsten entfaltet sich der romanische Stil an den Westtürmen und der halbrunden Apsis.

ℹ Sankt Kastor, Konrad-Adenauer-Ufer: Schlüssel beim Pfarramt, Tel. 02 61/3 14 46.

Bendorf–Sayn Hier gründete die Abtei Steinfeld 1202 ein Prämonstratenserkloster. Im Kreuzgang der Kirche ist ein schönes Brunnenhaus mit mächtigem romanischem Steinbrunnen erhalten. Zum reichen Klosterschatz gehört die Armreliquie des heiligen Apostels Simon.

Andernach Eines der prachtvollsten Werke rheinischer Spätromanik ist die Liebfrauenkirche. Im Langhaus mit seiner wiederhergestellten romanischen Wandbemalung fällt das Ebenmaß der Gliederung ins Auge. Vom Augustinerinnenkloster steht heute nur noch die chorlose Begräbniskapelle Sankt Michael.

ℹ Kapelle Sankt Michael, Breite Straße: Besichtigung n. Vereinb., Tel. 0 26 32/4 49 46.

Sinzig Die Sankt-Peter-Kirche gilt als Prunkstück der staufischen Spätromanik im Rheinland: Deutlich spürbar ist das Bemühen des Baumeisters, durch zahlreiche Zierformen und Gliederungen die Formenstrenge aufzulockern.

Oberpleis Die Siegburger Abtei errichtete hier eine Propsteikirche. Kostbarste Stücke der reichen Ausstattung sind der Altaraufsatz, ein dreiteiliges romanisches Tuffsteinrelief und ein farbenprächtiger Tonfliesenboden.

ℹ Sankt Pankratius: Sa 16–16.30, So 9.15–10, 10.45–11.30 und n. Vereinb., Tel. 0 22 44/22 31.

Pfalzen und Dome der Staufer

Die Nachfolger der Salier, die Kaiser aus dem Geschlecht der Staufer, errichteten an strategisch wichtigen Plätzen prachtvolle Pfalzen. Dort veranstalteten sie Hoftage, große Feste und Jagden. Ihre Grablege fanden die weltlichen Herrscher von Gottes Gnaden in den gewaltigen Domen, die die einflußreichen Kirchenfürsten erbauen ließen. Diese Tour führt auch in Großstädte wie Frankfurt und Mainz, deren Macht die Stauferkaiser mitbegründet haben.

Gelnhausen Die Kaiserpfalz steht auf einem Fundament aus Tausenden in den feuchten Wiesengrund einer Kinziginsel getriebener Eichenpfähle. Sie diente ihren staufischen Herren mindestens 30mal als Aufenthaltsort – die Jagdgebiete des Königsforstes im Spessart lagen vor der Tür. Bedeutende Reichstage wurden hier abgehalten – auf dem von 1180 wurde Heinrich der Löwe, der sich mit Barbarossa überworfen hatte, geächtet; und Johannes von Salerno predigte auf dem Reichstag von 1195 den vierten Kreuzzug. Der Kaisersaal im einst dreigeschossigen Palas gehört zu den Spitzenleistungen staufischer Architektur. Die reichen Ornamente der Palasarkaden, das Löwenrelief und der sogenannte Barbarossakopf über dem Palasportal künden von der einstigen Pracht. Das Museum im Burgmannenhaus neben dem Pfalzeingang zeigt staufische Exponate und ein Modell der Pfalzanlage.

Gleichzeitig mit der Pfalz gründete Kaiser Barbarossa 1170 die Stadt Gelnhausen. Zuerst wurden hier Kaufleute angesiedelt und der Fernhandel durch Privilegien gefördert. Zeuge der wirtschaftlichen Bedeutung der Stadt ist vor allem die Marienkirche (1170–1250). Ein Unikat in Deutschland ist der Sandsteinlettner mit der Darstellung des Jüngsten Gerichts im Innern.

Das am Untermarkt gelegene Romanische Haus (um 1180) mit seinen Arkadenfenstern war wahrscheinlich Sitz des kaiserlichen Schultheißen. Es gilt als ältestes Amtshaus Deutschlands (heute ev. Gemeindehaus).

ℹ️ Kaiserpfalz mit Burgmannenhaus: Di–So 10–13, 14–17 Uhr

Kaiserpfalz Gelnhausen Die Rückwand des Palas (oben) war gleichzeitig Bestandteil der Ringmauer, die die Pfalz umschloß. Die Säulen und die Zierplatten im ersten Geschoß gehörten zu einem prachtvollen Kamin im großen Kaisersaal.

Adlerfibel in Mainz Seit der Krönung Karls des Großen war der Adler das Symbol der kaiserlichen Macht. Zum Schmuck der Kaiserin Gisela (990–1043) gehörte diese vergoldete und mit buntem Glas verzierte Gewandfibel (links).

Dom zu Worms Der spätromanische Kaiserdom (oben) löste im 12. Jh. den baufälligen Vorgängerbau ab (Text auf S. 109).

(März–Oktober), sonst Di–So 10–13, 14–16 Uhr.
Marienkirche: täglich 9–12, 14–18 Uhr (Mai–September), sonst bis 16 Uhr.
Seligenstadt Neben dem Kloster aus karolingischer Zeit liegt am Hochufer des Mains die Ruine des Kaiserpalasts, den sich Kaiser Friedrich II. um 1235 erbauen ließ. Das Kaiserhaus diente Geselligkeiten, Festen und auch als Basis für prachtvolle Jagden. Erhalten blieb die Mainfront bis zum Traufgesims. Beeindruckend sind die Länge von fast 46 m und die würdevollen – aber damals schon recht altmodischen – Rundbogen. Das Romanische Haus in der Großen Rathausgasse 5 besitzt einen Stufengiebel mit Rundbogenfenstern. Zwei Flachbogen auf einem Mittelpfeiler zieren die Hofseite. Holzuntersuchungen haben ergeben, daß es bereits 1187 erbaut wurde. Wahrscheinlich diente es als Sitz eines Vogts.

Von Gelnhausen nach Weinsberg
Durch drei Bundesländer – Hessen, Rheinland-Pfalz und Baden-Württemberg – führt diese Tour. Von besonderem landschaftlichen Reiz ist die Durchquerung des Pfälzer Waldes auf der B 48 zwischen Kaiserslautern und Annweiler.

Frankfurt Der unter Barbarossa in den 70er Jahren des 12. Jh. vollendete Saalhof und das um Frankfurt vorhandene Reichsgut, das zur Versorgung diente, bildeten gute Voraussetzungen für zahlreiche Reichsversammlungen. Konrad III., der eigentliche Erbauer dieser Pfalz am heutigen Römer, ließ hier 1147 seinen kleinen Sohn Heinrich (VI.) zum König krönen. In der Anfang des 12. Jh. errichteten Saalhofkapelle mit ihrem halbrunden turmartigen Vorbau wurden die Reichsinsignien aufbewahrt. Der kleine Sakralbau und ein anschließender Teil des Kerngebäudes sind erhalten geblieben und

heute in den Komplex des Historischen Museums integriert, das die Frankfurter Geschichte vom 9. bis zum 20. Jh. dokumentiert.
Im Vorgängerbau des Doms wurde Friedrich I. Barbarossa 1152 zum König gewählt, so wie nach ihm Friedrich II. und dessen Sohn Heinrich (VII.). Ein Rekonstruktionsmodell des Doms um 1200 ist ein Hauptanziehungspunkt des Dommuseums.
Die Pfarrkirche Sankt Leonhard am Mainkai stammt aus dem frühen 13. Jh. Durch den späteren Anbau der Seitenschiffe kamen das Jakobsportal und das Hauptportal ins Kircheninnere und blieben deshalb her-

vorragend erhalten. Sogar der Name des Künstlers Engelbertus, der das Hauptportal schuf, ist im unverwitterten Stein des Tympanons noch zu lesen. Den Platz zum Bau der Kirche hatte Kaiser Friedrich II. 1219 den Bürgern geschenkt.
Der Ausbau des Saalhofs als staufische Königsburg und die Stadtentwicklung gingen von der Zeit Konrads III. an Hand in Hand. 1222 ist die alte Mainbrücke erstmals urkundlich nachweisbar; ein eindrucksvoller Rest der romanischen Stadtbefestigung aus der zweiten Hälfte des 12. Jh. ist noch An der Staufenmauer zu sehen. 1240 stellte

Friedrich II. alle Besucher der Frankfurter Messe unter Reichsschutz.
ℹ Historisches Museum mit Saalhofkapelle, Saalgasse 19: Di–So 10–17, Mi 10–20 Uhr.
Dommuseum, Domplatz 1: Di–Fr 10–17, Sa, So 11–17 Uhr.
Pfarrkirche Sankt Leonhard, Mainkai: Di–Fr 15–18.30, Sa 9–12, 15–19, So 9–13, 15–18 Uhr.
Mainz Macht und Ansehen der Mainzer Erzbischöfe waren so groß, daß Erzbischof Aribo 1024 die Ehe

der späteren Kaiserin Gisela mit Konrad II. als unrechtmäßig bezeichnen und ihre Krönung zur deutschen Königin ablehnen konnte. Ihre berühmte Adlerfibel ist heute im Mittelrheinischen Landesmuseum zu sehen.

Lang, verwickelt und von mehreren Bränden geprägt ist die Baugeschichte des Doms, die bis ins 10. Jh. zurückreicht. Heute präsentiert er sich hauptsächlich als dreischiffige, gewölbte Pfeilerbasilika des 12. und 13. Jh. 1239 war der Westbau vollendet. Der Lettner des Westchors von 1243 wurde im 17. Jh. abgebrochen. Die Reste seiner berühmten Plastiken vom „Naumburger Meister" sind heute im Diözesanmuseum ausgestellt, darunter der bekannte „Kopf mit der Binde". Das Freiheitsprivileg, das Erzbischof Adalbert I. den Bürgern zum Dank für ihre Treue bei seinen heftigen Auseinandersetzungen mit dem König verlieh, wurde 1135 in die Bronzetür des Marktportals, durch das die Bürger den Dom betraten, eingraviert, wo es noch heute zu besichtigen ist. 25 Jahre später zerstritt sich die städtische Führungsschicht mit dem Erzbischof. Adalbert wurde ermordet, Barbarossa belegte die Stadt mit der Reichsacht. Ihre Mauern wurden zur Strafe niedergerissen, jedoch um 1240 wieder aufgebaut. Aus dieser Zeit stammt der Eiserne Turm gegenüber der Rheingoldhalle, dessen Portal zwei staufische Löwen bewachen. ⓘ Mittelrheinisches Landesmuseum, Große Bleiche 49–51: Di–So 10–17 Uhr.
Bischöfliches Dom- und Diözesanmuseum, Domstraße 3: Mo–Mi, Fr 9–12, 14–17, Do, Sa 9–12 Uhr, So und feiertags geschlossen.
Worms-Hochheim Die Bergkirche liegt an der Bergstraße unterhalb der Friedhofskapelle (Parkmöglichkeit). Sie wurde vom Wormser Bischof Burchard I. im Jahr 1010 gegründet. Vor dem relativ schlichten dreischiffigen Kirchenbau erhebt sich der kraftvolle, mit Rundbogenfriesen gegliederte Westturm aus dem 12. Jh.
Worms Unter den Staufern erlebte Worms seine Blütezeit. Kaiser Friedrich I. erteilte 1184 ein Freiheitspri-

Krypta im Dom zu Speyer Vier Kaiser, vier Könige, drei Kaiserinnen und fünf Bischöfe sind hier bestattet. Die 92 Gewölbefenster der größten Krypta Deutschlands werden von acht Pfeilern und insgesamt 70 Säulen getragen.

vileg, das die zunehmende Bedeutung des aufsteigenden Bürgertums unterstrich. Den Text ließ er auf einer ehernen Tafel über dem Kaiserportal, dem Nordtor, des 1018 geweihten Doms zwischen zwei Konsolensäulen anbringen. Noch heute kann man Barbarossas Gruß an die Stadt schwach in roten hohenstaufischen Schriftzeichen erkennen. Eine Tafel darüber trägt die moderne Übersetzung. Durch dieses Portal ging im Hochmittelalter alles, was Rang und Namen hatte. Der Dichter des Nibelungenlieds ließ hier sogar Kriemhild und Brünhild um den Vortritt streiten. Vom Farbenglanz, in dem das Tor ursprünglich erstrahlte, ist nichts erhalten. Der Dom, eine dreischiffige Pfeilerbasilika, ist einer der bedeutendsten romanischen Bauten des Abendlands. In seiner heutigen Form geht er hauptsächlich auf einen Neubau des späten 12. und frühen 13. Jh. zurück. Die Apsis des Westchores zeigt mit ihren Zickzackbogen und Blattkapitellen etwas vom Formenschatz stauferzeitlicher Romanik. Bischof Burchard, der um 1000 den ersten Dom baute, und der Vertraute Kaiser Barbarossas, der Bischof Konrad von Sternberg, liegen hier begraben. In der Sankt-Anna-Kapelle von 1230 stellen zwei bedeutende Reliefs Daniel in der Löwengrube dar. Im Dom heiratete Kaiser Friedrich II. von Hohenstaufen im Jahr 1235 seine dritte Frau, Isabella von England. Mit dem Ostchor als Raum der göttlichen Kirche und dem Westchor als Platz für den von Gottes Gnaden herrschenden Kaiser wird die damalige Weltordnung versinnbildlicht. Einige Stufen tiefer stehen die von ihnen abhängigen Menschen, die Bürger von Worms.

Die Bürgerschaft fand in der Stauferzeit zu einem bis dahin unbekannten Selbstbewußtsein. Der Bischof wagte kaum noch eine Einmischung. Als er sich einmal länger bei Friedrich II. in Italien aufhielt, erhob sich das Bürgertum und setzte einen Stadtrat ein. Das rief den Kaiser auf den Plan. Um seinem Strafgericht zu entgehen, zerstörten die Bürger selbst ihr prächtiges Rathaus, das ein Zeichen bürgerlicher Herrschaft sein sollte.

Die Sankt-Martins-Kirche mit ihrem sehenswerten Westportal stammt aus dem 11.–13. Jh. Die Pauluskirche steht an der Stelle einer ehem. Salierburg. Sie wurde nach einem Brand 1231 beinahe völlig neu erbaut. Die orientalischen Turmhauben erinnern an die Zeit der Kreuzzüge. An der Nordwand des romanischen Chors im Inneren der Kirche ist die Einmeißelung eines Kreuzfahrerschiffs zu erkennen. Nahe der

Kirche sind 150 m der stauferzeitlichen Stadtbefestigung mit Wehrgang und Türmen erhalten.

Das von Bischof Burchard 1020 gegründete Andreasstift mit Kirchtürmen, Portal und Teilen des Kreuzgangs aus dem 12. Jh. birgt heute das Städtische Museum. Durch das Andreastor gelangt man in einen der ältesten erhaltenen Judenfriedhöfe Europas; seine Grabsteine gehen bis ins Jahr 1076 zurück. Die 1034 erstmals errichtete Synagoge nahe dem Raschi-Tor wurde 1938 vernichtet und nach dem Zweiten Weltkrieg wieder aufgebaut; sie enthält ein rituelles Tauchbad aus romanischer Zeit. Bedeutende Zeugnisse aus dem Leben der Juden, die seit dem 10. Jh. in Worms urkundlich nachgewiesen sind, zeigt das Judaica-Museum im nach einem berühmten Rabbiner des 11. Jh. benannten Raschi-Haus.

ⓘ Städtisches Museum, Am Andreastor: Di–So 10–12, 14–17 Uhr; feiertags geschlossen.

Synagoge und Judaica-Museum: Di–So 10–12, 14–17 Uhr (Synagoge nach Anmeldung im Raschi-Haus, Hintere Judengasse 6).

Enkenbach Die Kirche des bereits 1148 gegründeten ehem. Prämonstratenserinnenklosters (heute kath. Pfarrkirche) wurde 1220–1265 erbaut. Die kreuzrippengewölbte Basilika mit Querhaus und Rechteckchor blieb in ihren Hauptteilen unverändert. Bedeutend ist das Tympanonrelief (1240) am Westportal, das erst nach Betreten der Kirche sichtbar wird. Das Lamm Gottes, Vögel, Hasen, Eichhörnchen, Schwein und Hund tummeln sich inmitten von Weinranken, sie symbolisieren das Gleichnis der Kirche als Weinberg.

Kaiserslautern Bereits im 10. Jh. in ottonischer Zeit wurde am Flüßchen Lauter eine Burg errichtet. Aber erst die Salier und vor allem die Staufer erkannten die strategische Bedeutung des Orts an der wichtigen

Straße, die von Frankreich nach Worms führte. Kaiser Friedrich I. Barbarossa ließ sich hier bald nach seinem Regierungsantritt 1152 eine prächtige Pfalz anlegen, in der er sich vor seinem Zug nach Italien 1158 aufhielt. Die Barbarossaburg ist heute eine Ruine in der Stadtmitte, direkt an der B 37. Sie war der erste der zahlreichen Pfalzneubauten, die auf Barbarossa zurückgehen. Der Chronist Rahewin schrieb um 1260: „In Kaiserslautern hat er eine Königspfalz aus roten Steinen errichtet und mit nicht geringerer Freigiebigkeit ausgestattet. Denn auf der einen Seite hat er sie mit einer sehr starken Mauer umgeben, die andere Seite umspült ein seeähnlicher Fischteich, der zur Weide der Augen wie des Gaumens alle Delikatessen an Fischen und Geflügel enthält. Daran stößt ein Park, der einer Fülle von Hirschen und Rehen Nahrung bietet. Die königliche Pracht all dieser Dinge und ihre Menge, die größer ist, als daß man sie schildern könnte, erweckt das Staunen der Besucher." Von der kaiserlichen Pfalz, in der König Richard von Cornwall 1269 mit Beatrix von Falkenburg Hochzeit hielt, sind Teile der Mauern von 1152 sowie der Erweiterungsbauten, die unter Friedrich II. um 1214 angelegt wurden, erhalten.

ⓘ Kaiserpfalzruine: Zugang n. Vereinb. mit der Stadtverwaltung, Tel. 06 31/8 52 23 17.

Annweiler Hoch über dem Ort, den Friedrich II. 1219 zur Reichsstadt mit Zollfreiheit, Münz- und Asylrecht erhob, liegt die Reichsfeste Trifels, die man vom Parkplatz Schloßecker nach 15 Minuten Fußweg erreicht. Zusammen mit den Burgen Anebos und Scharfenberg in unmittelbarer Nachbarschaft, südöstlich unter dem Trifels, bildete sie eine seltene Burgendreiheit in einer grandiosen Berglandschaft. Von der Burg Anebos sind nur noch geringe Reste erhalten, von Scharfenberg da-

gegen erhebt sich noch der über 20 m hohe Bergfried aus Buckelquadern (um 1200). Die Ruine des Trifels wurde ab 1938 wieder zur Burg ausgebaut. Zunächst entstand der mächtige neue Palas nach dem Vorbild der Stauferkastelle in Apulien. Der staufische Turm mit seinen geheimnisvollen maskenverzierten Konsolen am Chorerker wurde 1964–1966 um ein 7 m hohes Geschoß aufgestockt.

Schon unter den Saliern diente die Burg Trifels, die 1081 erstmals urkundlich erwähnt wird, als Gefängnis für hochgestellte Personen. 1193–1194 machte der englische König Richard Löwenherz unliebsame Bekanntschaft mit Trifels. Auf dem Rückweg aus dem Heiligen Land versperrte ihm der französische König die Mittelmeerhäfen. Richard schlug deshalb den Weg über Österreich ein, wo er in die Hände seines Erzrivalen, Herzog Leopolds V., fiel. Dieser übergab den Engländer an Kaiser Heinrich VI., der ihn auf Trifels festsetzte. Erst nach Zahlung eines beträchtlichen Lösegeldes, das der Sage nach Robin Hood zusammengeraubt hatte, und politischen Zugeständnissen an den Kaiser durfte König Richard nach England heimkehren. In den folgenden Jahren wurden auf dem Trifels und den umliegenden Burgen mehrere sizilianische Adlige eingesperrt, die sich gegen die Besetzung ihres Landes

Siegel der Stadt Speyer Zwischen 1212 und 1231 entstand dieses Siegel aus hellbraunem Wachs mit 10 cm Durchmesser. Besondere Sorgfalt wurde auf die Darstellung des Doms verwendet. Das Original lagert im Stadtarchiv.

durch die Staufer wehrten. Kaiser Friedrich II. warf 1235 sogar seinen eigenen Sohn Heinrich (VII.) dort in den Kerker. Die Burg diente aber auch als Reichsschatzkammer. Die Reichskleinodien, die heute in Wien aufbewahrt werden, befanden sich 1125–1273 auf der Burg. Originalgetreue Nachbildungen von Reichskrone, Zepter, Reichsapfel und dem Kreuz, das die großen Reichsreliquien enthält, sind im Raum über der Burgkapelle zu besichtigen. Auch den Brautschatz seiner sizilianisch-normannischen Frau Konstanze ließ Kaiser Heinrich VI. hier verwahren sowie die Beute, die er von seinem Heereszug nach Sizilien mitbrachte und in einem schier endlosen Zug von Tragtieren auf den Trifels transportieren ließ.

ⓘ Burg Trifels: Di–So 9–13, 14 bis 18 Uhr (April–September), sonst nur bis 17 Uhr (Dezember geschlossen).

Das Wappen der Staufer

Der zunächst einzelne, steigende oder schreitende Löwe, den sich die Staufer zum Wappentier erwählten, steht seit der Antike für Hoheit, Stärke, Macht und Mut. Im 12. Jh. kam er in ganz Europa in Mode. Die englischen Könige führten ihn ebenso im Schild wie die von Sizilien, Dänemark oder León. Heinrich der Löwe, Herzog von Bayern und Sachsen, einer der bedeutendsten Gegner der Staufer, identifizierte sich geradezu mit ihm. Dreifach erscheint der Löwe im Stauferwappen wohl erstmals zur Zeit Herzog Philipps von Schwaben, des späteren Königs, Ende des 12. Jh. Die

ältesten erhaltenen Darstellungen, welche die drei Löwen auf gelbem Grund zeigen, stammen aus dem frühen 13. Jh.

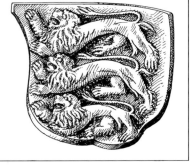

Reichskrone in Annweiler Aus acht mit Edelsteinen, Perlen und Emailbildnissen verzierten Platten besteht die goldene Kaiserkrone, die wahrscheinlich schon bei der Krönung Ottos I. im Jahr 962 verwendet wurde. Der Perlenbügel und das Kreuz über der Stirnplatte kamen um 1027 hinzu. Die Trifelser Kopie ist aus vergoldetem Silber gearbeitet.

Burg Trifels bei Annweiler In 497 m Höhe erhebt sich die einstige Reichsfeste (links). Ihre roten Sandsteinquader leuchten weit über dem Annweiler Tal.

Speyer Die Stadt der Salier, die im 11. Jh. den Dom als Grablege bauen ließen, verlor auch bei den Staufern nichts von ihrer Anziehungskraft. Kaiser Friedrich II. ließ in Speyer mit großer Pracht seinen Sohn Konrad IV. als deutschen König bestätigen. Speyer erlebte auch die Auslieferung des englischen Königs Richard Löwenherz an Heinrich VI., der ihn auf dem Trifels bei Annweiler festsetzen ließ. Die Weihnachtspredigt von Bernhard von Clairvaux bewegte hier 1146 König Konrad III. zum zweiten Kreuzzug. In der Krypta des Doms, der größten Deutschlands, befinden sich die Grabmäler vieler gekrönter Häupter, die nicht nur aus dem Geschlecht der Salier stammen, u.a. ruhen hier auch die 1184 verstorbene Ehefrau des Kaisers Barbarossa, Beatrix, und ihre gemeinsame Tochter Agnes. Die vergoldeten Grabkronen, Gewandreste und weitere Grabbeigaben, die in den Herrschergräbern gefunden wurden, sind im Historischen Museum der Pfalz zu sehen. Der 1030 begonnene, 134 m lange Kaiserdom selbst, eine kreuzförmige Basilika mit insgesamt sechs Türmen, ist das größte romanische Bauwerk Europas. Unter Kaiser Heinrich IV. gelang hier ab 1082 erstmals bei einer Großkirche die vollständige Überwölbung des Innenraums. Noch immer beeindruckt die strenge Schlichtheit des etwa 33 m hohen, durch 24 Pfeiler gegliederten Langhauses. Ende des 11. Jh. wurde auch die den ganzen Außenbau umziehende Zwerggalerie hinzugefügt. Als Wahrzeichen der Stadt wurde der Dom spätestens ab dem 13. Jh. auf dem Stadtsiegel abgebildet. Siegelabgüsse sind über das Fremdenverkehrsamt der Stadt zu beziehen.

Ab dem 10. Jh. waren die Bischöfe die alleinigen Stadtherren, doch im 12. und 13. Jh. errang die Bürgerschaft die Selbstverwaltung. Danach grenzten Ketten und der Domnapf vor dem Westportal des Doms den bischöflichen Bezirk von der freien Stadt ab. Bei besonderen Festen wurde der etwa 1580 l fassende Domnapf für die Bevölkerung mit Wein gefüllt.

ℹ Dom: Mo–Fr 9–17.30, Sa 9–16, So 13.30–16.30 Uhr (April–September), sonst Mo–Fr 9–11.30, 14–16.30, Sa 9–11.30, 13.30–16, So 13.30–16.30 Uhr.
Historisches Museum, Große Pfaffengasse 10: täglich 9–12, 14–17 Uhr.

Bad Wimpfen Während sich die mittelalterliche Ansiedlung im Tal auf den Grundmauern des römischen Kastells entwickelte, wählte Kaiser Friedrich I. Barbarossa für den Bau seiner Pfalz die Anhöhe über dem Neckartal. Die Wohnburg entstand zwischen 1160 und 1170 und ist mit 215 m Länge und 88 m Breite die größte Stauferpfalz auf deutschem Boden. Hier hielt 1182 Barbarossa hof, hier wohnte 1190 und 1193 Kaiser Heinrich VI. In Wimpfen warf sich Heinrich VII. seinem Vater zur Versöhnung zu Füßen – trotzdem ließ Kaiser Friedrich II. ihn auf dem Trifels einsperren. Erhalten sind die Pfalzkapelle von 1200 und die Nordfront des Palas mit ihren prächtigen Arkaden, die einen reizvollen Blick auf den Neckar freigeben. Das Steinhaus, das einst die Kemenate der Königin enthielt, gilt als das größte erhaltene romanische Wohngebäude Deutschlands. Heute beherbergt es das stadtgeschichtliche Museum mit Schwerpunkten zur Stauferzeit und zur reichsstädtischen Vergangenheit Bad Wimpfens. Im Burgviertel kann man außerdem die 169 Stufen zum 58 m hohen Blauen Turm erklimmen und den 1976 mit großem Aufwand restaurierten Roten Turm, der auf das späte 12. Jh. zurückgeht, sowie das Hohenstaufentor, dessen romanische Untergeschosse heute etwa 3 m über der Straße liegen, besichtigen.

ℹ Museum im Steinhaus: Mi–Mo 10–12, 14–16.30 Uhr (15. April bis 15. Oktober).
Blauer Turm und Pfalzkapelle: Di–So 10–12, 14–16.30 Uhr (Ostern bis September).

Weinsberg Die Stadtmauer von Weinsberg, die teilweise erhalten ist, und vor allem die spätromanische Johanneskirche, die außen groteske Skulpturen schmücken, sind unverkennbar Zeugnisse der Stauferzeit. Bekannter ist allerdings die Burg Weinsberg, die 1140 von König Konrad III. belagert wurde. Als er den Frauen in der Burg erlaubte, zu fliehen und dabei mitzunehmen, soviel sie tragen konnten, luden sich die Frauen ihre Männer auf den Rücken und retteten ihnen so das Leben. Seither trägt die Burgruine den Namen Weibertreu. Sie wird von einer stauferzeitlichen Ringmauer umgeben, das obere Tor stammt aus derselben Zeit. Das Weibertreumuseum der Stadt Weinsberg im Erdgeschoß des Rathauses präsentiert – neben Exponaten zur Stadtgeschichte und einem Burgmodell – eine umfangreiche Sammlung von Gemälden, Grafiken, Texten und Literatur zur Belagerungsgeschichte.

ℹ Weibertreumuseum: Do 14–18, So 14–17 Uhr.

Friedrich Barbarossa – ein Kaiser hält hof

Heinrich von Veldeke, weithin bekannter Dichter, kommt nur mühsam voran. Mainz platzt aus allen Nähten; wahre Menschenmassen schieben sich dicht gedrängt durch Straßen und Gassen; die Gasthäuser sind restlos überfüllt.

Die große Ebene in der Mündungsbeuge von Main und Rhein ist mit Volk aus aller Herren Länder überschwemmt. Er begegnet Spielleuten aus Frankreich, Gauklern aus Italien, Sängern aus England. Eine gigantische Zeltstadt aus bunten Tüchern ist entstanden. Aus ihrer Mitte ragt die hölzerne Kirche empor. Sie wurde eigens zu diesem Fest errichtet. Hunderte von Handwerkern haben wochenlang an der Fertigstellung der Palaststadt gearbeitet. Am Ufer liegt eine ganze Schiffsflotte, auf der man Unmengen von Wein, Getreide, Brot, Schlachtvieh und Geflügel herangeschafft hat. Unterwegs trifft Heinrich einen Freund, der ihm erzählt, daß man allein für das Geflügel zwei riesige Hallen errichtet habe, in welchen auf Querstan-

gen Hühner, Enten und Gänse so dicht aufgehängt seien, daß man nicht hindurchschauen könne.

Kaiser Friedrich I., der Rotbart, hat für Pfingsten 1184 zum Hoftag geladen, um die Schwertleite seiner beiden Söhne gebührend zu feiern, und was Rang und Namen hat, ist gekommen. Mit einem Freund aus der schreibenden Zunft, dem südfranzösischen Troubadour Guiot de Provins, den Heinrich zu seiner großen Freude ebenfalls trifft, ist er sich rasch darin einig, daß dieses Hoffest mit denen eines König Artus oder Alexander des Großen zu vergleichen sei. Gislebert von Mons, ein Chronist aus dem Hennegau, der sich zu ihnen gesellt, weiß bereits Zahlen: Herzog Friedrich von Böhmen ist mit 2000 Rittern erschienen, der Kölner Erzbischof mit 1700, Pfalzgraf Kon-

rad bei Rhein, der Bruder des Kaisers, mit 1000 Gefolgsleuten. Aus Italien und Frankreich, selbst aus Spanien und Ungarn haben zahlreiche Ritter den beschwerlichen Weg nicht gescheut. Die Schätzungen über die Gesamtzahl der Versammelten bewegen sich zwischen 40 000 und 70 000 Personen.

Natürlich bringt eine solche Zusammenkunft des hohen Adels auch manches protokollarische Problem mit sich. Wem sollte die große Ehre zustehen, bei der Festkrönung das Reichsschwert zu tragen? Geschickt entscheidet sich der Kaiser für Graf Balduin von Hennegau – und weicht damit einer Zurücksetzung eines der Herzöge aus. Auch zwischen den geistlichen Würdenträgern muß der Kaiser vermitteln; schließlich vermag er Abt Konrad von Fulda dazu zu bewegen, Erzbischof Philipp von Köln den zweiten Rang hinter dem Mainzer Erzbischof zu überlassen.

So kann endlich an diesem 20. Mai, dem Pfingstsonntag, im Beisein von sieben Erz-

bischöfen und zahlreichen Bischöfen mit einem feierlichen Hochamt das Fest eröffnet werden. Kaiser und Kaiserin sowie ihr Sohn, König Heinrich, tragen ihre prächtigen Kronen, als sie die Kirche in großartigem Aufzug betreten. Kaiser Friedrich, begleitet von 70 Fürsten des ganzen Abendlandes, ist in Purpur gewandet; ihm folgt der päpstliche Legat im roten Kleid der Kardinäle; in Violett und Blau, in Weiß oder Schwarz schließen sich Erzbischöfe, Bischöfe und Äbte an. Und schließlich berauschen sich die Zuschauer an dem schier endlosen Strom vergoldeter und versilberter Prachtrüstungen, wertvoller Ketten, seidener Mäntel und kostbarer Roben der vielen Ritter und Grafen, Bürgermeister und Amtsträger, Vögte und Pfalzgrafen, die dem Kaiser ihre Ergebenheit demonstrieren.

Bei den anschließenden Gastmählern und Gelagen, die sich bis in die Nacht hinziehen, versehen die höchsten Fürsten eigenhändig die Ämter des kaiserlichen Truchsesses und Schenken, des Kämmerers und Marschalls.

Am Pfingstmontag besuchen Heinrich und seine Dichterfreunde die Kampfspiele, in denen die Söhne des Kaisers, der junge Prinz Friedrich und König Heinrich, ihren Umgang mit ritterlichen Waffen unter Beweis stellen müssen, kritisch beobachtet von Markwart von Annweiler, ihrem hünenhaften Lehrmeister. 20 000 Ritter stellen sich im Angesicht des Kaisers und unzähliger Gäste auf den Tribünen zum Kampf. Unter wehenden Fahnen und lauten Zurufen der farbenprächtig gekleideten Zuschauer stürmen sie in Einzel- oder Massengefechten aufeinander los. Danach zieht man erneut feierlich zur Kirche, wo die Kaisersöhne ihr Rittergelübde leisten. Wieder im Freien, legt ihnen der Vater die schweren Ritterschwerter an, und die Schar der anwesenden Ritter auf ihren herausgeputzten Pferden ist Zeuge, wie die beiden Kaisersöhne in den Ritterstand aufgenommen und mündig gesprochen werden. Zur Ehre des Tages bringen die Gäste wertvolle Geschenke dar. Schmuck, samtene und seidene Tuche und Schlachtrösser wechseln ihre Besitzer. Heinrich erhält das Herzogtum Savoyen, symbolisiert durch die Fahne, aus der Hand des Vaters zum Lehen. Die savoyische Ritterschaft tritt geschlossen vor und leistet zusammen mit ihrem neuen Herrn den Treueid auf Kaiser und Reich.

Der Pfingstdienstag bleibt ganz dem Turnier vorbehalten. Es gilt nun weniger dem ritterlichen Kräftemessen des Vortags als vielmehr einer opulenten Prachtentfaltung, wie sie die ritterliche Kultur des Abendlandes wohl zu keinem späteren Zeitpunkt mehr geboten hat.

Wie ein Ruf zurück in eine herbe Wirklichkeit wirkt dagegen der düstere Schlußpunkt der festlichen Tage. Ein Sturm, der am Abend über die Maaraue fegt, reißt die Holzkirche sowie viele Zelte um. 15 Menschen kommen dabei zu Tode. Das furchtbare Unglück vermag jedoch die Erinnerung an das großartige Erlebnis dieser Mainzer Tage, eines Hochfestes des Mittelalters und einer Demonstration kaiserlicher Erhabenheit, nicht zu verwischen.

Sieben Jahre später folgte der junge Heinrich seinem berühmten Vater auf den Kaiserthron. 1194 ließ er sich in Palermo zum König von Sizilien krönen. Sein ehrgeiziger Plan, Deutschland mit Sizilien zu einem einheitlichen Reich zu verbinden, scheiterte an seinem frühen Tod 1197 in Messina. Fern der Heimat endete auch das Leben seines jüngeren Bruders Friedrich, des Herzogs von Schwaben. Er fiel 1191 vor den Mauern von Akkon im Heiligen Land auf dem Dritten Kreuzzug.

Pfingstfest zu Mainz
Die Erhebung seiner beiden Söhne, Heinrich und Friedrich, in den Ritterstand nimmt Kaiser Friedrich I. Barbarossa zum Anlaß, im Jahr 1184 in der Maaraue ein glanzvolles Fest auszurichten. Nach dem Ritterschlag übergibt der Kaiser in Anwesenheit der Kaiserin Beatrix und der Großen des Reiches seinem ältesten Sohn Heinrich die Fahne des Herzogtums Savoyen. Mit dieser feierlichen Belehnung findet die Schwertleite ihren würdigen Abschluß. Die Erhebung in den Ritterstand bedeutet das Ende der Lehrjahre als Knappe. Als Ritter sind die beiden Söhne nun mündig und voll waffenfähig.

Vom Hohenstaufen auf den Kaiserthron

Die Tour führt mitten ins Stammland der Staufer. Burg Hohenstaufen wurde zum Zentrum staufischer Macht; sie gab der Familie ihren Namen, die für einige Zeit zum mächtigsten Kaisergeschlecht Europas werden sollte. Im Umkreis der Stammburg entstanden im 12. und 13. Jh. zahlreiche Burgen und Kirchen im schwäbisch-staufischen Stil. Flachgedeckten Pfeilerbasiliken mit reichem Skulpturenschmuck stehen schlichte, aus Buckelquadern gemauerte Burgen gegenüber.

Oberstenfeld Die Gründung des Nonnenstifts Sankt Johannes Baptist fällt in das Jahr 1016. Erhalten blieb aus dieser Zeit die kreuzgewölbte Krypta der Stiftskirche, die ursprünglich wohl ein zweistöckiger Oratoriumsbau war. Anfang des 13. Jh. errichtete man darüber im spätromanischen Stil eine dreischiffige Basilika, wodurch der Chor bühnenartig erhöht werden mußte.
ℹ Besichtigung n. Vereinb., Tel. 07062/5477.

Murrhardt 873 gründete der fromme Einsiedler Walterich das Benediktinerkloster Sankt Januarius. An den Nordturm der Klosterkirche baute man um 1230 die spätromanische Walterichskapelle an. Sie gilt als Kleinod staufischer Baukunst und ist vor allem am Portal und an der Apsis überaus reich mit romanischen Reliefornamenten verziert.

ℹ Walterichskapelle: So 9–19 Uhr (Sommer), an anderen Tagen kann der Schlüssel bei der ev. Kirchenpflege abgeholt werden.

Schwäbisch Gmünd Der Überlieferung nach soll Agnes, die Frau des Stauferherzogs Friedrich I., an der Stelle, wo ihr bei der Jagd verlorener Ehering wiedergefunden wurde, die Johanniskirche gestiftet haben. Auf den Fundamenten hat man 1220 bis 1250 eine Pfeilerbasilika errichtet, die – nach einigen Veränderungen – im 19. Jh. reromanisiert wurde. Kunstvoll gearbeiteter Reliefschmuck und Skulpturen aus der Tier- und Fabelwelt zieren die Außenwände.
ℹ Besichtigung Mo–Fr 10–12, 14–16, Sa, So 14–16 Uhr (Mai–Oktober), sonst nur So 14–16 Uhr.

Lorch Herzog Friedrich I. von Schwaben baute die ehem. Stauferburg auf dem Bergvorsprung über

Hohenstaufen Ein Panoptikum von hervorragenden Kopien staufischer Skulpturen ist im Dokumentationsraum für staufische Geschichte zu sehen (links).

Murrhardt Steinerner Schmuck macht den Reiz des kleinen Chors der Walterichskapelle aus: Palmettenfriese, Zierbänder und zwei Löwenkinder (rechts).

Hohenrechberg Während die Burg Hohenstaufen 1525 brandschatzenden Bauern zum Opfer fiel, blieb Hohenrechberg verschont; doch 1865 wurde sie vom Blitz getroffen und brannte aus. Die mächtige Ruine erinnert heute noch an die einstige Größe (oben). Aus romanischer Zeit stammen der Unterbau des Hauptgebäudes und einige Fenster.

der Rems 1102 zum Benediktiner-kloster aus, das dem Geschlecht als Grablege dienen sollte. In der Klosterkirche, einer flachgedeckten Pfeilerbasilika, fanden aber nur der Stifter und seine Gemahlin Agnes sowie Gertrud von Comburg und Königin Irene ihre letzte Ruhestätte.

Im 19. Jh. wurden diejenigen Teile des Klosters wieder instand gesetzt, die der Zerstörung durch die Bauern 1525 entgangen waren. Unversehrt blieb u. a. der netzgewölbte Nordflü-gel des Kreuzgangs, dessen Reiz gerade in seiner Schlichtheit liegt. Heute befindet sich im Kloster ein Alten- und Pflegeheim.

ℹ Ehem. Kloster: Mo–Sa 8–11.30, 13–17, So 9.30–11.30, 13–17 Uhr (Sommer), sonst nur bis 16 Uhr.

Wäschenbeuren Unweit des Ortes erhebt sich eine guterhaltene, aus Buckelquadern erbaute Burg aus den 30er Jahren des 13. Jh. Die beiden Fachwerkobergeschosse sind späteren Datums. Nach Ritter Konrad dem Wascher wird der Palas Wäscherschlößchen genannt. Die Ministerialenburg diente einst dazu, die Nordflanke des Hohenstaufen zu sichern. Im Hauptgebäude ist eine Staufergedächtnisstätte eingerichtet.

ℹ Besichtigung Di–So 10–12, 13.30–16 Uhr (Mitte April–Oktober) und n. Vereinb., Tel. 07172/6232.

Hohenstaufen Ende des 11. Jh. verlegte Friedrich von Büren, der Urgroßvater des späteren Kaisers Barbarossa, seinen Sitz auf den Hohenstaufen, und fortan nannte sich sein Geschlecht nach dieser Burg. Die Kaiser- und Stammburg war bis Mitte des 12. Jh. in staufischem Besitz und wurde 1525 im Bauernkrieg niedergebrannt. Heute stehen nur noch Reste der Grundmauern.

Der Dokumentationsraum für staufische Geschichte informiert über Berg und Burg; ein Modell zeigt die einstigen Ausmaße der Anlage.

ℹ Dokumentationsraum, Kaiser-bergsteige 22: täglich 10–12, 14–17

Tour durchs Stauferland Die abwechslungsreiche Reise führt durch die schönsten Landstriche des Schwäbischen Walds. Bei klarem Wetter ist die Sicht von den „Kaiserbergen" Rechberg und Hohenstaufen überwältigend.

Uhr (Mitte März–Mitte November).

Hohenrechberg Die Burg war ab dem 13. Jh. Stammburg der Grafen von Rechberg. Heute erhebt sie sich über bewaldeten Hängen nach der Zerstörung durch einen Blitzschlag als mächtige Ruine.

Staufeneck Bis 1333 war die in der ersten Hälfte des 13. Jh. erbaute Burg Sitz eines Reichsministerialengeschlechts. 1830 wurde sie weitgehend abgebrochen; erhalten blieben nur der mächtige, 30 m hohe Turm und einige Umfassungsmauern.

Göppingen Den Glanz staufischer Kunst kann man im Stauferraum des Städtischen Museums bewundern. Bedeutendste Exponate sind die To-tenmaske der Hildegardis von Büren-Egisheim und die Kopie eines in Bronze gegossenen, vergoldeten Kopfbildnisses Barbarossas.

ℹ Städtisches Museum, Wühle-straße 36: Mi, Sa, So 10–12, 14–17 Uhr.

Faurndau Reinste romanische Formen bestimmen die Marienkirche im Göppinger Stadtteil Faurndau, obwohl sie erst zu Beginn des 13. Jh. errichtet wurde. Den gedrungenen Baukörper ziert außen hervorragender figürlicher Skulpturenschmuck.

ℹ Die Kirche ist April–Oktober ganztägig geöffnet. Im Winter kann der Schlüssel beim ev. Pfarramt abgeholt werden.

Denkendorf Um 1125 unternahm der adlige Grundherr Berthold eine Pilgerfahrt nach Jerusalem und schenkte dem dortigen Chorherren-orden vom Heiligen Grab die Den-

Esslingen Normalerweise wendet eine Kirche ihren schönsten Turm der Stadt zu. Nicht so Sankt Dionys, denn der reichere Südturm (links) ist jünger als der schlichte Nordturm.

kendorfer Pelagiuskirche. So wurde ein Chorherr von Jerusalem nach Denkendorf geschickt mit dem Auftrag, dort eine Niederlassung des Stifts zu gründen. Die alte Pelagiuskirche wurde abgerissen und zwischen 1200 und 1250 durch einen Neubau mit Krypta ersetzt. Lediglich Teile des Turms gehen auf die Gründungszeit im 12. Jh. zurück. Die Krypta wurde zum geistigen Mittelpunkt des Klosters; der tiefe Schacht in der Mitte war für die Verehrung des Heiligen Grabes bestimmt. Französischen Einfluß zeigt der plastische Figurenschmuck; Chor und Vorhalle sind bereits der frühen Gotik zuzurechnen.

ℹ Besichtigung der Kirche n. Vereinb., Tel. 0711/3464606.

Esslingen Die ev. Stadtkirche Sankt Dionys am Marktplatz steht an der Stelle, wo sich bereits in karolingischer Zeit eine Zelle mit dem Grab des heiligen Vitalis befand. 1213 gelangte die vermutlich im 9. Jh. neu errichtete Kirche durch Schenkung des Stauferkönigs Friedrich II. an das Speyerer Stift, das nachfolgend zahlreiche Umbauarbeiten veranlaßte. So entstanden im 13./14. Jh. das flachgedeckte Langhaus und die beiden ungleichen Türme, deren Obergeschosse bereits frühgotische Formen zeigen. Auch das prachtvolle Portal ist von diesem reizvollen Übergangsstil geprägt.

Zwischen Heiligkeit und Machtwillen

Der fromme Kaiser Heinrich II. baute Bamberg zu Beginn des 11. Jh. zur Gottesstadt aus. Keine 50 Jahre später verlagerte Kaiser Heinrich III. den Schwerpunkt der Reichsmacht in Franken nach Süden, indem er die Burg von Nürnberg errichten ließ. Im Gebiet zwischen diesen Städten erfolgten zahlreiche Klostergründungen, die von Bamberg ausgingen und auf die auch die Burggrafen von Nürnberg als weltliche Schutzherren Einfluß nahmen. In Heilsbronn fanden sie ihre Grablege.

Nürnberg Mit einer Länge von 220 m ist die Nürnberger Burg einer der größten Wehrbauten Deutschlands. Der Salier Heinrich III. war es wohl, der ihren Grundstein auf dem Felsberg über der sumpfigen Pegnitzniederung legte; zumindest wird die Burg 1050 anläßlich eines Hoftags des Kaisers zum erstenmal erwähnt. Das neue Zentrum der Kaisermacht in Franken setzte ein Gegengewicht zu den Bistümern Eichstätt und Bamberg.

Der mächtige Fünfeckturm stammt noch aus der Zeit der salischen Burg, die sich von hier bis etwa zur Walpurgiskapelle erstreckte. Den Staufern, die ab 1138 den Kaiserthron bestiegen, genügte die karge Wehranlage nicht. Sie überließen sie den Burggrafen und bauten sich die repräsentative Kaiserburg mit dem runden Sinwellturm. Typisch staufisch ist ihre Doppelkapelle, die die Hierarchie der mittelalterlichen Stände widerspiegelt. Die Unterkapelle mit ihren schweren romanischen Kreuzgratgewölben war dem Gefolge vorbehalten. Nur eine quadratische Öffnung verbindet sie mit der eleganten Oberkapelle für den Hofstaat. Darüber thronte der Herrscher in der Westempore.

ℹ️ Kaiserburg: täglich 9–12 und 12.45–17 Uhr (April–September), sonst 9.30–12, 12.45–16 Uhr.

Roßtal Die Gemeinde gehört zu den früh missionierten Gebieten Mainfrankens. Aus dem 11. Jh. stammt die Krypta unter der Pfarrkirche: Mächtige Vierkantpfeiler tragen ein einfaches Tonnengewölbe. Es stehen auch noch Abschnitte der Mauer, die den Kirchhof umgrenzte und hinter der die Dorfbewohner Schutz fanden.

Kaiserburg Nürnberg *Die mächtige Wehranlage überragt die Fachwerkhäuser am Platz vor dem Tiergärtnertor (links). Das Pilatushaus mit dem Erkertürmchen auf dem First beherbergte im 15. Jh. eine Harnischwerkstatt.*

Heidentaufe in Großbirkach *Auf dem Sandsteinrelief hält Johannes der Täufer die runde Erdscheibe mit dem Gotteslamm (unten). Neben ihm schwören zwei Edle dem neuen, christlichen Glauben zu.*

Ehem. Klosterkirche Heilsbronn *Als die Grabkapelle der Grafen von Abenberg dem Bau des gotischen Chors weichen mußte, erhielten ihre Erben, die Nürnberger Burggrafen, das Recht, in der Kirche selbst bestattet zu werden. Die Hochgräber wurden im 16. und 17. Jh. erneuert (links).*

Heilsbronn Als „Schlafkammer der fränkischen Ritter" wird das Münster des ehem. Zisterzienserklosters bezeichnet. Mehr als 500 Gräber verschiedener Adelsgeschlechter befinden sich zum Teil in mehreren Schichten übereinander in der Kirche, deren Mittelschiff von prachtvollen Hochgräbern u. a. der hohenzollerischen Burggrafen von Nürnberg beherrscht wird. Bereits die Herren von Heideck, die Bischof Otto I. von Bamberg 1132 mit Schenkungen bei der Klostergründung unterstützten, hatten ihre Grablege in der romanischen Basilika, deren Kern trotz zahlreicher gotischer Erweiterungsbauten erhalten blieb.

ℹ️ Münster: Mo–Sa 8–12, 13.30–18, So 13.30–18 Uhr (Ostern–November), sonst Schlüssel beim Mesner gegenüber.

Münchaurach Der später heiliggesprochene Bischof Otto I. von Bamberg besetzte das Kloster in Münchaurach um 1130 mit Benediktinern aus Hirsau. Im 13. Jh. geriet das Kloster unter die strenge Schirmvogtei der Nürnberger Burggrafen.

Von späteren Umbauten verschont blieb nur das Langschiff der Basilika Sankt Peter und Paul aus dem dritten Jahrzehnt des 12. Jh. Durch einfache, strenge Gliederung wird eine beeindruckende Raumwirkung erzielt. Schlichte geometrische Formen wie Halbkreise und Schachbrettmuster bilden den zurückhaltenden Schmuck der schweren Würfelkapitelle und Kämpfer.

Münchsteinach Die Kapitelle der ehem. Klosterkirche Sankt Nikolaus zeigen anschaulich, wie die Romanik in ihrer späten Phase immer komplizerte Motive wie Weinlaub, Trauben, Adler und Löwenköpfe zur Ausschmückung ihrer Bauten verwendete. Die eindrucksvolle architektonische Kargheit des Kirchenraums wird durch ein aufgemaltes Fugennetz an den Wänden und durch geometrische Muster in Rot, Gelb und Weiß an den Vierkantpfeilern belebt.

Anfang des 12. Jh. gegründet, stand das Benediktinerkloster ab Mitte des 13. Jh. unter dem weltlichen Schutz der Burggrafen von Nürnberg, die das Kloster jedoch mit hohen Abgaben ruinierten. Als 1525 die Bauern brandschatzend einfielen, bestand der Konvent nur noch aus dem Abt und vier Mönchen.

Großbirkach Bereits 816 stand auf dem Platz der kleinen Pfarrkirche eine Taufkapelle, die der Missionsarbeit der Abtei Münsterschwarzach diente. Jenes Kloster leitete Mitte des 11. Jh. Abt Wolfher, dessen Grabplatte auf unbekannte Weise nach Großbirkach gekommen ist.

Das „Heidentaufe" genannte Bildnis ist die älteste figürliche Steinplastik Frankens und kann im Altarraum besichtigt werden. Aus ihrer Entstehungszeit stammt auch der älteste Teil der heutigen Kirche, der Chorturm, an dessen Außenwand drei Dämonenköpfe zur Teufelsvertreibung angebracht sind.

Bamberg Wie Rom ist Bamberg auf sieben Hügeln erbaut. Kaiser Heinrich II. schwebte vor, hier eine dem Vatikan ähnliche, heilige Stadt zu schaffen. 1007 gründete er das Bistum Bamberg. Seiner Gemahlin Kunigunde verehrte Heinrich seine Lieblingsstadt nach der Hochzeitsnacht als Morgengabe. In der Folgezeit gruppierte das Herrscherpaar um den Dom in Form eines großen Kreuzes die Stifte Michelsberg, Sankt Stephan, Sankt Jakob und Sankt Gangolf.

Heinrich hatte jedoch auch weltpolitische Ziele, die Stadt sollte das Reich gegen die Slawen sichern. Seine Idee von der Untrennbarkeit geistlicher und weltlicher Macht kommt in seinem Sternenmantel zum Ausdruck, der im Diözesanmuseum ausgestellt ist.

Der heutige Dom, eine gelungene Synthese aus Romanik und Gotik, wurde im 12. und 13. Jh. auf dem Grundriß des abgebrannten Kaiserdoms errichtet. Das Hochgrab des später heiliggesprochenen Herrscherpaars im Innern wurde Anfang des 16. Jh. geschaffen. Die Reliefs von Tilman Riemenschneider stellen Legenden um Heinrich und Kunigunde dar.

ℹ️ Diözesanmuseum: Di–So 10–18 Uhr (Ostern–Oktober).

Durch Mittelfranken und den Steigerwald
Auf der B 14 verläßt man Nürnberg und biegt nach Roßtal ab. Vorwiegend auf Landstraßen, die durch reizvolle fränkische Dörfer führen, gelangt man nach Münchaurach. Durch die stille Weiherlandschaft des Aischgrunds geht es weiter nach Münchsteinach. In Richtung Großbirkach fährt man immer wieder auf der Steigerwald-Hochstraße. Ab Ebrach steuert man schließlich Bamberg an.

Sternenmantel Heinrichs II. in Bamberg
Bei einem Besuch Bambergs 1020 legte der Papst dem Kaiser den Mantel um, der seinen Träger als *Herrscher der Welt und Stellvertreter Gottes ausweist. Seine Stickereien wurden im 15. Jh. auf blauen Seidendamast übertragen.*

Augsburg Auf zwei Löwen ruht der romanische Bischofsthron aus Marmor im Westchor des Doms.

Altenstadt (Oberbayern) In der wuchtigen Wallfahrtskirche Sankt Michael, der einzigen vollständig erhaltenen romanischen Gewölbebasilika Oberbayerns aus dem frühen 13. Jh., steht über dem Hauptaltar ein monumentales Holzkruzifix (um 1200). Seine enormen Ausmaße – es ist 3,2 m hoch und ebenso breit – haben ihm den Namen „Großer Gott von Altenstadt" eingebracht. Es galt früher als wundertätig. Ebenfalls aus romanischer Zeit stammt in der Südapsis die Taufkufe aus Sandstein mit schmückenden Reliefs.

Augsburg Um die Mitte des 11. Jh. ließ Bischof Heinrich II. einen romanischen Domneubau errichten. Auf diese Zeit geht die berühmte Bronzetür an der Südseite des Langhauses zurück, die man aus mehreren Türen zusammengesetzt hat. Die 35 Relieftafeln sind reich mit figürlichen Darstellungen verziert. Zu den Schätzen des Doms gehört ein Gemäldezyklus (um 1100) in den Fenstern der südlichen Hochwand des Mittelschiffs, der fünf Propheten in romanisch-strenger Haltung zeigt. Es sind die ältesten figürlichen Glasmalereien in der Bundesrepublik Deutschland.

Bad Bentheim An der Südterrasse des fürstlichen Schlosses steht der berühmte „Herrgott von Bentheim" (11./12. Jh.). Das Sandsteinkreuz mit bekleideter Jesusfigur wurde in der Nähe des Schlosses gefunden.
ⓘ Schloß Bentheim: täglich 9.30 bis 18 Uhr (Mitte März–Oktober).

Bad Münstereifel Seit 1975 ist das Heimatmuseum der Stadt in einem der ältesten Steinhäuser des Rheinlands untergebracht, dem Romanischen Haus. Das zweigeschossige Gebäude aus Bruchsteinmauerwerk mit mehreren zwei- und dreigeteilten Rundbogenfenstern und eingestellten Säulen wurde in den 60er Jahren restauriert, und dabei erst fand man Aufschluß über das Alter des Hauses: Es wurde um 1166 erbaut. Die Ausstellung zeigt u.a. mittelalterliches Gerät und sakrale Holzplastiken. Aus romanischer Zeit stammt auch die Stiftskirche. Eine Krypta unter der Westseite des Chors birgt das Grab der Märtyrer Chrysanthus und Daria.
ⓘ Heimatmuseum, Langenhecke: Di–So 9–12, Mi auch 14–16 Uhr.

Bingen (Rhein) Oberhalb der Stadt überspannt die Drususbrücke (um 1000) die Nahe. Im Zweiten Weltkrieg wurde die Brücke mit ihren sieben großen, auf mächtigen Pfeilern ruhenden Rundbogen schwer beschädigt. Nach dem Wiederaufbau präsentiert sie sich heute in ihrer ursprünglichen Gestalt. In einem Pfeiler befindet sich eine Brückenkapelle.

Drususbrücke bei Bingen Die älteste mittelalterliche Brücke Deutschlands überspannt oberhalb der Stadt die Nahe.

Bücken Bei der Stiftskirche von Bücken bei Hannover lassen sich an den verwendeten Baumaterialien die drei wichtigsten Bauperioden ablesen. Der im 11. Jh. errichtete Bau war eine niedrige, flachgedeckte Basilika aus Sandstein, von der noch das Portal am Ostende des nördlichen Seitenschiffs erhalten ist. In der zweiten Periode (Mitte 12. Jh.) verwendete man Granitplatten und Bruchsteine. Im 13. Jh. schließlich wurde mit Ziegel gearbeitet, und aus dieser Zeit stammen auch die beiden weithin sichtbaren Türme. Mitte des 19. Jh. hat man die Kirche außen und innen restauriert.

Büdingen Östlich der am Südhang des Vogelsbergs gelegenen Stadt wurde im 12. Jh. auf einer Bachinsel eine Wasserburg errichtet, ein Glied im staufischen Befestigungssystem der Wetterau. In die Anfangszeit des Burgbaus (zweite Hälfte des 12. Jh.) weisen die Buckelquader der alten Wehrmauer, die in der Außenfront der 13eckigen Kernburg noch erhalten ist. Im geschlossenen Burghof finden sich Reste aus der romanischen Bauperiode, etwa an der Fenstergruppe des sogenannten Byzantinischen Zimmers im Palas und in der aus dem 13. Jh. stammenden Kapelle. Den Gesamteindruck der Schloßanlage bestimmen freilich Bauten aus späterer Zeit.
ⓘ Führungen Mo–So 14, 15, 16 Uhr sowie für Gruppen n. Vereinb.

Freising Die berühmte Bestiensäule in der Domkrypta ist reich mit Dämonen, Drachen, Fabelwesen und Menschengestalten geschmückt.

Bunde Die Martinskirche wurde im 13. Jh. an der Stelle einer älteren, schon ins 11. Jh. zu datierenden Kirche errichtet. Ältester Teil der ostfriesischen Backsteinkirche ist das einfach gehaltene Langhaus (um 1200). Die Überlieferung spricht von einem orkanartigen Sturm, dem 1246 der Turm zum Opfer fiel. Diese Katastrophe mag Anlaß für den Neubau des Ostteils gewesen sein, der viel reicher geschmückt wurde.
ⓘ Besichtigung und Führung n. Vereinb., Tel. 0 49 53/3 65.

Burgfelden Die ev. Kirche Sankt Michael in Burgfelden auf der Schwäbischen Alb verrät durch ihre einfachen Formen und den quadratischen Glockenturm ihren Ursprung im 11. Jh. Vor knapp 100 Jahren legte man im Innern der im Kern romanischen Kirche einen Zyklus mit Wandfresken aus der Erbauungszeit frei: Dargestellt sind Marty-

Fritzlar Ein Scheiben-reliquiar des Dom-schatzes ist auf der Vorderseite mit einer aus Knochen ge-schnitzten Apostel-reihe verziert.

riumsszenen, das Weltgericht, die Geschichte des Barmherzigen Samariters und die des Lazarus.

ⓘ Der Kirchenschlüssel kann im Haus Kellenburg 3 abgeholt werden.

Emmerich Hier gründete der Legende nach der heilige Willibrord um 700 eine Kirche, von der freilich außer der Kunde darüber nichts erhalten ist. Zum Schatz der später – um 1040 – errichteten Kirche Sankt Martini gehört jedoch ein Taschenreliquiar vermutlich aus dem 11. Jh., das als die Arche des heiligen Willibrord bekannt ist. Dieses wertvolle Werk früher Goldschmiedekunst hat im Kern einen Eichenholzbehälter, der mit vergoldetem Silberblech überzogen und mit Edelsteinen, Filigranarbeiten und Evangelistensymbolen verziert ist.

Vom romanischen Kirchenbau des 11. Jh. sind der Ostteil und die Krypta mit ihren sechs Bündelsäulen erhalten. Im Innern des Chors fand sich noch so viel vom ursprünglichen Bodenbelag, daß man dieses Beispiel romanischer Zierkunst aus weißen und blauen Platten wiederherstellen konnte. Das geschnitzte Holzkruzifix mit einem strengen, majestätischen Christus stammt aus der Zeit um 1170.

ⓘ Schatzkammer: Wegen Restaurierung bis Ende 1989 geschlossen; Besichtigung nur n. Vereinb., Tel. 0 28 22/7 05 20.

Freising Der gotisch und barock veränderte Dom der Isarstadt ist im Kern romanisch, wie die vierschiffige Krypta deutlich macht. Jede der Gewölbe- und Wandsäulen ist individuell gestaltet. Zu besonderer Berühmtheit hat es die vierte Säule in der mittleren Reihe gebracht: die Bestiensäule, auf welcher symbolisch der Kampf der Kirche gegen den Satan dargestellt ist.

Fritzlar Von 919, als Heinrich I. in der Stadt gekrönt wurde, bis zum Ende der Salierzeit war Fritzlar einer der beliebtesten Aufenthaltsorte der deutschen Könige in Hessen. Zahlreiche Reichs- und Kirchenversammlungen fanden hier statt; auf einer davon wurde im Juli 1118 Kaiser Heinrich V. exkommuniziert. Noch vor diesem Ereignis muß der romanische Neubau des Doms geweiht worden sein; diesem Bau war eine ganze Reihe anderer vorausgegangen. Heute kann die dreischiffige Gewölbebasilika in ihrem äußeren Erscheinungsbild die vielen An- und Umbauten – auch späterer Jahrhunderte – nicht leugnen. Die verzierten Spitzbogenfenster und das reichgegliederte Säulenportal sind Zeugnisse des reizvollen Übergangsstils von der Spätromanik zur Frühgotik. Im Inneren ist nur wenig aus romanischer Zeit geblieben.

Dafür aber hat der Domschatz Wertvolles zu bieten: Berühmtestes Stück ist ein Scheibenreliquiar aus der Zeit um 1160. Es hat die Form eines Halbkreises und ist auf der einen Seite überreich mit goldenen Rankenornamenten verziert, auf der anderen trägt es eine aus Knochen geschnitzte Apostelreihe und im Bogenfeld darüber eine Goldtreibarbeit, die Christus zwischen zwei

Limburg an der Haardt Die ehem. Klosteranlage der Salier ist fast verfallen. Dennoch zeugt sie auch heute noch von ihrer einstigen Größe.

Engeln darstellt. Die goldene Bekrönung, die als liturgischer Kamm gedeutet wird (dem allerdings die Zinken fehlen), ist eine iroschottische Arbeit des 7. Jh. Kostbar ist auch das um 1020 geschaffene Heinrichskreuz, das in seinem Zentrum einen Splitter trägt, der vom Kreuz Christi stammen soll. Es ist mit Gemmen, Edelsteinen und Perlen verziert.

ⓘ Domschatz und Dommuseum: Mo–Sa 10–12, 14–17, So 14–17 Uhr (Sommer), sonst nur bis 16 Uhr.

Grünsfeldhausen Ein architektonischer Dreiklang bestimmt die 1186–1210 errichtete Achatiuskapelle in dem kleinen Dorf nahe Tauberbischofsheim. Chor, Turm und Zentralbau haben jeweils die Form eines Achtecks. Der Bau darf wohl als Nachbildung der Grabeskirche in Jerusalem angesehen werden. Im Chorgewölbe sind Reste der ursprünglichen Ausmalung zu sehen.

Helden In dem zu Attendorn gehörenden Weiler steht auf einem Felshügel eine im späten 11. Jh. vom Kölner Erzbischof Anno gegründete Kirche. Die Krypta birgt in der Reliquiennische die ältesten romanischen Wandmalereien Westfalens: die Umrißzeichnung zweier Gefährtinnen der heiligen Ursula.

Kobern Heinrich von Isenburg kam vom Kreuzzug 1217–1221 mit einer Reliquie zurück: dem Kopf des heiligen Matthias. Dafür ließ er die Matthiaskapelle bei Kobern an der Mosel errichten; ihr Vorbild war die Templerkapelle von Tomar in Portugal, an der die Kreuzritter vorbeigekommen waren. Der Sechseckbau mit Umgang, Rundapsis und Turm aus dem 13. Jh. hat einen kleinen Innenraum, der in seiner Ausgestaltung schon gotische Züge trägt. Die Wände sind durch säulenartige Kleeblattarkaden gegliedert.

ⓘ Der Kirchenschlüssel kann bei der Gemeindeverwaltung abgeholt werden, Tel. 0 26 07/10 57.

Limburg an der Haardt Um 1030 wandelte Konrad II., erster Herrscher der Salierdynastie, die aus dem väterlichen Besitz stammende Limburg bei Bad Dürkheim in ein Benediktinerkloster um. Teile der Anlage und der Klosterkirche sind noch erhalten. In der Kirche hat man seltene salische Wandmalereien entdeckt, die sich heute im Historischen Museum in Speyer befinden.

Lügde Die Kirche Sankt Kilian blieb von späteren Veränderungen weitgehend verschont, so daß sich der Bau aus rotem Sandstein fast so präsentiert, wie er Ende des 12. Jh. errichtet wurde – nämlich als kleine, durchgehend gewölbte Kreuzbasilika. In der Hauptapsis haben sich Reste von Fresken aus der Erbauungsphase erhalten. Sie gehören zu den ältesten Wandmalereien Ostwestfalens und zeigen Christus als Weltenrichter zusammen mit Maria, Johannes und weiteren Heiligen.

Der Alte Turm in Mettlach Der achteckige Bau wurde Ende des 10. Jh. als Grabstätte für den Kirchengründer errichtet. Der runde Treppenturm kam wohl erst später dazu.

Mettlach Der Frankenfürst Liutwin, späterer Erzbischof von Trier, der als Heiliger verehrt wurde, gründete hier um 695 ein Benediktinerkloster. Das einzige aus der Romanik erhaltene Gebäude der Abtei ist der Alte Turm, nach dem Vorbild der Aachener Pfalzkapelle als Grablege für den Kirchengründer errichtet. Das Erdgeschoß wurde um 1300 gotisch verändert.

Möhnesee Für eine Heidenkapelle hielt Karl Friedrich Schinkel, der berühmte Baumeister des 19. Jh., die Drüggelter Kapelle bei Delecke am Möhnesee. Hätte Schinkel gewußt, daß der Stifter der Kapelle, Graf Gottfried I. von Arnsberg, ein Kreuzritter war, der am Kreuzzug von 1217 teilgenommen hatte – sein Urteil wäre sicher anders ausgefallen. Der vermutlich Mitte des 12. Jh. errichtete zwölfeckige Zentralbau ist wohl eine Nachbildung der Grabeskirche von Jerusalem und weist daher merkwürdig altertümlich anmutende Züge auf. Bemerkenswert sind im Innern der Kreuzfahrerkirche die zwölf eng gesetzten Säulen und eine mittlere konzentrische Anordnung von zwei Säulen und zwei Pfeilern sowie die drei verschiedenen romanischen Gewölbeformen: Kuppel-, Tonnen- und Kreuzgewölbe.

Moosburg a.d. Isar Die in der zweiten Hälfte des 12. Jh. erbaute Stiftskirche Sankt Kastulus gehört zu den ältesten Backsteinbauten Altbayerns. Der am reichsten verzierte Bauteil ist das aufwendige Westportal, das nach einem Brand zu Beginn des 13. Jh. mitsamt dem benachbarten Turm hinzukam.

Münstermaifeld Von der in der ersten Hälfte des 12. Jh. erbauten Stiftskirche ist das mächtige Westwerk erhalten, das trutzig wie ein wehrhafter Bergfried die südlich von Koblenz gelegene Stadt überragt. Auch im Chor und Querschiff finden sich Reste spätromanischer Elemente, so z.B. eine Wandmalerei an der Nordwand des Querschiffs, die bei Restaurierungsarbeiten in den 20er Jahren zum Vorschein kam. Sie zeigt eine große Christophorusfigur. Das Langhaus ist bereits vom frühgotischen Stil geprägt.

Osnabrück 785, nachdem der Sachsenherzog Widukind als äußeres Zeichen seiner Unterwerfung zum Christentum übergetreten war, ließ Karl der Große nahe der Hase einen Bischofssitz errichten, um ihn zum Zentrum der Missionierung von Engern und Sachsen und zugleich der politischen Herrschaft zu machen. Am Dom Sankt Peter wurde vom 11. bis 16. Jh. gebaut; im heutigen Bild der Gewölbebasilika ist neben dem gotischen Stil auch der romanische Einschlag unverkennbar. Im Innern besticht ein riesiges Triumphkreuz (um 1250), das im Gewölbe vor der Vierung hängt. An seinen erweiterten Enden sind vergoldete Symbole der Evangelisten angebracht.

Zu den kostbarsten Schätzen des Diözesanmuseums gehört das um

Moosburg Sechsfach staffeln sich die Bogen über dem Tympanon am Westportal der Stiftskirche Sankt Kastulus (rechts). Das Bogenfeld zeigt den Kirchenpatron, wie er zu Christus und Maria tritt.

1050 geschaffene, überreich geschmückte Kapitelkreuz. Vergoldetes, mit zartem Filigran überzogenes Silberblech umkleidet einen Holzkern. Sehenswert sind auch andere Kultgeräte sowie Skulpturen, kirchliche Textilien und Kirchenmobiliar.
ℹ Domschatzkammer und Diözesanmuseum, Kleine Domsfreiheit 24: Di–Fr 10–13, 15–17, Sa, So 10–13 Uhr.

Rieseby Den spätromanischen Charakter der außen aufwendig gestalteten Backsteinkirche (um 1225) des Ortes bei Eckernförde zeigt am besten die Nordseite. Bei der Renovierung 1912 achtete man besonders auf den Erhalt der romanischen Elemente. Im Innern jedoch finden sich außer einem Granittaufstein keine weiteren Stücke aus dieser Zeit.

Soest Den schönsten Turm romanischer Architektur in Deutschland habe, so sagen die Experten wohl zu Recht, die Stiftskirche Sankt Patroklus in Soest. Erzbischof Bruno von Köln, der Bruder Kaiser Ottos I., gründete hier 954 ein Kloster, dem er die Gebeine des römischen Märtyrers schenkte. Um 1000 dürfte der erste Kirchenbau vollendet gewesen sein, der aber in der Folge erweitert

und erneuert wurde. Der erst kurz vor 1300 fertiggestellte mächtige Turm ist das Wahrzeichen der Sandsteinkirche, in deren Westwerk ein Dommuseum untergebracht ist. Neben liturgischen Geräten sind hier u.a. die Reste der Chorverglasung aus dem 12. Jh. ausgestellt.

In der Hohnekirche wurde der Soester Typ der Hallenkirche am klarsten ausgeformt, der in ganz Westfalen Schule machen sollte. Der dreischiffige Raum ist mehr breit als lang und vereint Gedrungenheit und Weite zu einem harmonischen Gesamteindruck. Die Wandmalerei verdient besondere Beachtung.
ℹ Dommuseum im Westwerk: Sa 10.30–12.30, 14–16, So 11.30–12.30, 14–16 Uhr und n. Vereinb.

Soest-Ostönnen Den Ort ziert eine aus Grünsandsteinquadern erbaute, gut erhaltene romanische Dorfkirche. Bei Restaurierungsarbeiten hat man Fresken aus dem 13. Jh. freigelegt und wiederhergestellt, darunter einen aufgemalten Wandteppich an der Westwand über dem Turmbogen der Gewölbebasilika.
ℹ Andreaskirche: Fr–So 15–18 Uhr, sonst kann der Schlüssel beim Küster gegenüber abgeholt werden.

Soest *Eine Kostbarkeit des Dommuseums ist das einzige Kissen mit prachtvollen Seidenstickereien, das aus dem frühen 12. Jh. noch erhalten ist. Es diente wohl als Unterlage für die Reliquien des Namenspatrons der Kirche.*

Sörup Die einschiffige Saalkirche ist der früheste und besterhaltene romanische Granitsteinbau in Schleswig-Holstein. Die Außenfassade besteht aus sorgfältig behauenen oder profilierten Quadern, das übrige Mauerwerk aus Feldsteinen. Äußerer Blickfang ist das viersäulige Nordportal. Ein weiteres, zweisäuliges Portal aus der Zeit der Romanik ist im spätgotischen Westturm erhalten. Die Bogenfelder beider Portale sind mit naiv anmutenden Reliefdarstellungen des thronenden Christus zwischen Petrus und Paulus geschmückt. Im Innern sollte man sich unbedingt die gotländische, überreich mit Figuren geschmückte Kalksandsteintaufe ansehen.

Trier Auf den Überresten der mehrmals in Schutt und Asche gelegten ältesten Bischofskirche Deutschlands (der erste Bau war 383 abgeschlossen) begann man in der ersten Hälfte des 11. Jh. unter Erzbischof Poppo, der kurz zuvor aus dem Heiligen Land zurückgekehrt war, mit dem Bau des heutigen Doms. In dieser Zeit entstand das Westwerk. Mit seinem rhythmischen Wechsel von runden Formen und geraden Flächen präsentiert es sich heute noch annähernd in seiner ursprünglichen Gestalt. Im 12. Jh. kam der Ostchor

hinzu, und später erhielten die drei Schiffe ihr Kreuzrippengewölbe.

Eines der erlesensten Stücke des wertvollen Domschatzes (vom Innern des Doms aus zugänglich) ist der reichverzierte Andreas-Tragaltar. Weitere Exponate sind u.a. ein illuminiertes sächsisches Evangeliar (11. Jh.) sowie Bischofsstäbe, Rauchfässer und andere liturgische Geräte aus verschiedenen Jahrhunderten. Bedeutendste und heiligste Reliquie des Domschatzes ist der Heilige Rock, den man für den Leibrock Christi hält. Die heilige Helena soll ihn in Palästina gefunden und 326 nach Trier gebracht haben, wo sie eigens zu seiner Aufbewahrung den Dom errichten ließ. Nur äußerst selten bekommt man ihn zu Gesicht: Normalerweise unter Verschluß, wird er zwei- bis dreimal im Jahrhundert zur Schau gestellt. Wann die braune Tunika das nächstemal gezeigt wird, steht noch nicht fest.

Das Bischöfliche Museum dokumentiert die lange und vielseitige Baugeschichte des Doms. Daneben sind Werke christlicher Kunst von der Karolingerzeit bis zum Rokoko ausgestellt.

 Dom: täglich 6–12, 14–17.30 Uhr, Führungen n. Vereinb., Tel. 0651/75801; Domschatzkammer: Mo–Sa 10–12, 14–17, So 14–17 Uhr (April–Oktober).
Bischöfliches Museum, Windstraße 6–7: Mo–Fr 9–17, Sa, So 9–13 Uhr.

Der Andreas-Tragaltar im Trierer Dom
Das verschwenderisch mit Gold und Edelsteinen geschmückte Eichenholzreliquiar (um 980) trägt einen lebensgroßen, goldgetriebenen Fuß. Der Tragaltar wurde als Sandalenreliquie des heiligen Andreas geschaffen.

Überlingen Die aus vorromanischer Zeit stammende Silvesterkapelle im Stadtteil Goldbach enthält kostbare und äußerst seltene ottonische Monumentalmalereien aus dem ausgehenden 10. Jh. Im Chorraum, wo die Fresken am besten erhalten sind, findet sich eine Darstellung der zwölf Apostel, der beiden Kirchenstifter und ihrer Schutzheiligen.
 Der Schlüssel zur Kapelle kann n. Vereinb. abgeholt werden: Goldbach 10, Tel. 07551/1573.

Wildeshausen 851 wurde hoch über der Hunte ein Stift gegründet, in dessen Kirche die Gebeine des heiligen Alexander eine Ruhestätte fanden. Die heutige Pfeilerbasilika entstand zwischen 1224 und 1230 als Neubau einer spätestens im 12. Jh. errichteten Kirche. In ihrem Grundriß gleicht sie dem Osnabrücker Dom. Der mächtige Westturm kam erst später dazu.

Würzburg Hier liegt vermutlich der bedeutendste Dichter und Sänger des Mittelalters begraben: Walther von der Vogelweide. Als Verfechter der Ordnung des staufischen Reichs gegen die Machtansprüche des Pap-

stes machte er die Spruchdichtung zu einer äußerst wirksamen politischen Waffe; berühmt wurde er auch durch seine Minnelieder. Als Angehöriger des niederen Adels verfügte er nur über bescheidene Mittel; seine Existenz war erst gesichert, als ihm Friedrich II. ein Lehen bei Würzburg schenkte. Sein Grab vermutet man beim Neumünster, einer romanischen Basilika aus dem 11. Jh., die später im barocken Stil umgestaltet wurde. Vor den spätromanischen Kreuzgangsbogen im sogenannten Lusamgärtchen (Zugang nördlich vom Chor) fand der Dichter – so nimmt man an – seine letzte Ruhestätte.

Das Neumünster steht in unmittelbarer Nachbarschaft des Doms. Er ist dem irischen Missionar Kilian geweiht, der 689 in Würzburg den Märtyrertod erlitt. Die dreischiffige Kreuzbasilika geht im wesentlichen auf das 11. und 12. Jh. zurück. Trotz mancher Veränderungen und Umbauten in späteren Jahrhunderten konnte der Außenbau seinen romanischen Charakter bewahren. Unter der langen Reihe bischöflicher Grabdenkmäler im Innern des Doms findet sich auch ein romanisches: das im Mittelschiff eingelassene Grabdenkmal des 1190 verstorbenen Bischofs Gottfried von Spitzenberg. Die Figur des Verstorbenen scheint regelrecht in den zu schmalen Rahmen des Gedenksteins hineingepfercht.
 Dom Sankt Kilian: Mo–Sa 10–17 Uhr (Ostern–Mitte Juli), sonst 10–12, 14–17 Uhr; Domkrypta: Mo–Sa 11–12 Uhr.

Otto der Große

Am 7. August 936 wurde der 24jährige Otto zum deutschen König gekrönt. Die Feierlichkeiten fanden in Aachen, der Pfalz Karls des Großen, statt. Sie waren politischer Staatsakt, Schauspiel für die Öffentlichkeit und Bestätigung der neuen Dynastie der sächsischen Ottonen. Über die glanzvollen Ereignisse berichtet der Geschichtsschreiber Widukind von Corvey:

Als Ort der allgemeinen Wahl nannte und bestimmte man die Pfalz Aachen. [...] Und als man dorthin gekommen war, versammelten sich die Herzöge und obersten Grafen mit der übrigen Schar vornehmster Ritter in dem Säulenhof, der mit der Basilika Karls des Großen verbunden ist, setzten den neuen Herrscher auf einen dort aufgestellten Thron, huldigten ihm, gelobten ihm Treue, versprachen ihm Unterstützung gegen alle seine Feinde und machten ihn nach ihrem Brauch zum König. Während dies die Herzöge und die übrige Beamtenschaft vollführten, erwartete der Erzbischof [Hildebert von Mainz] mit der gesamten Priesterschaft und dem ganzen Volk im Innern der Basilika den Auftritt des neuen Königs. Als dieser erschien, ging ihm der Erzbischof entgegen, berührte mit seiner Linken die Rechte des Königs, während er selbst in der Rech-

ten den Krummstab trug, bekleidet mit der Albe, geschmückt mit Stola und Meßgewand, schritt vor bis in die Mitte des Heiligtums und blieb stehen. Er wandte sich zum Volk um, das ringsumher stand – es waren nämlich in jener Basilika unten an oben umlaufende Säulengänge –, so daß er vom ganzen Volk gesehen werden konnte, und sagte: „Seht, ich bringe euch den von Gott erwählten und von dem mächtigen Herrn Heinrich einst designierten, jetzt aber von allen Fürsten zum König gemachten Otto; wenn euch diese Wahl gefällt, zeigt dies an, indem ihr die rechte Hand zum Himmel emporhebt." Da reckte das ganze Volk die Rechte in die Höhe und wünschte unter lautem Rufen dem neuen Herrscher viel Glück. Dann schritt der Erzbischof mit dem König, der [...] mit einem eng anliegenden Gewand bekleidet war, hinter den Altar, auf dem die königlichen Insignien lagen: das Schwert mit dem Wehrgehänge, der Mantel mit den Spangen, der Stab mit dem Zepter und das Diadem. [...]

Auf der Stelle wurde er [Otto I.] mit dem heiligen Öl gesalbt und mit dem goldenen Diadem gekrönt von eben den Bischöfen Hildebert und Wigfried, und nachdem die rechtmäßige Weihe vollzogen war, wurde er von denselben Bischöfen zum Thron geführt, zu dem man über eine Wendeltreppe hinaufstieg, und er war [...] so aufgestellt, daß er von da aus alle sehen und selbst von allen gesehen werden konnte.

Otto der Große *Der sächsische Herrscher knüpfte an karolingische Traditionen an und ließ sich 962 in Rom zum Kaiser krönen. Sieben Jahre zuvor hatte er die Ungarn auf dem Lechfeld bei Augsburg vernichtend geschlagen.*

Heinrich IV.

Unter Kaiser Heinrich IV. aus dem Haus der Salier erreichte die deutsche Kaisermacht einen Tiefpunkt. Heinrichs Gang nach Canossa im Jahr 1077 und der offene Krieg gegen seinen aufbegehrenden gleichnamigen Sohn waren die Marksteine des Niedergangs im Abwehrkampf gegen Papst und Hochadel. Im Jahr seines Todes 1106 schreibt der Kaiser in einem Brief, der eine einzige Anklage ist, an den Abt Hugo von Cluny:

Wie wir glauben, weißt Du [...], daß wir [unseren] Sohn gegen den Willen vieler Männer auf den Thron des Reichs gehoben haben. Bei seiner Wahl in Mainz [Mai 1098] sicherte er uns eidlich Leben und Sicherheit für unsere Person zu und schwor, daß er sich betreffs unserer Herrschaft, aller Rechte und alles dessen, was wir besaßen oder noch besitzen würden, zu unsern Lebzeiten in keiner Weise einmischen würde. Dasselbe schwor er uns auch auf das Kreuz und den Nagel des Herrn an der Lanze vor allen Fürsten, als er in Aachen inthronisiert wurde [Januar 1099]. Aber das alles hat er beiseite geschoben und

vergessen und auf den Rat wortbrüchiger und meineidiger Männer, die unsere Todfeinde sind, sich von uns getrennt und sucht nun, uns auf jede Weise zu schädigen [...]. Er schickt sich an, unsere Burgen zu belagern, und maßt sich unser Gut an. [Er] hatte keine Bedenken, uns von Stadt zu Stadt zu hetzen und alles, was uns gehört, nach Möglichkeit an sich zu reißen. So gelangten wir nach Köln. [...] Mitten auf dem Weg aber wurde uns heimlich hinterbracht, daß wir verraten werden sollten. Als er indessen erfuhr, daß uns das mitgeteilt worden war, begann er zu schwören und zu fluchen, das sei auf keinen Fall wahr [...].

Vater-Sohn-Konflikt *Kaiser Heinrich IV. (links im Bild) übergibt seinem Sohn, König Heinrich V., die Insignien der Herrschaft: Krone, Schwert und Reichsapfel. Doch der Krönung folgte der Zwist. Heinrich V. zwang seinen Vater abzudanken, dessen Tod 1106 die militärische Entscheidung zwischen Vater und Sohn über die Herrschaft im Reich verhinderte.*

Heinrich der Löwe

Starrsinnig und überheblich verweigerte der Welfenherzog Heinrich der Löwe 1176 dem Kaiser Friedrich I. Barbarossa, dem er bis dahin an Ansehen nahezu gleichkam, die schuldige Unterstützung im Kampf gegen die äußeren und inneren Feinde des Reiches. Wie dieser Konflikt schließlich endete, erzählt Abt Arnold von Lübeck in seiner Chronik:

Der Herzog [Heinrich der Löwe] indes bat, da er sich in die Enge getrieben sah, den Herrn Kaiser um die Erlaubnis, unter kaiserlichem Geleit nach Lüneburg kommen zu dürfen, weil er hoffte, bei demselben auf irgendeine Weise Erbarmen zu finden. [...] So kam er nach Lüneburg und bemühte sich, durch Unterhändler den Kaiser auf jegliche Weise zu besänftigen. Auch seine Gefangenen, den Landgrafen Ludwig und dessen Bruder, den Pfalzgrafen Hermann, entließ er aus der Haft, in der Hoffnung, durch solche Taten der Güte einige Gnade zu erlangen; allein er erreichte nichts. Der Kaiser brach von da auf und [es wurde] ein anderer Hoftag zu Erfurt [1181] anberaumt. [...] Der Herzog nun erschien an dem anberaumten Gerichtstag und warf sich dem Kai-

Heinrich und Mathilde Der Welfe (links) war in zweiter Ehe mit Mathilde (rechts), der Tochter des englischen Königs, verheiratet.

ser zu Füßen, indem er sich völlig dessen Gnade überlieferte. Dieser hob ihn vom Boden auf, küßte ihn und beklagte es mit Tränen in den Augen, daß ihre Uneinigkeit so lange gewährt und er sich seinen Sturz selbst zugezogen habe. Ob aber diese Tränen aufrichtig gemeint waren, steht zu bezweifeln; er scheint kein aufrichtiges Mitleid mit dem Herzog empfunden zu haben, da er ihn nicht wieder in seine frühere ehrenvolle Stellung zu bringen versuchte. Freilich konnte er das für den Augenblick auch wegen seines Eidschwures nicht. [...] So viel jedoch wurde zugunsten des Herzogs bewilligt, daß er seine Erblande [Braunschweig und Lüneburg] ohne jeden Einspruch besitzen sollte.

Der Herzog nun verbannte sich auf drei Jahre [1182–1185] aus seinem Land, indem er eidlich gelobte, innerhalb dieser Zeit dasselbe nicht betreten zu wollen, außer wenn der Kaiser ihn zurückriefe. Er reiste zu seinem Schwiegervater, dem König von England, begleitet von seiner Gemahlin und seinen Kindern, und hielt sich bei demselben während dieses ganzen Zeitraums auf.

Friedrich II.

Der Stauferkaiser hatte dem Papst als Gegenleistung für seine Kaiserwahl 1215 versprochen, einen Kreuzzug durchzuführen. Vom Papst gebannt, weil er die Fahrt mehrfach verschob, brach Friedrich schließlich 1228 ins Heilige Land auf. In der Grabeskirche krönte er sich zum König von Jerusalem. Die Ankunft im Heiligen Land schildert ein zeitgenössischer Bericht:

Im selben Jahre schiffte sich der Römische Kaiser Friedrich auf dem mittelländischen Meere ein [28.6.], um die dem HERRN gelobte Kreuzfahrt auszuführen, und landete am Tage vor der Geburt der heiligen Jungfrau [7.9.] bei Akkon. Die Geistlichkeit und das Volk kamen ihm entgegen und empfingen ihn mit großen Ehrenbezeigungen, wie es einem solchen Mann gebührte. Weil sie aber wußten, daß er vom Papste exkommuniziert sei, so pflogen sie keine Gemeinschaft mit ihm, weder durch den Kuß noch durch das Mahl, sondern rieten ihm, er solle dem Herrn Papst Genugtuung leisten und zur Einheit der heiligen Kirche zurückkehren. Die Templer und Hospitaliter dagegen verehrten ihn bei seiner Ankunft mit gebeugten Knien und küßten ihm

die Knie. Und das ganze anwesende Heer der Gläubigen pries Gott bei seiner Ankunft, in der Hoffnung, durch ihn werde Israel Heil widerfahren. Darauf erhob der Kaiser vor dem ganzen Heere eine schwere Anklage gegen den Römischen Bischof [Papst], daß er nämlich ein ungerechtes Urteil über ihn gefällt habe, und versicherte, daß er nur wegen seiner sehr ernsten Erkrankung die Heerfahrt zum Schutze des Heiligen Landes aufgeschoben habe. Der Sultan von Babylon aber schickte ihm, nachdem er von seiner Ankunft in Syrien erfahren hatte, viele und wertvolle Geschenke: Gold, Silber, seidene Tücher, kostbare Steine, Kamele und Elefanten, Bären und Affen und andere staunenerregende Dinge, deren aller die Länder des Westens entbehren. Der Kaiser aber fand zu der Zeit, wo er in Akkon landete, [...] achthundert Kreuzritter und ungefähr zehntausend Fußsoldaten [vor]. Diese alle hatten, von gleichem Eifer beseelt, Cäsarea und einige andere Burgen besetzt, so daß nichts mehr fehlte, als Joppe wiederherzustellen und so den Weg zu der Heiligen Stadt zu gewinnen.

Staatsmann und Vogelliebhaber Der Stauferkaiser Friedrich II. fand neben den Staatsgeschäften noch genug Zeit, ein Buch über die Falkenzucht zu schreiben.

DIE MITTELALTERLICHEN KLÖSTER

Ora et labora

Die Klöster waren im Mittelalter Bollwerke des christlichen Glaubens. Gott zu dienen und für ihn neue Gläubige zu gewinnen gehörte zu ihren vordringlichsten Aufgaben. Als Stätten der Gelehrsamkeit genossen die Klosterschulen ein hohes Ansehen. Durch den Fleiß und die Arbeit der Mönche entstanden ausgedehnte Klosteranlagen, die sich selbst versorgten und ernährten. Das Kloster Maulbronn (Foto) vermittelt, getreu dem Wahlspruch ora et labora, bis heute diese Nähe von Gebet und Arbeit.

ERZBISTUM LUND

Nordsee

Ost see

Hiddensee

ERZBISTUM

Bosau †
Lübeck
(1160)
Ratzeburg
(1062-66, 1154)

† Doberan

† Kammin
(1172)

HAMBURG-

† Hamburg

Schwerin
(1160)

-BREMEN

† Bremen
(864)

† Verden
(9. Jh.)

† Havelberg
(948-83, 1147)

Chorin

† Lebus
(1124/25)

† Isenhagen

ERZBISTUM

Osnabrück †
(803)

Minden
(nach 800)

† Wienhausen

Loccum

Riddagshausen

† Brandenburg
(948-83, 1165)

† Magdeburg
(968)

† Utrecht
(um 700)

Hildesheim
(815)

Königslutter

Mariental

† Zinna

Münster
(805)

Amelungsborn

ERZBISTUM

KÖLN

Paderborn
(806/07)

Corvey

† Clus

Halberstadt
(um 818)

Ballenstedt

† Dobrilugk

MAGDEBURG

Altenkamp †

Bursfelde †

† Walkenried

Merseburg
(968-81, 1004)

Köln
(um 800)

† Altenberg

ERZBISTUM

Naumburg
(1028/32)

Meißen
(968)

Lüttich
(718/22)

Hersfeld

Erfurt ††

Pforta

Heisterbach

Haina

Fulda

Paulinzella

Limburg

Arnsburg

Schlüchtern

Banz †

† Himmelkron

Prag †
(1344; 973-1344 zum
Erzbistum Mainz)

Eberbach
Lorch †

Bamberg
(1007)

Waldsassen

Trier
(um 800)

Mainz
(780/82)

Würzburg
(742)

ERZBISTUM PRAG

Mettlach †

Lorsch

Schwarzach

Worms
(4. Jh.)

Amorbach

Bronnbach

ERZBISTUM

Verdun
(um 350)

Speyer
(4. Jh.)

Münchaurach

Otterberg †

Metz (3. Jh.)

MAINZ

Gorze

Werschweiler

Weißenburg

Feuchtwangen

Regensburg
(739)

Toul (4. Jh.)

Maulbronn

Oberalteich

TRIER

Straßburg
(4. Jh.)

Herrenalb

Hirsau

Ellwangen †

Kaisheim

Eichstätt
(741-45)

Niederalteich

Passau
(739)

Bebenhausen

Neresheim

Gengenbach

Blaubeuren

Augsburg
(738)

Freising
(739)

ERZBISTUM

Alpirsbach †

Zwiefalten

Ebersberg

Seeon

Melk

Sankt Georgen

Ottobeuren †

Wessobrunn

Salzburg
(798)

ERZBISTUM

Reichenau

† Weingarten

Tegernsee

Chiemsee
(1215)

BESANÇON

Salem

Füssen

Besançon
(8. Jh.)

Basel
(7. Jh.?)

Konstanz
(um 550)

Benediktbeuern

SALZBURG

Sankt Gallen

KGR. FRANKREICH

Die Gemeinschaft der Mönche – Vorkämpfer für die Christenheit

Der Untergang des Römischen Reichs im 5. Jh. bedeutete auch das Ende der christlichen Gemeinden an Rhein, Mosel und Donau. Die Bekehrung der siegreichen Germanen der Völkerwanderungszeit zog sich über Jahrhunderte hin. Selbst nach der Annahme der Taufe bewahrten sie noch lange ihre heidnischen Bräuche, und nur allmählich konnte sich das Christentum in Deutschland durchsetzen.

So entstand erst in der Zeit der Karolinger und Ottonen (8.–11.Jh.) jene Ordnung der Kirche, die im Mittelalter und noch darüber hinaus Geltung besaß. Zur Sicherung und Festigung ihrer Herrschaft über die neu eroberten Gebiete schufen die fränkischen und sächsischen Könige zahlreiche Bistümer. Mehrere Bistümer zusammen bildeten ein Erzbistum, das wiederum direkt dem Papst unterstand. 1344 mußte das Erzbistum Mainz einen Teil seines Gebiets abtreten, das Kaiser Karl IV. zur Stärkung seiner Herrschaft zu einem eigenen Erzbistum Prag erhob. Eine Ausnahme waren die Gebiete der Reichsabtei Fulda und der Bistümer Bamberg und Kammin, die aus der kirchlichen Verwaltungshierarchie herausgenommen und dem Papst direkt unterstellt waren.

Die eigentliche Arbeit der Christianisierung, die Unterweisung der vielfach zwangsgetauften Christen, leisteten meist die Mönche. Im Auftrag der Karolinger brachten angelsächsische Missionare die Ideale des Christentums nach Deutschland. Der berühmteste unter ihnen war Bonifatius.

Er brachte auch die Regeln des heiligen Benedikt mit, die das Zusammenleben im Kloster bestimmten. Abgeschieden von der Welt, sollten sich die Mönche und die Nonnen hinter Klostermauern dem unablässigen Dienst an Gott widmen und nach dem Wahlspruch *ora et labora* ein Leben in Gebet und Arbeit führen. Im Kloster wollten sie einen Teil des Gottesreichs auf Erden errichten und damit Vorbild für die Welt draußen sein.

Dieser geistliche Auftrag machte die Klöster auch für Laien attraktiv. Besonders der Adel wußte sein Seelenheil bei den Mönchen in bester Obhut. Durch adlige Schenkungen kamen viele Klöster zu ungeheurem Reichtum, vor allem auch zu riesigem Landbesitz.

Daraus entstanden allerdings auch Gefahren für das klösterliche Leben, die von einigen vorausschauenden Kirchenmännern jedoch bald erkannt wurden. Nicht mehr die Rücksicht auf die Interessen der Wohltäter, sondern die Freiheit der Klöster von Adel und Welt, so lautete die Devise der Reformer, die sich gegen die Verweltlichung der Klöster richtete. Ausgangspunkte der Klosterreform im deutschen Reich waren ab 933 die lothringische Abtei Gorze und im 11. Jh. das Schwarzwaldkloster Hirsau. Hier besann man sich auf die alten Ideale des heiligen Benedikt – Armut, Keuschheit und Gehorsam – und verbreitete diese Gedanken unter den anderen Klöstern.

Neuen Auftrieb erhielten diese Reformbestrebungen im 12. und 13. Jh. durch den Mönchsorden der Zisterzienser. Von ihren fünf burgundischen Mutterklöstern aus gründeten sie wie in einem Schneeballsystem zahlreiche Tochterklöster. So entstand in Deutschland, vom niederrheinischen Altenkamp und anderen Zisterzen ausgehend, ein weitverzweigtes Netz von Klöstern. Im 14. Jh. gab es bereits mehr als 700 Abteien dieses Ordens.

Kennzeichnend für die Zisterzienser waren strenge Zucht und harte körperliche Arbeit. Nach stets gleichen Bauplänen errichteten sie ihre schmucklosen Klosteranlagen vor allem in unwegsamen Gebieten mit großen Wäldern und Sümpfen. Solche Gegenden machten sie urbar und leisteten dem Adel damit wichtige Hilfe bei der Besiedlung des Gebiets östlich der Elbe. Zisterzienserklöster wie Maulbronn, Eberbach und Loccum sind aufgrund ihrer abgeschiedenen Lage heute noch hervorragend erhalten.

Ab dem 13. Jh. entwickelte sich in den Städten eine neue Form der Mönchsgemeinschaft: Als Bettelorden verpflichteten sich die Dominikaner und die Franziskaner in erster Linie dem christlichen Armutsgebot, indem sie versuchten ohne Besitz und Reichtum zu leben und zu predigen.

Einen anderen Weg ging der Deutsche Orden. 1190 auf dem Kreuzzug ins Heilige Land als Hospitalbruderschaft entstanden, betrieb er ab 1226 gewaltsam die Heidenmission in Preußen. Dort gründeten die Deutschritter den Ordensstaat, der im 14. Jh. zu einer bedeutenden politischen Macht im Ostseeraum wurde.

Bonifatius spendet die Taufe *Seine erfolgreiche Christianisierung brachte ihm den Beinamen „Apostel der Deutschen" ein. Er starb 754 als Märtyrer.*

Kirchen- und Klosterordnung

- ⁄⁄⁄⁄⁄ Grenze des Heiligen Römischen Reiches (13. Jh.)
- •••••• Grenze des Ordenslandes
- —— Kirchenprovinzgrenze
- ▓ Direkt dem Papst unterstelltes Gebiet
- ▢ Ebm. Prag (bis 1344 zu Ebm. Mainz)
- (798) ‡ Erzbistum (mit Gründungsdatum)
- (968) ‡ Bistum (mit Gründungsdatum)
- † Wichtiges Zisterzienserkloster
- † Gorzer Klosterreform (10.-12.Jh., Klöster in Auswahl)
- † Hirsauer Klosterreform (11.-13.Jh.) sowie Reformen mit Hirsauer Beteiligung (Klöster in Auswahl)

0   50   100 km

Map labels:
Ermland (1243)
Deutsch- ordens- land
Pomesanien (1243)
Jetze
Weichsel
Gnesen (1000)
Posen (968)
ERZBISTUM
GNESEN
ubus
Breslau (1000/1050)
Oder
Kamenz
itomischl (1344)
Olmütz (1063)

Adlige Gründungen in welfischen Landen

Mit der Kirche war der sächsische Adel eng verbunden. Mit Kloster- und Stiftsgründungen schufen sich die noblen Familien nicht zuletzt standesgemäße Rückzugsmöglichkeiten für das Alter und schließlich auch repräsentative Grablegen, wie Kaiser Lothar III., dessen „Kaiserdom" in Königslutter die Baukunst Niedersachsens nachhaltig beeinflußte. Auch leisteten die Klöster wertvolle Arbeit bei der Urbarmachung des Landes zwischen Harz und Heide.

Ebstorf Das erste der drei Heideklöster auf dieser Tour wurde ebenso wie Wienhausen und Isenhagen im Stil der spätmittelalterlichen Backsteingotik errichtet. Der besondere Charme dieser geistlichen Anstalten rührt daher, daß sie z.T. seit dem 12. Jh. bestehen. Auch nach der Reformation, die von den welfischen Landesherren trotz heftigem Widerstand der Klöster durchgesetzt wurde, blieben sie als Damenstifte bestehen. Seither leiten evangelische Äbtissinnen die Konvente, in die auch nach dem 16. Jh. vornehme Töchter aus Adel und gehobenem Bürgertum eintraten. Alle drei Klosterkirchen dienen nicht nur den Damen, sondern auch den Dorfgemeinden bis heute als Gotteshäuser. Die Kirchen können wegen ihrer Kunstschätze nur mit Führungen besichtigt werden, die von den Konventualinnen angeboten werden und etwa 90 Minuten dauern.

Die Anfänge des Klosters Ebstorf in der Nähe von Uelzen liegen im dunkeln. Ein erster Gründungsversuch Mitte des 12. Jh. soll an einem Brand gescheitert sein. Später holten die Grafen von Dannenberg Benediktinerinnen ins Kloster nach Ebstorf, das 1197 erstmals urkundlich erwähnt wird. Die Nonnen profitierten von einer frommen Sage: Im Jahre 880 waren Normannen von See her vorgedrungen, und in der Ebstorfer Gegend soll es zu einer Abwehrschlacht der christlichen Sachsen gegen die heidnischen Invasoren gekommen sein. Die gefallenen Sachsen wurden spätestens ab dem 14. Jh. in Ebstorf als Märtyrer verehrt. Die Wallfahrten, die daraus entstanden, brachten dem Kloster viel Geld ein. Noch heute künden

Ebstorfer Weltkarte
Ein eindrucksvolles Zeugnis mittelalterlicher Weltsicht entstand 1239 in Ebstorf. Auf der Karte (oben) hält Christus die

Weltscheibe mit den damals bekannten Erdteilen Asien, Afrika und Europa. Den Mittelpunkt bildet Jerusalem. Besonders genau ist links

unten das Gebiet um Ebstorf gezeichnet. Das Original, zusammengenäht aus 30 Pergamentstücken, verbrannte 1943 in Hannover.

Lesepult in Isenhagen
Es ist ungewiß, ob das Lesepult (oben) im 13. Jh. tatsächlich der Thronsessel von Agnes von Meißen, der Gründerin des Klosters, war. In jedem Fall ist es neben der romanischen Chorbank in der Klosterkirche von Alpirsbach das älteste erhaltene hölzerne Sitzmöbel Deutschlands. Zum Lesepult für den Gottesdienst wurde es in gotischer Zeit umgestaltet.

Kirche und Konventsgebäude vom Reichtum des Klosters, das in den aufblühenden Städten Uelzen und Lüneburg Güter besaß und sein Vermögen durch Teilhabe am Lüneburger Salzhandel noch vermehrte.

Die bedeutendste Persönlichkeit in der Klostergeschichte war Propst Gervasius von Tilbury, ein angeblicher Enkel König Heinrichs II. von England. Der weitgereiste Gelehrte war wahrscheinlich der Schöpfer der Ebstorfer Weltkarte von 1239. Sie ist mit einem Durchmesser von 3,5 m die größte aller mittelalterlichen Radkarten. Die originalgetreue Kopie in den Konventsgebäuden bildet den Schluß- und Höhepunkt der Führung.

ℹ️ Kloster Ebstorf: Führungen Mo–Sa 10–11, 14–17, So 11.15, 14–17 Uhr (April–Oktober), Tel. 0 58 22/23 04.

Isenhagen In der Ruhe des ländlichen Orts, der heute zu Hankensbüttel gehört, liegt das ehem. Zisterzienserinnenkloster. 1243 stiftete Herzogin Agnes von Meißen, eine Schwiegertochter Heinrichs des Löwen, ein Zisterzienserkloster im benachbarten Alt-Isenhagen. Zwölf Jahre später wurden die neun Mönche durch einen Brand obdachlos. Der Wiederaufbau im Jahr 1261, bei dem nun ein Nonnenkloster eingerichtet wurde, erwies sich nach einiger Zeit als Fehlschlag: Die Gebäude waren zu feucht und gesundheitsschädlich. 1327 zogen die Nonnen nach Hankensbüttel, dessen Lage an einer Heerstraße den Zisterzienserinnen aber auf die Dauer zu unruhig wurde. Im Jahr 1345 fand das Kloster seinen heutigen Platz.

Damals wurde auch mit dem Bau der einschiffigen Backsteinkirche begonnen, in deren Damenchor eine kunsthistorische Merkwürdigkeit zu besichtigen ist: ein in gotischer Zeit

zu einem Lesepult umgebautes Sitzmöbel aus der Zeit um 1200.

Von den mittelalterlichen Nebengebäuden des Klosters ist noch ein gotischer Speicher erhalten, in dem früher das Brauhaus untergebracht war. Hier ist heute das Kreisheimatmuseum eingerichtet, in dessen Braustube an die alte Tradition erinnert wird.

ℹ️ Kloster Isenhagen: Führungen Mo–Sa 9–11, 15–17.30, So und feiertags 13.30–17.30 Uhr (April–Oktober), Tel. 0 58 32/3 13. Kreisheimatmuseum: Mi und Sa 14.30–16.30, So 10.30–12.30 Uhr.

Wienhausen Das ehem. Zisterzienserinnenkloster war zweifellos die Lieblingsstiftung der welfischen Herzogin Agnes von Meißen. Hierher zog sie sich 1248 als Witwe – wie sie selbst sagte – aus „Ekel an großen Palästen" zurück. In der Halle unter der Nonnenkirche ist die lebensgroße, farbig bemalte Kalksteinfigur der Stifterin aus dem späten 13. Jh. zu sehen. Das Kloster in der Nähe der späteren Residenz Celle erfreute sich stets hochadliger Förderung. Davon zeugen die prachtvollen Bauten und mehr noch die erlesenen

Von Ebstorf nach Schöningen Die Tour führt hauptsächlich durch ländliche Gebiete Ostniedersachsens. Die gut ausgebauten Bundesstraßen müssen dabei immer wieder verlassen werden. Bis auf eine Ausnahme sind die Gotteshäuser heute evangelisch, darum nicht immer geöffnet. Die angegebenen Öffnungszeiten wurden sorgfältig ermittelt; trotzdem empfiehlt es sich, vor allem bei den Heideklöstern vorher Erkundigungen einzuholen; die Telefonnummern sind, wo notwendig, angegeben.

Kloster Wienhausen
Im rechten Winkel treffen die Treppengiebel von Westflügel (links im Bild) und Nonnenchor aufeinander. Das Rot des Backsteins bestimmt auch die Architektur der übrigen Klostergebäude.

Kunstschätze. Aus dem 14. Jh. stammen die Gemälde, die die Gewölbe und Wände des Nonnenchors schmücken. Hier befinden sich auch bedeutende Holzplastiken, die z. T. noch aus dem 13. Jh. stammen. Berühmt sind die Bildteppiche aus dem 14. und 15. Jh., die aus konservatorischen Gründen nur in der „Teppichwoche", die am Freitag nach Pfingsten beginnt und 11 Tage dauert, gezeigt werden. Hier sind nicht nur prachtvolle Szenen aus dem Leben der heiligen Elisabeth, sondern auch Darstellungen aus der höfischen Welt des Mittelalters zu bewundern.

So erzählen drei Teppiche die Liebesgeschichte von Tristan und Isolde.

Im Ausstellungsraum des Klosters zeugen die Funde, die 1953 unter dem Chorgestühl gemacht wurden, vom Fleiß und Alltag der mittelalterlichen Nonnen. Hier sind u. a. Spindeln, Brillen, Schreibtäfelchen und Rückenkratzer aus dem 14. und 15. Jh. zu besichtigen.

ℹ️ Kloster Wienhausen: Führungen Mo–Sa 10, 11, 14, 15, 16, 17, So 11.30, 13, 14, 15, 16, 17 Uhr (April bis September), im Oktober jeweils bis 16 Uhr, Tel. 0 51 49/3 57.

Braunschweig-Riddagshausen Nur wenige Kilometer östlich der Großstadt Braunschweig kündet das ehem. Zisterzienserkloster Riddagshausen von der Beschaulichkeit mittelalterlichen Klosterlebens. Gegründet wurde es 1145 von Dienstmannen Heinrichs des Löwen und durfte sich schon bald selbst der Gunst des großen Herzogs erfreuen. Innerhalb weniger Jahrzehnte erwuchs aus bescheidenen Anfängen ein riesiger Grundbesitz; in Braunschweig, Hildesheim und Magdeburg unterhielt das Kloster Handelsniederlassungen für seine landwirtschaftlichen Produkte.

Die Klosterkirche, die heute als ev. Pfarrkirche dient, zeugt allein durch ihre Dimensionen vom Reichtum der Zisterzienser. Die 83 m lange, dreischiffige Basilika mit Querhaus und 14 Kapellen wurde im 13. Jh. errichtet und beeindruckt durch ihre geradlinige Schlichtheit. Die Riddagshausener Mönche legten auch die umliegenden Sümpfe trocken. Davon zeugen ausgedehnte Fischteiche, die noch heute die Braunschweiger mit Frischfisch versorgen. Von den Klostergebäuden sind heute nur noch Torhaus und Frauenkapelle erhalten.

ℹ️ Ehem. Zisterzienserkloster: Mi 10–16, Sa 10–12, 15–18, So 12–16 Uhr.

Königslutter Majestätisch steht die Kirche der ehem. Benediktinerabtei am Rand der kleinen Stadt – nicht zu Unrecht wird die heutige ev. Pfarrkirche auch „Kaiserdom" genannt. Kaiser Lothar III., der aus dem nahen Süpplingenburg stammte, legte 1135 zusammen mit seiner Gemahlin den Grundstein zu dem Gotteshaus, das er zu seiner Familiengrablege bestimmte. Schon zwei Jahre später wurde er in der damals noch unvollendeten Kirche beigesetzt. Neben ihm fanden später seine Gemahlin Richenza und sein Schwiegersohn, der welfische Herzog Heinrich der Stolze von Bayern, ihre letzte Ruhe. Die Grabmale der drei Herrscher sind barock; die mittelalterlichen Originale zerbarsten bei einem Deckeneinsturz.

Noch heute ist spürbar, welchen Aufwand die Kaiser betrieben hatte, um seine Grabstätte, die erste gewölbte Kirche Niedersachsens, prächtiger auszustatten als alle anderen Gotteshäuser der Umgebung. Die Apsis umzieht außen die Bilderfolge eines Jagdfrieses, die in der Darstellung zweier Hasen, die den Jäger fesseln, gipfelt. Zwei Löwen mit Säulen auf dem Rücken flankieren das Löwenportal des Langhauses. Der steinerne Osterleuchter im Chor stammt noch aus der Erbau-

ungszeit, die Ausmalungen sind aus dem 19. Jh. Bildhauer und Steinmetzen aus Verona und Ferrara schufen vor allem im Kreuzgang mit römischem und byzantinischem Formengut einen spannungsvollen Kontrast zur traditionellen sächsischen Bauform. Die gefurchten, gedrehten, geflochtenen oder mit Rankenwerk verzierten Säulen und ihre mit vielerlei Blattwerk geschmückten Kapitelle wurden in Niedersachsen noch oft kopiert. Von den Konventsgebäuden sind ein heute als Sakristei genutzter Nebenraum mit darüberliegendem Bibliotheksraum und das zweischiffige Refektorium erhalten.

Süpplingenburg Hier stand der Stammsitz von Kaiser Lothar III. Gegen die staufischen Erben des ausgestorbenen Kaisergeschlechts der Salier konnte er sich bei seiner Königswahl 1125 nur mit Unterstützung des welfischen Herzogs von Bayern durchsetzen. Heinrich der Stolze bekam zum Dank Gertrud, das einzige Kind des Kaisers, zur Frau. So kam die Vereinigung der Herzogtümer Bayern und Sachsen zustande, deren letzter gemeinsamer Herrscher Heinrich der Löwe war.

Die Burg wurde schon von Kaiser Lothar in ein Kollegiatsstift umgewandelt. In seinem Auftrag entstand auch die ehem. Stiftskirche, die al-

Kreuzgang in Königslutter Meister aus Oberitalien führten den verspielten Formenreichtum in die romanische Kunst Sachsens ein. Der südländische Einfluß ist bei den Säulen des Kreuzgangs (oben) unverkennbar.

lein von der Anlage übrigblieb. Im heutigen Dörfchen wirkt die Kirche fast wie ein Fremdkörper. Auch dieses Gotteshaus ließ der Kaiser von Baumeistern aus Oberitalien schmücken; die Verwandtschaft mit Königslutter wird u. a. an den Blatt- und Maskenkonsolen der Rundbogenfriese an den Außenwänden der Kirche sichtbar. In der zweiten Hälfte des 12. Jh. überließ Heinrich der Löwe die Anlage dem Ritterorden der Templer, der so zu seiner ältesten Niederlassung in Niedersachsen kam. Nach Auflösung des Ordens übernahmen 1357 die Johanniter die Komturei, die bis ins 19. Jh. bestand.

ℹ️ Stiftskirche: Schlüssel beim Kirchenvogt, Helmstedter Str. 14.

Mariental Der sächsische Pfalzgraf Friedrich II. von Sommerschenburg

Klosterkirche Königslutter Detail des Jagdfrieses an der Außenwand der Apsis: Ein Hund zwingt einen Eber zu Boden.

gründete hier in der Abgeschiedenheit des Lappwaldes im Jahr 1138 ein Zisterzienserkloster. Wie so viele adlige Herren seiner Zeit verfolgte er damit mehrere Zwecke: Absicherung des Seelenheils und die Vorsorge für ein standesgemäßes Begräbnis. Vielleicht spekulierte er auch darauf, daß der Fleiß der Zisterziensermönche ihm brachliegende Ländereien erschließen würde. Jedenfalls setzte er durch, daß seine Familie entgegen den Ordensprinzipien die Vogtei über das

Kloster behielt. Die reiche Gründungsausstattung und eine zielstrebige Wirtschaftspolitik erbrachten einen großen Landbesitz. Der ganze Lappwald gehörte schließlich dem Kloster, das auch Gründungen von Tochterklöstern im Rahmen der Ostkolonisation finanzierte.

Die Klosteranlage ist fast vollständig erhalten, nur der Kreuzgang wurde im 19. Jh. abgerissen. Die von außen zu besichtigenden ehem. Konventsgebäude beherbergen heute Wohnungen und einen landwirtschaftlichen Betrieb. In der um 1340 entstandenen Begräbniskapelle der Familie von Alvensleben gibt es eine Ausstellung mit Plänen, Tafeln und Originalbauteilen Aufschluß über Geschichte und Bautechnik des Klosters. Die Klosterkirche aus dem 12. Jh. beeindruckt durch ihre romanische Schlichtheit. Die umfassende Renovierung der flachgedeckten, dreischiffigen Pfeilerbasilika wurde 1988 abgeschlossen.

ℹ Klosterkirche und Ausstellung: Mo–Sa 9–17, So und feiertags 9–13 Uhr (April–Oktober).

Helmstedt Schon während der Sachsenkriege Karls des Großen wurde hier im äußersten Osten des Stammesgebietes der christliche Glaube verbreitet. Die Mission ging vom Benediktinerkloster Werden an der Ruhr aus, mit dem das im 9. Jh. entstandene Kloster Sankt Ludgeri in Helmstedt während des ganzen Mittelalters verbunden blieb: Der Abt von Werden war gleichzeitig Abt von Helmstedt. Die erste Taufkirche für die heidnischen Sachsen entstand möglicherweise auf dem Gebiet des heutigen Paßhofs bei der Doppelkapelle Sankt Peter und Johannes aus dem 11. Jh., die wegen langwieriger Renovierungsarbeiten im Inneren zur Zeit nicht besichtigt werden kann. Der Bau stellt die Experten vor viele Rätsel. So ist bis heute nicht geklärt, ob tatsächlich Reste einer karolingischen Missionskapelle im Untergeschoß enthalten sind. Die eigentliche Klosterkirche wurde in mehreren Phasen errichtet und ist heute kath. Pfarrkirche. In ihrem ältesten Teil, der Felicitaskrypta aus der Mitte des 11. Jh., haben sich Teile des mittelalterlichen Gipsfußbodens mit Darstellungen antiker Philosophen erhalten. Die restaurierten Fragmente sind im Eingangsbereich der Krypta ausgestellt.

Ebenso wie das Benediktinerkloster blieb das Chorfrauenstift Marienberg baulich von der aufblühenden Stadt getrennt. Seine Gründung verdankte es einem Abt von Sankt Ludgeri, der um 1176 die Augustinerchorfrauen aus Steterburg bei Braunschweig hierherholte. Verpflichtet blieb das Stift der ostsächsischen Kanonikerreform, die großen Wert auf die Regel des heiligen Augustinus legte. Die Kirche, wahrscheinlich die letzte flachgedeckte Basilika in Niedersachsen, entstand im 12. und 13. Jh. Bemerkenswert sind die romanischen Glasmalereien im nördlichen Querhaus.

In den Konventsgebäuden nördlich der Stiftskirche ist eine Paramentenwerkstatt eingerichtet, in der nach historischen Vorbildern liturgische Wandbehänge hergestellt werden. In der Schatzkammer des Stifts befindet sich eine Sammlung mittelalterlicher Bildstickereien des 13.–15. Jh.

ℹ Sankt Marienberger Kirche: Mo bis Fr 8–13 Uhr, Schlüssel in der Propstei, Tel. 0 53 51/20 93; Paramentenwerkstatt: n. Vereinb., Tel. 0 53 51/75 85; Schatzkammer: Do 14 Uhr (nur mit Führung).

Schöningen Von der Anhöhe im Westen aus beherrscht die wuchtige ehem. Augustinerchorherrenkirche Sankt Lorenz, heute ev. Pfarrkirche, mit ihren beiden Chorseitentürmen die Stadt. Schon 748 war der damalige fränkische Hausmeier und spätere König Pippin, der Vater Karls des Großen, auf einem Kriegszug hierhergekommen. Seine Amtsnachfolger besaßen in Schöningen einen Königshof, auf dessen Gelände 1120 das Chorherrenstift errichtet wurde. Der Halberstädter Bischof verfolgte damit das Ziel einer geistlichen Erneuerung. Die Kleriker, die nicht unter dem strengen Mönchsgelübde standen, lebten gemeinsam nach der Regel des heiligen Augustinus.

Das Stift war als Inhaber von Salinenrechten und größter Grundbesitzer auch ein wichtiger Wirtschaftsfaktor des Orts, der durch seine Salzvorkommen zu Reichtum gekommen war. Um diese Bedeutung gebührend zu unterstreichen, schielte man beim Bau der romanischen Stiftskirche im 12. Jh. auf das kaiserliche Vorbild in Königslutter, wie an der Anlage der Hauptapsis und auch am Portal in der südlichen Querhauswand deutlich wird. Dort erinnern die Kapitelle stark an ihre mit Blattwerk verzierten Vorbilder im „Kaiserdom".

Das Chorgestühl aus den letzten Jahrzehnten des 15. Jh. im gotischen Langhaus ist mit seinem figürlichen Schmuck von besonderem Reiz. Die Reste der Konventsgebäude nördlich der Kirche werden heute landwirtschaftlich genutzt.

ℹ Ev. Pfarrkirche: Mo–Fr 9–12, Do auch 14–17 Uhr, Tel. 0 53 52/47 76.

Damenstifte mit bewegter Geschichte

Unter den Klostergründungen fällt der große Anteil an Frauenstiften auf. In ihnen konnten unverheiratete oder verwitwete Angehörige adliger Familien standesgemäß untergebracht werden und ohne materielle Sorgen leben. Dies garantierten großzügige Schenkungen, die zudem der Ehre Gottes und dem Seelenheil des Stifters dienten. Nach der Reformation wurden viele dieser Institutionen in evangelische Damenstifte umgewandelt, die zum Teil noch heute bestehen.

Loccum Mitte des 12. Jh. finanzierte Graf Wilbrand von Hallermund die Stiftung des Zisterzienserklosters, wie es heißt, aus der Erbmasse seiner Frau, einer Tochter des Grafen von Lucca. Von jenem Namen soll die Ortsbezeichnung Loccum abgeleitet sein. In der Blütezeit des Klosters im 13. Jh. entstanden Klostergebäude und Kirche. 1815 wurde Loccum zum ev. Predigerseminar, das noch heute besteht.

Die Räume vermitteln einen nachhaltigen Eindruck vom Lebensumfeld der Mönche – sei es der gotische Nordflügel des Kreuzgangs, in dem die abendlichen Lesungen stattfanden, oder der Kapitelsaal, der Versammlungsort der Klostergemeinschaft, dessen Kreuzgratgewölbe auf vier romanischen Säulen ruht.

Ernst, Armut und völliger Verzicht: Diese drei grundlegenden Or-

densregeln prägen die strenge Architektur der Klosterkirche. Im Innern ist das aus dem 13. Jh. stammende, doppelseitig bemalte Triumphkreuz im Chorraum beachtenswert.

ℹ️ Kloster Loccum, Am Markt: Führungen Di–Fr 11, 12, 15, 16, Sa 11, 12, So 15 Uhr (April bis Oktober), Juni, August zusätzlich Di–Fr 10 und 17 Uhr, sonst n. Vereinb., Tel. 0 57 66/10 42.

Barsinghausen Als Augustinerdoppelkloster um 1193 am Nordrand des Deisters gegründet, entwickelte sich Barsinghausen im 13. Jh. zum reinen Nonnenkloster. Im Gegensatz zu den strengen Gelübden der Augustinerinnen schließen die Regeln des heutigen evangelischen Damenstifts die Möglichkeit einer Heirat nicht aus. Noch immer wird die Jungfrauenglocke im Dachreiter geläutet, wenn eine Konventualin

Kloster Loccum Neben Maulbronn gilt es als die besterhaltene zisterziensische Klosteranlage Deutschlands (oben).

Obernkirchen *Auf dem gotischen Altarbehang der Stiftskirche ist in Wollstickerei Maria mit drei Heiligen und dem Erzengel Michael dargestellt (links).*

Kreuzgang in Fischbeck *Von den mittelalterlichen Konventsgebäuden des ehem. Reichsstifts sind nur noch Teile des Klausurtrakts und der dreiseitige Kreuzgang*

erhalten, der nach einem Brand im 13. Jh. neu erbaut wurde. Die romanischen Teilungssäulchen der Vorgängeranlage wurden hierbei wieder verwendet (oben).

aus diesem Grund die Gemeinschaft verläßt.

Die Kirche aus dem frühen 13. Jh. ist ein Übergangsbau von der Spätromanik zur Frühgotik. Als Schmuck des Hauptaltars verwendete man Ende des 19. Jh. Tafeln eines spätgotischen Schnitzaltars mit Darstellungen aus dem Leben Jesu.

ℹ️ Kloster Barsinghausen, Bergamtstraße: Führungen n. Vereinb., Tel. 0 51 05/6 19 38.

Wennigsen Auch das Stift im Deisterstädtchen Wennigsen kann nicht verleugnen, daß es im Mittelalter ein Augustinerinnenkloster war. Noch immer ist eine der Emporen in der spätromanischen Kirche, die sogenannte Damenprieche, nur von den Konventsgebäuden her zugänglich. Strenge Trennung von der Außenwelt war ein Teil des Gelübdes der Nonnen, die hier siebenmal am Tag beteten. Heute sind im Damenchor mittelalterliche Holzplastiken aufgestellt, darunter eine Schutzmantelmadonna aus dem 12. Jh.

ℹ️ Kloster Wennigsen, Klosteramthof: Di–Fr 15.30–16.30 Uhr (April bis September), sonst n. Vereinb., Tel. 0 51 03/4 54.

Amelungsborn Gar nicht typisch für die Zisterzienser ist die Lage ihres um 1129 gegründeten Klosters Amelungsborn. Zwar liegt es versteckt am Waldrand, doch nicht in geschützter Tallage, sondern auf einem Hochplateau, dem Odfeld. 1960 erneuerte ein evangelischer Männerkonvent das religiöse Leben. Für Besinnungsfreizeiten wurde der sogenannte Stein, der an drei Seiten aus Bruchsteinmauerwerk bestehende Rest der alten Klostergebäude, wiederhergestellt.

Im gotischen Chor der sonst romanischen Klosterkirche befindet sich ein Levitenstuhl aus rotem Sandstein, eine bedeutende Steinmetzarbeit aus dem 14. Jh.

ℹ️ Kloster Amelungsborn: ganzjährig Führungen, Tel. 0 55 32/83 00.

Kemnade Die Geschichte des Klosters Kemnade war nicht frei von Turbulenzen. Mitte des 10. Jh. gründeten zwei Nichten des Sachsenherzogs Hermann ein von ihrer Familie reich ausgestattetes Kanonissenstift. Anfang des 11. Jh. übernahmen Benediktinerinnen das wohlhabende Kloster. Kaum 150 Jahre später wurde die Äbtissin Judith wegen Sittenlosigkeit und Verschwendungssucht abgesetzt. Nie wieder erreichte das Kloster seinen einstigen Wohlstand. 1542 wurde es gegen den Protest der Nonnen zwangsreformiert und ging spätestens im Dreißigjährigen Krieg endgültig in weltlichen Besitz über.

Vom Steinhuder Meer zum Wesergebirge
Von Loccum führt die B 441 am Steinhuder Meer vorbei. Barsinghausen und Wennigsen am Nordrand des Deisters sind die nächsten Etappenziele. Am Kamm des Iths vorbei führt die 57 km lange Strecke nach Amelungsborn, dann fährt man durch das reizvolle Weserbergland über Kemnade und Fischbeck nach Möllenbeck. Über das Wesergebirge erreicht man schließlich Obernkirchen.

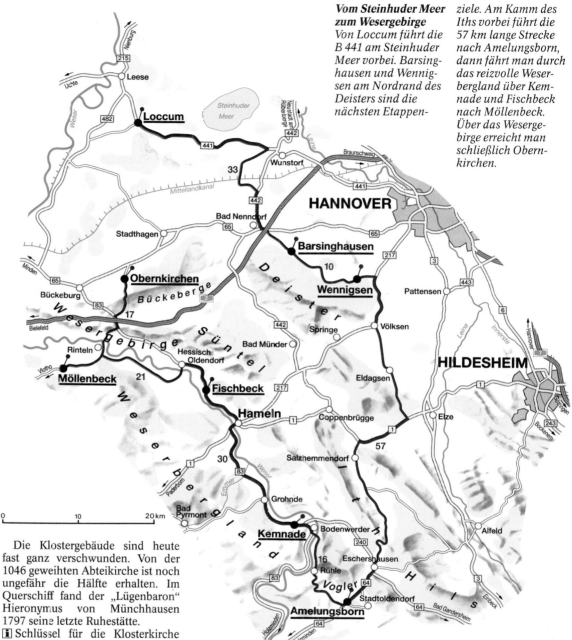

Die Klostergebäude sind heute fast ganz verschwunden. Von der 1046 geweihten Abteikirche ist noch ungefähr die Hälfte erhalten. Im Querschiff fand der „Lügenbaron" Hieronymus von Münchhausen 1797 seine letzte Ruhestätte.

ℹ️ Schlüssel für die Klosterkirche bei der Küsterin, Fährstraße 16, Tel. 0 55 33/38 74.

Fischbeck Kaiser Otto der Große schenkte der Edelherrin Helmburgis nicht nur umfangreiche Güter, sondern er nahm auch das Kanonissenstift, das sie 955 ins Leben rief, unter seinen königlichen Schutz. Kaiser Konrad III. versuchte es um 1147 dem Kloster Corvey zu unterstellen. Der Konvent mußte in den folgenden Jahren hart um seine Selbständigkeit ringen. Erst durch ein päpstliches Machtwort wurde Fischbeck 1158 in seiner Unabhängigkeit als Reichsstift bestätigt.

Im Damenchor der wuchtigen Stiftskirche (12. Jh.) zeigt ein nach spätmittelalterlichem Vorbild gearbeiteter Bildteppich aus dem 16. Jh. die Gründungslegende des Stifts.

ℹ️ Stift Fischbeck, Helmburgisplatz: Führungen n. Vereinb., Tel. 0 51 52/ 86 03.

Möllenbeck In das 896 gegründete Benediktinerinnenstift zogen 1441 Augustiner ein. 30 Jahre später begannen die Mönche, die Anlage zu einem machtvollen Geviert umzubauen, das von der Kirche und den Klostergebäuden gebildet wird. Zwar sind die Rundtürme der spätgotischen Kirche vom romanischen Vorgängerbau aus dem 10. Jh. übernommen, doch sonst besticht der guterhaltene Gesamtkomplex des Klosters durch seine Einheitlichkeit.

ℹ️ Stift Möllenbeck: Gruppenführungen n. Vereinb., Tel. 0 57 51/ 29 92; Kirche: So 11–18 Uhr (Woche nach Ostern–Oktober).

Obernkirchen Hinter hohen Mauern entwickelten die adligen Stiftsfräulein, die im Gegensatz zu Nonnen kein Gelübde ablegen mußten, erstaunliche kunsthandwerkliche Fähigkeiten. Um 1450 fertigten die Damen des Augustinerinnenstifts ein prachtvolles Antependium an, das noch heute im Damenchor der Kirche zu besichtigen ist. Die gotische Hallenkirche mit ihren fünf Querdächern erstreckt sich hinter dem blockhaften romanischen Westwerk.

ℹ️ Stift Obernkirchen, Kirchplatz: Führungen Mi, Sa 15.30 Uhr (April bis Oktober), sonst n. Vereinb., Tel. 0 57 24/84 50; Kirche: Samstagnachmittag (Mai–Oktober), sonst n. Vereinb., Tel. 0 57 24/84 86.

Zeugen vergangener Größe

Ob sie nun weltabgeschieden oder am Schnittpunkt wichtiger Handelsstraßen lagen – Klöster besaßen im Mittelalter eine Schlüsselstellung in Wirtschaft, Kultur und Politik. Mönche leiteten Hüttenwerke, sie verfaßten wissenschaftliche Abhandlungen und pflegten enge Kontakte mit der weltlichen Macht, die sie mit fürstlichen Stiftungen oder kaiserlichen Privilegien ausstattete. Vom einstigen Glanz der Klosteranlagen künden heute oft nur noch Ruinen.

Walkenried Zwar sind von der Klosterkirche nur noch Teile der Westfront, der südlichen Wände und des Chors vorhanden, doch allein deren Ausmaße lassen ahnen, daß sich hier einst die reichste Zisterzienserabtei Nord- und Mitteldeutschlands befand.

1127 gegründet, erblühte das Kloster rasch dank der straffen Organisation des Ordens. Durch die Gründung von Tochterklöstern reichte der Einfluß Walkenrieds bis nach Schlesien und ins Baltikum. Um 1300 waren 80 Mönche und 180 Laienbrüder Herren über zahlreiche Erzgruben und Hüttenwerke, riesige Ländereien und Hunderte von Fischteichen. Im Bauernkrieg plünderten die Scharen Thomas Müntzers das Kloster – seither ist die Kirche zerstört.

In den letzten Jahren wurden die an die Ruine angrenzenden Bauten restauriert. Unter dem Kreuzrippengewölbe des reich geschmückten gotischen Kreuzgangs finden in den Sommermonaten die Walkenrieder Kreuzgangkonzerte statt.

🛈 Führungen täglich 10–12, 14–17, So 12–17 Uhr (Osterferien–Herbstferien in Niedersachsen), sonst Sa, So 12–17 Uhr; Informationen zu den Konzerten: Kurverwaltung Walkenried, Tel. 0 55 25/3 57.

Lippoldsberg Mitte des 11. Jh. ließ Erzbischof Liuppold von Mainz an der Furt, wo die alte Verbindungsstraße von Münster nach Northeim die Weser durchquerte, eine Holzkapelle errichten. Aus dieser Keimzelle entwickelte sich ein Benediktinerinnenkloster, von dessen Gebäuden nur Reste der Kreuzgangarkaden erhalten sind. 1151 wurde die Klosterkirche vollendet. Die Anlage ihres Gewölbesystems machte im ganzen

Königsfries in Oberkaufungen Die Spätgotik verzierte die großen Flächen der ehem. Stiftskirche mit Wandmalereien. An der nördlichen Querhauswand befindet sich dieser Fries von 1422, der den Ritt und die Anbetung der Heiligen Drei Könige darstellt (oben).

Bad Hersfelder Festspiele Fast 60 000 Menschen strömen alljährlich von Juni bis August zu den Theatervorstellungen, Musicals und Festkonzerten, für die die Stiftsruine eine eindrucksvolle Kulisse bildet (links). Um Karten sollte man sich frühzeitig bemühen.

Weserraum Schule. Beeindruckend ist auch die strenge Geometrie der Nonnenkrypta, durch die man die Kirche von Westen her betritt.

Bursfelde Graf Heinrich der Dicke von Northeim stiftete 1093 die Benediktinerabtei an der Weser, von der praktisch nur noch die Kirche erhalten ist. Seine Tochter Richenza, Gemahlin Kaiser Lothars III., fügte den langgestreckten Chor hinzu, der heute durch einen Mittelraum vom Langhaus abgetrennt ist. Im 15. Jh. entwickelte sich Bursfelde zum norddeutschen Zentrum der benediktinischen Reformbewegung. Mehr als 36 Klöster wollten als Bursfelder Kongregation das religiöse Leben in ihrem Orden erneuern. Von dieser Blütezeit zeugen die reizvollen spätgotischen Fresken, die die Arkadenbogen im Langhaus schmücken.

Kaufungen Über dem Ortsteil Oberkaufungen thront die mächtige Anlage des ehemaligen Benediktinerinnenstifts. Hier stand ursprünglich eine von Kaiser Heinrich II. errichtete Pfalz, in der seine Gemahlin Kunigunde 1017 ein Kloster stiftete, das ihr später als Witwensitz diente. Von den ursprünglichen Stiftsgebäuden ist ein Teil des Dormitoriums, in dem sie 1033 starb, erhalten.

Das Innere der Klosterkirche versinnbildlicht die Beziehungen zwischen weltlicher und kirchlicher Macht in romanischer Zeit: Zwischen der Kaiserempore und dem Chorraum, dem Mittelpunkt des geistlichen Lebens, versammelten sich die Untertanen in den Kirchenschiffen. An der Westwand stellen zwei Bronzeabgüsse spätgotischer Holzreliefs Kunigunde und Heinrich dar.

Reichenbach Im 12. Jh. entstand im Heiligen Land der Deutsche Orden, ein Zusammenschluß von Rittern, die sich zur Verteidigung des Glaubens verpflichteten. Die Grafen von Reichenbach übertrugen ihm 1207 ihr leerstehendes Nonnenkloster

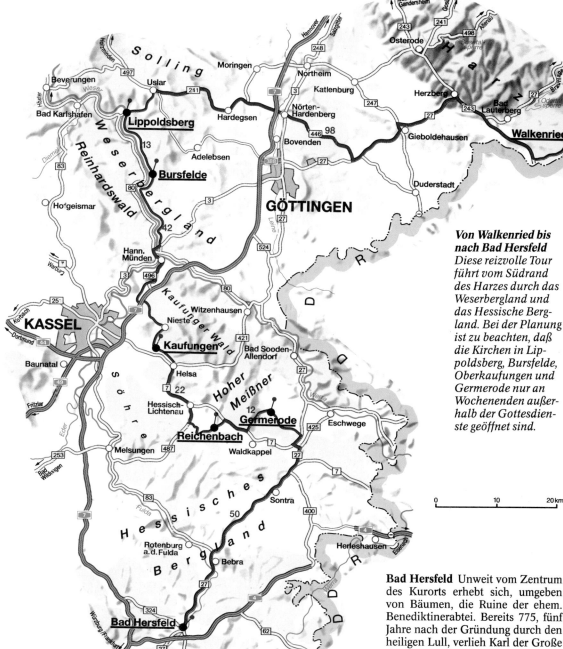

Von Walkenried bis nach Bad Hersfeld
Diese reizvolle Tour führt vom Südrand des Harzes durch das Weserbergland und das Hessische Bergland. Bei der Planung ist zu beachten, daß die Kirchen in Lippoldsberg, Bursfelde, Oberkaufungen und Germerode nur an Wochenenden außerhalb der Gottesdienste geöffnet sind.

Taufsteine – Quellen des Heils

Seelsorge und Mission der umliegenden Gegenden gehörten zu den Hauptaufgaben der Klöster. Mit der Taufe wurde die Erbsünde getilgt und der Täufling in die Kirche aufgenommen. In frühchristlicher Zeit und zum Teil noch bis ins 12. Jh. stand das Taufbecken im Baptisterium, einem Gebäude neben der Kirche, welche Ungetaufte nicht betreten durften. Später wurden die Taufbecken neben dem Eingang oder im Westwerk, dem der Welt zugewandten Teil der Kirche, aufgestellt. Bis ins 13. Jh. wurde die Taufe durch vollständiges Untertauchen vollzogen – entsprechend tief waren die Becken. Die Romanik

schmückte ihre Taufsteine wie hier in Lippodsberg meist mit heilsgeschichtlichen Darstellungen und Symbolen für die Überwindung des Dämonischen.

und verhalfen ihm so zu seiner ältesten Niederlassung in Deutschland.

Von der Anlage ist der Kern der Klosterkirche aus der Erbauungszeit um 1140 erhalten. Im Innern ist das nordöstliche Würfelkapitell reich mit Tier- und Pflanzenreliefs verziert.

ⓘ Schlüssel im Pfarrhaus hinter der Kirche.

Germerode Der baugeschichtliche Einfluß, den die Klosterkirche in Lippoldsberg ausübte, ist in Germerode deutlich zu spüren. Vor allem die Nonnenkrypta unterhalb der Empore erinnert mit den geometrischen, pflanzlichen und tierischen Motiven ihrer Würfelkapitelle stark an das Lippoldsberger Vorbild.

Bad Hersfeld Unweit vom Zentrum des Kurorts erhebt sich, umgeben von Bäumen, die Ruine der ehem. Benediktinerabtei. Bereits 775, fünf Jahre nach der Gründung durch den heiligen Lull, verlieh Karl der Große dem Kloster ein Schutzprivileg. Da es am Schnittpunkt wichtiger Handelsstraßen lag, entwickelte sich hier auch schon früh eine Marktsiedlung. Hinter den Klostermauern verfaßte Mönch Lambert seine „Annales", das bedeutendste Geschichtswerk des 11. Jh.

Mit einer Gesamtlänge von fast 103 m erreichte die Basilika, die Mitte des 11. Jh. errichtet wurde, nahezu die Dimensionen des Wormser Doms. Ihre Ruine bildet jedes Jahr die Kulisse der Bad Hersfelder Festspiele.

ⓘ Stiftsruine: Di–So 10–12.30, 14–17 Uhr (März, April, August bis Oktober), Mai–Anfang August während der Proben zu den Festspielen (Information: Verkehrsamt, Tel. 06621/201274) geschlossen.

Zwischen Armut und Wohlstand

Die unterschiedlichen Ordensregeln prägten den Baustil der jeweiligen Klosteranlagen. Die Palette reichte von betonter Schlichtheit bei den Franziskanern über den strengen Vorschriftenkatalog, mit dem die Zisterzienser ihre Baukunst reglementierten, bis hin zu Prachtbauten, hinter denen oft die großzügigen Stiftungen weltlicher Fürsten standen. Fehlten reiche Geldgeber, so konnte sich manche hoffnungsvolle Klostergründung nicht behaupten und ging in andere Hände über.

Seligenthal Im *vallis felix*, dem „seligen Tal" des Wahnbachs, liegt das älteste, im Jahr 1231 gestiftete Franziskanerkloster Deutschlands. Die klösterliche Gemeinschaft, die nach den Lehren des heiligen Franz von Assisi einem extremen Armutsideal nachstrebte, war von Anfang an auf Selbstversorgung eingerichtet. Weinbau und Kelteranlagen bestanden noch bis Ende des 19. Jh., die alte Ölmühle steht noch heute. Die erhaltenen Klostergebäude im Westen und Süden der Kirche sind durch Neubauten so ergänzt, daß insgesamt ein guter Eindruck von der mittelalterlichen Anlage vermittelt wird.

Die 1256 geweihte, schlichte ehem. Klosterkirche Sankt Antonius weist als äußeren Schmuck Seitenfenster mit dem typischen Kleeblattmotiv der rheinischen Romanik auf.
ℹ Kloster Seligenthal, Seligenthaler Straße: Schlüssel im Pfarrhaus, Tel. 0 22 42/29 37.

Heisterbach Die Zisterzienser suchten sich die Plätze für ihre Klöster nach festen Regeln aus: An Bachläufen in Tälern gelegen, möglichst an drei Seiten von Bergen und Wäldern umgeben und nur im Westen der Welt zugänglich, sollten sie für die Hinwendung zu Gott eine sichere Stätte bieten.

Das inzwischen bis auf die Grundmauern der Kirche verschwundene Augustinerkloster auf dem Petersberg, das den Zisterziensern 1189 vom Kölner Erzbischof übertragen wurde, genügte diesen Kriterien nicht. Die Mönche verlegten ihren Sitz deshalb schon 13 Jahre später in das nahe Tal des Heisterbachs. Dort sind von der turmlosen gewölbten Basilika noch Teile des Chores mit dem umlaufenden Ka-

Maria Laach am Laacher See *Ursprünglich lag die Abtei (oben), die zu den schönsten romanischen Bauwerken Deutschlands zählt, direkt am Ufer des* *Sees. Um 1200 bauten die Mönche jedoch zur Landgewinnung im Süden des Sees einen Abflußkanal, der den Wasserspiegel senkte.*

Kreuzgang in Rommersdorf *Wie die Blätter eines Blütenkelchs sind die Kapitelle aus dem 13. Jh. im Ostteil des Kreuzgangs gestaltet (oben rechts).*

Klosterruine Heisterbach *Als man 1803 das Kloster abbrach, versagten im Chor die Sprengsätze. Die Apsis mit dem Chorumgang blieb so erhalten (rechts).*

Von Seligenthal nach Mittelheim Dem rechten Ufer des Rheins folgt die B 42, auf die man hinter Heisterbach trifft. Bei Linz überquert die Autofähre den Fluß. Nach dem Abstecher zur Abtei Maria Laach führt eine Brücke bei Neuwied erneut über den Rhein. Parallel zur Lahn schlängelt sich die B 417 auf der Fahrt zum Kloster Arnstein. Die B 260 führt anschließend nach Eltville, wo man wieder auf den Rhein trifft, dem man bis Mittelheim folgt.

Weinversteigerung in Eberbach Regelmäßig finden unter den Kreuzgratgewölben des etwa 85 m langen Laiendormitoriums (um 1200) Weinversteigerungen und -verkaufsmessen statt.

pellenkranz erhalten. Die Ruine gehört heute zum Gelände eines Cellitinnenklosters, in dessen Zehntscheune die Funde der jüngsten Ausgrabungen, u.a. Kapitelle und Fußbodenplatten, ausgestellt sind. Das Kloster liegt etwa 1 km außerhalb von Heisterbacherrott an der Straße in Richtung Oberdollendorf.
ℹ Klosterruine Heisterbach: täglich 8–18 Uhr, Zehntscheune n. Vereinb., Tel. 0 22 23/2 18 70.
Maria Laach Der Legende nach zeigte eine Lichterscheinung dem Grafen Heinrich II. von Luxemburg-Salm die Stelle, an der er ein Kloster gründen sollte. 1093 begann er mit dem Bau von Maria Laach, das noch heute eine Benediktinerabtei ist.

Das prunkvolle frühgotische Hochgrab des Stifters ist neben dem Zugang zur Kirche zu sehen. Diese betritt man durch das Paradies – so wird die Vorhalle genannt, die im Mittelalter auch als weltliche Gerichtsstätte genutzt wurde. Die Benediktiner betreuen in der Nähe der rein romanischen Abtei eine Blumenhalle, in der laufend Ausstellungen stattfinden.
Rommersdorf Die Benediktiner aus Schaffhausen, denen das Kloster Rommersdorf 1117 gestiftet worden war, gaben es nur acht Jahre später wegen der Armut der Gegend wieder auf. Zu wirtschaftlicher und kultureller Blüte verhalfen ihm erst die 1135 zugezogenen Prämonstratenser, die u.a. nach der Ordensregel des Augustinus lebten.

Die erhaltenen Bauten der romanisch-gotischen Anlage vermitteln ein Bild klösterlicher Geschlossenheit. Auf dem Weg vom Kreuzgang zum südlichen Seitenschiff der Kirche befindet sich eine mittelalterlich

eingerichtete Zelle mit einer Mönchsfigur bei Schreibarbeiten. Sie ist Teil einer Ausstellung, in der das einstige Klosterleben und die heutigen Renovierungsarbeiten an der Abtei dokumentiert werden.
ℹ Abtei Rommersdorf, Neuwied-Heimbach-Weis: So und feiertags 11–12, 14–18 Uhr (Ostern–Allerheiligen), Führungen n. Vereinb., Tel. 0 26 22/3 25 00.
Arnstein Auch im Kloster Arnstein wirkten Prämonstratenser. 1139 sollen sich Graf Ludwig und seine Frau Guda nach langer kinderloser Ehe entschlossen haben, ihre Burg zum Kloster umzubauen. Noch heute thront es mit romanischem Westwerk und gotischem Chor weithin sichtbar über der Lahn.
ℹ Kloster Arnstein, Seelbach: täglich 9–18 Uhr, Führungen n. Vereinb., Tel. 0 26 04/48 31.
Eberbach Augustiner und Benediktiner versuchten zu Beginn des 12. Jh. vergeblich, in Eberbach Fuß zu fassen. Dies gelang erst den Zi-

sterziensern, die die Klosteranlage 1135 übernahmen. Der heilige Bernhard, Abt des Burgunder Mutterklosters, weilte bei Baubeginn der Kirche 1145 möglicherweise selbst in Eberbach.

Bis auf Teile des Kreuzgangs sind noch alle Bauten des Klosters sehr gut erhalten, auch das weltliche Laienbrüderhaus und das Hospital. Eberbach ist heute hessische Staatsweinkellerei. Weinproben in den historischen Räumen sind möglich.
ℹ Kloster Eberbach, Eltville: täglich 10–18 Uhr (April–September), sonst Mo–Fr 10–16, Sa, So 11–16 Uhr, Führungen n. Vereinb. über das Büro der Staatsweinkellerei, Tel. 0 67 23/42 28.

Mittelheim Die kleine Basilika Sankt Ägidius war zu Beginn des 12. Jh. die Kirche eines Augustinerinnenklosters. Nachdem 1131 das benachbarte Augustinerkollegium von Eberbach wegen „mangelnder Zucht" aufgelöst wurde, fanden die Mönche hier Zuflucht. Von dieser Zeit als Doppelkloster zeugt noch heute die Empore über dem rechten Seitenschiff, wo die Nonnen, von den Mönchen getrennt, dem Gottesdienst beiwohnten. Seit der Auflösung des Klosters im Jahr 1263 ist Sankt Ägidius Pfarrkirche von Mittelheim.
ℹ Pfarrkirche Sankt Ägidius in Mittelheim, Oestrich-Winkel: Schlüssel im Pfarrhaus neben der Kirche.

Ein Leben in der Klostergemeinschaft

Burchard ist Mönch, seit seine Eltern ihn als Kind in das Kloster im Breisgau brachten. Es ist sein Zuhause. Von der Welt hat er seitdem nichts mehr gesehen. Er besitzt kaum noch Erinnerungen an die Farben und Gerüche, an den Lärm und die Fröhlichkeit, den Haß und das Leid, die kleinen Heimlichkeiten und Begierden, die außerhalb seines Klosters existieren.

Anfänglich bekam er von den älteren Brüdern im Kloster viele Schläge, litt Hunger und verzehrte sich nach der Liebe seiner Eltern, doch dann lernte er, was Demut ist und daß Gott ihm in der eigenen Erniedrigung am nächsten ist.

Der strikte Rhythmus von Gebet und Arbeit bestimmt den unabänderlichen Tagesablauf innerhalb der Klostermauern. Gemäß dem Prophetenwort „Siebenmal am Tag singe ich dein Lob" treffen sich die Mönche siebenmal am Tag und in der Nacht zu den Meßfeiern und zum Gebet. Die Psalmen und die liturgischen Gesänge sind dabei genau vorgeschrieben.

Wöchentlich wechseln sich die Mönche beim Küchendienst und bei den Tischlesungen ab. Das Amt des Pförtners oder des Kellerers dagegen, der Speise und Trank der Mitbrüder bemißt und dabei den strengen Anweisungen des Abtes oder Priors zu folgen hat, wird an einzelne Mönche auf Lebenszeit übertragen. Es handelt sich um Vertrauensposten, die den langjährigen Mitgliedern der Klostergemeinschaft vorbehalten sind. Die Hauptmahlzeit nehmen die Mönche zur sechsten Stunde ein. An Tagen, an denen nicht gefastet wird, erhalten sie ein zusätzliches Essen. Täglich gibt es einen Kanten Brot, dazu ein Viertel Wein als Minimum. Wenn es heiß ist oder man im klostereigenen Garten den ganzen Tag schwer gearbeitet hat, dann darf es schon einmal etwas mehr Wein sein. Auf Fleisch von „vierfüßigen Tieren" verzichtet man im Kloster in der Regel völlig.

Burchard, der nun schon über 20 Jahre in dieser Klostergemeinschaft lebt, genießt ein großes Ansehen bei seinen Brüdern. Erst vor kurzem hatte ihm der Abt den ehrenvollen Auftrag erteilt, die Brüder des Klosters auf der Bodenseeinsel Reichenau zu besuchen. Dort sollte er ein Werk des heiligen Augustinus gegen eine Abschrift des „Hortulus" des Walahfrid Strabo eintauschen. Nach dem berühmten Buch gedenkt man, zu Hause einen Kräutergarten anzulegen.

Burchard wurde auf der Reichenau freundlich aufgenommen. Der Abt brach seinetwegen sogar das Fasten und lud ihn an seinen Tisch; er reichte ihm selbst das Wasser für die Hände, nachdem sie gemeinsam gebetet und den Friedenskuß getauscht hatten. Mit den anderen Brüdern kam er dagegen kaum ins Gespräch. Lediglich mit Berward, wie er ein Schreiber, konnte er sich ein wenig über die geschickteste Herstellung von Tinte austauschen, über das richtige Wässern, Schaben und Spannen der Häute, die man zu Pergament verarbeitete. Sie sprachen auch über die Möglichkeit, Gold mit Hilfe von Gummiarabikum fest haftend auf die mit buntem Ranken- und Blattwerk verzierten Textseiten aufzutragen.

Als Burchard wenige Tage später ins heimatliche Kloster zurückkehrte, gab er beim Bruder, der die Kleiderkammer hütete, die Kleidung ab, die ihm für die Reise ausgehändigt worden war. Er tauschte die neue Hose und den kaum getragenen Kapuzenmantel wieder gegen seine abgewetzten, vielfach geflickten Kleider ein. Wie alle anderen auch besitzt Burchard zwei Leibröcke, zwei festere Mäntel sowie eine Arbeitsschürze. Oft ist es nicht genug, um in klirrenden Winternächten unter der einfachen Wolldecke in

Mönche in der Schreibstube Neben der Feld- und Gartenarbeit gehörte das Abschreiben von Handschriften zu den wichtigsten Tätigkeiten im Kloster. Die Mönche saßen an steilen Schreibpulten und malten in mühsamer Kleinarbeit aus der Vorlage Buchstabe um Buchstabe nach. Oft dauerte es Jahre, bis eine Handschrift kopiert war.

dem unbeheizten Schlafsaal ein wenig Wärme zu finden.

Als Burchard am nächsten Tag ins Skriptorium kommt, sitzen dort schon seine Mitbrüder an den steilen Schreibpulten und malen eifrig an ihren Abschriften. Burchard, der die Schreibstube leitet, sieht die kopierten Texte, welche die beiden Schreiber Adalbert und Konrad in unermüdlicher Arbeit erstellen, auf Fehler durch und widmet sich gerne den Eleven, den jungen Brüdern, die das Schreiberhandwerk erst noch erlernen. Mit geübter Hand schreibt er ihnen einige Beispielzeilen auf das Pergament und läßt dann die Jungen im selben Duktus fortfahren. Außerdem übernimmt er oft selbst das Rubrizieren, daß heißt die Ausführung von hervorzuhebenden Absätzen oder In-

itialen in roter Schrift. Seine größte Sorgfalt aber gilt vor allem der Herstellung der kostbaren Tinte.

In diesen Tagen muß wieder neue Tinte angesetzt werden. Zum Glück ist noch genügend getrocknetes Holz von Dornensträuchern vorhanden. Burchard traktiert es, während die Jungen ihm interessiert über die Schulter schauen, auf einem harten Brett mit einem hölzernen Hammer, bis sich die Rinde abschälen läßt. Diese wirft er umgehend in ein mit Wasser gefülltes Faß.

Die nächsten Tage heißt es, sich in Geduld zu üben. Die Mönche verschreiben bereits die letzten Reste der alten Tinte. Nach acht Tagen hat das Wasser im Faß den Rindenstücken allen Saft entzogen. Der Sud wird in einem sorgfältig gesäuberten Topf zum Kochen gebracht. Hin und wieder gibt Burchard noch etwas von der Rinde hinzu. Es dauert Stunden, bis der Sud auf ein Drittel seiner ursprünglichen Menge eingekocht ist. Nun schüttet er die dunkle Brühe in ein kleineres Gefäß um und läßt sie weiter einkochen. Dann setzt er der Substanz im Topf ein Drittel Wein zu, den er beim Kellerer besorgt hat, und wartet, bis sich auf ihrer Oberfläche eine dünne Haut zu bilden beginnt. Darüber ist es Nacht geworden. Von den Gebetsübungen hat ihn der Abt eigens befreit. Erschöpft und ohne gegessen zu haben, sucht er endlich seine Bettstatt im Schlafsaal auf.

Am nächsten Morgen trägt er gleich nach der Andacht seinen kostbaren Schatz in den Klosterhof, wo die Sonne die schwarze Tinte vom roten Satz trennen soll. Und es glückt. In der Mittagsstunde kann er die dickflüssige Tinte in Pergamentsäckchen abfüllen und zum weiteren Trocknen in die Sonne hängen.

Dann ist es endlich soweit. Die großen, doppelseitigen, nach feinen Markierungspunkten von seinen Mitbrüdern bereits linierten Pergamentbogen, immer acht übereinander, liegen bereit; daneben ein Bibeltext, der kopiert und zu einem Prachtkodex ausgearbeitet werden soll. Burchard füllt etwas von der trockenen, frisch produzierten Masse in sein Tintenhorn ab, fügt etwas Wein hinzu und erhitzt sie. Dann nimmt er eine neue Feder zur Hand, taucht sie ein und beginnt in seiner schönsten Schrift:

INCIPIT PROLOGUS SANCTI HIERONYMI PRESBYTERI IN PENTATEUCHO...

Naß funkeln die pechschwarzen Buchstaben und heben sich scharf vom mattweißen Pergament ab. Zufrieden lehnt er sich zurück und betrachtet die erste Zeile. Die Tinte ist ihm gelungen.

Viele Monate werden noch vergehen, ehe Burchard diese Prachthandschrift fertigstellt und sie als Meisterstück zu den anderen Werken in die Klosterbibliothek kommt.

Auf den Spuren der Klosterreformer

Die beiden großen Reformbewegungen des mittelalterlichen Mönchtums gingen von Burgund aus. Anfang des 10. Jh. versuchten die Cluniazenser durch strenge klösterliche Regeln der Verweltlichung entgegenzuwirken. Deutschsprachiges Zentrum ihres Klosterverbands wurde Hirsau. Als die Kraft des Ordens Ende des 11. Jh. nachließ, wurden die Zisterzienser zu den Hauptkämpfern für die mönchischen Ideale. Schönstes Beispiel für ihre schlichte Architektur ist Maulbronn.

Maulbronn Der Sage nach war es Wassermangel, der die Zisterzienser vom Gut Eckenweiher bei Mühlakker vertrieb, das sie 1138 zum Bau eines Klosters geschenkt bekommen hatten. Sie schickten einen Maulesel zur Wassersuche los, der schließlich die Quelle im heutigen Klostergarten, den Maulbronnen, aufspürte. Ab 1147 entstand hier die Klosteranlage, die in seltener Vollständigkeit Einblick in die Baukunst und das klösterliche Leben der Zisterzienser gibt.

Aus den Reihen der Benediktiner ging zu Beginn des 12. Jh. im burgundischen Cîteaux die zisterziensische Reformbewegung hervor, die das Mönchtum durch Askese und Arbeit wieder zu seinen ursprünglichen Werten zurückführen wollte. Am benediktinischen Klosterschema, dem Sankt Gallener Plan von 820, ist auch der Grundriß von Maulbronn orientiert. Die bauliche Einheit des Klosters sollte den Mönchen und Laienbrüdern ermöglichen, unter einem Dach zu leben, zu beten und zu arbeiten. Die einzelnen Konventsgebäude baute man in feststehender Reihenfolge um einen Innenhof. An seiner Südseite befindet sich die Kirche. Zur Erschließung der Anlage dient ein offener Umgang, der Kreuzgang. Im Osten schließt sich der sogenannte stille Bezirk an, in dem Herrenhaus, Friedhof und Garten liegen. Im angrenzenden Parlatorium durfte zu gewissen Zeiten gesprochen werden. Als schönster Raum des Klosters gilt die spätgotische Brunnenkapelle an der Nordseite des Kreuzgangs, wo die Mönche vor dem Essen ihre vorgeschriebenen Waschungen verrichteten.

Die Laienbrüder waren Kloster-

Klosterkirche Bad Herrenalb *Die Außenmauern des Paradieses sind noch erhalten (links). Diese Vorhalle symbolisierte den Garten Eden.*

Maulbronn *Das Chorgestühl im Innern der Klosterkirche (oben) stammt aus der Zeit um 1450. Die Trennwände zwischen den 92 Einzelsitzen sind charakteristisch für den Zisterzienserorden. Die geschnitzten Reliefs an den Wangen stellen u.a. Noahs Trunkenheit und Davids Tanz vor der Bundeslade dar.*

mitglieder ohne kirchliche Weihen, die vor allem praktische Arbeiten ausführen mußten. Besonders deutlich wird in Maulbronn, wie die Zisterziensermönche, die sich Herren nennen durften, den Abstand zu den Laienbrüdern betonten. Die Küche liegt zwischen dem Herren- und dem Laienrefektorium, den beiden getrennten Speisesälen. Selbst in der Kirche scheidet eine massige romanische Chorschranke den Mönchs- vom Laienchor.

Typisch zisterziensisch ist der lange, niedrige Kirchenbau, dem westlich das sogenannte Paradies vorgebaut ist. Das Fehlen eines Turms weist auf das Ordensideal des Verzichts hin. Nur ein Dachreiter als Glockenträger war erlaubt. Westlich vom eigentlichen Klosterkomplex befinden sich die Wirtschaftsgebäude. Küferei, Mühle, Schmiede, Wagnerei und der achtstöckige Fruchtspeicher zeugen davon, daß das Kloster wirtschaftlich autark war.

Politisch war es jedoch nicht unabhängig: Kaiser Karl IV. stellte Maulbronn 1372 unter den weltlichen Schutz des Pfalzgrafen, der es als Stützpunkt für seine Auseinandersetzungen mit den württembergischen Herzögen verwendete. Der Befestigungsgürtel, der die Anlage heute noch umschließt, wurde in dieser Zeit angelegt. Trotzdem eroberten 1504 die Württemberger das Kloster. Nach der Reformation verwandelten sie es in eine Klosterschule zur Vorbereitung auf das

Von Maulbronn nach Hirsau Auf gut ausgebauten Bundesstraßen verläuft der Hauptteil dieser Tour. Einer der schönsten Abschnitte ist sicherlich die Strecke, die von Baden-Baden zum Teil über die Schwarzwald-Tälerstraße (B 462) nach Klosterreichenbach führt.

theologische Studium und sorgten so dafür, daß die Anlage erhalten blieb. Geistesgrößen wie Kepler, Hesse und Hölderlin durchlebten und durchlitten das Maulbronner Seminar, das bis heute besteht.
ℹ️ Kloster Maulbronn: Di–So 8.30 bis 18.30 Uhr (April–November), sonst 9.30–13, 14–17 Uhr.
Bad Herrenalb Nach seiner Rückkehr vom Zweiten Kreuzzug stiftete Graf Berthold von Eberstein den Zisterziensern aus Maulbronn das Kloster im stillen Albtal. Die Markgrafen von Baden, auf die die Schirmvogtei überging, förderten es nach Kräften. Auf einem reichgeschmückten Grabmal von 1431, das sich in der Bogenöffnung zwischen

Haupt- und Nebenchor der Kirchenruine befindet, ist Markgraf Bernhard von Baden als Ritter in voller Rüstung dargestellt.

Im Dreißigjährigen Krieg wurde die Abtei bis auf Teile der Kirche zerstört. Erhalten blieben die Außenmauern der westlichen Vorhalle (das sogenannte Paradies), die Westwand mit ihrem dreigestuften Portal und Teile der Ostpartie.
Baden-Baden Auf eine über 600jährige ununterbrochene Geschichte können die Zisterzienserinnen der Abtei Lichtental, die dem südlichen Baden-Badener Stadtteil seinen Namen gab, zurückblicken. 1245 gründete die badische Markgräfin Irmengard das Kloster, das sie drei Jahre später zu ihrem Witwensitz machte. Bis ins 15. Jh. war das Stift ausschließlich adligen Damen vorbehalten. Viele der Äbtissinnen kamen aus dem badischen Adelsgeschlecht, dessen Markgrafen sich bis ins späte 14. Jh. in der Fürstenkapelle beisetzen ließen. Am besten erhalten sind das Grabmal Rudolfs VI., dessen voll gerüstetes Bildnis auf einer von vier Löwen getragenen Platte ruht, und das Monument Rudolfs IV., der im Spangenharnisch, einer typischen Rüstung des 14. Jh., dargestellt ist.
Der Grabstein der Stifterin Irmengard im Chor der Abteikirche wurde von einem Straßburger Meister ge-

Zisterzienserinnen in Baden-Baden Handwerkliches Geschick legen die Ordensschwestern der Abtei Lichtental noch heute in der klostereigenen Weberei an den Tag.

schaffen. Das verklärt lächelnde Antlitz der Gräfin deutet darauf hin, daß Anfang des 14. Jh. besonders die alemannischen Frauenklöster von der Geistesströmung der Mystik ergriffen waren.

Vom romanischen Gründungsbau der Klosterkirche sind einige Rundbogenfenster an Nord- und Südseite erhalten, 1470 wurde das gotische Langhaus geweiht. Der von einer mittelalterlichen Mauer umschlossene Klosterbezirk besitzt, trotz baulicher Veränderungen späterer Zeiten, noch heute die ursprüngliche Anordnung. Die Besichtigung des Klosters und seiner Kunstsammlung, die u.a. sakrale Kleinplastiken und liturgische Gewänder umfaßt, ist nur mit einer Führung durch die Ordensschwestern möglich.

ℹ️ Zisterzienserinnenabtei Lichtental: Mo–Sa 9–12, 14.30–17 Uhr.

Klosterreichenbach Abt Wilhelm von Hirsau nutzte den Adelsbesitz, der ihm 1082 an der Einmündung des Reichenbachs in die Murg geschenkt worden war, zur ersten Tochtergründung der Hirsauer Abtei. Dem neuen Kloster stand ein Prior, d.h. ein Stellvertreter des mutterklösterlichen Abts, vor. Aus dieser Abhängigkeit konnte sich Klosterreichenbach, das heute zu Baiersbronn gehört, bis ins 17. Jh. nicht lösen.

Der Gründungsbau der ehem. Klosterkirche Sankt Gregor war die erste Prioratskirche, die nach dem Vorbild von Sankt Aurelius in Hirsau errichtet wurde. Gegen Ende des 12. Jh. wurde der Chor verlängert und dreischiffig ausgebaut. Von 1230 bis 1240 erhielt dann das zunächst flach gedeckte Gotteshaus ein Kreuzrippengewölbe. Von den romanischen Klostergebäuden stehen noch ein Turm und ein Badhaus. Der erhaltene Teil des Westflügels wurde 1977 in den Bau des Gemeindehauses einbezogen.

Alpirsbach Obwohl Hirsau das deutsche Zentrum der Cluniazensischen Reform war, besetzten zunächst Ordensbrüder aus Sankt Blasien das cluniazensische Kloster Alpirsbach, das 1095 von drei Adligen gestiftet worden war. Erst ab 1117 stellte Hirsau die Äbte.

Bei aller Betonung von Verzicht, Strenge und Schlichtheit verloren die Cluniazenser nie den Sinn für großangelegte Kirchenbauten. Die ehem. Klosterkirche Sankt Benedikt, die 1099 geweiht wurde, führt dies eindrucksvoll vor Augen. Die ohne Vorhalle 49,5 m lange, flach gedeckte, kreuzförmige Basilika läßt ahnen, wie imposant erst das Hirsauer Vorbild, die fast doppelt so große Klosterkirche Sankt Peter und Paul, vor ihrer Zerstörung gewesen sein muß. Auch die Zugehörigkeit zur Kongregation von Sankt Blasien, das dem Bistum Konstanz angeschlossen war, wird an Eigentümlichkeiten spürbar. Für Kirchen des Bodenseebistums sind z.B. halbrunde Apsiden am Ende der Nebenchöre. Über ihnen sollten ursprünglich zwei Osttürme gebaut werden, von denen jedoch nur einer ausgeführt wurde. Die äußere Strenge setzt sich im hohen Innenraum fort, dessen Steilheit durch die beeindruckenden Lichtverhältnisse noch betont wird: Der Raum wird durch hoch angesetzte Fenster nach oben immer heller. Von der ehemals reichen Ausstattung blieb nur wenig erhalten. Kostbarstes Stück ist eine romanische Chorbank mit gedrehten Rundhölzern in byzantinischer Technik. Die ehem. Konventsgebäude liegen an der Südseite der Kirche. An den gut erhaltenen gotischen Kreuzgang schließt sich im Osten der Kapitelsaal aus der Zeit um 1230 an, dessen zierliche Formen an Maulbronn erinnern. Hier werden in den Sommermonaten Kammermusikabende veranstaltet.

ℹ️ Kloster Alpirsbach: Führungen Di, Fr 16 Uhr (April–September), sonst Di, Fr 14 Uhr. Informationen zu den Konzerten: Kurverwaltung Alpirsbach, Tel. 0 74 44/61 42 81.

Bebenhausen Als Perle des Schönbuchs wird Bebenhausen, das in ei-

Klosterkirche Bebenhausen Die Wandmalerei an der linken Chorseite entstand um 1410. Sie stellt Abt Peter von Gomaringen bei der Übergabe des Vierungsturms an die Gottesmutter dar (rechts). Der listige Abt hatte mit dem Bau die Ordensvorschriften zwar formal erfüllt, doch die Pracht des Dachreiters widerspricht dem Ordensideal.

ner sanften Talmulde liegt, gern bezeichnet. Das Dorf und das ehem. Kloster, die durch eine doppelte mittelalterliche Ringmauer miteinander verflochten sind, stehen wegen ihrer guterhaltenen mittelalterlichen Bausubstanz unter Denkmalschutz.

Auf dem wirtschaftlichen und politischen Höhepunkt seiner Dynastie stiftete Pfalzgraf Rudolf von Tübingen um 1187 das Kloster den Prämonstratensern, übertrug es jedoch schon 1190 dem Zisterzienserorden. Der Stifter, an den der Wappengrabstein im romanischen Kapitelsaal erinnert, stattete Bebenhausen nicht nur mit reichen Besitztümern aus, er verbriefte ihm auch das Privileg der Vogtfreiheit: Keinem weltlichen Herrscher außer dem König waren die Mönche untertan, kein Fürst konnte sie folglich zur Kasse bitten. Diese politische Unabhängigkeit war die Grundlage für die beachtliche wirtschaftliche Blüte des Klosters. Der zisterziensische Fleiß tat ein übriges. Schon 40 Jahre nach der Gründung umfaßte der weitverstreute Besitz der Mönche 47 Dörfer, verschiedene Höfe, Mühlen, Kirchen und Burgen. Von Ulm aus betrieben sie einen florierenden Weinhandel – hier gehörte ihnen auch der große Klosterhof, den sie Ende des 14. Jh. als Bauplatz für das Ulmer Münster abtreten mußten. Von den einstigen Stiftern, den schwer verschuldeten Pfalzgrafen, kaufte das Kloster im Jahr 1301 sogar die Hoheitsrechte über die Stadt Tübingen, zu der Bebenhausen heute als Vorort gehört.

Bei diesem wirtschaftlichen Erfolg traten die Ordensideale etwas in den Hintergrund. So war den bis ins 15. Jh. stets adligen Äbten die Schlichtheit der zisterziensischen Klosteranlage ein Dorn im Auge. Um 1340 fügten sie in der östlichen Chorwand der Klosterkirche das riesige hochgotische Prunkfenster ein, das nach Salemer Vorbild gefertigt wurde. Zur gleichen Zeit entstand auf romanischen Fundamenten das hochgotische Sommerrefektorium. Das Fächergewölbe dieser zweischiffigen Halle ruht auf nur drei zierlichen Achteckpfeilern aus Granit. 67 Jahre später vollbrachte der baukundige Laienbruder Georg von Salem im Auftrag von Abt Peter von Gomaringen sein Meisterstück: Formal erfüllt zwar sein Dachreiter die Ordensregel, die keinen Kirchturm zuläßt. Der trotz seiner kräftigen Strebepfeiler filigran und luftig wirkende Aufsatz hält aber dem Vergleich z.B. mit den prachtvollen Türmen der Benediktiner stand.

Bei der Renovierung zum 800jährigen Jubiläum, das Bebenhausen 1987 feierte, entdeckten Archäologen unter dem Fußboden des Parlatoriums eine Luftheizung aus dem späten 12. Jh., die erste dieser Art in Süddeutschland. Ein Modell der Klosteranlage um 1500 ist in der ehem. Klosterküche ausgestellt.

ℹ️ Kloster Bebenhausen: Di–Fr 9–11, 14–17 Uhr, Führungen nur Sa,

---

An der Kirchentür: Symbole der Stärke

Türklopfer oder auch Türzieher aus Bronze schmückten im Mittelalter viele Kirchenportale. Besonders geläufig war die Form einer Löwenmaske. Sie geht vermutlich auf römische Vorbilder zurück und wurde nachweislich schon im 4. Jh. als Ausstattungsstück für christliche Bauwerke verwendet. Als später typisches Element staufischer Bronzekunst wurden im 12. und 13. Jh. häufig Türzieher – meist paarweise – verwendet. Die Skizze zeigt einen der beiden Löwenköpfe am Eingang zur Klosterkirche in Alpirsbach.

Klosterruine Hirsau
Die Cluniazenserabtei wurde 1692 im Pfälzischen Erbfolgekrieg durch Truppen des französischen Generals Mélac zerstört. Die Ruine (links) vermittelt noch ein eindrucksvolles Bild der riesigen Anlage. Im Vordergrund der Kreuzgang, in dem im Sommer die Hirsauer Klosterspiele stattfinden. Der Eulenturm im Hintergrund war einer der beiden Westtürme der Klosterkirche.

Alpirsbacher Klosterbrauerei *Die heutige Privatbrauerei stellte den historischen Brauvorgang für ihren Diavortrag bei Brauereibesichtigungen nach (links). Das „flüssige Brot" war in Fastenzeiten für die Mönche ein willkommener Ersatz, um den Hunger zu stillen.*

So und feiertags 10, 11, 14, 15, 16 Uhr.
Hirsau Die Wurzeln des Hirsauer Klosters liegen nicht in dem großflächigen Ruinengebiet an der Straße nach Wildbad, sondern auf der anderen Seite der Nagold. Hier kamen bei Grabungen vor 50 Jahren die Fundamente der ursprünglichen Kirche des um 830 gegründeten Aureliusklosters zutage. Leider hatten die Benediktiner den Platz unglücklich gewählt – Überschwemmungen sowie Streitigkeiten mit den Calwer Grafen führten zum Zerfall des Klosters. 1049 beauftragte Papst Leo IX. bei einer Deutschlandreise seinen Neffen, Graf Adalbert II. von Calw, die Reliquie des heiligen Aurelius wieder auszugraben (sie wird heute in einem modernen Reliquienschrein im Langhaus der ab 1059 er-

bauten Kirche verwahrt), das Kloster wieder aufzubauen und mit Mönchen aus dem Schweizer Kloster Einsiedeln zu besetzen.

1069 wurde Abt Wilhelm hierher berufen, der zuvor Prior des mächtigen Benediktinerklosters Sankt Emmeram in Regensburg war. Zehn Jahre später schloß er sich der Reform an, die von der burgundischen Abtei Cluny ausging. Der neue Orden der Cluniazenser war die erste große Erneuerungsbewegung, die das mittelalterliche Mönchtum ergriff. Er wollte der Verweltlichung der Klöster, aber auch dem Verfall der christlichen Werte im politischen und wirtschaftlichen Leben, der durch die Auflösung der karlingischen Reichseinheit bedingt war, entgegenwirken. Die Rückbesinnung auf die Regel des heiligen Be-

nedikt, die seit Mitte des 6. Jh. mit ihren 73 Kapiteln das abendländische Klosterleben bestimmte, war eine der theoretischen Grundlagen der Cluniazenser. Der für die Ausbreitung der Reform entscheidende Punkt ging jedoch weit über die Benediktregel hinaus: Während diese nur relativ unabhängige Einzelklöster vorsah, überzog der neue Orden Europa mit dem Netzwerk eines straff organisierten Klosterverbands, zu dessen deutschsprachigem Zentrum Hirsau wurde. Die von Abt Wilhelm eingeleitete Hirsauer Reform nach den Satzungen von Cluny führte zur Neugründung oder Reformierung von mehr als 100 Klöstern vom Rhein bis an den Harz.

Die neuen, strengen Vorschriften von Cluny regelten alle Bereiche des mönchischen Lebens mit asketischer Härte. Abt Wilhelm verschärfte sie noch. Deshalb wurde sein Kloster in den unsicheren Zeiten des 11. Jh., die vom Kampf um die Vorherrschaft zwischen Kaiser und Papst erschüttert waren, zu einem Anziehungspunkt für viele, die an der Welt verzweifelten. Die Zahl der Mönche wuchs auf über 150 an, das Aureliuskloster wurde zu klein.

1082 begann Abt Wilhelm mit dem gewaltigen Klosterneubau auf der anderen Nagoldseite. Allein die Größe der Kirche demonstriert die Bedeutung, die das Hirsauer Kloster mittlerweile erlangt hatte. Mit einer Länge von fast 97 m war sie nach dem Ulmer Münster der größte Kir-

chenbau Schwabens. Neben einigen Umfassungsmauern und Sockelresten blieb einer der beiden Westtürme, der Eulenturm, erhalten. Über dem zweiten Geschoß befindet sich ein umlaufendes Steinrelief. An den Turmecken beschützen zähnefletschende Löwen den Bau; in der Mitte der Wände sind Laienbrüder dargestellt, die im Gegensatz zu den glattrasierten Mönchen Bärte tragen durften. Die Tiere und das Rad, die in ihrer Umgebung abgebildet sind, deuten darauf hin, daß die Laienbrüder im Kloster vor allem landwirtschaftliche und handwerkliche Aufgaben erfüllten. Der Kreuzgangsgarten bildet seit einigen Jahren die Kulisse für die sommerlichen Hirsauer Klosterspiele, bei denen vor allem klassische Theaterstücke aufgeführt werden. Erhalten blieb auch die 1508–1516 errichtete Marienkapelle, in der heute ein kleines Museum, die da neben baulichen Resten der Klosteranlage untergebracht ist (nur bei Führungen zu besichtigen).

Das alte Aureliuskloster wurde nach Fertigstellung der neuen Anlage im Jahr 1092 zum Priorat. Der Grundriß der Kirche von Sankt Aurelius, den Abt Wilhelm nach Art der Cluniazenser um Seitenkapellen am Chor erweiterte, wurde zum Vorbild für die Errichtung weiterer Priorate, wie z. B. Klosterreichenbach.

ⓘ Kloster Hirsau: Führungen n. Vereinb. beim Verkehrsamt Calw, Tel. 0 70 51/56 71. Dort auch Informationen über die Klosterspiele.

Kulturzentren im Südwesten

Das milde Klima, die reizvolle Landschaft und die Schlüssellage im Herzen Europas zogen auch Mönche an Bodensee und Hochrhein. Schon früh entstanden hier mächtige Klöster, deren Wirken in Kunst und Kultur, Natur- und Geisteswissenschaften von europäischem Rang war. Die Orden trieben jedoch auch die praktische Entwicklung des Landes voran und lehrten die Bauern verbesserte landwirtschaftliche Methoden. Vor allem die kleinen Klöster leisteten hierbei wertvolle Pionierarbeit.

Salem Etwa 7 km vom Bodensee entfernt, bauten sich die Zisterzienser ab 1137 ein Kloster in die freundliche Hügellandschaft. Die Abtei war zeitweilig so hoch angesehen, daß hier sogar Äbte anderer Klöster als einfache Mönche eintraten. Leider brannte fast der gesamte Komplex im 17. Jh. ab, so daß an das Mittelalter heute nur noch das Gotische Haus und das Münster erinnern. Begonnen wurde der Kirchenbau Ende des 13. Jh., die Innenausstattung erfolgte aber erst in späteren Epochen. Heute ist in der zu einem Schloß umgewandelten Klosteranlage ein renommiertes Internat untergebracht.
ℹ Schloß und Münster: Besichtigung nur mit Führung Mo–Sa 9–12, 13–17, So und feiertags 11–17 Uhr (April–Oktober).

Konstanz Bereits im 7. Jh. war Konstanz Ausgangspunkt der Christianisierung der Alemannen. Die Bischofsstadt zog in der Folgezeit zahlreiche Mönchsorden an. Im 13. Jh. ließen sich auf einer kleinen Insel nahe der Rheinbrücke Dominikaner nieder. Heute ist im einstigen Kloster ein Hotel untergebracht.

Trotz aller Umgestaltungen hat der Komplex den Klostergrundriß bewahrt. Weitgehend erhalten ist der frühgotische Kreuzgang, der um 1900 mit Fresken zur Konstanzer Geschichte ausgestaltet wurde. Eine davon stellt den Dominikaner Heinrich Seuse dar, der hier Anfang des 14. Jh. als einer der Hauptvertreter der deutschen Mystik wirkte, welche die Vereinigung mit Gott in einem entrückten, ekstatischen Seelenzustand zum Ziel hatte.

In der ehem. Klosterkirche wurden in den letzten Jahren gotische Wandgemälde entdeckt, darunter

Klosterglocke in Schaffhausen *Die Glocke (1486) hinter den Kreuzgangsarkaden (oben) inspirierte Schiller zu seinem „Lied von der Glocke".*

Münster in Mittelzell *Nicht weit vom Ufer des Gnadensees entfernt, erhebt sich das Maria und Markus geweihte Münster auf der Insel Reichenau (oben). Der hohe spätgotische Chor im Osten wurde erst 1447 gebaut. Er ersetzte eine runde Kapelle aus dem 10. Jh.*

Kräutergarten auf der Reichenau *1974 wurde im ehem. Klostergarten von Mittelzell ein Gärtlein angelegt (links). Dort sind alle 23 Heil- und Würzkräuter, die Walahfrid Strabo in seinem Lehrgedicht nennt, zu besichtigen.*

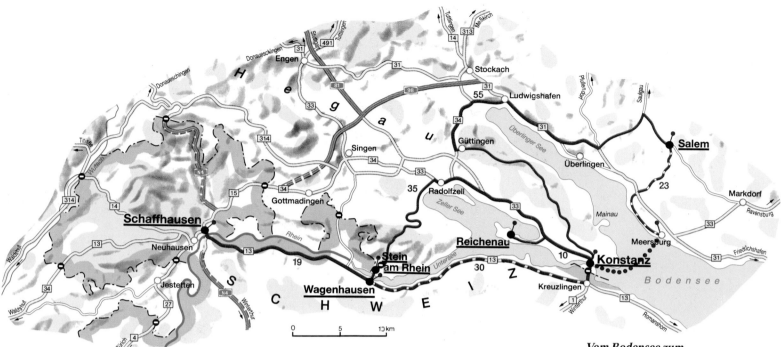

Monumentalfiguren, die David und Augustinus darstellen.

ⓘ Steigenberger Inselhotel: Besichtigung von Kreuzgang und Kirche n. Vereinb., Tel. 07531/2 50 11.

Reichenau Diese nur 4,5 km lange und 1,5 km breite Insel im Bodensee war einst ein kulturelles Zentrum, wie es in Europa nur wenige gab. Im 8. Jh. entstand im heutigen Mittelzell ein großes Benediktinerkloster. Von seinen Bauten, in denen schon 100 Jahre später eine der bedeutendsten Bibliotheken des Abendlandes bewahrt wurde, ist nichts erhalten geblieben. Abt Walahfrid Strabo schrieb hier in der Mitte des 9. Jh. das früheste Lehrgedicht über Gartenbau in Deutschland, den „Hortulus".

Die ottonischen Kaiser waren um das Jahr 1000 große Förderer der Kunst. Die Reichenauer Malschule gehörte zu den größten ihres Reiches. Hier entstanden in kaiserlichem Auftrag Buchmalereien, die

heute zu den Schätzen vieler europäischer Bibliotheken gehören. Leider verblieb keine von ihnen auf der Insel. Ein Zeugnis für die Monumentalmalerei der Schule ist dagegen der bedeutendste Schatz der Reichenau: In der Basilika Sankt Georg in Oberzell, nahe der Ostspitze der Insel, befindet sich eine vollständige Wandbemalung aus ottonischer Zeit. In acht etwa 4 m breiten und 3 m hohen Bildfeldern sind die Wundertaten Jesu dargestellt.

Alte Wurzeln hat das Münster in Mittelzell. Sein östliches Querschiff geht auf eine 816 geweihte Basilika zurück. Das dreischiffige romanische Langhaus wurde um das Jahr 1000 erbaut. Aus dieser Zeit stammt auch eine Handschrift, die neben sakralen mittelalterlichen Kunstwerken in der Schatzkammer der Kirche zu sehen ist.

Im Westen ragen schließlich die

beiden Türme der Stiftskirche Sankt Peter und Paul in die Höhe. Die Wandmalereien aus dem frühen 12. Jh. im Chor sind Werke der Reichenauer Malschule.

ⓘ Schatzkammer des Münsters in Mittelzell: Mo–Fr 11–12, 15–16 Uhr (Mai–September), sonst n. Vereinb., Tel. 07534/2 49.

Stein am Rhein Unmittelbar ans Ufer des Rheins drängt sich das ehem. Benediktinerkloster Sankt Georgen. Kaiser Heinrich II. hatte es in den Jahren 1001–1007 vom Hohentwiel hierher verlegt.

Von der ursprünglichen Klosteranlage ist heute nichts mehr vorhanden. Ältestes Bauzeugnis ist die romanische Basilika aus dem 11. Jh. Der Kreuzgang und die Konventsgebäude, die hauptsächlich aus dem 15. und 16. Jh. stammen, vermitteln den Eindruck einer guterhaltenen spätmittelalterlichen Klosteranlage. Die meisten Räume, einschließlich der Mönchszellen, sind heute zu einem Museum zusammengefaßt.

ⓘ Klostermuseum: Di–So 10–12, 13.30–17 Uhr (März–November), Juli–August auch Mo.

Wagenhausen Das 1529 aufgehobene kleine Benediktinerkloster liegt idyllisch am Rheinufer. Aus der Entstehungszeit der um 1090 erbauten Anlage sind im Osttrakt noch der Kreuzgang und an der Nordflanke die heutige Pfarrkirche übriggeblieben. Das kecke spitze Türmchen will so gar nicht zum streng gezirkelten Inneren der Pfeilerbasilika passen. Solche verhältnismäßig kleinen Klöster waren wichtige Zellen für die Kultivierung des Landes,

Vom Bodensee zum Rheinfall Die längere Variante dieser Tour umrundet den Überlinger und den Zeller See. Eine Abkürzung auf dem Weg von Salem nach Konstanz bietet die Autofähre ab Meersburg.

auch wenn ihr Einflußbereich nur wenige Bauernhöfe und Weiler umfaßte.

Schaffhausen Die malerische Schweizer Stadt verdankt ihre Entstehung dem nahen Rheinfall – mußten doch hier im Mittelalter die Güter vom Fluß auf die Straße umgeladen werden. 1080 wurde die kleine Siedlung dem Benediktinerkloster Allerheiligen geschenkt. Heute liegt der ausgedehnte Komplex des inzwischen säkularisierten Klosters mitten in der Stadt.

An seine Frühzeit erinnert vor allem noch das Münster, eine Säulenbasilika, an der von 1090–1150 gebaut wurde. In der Vierung und im Altarraum befinden sich blasse Reste mittelalterlicher Bemalung. Südlich des Kirchenportals schließt sich der gut erhaltene Kreuzgang aus dem 12. Jh. an. Den überwiegenden Teil der ehem. Klostergebäude nimmt heute ein Museum mit verschiedenen, vor allem geschichtlichen Sammlungen ein. In diesem Bereich liegt auch die kleine Johanneskapelle als einziger erhaltener Bestandteil der ersten, im Jahr 1064 geweihten Klosteranlage.

ⓘ Museum zum Allerheiligen, Münsterplatz: Di–So 10–12, 14–17 Uhr.

Weinbau und Wohlstand

Fast 1000 Jahre lang, bis zur Reformation, befand sich der europäische Weinbau hauptsächlich in den Händen von Klöstern und kirchlichen Institutionen. Um 1400 erreichte der Rebenanbau in Europa seine größte Ausdehnung – sogar an der Ostsee wuchs der edle Saft. Die Mönche verwendeten ihn nicht nur zur Feier der Eucharistie. Der Weinhandel verhalf auch manchem Kloster zu Wohlstand, in Form von Wein wurden die Abgaben an die weltlichen Herren entrichtet, und Branntwein diente der Gesundheitsvorsorge. *Ora et labora,* bete und arbeite – der benediktin -

sche Wahlspruch war bei der harten Arbeit der Weinherstellung wohl angebracht. Einen Eindruck vom Kraftaufwand, der beim Keltern erforderlich war, gibt die Weinpresse (unten) im Klostermuseum in Stein am Rhein.

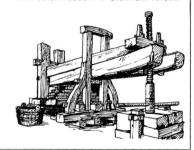

Schloß Berchtesgaden *Der Watzmann, mit 2713 m Deutschlands zweithöchster Berg, überragt die ehem. Fürstpropstei (links).*

Kreuzgang in Bronnbach *Die schlanken Säulen der kleeblattförmigen Fensteröffnungen im Ostflügel (oben) weisen bemerkenswerte Knospenkapitelle auf. Links im Bild ist der Eingang zum Kapitelsaal zu erkennen.*

Arnsburg Etwa 5 km südwestlich von Lich liegt mitten im Wald die Ruine des Klosters Arnsburg. Im Mittelalter war das Zisterzienserkloster das reichste der Wetterau – es hatte zeitweise bis zu 200 Mitglieder und Grundbesitz an 270 Orten. Im 19. Jh. verwendete man die Bauten als Steinbruch. Dennoch sind Teile der Außenmauern und Pfeiler der dreischiffigen Kreuzbasilika aus dem 13. Jh., der Kapitelsaal und das darüberliegende Dormitorium, der Schlafsaal, erhalten.

Bad Wimpfen Der Baumeister des Kirchenneubaus in Wimpfen im Tal stand um 1300 vor einem Dilemma: Er sollte einerseits den neuen Chor genau nach Osten ausrichten, andererseits mußte der noch stabile, sehr ungenau ausgerichtete romanische Westbau der alten Kirche einbezogen werden. Das Langhaus der Stiftskirche knickt deshalb gegenüber Chor und Querhaus nach Süden ab. Äußeres Prunkstück der Stiftskirche Sankt Peter ist die Südfront des Querschiffs, an der sich vor allem die von Straßburg beeinflußte Gotik in voller Pracht entfaltet.

Ältester Teil des dreiflügligen Kreuzgangs ist der ungewöhnlich breite Ostflügel mit seinen reichen Maßwerkfenstern, der aus der ersten Bauperiode (vor 1300) stammt. Die schmaleren Nord- und Westflügel kamen im 14. Jh. hinzu.

Nach dem Zweiten Weltkrieg fanden Benediktinermönche aus dem schlesischen Grüssau in der Klosteranlage eine neue Heimat. Regelmäßige Meditationsfreizeiten geben dem interessierten Gast einen unmittelbaren Eindruck vom heutigen Klosterleben.

ℹ️ Benediktinerkloster Bad Wimpfen: Kirche täglich 10–12, 15.30–17 Uhr; Kreuzgang nach Vereinb., Tel. 07063/7075.

Berchtesgaden Die Augustinerchorherren, Ordensleute, die nach gewissen geistlichen Richtlinien lebten, sich aber nicht dem strengen Mönchsgelübde unterwarfen, gründeten Anfang des 12. Jh. die Propstei Berchtesgaden. Bereits 1156 bestätigte Kaiser Friedrich I. dem Stift die Schürfrechte auf Salz und Metall. Der große Wald- und Salinenbesitz verhalf den Pröpsten schließlich sogar zur Reichsfürstenwürde.

Die ältesten Teile der dreischiffigen Hallenkirche stammen aus dem 12. Jh. In das romanische Portal sind Blattverzierungen, Tier- und Menschenmasken gemeißelt. Im 19. Jh. wandelte die bayerische Königsfamilie die ehem. Klostergebäude in ein Wohnschloß um.

ℹ️ Schloß Berchtesgaden mit Kirche: So–Fr 9–13, 14–17 Uhr, stündliche Führungen ab 10 Uhr (Ostern bis September), sonst So geschlossen.

Blaubeuren Nur einen kurzen Spaziergang vom Blautopf entfernt liegt das ehem. Benediktinerkloster, dessen Bauten in der zweiten Hälfte des 15. Jh. entstanden. Die Kirche fällt durch ihre Zweiteilung auf: Das Querhaus trennt das 31 m lange, einschiffige Langhaus vom schmalen, 26 m langen Chor. Der geöffnete spätgotische Marienaltar vom Ende des 15. Jh. füllt die gesamte Breite des Chorraums. Seine Figuren wurden vom Augsburger Meister Gregor Erhart geschaffen, das Schnitzwerk stammt von Jörg Syrlin d. J.

ℹ️ Ehem. Benediktinerkloster Blaubeuren: täglich 9–18 Uhr (März–Oktober), sonst Mo–Fr 14–16, Sa, So 10–12, 14–17 Uhr.

Börstel Der Legende nach hat Maria selbst den Zisterzienserinnen den Ort gezeigt, an den sie 1251 ihr Kloster verlegten. In drei Nächten verschwand das Gnadenbild der Muttergottes aus der Kirche im ursprünglichen Konventsort Menslage und wurde jedesmal 10 km entfernt im Börsteler Wald, der am Nordrand des Naturparks Nördlicher Teutoburger Wald liegt, wiedergefunden. Die 1230 entstandene Marienfigur war jahrhundertelang verschollen. Als man 1963 die frühgotische einschiffige Backsteinkirche renovierte, entdeckte man sie in einem Hohlraum des Altars wieder. Die Stiftsdamen hatten sie dort während des Dreißigjährigen Krieges mit anderen wertvollen Plastiken aus dem 13. bis frühen 16. Jh. versteckt. In den folgenden Pestwirren wurden sie anscheinend vergessen. Die Figuren, darunter ein heiliger Nikolaus mit ursprünglich leuchtendblauem Haar, sind im Museum des Stifts über dem Kreuzgang zu besichtigen.

ℹ️ Stift Börstel: Führungen stündlich 9–11, 15–17 Uhr (Mai–Oktober), sonst n. Vereinb., Tel. 05435/898.

Bronnbach Im Taubergrund, etwa 10 km südöstlich von Wertheim, liegt die weitläufige, fast vollständig erhaltene Anlage des ehem. Zisterzienserklosters. 1151 wurde es als Tochterkloster von Maulbronn gegründet und mit Mönchen aus Waldsassen besetzt.

Das spitzbogige Tonnengewölbe des Mittelschiffs der 1222 geweihten Kreuzbasilika ist in seiner Art einmalig in Deutschland. An die Südseite der Kirche schließt sich der in vollem Geviert erhaltene Kreuzgang aus dem späten 12. und frühen 13. Jh. an. Der spätromanische Kapitelsaal am Ostflügel beeindruckt mit seinen neun Gewölbefeldern über vier Muschelkalksäulen.

1408 ließ Abt Hildebrand die steinerne Tauberbrücke errichten, die mit 21,7 m und 22,6 m nach der Karlsbrücke in Prag die größten Bogenspannweiten unter den gotischen Brücken Mitteleuropas aufweist. Sie soll etwa 40000 Gulden gekostet haben, die zum Teil durch die Gewährung von Sonderablässen aufgebracht wurden.

ℹ️ Kloster Bronnbach: stündliche Führungen Di–Sa 9.30–12, 14–17 Uhr, So 8.30–9.30, 12.30–17 Uhr.

Kloster Comburg *Die imposante, von einer Mauer mit Wehrtürmen umgürtete Klosterstadt über dem Kochertal ist aus einer früheren Burg hervorgegangen.*

Comburg Der Gründungssage nach soll Burkhard II. von Comburg, ein getreuer Anhänger des Papstes, 1079 das Benediktinerkloster Comburg, oft auch Groß-Comburg genannt, gegen den Widerstand seiner kaisertreuen Verwandtschaft gestiftet und seinen Anteil der Burg zum Kloster umgebaut haben.

In dem Oval, das 180 × 95 m umfaßt, befinden sich heute Bauwerke aus acht Jahrhunderten. Zu seinen Füßen liegt das Dörfchen Steinbach, heute Stadtteil von Schwäbisch Hall. Von den Kirchenneubau des Gründers sind nur der West- und die beiden Osttürme erhalten. Im Innern der Kirche zieht ein riesiger Radleuchter von 5 m Durchmesser den Blick auf sich. Er wurde wahrscheinlich in der ersten Hälfte des 12. Jh. aus vergoldetem Kupferblech, Eisen und Silber hergestellt. Aus dieser Zeit stammt auch das romanische Antependium des ansonsten barocken Hochaltars, eine edelsteinund emaillegeschmückte Treibarbeit aus vergoldetem Kupfer.

Am gegenüberliegenden Talhang gründeten die Comburger Äbte zu Beginn des 12. Jh. das Frauenkloster Klein-Comburg (heute Strafanstalt). Die ehem. Klosterkirche, eine rein romanische Basilika, hat ihren Zustand aus der Entstehungszeit weitgehend bewahrt.

ⓘ Ehem. Benediktinerkloster Comburg: Di–Sa 9–12, 13.30–17, So und feiertags 13.30–17 Uhr (Mitte März bis Oktober), sonst nach Vereinb., Tel. 0791/2548.

Ellwangen (Jagst) Die Stadt in der wald- und seenreichen Hügellandschaft des Virngrundes entstand um ein 764 gegründetes Benediktinerkloster. Bereits 838 gehörte Ellwangen mit 160 Mönchen zu den größten Reichsabteien. In das freiherrliche Kloster konnten zwar vom Anfang des 13. Jh. an auch Angehörige des niederen Adels eintreten, aber niemals Bürgerliche. Mangelnde Klostermoral führte 1460 zur Umwandlung in ein weltliches Chorherrenstift.

Die ehem. Klosterkirche Sankt Veit am Marktplatz wurde zwischen 1182 und 1233 errichtet. Die dreitürmige Basilika ist der größte romanische Gewölbebau Schwabens; das Innere wurde allerdings zum Teil barockisiert. Die zehnsäulige romanische Krypta unterhalb des Chors überrascht durch ihre Helligkeit. 1468 begann man mit dem Bau des spätgotischen Kreuzgangs mit seinem reichen Maßwerk.

Freckenhorst Der schönste Taufstein der deutschen Romanik steht in der Kirche des ehem. adligen Kanonissenstifts in Freckenhorst, das heute zu Warendorf gehört. Sein Inschriftenband gibt Aufschluß über die Weihe der Stiftskirche: 1129 war der Bau der dreischiffigen, fünftürmigen Basilika mit dem imposanten quadratischen Mittelturm des Westwerks abgeschlossen.

Normalerweise stößt der Kreuzgang eines Klosters unmittelbar an die Kirche an. Hier zeigen die Reste des Kreuzgangs, daß die beiden Bauten durch einen Zwischenraum, der früher als Friedhof diente, getrennt waren.

Taufstein in Freckenhorst *Auf dem aus rötlichem Sandstein gemeißelten Säulenzylinder sind sieben Geschichten aus dem Leben Jesu dargestellt. Jede Szene ist durch eine Bogenarkade mit Säule von der nächsten getrennt.*

Freiburg Das ehem. Augustinereremitenkloster mit seiner ab 1278 errichteten Kirche und den Gebäuden aus dem 14. Jh. wurde im 18. Jh. barockisiert. Der Komplex beherbergt seit 1923 das Augustinermuseum. Schwerpunkt dieser Kunstsammlung von internationalem Rang ist die mittelalterliche Kunst am Oberrhein. Wertvolle Goldschmiedearbeiten in der Schatzkammer und Gemälde von Cranach, Grien und Grünewald gehören zu den herausragenden Exponaten.

Bei den Bauarbeiten für eine Tiefgarage stieß man 1982 auf eine Latrine des Klosters. Sie war durch Kies- und Schuttschichten jahrhundertelang luftdicht verschlossen gewesen, so daß der Inhalt – wie sonst nur in Moorgebieten – konserviert worden war. Der Fund gibt vielfältigen Aufschluß über das klösterliche Alltagsleben im Mittelalter.

Unter den Abfällen fiel die große Menge Kirschkerne auf, die nur damit erklärt werden kann, daß die Mönche Schnaps brannten. Auch zahlreiche Gebrauchsgegenstände kamen zutage, darunter wachsbeschichtete Schreibtäfelchen mit erhaltenen Notizen, Schreibgriffel aus Holz und Bronze, Riemensandalen, aus Holz gesägte Kämme, ein Spielbrett und Spielsteine, große Holzkugeln für Boccia oder zum Kegeln, ein fast vollständig erhaltenes Gestell einer hölzernen Nietbrille und ein

Freiburger Augustinerbrille *Im 13. Jh. wurde die Brille in Italien erfunden. Ihre älteste Form waren – wie der Freiburger Fund – Nietbrillen mit hölzernen Gestellen.*

Brillenfutteral, ebenfalls aus Holz. Die Grube muß bereits in der Zeit der Klostergründung um 1278 gebaut worden sein, wie die Analyse eines Toilettensitzes aus den unteren Schichten ergab. Viele Fundstücke, darunter das Brillengestell, sind heute im Museum für Ur- und Frühgeschichte ausgestellt.

ⓘ Augustinermuseum, Salzstr. 32: Di–So 10–17, Mi bis 20 Uhr. Museum für Ur- und Frühgeschichte, Colombischlößle: täglich 9–19 Uhr.

Gnadenberg Die schwedische Heilige Birgitta, die wegen ihrer Visionen auch „die nordische Seherin" genannt wird, war eine große Mystikerin des Mittelalters. Sie gründete Mitte des 14. Jh. den Birgittenorden, dem Mönche und Nonnen angehörten. Auch die Leitung seiner ältesten Niederlassung in Süddeutschland, des 1426 als Doppelkloster gestifteten oberpfälzischen Klosters Gnadenberg (etwa 26 km südöstlich von Nürnberg), lag nach den Ordensregeln in den Händen einer Äbtissin.

Die ungewöhnlichen Bauvorschriften der heiligen Birgitta lassen sich noch heute an den Ruinen der im Dreißigjährigen Krieg zerstörten Anlage ablesen. Der Chor mußte im Gegensatz zu dem der meisten anderen Kirchen nach Westen ausgerichtet sein. Der vom Kirchenschiff durch ein Gitter getrennte Gewölbegang, den die Mönche benutzen mußten, ist in Resten erhalten.

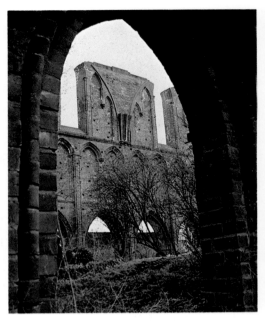

Philippstein in Haina
Der Gedenkstein in der ehem. Klosterkirche zeigt den Gründer des ersten deutschen Hospitals für Geisteskranke zusammen mit der heiligen Elisabeth, der Schutzpatronin der christlichen Nothilfe.

Haina Landgraf Philipp der Großmütige wandelte 1533 das hessische Zisterzienserkloster Haina (etwa 17 km südwestlich von Bad Wildungen) in die erste deutsche Heilanstalt für geisteskranke Männer um. Auch heute ist hier ein psychiatrisches Krankenhaus untergebracht, die Kirche steht jedoch zur Besichtigung offen. Das farbig ausgemalte Innere der Mitte des 13. Jh. errichteten Hallenkirche beeindruckt durch seine einheitliche gotische Raumwirkung. Die Glasgemälde der Maßwerkfenster sind größtenteils original erhalten.
ℹ Ehem. Klosterkirche: täglich 10 bis 13 Uhr (nach Anmeldung), Tel. 0 64 56/9 11.

Hude Die Ruine der gotischen Klosterkirche ist der Überrest einer zisterziensischen Klosteranlage. Der Orden ließ sich hier, etwa 16 km östlich von Oldenburg, im Jahr 1232 nieder. Der klostereigene Ziegeleibetrieb lieferte die Backsteine für den Kirchenbau und war auch ein bedeutender Wirtschaftsfaktor für das Umland. Wegen „Verbiesserung des Klosterlebens" beschlagnahmte Bischof Franz von Waldeck 1533 das Kloster, fand die letzten Mönche mit einer Rente ab und gab die An-

lage zum Abbruch frei. Aufgrund von Restaurierungsarbeiten ist das Ruinengelände voraussichtlich bis 1990 nicht begehbar. Doch allein die Außenansicht der südlichen Mittelschiffwand lohnt einen Besuch. Unmittelbar neben der Ruine wurde ein kleines Museum eingerichtet, das über die Klostergeschichte Aufschluß gibt. Sehr interessant ist ein Modell der Klosteranlage des 14. und 15. Jh. im Maßstab 1:50. Die Führungen schließen auch die ehem. Torkapelle des Klosters, die heutige Elisabethkirche, ein. Ihr Altar aus dem 14. Jh. besteht aus 24 geschnitzten Bildfeldern.
ℹ Sammlung zur Geschichte des Klosters Hude: Sa, So 15–17 Uhr (Mai–September), Führungen n. Vereinb., Tel. 0 44 08/68 29.

Ilbenstadt Neben Arnsburg war die Niederlassung der Prämonstratenser in Ilbenstadt, das heute zu Niddatal gehört, das bedeutendste Kloster der Wetterau. Es bestand von 1123 bis 1803. Mit wuchtiger Kraft ragt die Doppelturmfassade über der dreischiffigen romanischen Basilika auf, die zwölf Jahre nach der Klostergründung zum erstenmal erwähnt wird. Der Kapitellschmuck in Vorhalle und Ostbau gehört zum schönsten der damaligen Zeit. Die Formen der Blattornamente und Vogelmotive weisen auf oberitalienische Steinmetzen hin, die im frühen 12. Jh. auch an den rheinischen Kaiserdomen in Speyer und Mainz mitgewirkt haben. Die schlichten Klostergebäude stammen hauptsächlich aus dem 18. Jh.

Kastl „Jedem ein Ei, dem tapfren Schweppermann zwei!" rief Kaiser Ludwig der Bayer am Abend des 28. September 1322 aus, als nach der Schlacht bei Mühldorf nichts anderes auf den Tisch gebracht werden konnte als ein Korb mit Eiern. Der Heerführer Schweppermann hatte durch seinen Einsatz den Sieg errungen. Er starb 1337. Sein Grabmal in der romanischen Klosterkirche der ehem. Benediktinerabtei Kastl in der Oberpfalz bewahrt die sprichwörtlich gewordenen Worte des Kaisers. Das ehem. Kloster, das aus einer den Benediktinern um 1100 geschenkten Burganlage hervorging, macht noch immer den Eindruck einer wehrhaften Festung. 1129 wurde die Klosterkirche geweiht, die eines der ältesten süddeutschen Tonnengewölbe besitzt. Über den Arkaden des Langhauses sind die Wappen von Gönnern und Stiftern des Klosters an die Wand gemalt.

Langenhorst Gräben und Teiche umgeben die Gebäude des ehem. Augustinerchorfrauenstifts im Ochtruper Stadtteil Langenhorst. Sie sind Reste der Burganlage, die Franko von Wettringen, der spätere Domdekan von Münster, 1178 zum Bau des Klosters gestiftet hatte.
Vom Wohlstand der Chorfrauen, die eine eigene Schafzucht und eine erfolgreiche Tuchmacherei betrieben, kündet die stattliche, um 1200 im Übergangsstil von der Romanik zur Gotik erbaute Hallenkirche. Ihr Inneres birgt zahlreiche Kunstschätze, darunter eine Elfenbeinmadonna (14. Jh.) und ein Taufstein (13. Jh.). Bemerkenswert sind auch die mit reichen Pflanzenornamenten verzierten Säulenkapitelle.

Ruine der Klosterkirche in Hude *Noch immer kündet die südliche Mittelschiffwand mit ihrer Dreiteilung in Arkadengeschoß, Triforium und Fensterzone von der Schönheit der einst dreischiffigen Basilika.*

Lüne Alljährlich in der letzten Augustwoche stellt das Damenstift, das sich heute im ehem. Benediktinerinnenkloster Lüne bei Lüneburg befindet, seinen kostbarsten Besitz aus. Im Nonnenchor sind dann neben spätmittelalterlichen Wandteppichen Weißstickereien auf Leinen aus dem 13. und 14. Jh. zu bewundern, darunter auch Hungertücher, mit denen der Altar während der Fastenzeit verhängt wurde.
ℹ Stift Lüne: Informationen zur Teppichwoche beim Verkehrsamt Lüneburg, Tel. 0 41 31/30 90.

Otterberg Die Kirche des ehem. Zisterzienserklosters Otterberg, das etwa 6 km nördlich von Kaiserslautern liegt, weist stolze 80 m Länge auf. Sie wurde vom Ende des 12. Jh. bis zur Mitte des 13. Jh. erbaut und ist nach dem Dom zu Speyer die größte romanische Basilika der Pfalz. Den Statuten des Ordens entsprechend ist die Kirche turmlos, besitzt aber eine dreiseitig vorspringende Apsis, während eigentlich ein flacher Abschluß des Chorraums den Regeln der Zisterzienser entsprochen hätte.

Diözesanmuseum Regensburg Insignien der kirchlichen Macht, die sich in Regensburg konzentrierte, sind die Wolfgangsmitra (oben) und der Emmeramsstab (rechts oben).

Elfenbeinmadonna in Langenhorst 23 cm hoch ist dieses Werk eines unbekannten französischen Elfenbeinschnitzers vom Anfang des 14. Jh. Das Kleinod der ehem. Klosterkirche war ursprünglich Mittelpunkt eines Hausaltärchens und zeugt von der innigen Marienverehrung jener Zeit.

Regensburg Über dem Grab des Wanderbischofs Emmeram, der Ende des 7. Jh. den Märtyrertod gestorben war, entstand das Benediktinerkloster Sankt Emmeram – neben dem Dom das zweite kirchliche Zentrum der Stadt. Das Grabmal des Heiligen in der ehem. Klosterkirche am Emmeramsplatz, einer romanischen, im 18. Jh. barockisierten Pfeilerbasilika, stammt aus dem 14. Jh. Auch der heilige Wolfgang, der Ende des 10. Jh. Bischof von Regensburg war, ist hier bestattet. Sein

eindrucksvolles Hochgrab wurde 1166 geschaffen. Die Heiligen Emmeram und Wolfgang sind noch heute Schutzpatrone des Bistums Regensburg. An sie erinnern viele Kunstschätze aus dem Kloster Sankt Emmeram, die im Diözesanmuseum ausgestellt sind, z. B. der Emmeramsstab, ein Abtsstab, und die Wolfgangsmitra, eine Bischofshaube. Beide stammen aus dem 13. Jh. Im 19. Jh. bauten die Fürsten von Thurn und Taxis die ehem. Klostergebäude von Sankt Emmeram zum Schloß um.

Irische Mönche gründeten um 1090 das ehem. Benediktinerkloster in der Jakobstraße, das im frühen 16. Jh. mit schottischen Mönchen neu besetzt wurde. Das Nordportal der romanischen Schottenkirche weist mit seinem reichen Figurenschmuck nach Frankreich. Italienischem Einfluß ist der frei stehende Glockenturm zuzuschreiben.

Die schlichte ehem. Dominikanerkirche Sankt Blasius (Beraiterweg) ist mit ihren ausgewogenen Proportionen eine der größten Bettelordenskirchen Deutschlands. Etwa 1246 begann der Ordensbruder

Dietmar, der an einer Säule im nördlichen Nebenchor mit einem Zirkel dargestellt ist, mit ihrem Bau. Im zugehörigen Kloster war der Naturforscher und Theologe Albertus Magnus um 1237 als Lesemeister tätig. Als Hörsaal soll dem späteren Bischof von Regensburg die heute nach ihm benannte Kapelle am Westflügel des Kreuzgangs gedient haben.

Nach Berichten von Zeitgenossen sollen im 13. Jh. riesige Menschenmengen zusammengeströmt sein, um die Predigten des Franziskanermönchs Berthold zu hören. Der Grabstein des Volkspredigers ist in der Kirche seines Klosters, der ehem. Minoritenkirche, ausgestellt. Sie beherbergt zusammen mit den malerischen Resten des Kreuzgangs und den Klostergebäuden die kunst- und kulturgeschichtlichen Sammlungen des Museums der Stadt.

ℹ️ Ehem. Klosterkirche Sankt Emmeram: Mo–Sa 10–16.30, So 12 bis 16.30 Uhr.
Diözesanmuseum Sankt Ulrich, Domplatz 2: Di–So 10–17 Uhr (April–Oktober).
Dominikanerkirche: nach Vereinb., Tel. 0941/25386.
Museum der Stadt im ehem. Minoritenkloster, Dachauplatz 2–4: Di–Sa 10–16, So und feiertags 10–13 Uhr.

Trier Von drei der vier Abteien, die die Benediktiner im Mittelalter in Trier errichteten, sind zumeist nur geringe Reste oder barocke Neubauten zu sehen. Sankt Matthias dagegen ist vollständig erhalten und wird seit 1922 auch wieder vom Orden genutzt. 1127, als man den Neubau einer Kirche für das schon im 8. Jh. gegründete Kloster in Angriff nahm,

Registrum Gregorii in Trier Der Schreiberdiakon Petrus beobachtet den thronenden Papst Gregor durch ein Loch im Vorhang. Ein unbekannter Meister schuf das Einzelblatt um 983 in einer Trierer Malschule. Es ist in der Stadtbibliothek ausgestellt.

stieß man auf das Grab des Apostels Matthias, dessen Gebeine der Legende nach vor dem Normannensturm im 9. Jh. in Trier versteckt worden waren. Das Apostelgrab, das sich zum blühenden Wallfahrtsziel entwickelte, befindet sich heute unter einer Tumba mit spätgotischer Liegefigur (1480) vor den Stufen des Altarraumes. Die romanische dreischiffige Pfeilerbasilika erhielt in der Spätgotik u. a. das schöne Sterngewölbe; später wurde die Westfassade barock überbaut. Die Klostergebäude (1210–1257) gehören zu den frühesten Zeugnissen gotischer Baukunst in Deutschland und können von außen besichtigt werden.

Vor der Erfindung des Buchdrucks hatten die Klöster das Monopol der Buchherstellung. Die Trierer Schreib- und Malschulen waren berühmt für ihre kunstvollen Buchillustrationen und Handschriften, von denen einige in der Stadtbibliothek Trier ausgestellt sind – u. a. der im 10. Jh. entstandene, reich illustrierte Codex Egberti.

ℹ️ Stadtbibliothek, Weberbachstraße 25: Mo–Fr 10–17, Sa 9–12, in den Sommerferien Mo–Fr 10–13, 14–17 Uhr.

Verfall und Reform

Immer wieder wurden die strengen Klosterregeln aufgeweicht. Die Mönche sahen sich wegen ihres lockeren Lebenswandels heftiger Kritik ausgesetzt, der sie nur mit Reformen begegnen konnten. Wie jedoch das Klosterleben zu reformieren sei – darüber gab es nicht selten Streit. Der Hersfelder Mönch Lambert berichtet:

Anno, Erzbischof von Köln, [vertrieb 1071] die Kanoniker aus Saalfeld und führte dort das monastische Leben ein. Von Sigburg und Sankt Pantaleon schickte er Mönche dorthin. Damals ging auch ich nach Saalfeld, um mir ihre Zucht und mönchische Disziplin anzusehen, weil die Volksmeinung gar Großes und Ausgezeichnetes von ihnen rühmte.

Wie immer alles durch Gewohnheit an Wert verliert und wie die stets neuerungssüchtige Volksseele das Unbekannte mehr anstaunt, so schätzte man uns, mit denen man schon längst verkehrte, nicht mehr, während man jene, die etwas Neues und Außergewöhnliches an sich hatten, nicht für Menschen, sondern für Engel, nicht für Fleisch, sondern für Geist hielt. [...]

Durch die Gerüchte, die sich über diese Reformmönche unter dem Volke verbreiteten, ging durch die meisten Klöster jener Gegenden ein

Mönch bei der Feldarbeit Ein Zisterzienser erntet mit der Sichel das reife Korn. Diese Buchmalerei entstand Anfang des 12. Jh. in Burgund.

solcher Schrecken, daß bei ihrer Ankunft dreißig, vierzig und fünfzig Mönche verschiedener Stifte ihre Abteien verließen. Sie nahmen Anstoß an den Mönchen von der strengen Lebensart und hielten es für besser, ihr Seelenheil in der Welt zu gefährden, als über das Maß ihrer Kräfte Gewalt um das Himmelreich anzuwenden.

In Wirklichkeit aber schien der Herr nicht unverdientermaßen die Verachtung über unsere Mönche auszugießen. Denn die persönliche Schmach einiger Pseudomönche brachte den Namen der Mönche gar sehr in Verruf. Diese hatten keinen Eifer für göttliche Dinge und lebten nur für Geld und Erwerb. Um Abteien und Bistümer zu erhalten, lagen sie in unverschämtester Weise den Fürsten in den Ohren, und zu kirchlichen Ehrenstellen suchten sie nicht wie unsere Väter auf dem Wege der Tugenden, sondern auf dem abschüssigen Pfad der Schmeichelei und durch Vergeudung übel erworbener Gelder zu gelangen. Für ein armseliges Ämtlein versprachen sie täglich ganze Goldberge. Durch das Übermaß ihrer Freigebigkeit schlossen sie jeden nichtklösterlichen Bewerber aus; der Verkäufer wagte nicht so viel zu fordern, als der Käufer zu bezahlen bereit war. Die Welt wunderte sich über die Quellen solcher Geldströme [...].

Klosterregeln

Benedikt von Nursia war der Begründer des abendländischen Mönchtums. Die nach ihm benannte Benediktinerregel gab dem klösterlichen Leben erstmals einen verbindlichen Rahmen. Die Bestimmungen, die Abt Wilhelm von Hirsau für sein Kloster verfaßte, stehen ganz in der benediktinischen Tradition:

Der Novize muß auch die Zeichen sorgfältig lernen, mit ihnen spricht er in gewissem Sinne schweigend. Ehe er in den Konvent aufgenommen wird, darf er nur sehr selten sprechen. Die Orte aber, an denen im Kloster nach der Überlieferung und den Bestimmungen unserer Väter ein immerwährendes Stillschweigen zu beachten ist, sind diese: Kirche, Schlafsaal, Speisesaal, Klosterküche. Wird an einem dieser Orte, sei es bei Tage oder Nacht, nur ein Wort gesprochen und gehört, so muß man freiwillig um Verzeihung bitten. Kommt diese Nachlässigkeit nur zuweilen vor, so wird sie manchmal nicht bestraft. [...] Wenn ein Novize nur eine Antiphon oder ein Responsorium oder irgend so etwas ohne Buch spricht oder beim Sprechen nicht zugleich in das Buch sieht, dann wird das beurteilt, als hätte er das Stillschweigen völlig gebrochen. Im Sprechraume darf er nicht im Sitzen sprechen außer mit dem Herrn Abte oder Prior [...].

Auch wird niemals, wenn zwölf Lektionen sind, oder im Sommer an gewöhnlichen Tagen vor Beendigung der Litanei oder im Winter vor Beendigung der Terz dort oder in irgendeinem Raume des Klosters etwas gesprochen. Dies gilt auch für die Zelle der Novizen [...].

Sobald der Bruder das Zeichen zum Aufstehen vernommen hat, eile er sich zu erheben. Ehe er jedoch die Decke abwirft, zieh er im Bette sitzend die Kukulle [Obergewand] an und bedeckt mit ihr seine Beine, ehe er sich vor sein Bett stellt. [...] Er darf aber das Bett nicht nachlässig liegen lassen, er muß die Decke anständig darüber ausbreiten und es so in Ordnung bringen. Das Kopfpolster verbirgt er vollständig unter der Decke; dann bekleidet er sich mit der Flocke und weckt nötigenfalls mit Zischen die Brüder, die ihm zunächst liegen. [...]

Er erinnere sich auch immer daran, daß er nicht auf die Treppen des Schlafsaales spucken soll.

Gebet im Kloster Der Mönch Eberhard von Sax kniet vor dem Marienaltar zum Gebet nieder. Ein Klosterbruder (links) schaut ihm zu. Beide Mönche tragen eine schwarze Kutte, das Gewand des Dominikanerordens. Die Buchmalerei stammt aus der Heidelberger Liederhandschrift.

Klöster in Gefahr

Die mittelalterlichen Klöster waren nicht nur Stätten innerer Einkehr und entsagungsvoller Weltabgeschiedenheit. Wegen ihrer vermeintlichen oder tatsächlichen Reichtümer wurden sie oft überfallen und ausgeraubt. Die Mönche waren den Angriffen wehrlos ausgeliefert, denn Klosteranlagen boten ihren Bewohnern weit weniger Schutz als etwa Burgen. Abt Markward vom Kloster Fulda klagte im 12. Jh. darüber in seinen Aufzeichnungen:

Vom ersten Augenblicke an, wo ich durch des Herrn Gnade unter der Regierung Konrads [König Konrad III.] und durch die Wahl aller Brüder hier eintrat, begann ich zu überlegen, wie ich mit Gottes Hilfe diese verödete und fast völlig zerstörte Kirche von den Einfällen und Plünderungen gewisser Leute befreien könnte. Es war wirklich ein Elend, zu sehen, wie ein so berühmter Ort, der von allen Gläubigen geliebt wird, so vernachlässigt war, daß man in keiner Vorratskammer der Brüder oder des Abtes nur so viel finden konnte, daß die Brüder dieser verehrungswürdigen Gemeinde auch nur einen Tag davon hätten leben können. Das war übrigens kein Wunder. Denn die Laien [Weltlichen] besaßen alle Meiereien [Landgüter] des Stiftes, und sie gaben und behielten davon nach ihrem Belieben zurück.

Die erste Gelegenheit zur Schädigung des Klosters war diese. Hatte ein Laie auf einige Zeit eine Meierei dieser Abtei in seinen Händen, so behielt er die besten Äcker für sich und vererbte sie nach dem Lehnrechte an seine Söhne weiter, so daß von einer Meierei mehr Huben [Höfe] verloren gingen, als ihr erhalten blieben. Und hatte ein Meier dem Kloster vierzehn Tage zu dienen, so tat er es kaum acht, und wer acht Tage den Brüdern Dienste zu leisten hatte, der arbeitete kaum drei Tage, oder tat überhaupt nichts.

Dann gab es noch ein anderes, weit unerträglicheres Elend. Die Fürsten der verschiedenen Gegenden holten sich von den benachbarten Klostergütern, was ihnen beliebte. Sie nahmen dies als Lehen, da es ihnen niemand verwehrte [...]. Solche, ähnliche und auch viel größere Übel bedrängten unsere Vorgänger [...].

Schreibender Mönch *Der Zisterzienser Rutger de Berka fertigte 1312 den ersten Band einer auf fünf Bücher angelegten Bibel. Die abgebildete Initialminiatur ist Teil einer Seite dieser Abschrift. Sie zeigt den Mönch bei seiner Arbeit. Die Handschrift entstand im Kloster Kamp am Niederrhein.*

Sonderrechte

Klöster genossen in der Regel besondere Rechte. Selbst wenn sie innerhalb kirchlicher Verwaltungsbezirke lagen, waren sie der regionalen Kirchenobrigkeit nicht unterstellt – Grund für manche Spannung und häufig auch schwierige Rechtsstreitigkeiten zwischen Bischöfen und Äbten. Ein Beispiel findet sich in der Chronik der „Wechselfälle des Klosters Petershausen" bei Konstanz am Bodensee:

Im Jahre 1127 seit der Menschwerdung des Herrn litt Abt Bertolf schwer unter der Last des Greisenalters. Deshalb besorgte er selbst nichts mehr von den notwendigen Klosterangelegenheiten, ließ sie aber auch andere nicht erledigen. Als nun allmählich jegliches zu verfallen schien, da begannen einige von den älteren Mönchen mit Bischof Ulrich heimlich zu verhandeln. Er sollte Bertolf zu freiwilliger Abdankung und zu dem Zugeständnis, daß ein anderer für ihn eingesetzt werde, bewegen. Den Rest seines Lebens sollte dann der Abt als Privatmann zubringen, er war nämlich ungemein dick.

Da der Bischof sehr beredt und gewandt war, vermochte er ihn schließlich zu überreden, wenngleich der Abt lange widerstrebte. Am bestimmten Tage kamen also Bischof Ulrich und Ulrich, Abt von Zwiefalten. Nach einer langen Beratung traten sie vor das Kapitel und brachten der Menge Bescheid. Abt Bertolf gab seine Zustimmung, daß er von jetzt ab für sich leben wolle; da schlugen einige vor, er solle die Sache an Ort und Stelle abschließen, andere aber meinten, er müsse zum Altare schreiten und dort abdanken. Der Bischof sagte: „Das ist nicht nötig, er soll mir den Hirtenstab geben." Da schrieen alle dawider und behaupteten, das gehe den Bischof gar nichts an. Der Abt schritt nun zum Altare und legte den Hirtenstab mit den Worten darauf: „Was ich durch Gottes und eure Gnade habe, lege ich nieder und löse euch alle vom Gehorsam, den ihr mir schuldig wart." Nachdem er so gesprochen, ging er zu seinem Ruhebette zurück und gab als erster seine Stimme dem Kaplan Konrad.

Dann begab sich der Konvent wieder zum Kapitel. Der Bischof aber entfernte sich, und in freier Wahl erkor die ganze Versammlung Konrad [zum neuen Abt].

Abt und Hirte *Der Abt war der Vorsteher eines Klosters. Als Zeichen seiner Würde durfte er einen Krummstab tragen, der nicht zufällig einem Hirtenstab glich, denn schließlich galt der Abt als der Hirte, der über die ihm anvertrauten Mönche wachte. Er trug wie die anderen Klosterbrüder auch ein schlichtes Gewand.*

DER SOHVHOMAOHER ZVNFT   ZE ·NEO· GVLEN·

Im Zeichen des Spitzbogens

Das Spätmittelalter war eine zutiefst fromme Zeit. Man baute zuerst für Gott. Unter dem Einfluß der französischen Gotik gerieten die Kirchen zu mächtigen Kathedralen mit lichtem Strebewerk, eleganten Spitzbogen und reichen Verzierungen. Die Türme ragten gleich Zeigefingern Gottes zum Himmel empor. Die Düsternis romanischer Kirchen war vergessen. Prachtvolle Fenster, wie sie im Freiburger Münster zu sehen sind (Foto), verwandelten die hohen Kirchenschiffe in farbendurchglühte Säle.

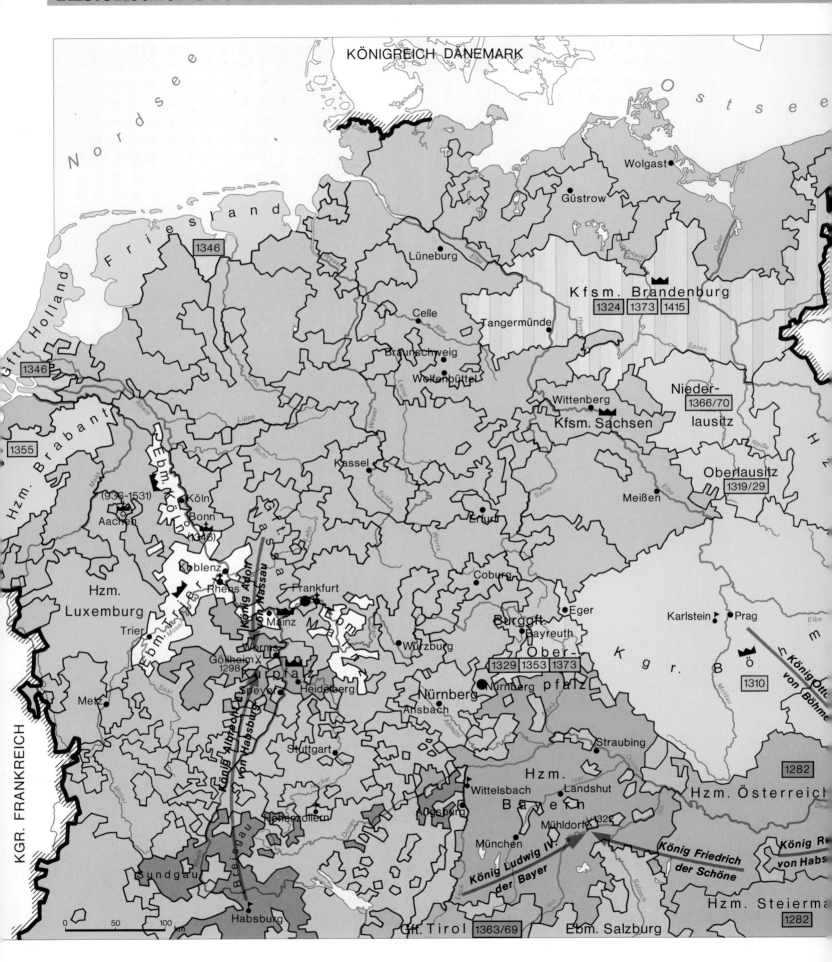

KÖNIGREICH DÄNEMARK

O s t s e e

N o r d s e e

Wolgast

Güstrow

F r i e s l a n d

1346

Lüneburg

Kfsm. Brandenburg

1324 1373 1415

Celle

Tangermünde

Gft. Holland

Braunschweig

Wolfenbüttel

1346

Wittenberg

Nieder-

Hzm. Brabant

Kfsm. Sachsen

1366/70

lausitz

1355

Kassel

Oberlausitz

1319/29

Ebm. Köln

Meißen

(936-1531)

Köln

Aachen

Bonn

Erfurt

(1346)

Koblenz

Karlstein

Prag

Hzm.

Rhens

Frankfurt

Coburg

Eger

Luxemburg

Mainz

Burggft.

Ö

Trier

Bayreuth

Kgr. B

König

Ebm. Trier

Ober-

1310

Würzburg

1329 1353 1373

von Böhme

Göllheim X

pfalz

König Ludolf

Kurpfalz

Gft. Nassau

1298

König Adolf

Metz

Speyer

Heidelberg

Nürnberg

pfalz

Nürnberg

Ansbach

Straubing

1282

Stuttgart

Hzm. Österreich

König Albrecht I. von Habsburg

Hzm.

Wittelsbach

Landshut

Hohenzollern

B a y e r n

Augsburg

Mühldorf 1322

Breisgau

München

König Friedrich

König R

Sundgau

König Ludwig IV.

der Schöne

von Hab

der Bayer

Hzm. Steierma

0   50   100 km

Habsburg

Gft. Tirol 1363/69

Ebm. Salzburg

1282

Sieben Kurfürsten entscheiden über die Wahl des Königs

Das Ende des staufischen Königtums im Jahr 1254 stürzte das Reich in eine tiefe Krise. Friedlosigkeit und Rechtsbrüche verunsicherten das Land. Es herrschte das Fehderecht, und zeitweise regierten zwei Könige nebeneinander. Die deutschen Fürsten entschieden sich bei der Königswahl sogar für ausländische Kandidaten wie den Engländer Richard von Cornwall und den Spanier Alfons von Kastilien. In dieser Zeit gingen dem Königtum wichtige Herrschaftsrechte und der Einfluß in weiten Reichsteilen verloren.

Erst die Wahl Rudolf von Habsburgs zum deutschen König im Jahr 1273 leitete eine Wende ein. Zunächst scheinbar machtlos, betrieb Rudolf erfolgreich und zäh eine Politik der Stärkung der Reichsgewalt. So konnte er seinen direkten Gegenspieler, den böhmischen König Ottokar II., 1278 auf dem Marchfeld vor den Toren Wiens entscheidend besiegen. Ottokar fiel, die Herzogtümer Österreich, Steiermark und Kärnten kamen in Rudolfs Besitz und begründeten die habsburgische Hausmacht im Spätmittelalter.

Die Politik der Reichsfürsten unterschied sich nicht von der Rudolfs. Um ihre Macht zu erhalten und weiter zu vermehren, stützten sie sich auf ihre eigenen Territorien, die sie in ihren Familien weitervererbten und mit allen Mitteln auszudehnen und abzurunden versuchten. So bildeten sich mächtige Fürstengeschlechter heraus, die überall im Reich größere Landesherrschaften schufen und an Machtfülle vielfach an den König heranreichten. In ihren Residenzen blühte das höfische Leben, und die neuen Landesherren verstanden es, in ihren Territorien mit Hilfe von geschulten Juristen eine effektive Verwaltung aufzubauen.

Die deutschen Fürsten, besorgt um ihren politischen Einfluß, wählten nach Rudolfs Tod 1291 den machtlosen Grafen Adolf von Nassau zum neuen deutschen König. Sie entschieden sich damit gegen die mächtigen Habsburger. Der unbekannte Graf besaß jedoch keine ausreichende Hausmacht, wurde sieben Jahre später abgesetzt und fiel 1298 in der Schlacht bei Göllheim gegen seinen Nachfolger, den Habsburger Albrecht I.

1314 entzündete sich zwischen Wittelsbachern und Habsburgern der Streit um die Vorherrschaft im Reich, als ein Teil der Fürsten Friedrich den Schönen zum König wählte, der andere Teil Ludwig IV., den Bayern, zum Herrscher erhob. Die Entscheidung zugunsten des Bayern fiel 1322 in der Schlacht bei Mühldorf. Ludwig IV. betrieb eine zielstrebige Hausmachtpolitik. Seine Heirat brachte dem Haus Wittelsbach Friesland, Holland, Seeland und den Hennegau, und sein Sohn erhielt die Mark Brandenburg als Lehen. Die große Machtfülle des Wittelsbachers rief jedoch die anderen Fürsten auf den Plan. 1346 erhoben sie den Luxemburger Karl IV. zum Gegenkönig. Noch bevor es aber zu einer militärischen Entscheidung kam, starb Ludwig IV. ein Jahr später bei der Jagd. In der Goldenen Bulle, dem „Grundgesetz des Mittelalters", mußte Karl IV. 1356 den sieben Kurfürsten u.a. das alleinige Recht einräumen, den deutschen König zu wählen. Wahlberechtigt waren die drei Erzbischöfe von Köln, Mainz und Trier sowie der Pfalzgraf bei Rhein, der Herzog von Sachsen, der Markgraf von Brandenburg und der böhmische König. Die sieben Königswähler besaßen einen entscheidenden Einfluß auf die deutsche Politik.

Karl IV. nutzte den Ausgleich mit den Landesherren und baute Böhmen, seit 1310 im Besitz der Luxemburger, zu seinem Herrschaftszentrum aus. Er erwarb zahlreiche Gebiete, u.a. kaufte er von den Wittelsbachern die Mark Brandenburg. Sein Sohn Wenzel verspielte das Erbe jedoch wieder und wurde im Jahr 1400 von den Kurfürsten wegen Untätigkeit abgesetzt. Nach dem Aussterben der Luxemburger fiel die Königskrone 1438 wieder an die Habsburger. Vor allem Kaiser Friedrich III. legte mit seinen Erb- und Heiratsverträgen den Grundstein für die spätere habsburgische Weltmacht.

Kaiser Karl IV. Der Herrscher aus dem Haus der Luxemburger machte Prag zum Mittelpunkt seines Reiches. Er ließ den Veitsdom auf dem Hradschin errichten und gründete 1348 in Prag die erste deutschsprachige Universität. Karl, ein gebildeter und für die Künste aufgeschlossener Herrscher, sprach selbst fließend Lateinisch, Italienisch, Französisch, Tschechisch und Deutsch.

Karte

Pommerellen
1309
Marienburg

D e u t s c h o r d e n s l a n d

Netze

KÖNIGREICH

POLEN

Breslau

1327/35

Brieg — Oppeln

S c h l e s i e n

Oder

Weichsel

Das Reich zur Zeit der Luxemburger

- Grenze des Heiligen Römischen Reiches (1378)
- Grenzen der Herzogtümer, Marken u. ä.
- Grenze des Ordenslandes
- Die sieben Kurfürstentümer
- Dynastie der Luxemburger
- Dynastie der Habsburger
- Dynastie der Wittelsbacher
- Dynastie der Hohenzollern
- 1310 Zugewinn zur Hausmacht in der jeweiligen Flächenfarbe der Dynastie mit Jahresangabe
- Geistliche Kurfürstentümer
- Bedeutende Residenzstadt
- Stammburg einer Dynastie
- Hof-/Reichstage der deutschen Herrscher (bis 2/mehr als 5)
- Wahlort deutscher Könige
- (1346) Krönungsort deutscher Könige mit Jahresangabe
- Entscheidende Feldzüge der Herrscher
- 1278 X Entscheidungsschlacht um die Macht im Reich

Kgr. = Königreich; Kfsm. = Kurfürstentum; Hzm. = Herzogtum; Ebm. = Erzbistum; Bm. = Bistum; Gft. = Grafschaft.

310

Inn

310

chield 278 X

Bürgerstolz in Backstein

Mit seinen seetüchtigen Koggen beherrschte Lübeck ab dem 13. Jh. den Handelsraum der Ostsee. Doch auch die anderen Städte im Osten Schleswigs und Holsteins profitierten vom wirtschaftlichen Aufschwung der Zeit. Als Zeichen ihres Selbstbewußtseins finanzierten die reichen Kaufleute großangelegte Kirchenbauten, die vor allem die Lübecker Marienkirche, Sinnbild lübischer Bürgermacht und großartiges Beispiel nordischer Backsteingotik, zum Vorbild hatten.

Flensburg 1284 begann man am Nordermarkt, der Urzelle der Stadt, mit dem Bau der stattlichen Marienkirche. Der Backsteinbau erinnert im Innern an sein Lübecker Vorbild, was besonders an den sechs Vierkantpfeilern in der Haupthalle deutlich wird. Um 1300 wurde Flensburg um den Südermarkt erweitert. Ihn bestimmt bis heute die schlichte Nikolaikirche (14. Jh.). Prächtiger mutet die Johanniskirche (um 1200) in der früheren östlichen Vorstadt an; ihr Kastenchor trägt den ältesten gotischen Blendgiebel der Stadt.
ℹ Marienkirche: Mo–Fr 10–13, 14–16 Uhr.

Schleswig Aus Granitquadern und Feldsteinen bestand die Basilika aus dem 12. Jh., die Ende des 13. Jh. mit Backsteinen zum gotischen Dom umgebaut wurde. Blickfang im Innern des Sankt-Petri-Doms mit dem zierlichen Lettner und dem breiten Mittelschiff ist der 1521 von Hans Brüggemann vollendete, 12,6 m hohe Bordesholmer Altar. Mit fast 400 Eichenholzfiguren schildert er die Heilsgeschichte. Die Malereien in Querhaus, Chor und dreiflügligem Kreuzgang stammen aus dem 13.–14. Jh.

Eckernförde Im Zentrum des im Mittelalter planmäßig ausgebauten Orts wurde im frühen 13. Jh. die Nikolaikirche errichtet. Von der ursprünglichen Backsteinkirche blieben im jetzigen Bau aus dem 15. Jh. der Chor und ein Teil des südlichen Anbaus erhalten.
ℹ Nikolaikirche: Di–Fr 11–13, Mi auch 14–16 Uhr (Juni–September).

Rendsburg 1287 wurde die Marienkirche im lübischen Stil der Backsteingotik neu errichtet. Das außen schlichte Gotteshaus zeigt innen

Schleswig *Weit über die Schlei ragt der neugotische Hauptturm des Sankt-Petri-Doms (oben). Der Turm wurde dem langen gotischen Hallenbau erst Ende des 19. Jh. hinzugefügt.*

Weihnachtsmarkt in Lübeck *Unter dem spätgotischen Sterngewölbe des Kirchenschiffs im Heiligen-Geist-Hospital wird alljährlich ein Weihnachtsmarkt abgehalten (links). Im Mittelalter fehlte die Wand zwischen der Kirche und der Hospitalhalle, so daß auch die Bettlägrigen den Gottesdienst verfolgen konnten.*

Till Eulenspiegel in Mölln *Im Auftrag der Kurverwaltung spielt Waldemar Ave den Narren: Als Till Eulenspiegel (oben) begrüßt er Touristengruppen aller Art. Dem Schalk des Mittelalters hat das Möllner Heimatmuseum einen eigenen Raum gewidmet.*

eine um 1330 ausgeführte Gewölbemalerei, u. a. mit Drachen und der Auferstehung Christi.

ℹ Marienkirche: täglich 10–16 Uhr (April–September), sonst n. Vereinb., Tel. 04331/29559.

Gettorf Im 13. Jh. entstand der lichte gotische Backsteinbau, heute die größte Landkirche Schleswigs. Kostbarkeiten der einschiffigen Kirche sind das spätgotische Bronzetaufbecken und der lübische Schnitzaltar (um 1518).

ℹ Ev. Pfarrkirche: täglich 9–18 Uhr (Mai–September).

Kiel Die standesbewußte Hansestadt baute ihre Nikolaikirche Mitte des 14. Jh. nach lübischem Vorbild um. Von ihr blieben nach dem Zweiten Weltkrieg nur die Umfassungsmauern übrig. Drei große Kunstwerke konnten jedoch gerettet werden: die Bronzetaufe (1344), der Hochaltar (1460) und das Triumphkreuz (1490).

ℹ Nikolaikirche: Mo–Fr 10–13, 14–18, Sa 10–13 Uhr.

Preetz Die kleine Stadt kam durch das Schusterhandwerk zu Wohlstand und krönte ihre Blütezeit Mitte des 14. Jh. mit dem Bau der Klosterkirche, einer dreischiffigen, turmlosen Stutzbasilika. Prunkstück im Innern ist das gotische, im Barock erweiterte Gestühl des Nonnenchors.

ℹ Klosterkirche Preetz: nur mit Führung, Tel. 04342/86285.

Lübeck Die Kaufleute der Anfang des 13. Jh. kaum mehr als 10000 Einwohner zählenden Stadt faßten den selbstbewußten Plan eines großen Kirchenbaus gleich neben dem Rathaus, der 1350 vollendet wurde. Einem der zahlreichen Baumeister gelang es erstmals, die Ausdrucksformen der hochgotischen französischen Kathedrale frei in die Sprache des Backsteins zu übertragen. Außen monumental, mit mächtigen Strebepfeilern, wirkt die Marienkirche im Innern licht und fast schwerelos. Von der alten Ausstattung blieben nach den Kriegszerstörungen u. a. die Bronzetaufe (1337) und das hohe Sakramentshaus, das der Lübecker Goldschmied Rughese Ende des 15. Jh. entwarf, erhalten.

Ab 1266 bauten auch die Lübecker Bischöfe ihren Dom zu einer 125 m langen, doppeltürmigen Hallenkirche um. Das 17 m hohe Triumphkreuz im Innern schuf der große lübische Schnitzer Bernd Notke 1477. Auch der Überbau des aus dem 14. Jh. stammenden Lettners wurde in seiner Werkstatt gefertigt. Der Dom birgt einige bedeutende Grabmäler, darunter das des Bischofs Bocholt (1339). Seine lebensgroße Bronzefigur ruht auf einer reichverzierten Platte.

Die Katharinenkirche (1350) an

Hohe Kunst aus Backstein

Noch im 12. Jh. wurden in Schleswig und Holstein Kirchen aus Feldsteinen und Granitquadern errichtet. Doch die ehrgeizigen Projekte der folgenden Jahrhunderte erforderten ein handlicheres Baumaterial. Bereits im 11. Jh. hatte man sich in der Lombardei an die uralte Kunst erinnert, Ziegel aus Ton und Lehm zu brennen. Diese Anregung gelangte über die Handelswege schließlich auch nach Norddeutschland. Die deutsche Backsteingotik, die sich nun hier entwickelte, bezieht ihre Hauptwirkung aus großen Flächen, die weitgehend auf Schmuck verzichteten – wie z. B. bei der abgebildeten Klosterkirche in Preetz.

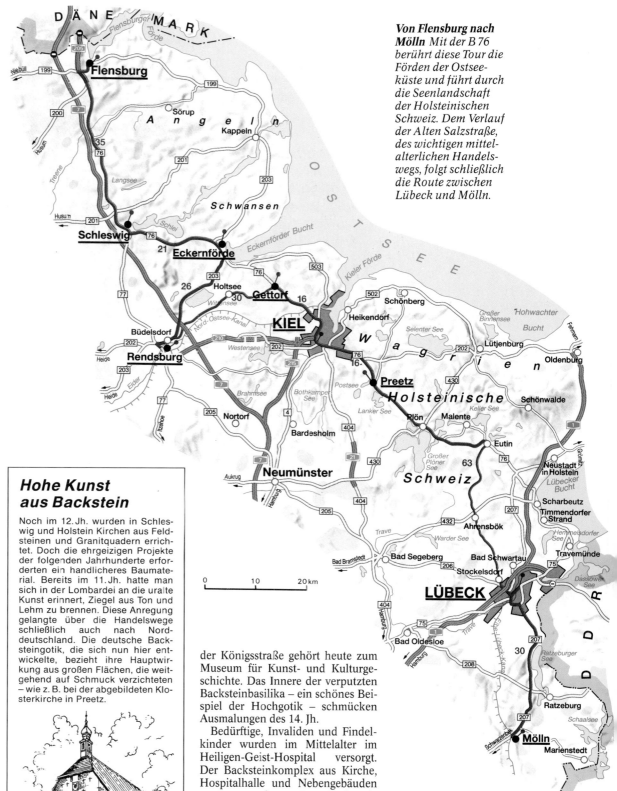

der Königsstraße gehört heute zum Museum für Kunst- und Kulturgeschichte. Das Innere der verputzten Backsteinbasilika – ein schönes Beispiel der Hochgotik – schmücken Ausmalungen des 14. Jh.

Bedürftige, Invaliden und Findelkinder wurden im Mittelalter im Heiligen-Geist-Hospital versorgt. Der Backsteinkomplex aus Kirche, Hospitalhalle und Nebengebäuden stammt aus dem späten 13. Jh. Die lichtdurchflutete Halle der Kirche wurde Ende des 15. Jh. mit einem Sterngewölbe versehen.

ℹ Heiligen-Geist-Hospital und Katharinenkirche: Di–So 10–17 Uhr (April–September), sonst bis 16 Uhr.

Mölln 1210 begann der Bau der Nikolaikirche, die in der Folgezeit spätgotisch erweitert wurde. Neben der Kirche liegt das alte Backsteinrathaus mit seinem Treppengiebel (1373) und der spätgotischen Gerichtslaube (1475). Den angeblichen Totenkopf Till Eulenspiegels, der 1350 in Mölln an der Pest gestorben sein soll, kann man im Heimatmuseum am Marktplatz bestaunen.

ℹ Heimatmuseum: Di–Fr 9–12, 15–17, Sa, So 9–12, 14–16 Uhr (April–Mitte Oktober).

Von Flensburg nach Mölln Mit der B 76 berührt diese Tour die Förden der Ostseeküste und führt durch die Seenlandschaft der Holsteinischen Schweiz. Dem Verlauf der Alten Salzstraße, des wichtigen mittelalterlichen Handelswegs, folgt schließlich die Route zwischen Lübeck und Mölln.

Meisterschaft im Hallenbau

In Westfalen wurden auffallend viele gotische Hallenkirchen gebaut, obwohl diese Architekturform keine westfälische Erfindung ist: Statt eines basilikalen Langhauses mit betonter Achse vom Westportal zum Choraltar und niedrigeren Seitenschiffen entstand die Halle als Zentralraum mit gleich hohen Schiffen. Unter ihren vielrippigen Gewölben bergen diese Kirchen oft eine prachtvolle Ausstattung, vor allem meisterhafte Altäre und ausdrucksstarken Skulpturenschmuck.

Dortmund Die einstige Reichsstadt hatte ihre künstlerische Blütezeit im späten Mittelalter. Herausragend sind in der Marienkirche der Marienaltar des Konrad von Soest (um 1420) und der Berswordtaltar (um 1390) mit Passionsszenen.

Der Chor der Reinoldikirche birgt einen der wenigen erhaltenen flandrischen Altäre aus der Zeit um 1430.

In der Petrikirche, einem Hallenbau aus dem 14. Jh., steht das „goldene Wunder von Dortmund", ein Antwerpener Schnitzaltar (um 1520) mit 633 vergoldeten Holzfiguren.

ⓘ Marienkirche, Ostenhellweg: Mo bis Fr 10–12, 14–16, Sa 10–13 Uhr. Reinoldikirche, Ostenhellweg: Mo bis Fr 9–12, 15–18, Sa 10–13 Uhr. Petrikirche, Westenhellweg: Mi 15 bis 18, Fr 9–14, jeden ersten Sa im Monat 11–17 Uhr.

Münster Eine einzigartige Bilderwand (um 1235) zeigt der romanisch-gotische Dom des 13. Jh. in der westlichen Eingangshalle: Christus thront oberhalb der Doppeltür mit zehn lebensgroßen steinernen Apostelfiguren zu beiden Seiten.

Die 1375–1450 errichtete spätgotische Hallenkirche Sankt Lamberti am Prinzipalmarkt zeichnen reicher Außendekor und das spätgotische Maßwerk der Fenster aus.

Der schönste Profanbau der Stadt ist das Rathaus (Mitte 14. Jh.). Seine Schauseite zeigt spitzbogige Arkaden, Maßwerkfenster und einen reichverzierten Treppengiebel.

ⓘ Dom Sankt Paulus, Horsteberg: Di–Sa 10–12, 14–18, So 14–18 Uhr.

Osnabrück In der damals zu Westfalen gehörenden Stadt erbauten die Bischöfe 1218–1277 den Dom Sankt Petrus in seiner heutigen Gestalt.

Rathaus in Münster *Der gotische Bau (oben) mit seinen Spitzbogenarkaden, den reichen Maßwerkfenstern und dem hohen Treppengiebel ist ein Glanzstück westfälischer Profanarchitektur. Das Rathaus wurde im Zweiten Weltkrieg* zerstört; die Schauseite konnte originalgetreu wiederhergestellt werden, ein Teil der Inneneinrichtung war rechtzeitig in Sicherheit gebracht worden.

Sankt Maria zur Wiese in Soest *Beherrschend erheben sich die Doppeltürme der hochgotischen Kirche über der Stadt (rechts). Mit dem Bau der Türme, die zur Zeit renoviert werden, begann man im 15. Jh.*

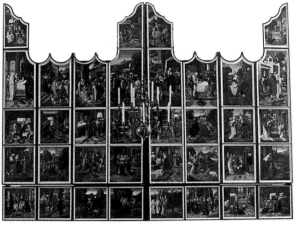

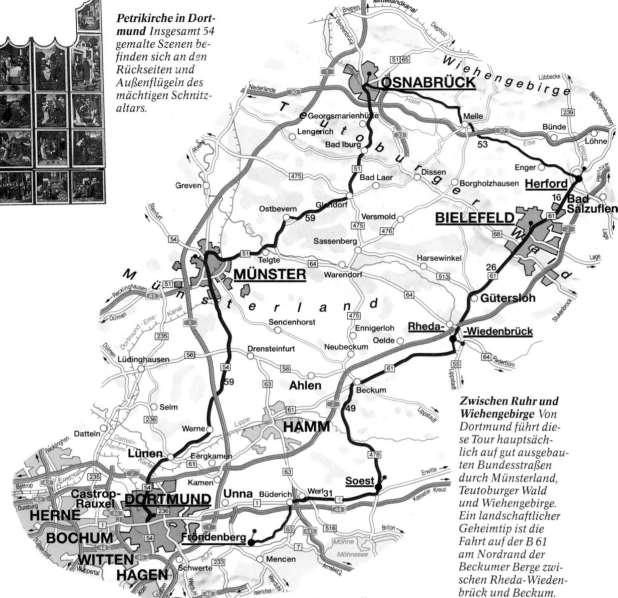

Petrikirche in Dortmund Insgesamt 54 gemalte Szenen befinden sich an den Rückseiten und Außenflügeln des mächtigen Schnitzaltars.

Zwischen Ruhr und Wiehengebirge Von Dortmund führt diese Tour hauptsächlich auf gut ausgebauten Bundesstraßen durch Münsterland, Teutoburger Wald und Wiehengebirge. Ein landschaftlicher Geheimtip ist die Fahrt auf der B 61 am Nordrand der Beckumer Berge zwischen Rheda-Wiedenbrück und Beckum.

Auch das Triumphkreuz unter dem Vierungsbogen stammt aus dieser Zeit. Den sehenswerten Domschatz verwahrt das Diözesanmuseum.

Die Bürger errichteten im späten 13. Jh. die Marktkirche Sankt Marien. Die Marienkrönung vom Brautportal ist heute im Kulturgeschichtlichen Museum der Stadt zu bewundern. In der Außenstelle im Bocksturm führen Folterwerkzeuge die mittelalterlichen Rechtspraktiken eindringlich vor Augen.

Der 102 m hohe Turm der kurzen, dreischiffigen Hallenkirche Sankt Katharinen (14. Jh.) überragt sogar den Dom.

Herzstück der historischen Neustadt ist die Johanniskirche, eine der frühesten deutschen Hallenkirchen aus der zweiten Hälfte des 13. Jh. Zwischen ihrem Baubeginn und der Vollendung des Langhauses des Doms liegen überraschenderweise kaum mehr als zehn Jahre. Man braucht nur den schweren Rhythmus im Schiff des Doms mit dem hohen lichten Innenraum der Hallenkirche zu vergleichen, und der gewaltige Umbruch im Denken jener Zeit wird deutlich sichtbar.

ℹ Diözesanmuseum, Kleine Domsfreiheit: Di–Fr 10–13, 15–17, Sa, So 10–13 Uhr.
Kulturgeschichtliches Museum, Heger-Tor-Wall: Di–Fr 9–17 Uhr, Sa 10–13 Uhr, So 10–17 Uhr.
Bocksturm, Natruper-Tor-Wall: nur mit Führung, Tel. 05 41/2 52 13.
Herford Bei der Münsterkirche (1220–1280) wurde erstmals in Westfalen ein spätromanischer Kern im weiteren Bauverlauf zu einer großen Hallenkirche umgestaltet.

Kostbare Glasmalereien (14. Jh.) machen die gotische Johanniskirche mit ihrer dreijochigen Halle auf quadratischem Grundriß sehenswert.

Die Marienkirche (1280–1350) birgt einen Hochaltaraufsatz (frühes 16. Jh.), mit dem Baumstamm, auf dem Maria einst als Taube erschienen sein soll.

ℹ Münsterkirche, Münsterkirchplatz: Mo–Sa 10.30–16 Uhr.

Johanniskirche, Hamelinger Straße: Mi, Fr 15–18 Uhr.
Marienkirche, Bergertorstraße: n. Vereinb., Tel. 0 52 21/88 31 37.
Bielefeld Für den Wiederaufbau der 1944 zerstörten Altstädter Nikolaikirche (14. Jh.) verwendete man die alten Umfassungsmauern. Im Innern ein Antwerpener Schnitzaltar (1520) mit Szenen aus dem Leben Jesu.

ℹ Nikolaikirche, Niederstraße: Mo–Fr 10–18, Sa 10–14 Uhr.
Rheda-Wiedenbrück Die Franziskanerkirche in Wiedenbrück (um 1470) stellt sich als „Querkirche" dar: Ihr Hallenraum ist breiter (19 m) als lang (13 m), wodurch im Mittelschiff schmale Felder mit eigenartigen Gewölbeformen entstehen.

ℹ Franziskanerkirche, Mönchstraße: täglich 7–12, 14.30–18 Uhr.
Soest Mit dem Bau der ev. Pfarrkirche Sankt Maria zur Wiese wurde

Anfang des 14. Jh. begonnen. Hohe Pfeiler tragen die dreischiffige, quadratische Halle. Meisterwerke der Gotik sind die Madonna am Südportal (um 1400) und die Glasmalereien in den Chören (14. Jh.). Berühmt ist das „Westfälische Abendmahl", eine Glasmalerei von 1500 über dem Nordportal: Jesus sitzt mit seinen Jüngern bei Schinken, Schweinskopf und Bier.

ℹ Sankt Maria zur Wiese, Wiesenstraße: Mo–Fr 10–12, 14.30–18, Sa bis 17, So 14.30–18 Uhr (April–September), sonst bis 16 Uhr.
Fröndenberg Die kleine Pfarrkirche, die um 1230 begonnen wurde, bewahrt eine große Kostbarkeit: zwei Altartafeln, die Szenen aus dem Marienleben zeigen. Sie bildeten einst das Mittelstück eines um 1400 geschaffenen Flügelaltars.

ℹ Ev. Pfarrkirche: täglich 9–11 Uhr.

Sechs Jahre im Johanniskasten

Als einziger überlebte der Raubritter Graf Johann von Hoya die Osnabrücker Spezialität des mittelalterlichen Strafvollzugs. Er war 1441–1447 in diesem Kasten aus schwerem Eichenholz eingesperrt, der seit 650 Jahren im Bocksturm steht. Nur dank treuer Freunde, die manchmal die Wachen bestachen, überstand er die Tortur.

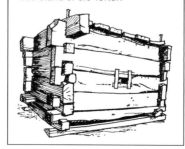

Im Glanz des Kölner Doms

Den Höhepunkt des gotischen Baufiebers in Deutschland bildete das gigantische Projekt des Kölner Doms. Es fand viele Nacheiferer im reichen Handelsgebiet des Niederrheins. Bürger und Bischöfe vergrößerten ihre alten Gotteshäuser und statteten sie mit prächtigen Schnitzaltären aus, Städte wollten sich gegenseitig mit ihren Kirchtürmen übertreffen, und sogar die Zisterzienser, deren Ordensregeln Schlichtheit vorschreiben, bauten in Altenberg prächtiger als anderswo.

Köln 1164 überführte Erzbischof Rainald von Dassel die Reliquien der Heiligen Drei Könige von Mailand in den Alten Dom. Für sie wurde der größte Goldsarkophag des Abendlands geschaffen – und darüber sollte an der Stelle des romanischen Vorgängerbaus ab 1248 das gewaltigste Gotteshaus Deutschlands entstehen. 1322 wurde der Chor geweiht, in dem der Dreikönigsschrein als wertvollster Schatz des Doms noch heute zu bewundern ist. Namhafte Künstler wirkten am Bau mit, darunter die Bildhauerfamilie der Parler, die u.a. auch am Dombau in Prag mitwirkte. Von einem ihrer Mitglieder stammt die Parlerbüste, eine der herausragendsten gotischen Plastiken des 14. Jh., die in der Umgebung des Kölner Doms gefunden wurde und heute im Schnütgen-Museum ausgestellt ist.

Geldmangel führte 1560 zur Einstellung der Bauarbeiten am Dom. Bis 1868 blieb der Baukran auf dem gerade 55 m hohen Südturm stehen. Erst die romantische Rückbesinnung auf das Mittelalter im 19. Jh. belebte die Baustelle wieder. 1880 wurde die Kathedrale vollendet, deren 157 m hohe Zwillingstürme damals die höchsten der Erde waren. Die überaus reiche Innenausstattung stammt aus verschiedenen Jahrhunderten und Quellen. Im Hochchor ist die ursprüngliche Ausstattung vom Beginn des 14. Jh. fast vollständig erhalten, darunter das gotische Chorgestühl, das mit über 100 Plätzen das größte in Deutschland ist.

Bereits drei Jahre vor Grundsteinlegung des Doms begannen die Franziskaner mit dem Bau ihrer schlichten, turmlosen Klosterkirche

Glaswerkstatt des Kölner Doms *Fehlende oder völlig zerstörte Fenster werden nach alten Zeichnungen rekonstruiert und zum Teil mit mittelalterlichen Techniken neu angefertigt, wie hier zwei Fenster aus der Agneskapelle des Doms (oben).*

Parlerbüste in Köln *Wahrscheinlich hat ein Mitglied der Parlerfamilie den unbearbeiteten Stein oder die fertige Plastik (links) von Prag nach Köln gebracht. Die Wandkonsole aus dem 14. Jh., die das Bildnis einer jungen Frau zeigt, trug einst eine Marienstatue.*

Bergischer Dom in Altenberg *Ein Kranz von sieben Kapellen umgibt den Chor (oben), dessen Glasfenster teilweise noch original erhalten sind. Sie entstanden in Grisailletechnik, der Glasmalerei in Grau-* *tönen, mit der die Zisterzienser das Verbot der farbigen bildlichen Darstellung umgingen. Das große Fenster an der Westfront besitzt sogar farbiges Glas.*

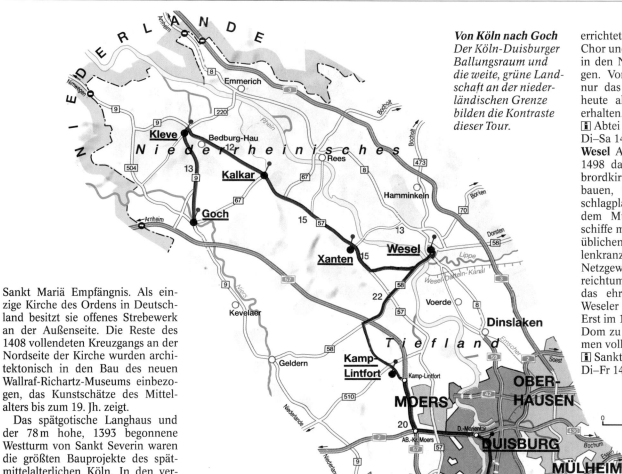

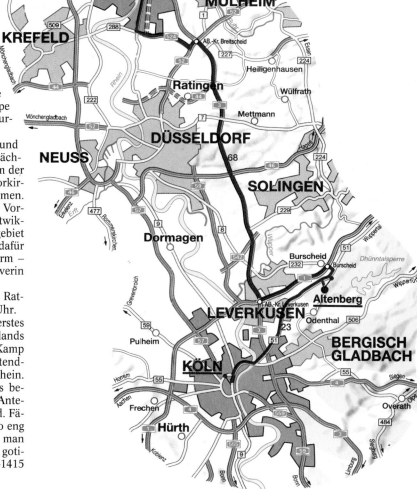

Sankt Mariä Empfängnis. Als einzige Kirche des Ordens in Deutschland besitzt sie offenes Strebewerk an der Außenseite. Die Reste des 1408 vollendeten Kreuzgangs an der Nordseite der Kirche wurden architektonisch in den Bau des neuen Wallraf-Richartz-Museums einbezogen, das Kunstschätze des Mittelalters bis zum 19. Jh. zeigt.

Das spätgotische Langhaus und der 78 m hohe, 1393 begonnene Westturm von Sankt Severin waren die größten Bauprojekte des spätmittelalterlichen Köln. In den vermauerten Rundfenstern über dem gotischen Chorgestühl sind Wandbilder des Marienlebens (14. Jh.) von tubablasenden Engeln umgeben. Die Instrumente öffnen sich in Schalltöpfen, die der Verbesserung der Akustik dienen.

Der 20 m lange gotische Chor der ehem. Stiftskirche Sankt Ursula wirkt mit seinen elf großen Maßwerkfenstern wie ein Schrein für die Gebeine der heiligen Ursula. Sie soll hier der Legende nach mit 11 000 Gefährtinnen von den Hunnen ermordet worden sein. Die elf kleinen Flammen im Wappen der Stadt erinnern an die Märtyrerinnen.

🛈 Schnütgen-Museum, Cäcilienstraße 29: Do–Di 10–17, jeden ersten Mi im Monat 10–20 Uhr.
Wallraf-Richartz-Museum, Bischofsgartenstraße 1: Di–Do 10–20, Fr–So 10–18 Uhr.
Sankt Severin, Severinstraße: Mo–Fr 7.30–12, 15–19, So 9–12 Uhr.
Sankt Ursula, Ursulaplatz: Mo–Do 9.30–12, 13–16.30, Fr 15–17.30, Sa 11–17 Uhr.

Altenberg In der waldreichen Gegend des Dhünntals errichteten die Zisterzienser den „Bergischen Dom" 1255–1379 mit der Unterstützung der Grafen von Berg als Klosterkirche, die mit fast 78 m Länge sonstige Bauten des Ordens in Deutschland an Größe weit übertrifft. Ende des

14. Jh. schuf der Laienbruder Raynoldus, den seine Grabinschrift den „König aller Steinmetzen" nennt, das eindrucksvolle Maßwerk für das 18 m hohe und 8 m breite Fenster an der Westfront. Die bedeutende Verkündigungsgruppe (um 1375) im Innern stand ursprünglich am Westportal.

Duisburg Die erhöhte Lage und der freie Vorplatz lassen den mächtigen, 1479–1513 gebauten Turm der sonst relativ schlichten Salvatorkirche besonders zur Geltung kommen. Entgegen dem französischen Vorbild der Doppelturmfassade entwickelte die Gotik im Niederrheingebiet eine Vorliebe für nur einen, dafür aber besonders hohen Kirchturm – vor allem eiferte man Sankt Severin in Köln nach.

🛈 Sankt Salvator, neben dem Rathaus: Di–Sa 9–17, So 9.30–12 Uhr.

Kamp-Lintfort Die 1122 als erstes Zisterzienserkloster Deutschlands gegründete ehem. Abtei von Kamp war im 14. Jh. eines der bedeutendsten Kunstzentren am Niederrhein. Im Besitz des Ordensmuseums befindet sich noch ein kostbares Antependium, das um 1325 entstand. Fäden aus Gold und Seide sind so eng nebeneinander gestickt, daß man von Nadelmalerei spricht. Vom gotischen Backsteinbau der 1410–1415

Von Köln nach Goch
Der Köln-Duisburger Ballungsraum und die weite, grüne Landschaft an der niederländischen Grenze bilden die Kontraste dieser Tour.

errichteten Abteikirche wurden der Chor und drei Joche des Langhauses in den Neubau des 17. Jh. einbezogen. Von den Klostergebäuden ist nur das ehem. Krankenrevier, das heute als Pfarrhaus genutzt wird, erhalten.

🛈 Abtei Kamp, Ordensmuseum: Di–Sa 14–18, So 11–18 Uhr.

Wesel Als die Bürgerschaft in Wesel 1498 daran dachte, die alte Willibrordkirche repräsentativ auszubauen, war die Stadt Hauptumschlagplatz am Rhein für Waren aus dem Münsterland. Fünf Kirchenschiffe mußten es sein, nicht nur die üblichen drei. Den äußeren Kapellenkranz überspannt ein gotisches Netzgewölbe von großem Formenreichtum. Mit der Reformation fand das ehrgeizige Bauprogramm der Weseler Handelsbürger sein Ende. Erst im 19. Jh. wurde der sogenannte Dom zu Wesel in neugotischen Formen vollendet.

🛈 Sankt Willibrord: Mi, Sa 10–12, Di–Fr 14.30–16.30 Uhr.

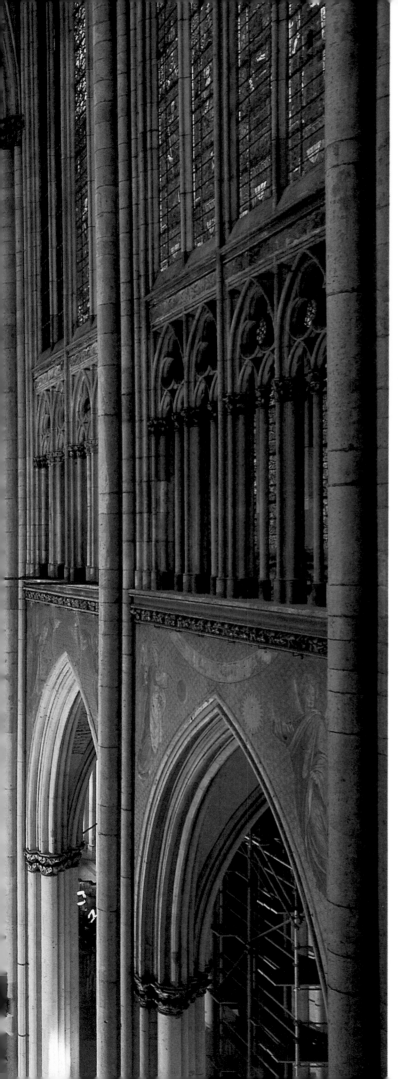

Xanten Die Keimzelle des Doms ist heute in einer neuen Krypta unter dem Hauptchor zu sehen: Das Doppelgrab zweier Männer aus dem 4. Jh. belegt, daß die Legende vom in Xanten hochverehrten heiligen Viktor einen historischen Kern hat. 1263 begann der Dompropst Friedrich von Hochstaden mit dem Neubau des Doms, der zur größten Kirche nördlich von Köln werden sollte – er eiferte damit seinem Bruder, Erzbischof Konrad, nach, der gerade am Kölner Dom baute. Fünf erhaltene Glasmedaillons mit Christusszenen (um 1300), das Chorgestühl (um 1240), das noch aus dem Vorgängerbau stammt, die 28 gotischen Statuen an den Pfeilern von Langhaus und Chor und die spätgotischen Schnitzaltäre gehören zur reichen Innenausstattung.

Das Domherrenstift, dessen Klosteranlage sich an den Dom anschließt, besaß im Mittelalter eine eigene Gerichtsbarkeit. Außerhalb des daher Domimmunität genannten Bezirks erreicht man über die Klever Straße das Klever Tor, eine Doppeltoranlage mit verbindendem Zwinger, die 1393 als Teil der Stadtbefestigung erbaut wurde.

ⓘ Stiftskirche Sankt Viktor: Mo–Sa 10–12, 14–17, So 13–18 Uhr.

Kalkar Der klevische Baumeister Johann Wyrenberg errichtete um 1440 das Rathaus der Stadt. In dem großen Backsteinbau waren unter einem Dach alle öffentlichen Handelsgebäude wie Tuchhalle, Fettwaage und Fleischhalle mit der Stadtverwaltung vereint. Auch bei der zur gleichen Zeit erbauten Pfarrkirche Sankt Nikolai, der größten dreischiffigen Hallenkirche am Niederrhein, kommt das Selbstbewußtsein der Kalkarer Handelsbürger zum Ausdruck. An ihrem Hochaltar stellen 208 kleine Eichenholzfiguren in mittelalterlichen Trachten den Leidensweg Christi dar. Solche Schnitzaltäre waren um 1500 bei den reichen niederrheinischen Bürgern als Stiftungen beliebt; allein für Sankt Nikolai wurden 15 angefertigt, doch nur sieben sind noch an Ort und Stelle.

ⓘ Pfarrkirche Sankt Nikolai: täglich 10–12, 14–18 Uhr (April–September), sonst täglich 10–12, 14–17 Uhr.

Kölner Dom Fast schwerelos wirken die aufstrebenden gotischen Spitzbogen im Innern der größten deutschen Kathedrale, deren Hauptschiff eine Höhe von 43 m erreicht.

Der heilige Viktor in Xanten Die Steinfigur befindet sich an der Gerichtsstätte der Domimmunität.

Kleve Die Grafen und Herzöge des Hauses Kleve, deren Burg mit dem mächtigen gotischen Schwanenturm das Stadtbild beherrscht, ließen sich seit dem 14. Jh. in der ehem. Stiftskirche bestatten, einer dreischiffigen Pseudobasilika, bei der die Fenster an den Hochwänden fehlen. In der Herzogsgruft reicht die Palette gotischer Grabmäler von emaillierten Metallplatten bis zu steinernen Liegefiguren.

ⓘ Ehem. Stiftskirche Sankt Mariä Himmelfahrt, Nassauer Straße: nur mit Führungen n. Vereinb., Tel. 0 28 21/2 45 44.

Goch Vor allem die Wollverarbeitung war im Mittelalter Grundlage des stetig wachsenden Wohlstands der Stadt, von dem die Unregelmäßigkeit der Pfarrkirche zeugt: Der Umbau der romanischen Basilika zur gotischen Hallenkirche sollte ursprünglich kleiner ausfallen, doch im Lauf des 15. Jh. entschloß man sich, das südliche Seitenschiff beträchtlich zu erhöhen und zu verbreitern. Es dient heute als Hauptkirchenraum.

ⓘ Pfarrkirche Sankt Maria Magdalena: täglich 9–12 Uhr.

Leben und arbeiten für den neuen Dom

Auch während der halben Stunde, die den Männern als Mittagspause vergönnt ist, unterhalten sie sich über den Bau. Es geht um Winkelberechnungen, aber auch um die allzu häufigen Unfälle bei der Arbeit. Erst vor kurzem sind in einer französischen Kathedrale die Gewölbe gleich zweimal eingestürzt und haben sich in einem Münster während des Gottesdienstes Steine von der Decke gelöst. Johannes, das jüngste Mitglied der Bauhütte, hat diese Neuigkeiten mitgebracht und wird natürlich nach den anderen Bauhütten und deren Meistern befragt, denen solche Fehler unterliefen. Wie schon häufig endet die Diskussion mit der strittigen Frage, ob von den Arkaden des Kirchenschiffs ein Schub ausgehen kann, der so stark in die Waagrechte wirkt, daß er unbedingt durch Strebebogen abgefangen werden muß – ein Problem, das in dieser Zeit viele Baumeister bewegt.

Die Männer der Bauhütte, bei der Johannes nach etlichen Jahren harter Ausbildung und ebenso langen Jahren der Wanderschaft durch halb Europa Aufnahme gefunden hat, bilden eine verschworene Gemeinschaft. Ihr ganzes Denken und Handeln ist auf ein einziges Ziel gerichtet, den Bau des neuen Gotteshauses im Stil der Zeit: mit himmelwärts ragenden, hoch aufstrebenden Spitzbogen, mit Kreuzrippengewölben und großzügig mit buntem Glas ausgestatteten Fensterflächen oder Fensterrosen über den Portalen, mit feingliedrigen figürlichen Plastiken und kunstvoll geschnitzten Kanzeln.

Dazu braucht es viele berufene Leute, die ihr Handwerk verstehen. Selbstverständlich steht über allem der Rat der Stadt, der den Neubau zum Lobpreis Gottes beschlossen hat. Die Ratsherren haben für den Bau beträchtliche Gelder, größtenteils Spenden, zur Verfügung gestellt und sich dafür ausgesprochen, den erfahrenen Baumeister Matthäus als Verantwortlichen mit der Planung und der Ausführung des Baus zu betrauen.

Der Magistrat ist nach wie vor davon überzeugt, mit Meister Matthäus einen guten Griff getan zu haben. Es gab anfangs zwar einige Widerstände gegen ihn, weil er sich ausbedungen hatte, zwischenzeitlich auch für andere Städte Aufträge wahrnehmen zu dürfen. Doch er stellte den Ratsherren ein überzeugendes Modell ihres neuen Doms vor und lieferte eine genaue Kostenaufstellung, die ihnen seriös erschienen war. Er konnte sie sogar davon überzeugen, mit den Steinmetzen lieber Tageslöhne statt Stückzahllöhne zu vereinbaren, auch wenn

dadurch zu befürchten stand, daß die Arbeiter versuchen würden, die Beendigung ihrer Tätigkeit hinauszuzögern. Auf der anderen Seite hoffte man, auf diese Weise eine bessere Qualität zu erreichen.

Meister Matthäus versteht tatsächlich sein Geschäft. Früher hat er jahrelang als Maurer in einer Bauhütte gearbeitet. Für ihn bedeutet jeder neue Auftrag eine Herausforderung. Selbstbewußt, aber nicht überheblich leitet er die Arbeiten.

Johannes sitzt in einer langen Reihe mit den anderen Steinmetzen und traktiert mit kräftigen, geübten und gleichmäßigen Schlägen mit dem Zweispitz den roh gebrochenen Stein. Er muß dabei nicht nur auf saubere Kanten, die mit der Lotwaage nachgeprüft werden, sondern auch auf die genaue Einhaltung der vom Meister vorgegebenen Maße achten. Die Tätigkeit ist anstrengend. Aber um kein Gut der Welt möchte er mit den Männern tauschen, die die schweren Quader aus den Schiffen ausladen und unter vielen Mühen auf Schlitten zur Bauhütte schaffen. Auch die Männer, die mit vorgespannten Ochsen arbeiten, müssen selber kräftig zupacken.

Nicht weit von Johannes entfernt sind Maurergehilfen dabei, gebrannten und gelöschten Kalk mit Sand zu vermengen und den so gewonnenen Mörtel in flachen Bütten auf der Schulter über wacklige, schmale Gerüste zu den Maurern hochzutragen. Johannes wagt es kaum, ihnen mit den Augen zu folgen; mehr als einmal ist er trotz seiner jungen Jahre schon Zeuge schlimmer Unfälle am Bau geworden. Auch die Maurer hoch droben auf einem der beiden Türme des Westwerks beneidet er nicht.

Zur Zeit sind Zimmerleute noch damit beschäftigt, den Dachstuhl zu errichten, auf dem in wenigen Tagen ein Kran erstellt werden soll, um die Steine und Eisenteile dann besser nach oben bringen zu können. Meister Matthäus hat sich für einen großen Lastenaufzug entschieden. Bisher genügten die üblichen Ausleger mit Rollen, über die man an Seilen die fertig behauenen Steine hochzieht. Doch in der nun erreichten Höhe, insbesondere zum Einzug der Gewölbe, verlangt Matthäus von seinen Zimmerleuten, einen Kran mit Laufrad aufzubauen. In ihm sollen mindestens zwei Windeknechte dann durch ständiges Treten die Trommel drehen, auf der das Tragseil aufgewickelt wird.

Doch nachdem jetzt die Mauern des Langhauses und die Pfeiler endlich nach großer Verspätung hochgezogen sind, kommen die

Zimmerleute mit der Arbeit kaum nach. Sie sind vollauf damit beschäftigt, den Dachstuhl zu vollenden. Mehrere tausend Bäume haben sie während der vergangenen Wochen dafür zugehauen, zu Balken und Brettern zersägt und verzapft. Immer wieder fordern sie von den Schmieden, die ihrerseits unablässig mit der Herstellung von Zugbändern, Mauerankern und natürlich auch Nägeln ausgelastet sind, neue Sägeblätter.

Johannes fühlt sich wohl in der hiesigen Bauhütte. Natürlich wird er keine Reichtümer anhäufen können, aber für ihn ist wichtig, daß die Bauhütte nicht nur die lange Arbeitszeit von täglich 17 Stunden, sondern auch die Ruhezeiten fest einhält und daß der Sonntag sowie die zahlreichen kirchlichen Festtage grundsätzlich arbeitsfrei sind.

Alltag in der Bauhütte Meister Matthäus gibt Anweisung, die schweren Sandsteinquader mit mehr Vorsicht zu behandeln, während Johannes und seine Steinmetzkollegen mit gekonnten Schlägen den noch unbehauenen Stein bearbeiten.

Im Krankheitsfall springt die Bauhütte mit einer finanziellen Unterstützung ein, mit deren Rückzahlung er sich nach seiner Genesung Zeit lassen kann. Auch für den Todesfall ist vorgesorgt. Der Meister hat ihm zugesichert, die Kosten für sein Begräbnis und für die Seelengottesdienste zu übernehmen.

Als verantwortlicher Leiter der Bauhütte ist Matthäus ständig um die Sicherheit der Mitarbeiter bemüht. Er setzt sich für die Verbesserung der Gerüste ein, ermahnt die Steinmetzen immer wieder, sich in luftiger Höhe festzubinden, und rät vielfach dazu, Schutzmasken aus feinem Drahtgeflecht zum Schutz der Augen zu tragen. Johannes will in jedem Fall in dieser Bauhütte bleiben, auch wenn er weiß, daß die Arbeiten noch viele Jahre dauern werden und er selber die Vollendung des Doms vielleicht gar nicht mehr erleben wird.

Für Gott, König und Bürgermeister

Der Dom in Frankfurt, in dem deutsche Könige gewählt wurden, und die Marburger Elisabethkirche, die über dem Grab der hochverehrten Heiligen entstand, sind die Höhepunkte früher gotischer Baukunst in Hessen. Ihnen folgten in der Umgegend weitere Sakralbauten mit kostbarer Ausstattung. Doch auch bei der profanen Architektur setzte sich der neue Baustil durch, wie die prachtvollen Rathäuser von Frankenberg und Alsfeld zeigen.

Frankfurt-Sachsenhausen Die Niederlassung des Deutschen Ordens am Südufer des Mains, die noch immer Hochmeisterresidenz ist, blickt auf eine lange Tradition zurück. Bereits Ende des 12. Jh. wurde den Deutschherren hier ein Hospital übereignet, das zur Keimzelle einer reichen Kommende wurde. Aus dem 14. Jh. blieb – hinter einer barocken Fassade – die einschiffige, rippengewölbte Deutschordenskirche Sankt Maria erhalten. Hervorzuheben sind besonders die spätgotischen Nebenaltäre und die Wandmalereien im Langhaus (14. Jh.).

ℹ️ Deutschordenskirche, Brückenstraße: Di–Sa 17–20, So 15–18 Uhr.

Frankfurt Am geschichtsträchtigen Römerberg erhebt sich der Dom Sankt Bartholomäus, eine dreischiffige frühgotische Hallenkirche, die in ihrer heutigen Gestalt nach 1250 entstand. Zu den vorzüglichen Ausstattungsstücken des 14. und 15. Jh. im Innern gehören das reichgeschnitzte Chorgestühl, die mehrfigurige Grablegung Christi und der Maria-Schlaf-Altar, der den Tod Marias mit lebensgroßen Steinfiguren darstellt. An der Chorwand ist die Grabplatte Günthers von Schwarzburg aufgestellt, der sich 1349 zum Gegenkönig Karls IV. wählen ließ, jedoch bereits ein halbes Jahr später starb. Vom südlichen Nebenchor führt eine spätgotische geschnitzte Tür mit Reichsadlern in die historisch bedeutsame Wahlkapelle, in der ab 1356 nach den Bestimmungen der Goldenen Bulle fortan die deutschen Könige gewählt wurden.

Unweit des Doms liegt das ehem. Karmeliterkloster aus dem 13. Jh., dessen spätgotische Wandmalereien in Kreuzgang und Refektorium von

Frankfurt *Zwar beherrschen heute Hochhäuser die Silhouette der Mainmetropole (oben), doch kann sich der 95 m hohe Westturm des Doms noch gut behaupten. Schon beim Baubeginn im Jahr 1415 wetteiferte er mit den großen Kirchturmbauten in Straßburg und Ulm. Seine originelle Steilkuppel wurde Anfang des 16. Jh. vollendet.*

Die heilige Elisabeth in Marburg *Die thüringische Landgräfin opferte sich in ihrem Marburger Exil für die Armen- und Krankenpflege auf. In dem Chorfenster der Elisabethkirche (links), das zwischen 1235 und 1249 entstand, ist ihr Besuch bei einer Kranken dargestellt. Seit ihrer Heiligsprechung wird Elisabeth als Patronin der Caritas verehrt.*

Alsfelder Rathaus *Die grazile Form des Rathausbaus am Marktplatz (oben) gehört noch der Spätgotik an. Die Technik des Fachwerkaufbaus weist jedoch schon in die Renaissance.*

Jörg Ratgeb stammen. Vom größten Freskenzyklus nördlich der Alpen, der ursprünglich eine Wandfläche von 600 m² bedeckte, ist knapp ein Drittel erhalten.

ℹ️ Dom: täglich 9–12.30, 15–18 (März–Oktober), sonst 9–12.30, 15–17 Uhr.
Karmeliterkloster: Di, Do–So 11–18, Mi 11–20 Uhr.

Wetzlar Über dem Lahnufer erhebt sich der Dom mit seiner markanten, unvollendeten Westfassade. Mitten in den Umbau der romanischen Pfeilerbasilika zur gotischen Hallenkirche fiel der Stadtbankrott im Jahr 1374, so daß noch heute die Stilelemente von Romanik und Gotik eindrucksvoll nebeneinanderstehen. Bedeutende Ausstattungsstücke im Innern sind eine anmutige Madonna mit Kind (15. Jh.) und ein monumentales Vesperbild (14. Jh.).

Gießen Eines der ältesten Fachwerkhäuser Hessens ist das 1350 erbaute Burgmannenhaus. Vor allem die langen Konsolenbalken, welche die drei ausgekragten Geschosse stützen, sind bemerkenswert. Das im Zweiten Weltkrieg schwer beschädigte Gebäude wurde 1978 restauriert; heute ist es Teil des Oberhessischen Museums und dient als Ausstellungshaus für die Stadtgeschichte seit dem 12. Jh.

ℹ️ Burgmannenhaus, Georg-Schlosser-Straße 2: Di–So 10–16 Uhr.

Marburg Das Schloß, von den Nachfahren der heiligen Elisabeth etwa ab 1260 ausgebaut, war ab dem 14. Jh. Sitz der hessischen Landgrafen. Heute wird es zum Teil von der Universität als Museum genutzt. Der langgestreckte Saalbau mit achtseitigen Ecktürmchen birgt hinter prächtigen Maßwerkfenstern den Fürstensaal, einen der größten Profanräume der Gotik in Deutschland. Die 1288 geweihte Schloßkapelle beeindruckt durch ihren Fußboden aus farbigen Tonfliesen sowie ein riesiges Christophorusfresko.

Als 1235 die Landgräfin Elisabeth von Thüringen heiliggesprochen wurde, begann der Deutsche Orden mit dem Bau einer Kirche über ihrer Grabstätte. Bald gehörte Marburg zu den wichtigsten Wallfahrtsstätten Europas. Als einer der frühesten rein gotischen Kirchenbauten Deutschlands steht in der nördlichen Vorstadt die Elisabethkirche mit ihren beiden fast 80 m hohen Türmen. Die reiche Innenausstattung ist – eine Seltenheit – fast vollständig und stilrein erhalten. Den Ostchor schmücken hervorragende Glasmalereien des 13. Jh. Besonders wertvoll ist der Elisabethschrein in der Sakristei. Er ist nach dem Vorbild einer kreuzförmigen Kirche gefertigt, mit Heili-

genfiguren besetzt und stammt aus der rheinisch-maasländischen Goldschmiedeschule.

ℹ️ Schloß mit Universitätsmuseum für Kulturgeschichte: Di–So 11–13, 14–17 Uhr.

Frankenberg Nach der verheerenden Brandkatastrophe von 1476 bauten sich die Bürger des Ederstädtchens eines der schönsten Rathäuser Hessens. Charakteristisch sind die zahlreichen Türme und die Schieferverkleidung der oberen Geschosse zum Schutz gegen Wind und Wetter.

Korbach Ab dem 13. Jh. erlebte die Handwerksstadt unter den Grafen von Waldeck einen lebhaften Aufschwung. 1355 begann man mit dem Bau der Kilianskirche. Das Innere birgt eine bemerkenswerte gotische Ausstattung, darunter einen steinernen Diakon als Pultträger.

ℹ️ Kilianskirche: Di–Sa 9.30–12, 14–16.30, So 14–16.30 Uhr.

Bad Wildungen In dem von Fachwerkhäusern des 16. Jh. geprägten Stadtteil Niederwildungen erhebt sich an höchster Stelle die schlichte gotische Stadtkirche. Den Flügelaltar, ein überragendes Werk gotischer Tafelmalerei, schuf Konrad von Soest Anfang des 15. Jh.

Treysa Malerisch erhebt sich über dem linken Schwalmufer die Ruine der Sankt-Martins-Kirche aus dem

Eine Stütze zum Lesen

Seit frühchristlicher Zeit sind an den Chorschranken der Kirchen Amben angebracht, von denen das Evangelium und die Epistel verlesen werden. Besonders in der Gotik hat man diese aus Stein, Holz oder Metall gefertigten Lesepulte mit Ornamenten versehen oder figürlich gestaltet. Verbreitet ist z. B. der Adler, das Symbol des Evangelisten Johannes; die ausgebreiteten Schwingen des Vogels dienten als Pult für die Heilige Schrift. Menschliche Figuren, wie der Pultträger von Korbach, sind dagegen äußerst selten.

Im Land von Main, Lahn und Eder

Ein landschaftlicher Höhepunkt dieser Tour ist der Edersee, zu dem die B 252 auf dem Weg nach Korbach führt. Der Deutschen Märchenstraße (B 254) folgt man zwischen Treysa und Alsfeld.

13. Jh. mit einem eigenwilligen Turmhelm. Lediglich der schlanke, quadratische Chor zeigt rein gotische Stilmerkmale.

Alsfeld Mit ihren 24 noch erhaltenen gotischen Fachwerkhäusern ist die Stadt weit über ihre Grenzen hinaus bekannt geworden. Im Zentrum liegt das Rathaus von 1516 mit

seinen spitzbogigen Laubengängen. Dahinter befindet sich die gotische Walpurgiskirche. Im Inneren dominiert der Gegensatz zwischen dunklem, niedrigem Kirchenschiff und hohem, hellem Chor.

ℹ️ Walpurgiskirche: n. Vereinb. Mo–Fr 14.30–16 Uhr, Tel. 0 66 31/ 1 82 24.

Triumphe des Münsterbaus

Die hohe Kunstfertigkeit der Straßburger Bauhütte in der zweiten Hälfte des 13. Jh. wurde zum Vorbild für den frühen gotischen Kirchenbau in Deutschland: Ihre Baumeister trugen den neuen Stil erstmals in die Gebiete östlich des Oberrheins. Im 14. und 15. Jh. entwickelten die großen, vor allem schwäbischen Baumeisterfamilien eigene Ausprägungen der Gotik. Hauptsächlich auf Chöre und ehrgeizige Turmprojekte konzentrierte sich die Bautätigkeit jener Zeit.

Rottweil Eine bedeutende Kirche vermutet man hinter dem 70 m hohen Kapellenturm, der sich am Marktplatz erhebt. Doch die heutige, hauptsächlich barocke Halle hat, wie auch der ursprüngliche Kirchenbau, eher bescheidene Dimensionen. Um 1340, in der Blütezeit der schwäbischen Hochgotik, begann man mit der Errichtung des Turms. Zu seiner vollen Höhe wuchs das Wahrzeichen der Stadt erst in der Spätgotik, als der württembergische Hofbaumeister Alberlin Jörg 1473 mit seiner Vollendung beauftragt wurde. Er entwarf die drei oberen Geschosse und als Spitze eine durchbrochene Steinpyramide – sie wurde im 18. Jh. durch das heute noch vorhandene zeltförmige Dach ersetzt.

Kunstgeschichtlich bedeutend ist der Skulpturenschmuck aus dem 14. Jh., bei dem nach Elsässer Vorbild monumentale Plastiken in das Bauprogramm einbezogen wurden. Am Mittelportal z. B. thront Christus als Weltenrichter; unter ihm werden die Verdammten in den Höllenrachen getrieben, während den Seligen die Kirche beisteht. Rätsel gab das Relief über dem Zugang zum linken Treppentürmchen den Kunsthistorikern auf: Zwei Männer beugen sich hier über ein Buch. Die Deutung lag nahe, es handle sich um die Darstellung des Eides, den die Rottweiler Bürger alljährlich bis ins 15. Jh. auf dem Marktplatz auf das „Rote Buch", die Stadtverfassung, schworen. Neuere Forschungen ergaben jedoch, daß auch dieses Relief wahrscheinlich eine religiöse Aussage hat: Das Verhältnis von Christus zum Gläubigen sei so wie jenes zwischen Lehrer und Schülern. Die

Kaufhaus in Freiburg
Der rote spätgotische Bau mit seinen charakteristischen Erkern zählt neben dem Münster zu den Wahrzeichen der Stadt (oben).

Freiburger Münsterturm *Den mühevollen Aufstieg über die 328 Stufen bis zur Terrasse über der Achteckhalle (oben) belohnt nicht nur ein herrlicher Blick über die Stadt, auch die filigranen Formen der Steinpyramide des Turmhelms kommen* hier am besten zur Wirkung. Der Münsterturm ist insgesamt 116 m hoch und einer der wenigen großen gotischen Kirchtürme, die noch im Mittelalter vollendet wurden.

Chormantelschließe in Villingen *Noch heute legen katholische Priester den Chormantel nur zu feierlichen Gottesdiensten um. Die Schließe aus dem Münsterschatz (rechts) wurde um 1460 wahrscheinlich von einem Villinger Goldschmied gefertigt.*

Plastiken am Turm sind heute Kopien; ihre Originale werden in der Kunstsammlung Lorenzkapelle an der Stadtmauer gezeigt.

Die Hauptkirche der Stadt ist das Heiligkreuzmünster unweit des Rathauses. Es geht auf eine spätromanische Basilika zurück, die ab der ersten Hälfte des 15. Jh. im Stil der Spätgotik erneuert wurde. Beim Umbau des Langhauses von 1497 bis 1534 hat die Stuttgarter Bauschule mitgewirkt; das wird an den Ähnlichkeiten mit der Stuttgarter Stiftskirche, z.B. dem überhöhten Mittelschiff ohne eigene Beleuchtung, deutlich. Die spätgotische Ausstattung der Kirche, zu der sieben Flügelaltäre und ein Veit Stoß zugeschriebenes Kruzifix am Hochaltar gehören, wurde erst im 19. Jh. im Kunsthandel erworben.

ℹ️ Kunstsammlung Lorenzkapelle: Di–Sa 10–12, 14–17, So 14–17 Uhr.

Villingen Ein Großbrand zerstörte im Jahr 1271 den romanischen Vorgängerbau des Liebfrauenmünsters. Über 20 Jahre später, zu der Zeit, als die durch ihre selbstbewußten Zünfte erstarkte Stadt begann, eine Fehde um die Unabhängigkeit gegen ihre adligen Stadtherren zu führen, wurde der neue gotische Chor geweiht; kurz darauf errichtete man das Langhaus. Die beiden Türme wurden erst im 16. Jh. fertiggestellt.

Im Innern der dreischiffigen, flachgedeckten Basilika ist die spätgotische Steinkanzel, die um 1510 entstand, beachtenswert. An ihrem Geländer stellt ein Relief den Zug nach Golgatha dar. Das Naegelinskreuz in der linken Turmkapelle ist seit seiner Entstehung im 14. Jh. das Schutzkreuz von Villingen. Durch seine Verehrung soll die Stadt vor Übel und Schaden bewahrt werden.

Das Museum Altes Rathaus Villingen birgt zahlreiche Exponate aus dem Münsterschatz. Eine gotische Chormantelschließe, die aus vergoldetem Silber gearbeitet wurde, weist auf die lange Goldschmiedetradition der Stadt hin.

ℹ️ Museum Altes Rathaus Villingen, Rathausgasse: Di–So 10–12, Do auch 15–17 Uhr.

Freiburg Bis ins 19. Jh., als Freiburg Sitz eines Erzbischofs wurde, hatte das Liebfrauenmünster nur den Rang einer Pfarrkirche – dennoch ist es den Bischofskirchen in Straßburg und Basel ebenbürtig.

Zu Anfang des 13. Jh. verpflichteten die Grafen von Freiburg erfahrenes Personal aus der Basler Münsterbauhütte für den Neubau der ursprünglich schlichter geplanten Kirche – die Ähnlichkeit mit dem Basler Münster läßt sich an den Radfenstern und Rundbogenfriesen

Bildersprache der Mystik

Die mittelalterliche Geistesströmung der Mystik drückt das Verhältnis der Seele zum Erlöser oft in treffenden Bildern aus – z.B. wird es hier im Rottweiler Brautrelief aus der Kunstsammlung Lorenzkapelle mit der Innigkeit eines liebenden Brautpaars verglichen.

Ausflug ins Elsaß und in die Schweiz Die Durchquerung des Höllentals im Schwarzwald kann man auf dem Weg nach Freiburg auf der B 31 genießen. Die B 3 führt hinter Weil auf schweizerisches, die Europabrücke in Kehl auf französisches Gebiet.

ihrer romanischen Teile, dem Querhaus und den beiden seitlich der Chorapsis aufragenden „Hahnentürmen" mit den vergoldeten Wetterhähnen an der Spitze deutlich ablesen. Der neue Baustil der frühen Gotik beeinflußte auch die Planung in Freiburg. Größer als am Anfang beabsichtigt, wurden die beiden östlichen Joche und das Langhaus der Basilika in der Mitte des 13. Jh. vollendet. Etwa um dieselbe Zeit entschied man sich gegen die damals übliche Zweiturmfassade und begann mit dem Bau des gewaltigen Westturms, dessen filigraner Helm (Mitte 14. Jh.) der erste vollkommen durchbrochene Steinbau der Gotik in Deutschland war.

Inzwischen war die Bauaufsicht über das Münster längst von den Grafen an die Stadt übergegangen, die u.a. durch den Abbau von Silber und Blei im Mittelalter zu großer wirtschaftlicher Blüte gelangte. Entsprechendes Gewicht maß die Bürgerschaft dem Münsterbau bei: 1359 wurde kein Geringerer als Hans von Gmünd aus der berühmten Baumeisterfamilie Parler für die Errichtung des Chors angestellt. Elf kleine Kapellen sind um den Chor angeordnet; die meisten tragen noch heute die Namen ihrer Stifter. Auch in der Zeit nach der Vollendung des Münsters im Jahr 1513 achteten die Bürger bei der Ausstattung ihrer Kirche auf Qualität. So schuf Lucas Cranach d. Ä. mit dem Bild des Schmerzensmannes (1524) an der Tür zur Sakristei ein berühmtes Werk der ausgehenden Gotik.

Die prachtvollen Glasfenster aus dem 14. und 15. Jh. sind der wertvollste Schatz der Seitenschiffe. Viele von ihnen wurden von den Freiburger Zünften gestiftet. Im

Schmiedefenster über dem nördlichen Langhausportal wird neben dem Leben Marias und der Kreuzigung Christi der Patron der Zunft, Sankt Eligius, dargestellt, der einem Pferd das amputierte Bein beschlägt und es anschließend mit seinem Atem wieder anwachsen läßt. Das Bäckerfenster daneben ist leicht an seiner großen Brezel zu erkennen.

Viele Glasgemälde des Münsters sind heute im Augustinermuseum zu besichtigen, das im ehem. Kloster der Augustinereremiten mit seinem vollständig erhaltenen Kreuzgang aus dem 14. Jh. eingerichtet ist. Auch die Originale vieler Skulpturen, die im und am Münster ersetzt wurden, sind hier untergebracht.

Der wohl schönste profane Bau Freiburgs ist das leuchtendrote Kaufhaus an der Südseite des Münsterplatzes. Der spätgotische Vielzweckbau wurde 1532 fertiggestellt. Im Untergeschoß waren Markt-, Zoll- und Finanzverwaltung untergebracht; die offene Kaufhalle im Erdgeschoß diente als Stapelplatz für Handelswaren, und im Obergeschoß befand sich der Festsaal der Stadt. Nachdem sich die Stadt schon 1368 von den Freiburger Grafen loskaufen konnte, stellte sie sich unter den Schutz und die Herrschaft des Hauses Habsburg. Die vier Sandsteinfiguren zwischen den Frontfenstern des Kaufhauses erinnern an diese über 400 Jahre währende Verbindung. Sie stellen die habsburgischen Herrscher Maximilian I., Karl V., Ferdinand I. und Philipp II. dar. Die Erker zeigen außerdem den Doppeladler und die Wappen der österreichischen Länder.

ℹ️ Augustinermuseum: Di, Do–So 10–17, Mi 10–20 Uhr.

Basel Der rote Sandsteinbau des Münsters mit dem charakteristischen Rautenmuster im Ziegeldach thront majestätisch über dem Westufer des Rheins. Auf der Terrasse, die an das Chorhaupt grenzt, stand einst der Wohnsitz des Bischofs. Von hier hat man einen schönen Blick auf den Fluß und Klein-Basel, bei gutem Wetter sieht man sogar den Schwarzwald und die Vogesen.

Zwei Katastrophen prägten die Geschichte der Bischofskirche. 1085 zerstörte ein Brand die ursprüngliche, 1019 geweihte Basilika. Der romanische Neubau wurde 1356 von einem Erdbeben heimgesucht, das den oberen Chor, die Türme und das Mittelschiffsgewölbe zum Einsturz brachte. Wie in Freiburg errichtete auch hier Hans von Gmünd den neuen, hochgotischen Chor, der 1363 geweiht wurde. Für den Entwurf des Nordturms konnte 51 Jahre später ein weiterer bedeutender

Innenhof des Basler Rathauses In dem spätgotischen Bau tagen noch heute Parlament und Regierung des Halbkantons Basel-Stadt. Die linke Standfigur erinnert an den Römer Munatius Plancus, den mutmaßlichen Gründer Basels. Die Uhr aus dem Jahr 1511 trägt noch deutlich gotische Züge.

Baumeister, Ulrich Ensinger, der auch den Straßburger und den Ulmer Münsterturm plante, gewonnen werden. Hans von Nußdorf vollendete den Südturm im Jahr 1500 ebenfalls mit einem Helm aus gotischem Steinfiligran. Die zarten, fast schwerelos wirkenden Ornamente der Spätgotik kehren auch in der von ihm geschaffenen Kanzel im Innern der Kirche wieder. Mit Fragmenten des einstigen Chorgestühls ist heute der Choraufgang verkleidet; weitere Teile befinden sich im Stadt- und Münstermuseum. Ob die hochrangige Schnitzerei tatsächlich eigens für das Konzil geschaffen wurde, das 1431–1449 in Basel stattfand, ist umstritten. Damals wurde hier Weltpolitik betrieben: In schwierigen Verhandlungen setzte Kaiser Sigmund den Ausgleich mit den Hussiten durch. Später gerieten die Bischöfe des Konzils in Streit mit Papst Eugen IV., setzten diesen ab und wählten einen Gegenpapst.

1501 wurde Basel in die Eidgenossenschaft aufgenommen. Kurz darauf begann die selbstbewußte Handels- und Handwerksstadt mit dem Bau eines standesgemäßen Rathauses. Noch heute beherrscht es mit seinem zinnenbewehrten, farbig gedeckten Dach und dem Glockentürmchen den Marktplatz – der große Turm stammt allerdings vom Anfang des 20. Jh.

ℹ️ Münster: täglich 10–18 Uhr (Ostern bis Mitte Oktober), sonst 10–12, 14–16 Uhr.
Stadt- und Münstermuseum, Unterer Rheinweg 26: Di–Sa 14–17, So 10–17 Uhr.

Chorgestühl in Basel Fabelwesen zierten die Rückwand des einstigen Chorgestühls im Münster (rechts). Das Fragment aus dem Stadt- und Münstermuseum zeigt einen Bischof und einen Apotheker als Zentauren.

Breisach Das Münster Sankt Stephan ging aus einer dreischiffigen Basilika vom Anfang des 13. Jh. hervor, die zwischen 1300 und 1330 vor allem im Chor und Westjoch gotisiert wurde.

Bis zu seinem Tod im Jahr 1491 arbeitete Martin Schongauer an seinem Weltgericht, einem monumentalen Gemälde, das sich über drei Wandfelder im Innern des Westwerks erstreckt. Trotz vieler Beschädigungen ist noch die ganze Kraft des Kunstwerks spürbar – sei es in der phantasievollen Gestaltung der Hölle an der Nordwand, der Darstellung des Lohns der Seligen an der Südwand oder dem Richterspruch Christi, der die volle Breite des Mittelschiffs im Westen einnimmt. Ein weiteres Meisterwerk der Spätgotik ist der Lettner, dessen filigranes Maßwerk in reichhaltigen Formen nach mittelalterlicher Sitte den Priesterchor vom Laienschiff trennt. Weltberühmtheit erlangte schließlich der Hochaltar mit der

Marienkrönung. Er erreicht eine Höhe von über 11 m und ist das prachtvollste Beispiel oberrheinischer Schnitzkunst in der Spätgotik. Der Künstler, dessen Initialen HL noch immer nicht sicher entschlüsselt sind, hat sein Werk mit dem Jahr 1526 datiert.

Niederrotweil Die Friedhofskirche Sankt Michael kann ihre Vergangenheit als Wehrkirche nicht verleugnen. Noch immer umgibt sie eine Mauer, hinter der die Bewohner des Kaiserstuhldörfchens einst Schutz fanden. Das Innere des Gotteshauses birgt wie das Breisacher Münster ein Beispiel der großartigen Schnitzkunst des Meisters mit den Initialen HL. Der Hochaltar wurde 1520 von Abt Johann III. von Sankt Blasien gestiftet, zu dessen Kloster die Kirche damals gehörte. In leidenschaftlichen, fast wilden Bewegungen sind an den Altarflügeln die Taufe Christi, die Enthauptung Johannes' des Täufers, der Sturz der Verdammten und die Seelenwägung

Breisacher Münster
Das Münster Sankt Stephan überblickt die Rheinebene bis weit hinein ins Elsaß. Die Festungsstadt Breisach auf der strategisch günstigen felsigen Anhöhe am Rhein wurde immer wieder zerstört. Zuletzt sank sie 1945 in Schutt und Asche. Das Münster wurde nach dem Zweiten Weltkrieg wieder aufgebaut.

Straßburger Münster
Die Westfassade ist die Meisterleistung der Straßburger Bauhütte, von der Baumeister sogar zum Dombau nach Mailand berufen wurden.

dargestellt. Unter dem Mittelteil, in der Predella, wird Christus mit seinen zwölf Aposteln gezeigt. Man vermutet, daß der geheimnisvolle Künstler sich in der sechsten Figur von rechts selbst porträtierte.

ℹ️ Kath. Friedhofskirche Sankt Michael: Aushang an der Kirchentür mit Adresse, bei der der Schlüssel geholt werden kann.

Lahr Walter II. von Geroldseck, dessen Geschlecht die Stadt fast 300 Jahre lang beherrschte, gründete 1259 unweit seiner Tiefburg, von der heute nur noch der Storchenturm von 1350 erhalten ist, ein Augustinereremitenkloster. Von ihm ist nur die Kirche übriggeblieben, die von 1260 bis 1412 entstand, eines der frühesten gotischen Gotteshäuser östlich des Oberrheins. Es liegt nahe, daß der Sohn Walters, der damals Dompropst und später Bischof von Straßburg war, den neuen Kunststil in seine Heimat gebracht hatte. Leider wurde die dreischiffige, querhauslose Basilika, die heute ev. Pfarrkirche ist, Mitte des 19. Jh. durchgreifend neu gestaltet. Frühgotische Formen zeigen im Innern nur noch einige Knospenkapitelle, die in ihrer Ausführung auf Vorbilder im Straßburger Münster schließen las-

sen, und das mittlere, dreiteilige Spitzbogenfenster im Chor.

ℹ️ Ev. Pfarrkirche: Besichtigung nur mit Führung n. Vereinb. beim ev. Pfarramt, Tel. 0 78 21/2 60 21.

Straßburg Wie ein mahnender Finger ragt der 142 m hohe Nordturm des Straßburger Münsters in die Höhe. Warum sein südlicher Zwillingsbruder nie gebaut wurde, ist ungewiß. Vielleicht spielten nachlassender religiöser Eifer und Finanzierungsprobleme eine Rolle; auch soll das Fundament zu schwach für einen weiteren Aufsatz sein. Bedeutende Namen prägten den Turmbau: Michael von Freiburg aus der Familie der Parler begann ihn 1384, Ulrich Ensinger, Baumeister am Ulmer und später am Basler Münster, setzte die Arbeit von 1399 bis 1419 bis zum Ansatz der Helmpyramide fort. Hans Hültz aus Köln vollendete das Werk 1439, wobei er die Treppentürme bis zum Helm verlängerte, so daß der Turm bis knapp unter die Spitze erstiegen werden kann. Der heutige Besucher muß sich jedoch aus Sicherheitsgründen mit der grandiosen Aussicht von der Plattform darunter begnügen.

Das Münster selbst wurde aus rosa Vogesensandstein gebaut. 1176 begann man im Osten mit dem spätromanischen Chor und dem Querhaus der Bischofskirche, doch schon bald darauf wirkten französische Steinmetzen am südlichen Querschiff im Stil der frühen Gotik. Daran, daß jenes auch als Gerichtsstätte diente, erinnert heute noch der Gerichtspfeiler mit seinen meisterhaften gotischen Plastiken.

Nach dem Vorbild der Kathedralen von Chartres und Reims entstand zwischen 1236 und 1275 das rein gotische Langhaus, das durch prächtige Glasfenster beleuchtet wird. In diese Zeit fällt die Schlacht von Hausbergen (1262), in der die Stadt die Herrschaft des Bischofs abschüttelte und in der Folgezeit als freie Reichsstadt erblühte. Seine Wirtschaftskraft sicherte Straßburg die führende Rolle am Oberrhein; lange Zeit besaß es das alleinige Schiffahrtsrecht von Basel bis Mainz.

Dennoch blieb Straßburg Bischofssitz – und die Arbeit am Münster ging weiter. Die Straßburger Bauhütte, deren Leiter gleichzeitig der oberste Richter aller deutschen Bauhütten war, galt damals als die ideenreichste in ganz Europa. Als ihr schönstes Werk am Münster gilt die 1277 begonnene Westfassade mit ihrer riesigen, 16blättrigen Rose und dem mit meisterlichen gotischen Skulpturen geradezu übersäten Hauptportal.

Wertarbeit im Schwabenland

Viele Baumeisterfamilien begründeten im 14. und 15. Jh. ihren Ruhm in Schwaben. Die Parler lieferten mit dem Heiligkreuzmünster in Schwäbisch Gmünd einen ersten Beweis ihres Könnens; später wurden sie u. a. zu den großen Kirchenbauten nach Prag, Mailand und Köln berufen. In Ulm begannen sie das Münster, das die Familien der Ensinger und Böblinger weiterbauten. Hier entstand der höchste Kirchturm der Welt – und in Esslingen einer der schönsten der Gotik.

Ulm Über 768 Stufen kann man ihn ersteigen, den mit 161,6 m höchsten Kirchturm der Welt. Das Münster faßt 20 000 Menschen, mehr als die Einwohnerzahl der mittelalterlichen Stadt Ulm, die hauptsächlich durch Herstellung und Verkauf von feinem Tuch zu Reichtum gelangt war. Mit Planung und Bau der neuen repräsentativen Pfarrkirche beauftragte die führende Stadt des Schwäbischen Städtebunds zunächst Baumeister aus der Parlerfamilie. 1377 wurde der Grundstein gelegt. Das Münstermodell im Gründungsrelief am dritten Pfeiler des Hochschiffs läßt erkennen, daß der Parlerentwurf eine etwas bescheidenere Hallenkirche vorsah. 1392 veränderte Ulrich Ensinger, der auch die Bauhütten in Straßburg und Esslingen leitete, den Plan zugunsten einer wesentlich größeren Basilika. Mehr als

82 Jahre blieb die Bauleitung in den Händen seiner Familie; unter ihr wurde u. a. der Turm bis zur Höhe des Mittelschiffs ausgeführt. Matthäus Böblinger baute ihn weiter, bis sich herausstellte, daß das östliche Stützpfeilerpaar zu schwach war. Es drohte der Einsturz. Böblinger mußte 1494 die Stadt verlassen; seinem Nachfolger, Burkhard Engelberg aus Augsburg, gelang mit 116 Steinmetzgesellen die Stabilisierung des Riesen. Nach der Reformation wurden die Bauarbeiten am Münster eingestellt; der unvollendete Turm erhielt ein Notdach. Erst im 19. Jh. vollendete man den Kirchenbau nach den alten Plänen.

Am Hauptportal des Münsters weist der Schmerzensmann von Hans Multscher (1429) mahnend auf seine Wunden. Im Innern sind trotz der Verluste beim Bildersturm

Wasserspeier am Ulmer Münster *Die Fabelgestalten dienen nicht nur zur Abwehr von Dämonen, sie leiten auch Regenwasser ab (unten).*

Ulmer Münster *An die Sage vom Ulmer Spatzen, der den Münsterbauleuten zeigte, wie man einen langen Balken durch eine schmale Tür bringt, erinnert die kleine Skulptur mitten auf dem Dachfirst des 123,5 m langen Kirchenschiffs (rechts).*

Oberhofenkirche in Göppingen *Das Fresko stellt die sagenumwobene Stiftung des romanischen Vorgängerbaus der Kirche dar (links). Im Hintergrund die älteste erhaltene Darstellung der unzerstörten Burg Hohenstaufen.*

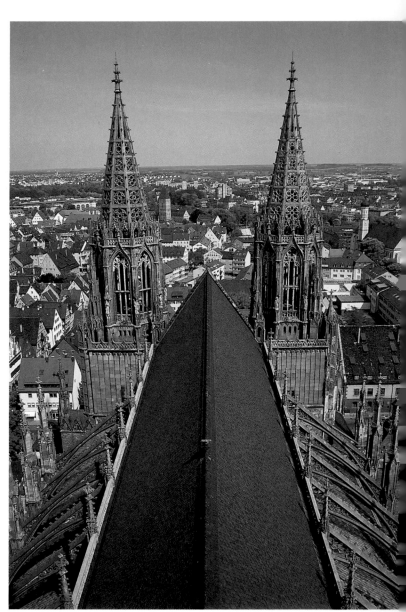

zahlreiche spätgotische Kunstobjekte zu bewundern. Das Fresko des Jüngsten Gerichts von 1471, oberhalb des Chorbogens, ist eine bedeutende Monumentalmalerei, die Chorfenster (1480) des Peter von Andlau sind Meisterwerke der Glasmalerei, das dreigeschossige Sakramentshaus links vom Chor ragt fast 26 m in die Höhe, und das Chorgestühl von Jörg Syrlin gilt als eines der schönsten in Deutschland.

Schwäbisch Gmünd Hoch ragt das turmlose Heiligkreuzmünster über die Dächer der Stadt. Heinrich Parler baute diese erste süddeutsche Hallenkirche Anfang des 14. Jh. und begründete damit den Ruhm seiner Familie. Die vier Portale sind die Krönung der reichen Fassadengestaltung. Am Torsturz des Westportals wird die Habsucht durch einen vom Teufel gerittenen Judas versinnbildlicht.

Einen Einblick in die Arbeitsweise einer mittelalterlichen Münsterbauhütte bietet das Städtische Museum in seiner Steinmetzwerkstatt u. a. mit Steinzangen und einem Aufzugsrad. Der kostbare Münsterschatz mit Silberarbeiten aus dem 15. Jh. gehört zu den weiteren Exponaten.

🛈 Städtisches Museum, Johannisplatz 3: Di–Fr 14–17, Sa, So 10–12, 14–17 Uhr.

Göppingen Inmitten einer Grünanlage im Norden der Stadt erhebt sich die Oberhofenkirche. Ihr Langhaus wurde nach einer Inschrift in der Vorhalle 1436 begonnen. Die Wandmalerei (um 1470) in der südlichen Eingangshalle zeigt die älteste erhaltene Darstellung der unzerstörten Burg Hohenstaufen.

Esslingen Nachdem die Stadt ihre romanische Pfarrkirche Sankt Dionys dem Speyerer Domstift überlassen hatte, beschloß sie 1321, zeitgemäßen Ersatz zu schaffen. Die Familien Ensinger und Böblinger waren am Bau der Frauenkirche beteiligt,

Von Ulm nach Saulgau Sanft ist der Albanstieg, den man von Ulm aus auf der B 10 beginnt. Die Tour führt in weitem Bogen bis ins Neckarland, kehrt auf der B 312 zur Albhochfläche zurück und durchquert schließlich das Donautal.

Tretrad in Schwäbisch Gmünd Das wichtigste Hilfsmittel beim mittelalterlichen Kirchenbau war das Tretrad. Schon die Römer betrieben damit Kran- und Aufzugsanlagen. Die funktionstüchtige Kopie des Rads aus dem 15. Jh., das beim Gmünder Münsterbau verwendet wurde, ist Kernstück der Bauhütte im Städtischen Museum.

deren fast 68 m hoher Turm 1478 mit einem kunstvollen, durchbrochenen Steinhelm gekrönt wurde.

Reutlingen Nachdem die Reichsstadt 1247 eine Belagerung durch die Truppen von Heinrich Raspe, dem Gegenkönig des Staufers Friedrich II., abgewehrt hatte, sollen die Bürger zum Dank mit dem Bau der Marienkirche begonnen haben. Ein kompliziertes Strebesystem stützt das Langhaus. In der südlichen Turmkapelle befindet sich ein reliefverzierter Taufstein von 1499.

🛈 Marienkirche: Di–Fr 10–12, 14–17, Sa 10–13 Uhr.

Riedlingen 1486 versah man den Chor der Pfarrkirche Sankt Georg, einer Rundpfeilerbasilika aus dem 14. Jh., mit einem Netzgewölbe und

erhöhte die Seitenschiffe, so daß der Raumeindruck einer Hallenkirche entstand; die alten Oberlichter sind jedoch noch heute sichtbar. Im Langhaus befinden sich einige gute spätgotische Holzbildwerke, darunter ein Vesperbild, (um 1500).

Altheim Im kath. Gemeindehaus sind die 1960 entdeckten Fragmente eines gotischen Hungertuchs ausgestellt. Ende des 15. Jh. wurde der Altar in der Fastenzeit damit verhängt, um die Gläubigen zur Buße anzuhalten. Gleichzeitig dienten die auf Leinwand gemalten Bildfelder den Leseunkundigen als Armenbibel.

🛈 Gemeindehaus Altheim: Besichtigung n. Vereinb., Tel. 0 73 71/84 74.

Neufra Die Pfarrkirche Sankt Petrus und Paulus (15. Jh.) des heutigen Riedlinger Stadtteils birgt eine überlebensgroße Schnitzfigur des Ritters Stefan von Gundelfingen (um 1528).

Saulgau Die Pfarrkirche Sankt Johannes Baptist, eine flachgedeckte Basilika, entstand 1390–1430. Die kreuzgewölbte Vorhalle weist beachtenswerte Schlußsteinreliefs und Kapitelle auf. Im Kircheninnern eine spätgotische Madonna (um 1510) und eine Wandmalerei (um 1400).

Nürnberger Kunst in Franken

Im 14. und 15. Jh. war Nürnberg der unbestrittene kulturelle und politische Mittelpunkt Frankens. Nürnberger Patrizier spielten eine immer bedeutendere Rolle als Kunstmäzene, und Nürnberger Künstler wie Veit Stoß statteten Dorf-, Kloster- und Bischofskirchen mit ihren hochrangigen Werken aus. In der benachbarten Oberpfalz erblühten in dieser Zeit Amberg und Sulzbach dank ihrer Erzvorkommen. Ihre Wohn- und Rathäuser künden noch vom einstigen Reichtum.

Bamberg Zwar ging man schon im 12. Jh. daran, den abgebrannten Kaiserdom neu zu errichten, doch erst der reiche Bischof Ekbert von Andechs-Meranien nahm das Werk ernsthaft in Angriff und vollendete es innerhalb von drei Jahrzehnten bis 1237. Ein Meister der oberrheinischen Schule schuf den spätromanischen Ostteil des Doms; eine Bauhütte mit Erfahrungen aus Burgund brachte z. B. in der spitzbogigen Überwölbung von Ostchor und Langhaus erstmals gotische Stilelemente ein. Querschiff und Westchor prägt der Einfluß schlichter zisterziensischer Architektur. Die vierte Bauhütte stattete die Bischofskirche nach Art nordfranzösischer Kathedralen mit reicher figürlicher Plastik aus. So hat der weltberühmte Bamberger Reiter eines unbekannten Meisters um 1235 im Kircheninnern sein Vorbild in Reims. Besonders ausdrucksvoll ist die Darstellung des Jüngsten Gerichts (vor 1228) im Bogenfeld des Fürstenportals. Den Marienaltar im Südquerhaus, ein Meisterwerk der Spätgotik, schnitzte Veit Stoß 1520–1523.

Mit der Oberen Pfarrkirche setzten die Bürger der Stadt ein ehrgeiziges Gegengewicht zum Dom. Viele gotische Ausstattungsstücke überstanden die Barockisierung im Innern, z. B. das Gnadenbild der sitzenden Muttergottes (1330) im Hochaltar oder der Taufstein (1515).

Klein-Venedig – so heißt der früher von Fischern bewohnte Uferstreifen an der Regnitz. Einige der hochgiebeligen Häuser gehen auf das 15. Jh., das der Fischerzunft auf das 14. Jh. zurück.

Forchheim Noch heute umgibt ein Graben die Pfalz, die einstige fürstbischöfliche Residenz, in der heute das Museum für die Fränkische Schweiz untergebracht ist. Im östlichen Hauptbau befinden sich Fragmente von Wandmalereien aus dem späten 14. Jh. Im Kaisersaal spielt

Adam Krafft aus Nürnberg Die Portraitfigur des Meisters (links) stützt das sechsstöckige Sakramentshaus aus Sandstein in der Lorenzkirche.

Schöner Brunnen in Nürnberg 40 Figuren von Propheten, Evangelisten, Kirchenvätern und Kurfürsten sind in die 19 m hohe Turmpyramide integriert (links). Allerdings stammt kein einziger Stein mehr vom Original – Ende des 19. Jh. wurde der Brunnen an der Nordwestecke des Hauptmarktes vollständig erneuert. Im Bildhintergrund die Frauenkirche.

ein Mischwesen aus Mensch und Fisch auf der Teufelsgeige, und ein gekrönter Kranichmensch reitet auf einem Kamel.

ℹ Museum für die Fränkische Schweiz, Kapellenstraße 16: Di–So 10–16 Uhr (Mai–Oktober).

Dormitz Die Dorfkirche, ein einfacher Quaderbau aus dem 15. Jh., birgt viele spätgotische Werke, darunter eine bemalte Holzplastik Anna selbdritt und acht Holztafeln in bemaltem Flachrelief; vier davon werden dem Umkreis von Veit Stoß zugerechnet.

Kalchreuth Bis ins 19. Jh. bestimmte die Familie Haller die Geschicke des Dorfes, das der Nürnberger Patrizier Ulrich Haller den Nürnberger Burggrafen im Jahr 1342 abgekauft hatte. Die Schlußsteine des netzgewölbten Chors (1494) der heutigen ev. Pfarrkirche tragen das Wappen der Familie. Die hochrangige Ausstattung der Kirche wurde zumeist in Nürnberger Werkstätten gefertigt. Am Hochaltar von 1498 ließ sich der Stifter Wolf Haller mit seiner Familie in betender Haltung darstellen.

ℹ Ev. Pfarrkirche: Schlüssel im Pfarrhaus neben der Kirche.

Langenzenn Die Nürnberger Burggrafen wandelten die Pfarrei 1409 in ein Augustinerchorherrenstift um, das bis 1533 bestand. Die Klosteranlage um den gut erhaltenen spätgotischen Kreuzgang wird von der Kirche mit ihrem mächtigen Turm beherrscht. Bedeutend ist ihre reiche Innenausstattung. Das Steinrelief der Verkündigung (1513), das in den Rahmen eines Sakramentshäuschens aus dem frühen 15. Jh. eingefügt wurde, trägt das Meisterzeichen des Veit Stoß.

ℹ Ehem. Stiftskirche: Schlüssel nach Voranmeldung beim ev. Pfarramt, Tel. 0 91 01/20 25.

Nürnberg Der große Mäzen Nürnbergs, Kaiser Karl IV., genehmigte im Jahr 1349 den Abriß des Judengettos. Hier entstand der Haupt-

markt. Anstelle der Synagoge errichtete man auf Wunsch des Kaisers die Frauenkirche als erste Hallenkirche Frankens. Ein Hauptwerk der Nürnberger Tafelmalerei des 15. Jh. ist der Tucheraltar im Innern. In Sichtweite der gestaffelten Giebelfront der Frauenkirche liegt der Schöne Brunnen (Ende 14. Jh.).

1517 schnitzte Veit Stoß den Englischen Gruß aus einer einzigen Linde. Ein Engel (deshalb „englisch") verkündet Maria den Ratschluß Gottes. Die fast 4 m hohe Monumentalplastik scheint frei im Chorraum der gotischen Lorenzkirche zu schweben. Hier hinterließ auch der zweite große Nürnberger Künstler der Spätgotik eines seiner Hauptwerke: 1493 verpflichtete sich Adam Krafft, für 700 Gulden innerhalb von drei Jahren das filigranzarte Sakramentshaus zu schaffen.

Amberg Die einstige Hauptstadt der Oberpfalz war eng mit der Kurpfalz verbunden: Der Kurprinz durfte hier stets als Statthalter politische Erfahrung sammeln. Der Südflügel des kurfürstlichen Schlosses, der hauptsächlich aus dem 17. Jh. stammt, steht noch. Über die Fils springt das Chörlein der Hauskapelle aus dem

Klein-Venedig in Bamberg Der Blick über die Regnitz auf die malerische Zeile der alten Fischerhäuser (links) gehört zu den schönsten Ansichten der Stadt.

Im Umfeld der Fränkischen Schweiz Hinter Bamberg führt die B 4, die reizvolle Parallelstrecke zur A 73, entlang des Main-Donau-Kanals nach Forchheim. Zwischen Nürnberg und Sulzbach-Rosenberg begleitet die B 14 den gewundenen Lauf der Pegnitz bis hinter Hersbruck. B 85 und B 2 führen schließlich nach Bayreuth.

14. Jh. vor. Vom Bürgerstolz künden das Rathaus (14. Jh.) mit seinen großen Maßwerkfenstern, zahlreiche spitzgiebelige gotische Wohnhäuser und die Pfarrkirche Sankt Martin aus dem 15. Jh. An der Brüstung der Empore im Innern der Kirche kennzeichnen Familienwappen die einstigen Plätze vornehmer Bürger.

Sulzbach-Rosenberg Karl IV., deutscher Kaiser ab 1355, bestimmte Sulzbach zur Hauptstadt „Neuböhmens", der zur Stärkung seines Stammlandes Böhmen hinzuerworbenen bayerischen Gebiete. Er stiftete den Chor der geräumigen Pfarrkirche Mariä Himmelfahrt – außen am Strebepfeiler steht eine steinerne Portraitfigur. Von der Wirtschaftskraft der Stadt zeugt das Rathaus aus dem späten 14. Jh. mit reichverziertem Giebel und prächtigen Maßwerkfenstern.

Bayreuth Der Stadtbrand von 1605 beschädigte die heutige ev. Stadtkirche stark. Beim anschließenden Wiederaufbau hielt man sich jedoch erstaunlich genau an den gotischen Bestand. Eigens aus Hof wurde ein Baumeister geholt, der die alte Technik des Gewölbebaus beherrschte.

Gotik unter barocker Hülle

Wer sich aufmacht, im südlichen Bayern gotische Kirchen zu suchen, der muß sich an die alten Städte halten. In den Dörfern fielen sie im 17. und 18. Jh. beinahe sämtlich der Begeisterung der Pfarrer für den neuen Stil des Barock zum Opfer. Wo nicht völlig neu gebaut wurde, ist zumindest der gotische Baukörper mit Stuck und Fresken ausgekleidet worden. Manche der städtischen Kirchen sind im 19. Jh. wieder in ihren ursprünglichen Zustand versetzt worden.

Regensburg Der Dom zu Regensburg, begonnen um 1250, gilt als das Hauptwerk der Gotik in Bayern. Äußeres Prunkstück der dreischiffigen Basilika ist die Westfassade, die mit zahllosen Skulpturen und Reliefs aus dem 14. und 15. Jh. geschmückt ist. Als „Teufel und seine Großmutter" bezeichnet der Volksmund die beiden dämonischen Wesen, die das beeindruckende Hauptportal innen links und rechts gegen böse Geister schützen sollen. Bei aller Pracht mußte jedoch gespart werden – die geplante große Fensterrose wurde z. B. nicht verwirklicht –, denn Regensburg hatte im 15. und 16. Jh. mit erheblichen wirtschaftlichen und innenpolitischen Schwierigkeiten zu kämpfen. 1514 rebellierten die Bürger gegen Kaiser und Stadtrat. Der Dombaumeister Wolfgang Roritzer, dessen Familie die Regensburger

Bauhütte seit über 100 Jahren leitete, wurde als einer der Rädelsführer öffentlich enthauptet. Von ihm stammt der reichverzierte Aufbau des 17 m tiefen Ziehbrunnens beim Südportal. 1525 stellte man den Dombau schließlich ganz ein – immerhin waren die drei Schiffe und der Chor vollendet. Barocke Ausschmückungen wurden im 19. Jh. beseitigt. Damals baute man auch die beiden jeweils 105 m hohen Türme nach dem Vorbild des Freiburger Münsters zu Ende. Ungewöhnlich große Fensterflächen erzeugen die beeindruckende Helligkeit im Innern. In den Fenstern des Hauptchors leuchten noch die originalen Glasgemälde aus dem 14. Jh. An den beiden westlichen Vierungspfeilern stehen sich die bekanntesten Figuren des Doms gegenüber: Maria und der Verkündigungsengel, an dessen Lä-

Regensburger Dombauhütte *Wie bei allen großen Kirchenbauten Deutschlands führen auch hier die Restauratoren (oben) einen verzweifelten Kampf gegen den Zerfall durch Schadstoffe.*

Landshuter Hochzeit *Fast 2000 Mitwirkende in originalgetreuen Kostümen lassen alle vier Jahre das mittelalterliche Fest wiederaufleben.*

Die Trauungszeremonie in der Sankt-Martins-Kirche, Akrobatik, Gelage und Turniere gehören zum reichhaltigen Programm (oben).

Domschatzmuseum Regensburg *Anfang des 14. Jh. entstand dieses reichverzierte Reliquienkästchen in der Form eines Hauses (rechts).*

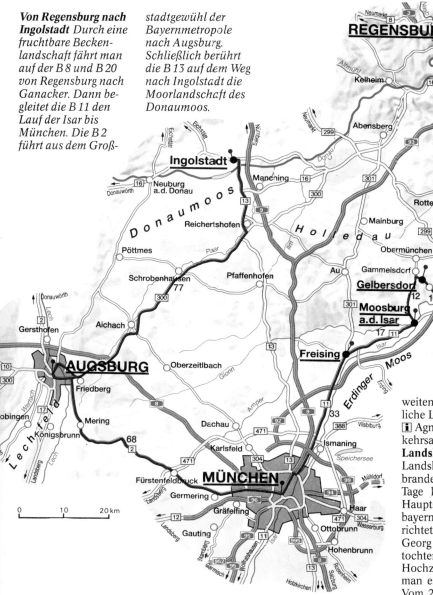

Von Regensburg nach Ingolstadt *Durch eine fruchtbare Beckenlandschaft fährt man auf der B 8 und B 20 von Regensburg nach Ganacker. Dann begleitet die B 11 den Lauf der Isar bis München. Die B 2 führt aus dem Groß-stadtgewühl der Bayernmetropole nach Augsburg. Schließlich berührt die B 13 auf dem Weg nach Ingolstadt die Moorlandschaft des Donaumoos.*

cheln die freudige Botschaft deutlich abzulesen ist (um 1280).

Der Bestand des Domschatzmuseums, das man u.a. durch den Domgarten erreicht, ist sehr kostbar. Hier befindet sich z.B. das prunkvolle Kreuz, das sich König Ottokar II. von Böhmen um 1261 aus reinem Gold, Edelsteinen und Perlen anfertigen ließ. Auf der Vorderseite trägt es ein – angebliches – Bruchstück vom Kreuz Christi.

ℹ️ Domschatzmuseum: Di–Sa 10 bis 17, So und feiertags 11.30–17 Uhr (April–Oktober), sonst Fr, Sa 10–16, So und feiertags 11.30–16 Uhr, November geschlossen.

Straubing Der Bayernherzog Ernst ließ hier 1435 die schöne Augsburger Baderstochter Agnes Bernauer, die sein Sohn Albrecht heimlich geheiratet hatte, als Hexe in der Donau ertränken. Daraufhin drohte eine kriegerische Auseinandersetzung zwischen Ernst und Albrecht auszubrechen, die nur durch kaiserliche Vermittlung verhindert werden konnte. Der reuige Vater stiftete zum Zeichen seiner Sühne die Bernauerkapelle auf dem Friedhof der Peterskirche. Der Grabstein aus rotem Marmor zeigt die Bürgerstochter mit marienähnlichen Zügen. Die Tragödie regte zahlreiche Dichter, darunter Friedrich Hebbel im 19. Jh. zu Dramen an. Auch bei dem alle vier Jahre stattfindenden Heimatfestspiel im Schloßhof wird die Geschichte der Bernauerin als Theaterstück aufgeführt – das nächste Mal im Juli 1989.

Hans von Burghausen, der große bayerische Baumeister der Gotik, plante die Pfarrkirche Sankt Jakob. Der fast 80 m lange Backsteinbau, der 1415–1581 entstand, wird im Innern von zwei Reihen schlanker, runder Säulen getragen, die dem weiten, hellen Raum eine erstaunliche Leichtigkeit verleihen.

ℹ️ Agnes-Bernauer-Festspiele: Verkehrsamt, Tel. 0 94 21/1 63 07.

Landshut Der Jubelruf „Himmel Landshut! Tausend Landshut!" brandete im November 1475 acht Tage lang durch die Straßen der Hauptstadt des Herzogtums Niederbayern. Herzog Ludwig der Reiche richtete damals für seinen Sohn Georg und die polnische Königstochter Hedwig ein pompöses Hochzeitsfest aus. Seit 1903 kann man es alle vier Jahre nacherleben. Vom 24. Juni bis 16. Juli 1989 werden die Landshuter wieder in ihre historisch exakt nachgestalteten Gewänder schlüpfen, um bei der Landshuter Hochzeit sich und Zehntausende von Gästen mit Festzug, Landsknechtsspielen, Reiterturnieren und fröhlichen Gelagen zu erfreuen.

Die Stadtpfarrkirche Sankt Martin besitzt den höchsten Backsteinkirchturm der Welt (131 m). Die Kirche, der Höhepunkt im Schaffen Hans von Burghausens in Landshut, ist ein Wunderwerk der Statik. Das Gewölbe der gewaltigen, 29 m hohen Halle wird lediglich von zwei Reihen schlanker, gemauerter Säulen gestützt. Von hoher Qualität ist auch die Innenausstattung, z.B. der 1424 entstandene Hochaltar aus Sandstein oder das große Kruzifix von 1495 hoch oben im Chorbogen und die spätgotische Muttergottes des Landshuter Schnitzers Hans Leinberger. An der südlichen Außenwand ist die markante Portraitbüste des Hans von Burghausen angebracht.

ℹ️ Landshuter Hochzeit: Verkehrsverein, Tel. 08 71/2 30 31.

Gelbersdorf Der Abstecher in den winzigen Weiler lohnt sich. In der Kirche Sankt Georg aus der zweiten Hälfte des 15. Jh. befindet sich ein bedeutender Altar der Landshuter Schule. Die zarten Reliefs der Innenflügel und der heilige Georg über dem Schrein zeugen von hoher Schnitzkunst.

Chorgestühl in Moosburg a.d. Isar *Zahlreiche Phantasiefiguren zieren das eichene Chorgestühl der ehem. Stiftskirche Sankt Kastulus. Dieser Vogel, der sein Nest behütet, gilt als Symbol der Wachsamkeit und Mütterlichkeit.*

ℹ Besichtigung nur n. Vereinb., Tel. 0 87 66/5 18.

Moosburg a. d. Isar Schon von weitem grüßen zwei weißverputzte Kirchtürme. Der kleinere bringt die ev. Johanneskirche zur Geltung, einen schlichten, dreischiffigen Bau aus dem 14. und 15. Jh., den die Bürgerschaft der Stadt stolz der benachbarten ehem. Stiftskirche Sankt Kastulus gegenüberstellte. Zu jener gehört der zweite Turm des ungleichen Paars. Diese vor allem romanische Kirche ist das Erbe des Chorherrenstifts, das Bischof Eglibert von Freising hier im 11. Jh. einrichtete. 1468 begann man sie gotisch umzugestalten, doch über den Neubau des Chores ist man nicht wesentlich hinausgekommen. Im Innern verleihen die hohen Chorfenster der Kirche ein eigenartiges Licht, in dem der über 14 m hohe Altar von Hans Leinberger (1514) prächtig zur Geltung kommt. Phantasievoll ausgestaltet ist das Chorgestühl von 1475.

Freising Bereits 739 hat der heilige Bonifatius die Stadt zum Bischofssitz erhoben, der erst im 19. Jh. nach München verlegt wurde. Doch leider ist das Erbe aus gotischer Zeit hier nur noch schwer zu fassen. Das Innere des romanisch-gotischen Doms haben die Brüder Asam im 18. Jh. mit einem Stuck- und Freskenkleid überzogen. Barocker Zierat schmückt auch den Kreuzgang aus dem 15. Jh., über den man die Benediktuskapelle erreicht, die auch „Alter Dom" genannt wird. In ihrer Apsis können sich wenigstens die drei Medaillons des Hornbeck-Fensters von 1412, ein frühes Werk gotischer Glasmalerei in Südbayern, gegen den hellen Stuck durchsetzen. Gotisch geblieben ist noch die Johanneskirche, die den Domplatz im Norden begrenzt. Die einstige Taufkirche des Doms (1313–1321) ist eine der ältesten gotischen Kirchen Bayerns. Die dreischiffige Basilika besticht durch ihre feine Gliederung im Innern.

ℹ Dom: täglich 8–12, 14–18 Uhr. Johanneskirche: Besichtigung nur n. Vereinb., Tel. 0 81 61/18 10.

München Ganz ungotisch wirken auf den ersten Blick die Zwillingstürme der weltbekannten Frauenkirche. Man mag rätseln, ob tatsächlich Spitzhelme als Abschluß vorgesehen waren – jedenfalls wurden im Zeichen der Renaissance 1525 die charakteristischen runden Zwiebelkuppeln aufgesetzt. Die Frauenkirche ist mit 109 m Länge und 37,5 m Breite die größte Hallenkirche der süddeutschen Spätgotik. Herzog Sigismund legte – nach der Inschrift am südlichen Brautportal – im Jahr 1468 ihren Grundstein. Die Bürgerschaft wurde durch die Gewährung von Ablaß für die Sünden zu regen Geldspenden für das große Projekt gebracht, mit dem Baumeister Jörg von Halspach sein Meisterstück schuf. Der Sage nach soll er sogar vom Teufel Geld für den Kirchenbau bekommen haben, allerdings mit der Auflage, die Fenster wegzulassen. Als Satan von außen Fenster bemerkte, wollte er den Baumeister schon mit in die Hölle nehmen, doch der schlaue Jörg führte den Teufel durchs Westportal nach innen. Da hier die Säulen alle Fenster verdecken, stampfte der Höllenfürst wutentbrannt auf – und hinterließ jenen Fußabdruck im Boden, der heute noch zu bestaunen ist.

Die strenge, fast schmucklose Architektur des Gotteshauses ist oft mit den Backsteinkirchen Norddeutschlands verglichen worden. Das Grabmal Kaiser Ludwigs des Bayern ist wohl das bemerkenswerteste unter den zahlreichen Werken spätgotischer Bildhauerkunst im Innern. Herzog Albrecht IV. ließ das Hochgrab um 1480 errichten. Auf der Deckplatte ist die Versöhnung zwischen Herzog Ernst und seinem Sohn dargestellt, die der Tod von Agnes Bernauer entzweit hatte.

Fast gleichzeitig mit der Frauenkirche schuf Meister Jörg auch das Alte Rathaus, dessen Schmuckstück der Festsaal mit seinem hölzernen Tonnengewölbe ist. Die Moriskentänzer, die der bayerische Bildhauer Erasmus Grasser 1477 vollendete, zieren heute nur noch als Kopien den auch Tanzhaus genannten Raum. Die Originale stehen im Münchner Stadtmuseum.

Über der ältesten Siedlungsstelle der im 12. Jh. gegründeten Stadt, dem Petersbergl, erhebt sich der 96 m hohe Turm der Peterskirche. Hier befand sich die Siedlung „bei den Mönchen", von der München seinen Namen erhielt. Nach dem Stadtbrand von 1327 entstand der heutige gotische Bau des Alten Peter, dem das 18. Jh. im Innern ein völlig neues Gewand anlegte. So sitzt die große Holzfigur des Kirchenpatrons, die Erasmus Grasser 1492 schuf, heute auf einem barocken Thron im Mittelpunkt des Hochaltars.

Ausgerechnet in einem Stadtteil der Großstadt München liegt eine der wenigen erhaltenen spätgotischen Dorfkirchen im südlichen Bayern, die Pfarrkirche Sankt Wolfgang in Pipping (1478–1480). Sie hat ihre ursprüngliche, sehr reichhaltige Ausstattung mit Wandmalereien, Glasfenstern, Schnitzaltar und bemalter Kanzel bewahren können.

ℹ Alter Rathaussaal, Marienplatz: Mo–Fr 9–12 Uhr.

Ulrichskreuz in Augsburg Der heilige Ulrich erringt den Sieg über die Ungarn. Das Kreuz mit der Darstellung der Schlacht auf dem Lechfeld (links) wird jedes Jahr in der Woche um den 4. Juli, den Todestag des Heiligen, in der Kirche Sankt Ulrich und Afra ausgestellt.

Altes Rathaus in München Der spätgotische Bau Jörg von Halspachs (unten) begrenzt den belebten Marienplatz.

Münchner Stadtmuseum, Sankt-Jakobs-Platz 1: Di–So 9–16.30 Uhr. Pfarrkirche Sankt Wolfgang: Besichtigung nur n. Vereinb., Tel. 0 89/ 48 40 48.

Augsburg Die wachsende Bedeutung des Handels mit Oberitalien verhalf der Stadt mit der günstigen Lage am Lech und an der Via Claudia, der alten Römerstraße über den Brenner, im 15. und 16. Jh. zu Reichtum und Ansehen. Entsprechend liegt der Schwerpunkt des künstlerischen Ausdruckswillens der Bürger hier nicht in der Gotik, sondern eher in der Renaissance. So tritt der Dom

Ingolstadt Eigenwillig und wehrhaft wirken die beiden übereck gestellten Türme des Liebfrauenmünsters. Tatsächlich waren sie einst als Geschützstände in die Verteidigung der Stadt einbezogen.

im Stadtbild trotz seiner imposanten Größe – er ist immerhin 113 m lang – etwas in den Hintergrund. Sein Kern geht auf eine dreischiffige romanische Basilika zurück, die 1065 geweiht wurde. Sie hatte ihren Hauptchor im Westen, was im christlichen Kirchenbau unüblich ist, doch im Osten ließ die Via Claudia keinen Raum. Im 14. Jh. begann der Umbau der Kirche im gotischen Stil. Der Westchor erhielt seine Vieleckform, das Langhaus wurde fünfschiffig ausgebaut, und im Osten entstand nun ein neuer, gewaltiger Chor. Dazu verlegte man die Reichsstraße; doch die alte Straßenführung ist noch nachvollziehbar, sie verlief geradewegs durch das Nord- und Südportal. Beide Portale sind berühmt für ihre figurenreichen Szenenfolgen. Der äußeren Uneinheitlichkeit des Doms steht die homogene Wirkung im Innern gegenüber. Hier befinden sich auch noch viele wertvolle Ausstattungsstücke aus gotischer Zeit, etwa die Glasmalereien im südlichen Querhaus, in denen Maria als Himmelskönigin verherrlicht wird (um 1335). Eine Besonderheit ist das Grabmal des Bischofs Wolfhart von Rot in der Konradskapelle. Die schmalen, asketischen Gesichtszüge der bronzenen Liegefigur des Bischofs, der 1302 starb, sind ungewöhnlich ausdrucksstark. Die vier Tafeln der Seitenaltäre von Hans Holbein d. Ä. (1493) dokumentieren dessen Entwicklung von einem Künstler der Spätgotik zu ei-

nem Vorreiter der Renaissance. Auch im 8 m hohen Christophorusfresko (1491), das bei täglicher Betrachtung vor der Pest schützen sollte, kündigt sich die neue Stilrichtung an.

An der ehem. Via Claudia liegt weiter südlich als heutiger Abschluß der Maximilianstraße auch das zweite religiöse Zentrum der Stadt, die ehem. Benediktinerstiftskirche Sankt Ulrich und Afra. Der Steinsarkophag der Märtyrerin Afra, die im Jahr 304 starb, wurde hier schon im 6. Jh. verehrt. Heute ist er in einer Gruft unter dem Querhaus zu sehen. Hier wurde 973 auch der populäre Bischof Ulrich beigesetzt, der zusammen mit König Otto I. 955 die Ungarn auf dem Lechfeld so vernichtend schlug, daß sie ihre Plünderungszüge einstweilen einstellten. Die Schlacht ist auf dem Ulrichskreuz von 1492 dargestellt, das zum Kirchenschatz der heutigen Stadtpfarrkirche gehört. Die dreischiffige Basilika (1475–1603), die den Vorgängerbau vollständig ersetzte, war der letzte große gotische Kirchenbau in Schwaben. Die jetzige Innenausstattung stammt weitgehend aus Renaissance und Barock.

Ingolstadt Wehrhaftigkeit charakterisiert die gotischen Bauten der alten Festungsstadt in der Donauebene. Herzog Ludwig der Strenge setzte 1255 an die Südostecke der damaligen Stadtmauer die erste Burg Ingolstadts, das trutzige Alte Schloß (heute Stadtbücherei). Der heute

älteste Profanbau der Stadt diente bis zum Anfang des 15. Jh. als Residenz der Herzöge und wurde danach als Kornspeicher verwendet – deshalb wird er auch Herzogskasten genannt. Im 14. Jh. wurde ein neuer, weitaus größerer Mauerring um die Stadt gebaut. Davon blieb u. a. das spitztürmige Kreuztor übrig, ein

Mittelalterliches Tanzvergnügen

Anfang des 15. Jh. kam bei Festen der Moriskentanz in Mode, dessen Ursprünge in Spanien liegen. Die stutzerhaft gekleideten Tänzer mußten mit wilden Sprüngen zu Flöte und Trommel die Gunst einer jungen Dame erringen. Doch nur der größte Narr bekam den Preis. Die Holzfiguren Erasmus Grassers im Münchner Stadtmuseum lassen die Dynamik dieser Aufführungen ahnen.

Backsteinbau mit Zinnenkranz und Zierfries. Die drei weißen Steinrosen am Torbogen signalisierten einst, daß die Stadt über Leben und Tod richten durfte.

Bevor Ludwig der Gebartete Herzog wurde, lebte er in Paris am Hof seiner Schwester Elisabeth, die mit Karl VI., dem geistesschwachen französischen König, verheiratet war. Jener verpfändete dem Bayern wertvolle Schätze, die Ludwig wohl auch bei der Verwirklichung des ehrgeizigen Plans halfen, Ingolstadt zur prächtigen Residenzstadt auszubauen. Um 1418 legte Ludwig den Grundstein zum Neuen Schloß. Der klotzige, etwas finstere Wehrbau beherbergt heute das Bayerische Armeemuseum, dessen ältestes Exponat eine Beckenhaube mit Visier aus dem 14. Jh. ist. Wie beim Neuen Schloß sind auch die beiden Türme des Liebfrauenmünsters im Westen der Innenstadt übereck gestellt, wodurch die Eigenwilligkeit der trutzigen gotischen Hallenkirche betont wird. Auch die Gliederung des Ziegelkörpers des dreischiffigen Gotteshauses durch helle Hausteine wirkt ungewöhnlich. Ludwig der Gebartete begann 1425 mit dem Bau. In einer Seitenkapelle erinnert ein Steinrelief, das schon 1434 für eines der Stadttore geschaffen wurde, an den Herzog. Die Innenausstattung der Kirche stammt hauptsächlich aus dem 16. und 17. Jh. ℹ Neues Schloß, Bayerisches Armeemuseum: Di–So 8.45–16.30 Uhr.

*Bremen Stolze
10,21 m vom Sockel-
fuß bis zur Spitze mißt
die 1404 errichtete
Rolandstatue, Symbol
für Recht und städti-
sche Freiheit. Solange
der steinerne Riese
auf dem Marktplatz
steht, soll Bremen der
Legende nach nicht
untergehen.*

Aachen Nach dem verheerenden
Brand von 1224 wurde das karolingische Oktogon des Münsters mit
acht Giebeln versehen – heute trägt
es ein gefaltetes Kuppeldach mit Laterne. Um 1350 zog man über dem
Westbau den Turm hoch, und in der
Zeit zwischen 1355 und 1414 entstand anstelle des karolingischen
Altarraums der mächtige gotische
Chor. Die mehr als 25 m hohen Fenster lassen den lichtdurchfluteten
Raum wie einen gläsernen Schrein
erscheinen. Nach dem Chor wurden
die Kapellen angebaut, die den
Kernbau außen fast rundum verdecken.

Bacharach 1287, am Tag seiner
Erstkommunion, fiel der Knabe
Werner in Oberwesel einem Mord
zum Opfer. Seine Leiche wurde der
Legende nach entgegen der Rhein-
strömung in Bacharach angespült.
Das Verbrechen wurde Juden zur
Last gelegt. Damals behauptete man,
daß die Juden „an ihrem Paschafeste
Christenkinder schlachteten, um das
Blut derselben bei ihren nächtlichen
Gottesdiensten zu gebrauchen", wie
Heinrich Heine in seinem Fragment

„Der Rabbi von Bacherach" erzählt.
Über den Gebeinen des Jungen, der
in dieser Gegend zum Volksheiligen
wurde, hat man über der romanischen Peterskirche eine gotische Kapelle aus leuchtendrotem Sandstein
errichtet. 1293 wurde mit dem Bau
begonnen, vollendet jedoch wurde
er nie. Herabstürzende Steine und
Erdrutsche im 17. und 18. Jh. taten
ein übriges, den Ruinencharakter
des zierlichen Baus zu verstärken.
Die gotischen Maßwerkfenster sind
besonders reich verziert.

Bardowick Ein Löwe aus Eichenholz ziert das Südportal des Doms in
dem wenige Kilometer nördlich von
Lüneburg gelegenen Städtchen. Die
Tierfigur stammt vermutlich vom
Vorgängerbau der ansonsten gotischen Kirche. Zur reichen Ausstattung gehört ein aus Eichenholz ge-
arbeitetes, schlank aufragendes
Chorgestühl von drei Lüneburger
Meistern aus dem 15. Jh.
ℹ Dombesichtigung Di–Sa 10–12,
14–17, So 14–17 Uhr.

Bocholt 1415–1486 erbaute man
eine prächtige Hallenkirche mit
überhöhtem Mittelschiff und bündig
in die Westfassade eingezogenem
Westturm, die heutige Pfarrkirche
Sankt Georg in der an der niederländischen Grenze gelegenen Stadt. Unter ihren Kunstschätzen befindet sich
ein spätgotisches Astkruzifix und auf
dem Hochaltar ein Tafelgemälde aus
der Zeit um 1480, auf dem eine Kreu-
zigungsszene dargestellt ist.
ℹ Besichtigung der Schatzkammer
nur n. Vereinb., Tel. 0 28 71/1 26 83.

*Handschriftenmale-
rin in Cismar Gotisch
ist nicht nur die
Klosterkirche, son-
dern auch die Schrift,
in der man sich auf
Wunsch Texte erstel-
len lassen kann.*

Braunschweig Heute dreht man einen Film zum Buch – früher mußte
man Zeichnungen oder Bildstickereien anfertigen, um den Inhalt zu
illustrieren. Im Herzog-Anton-Ulrich-Museum kann man u. a. einen
in herrlichen Farben gestickten
Wandteppich aus dem 14. Jh. bewundern, der in drei Bildstreifen
Szenen aus dem Parzivalepos des
Wolfram von Eschenbach erzählt.
Der Marktplatz im Herzen der
Altstadt, beherrscht von Rathaus,
Martinikirche und Marienbrunnen,
vermittelt mit dem reichen Maßwerk
des sakralen und des profanen Baus
einen guten Eindruck gotischer Architektur, dem der Marienbrunnen
das I-Tüpfelchen aufsetzt. Die Martinikirche wurde im 13. und 14. Jh.
von einer Basilika zur geräumigen
Hallenkirche umgebaut. Über den
Jochen der Seitenschiffe bestechen
gotische Maßwerkgiebel. Zur vorzüglichen Ausstattung gehört eine
spätgotische bronzene Taufe (1441).
ℹ Herzog-Anton-Ulrich-Museum,
Museumstraße 1: Di, Do–So 10–17,
Mi 10–20 Uhr.
Ev. Pfarrkirche Sankt Martini: Di–Fr
10.30–12.30, Sa 9–12 Uhr.

*Creglinger Herrgotts-
kirche Genau an der
Stelle, wo im 14. Jh.
ein Bauer beim Pflü-
gen eine Hostie fand,
steht Tilman Rie-
menschneiders
Marienaltar.*

Bremen Der Dom Sankt Petri beherbergt ein hervorragendes Stück
gotischer Bronzegießerkunst, das
man nur akustisch wahrnehmen
kann: die Glocke Maria Gloriosa
(1433) im Geläut des Nordturms.
Der Dom, eine ehemals romanische
Pfeilerbasilika, erhielt in der ersten
Hälfte des 13. Jh. sein typisch früh-
gotisches Gepräge. Ein Kuriosum ist
der Bleikeller unter dem ehem.
Kreuzgang: Hier sind Mumien aus
mehreren Jahrhunderten zu sehen.
Auch das Rathaus neben dem
Dom ist im Kern gotisch (15. Jh.):
Das ursprüngliche Gebäude bestand
zunächst nur aus zwei großen übereinanderliegenden Hallen auf einem
mächtigen Kellerfundament. In der
unteren Halle, einem strengen,
nüchternen Raum mit einer Balkendecke, die von roh behauenen Ei-
chensäulen getragen wird, wurde
einst Markt abgehalten. Manchmal

traten auch wandernde Theatergruppen auf.

ℹ️ Bleikeller, Sandstraße 10–12: Mo–Fr 9–11.45, 13–16.45, Sa 9–11.45 Uhr (Mai–Oktober). Rathaus: Führungen Mo–Fr 10, 11, 12, Sa, So 11, 12 Uhr (März–Oktober), sonst Mo–Fr 10, 11, 12 Uhr.

Cismar Einer der wenigen noch erhaltenen gotischen Reliquienschreinaltäre steht im Chor der ehem. Benediktinerklosterkirche des holsteinischen Dorfs, die selbst ein Beispiel früher Backsteingotik ist. Der Mittelteil des um 1315 entstandenen, mit reichen Schnitzereien verzierten Flügelaltars diente zur Aufbewahrung und Ausstellung der kostbaren Reliquien des Klosters, das wegen dieser Sammlung heiliger Gegenstände und seiner außerordentlich großzügigen Armenpflege Scharen von Pilgern anzog.

Direkt neben dem Kloster kann man sich von einer Handschriftenmalerin kunstvolle alte Schriften anfertigen lassen.

ℹ️ Klosterkirche: Führungen Mi, Sa 17 Uhr (März–Oktober) und für Gruppen n. Vereinb., Tel. 0 43 66/4 19.

Creglingen Tilman Riemenschneider, einer der begnadetsten Bildschnitzer und Steinmetzen der Spätgotik, wird von den Experten einmütig als der Schöpfer des Marienaltars (1505–1510) in der Herrgottskirche des Tauberstädtchens angesehen. Nicht alle Teile des dreiteiligen Flügelaltars (im Feld rechts außen ein Selbstbildnis des Meisters) mit seinem turmartig aufsteigenden Gespreng wurden von Riemenschnei-

Eichstätt Die herrlichen Glasfenster im Mortuarium des Doms leuchten selbst noch bei trübem Wetter. Hier die Darstellung des Jüngsten Gerichts.

der selbst geschaffen; vieles ist Arbeit seiner Schüler. Der Mittelschrein aber ist allein ein Werk des Würzburger Meisters. Dargestellt ist die Himmelfahrt Mariä; die unbemalten, geschnitzten Holzfiguren scheinen noch ganz durchdrungen von dem Wunder.

ℹ️ Besichtigung täglich 8–18 Uhr (April–Oktober), sonst Di–Sa 10–12, 13–16, So 13–16 Uhr.

Dinkelsbühl In nur 44 Jahren (1448–1492) entstand hier in Mittelfranken die spätgotische Pfarrkirche Sankt Georg, eine dreischiffige Hallenkirche aus Sandstein, die sich in außergewöhnlicher Klarheit und Einheitlichkeit präsentiert. Lediglich zwei Baumeister, Nikolaus Eseler von Alzey und nach ihm sein gleichnamiger Sohn, leiteten die Arbeit. Die Bildnisse von Vater und Sohn hängen an der Wand des nördlichen Seitenschiffs.

ℹ️ Besichtigung täglich 8–12, 14–19 Uhr (Sommer), sonst nur bis 17 Uhr.

Eichstätt Ein reizvoller Kreuzgang führt zum gotischen Mortuarium des Doms in der Altmühlstadt. Zahlreiche alte Grabsteinplatten werden von acht Doppeljochen überwölbt. Die Glasfenster von Hans Holbein d. Ä. (um 1500) sind hervorragende Beispiele dafür, welch hohe Blüte die Glasmalerei in der Gotik erlebte.

Hamburg Die im 11. Jh. gegründete Kirche Sankt Petri wurde im 14. und 15. Jh. im gotischen Stil neu errichtet. Beim großen Brand von 1842 fiel sie fast vollständig den Flammen zum Opfer; heute präsentiert sie sich ganz neugotisch. Am linken Flügel des mittleren Westportals findet sich ein in Bronze gegossener Türklopfer in Löwenkopfform, der die Jahreszahl 1342 trägt. Der Hochaltar des berühmten Meisters Bertram von Minden steht heute in der Hamburger Kunsthalle. Der aufklappbare Wandelaltar, ein Hauptwerk norddeutscher Tafelmalerei (1379), sollte den leseunkundigen Laien in einzelnen Szenen die biblische Geschichte gleichsam erzählend vermitteln.

ℹ️ Hamburger Kunsthalle, Glockengießerwall: Di–So 10–17 Uhr.

Heinsberg Das Hochgrab der Familie von Heinsberg ist die prachtvollste Zier der dreischiffigen Backsteinhallenkirche Sankt Gangolf (15. Jh.) in der unweit der niederländischen Grenze gelegenen Stadt. Die drei lebensgroßen, qualitätvollen Liegefiguren auf den Tumbendeckeln wurden wohl um 1450 von einem Brabanter Bildhauer geschaffen. Der schwarze Marmor der mit Wappenfriesen geschmückten Seitenwangen

Chormuseum Kiedrich Um 1500 entstand dieses Eingangslied der Dritten Weihnachtsmesse: „Ein Knabe ist uns geboren, und ein Sohn ist uns gegeben ..."

der Tumben bildet einen interessanten Kontrast zum hellen Kalkstein der Skulpturen.

ℹ️ Besichtigung n. Vereinb., Tel. 0 24 52/2 20 34.

Kiedrich In der überwiegend gotischen Pfarrkirche der Rheingaugemeinde steht die älteste Orgel der Bundesrepublik Deutschland. Die Orgelpfeifen stammen aus dem Jahr 1312. Um 1300 wurden die Seitenschiffe errichtet, und im 15. Jh. hat man die Kirche zu ihrer heutigen Größe erweitert. Wer sich für Kirchenmusik interessiert, kann im Chormuseum fündig werden: Der Schwerpunkt der Ausstellung liegt auf alten Choralhandschriften.

ℹ️ Kath. Pfarrkirche: Führungen So gegen 11.30 Uhr und Di–Sa n. Vereinb., Tel. 0 61 23/24 21. Chormuseum, Suttonstraße 1: So 11.30–13 Uhr und n. Vereinb.

Laufen an der Salzach Die kath. Pfarrkirche Mariä Himmelfahrt, ein trutzig wirkender Bau mit drei nahezu gleich breiten Schiffen, die durch kräftige Säulenreihen getrennt sind, ist neben dem Heiligkreuzmünster in Schwäbisch Gmünd die älteste gotische Hallenkirche Süddeutschlands: 1332 wurde mit dem Bau begonnen. Besonders reizvoll ist

Pfarr- und Stiftskirche in Laufen

Spätgotische Netzgewölbe, die teilweise mit Fresken des 16. Jh. ausgemalt sind, überspannen die marmornen Bodenplatten des Bogengangs.

der zwischen 1400 und 1550 angelegte Umgang, der die Kirche an zwei Seiten umzieht. Über 200 in den Boden eingelassene Steine weisen den Arkadengang als Begräbnisstätte reicher Familien aus.

Lorch Die Pfarrkirche Sankt Martin, eine zweischiffige, asymmetrische Hallenkirche auf einer Terrasse über dem Rhein, geht auf ein romanisches Gebäude zurück, dessen Überreste am hellgrauen Sandstein erkenntlich sind. Für den gotischen Erweiterungsbau verwendete man roten Sandstein. Ende des 13. Jh. wurde der Chor in Angriff genommen. Aus dieser Zeit stammt auch das Schnitzwerk des Chorgestühls, das zu den Meisterwerken gotischer Holzschnitzkunst zählt. Die Wangen sind mit dämonischen Tiergestalten und phantastischen Pflanzenornamenten geschmückt.
ⓘ Das Kircheninnere ist nur durch ein Gitter zu besichtigen; Führungen n. Vereinb., Tel. 0 67 26/94 79.

Mommenheim Zu Beginn der 80er Jahre hat man die ev. Kirche der kleinen, südlich von Mainz gelegenen Gemeinde renoviert. An mehreren Stellen stieß man dabei auf typisch gotische Fußbodenplatten, deren Verzierungen offensichtlich vor dem Brennen mit einem Holzprägestempel angebracht wurden.
ⓘ Besichtigung n. Vereinb., Tel. 0 61 38/17 92.

Norden Die Ludgerikirche ist nicht nur das größte mittelalterliche Bauwerk Ostfrieslands, der Bau aus Tuff- und Backstein zeichnet sich auch durch seine besondere Form aus. Durch den Anbau eines Querhauses an das schlichte romanische Langhaus bekam die Kirche nach 1318 die Form einer Kreuzkirche. Um die Mitte des 15. Jh. wurde dann der dreischiffige, rund abgeschlossene Hochchor angebaut, der das Langhaus an Höhe beträchtlich überragt. Dieser Kontrast der Raumhöhen gibt der Kirche von außen ihre typische Silhouette; im Innern kontrastieren die weißen Wände mit der in dunklen Hölzern ausgeführten Ausstattung, zu der auch das Chorgestühl von 1481 gehört. Ebenfalls aus der Spätphase der Gotik stammt das zerbrechlich wirkende Sakramentshaus.
ⓘ Besichtigung n. Vereinb., Tel. 0 49 31/22 87.

Oberwesel Wie in Bacharach wurde auch hier dem angeblich von Juden ermordeten Knaben Werner kurz nach 1287 auf der Stadtmauer eine Kapelle errichtet. Heinrich Heines Beschreibung im „Rabbi von Bacherach" ist nichts hinzuzufügen: „Ihm zu Ehren ward zu Oberwesel jene prächtige Abtei gestiftet, die jetzt am Rhein eine der schönsten Ruinen bildet und mit der gotischen Herrlichkeit ihrer langen, spitzbögigen Fenster, stolz emporschießender Pfeiler und Steinschnitzeleien uns so sehr entzückt, wenn wir an einem heitergrünen Sommertage vorbeifahren und ihren Ursprung nicht kennen."

In der Liebfrauenkirche findet sich, obgleich man bei Restaurierungen im vorigen Jahrhundert mit der Innenausstattung recht sorglos umging, noch manch wertvolles altes

Mommenheim *Blattornamente und Fabelwesen zieren die gotischen Fußbodenplatten der Kirche.*

Stück. Dazu gehört u. a. auch der dreiflüglige, figurenreiche Hochaltar, der vermutlich von 1331 stammt. Aus derselben Zeit stammt auch der Lettner zwischen Chor und Mittelschiff, der reich mit Maßwerk, Blattornamenten und Evangelistenstatuen geschmückt ist. Das Äußere des rot verputzten Backsteinbaus verzichtet auf übertriebene Schmuckformen.

Oppenheim Einer der prächtigsten und bedeutendsten gotischen Sakralbauten zwischen Köln und Straßburg ist die Katharinenkirche in Oppenheim, die an einem steilen Hang über der Stadt liegt. Aus romanischer Zeit stammen noch die beiden Westtürme. Der rötliche Sandsteinbau mit seinem mächtigen spätgotischen Westchor bietet dem Betrachter ein höchst eindrucksvolles Bild. Stolze Schauseite des Gotteshauses ist die bewegte Südfront, die der Baumeister mit aller Pracht der Hochgotik ausgestattet hat. Man entschied sich für die südliche Seite als Schaufassade, da die Kirche wegen ihrer Hanglage keine imposante Westfassade ausbilden konnte. Phantastisch sind die farbenfrohen Glasmalereien der immer wieder wechselnden Maßwerkfenster. Das ganze Gebäude ist an der Außenseite von geometrischen Blumenmotiven überzogen. Das Langhaus entstand zu Beginn des 14. Jh.

Rhens Der günstigen Grenzlage wegen – vier der sieben Kurfürstentümer stießen hier zusammen – bestimmten die Kurfürsten die Stadt am Rhein mehrmals zu ihrem Versammlungsort. Im Juli 1346 wählten sie hier Karl IV. zum Gegenkönig Ludwigs des Bayern. Nach der Wahl mußte er auf einem hölzernen Stuhl sitzen, was ihm offenbar mißfiel, denn 1376 gab der inzwischen in Rom gekrönte Kaiser Befehl, einen Stuhl aus Stein zu errichten.

Als Wahlort konnte sich Rhens gegenüber Frankfurt jedoch nicht durchsetzen. Auf dem 1398 erstmals erwähnten Königsstuhl präsentierten sich in der Folgezeit einige der in Frankfurt gewählten Könige dem Volk, um den Treueid zu leisten, bevor sie zu ihrer Krönung nach Aachen weiterreisten. Zu Beginn des 19. Jh. wurde er abgerissen und seine Steine zum Bau neuer Häuser verwendet. Was heute die Rheinhöhe bei Rhens überragt, ist eine Rekonstruktion, die 1843 nach alten Vorlagen ausgeführt wurde.

Rothenburg ob der Tauber Der himmelstrebende Innenraum der schlanken frühgotischen Jakobskirche birgt viele Schätze. Kostbarster ist zweifellos der Heiligblutaltar: 1499 begann ein Rothenburger Schreiner mit dem Gehäuse des Altars, der eine Reliquie – Tropfen vom Blut Christi – aufnehmen sollte. 1501 erhielt Tilman Riemenschneider den Auftrag, das Bildwerk der Abendmahlsszene, das Ölbergrelief, die Engel und den Christus zu fertigen. Mit seinen vollendeten Formen gehört der Rothenburger Altar zu den besten Werken des Meisters.

***Der Königsstuhl bei
Rhens** Eine Treppe
führt zu der Plattform
hinauf, wo sich einige
der neugewählten
Könige dem Volk
präsentierten.*

Sankt Goar In der ehem., zu Ehren
des heiligen Goar errichteten Stiftskirche der Stadt am Mittelrhein verdienen die imposanten gotischen
Wandmalereien besondere Beachtung. Zu den ältesten gehört eine
Darstellung des Johannes in der
Taufkapelle, die Anfang des 14. Jh.
entstand. Die übrigen Fresken sind
wie auch die steinerne Kanzel mit
ihrem plastischen Schmuck jüngeren Datums (15. Jh.). Manches ging
im Lauf der Jahrhunderte verloren,
doch blieb noch so viel erhalten, daß
nach einer Restaurierung die Gewölb-
befelder der Seitenschiffe und die
Bogenzwickel des Mittelschiffs
heute wieder kunstvolle Ausmalungen tragen, die Heilige als Einzelfiguren und in Gruppen darstellen.
ⓘ Besichtigung täglich 9–17.30 Uhr,
Führungen Do 14–16 Uhr (Ostern
bis Oktober).

Überlingen Das Münster der Bodenseestadt, einst eine romanische
Säulenbasilika, wurde im 15. Jh zu
einer fünfschiffigen Hallenkirche
umgebaut. Zur reichen Ausstattung
aus mehreren Jahrhunderten gehören ein gotisches Chorgestühl und
ein spätgotischer Skulpturenzyklus
an den Mittelpfeilern. Die Ölberg-
kapelle vor dem Münster, ein offenes Oktogon, wurde gegen Ende
des 15. Jh. errichtet; von der ursprünglichen Figurengruppe blieb
nur der überlebensgroße Christus
erhalten.
ⓘ Münster Sankt Nikolaus: täglich
8–12, 14–18 Uhr.

***Uelzen** Hanseatische
Kaufleute haben das
edelsteingeschmückte
Goldene Schiff im
16. Jh. von London
nach Uelzen gebracht.
Dieses kostbare pro-
fane Kleinod der
Stadt – vermutlich ein
frühgotischer Tafel-
aufsatz – ist über-
raschenderweise in
einer Nische der
Marienkirche zu be-
wundern.*

Uelzen Wenn man die dreischiffige
gotische Backsteinhalle der Marienkirche durch das Hauptportal betritt, stößt man gleich zur Linken in
einer Nische der Turmhalle auf das
Goldene Schiff. Bei diesem an sich
profanen Gerät handelt es sich wohl
um einen gotischen Tafelaufsatz, der
einst die Eßtafel eines Adligen bei
großen Festgelagen zierte. Die über
60 cm hohe vergoldete Kupfertreib-
arbeit wurde in der ersten Hälfte des
13. Jh. in England hergestellt. Zu
dieser Zeit war der Kirchenbau, der
den Schatz heute birgt, noch lange
nicht abgeschlossen. Erst um 1380
entstand der lichte Chor, der das
Langhaus deutlich überragt. Wahrscheinlich hatte man vor, das Langhaus später auf die Höhe des Chors
aufzustocken, doch dann ging der
Stadt in der Lüneburger Heide das
Geld aus. So steht der Bau heute auf
seinem Sockel aus Findlingsblök-
ken, wie ihn die Gotik belassen hat.
ⓘ Besichtigung täglich 9–17 Uhr
(Ostern bis Erntedank), Führungen
Fr 17 Uhr.

Verden In der katholischen Kirche
der Gotik nannte man den Stuhl, auf
dem die Priester während des Gottesdienstes saßen, Levitenstuhl. Ein Exemplar von ganz besonderer Schönheit steht im romanisch-gotischen
Dom der niedersächsischen Stadt an
der Aller. Das kostbare Gestühl ist aus
Eichenholz; es dürfte um 1360 von
einem unbekannten Lübecker Meister geschaffen worden sein. Ein drei-
geteilter Baldachin überspannt die
Sitzbank des Gestühls, dessen Seitenwände als durchbrochenes Rankenwerk gearbeitet sind.
ⓘ Besichtigung Mo–Sa 9–17, So
13–17 Uhr.

Würzburg Der um 1460 in Heiligen-
stadt im Eichsfeld geborene Tilman
Riemenschneider ließ sich 1483 in
Würzburg als Bildschnitzergeselle
nieder. 1504 wurde er in den Rat der
Stadt berufen und 1520 zum Bürgermeister gewählt. Da er aber ein Anhänger der Reformation und ein
Verfechter der Anliegen der Bauern
war, schloß man ihn nach zweimo-
natiger Gefangenschaft 1525 aus
dem Rat aus. Nach grausamer Folte-
rung war die Schaffenskraft des
Künstlers gebrochen. Hinzu kam,
daß sein Stil immer weniger gefragt

***Würzburg** Aus der
Werkstatt des Bild-
schnitzers Tilman
Riemenschneider
stammen diese Frag-
mente eines Sippen-
altars (um 1505) im
Mainfränkischen Mu-
seum. Das ursprüngli-
che Mittelstück, eine
Darstellung des Jesus-
kindes, ist leider nicht
erhalten.*

war, denn die Renaissance begann
sich mehr und mehr durchzusetzen.
Nach seinem Tod 1531 fiel Riemenschneider bald der Vergessen-
heit anheim. Erst Anfang des 19. Jh.
wurden seine Werke wiederentdeckt.

Im Mainfränkischen Museum hat
man einen Riemenschneidersaal
eingerichtet, in dem die umfang-
reichste Sammlung von Meisterwerken dieses berühmten Künstlers untergebracht ist. Zu den schönsten
Stücken des Meisters gehören die
steinerne „Maria mit dem Christ-
kind" aus der Spätzeit (um 1520),
Adam und Eva von 1491 bis 1493,
die sechs Apostel aus der Marienkapelle und der ausnahmsweise farbig
gefaßte Sippenaltar aus Lindenholz.
Riemenschneiders Figuren berühren
vor allem durch ihre innere Ruhe
und Beseeltheit.

Auch die spätgotische Marienkapelle am Marktplatz, die anstelle
einer im Mittelalter abgerissenen
jüdischen Synagoge nach 1377 hier
errichtet wurde, birgt ein Meisterwerk Riemenschneiders: das in
Sandstein gearbeitete Grabdenkmal
des Konrad von Schaumburg, das im
Jahre 1500 entstand.
ⓘ Mainfränkisches Museum, Festung Marienberg: täglich 10–17 Uhr
(April–Oktober), sonst 10–16 Uhr.

Schwarzer Tod

Mitte des 14. Jh. lag Europa im Würgegriff der Pest. Manche Städte verloren über die Hälfte ihrer Bewohner. In Köln und Mainz starben täglich bis zu 100 Menschen. Die Schuld dafür gaben viele einer ungeliebten Minderheit, den Juden. Matthias von Neuenburg, dessen Chronik das gesamte Abendland behandelt, schreibt dazu:

Es ereignete sich aber eine Pest und Sterben der Menschen, [...] wie es seit der Sündflut nicht gewesen, so daß einige Gegenden ganz entvölkert waren und viele dreirudrige Schiffe, deren Bemannung gestorben, mit ihren Waren führerlos auf dem Meer gesehen wurden. Zu Marseille starb der Bischof mit dem ganzen Kapitel und fast alle Predigermönche und Minderbrüder und noch einmal so viele Einwohner. Was in Montpellier, zu Neapel und an anderen Orten geschehen ist, wer vermöchte dies zu erzählen? Wie groß die Menge der Sterbenden in Avignon am päpstlichen Hof war und wie ansteckend die Krankheit, weshalb die Menschen ohne Sakramente starben, die Eltern sich nicht um ihre Kinder kümmerten und umgekehrt, die Gefährten nicht nach ihren Gefährten noch die Diener nach ihren Herren fragten, wieviel Häuser mit allem Hausrat leer standen, in welche sich niemand hineinwagte, dies alles zu beschreiben oder zu erzählen ist schrecklich. [...] Die Krankheit durchzog alle Länder, und die Gelehrten konnten, obgleich sie vielerlei vorbrachten, doch keinen anderen sicheren Grund angeben, als daß es Gottes Wille wäre. Und dies dauerte, bald hier, bald dort, ein ganzes Jahr, ja noch darüber. Und es wurden die Juden beschuldigt, daß sie diese Pest veranlaßt oder verschärft hätten, indem sie Gift in Quellen und Brunnen geworfen. Sie wurden verbrannt vom Meeresufer an bis nach Deutschland, nur nicht in Avignon, wo sie Papst Clemens IV. schützte. [...]

Der Bischof [von Straßburg] aber, die Großen des Elsaß und die Reichsstädte kamen überein, die Juden nicht zu dulden, und so wurden sie bald an diesem, bald an jenem Ort verbrannt. An einigen Orten wurden sie bloß ausgewiesen, aber das Volk holte sie ein, verbrannte die einen und schlug andere tot oder erstickte sie in Sümpfen. [...] Auf dieses Geschrei hin wurden am Freitag nach Hilarius im Jahr des Herrn 1349 alle Baseler Juden auf einer Rheininsel in einem für sie errichteten Häuschen ohne Urteil verbrannt [...]. Zu Speyer und Worms versammelten sich die Juden in einem Haus und verbrannten sich selbst.

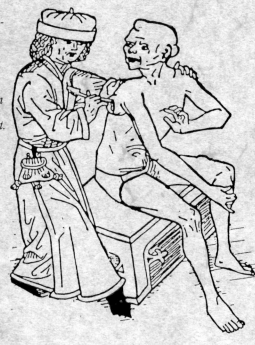

Pest in Europa Unzureichende Hygiene in den Städten und auf dem Land begünstigte die rasche Ausbreitung der Pestepidemie. Die Menschen waren der Seuche schutzlos ausgeliefert. Der zeitgenössische Holzschnitt zeigt einen Arzt beim Aufschneiden von Pestbeulen.

Doppelwahl

Die verhängnisvolle Doppelwahl von 1314 führte dazu, daß sich der Habsburger Friedrich der Schöne und der Wittelsbacher Ludwig der Bayer beide als rechtmäßige Könige des Reiches fühlten. Der anonyme Verfasser der Lebensbeschreibung Kaiser Ludwigs IV. macht keinen Hehl daraus, wem seine Sympathien gelten:

Im Jahr 1314, da das Römische Reich verwaist war, begannen die Churfürsten eine Neuwahl ins Auge zu fassen. Leider aber erhob sich unter ihnen Zwietracht, welche großes Leiden für die Kirche herbeiführte. Sie spalteten sich nämlich in zwei Parteien; der verständigere Teil erkor den erlauchten Herzog Ludwig von Bayern, der andere den österreichischen Herzog Friedrich [den Schönen]. Auf den ersteren fielen fünf, auf diesen drei Stimmen. Jeder der beiden Gewählten aber hoffte, für sich die Herrschaft gewinnen und hier und in Ewigkeit herrschen zu können. [...]

Ungarn, Steier, Mähren, Schwaben, Köln, das Elsaß sowie Österreich hingen Friedrich an. Aber allen erzähle ich, daß Böhmen, Sachsen, Polen, Brandenburg, Meißen und Thüringen, Trier und Mainz, die Rheinlande und beide Bayern es mit dem großmächtigen, herrlichen König Ludwig hielten, der selbst alle Reichsstädte unter seine Botmäßigkeit brachte. Und so erwuchsen große Gefahren auf der Erde, denn mehr als Zwanzigtausend wurden von beiden Seiten in diesem Zwiespalt getötet und allerorten die gewaltige Flamme der Leidenschaft angefacht. [...]

Die Spaltung währte 8 Jahre. Da erlitt König Friedrich eine gewaltige Niederlage [1322], denn er wurde bei Mühldorf in Bayern überrascht und sein Heer kurz und klein geschlagen. Ungarn, Mährer, Steirer und Österreicher hatte er herbeigeführt, welche alle niedergemacht wurden. [...] Die auf prächtig geschirrten Rossen gar stolz herangekommen waren, lagen im tiefsten Elend da; der auf dem Thron saß, wälzte sich im Staub. [...]

Hiernach setzte er [König Ludwig IV., der Bayer] seinen Gegner in dem Schloß Trausnicht fest, wo derselbe bis ins 4. Jahr weilte, wie alle wissen. Dann vertrug sich Friedrich über dem Leib des Herrn mit Ludwig und schwor ihm zu. Er verzichtete auf die Krone und bekannte sich für jetzt und in Zukunft als Diener König Ludwigs, versprach auch, sich nie gegen diesen aufzulehnen und ihn als König anzuerkennen. So nahmen denn beide den Leib des Herrn, und er ließ dann Friedrich frei in seine Lande ziehen.

Kaiser Ludwig IV. Der Wittelsbacher mit dem Beinamen der Bayer erwarb 1323 die Mark Brandenburg, 1342 Tirol und 1346 die Grafschaften Holland, Friesland, Seeland und Hennegau. 1328 zum Kaiser gekrönt, starb er nach 33 Regierungsjahren bei einem Jagdunfall.

Goldene Bulle

In Anwesenheit der versammelten Reichsfürsten verkündete Kaiser Karl IV. 1356 die Goldene Bulle, in der die Königswahl und die Rechte der sieben Kurfürsten erstmals schriftlich und einheitlich geregelt sind. Es wird festgelegt, daß künftig die Mehrheit von vier Stimmen für die Wahl genügt; der päpstliche Anspruch auf Zustimmung wird stillschweigend übergangen und damit entkräftet. Die Urkunde bleibt bis zur Auflösung des Reiches 1806 in Kraft:

1. Wir bestimmen und bestätigen durch diesen immerdar gültigen kaiserlichen Erlaß mit sicherem Wissen und aus kaiserlicher Machtvollkommenheit, daß, sooft und wann in künftigen Zeiten die Notwendigkeit oder der Fall eintritt, einen römischen König und künftigen Kaiser zu wählen, und die Kurfürsten zu solcher Wahl gemäß alter löblicher Gewohnheit reisen müssen, ein jeder Kurfürst [...] alle seine Mitkurfürsten oder ihre Gesandten, die sie zu dieser Wahl abgeordnet haben, durch seine Länder, Gebiete und Orte und auch darüber hinaus, so weit er kann, zu geleiten verpflichtet ist und ihnen ohne Arglist

Urkunde in Wort und Bild *Zahlreiche prächtige Bilder illustrieren die Goldene Bulle: hier Karl IV. (rechts), gefolgt von den Kurfürsten und der Kaiserin.*

Geleit geben soll zu der Stadt, wo die Wahl stattfinden wird [...].

16. Wenn es aber dazu gekommen ist, daß des Kaisers oder römischen Königs Tod im Erzbistum Mainz bekannt wird, dann soll [...] binnen einem Monat [...] der Erzbischof von Mainz allen Kurfürsten den Todesfall und die Wahlausschreibung [...] in offenen Briefen mitteilen. Wenn aber derselbe Erzbischof bei diesem Geschäft und der Wahlausschreibung etwa nachlässig oder säumig wäre, dann sollen dieselben Kurfürsten aus eigener Veranlassung und ungeladen gemäß der Treue, die sie dem heiligen Reich schuldig sind, darnach binnen drei Monaten, so wie es [...] in der Verordnung enthalten ist, in der ofterwähnten Stadt Frankfurt zusammenkommen, um einen römischen König und künftigen Kaiser zu wählen. [...]

19. Wir befehlen aber den Bürgern von Frankfurt und gebieten ihnen, [...] alle Kurfürsten [...] vor dem Angriff eines andern [Kurfürsten zu beschützen].

Hussiten

Seine Kritik an der Kirche und sein leidenschaftlicher Patriotismus brachten den tschechischen Reformator Jan Hus im 14. Jh. in Opposition zu Kirche und Reich. Seine Verbrennung als Ketzer auf dem Konstanzer Konzil führte 1419–1436 zu den Hussitenkriegen. Die Lehre seiner Anhänger faßt der Chronist Siegmund Meisterlin zusammen:

Folgende Artikel predigen und halten die Hussiten wider die heilige Christenheit:

1. Der Papst ist ein Bischof wie ein anderer Bischof über sein Bistum und nichts weiter.

2. Ein Priester ist in aller Gewalt wie der andere, und es besteht unter ihnen kein Unterschied. Welcher Priester besser ist als der andere, das liegt nicht an der Prälatur, sondern an der Heiligkeit der Lebensführung.

3. Wenn eine Seele von dieser Welt scheidet, so hat sie allein zwei Wege: Sie fährt sofort gen Himmel oder schnell zur Hölle, was man aber sagt vom Fegefeuer, so erklären die Hussiten, es sei kein Fegefeuer, sondern die Habgier der Pfaffen habe es erdacht, und es sei verloren Ding, daß man für die Toten bitte.

4. [...]

5. Daß man Kerzen, Asche, Palmen, Weihwasser und auch die Taufe und ander Ding segne, sei ein lächerlicher Spott.

6. Bettelorden und Mönche habe der Teufel erdacht und erfunden.

7. Alle Priester sollen arm sein und nichts haben als das Almosen.

8. Wer predigen will, dem sei es erlaubt, er sei Laie oder Priester.

9. Man soll keine Sach leiden in der Christenheit, ob Frauenhäuser, Spiel, Wucher oder was auch immer, darum daß größeres Übel vermieden bleibe.

10. Wer in Todsünden ist, mag weder geistlicher noch weltlicher Richter sein und aller Freiheit beraubt, und niemand soll ihm gehorsam sein.

11. Firmung und letzte Tauf oder Ölung seien nicht zu zählen unter die Sakrament.

12. Es sei eine Ursache zum Lügen, daß die Menschen dem Priester ins Ohr beichten.

Jan Hus *Der Reformator trug wesentlich zur Entstehung und Verbreitung der tschechischen Schriftsprache bei.*

Burgherren und Minnesänger

Die Ritter waren im Mittelalter die Stützen der Fürsten. Sie führten für ihre Herren Krieg und waren einflußreiche Ratgeber am Hof. Einige wurden Minnesänger und entwickelten die Dichtung zur vollendeten Kunst. Sie lebten in Burgen, die wie die Burg Eltz (Foto) kühn auf steilen Felsen hoch über einem Tal gebaut waren. Als im 16. Jh. Söldnerheere die Ritter als Krieger ablösten, konnten viele von ihnen nur als Raubritter überleben.

KÖNIGREICH DÄNEMARK

N o r d s e e

O s t s e e

Stralsund

Lübeck

Wismar

Hamburg

Artlenburg

Stargard

Stettin

Bremen

Tangermünde

Berlin

Cölln

Hannover

Braunschweig

Schaumburg

Magdeburg

Nimwegen

Münster

Goslar

Harzburg

Dortmund

Plesse

Altena

Waldeck

Ludwigstein

Kyffhausen

Leipzig

Erfurt

Aachen

Köln

Wartburg

Dresden

Drachenfels

Monschau

Nürburg

Nassau

Münzenberg

Coburg

Eltz

Runkel

Katz

Königstein

Trimberg

Mainz

Frankfurt

Eger

Prag

Ebernburg

Breuburg

Karlstein

Trier

Worms

Nürnberg

Trifels

Rothenburg

Metz

Heilbronn

Budweis

Straßburg

Nördlingen

Regensburg

Hohenstaufen

Hochkönigsburg

Hohenzollern

Ulm

Augsburg

Linz

Rottweil

Burghausen

Zähringen

Ravensburg

Salzburg

Besançon

Basel

Konstanz

Habsburg

KGR. FRANKREICH

0   50   100 km

188

Aufstieg und Verfall der Burgenherrlichkeit

Zum Schutz vor den Einfällen fremder Völker wie der Ungarn und der Normannen begann man im 9. und 10. Jh. in Deutschland, Burgen zu bauen. Berühmt war das große Burgensystem König Heinrichs I. (919–936), der die Ostgrenze seines Reichs mit Befestigungen sicherte. Damals baute man noch einfache Burgen, indem man Türme aus Stein oder Holz (Motten) auf Erhebungen errichtete. Doch ab dem 11. Jh. planten die mittelalterlichen Baumeister immer ausgeklügeltere Wehranlagen und gruppierten die Bauten und Mauern um einen uneinnehmbaren Bergfried. So entstanden im Mittelalter in Deutschland zahllose Burgen, von denen noch viele in unterschiedlichem Zustand erhalten sind. Neben kleinsten Anlagen existieren riesige Burgkomplexe wie die staufische Anlage in Münzenberg sowie prächtige Repräsentativbauten wie die Burg Eltz.

Auf den Burgen lebten Adlige und ritterliche Dienstleute mit ihrem Gefolge. Sie regierten und verwalteten von dort aus ihre Ländereien und fanden in kriegerischen Zeiten auch Schutz vor Überfällen. Die Pracht und das trutzige Aussehen der Burgen sollten vom Ruhm ihrer Erbauer und Besitzer künden. Darum nannten sich viele Adelsfamilien seit dem 12. und 13. Jh. nach ihrer Stammburg, wie es das Beispiel der Hohenstaufen, der Habsburger und der Hohenzollern zeigt.

Während der staufischen Zeit (1138–1254) besetzten die Könige ebenso wie die geistlichen und weltlichen Fürsten ihre Burgen oft mit ihren Dienstmannen, den Ministerialen. Im Waffendienst geübt, bildeten sie den Stand der Ritter, erfüllt von einem besonderen Ideal. Gemeinsame Grundlage der höfischen Gesellschaft war das ritterliche Tugendsystem. Von ihm künden die mittelhochdeutschen Dichter, die besonders die Dienste an der Herrin und die – meist unerfüllte – Liebe zu ihr besangen. Ihre Minnelieder trugen die fahrenden Sänger aus dem Ritterstand auf den Burgen vor. Dichter wie Walther von der Vogelweide oder Oswald von Wolkenstein schrieben ihre Texte in der Hoffnung auf Lohn, auf Zuneigung der Damen sowie auf Grundbesitz.

Doch diese ritterliche Kultur geriet Mitte des 13. Jh. in eine Krise: Die Burgherren wurden einerseits von den mächtigen adligen und geistlichen Landesfürsten, andererseits von den aufstrebenden Städten bedrängt, die auf Kosten des Ritterstandes ihre Macht zu vergrößern trachteten und ihren Besitz ausdehnen wollten. Die aufgrund ihrer schlechten wirtschaftlichen Lage vielfach verarmten Ritter nutzten die strategisch günstige Lage ihrer Burgen oft zu ihrem Vorteil aus. An wichtigen Handelsstraßen zur

Ritter in Rüstung *Das Kriegshandwerk gehörte zum Beruf des Ritters. Vor den gegnerischen Angriffen schützte man sich mit einem eisernen Harnisch. Der Helm mit dem spitzen Visier, ein sogenannter Hundsgugel, stammt aus dem 14. Jh.*

Eintreibung von Zöllen angelegt, wurden die Felsennester nicht selten zu Stützpunkten für Überfälle, Raubzüge und Plünderungen.

Um sich der Übermacht der Städte und der Fürsten zu erwehren, schlossen sich die Ritter ab der zweiten Hälfte des 14. Jh. im Südwesten des Reichs zu Ritterbünden zusammen. Im Hessischen machten die Reichsritter von sich reden, als sie um 1370 den Bund der Sterner ins Leben riefen, um ihre politische Selbständigkeit gegenüber den mächtigen Landgrafen von Hessen zu wahren. Nach der Niederlage bei Wetzlar 1373 zerfiel die Vereinigung aber rasch wieder. Auch der 1379 in der Wetterau entstandenen Gesellschaft vom Horn war kein Erfolg beschieden.

Größere regionale politische Bedeutung erlangte nur die Rittergesellschaft Sankt Jörgenschild in Oberschwaben. Gegen die Übergriffe des Bundes ob dem See schlossen sich 1406 fast 100 adlige Ritter aus dem Hegau und dem Allgäu zusammen und konnten sich gegen die Appenzeller Gemeinden behaupten. Die Gesellschaft bestand bis 1488, ehe sie im Schwäbischen Bund aufging, der sich gegen die Expansionspolitik der bayerischen Herzöge richtete.

Doch die anderen Rittergesellschaften in Schwaben, Franken und am Rhein waren nur von kurzer Dauer und konnten sich nicht gegen die aufstrebenden Landesfürsten von Mainz, Baden, Württemberg und der Kurpfalz durchsetzen, die über ein geschlossenes Territorium verfügten, mehr Geld besaßen und militärisch besser ausgerüstet waren.

Die Auseinandersetzungen mit den reichen Städten verloren die Ritter ebenfalls. Als 1380 der besonders städtefeindliche Löwenbund der Stadt Frankfurt die Fehde ansagte, kam es zum offenen Krieg, der zwei Jahre später mit einer Niederlage des Ritterbundes endete.

Damals verloren die Burgen und die Burgherren langsam ihre Bedeutung. Die Verbreitung der Feuerwaffen machte größere Befestigungen notwendig, Söldnertruppen ersetzten die Ritterheere, und der hohe Adel verlegte seine Regierungssitze in die städtischen Residenzen. Ab dem 16. Jh. verfielen die meisten Burgen und wurden erst im 19. Jh. in der Zeit der Romantik wiederentdeckt.

Danzig

Marienburg

Deutschordensland

KÖNIGREICH

POLEN

Breslau

Weichsel

Oder

etze

Wien

Burgen im Mittelalter

/////	Grenze des Heiligen Römischen Reiches (1378)
——	Grenzen der Herzogtümer, Marken u. ä.
••••••	Grenze des Ordenslandes
♪	Wichtige Burgen mit Namen
•	Weitere Burgen (Auswahl)
○	Bedeutende Städte

Landschaftliche Verbreitung der Ritterbünde (mit Gründungsdatum):

🛡	Sankt Jörgenschild (1406/07)
🛡	Gesellschaft vom Horn (1379)
🛡	Schlegler (1394)
🛡	Sterner (um 1370)
🛡	Sankt Georg (um 1375)
🛡	Löwenbund (1379)
🛡	Sankt Wilhelm (um 1375)

Die wichtigsten politischen Gegner der Ritterbünde:

	Landgft. Hessen
	Ebm. Mainz
	Gft. Württemberg
	Markgft. Baden
	Kurpfalz
	Bund ob dem See

Kgr. = Königreich; Landgft. = Landgrafschaft; Markgft. = Markgrafschaft; Gft. = Grafschaft; Ebm. = Erzbistum

Im Land der Nürburg

Einen lebendigen Eindruck der gehobenen Wohnkultur im Mittelalter bieten prächtige Burgen, die ihre Einrichtung bewahrt haben. Räume mit kostbaren Kunstwerken und Möbeln bildeten den Rahmen für Alltag und Feste, Wandmalereien zeigen zeitgenössische Kleidung der reichen Adligen. Demgegenüber vermitteln die Ruinen von kleinen Anlagen eine Vorstellung vom kargen Leben ärmerer Ritter. Sie mußten sich mit Fenstersitzen und Wandnischen als Schrankersatz begnügen.

Schloß Bürresheim Die gut erhaltene, malerisch von Hügeln umgebene Anlage in der Nähe von Mayen zeigt die Entwicklung von der Burg zum Schloß und damit die Fortschritte in der Wohnkultur über mehrere Jahrhunderte. 1157 in der Hand der Herren von Bürresheim urkundlich genannt, wechselte die Feste später mehrfach den Besitzer. Der Kern des Bergfrieds entstand im 13. Jh., die westlich gelegene Kölner Burg oder Alte Burg um 1300. Den sich im Osten anschließenden jüngeren Teil, die Oberburg, baute man in der zweiten Hälfte des 15. Jh. schloßartig aus. Die reich ausgestatteten Räume und die Alte Küche mit ihrem mächtigen Kamin spiegeln den Lebensstil auf einem Adelssitz wider, der bis ins 20. Jh. bewohnt war.
ℹ Besichtigung Di–So 9–13, 14–18 Uhr (April–September), sonst bis 17 Uhr, Dezember geschlossen.

Nürburg Die Burg südlich von Adenau, die der berühmten Rennstrecke ihren Namen gab, stammt aus dem Mittelalter. Den Wehrbau, der vor 1166 vollendet war, schuf Ulrich von Are, der sich ab 1169 als Graf von Nürburg bezeichnete. Im 17. Jh. wurde die Burg zerstört. Heute ist die Anlage eine malerische Ruine. Die Kernburg wird durch eine Ringmauer mit starken Rundtürmen geschützt. Der Bergfried (um 1200) enthält im Einstiegsgeschoß ein schönes Kreuzrippengewölbe auf spätromanischen Konsolen. Im Süden liegt eine große Vorburg mit Kapelle, im Westen stehen Reste von Wirtschaftsgebäuden, im Osten noch Mauern des Palas.
ℹ Besichtigung Di–So 9–13, 14–17.30 Uhr (April–September), sonst bis 16.30 Uhr.

Kasselburg Die ab Pelm ausgeschilderte bedeutende Wehranlage auf ei-

Burg Eltz *Im Obergeschoß des Rübenacher Hauses prangt das große Schlafgemach mit einer Balkendecke auf Mittelstützen und aufgemalten Blüten und Ranken aus dem 15. Jh. (links).*

Schloß Bürresheim *Das trutzig auf einem Fels am Wald gelegene Schloß (oben links) macht ungeachtet seiner verspielten Türme den Eindruck einer wehrhaften Burg.*

Nürburg *Von weitem schon grüßt die auf dem 678 m hohen Berg gleichen Namens gelegene Ruine (oben), von der aus einstmals die Grafen von Nürburg weite Teile der Eifel beherrschten.*

nem Basaltkegel in der westlichen Eifel, jetzt eine Ruine, wurde im 12. Jh. gegründet. 400 Jahre später erwarben sie die Grafen von Manderscheid-Blankenheim. 1744 war sie verlassen, ihre Mauern sind allerdings noch recht gut erhalten. Neben dem eindrucksvollen Doppelturm, einer Synthese aus Torbau, Bergfried und Wohnturm, sind Wohn- und Wirtschaftsgebäude um den Haupthof (nach 1452) und der Herrschaftshof mit romanischem Bergfried, Kapelle und Resten des Palas zu besichtigen. Heute ist in der Burg ein Adler- und Falkenhof untergebracht.

ℹ Besichtigung täglich 9–18 Uhr (April–Oktober), sonst 10–17 Uhr; geschlossen vom 10. Januar–20. Februar.

Mürlenbach Die im Ort gelegene Burg entstand wohl zu Ende des 13. Jh. Der Sage nach soll hier im 7. Jh. Bertrada, die Stifterin des Klosters Prüm, eine Urgroßmutter Karls des Großen, gelebt haben. 1331 war die Burg im Besitz der Abtei Prüm. 1519 wurde sie verstärkt, 1590 zusätzlich mit Bastionen befestigt. Ende des vorigen Jahrhunderts baute man die verfallene Anlage teilweise wieder auf.

Eine mächtige Torburg beschirmt die Burg Mürlenbach: ein quadratischer Mittelbau mit zwei seitlichen Rundtürmen. Im ersten Stock des südlichen Turms befindet sich die Kapelle. In den Obergeschossen sind die Räume wohnlich ausgestaltet.

ℹ Besichtigung der Türme n. Vereinb., Tel. 0 65 94/8 64.

Manderscheid Die Niederburg, auf einem einzeln stehenden steilen Felsgrat gelegen, sicherte den Weg durch das Tal. Die Feste mit der dreieckigen Grundrißform wurde nach 1147 von den Herren von Manderscheid errichtet, die im 15. Jh. durch Erbschaften Macht erlangten und zu Grafen avancierten. Im obersten Hof steht der Bergfried aus dem 12. Jh. Der Palas von 1428 bewahrt noch Reste des Hauptraums der Burg: Gemauerte Sitzfenster, ein Kamin und Sockel für eine Mittelstütze erinnern an das ursprüngliche Aussehen dieses Zimmers.

Nach einem halbstündigen Fußweg erreicht man die Oberburg, deren malerische Ruine zwischen bewaldeten Höhen einen Glanzpunkt der Eifelfahrt bildet. Sie wird bereits 973 erwähnt. Erzbischof Hillin von Trier ließ sie 1160 schleifen und nach dem Wiederaufbau durch Türme verstärken. Ende des 17. Jh. wurde sie zerstört. Am romanischen Bergfried mit rhombischem Grundriß springen an zwei Seiten Eckürmchen vor. Im Süden und Osten liegen Reste von Wohnbauten.

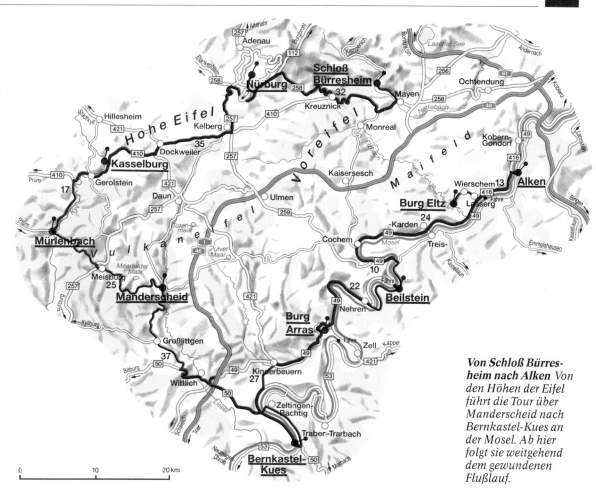

Von Schloß Bürresheim nach Alken Von den Höhen der Eifel führt die Tour über Manderscheid nach Bernkastel-Kues an der Mosel. Ab hier folgt sie weitgehend dem gewundenen Flußlauf.

ℹ Niederburg: täglich 9.30–17 Uhr (März und April), 9.30–18 Uhr (Mai bis Oktober), 15. November bis 1. März geschlossen.

Bernkastel-Kues Inmitten von Weinbergen erhebt sich über Stadt und Fluß Burg Landshut. Ende des 13. Jh. begann Erzbischof Heinrich von Trier mit dem Bau der Burg, die 1693 niederbrannte. Der Bergfried an der Angriffsseite enthält zwei Kuppelgewölbe über hohen Räumen. Im Osten stehen noch Reste des Palas, und die Ringmauer ist bis zum Wehrgang erhalten.

Burg Arras Die ab Alf ausgeschilderte Anlage aus dem 9./10. Jh. liegt auf einem Bergsporn, der vermutlich schon zur Römerzeit befestigt war. Sie wechselte häufig ihren Besitzer und wurde Ende des 17. Jh. zerstört. Die Burg weist einen wohl romanischen Palas auf, der im 15. und 16. Jh. umgebaut wurde. Ihm vorgelagert ist der Bergfried mit Buckelquadern an den Ecken. Unter seinem Erdgeschoß befindet sich ein Brunnen. Ein Museum veranschaulicht u. a. das Leben im Mittelalter.

ℹ Besichtigung täglich 10–18 Uhr (März–November).

Beilstein Die stimmungsvolle Ruine Beilstein (Burg Metternich) bildet gemeinsam mit dem Städtchen Beil-stein eine reizvolle Etappe auf der Moseltour. Die Feste war im 13. Jh. Kölner Lehen und kam 1652 an die Freiherren von Metternich. 1689 wurde sie zerstört. Der Bergfried (um 1200) mit Ecken aus behauenen Quadern im inneren Hof steht mit seiner Spitze zur Angriffsseite. Vom Palas der ehemals wehrhaften Anlage sind hohe Mauern und ein Kamin erhalten.

Burg Eltz Einsam und in malerischer Umgebung gelegen, läßt die einzigartig gut erhaltene Feste das Mittelalter wieder lebendig werden. Sie wurde im 12. Jh. als Reichslehen an der Straße von der Mosel ins Maifeld gegründet und ist bis heute kontinuierlich im Besitz der Herren von Eltz. Die Familie spaltete sich jedoch im Lauf der Zeit in mehrere Zweige, und da jeder ein eigenes Burghaus baute, entstand allmählich eine pittoreske, aus vielen Gebäuden bestehende Anlage: Nach dem mächtigen Platteltz, dem ältesten Wohnturm an der höchsten Stelle, gruppieren sich um den malerischen Hof das Rübenacher Haus mit seinem spätgotischen Kapellenerker, die Rodendorfer und die Kempenicher Häuser. Sie zeigen in ihrem Innern Exponate, die einen Überblick über mehrere Jahrhunderte Kultur-geschichte geben, nämlich wertvolle Möbel, Gemälde – u. a. von Lucas Cranach d. Ä. –, Waffen und eine tief in den Burgfelsen reichende Schatzkammer, die die Kostbarkeiten der Familiensammlungen präsentiert. Die Burg ist ab Wierschem und ab Moselkern ausgeschildert (vom Parkplatz aus 20 bzw. 45 Minuten Fußweg).

ℹ Besichtigung täglich 9–17.30 Uhr (April bis Oktober).

Alken Die eindrucksvolle Doppelburg Thurandt, über Alken an der Mosel gelegen, wurde von Pfalzgraf Heinrich, Sohn Heinrichs des Löwen, erbaut. Sie ist benannt nach einer Burg in Tyrus, die 1192 im dritten Kreuzzug einer Belagerung widerstand. Auch Burg Thurandt wurde belagert, und zwar im 13. Jh. von den Erzbischöfen Arnold von Trier und Konrad von Köln, die sie dann gemeinsam einnahmen. Im 17. Jh. verwahrloste die Anlage und wurde Anfang des 20. Jh. teilweise wieder errichtet. Eine Quermauer teilt die Feste in eine Trierer und eine Kölner Hälfte, jede mit eigenem Bergfried und Tor. Die Räume beherbergen ein kleines Museum.

ℹ Besichtigung täglich 10–19 Uhr, Führungen für Gruppen n. Vereinb., Tel. 0 26 05/20 04.

Burgenromantik am Rhein

Der Rhein, immer schon einer der wichtigsten Verkehrswege, floß durch das Kerngebiet des deutschen Reiches. Hier trafen die Machtbereiche der Erzbischöfe von Mainz, Köln und Trier sowie der Pfalzgrafen aufeinander, die aus strategischen Gründen und zur äußeren Darstellung ihrer Macht wehrhafte Burgen errichteten. Die wenigsten von ihnen sind noch erhalten, doch einige wurden im 19. Jh., als Ritterromantik Mode war, mit vielen Zinnen und Türmen wieder aufgebaut.

Bingen Burg Klopp, das Wahrzeichen Bingens, das die Stadt beherrschend überragt, ist ab der Schloßbergstraße ausgeschildert. Der Bergfried der Anlage ruht auf römischen Fundamenten, und wahrscheinlich ist auch der 52 m tiefe Brunnen aus dieser Zeit. 1105 mußte Kaiser Heinrich IV. vor seinem Sohn, Heinrich V., fliehen. Er wurde jedoch festgenommen, und seine Gefangenschaft soll auf dieser Burg begonnen haben. 1689 wurde die Anlage von den Franzosen zerstört. Der Kaufmann Ludwig Cron ließ sie 1875 von Eberhard Soherr im rheinischen Burgenstil wieder aufbauen. Der Bergfried, in neugotischem Gewand, enthält ein Heimatmuseum, in dem u. a. eine Gläser- und Münzsammlung, Waffen und Rüstungen ausgestellt sind.

ℹ️ Heimatmuseum in der Burg Klopp: Di–So 9–12, 14–17 Uhr (Ostern–Oktober).

Mäuseturm Vom Ufer aus sieht man den bei Bingen auf einer Klippe im Rhein strategisch günstig gelegenen Mäuseturm. Im 13. Jh. errichteten ihn die Mainzer Erzbischöfe in Verbindung mit der gegenüberliegenden Burg Ehrenfels als Wach- und Zollturm. Der Sage nach hat sich der habgierige Erzbischof Hatto aus Mainz, der trotz einer Hungersnot Getreide hortete, hier vor einer riesigen Mäuseschar verbergen wollen. Doch er wurde eingeholt und aufgefressen. Im 14. Jh. wurde der Turm, den man nur von den Rheinufern aus anschauen kann, noch ausgebaut und 1855 im neugotischen Stil wiederhergestellt.

Burg Reichenstein Die Anlage entstand im 11. Jh. auf Betreiben der Äbte des Klosters Cornelimünster bei Aachen, die ihre reichen Besitzungen schützen wollten. Sie setzten ab 1241 die Herren von Hohenfels als Vögte ein. Nach wechselvollem Schicksal wurde die Burg 1689 von den Franzosen zerstört, und erst im 19. Jh. bauten betuchte Privatleute sie großzügig wieder auf. Heute befindet sich in der Vorburg der auf einem Fels thronenden Feste ein Hotel. Aus dem Mittelalter ist die gewaltige, bis zu 16 m hohe und bis zu

Burg Reichenstein *Die kompakten Mauern dieser Burg (links), die von Zinnen bekrönt sind, vermitteln eindrucksvoll eine Vorstellung von der Wehrhaftigkeit solcher mittelalterlichen Anlagen.*

Mäuseturm bei Bingen *Wo der Rhein sich fast rechtwinklig nach Norden wendet, steht dieser ehem. Zollturm (unten). Dahinter liegt die Burg Ehrenfels, die zusammen mit dem Mäuseturm errichtet wurde.*

8 m starke Schildmauer erhalten. Das Innere der Burg, die im Ort ausgeschildert ist, birgt eine Bibliothek und eine reichhaltige Sammlung von Ofenplatten und Geweihen. Eine besondere Attraktion ist ein ausgestopfter Elchkopf, den einst der russische Großfürst Nikolai Nikolajewitsch dem mit ihm befreundeten Besitzer der Burg schenkte.
ℹ Besichtigung täglich 9–18 Uhr (März–Mitte November).
Burg Sooneck Auf dem äußersten Vorsprung des Soonwalds über dem Rhein erhebt sich die Burg, die die Vögte der Abtei Cornelimünster im 11. Jh. errichten ließen. Die Übergriffe der Burgherren führten im 13. Jh. dazu, daß die Burg vom Rheinischen Städtebund geschleift wurde. Endgültig verwüsteten die Franzosen 1689 die Anlage. 1834–1845 ließ der Kronprinz von Preußen sie jedoch erneut wieder aufbauen. Sooneck mit seinem Bergfried auf der Angriffsseite ist im baulichen Kern mittelalterlich. Im Osten steht ein Wohnbau mit Erkertürmchen; ein Treppenaufgang verbindet die Vorburg mit einem weiteren Turm. Das Innere der Burg, die an der Straße von Trechtinghausen nach Niederheimbach ausgeschildert ist, enthält Möbel des Empire und der Biedermeierzeit.
ℹ Besichtigung Di–So 9–13, 14–18 Uhr (April–September), sonst bis 17 Uhr, Dezember geschlossen.
Bacharach Burg Stahleck, prächtig über dem Ort gelegen, war einst kurkölnischer Besitz. Die vom Erzbi-

Den Rhein entlang
Von Bingen aus führt die Tour am linken Rheinufer entlang bis nach Koblenz, wo man den Fluß überquert. Ab Burg Sayn geht es auf der rechten Rheinseite zurück bis Eltville.

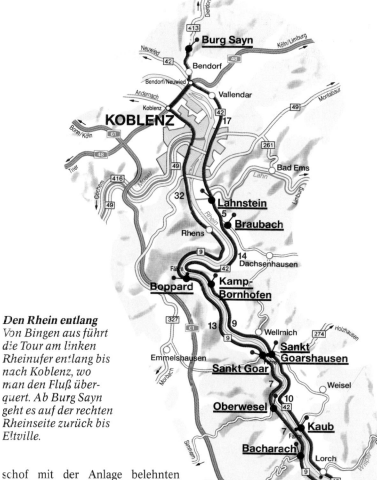

schof mit der Anlage belehnten Vögte versuchten allerdings, den Einfluß des Erzbistums zu schmälern. Einer von ihnen, Graf Hermann von Stahleck, war mit einer Schwester des Königs Konrad III. verheiratet und wurde von diesem zum Pfalzgrafen erhoben. Sein Nachfolger Konrad von Hohenstaufen erhielt von Kaiser Barbarossa Land hinzu und schuf damit das Herrschaftsgebiet der Pfalz bei Rhein, ein bedeutendes Territorium in der Hand der Staufer. Diesen politischen Schachzug durchkreuzte jedoch eine Liebesgeschichte: 1194 vermählte sich auf Burg Stahleck heimlich Konrads Erbtochter Agnes mit Heinrich, einem Angehörigen des Geschlechts der Welfen und Sohn Heinrichs der Löwen, der dadurch 1195 die Pfalzgrafschaft erbte. Auch Stahleck wurde 1689 von den Franzosen zerstört.
Dem wassergefüllten Halsgraben und der Schildmauer, die im 14. Jh. entstand, folgen gestaffelt der Bergfried, der ursprünglich aus dem 12. Jh. stammte und 1965 wieder aufgebaut wurde, und der Palas – beide werden heute als Jugendherberge genutzt. Im Süden der Burg, die von außen besichtigt werden kann, bietet sich ein herrlicher Blick über den Rhein.

Oberwesel Die im Ort ausgeschilderte Schönburg bei Oberwesel ist eine umfangreiche Anlage mit einer mächtigen Schildmauer. 1149 war sie im Besitz des Hermann von Stahleck, später gehörte sie dem Erzbischof von Magdeburg, dessen Burggrafen und Vögte die Reichsministerialen von Schönburg waren. Im 14. Jh. wurde die Burg erweitert und weiter unterteilt. Spanier besetzten sie im 17. Jh., anschließend wurde sie von Schweden bestürmt und 1689 von Franzosen endgültig zerstört.
Die Burg wurde ab 1885 zu großen Teilen wieder aufgebaut und wird heute als Hotel genutzt. Die das Gesamtbild beherrschende Schildmauer aus dem 14. Jh., über die oben

ein breiter Wehrgang führt, bietet ein eindrucksvolles Beispiel für mittelalterliche Wehranlagen. Die Aufteilung des Baukomplexes in drei Teile, ein Zeugnis aus ihrer Zeit als Ganerbenburg, ist noch deutlich erkennbar.
Sankt Goar Über Sankt Goar erhebt sich die gewaltige Burgruine Rheinfels, die 1245 von Dieter von Katzenelnbogen erbaut wurde. Der Rheinische Städtebund belagerte sie 1255–1256 über 66 Wochen lang mit Unterstützung von 26 Städten. Doch die bereitgestellten 8000 Fußknechte und 50 bewaffneten Schiffe konnten sie nicht einnehmen. Die Burg wurde in den folgenden zwei Jahrhunderten von den Grafen von Katzenelnbogen zur Residenz ausgebaut und bildete den kulturellen Mittelpunkt regen höfischen Lebens. 1479 fiel sie an die Landgrafen von Hessen und wurde Ende des 18. Jh. von den Franzosen zerstört.
Auf die älteste Anlage weisen der Grundriß der Kernburg und der Stumpf des Bergfrieds. Im 14. Jh. entstanden die Frauenbau (Nord-

bau), weitere Wohngebäude und die Schildmauer, die von zwei Türmen begrenzt wird. Von der später noch weiter ausgedehnten Anlage ist nur noch etwa ein Drittel sichtbar, der Rest ist unter der Erde verborgen.
ℹ Besichtigung 9.30–12, 13–17.30 Uhr (April–Oktober).
Boppard Die wuchtige Stadtburg Boppard, eine Vierflügelanlage mit Innenhof, wurde Anfang des 14. Jh. von Erzbischof Balduin von Trier errichtet. Der Bergfried im Hof entstammt noch der Gründungszeit. Er birgt die Kapelle mit Fresken aus der zweiten Hälfte des 14. Jh. Außerdem weist er einen Konsolenfries mit aneinandergereihten Gußerkern auf. Die restlichen Bauten der Burg-

anlage wurden im 17. Jh. umgestaltet. Heute ist hier ein Heimatmuseum untergebracht, in dem u. a. sakrale Kunst und wertvolle Möbel ausgestellt sind.

ℹ️ Stadtburg mit Heimatmuseum, Burgstraße: Di–Fr 10–12, 14–17, Sa 10–12, So 14–17 Uhr (April–Oktober).

Burg Sayn Die Burg in Biendorf wurde im 12. Jh. von den Grafen von Sayn gegründet und blieb bis 1606 Stammsitz, als die Sayner Linie erlosch und der Besitz zu Kurtrier kam. 1849 gelangte die Burg nach häufigem Besitzerwechsel in die Hände des Fürsten Sayn-Wittgenstein-Sayn. Ein Nachkomme dieser Linie ließ die Ruine 1978–1984 teilweise wiederherstellen. Nach einem rund 15 Minuten dauernden Fußweg durch einen Wildpark erreicht man die obere Burg, der zwei Anlagen vorgelagert sind. Die Reste der romanischen Burgkapelle zeigen einen reichen, in seinen Formen außergewöhnlichen Schmuckfußboden aus Tonplatten in verschiedenen Grautönen. Seit 1987 befindet sich im Bergfried eine Turmuhrenausstellung.

ℹ️ Besichtigung täglich 11–18 Uhr (Ostern–November); Turmuhrenmuseum: täglich 14–17 Uhr (Ostern–November).

Lahnstein Über Rhein und Lahn liegt die eindrucksvolle Burg Lahneck, die man von Oberlahnstein aus erreicht. Als nördlichste Festung des Erzbistums Mainz war sie oft bedrängt. Im 17. Jh. wurde sie erst von den Schweden, dann den kaiserlichen Heeren, trierischen und würzburgischen Truppen und zuletzt von den Franzosen besetzt und zerstört. Erst im 19. Jh. wurde die verfallene Anlage im Stil der Neugotik wieder aufgebaut.

Durch ein spitzbogiges Tor, das im 15. Jh. entstand, gelangt man in den äußeren Burggraben. Am Innenhof befinden sich die Kapelle von 1386, die wertvolle Glasmalereien aus der Zeit um 1400 birgt, der Palas aus dem 19. Jh. und der Bergfried, in dessen Erdgeschoß früher das Verlies war. Das Innere der Burg enthält wertvolle Gemälde sowie Möbel aus dem 17. Jh.

ℹ️ Besichtigung und Führungen täglich 10–17 Uhr (Ostern–Oktober).

Braubach Die sehr gut erhaltene Marksburg entstand wohl um 1100 und war 1231 als pfälzisches Lehen Besitz der Herren von Eppstein, die die romanischen Bauteile errichteten, nämlich den Palas und den Kapellenturm, die beide durch Wehrmauern Verbindung hatten. 1283 kam die Burg an die Grafen von Katzenelnbogen, die sie mit dem Saal-

bau, Zwingern und Ringmauern gotisch ausbauten. 1479 erbten die Landgrafen von Hessen die Burg. 1900 schließlich kaufte sie die Deutsche Burgenvereinigung, die sie instand setzte und noch heute besitzt und betreut.

Die herrlich auf einem steilen Schieferfelsen gelegene Marksburg, die einzige unzerstörte Höhenburg am Mittelrhein, veranschaulicht mit ihrem Bergfried und Saalbau aus dem 14. Jh., dem später errichteten Geschützhaus, den Bastionen und den Batterien eindrucksvoll das Aussehen einer einstigen Wehranlage und gewährt einen guten Einblick in die Wohnverhältnisse auf einer Burg. Eine Fachbibliothek, die Dokumentation zur Burgenkunde und ein mittelalterlicher Kräutergarten machen sie zu einem anschaulichen Museum ritterlichen Lebens. Erhalten sind auch eine Kapelle, die Schmiede, die Reitertreppe, der Pferdestall, Küche, Kemenate, Rittersaal und Weinkeller, dazu eine Sammlung von Waffen und Rüstungen. In der historischen Burgküche kann man stilechte Rittermahle einnehmen. Außerdem findet auf der Marksburg der Verkauf originaler mittelalterlicher Handschriften statt.

ℹ️ Besichtigung täglich 10–17 Uhr (Ostern–Oktober), sonst 11–16 Uhr.

Kamp-Bornhofen Oberhalb des Ortes stehen die sagenumwobenen „Feindlichen Brüder", die zugänglichen Ruinen der Burgen Sterrenberg und Liebenstein, die aufgrund von Familienstreitigkeiten zu ihrem Namen kamen. Die Herren von Bolanden erhoben hier Rheinzoll, denn Sterrenberg war ihre Lehnsburg. 1315 erwarb Erzbischof Balduin von Trier die Feste, die rund 250 Jahre später verfiel. 1968–1978 wurde sie durch das Amt für Denkmalpflege gesichert und teilweise wieder aufgebaut. Die Burg, die auf einer steilen Felsspitze ruht, besitzt eine äußere Schildmauer mit Wehrgang und Treppenaufstieg, die auch die Außenwand eines Gebäudes bildete. Die innere Schildmauer ist wohl romanischen Ursprungs. Der Bergfried steht auf einem viereckigen Felsklotz, der beim Einebnen des Bauplatzes ausgespart blieb.

Über Sterrenberg liegt malerisch die Burg Liebenstein. Im 13. Jh. entstanden, blieb sie bis 1587 bewohnt. Die Reste des Bergfrieds aus dem 13. Jh. stehen wie bei der Burg Sterrenberg auf einem beim Planieren ausgesparten Felsblock. Der wehrhafte gotische Wohnturm des 14. Jh. wurde zur Gaststätte ausgebaut.

Sankt Goarshausen Über dem Ortsteil Wellmich ragt Burg Maus, wie sie spöttisch im Hinblick auf die

Pfalzgrafenstein bei Kaub Ein mächtiges Fallgatter verschloß einst bei Gefahr die Tür dieses ehem. Zollturms, die wegen des häufig angestiegenen Rheinpegels erhöht angebracht worden war (oben).

Marksburg über Braubach Mit mächtigen Kanonen wie diesem Zwölfpfünder aus dem 17. Jh. (rechts) wurden die Burgen verteidigt. Heute kann man bei einer Burgbesichtigung diese einst schlagkräftigen Waffen bestaunen.

starke Machtposition der Grafen von Katzenelnbogen in der Gegend von Sankt Goar genannt wurde. Erzbischof Kuno von Falkenstein, der die im Bau befindliche Burg von Erzbischof Boemund von Trier übernahm, vollendete das Bauwerk im 14. Jh. Anfang des 20. Jh. wurde die auf steilem Fels gelegene, nahezu quadratische Anlage der Burg Maus wiederhergestellt. Sie ist im Osten durch eine Schildmauer geschützt, in die der Bergfried eingebaut ist. Ein Palas und ein mehrstöckiger Wohnturm gehören noch zum Burgkomplex, der heute einen historischen Falken- und Adlerhof beherbergt.

Die Stadt wird deutlich überragt von der Burg Katz, der Gegenspielerin der Burg Maus. Burg Katz, eigentlich Neu-Katzenelnbogen, wurde auf einer vorgeschobenen Felskuppe von den Grafen gleichen Namens vor 1371 errichtet. Nach dem Erlöschen dieses Geschlechts kam sie 1479 an Hessen, 1806 wurde sie von den Franzosen gesprengt. Ende des vorigen Jahrhunderts restaurierte man die Anlage, deren Burghof und Turm man besichtigen kann, in Anlehnung an alte Pläne. Der Bergfried zeigt Gewölbe im Erdgeschoß. Der mächtige Palas, das Hauptwohngebäude, wird durch vier runde Ecktürme verstärkt.

Burg Katz über Sankt Goarshausen Hoch über dem Fluß erhebt sich auf einem Felsen die Burg Katz. Ihr Bergfried, der innere Hauptturm, tritt wenig vor die Ringmauer vor. Auf der Seite zur Rheinebene steht das Hauptwohngebäude, der Palas, der durch schlanke Ecktürme verstärkt ist.

ⓘ Burg Maus, historischer Falken- und Adlerhof: Besichtigung täglich 10–18 Uhr; Vorführungen der Greifvogelzucht: 11, 14.30 und 16.30 Uhr (April–September).

Kaub Über der Weinbaustadt erhebt sich Burg Gutenfels, so genannt, weil sie 1504 einer langen Belagerung standhielt. Während des Dreißigjährigen Krieges hat sich König Gustav Adolf hier aufgehalten. Ein spanischer Friedhof erinnert an die spanische Besetzung im 17. Jh. Die Burg, heute ein Hotel, ist außer für Hotelgäste nur vom Rheintal aus zu besichtigen.

Wie ein Schiff erhebt sich der trutzige Pfalzgrafenstein auf einer Felsklippe mitten im Rhein. König Ludwig der Bayer ließ den fünfeckigen Zollturm im 14. Jh. errichten. Um 1340 entstand die Wehrmauer um den Turm, 1607 die Bastion an der Südspitze. Bekannt ist der Rheinübergang Marschall Blüchers in der Silvesternacht 1813/1814, der an dieser Stelle stattfand. Der Pfalzgrafenstein hat den Grundriß eines Brückenpfeilers. Seine Ringmauer umschließt einen kleinen

Hof, in dem sich der Bergfried befindet.

ⓘ Pfalzgrafenstein: Besichtigung bei normalem Rheinpegel (Fähre von Kaub) und mit Führung täglich 9–13, 14–18 Uhr (April–September), sonst 9–13, 14–17 Uhr, am ersten Werktag der Woche und im Dezember geschlossen.

Burg Ehrenfels Majestätisch erhebt sich die Burg, jetzt eine malerische

Ruine, inmitten von Weinbergen über dem Binger Loch. Im Auftrag der Bischöfe von Mainz wurde sie von Philipp von Bolanden 1211 erbaut. 1356 wurde sie erzbischöfliches Hoflager. Die Bergseite der offenen Ruine, die man von der Obergasse in Rüdesheim in einem etwa einstündigen Fußmarsch erreicht, schützt eine starke Schildmauer mit kräftigen Ecktürmen, deren Unter-

bau im 13. Jh. und deren Oberbau Mitte des 14. Jh. entstand. An der Rheinseite stehen noch Teile des Palas.

Eltville Anstelle einer älteren Anlage ließ Erzbischof Balduin von Trier, damals der Verweser von Kurmainz, hier 1330 die Burg errichten. Wie in anderen bischöflichen Städten versuchten die Bürger von Mainz, ihre Stellung gegenüber den Kirchenfürsten zu stärken. Wegen dieser Streitigkeiten wurde Eltville 1345–1480 Hauptresidenz der Bischöfe von Mainz. Die viereckige Stadtburg liegt herrlich am Rhein. Der wohnturmartige Bergfried birgt gotische Kamine mit Wappen, Wandschränke und Malereien aus dem 14. Jh. (Rankenwerk mit Papageien). Das Gutenbergmuseum, das an Gutenbergs Ernennung zum Hofdienstmann 1465 erinnert, zeigt eindrucksvoll Entstehung und Verbreitung der Buchdruckerkunst.

ⓘ Kurfürstliche Burg Eltville: Di–So 9.30–19 Uhr (Mai–September), sonst Di–So 10.30–17 Uhr, Januar geschlossen.

Mittelalterliche Küche

Die Burgküchen in der Zeit des Rittertums waren wie die hier abgebildete in der Marksburg recht einfach eingerichtet. Herzstück des Raumes war der große Kamin, an dem Haken befestigt waren, in die man Kessel für Suppe oder Schwenkgrills für Fisch und Fleisch einhängen konnte. Der Speiseplan der Burgbewohner war im Alltag oft karg, und man ernährte sich von Hafermehl, Brot, Zwiebeln, Erbsen, Stockfisch, Heringen, Eiern, Käse und saurem Wein. An Festtagen jedoch oder wenn Gäste am Essen teilnahmen, tischte der Koch alles auf, was er an frischen oder in Salz konservierten Leckerbissen zu bieten

hatte. Da gab es beispielsweise Eiersuppe mit Safran, Quark mit Pfeffer, kleine gebackene Vögel, gebratene Gänse, Wildbret und Eierkuchen, und man trank dazu mit Honig und Kräutern angereicherten Wein.

Leuchtende Symbole der Macht

Die Politik Kaiser Friedrich Barbarossas, seine Macht im Reich durch ein Netz von Pfalzen, Reichs- und Ministerialburgen zu festigen, führte im 12. Jh. auch im Taunus und Westerwald zu einer Reihe von Burggründungen. Sie dienten nicht nur der Verteidigung und Verwaltung, sondern waren mit ihren hohen Bergfrieden und mächtigen Mauern auch weithin sichtbare Symbole der Herrschaft, die – wie etwa Burg Münzenberg – oft auf Fernwirkung angelegt waren.

Kronberg im Taunus Die Anlage der Burg Kronberg krönt das eindrucksvolle Bild der Stadt. Zu Anfang des 13. Jh. errichteten sie die Reichsministerialen von Eschborn und nannten sich fortan nach ihr. Sie trugen manchen Streit mit der Stadt Frankfurt aus. 1389 erlitt ein Frankfurter Heer von 2000 Mann eine schwere Niederlage gegen die Kronberger. Ein Gemälde, vermutlich aus der Mitte des 16. Jh., im heutigen Burgmuseum stellt diese Schlacht dar. 1891 erwarb Kaiser Wilhelm II. die verfallene Burg und schenkte sie seiner Mutter Viktoria, die sie erneuern ließ. In der Unterburg birgt der Chor der 1342 geweihten Burgkapelle einige bemerkenswerte Grabmäler der Herren von Kronberg. Die Mittelburg am westlichen Hang des Burgbergs wurde ab dem 14. Jh. errichtet. Ihr Inneres enthält sehenswerte Räume, z. B. die Küche mit Rauchfang auf Steinsäulen und Schöpfbrunnen mit Radaufzug. Die auf dreieckigem Grundriß errichtete Oberburg beherrscht der Bergfried aus der ersten Hälfte des 13. Jh. mit einem Aufsatz von 1500. ⓘ Wegen Renovierung bleibt das Burgmuseum bis auf weiteres geschlossen; Öffnungszeiten der Burg zu erfragen unter Tel. 06173/79956.

Königstein im Taunus Selbst als Ruine wirkt die mächtige Wehranlage der Burg Königstein über der Stadt noch beeindruckend. Wahrscheinlich gründete sie der Reichskämmerer Kuno I. von Münzenberg (1166–1207) zur Sicherung der Reichsstraße von Frankfurt nach Köln. 1581 fiel die Anlage an den Erzbischof von Mainz, der sie zur kurmainzischen Landesfestung aus-

Burg Münzenberg *An der Ruine des Palas (12. Jh.) ist u. a. dieses Arkadenfenster erhalten (links, Text Seite 199).*

Schloß Diez *Auf einem Fels über der Lahn erhebt sich der einstige Sitz der Grafen von Diez (links oben).*

Burg Eppstein *Der runde, 24 m hohe Bergfried (14. Jh.) mit viereckigem älterem Unterbau maß ursprünglich 33 m (oben).*

baute. In den Revolutionskriegen sprengten die Franzosen die Festung (1796). Bis in die Mitte des 19. Jh. diente die Ruine als Steinbruch. Ein Lageplan vor Ort hilft den Besuchern, die Teile zu bestimmen, die erhalten blieben. Der Unterbau des 34 m hohen quadratischen Bergfrieds geht auf die staufische Zeit zurück. Er ist Bestandteil der Kernburg, einer Vierflügelanlage um einen rechteckigen Hof. Der Torweg im Westflügel, die Burgkapelle, der Palas mit zwei Eckrundtürmen, der Ostflügel und der Nordtrakt stammen aus dem 14. und 15. Jh. Ein Modell der Festung Königstein im Zustand von 1792 ist im Stadtmuseum im Alten Rathaus zu bewundern.

ℹ Stadtmuseum, Altes Rathaus: Sa 15–18, So 10–12, 15–18 Uhr.

Eppstein Auf einem Bergrücken zwischen zwei Bachtälern wurde die Burg Eppstein um 1100 als Reichsburg gegründet. Sie sollte den dortigen Taunusübergang sichern. Etwa ab 1185 erhielten die Herren von Hainhausen, die sich nun nach der Burg nannten, die Anlage als Lehen vom Erzbischof von Mainz. Sie wurde schnell zum Mittelpunkt einer der wichtigsten Herrschaften im Rhein-Main-Gebiet: Im 13. Jh. stellten die Eppsteiner vier Mainzer Erzbischöfe.

Zu Anfang des 19. Jh. wurden große Teile der Burg abgetragen; lediglich ein Flügel, das sogenannte Mainzer Schloß, das 1765–1903 als katholische Kirche diente, blieb vollständig erhalten. Hier ist heute das Heimatmuseum untergebracht, das die Geschichte von Stadt und Burg dokumentiert. Aus dem 14. Jh. stammen die Mauerreste des Palas, die hohe Schildmauer im Norden und die Zwingeranlage. Von ihren beiden Flankentürmen ist nur der „Bettelbub" erhalten, der einst als Schuldgefängnis diente.

ℹ Burg Eppstein: täglich 8.30–12, 14–18 Uhr (April–Oktober), sonst täglich 11–13, 14–16 Uhr.
Heimatmuseum: Sa 14–17, So 11–12, 14–17 Uhr (April–Mitte Oktober).

Burgschwalbach Über dem Ort erhebt sich eine der besterhaltenen Burgen im Taunus. Graf Eberhard von Katzenelnbogen ließ die Anlage 1368–1371 errichten. Die Kernburg hat einen fast regelmäßigen fünfeckigen Grundriß. An der Angriffsseite erhebt sich eine mächtige Schildmauer mit dem 39 m hohen, runden Bergfried, von dessen Zinnen man die herrliche Aussicht genießen kann. Der enge, innere Hof des Fünfecks ist von Räumen mit Kreuzgewölben umgeben, zum Tal hin ist der Palas angeschlossen. Die

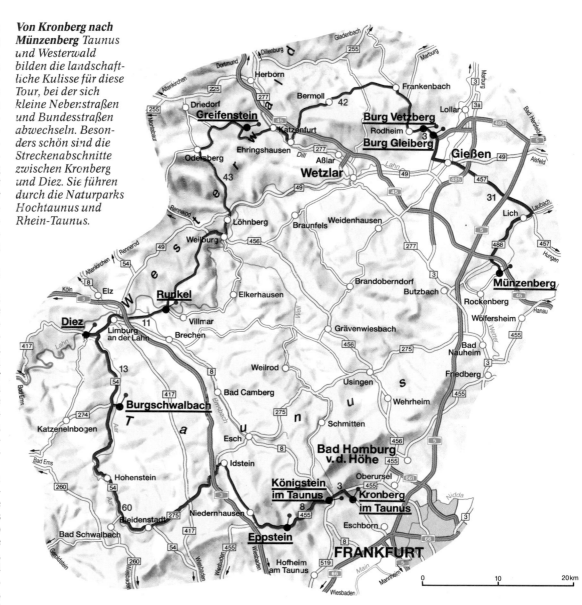

Von Kronberg nach Münzenberg Taunus und Westerwald bilden die landschaftliche Kulisse für diese Tour, bei der sich kleine Nebenstraßen und Bundesstraßen abwechseln. Besonders schön sind die Streckenabschnitte zwischen Kronberg und Diez. Sie führen durch die Naturparks Hochtaunus und Rhein-Taunus.

westlichen Außenecken dieses eleganten, mit einem Rundbogenfries und Zinnen geschmückten Baus werden von zwei Ecktürmchen mit Kegeldächern flankiert. Unter dem 1973–1974 erneuerten Walmdach befindet sich ein mächtiges Tonnengewölbe, das man als frühe Sicherung gegen Feuerwaffen deuten kann. Der Palas beherbergt heute eine Gaststätte. Eine vieleckige Ringmauer umschließt die Kernburg.

ℹ Burg Burgschwalbach: Di–So 9–13, 17–18 Uhr (April–September), 9–13, 14–17 Uhr (Oktober, November).

Diez Die Grafen von Diez, welche die ursprüngliche Burganlage vor 1073 erbauten, starben 1386 aus. Nach mehreren Besitzerwechseln wurde Schloß Diez ab 1607 Sitz der sogenannten ottonischen Linie des Geschlechts der Grafen und späteren Fürsten von Nassau-Dillenburg, die im 19. Jh. den Thron der Nieder-

lande bestiegen. 1784–1927 war es Zuchthaus und dient jetzt als Jugendherberge und Heimatmuseum. Zahlreiche Exponate erinnern an die Nassau-oranischen Fürsten. Ein Renaissancetorbau von 1581 führt zum großen Hof mit Bauten des 16.–18. Jh. Im anschließenden kleinen Hof stößt man auf den Bergfried mit unregelmäßig viereckigem Grundriß. Sein unterer Teil stammt wahrscheinlich aus dem 11. Jh., wofür das kleine, fast regelmäßige Format der Steine spricht. Der sich anschließende Palas wurde zu Anfang des 14. Jh. errichtet.

ℹ Heimatmuseum im Grafenschloß Diez: So 10–13, Do 19–21 Uhr (Mai bis September).

Runkel Mächtig und wehrhaft überragt die Burg das malerische Lahnstädtchen. Vor 1159 errichteten die Herren von Runkel wohl auf Geheiß des Kaisers zum Schutz des Lahnübergangs und vergrößerten sie

ab dem 14. Jh. Von ihnen stammen die Fürsten von Wied ab, die hier noch immer einen Sitz haben. 1634 brannten die Kroaten die Burg nieder. Ab 1640 wurden die Wohngebäude wiederhergestellt; die Kernburg blieb Ruine. Eine gewaltige, bis zu 6 m dicke Schildmauer von 45 m Länge und drei wuchtige Türme sicherten die Kernburg. Der mittlere, der Bergfried aus der ersten Hälfte des 13. Jh., zeigt mit einer Spitze zur westlichen Angriffsseite. Nördlich schließt sich der Palas mit seinem Staffelgiebel an. Auf der Bergseite entstanden im 14. Jh. in rechtem Winkel zur Kernburg die drei Flügel der Unterburg mit Wohn- und Wirtschaftsgebäuden. Im Burgmuseum werden u. a. Kriegs- und Jagdwaffen, Rüstungen und historischer Hausrat gezeigt.

ℹ Burg mit Museum: Führungen täglich 10.30, 11, 14.30, 16, 17 Uhr (Ostern–September).

Greifenstein Weit über die Hochfläche des Westerwalds und das Tal der Dill grüßt der charakteristische Doppelturm der Burg Greifenstein. Die Herren von Beilstein verlegten bald ihren Sitz hierher, nachdem sie um 1227 durch die Grafen von Nassau aus ihrer Stammburg verdrängt worden waren. 1298 zerstörten die Nassauer die Burg; ab 1382 stellte sie Graf Johann von Solms-Burgsolms wieder her. Aus dieser Zeit stammt die gewaltige Schildmauer mit den beiden starken Rundtürmen und dem kurzen Zwischenstück. Der westliche Turm wird von einer mit Schieferplatten gedeckten Steinkuppel überwölbt, den östlichen, auf dessen Spitze ein Greif als Wetterfahne dient, schließt ein Zeltdach aus Schiefer ab. Der bekannte Festungsbaumeister Graf Wilhelm I. von Solms-Greifenstein baute die Burg Anfang des 17. Jh. zur Festung aus. Unter anderem verstärkte er den äußeren Bering aus dem 15. Jh. durch Batterietürme. In einem davon, der „Roßmühle", einer starken, ovalen Bastion, ist heute das Deutsche Glockenmuseum mit 30 Glocken aus neun Jahrhunderten untergebracht.

Ende des 17. Jh. begann die Burg zu verfallen. Sie wird seit 1970 vorbildlich wiederhergestellt; das Ortsmuseum auf ihrem Gelände dokumentiert die Geschichte der Burg und der ehem. Stadt Greifenstein.

🛈 Burg Greifenstein mit Orts- und Glockenmuseum: täglich 9.30–12, 13.30–18 Uhr (April–Oktober), sonst So und feiertags 14–17 Uhr.

Burg Vetzberg Zwei stattliche Burgberge beherrschen die ausgedehnte Ebene zwischen Lollar, Gießen und Wetzlar. Die 1152 erstmals erwähnte Burg Vetzberg war eine Vorburg der Burg Gleiberg, sie wurde durch deren Vögte verwaltet (daher ihr Name). Ab dem 18. Jh. verfiel die Anlage. Markantester Rest der Ruine über dem Biebertaler Ortsteil Vetzberg ist der runde Bergfried aus dem 12. Jh. Vom Palas sind Mauern erhalten, an seiner Ostwand ein Kaminrest.

Burg Gleiberg Gleiberg, die einstige, südöstlich vor der Verteidigungsanlage gelegene Burgsiedlung, gehört heute zur Stadt Wettenberg. Die Burg war im 11. und 12. Jh. Besitz der Grafen von Gleiberg aus dem Haus Luxemburg. Die Schildmauer der Oberburg geht auf das 14. Jh. zurück. Ihr runder, 30 m hoher Bergfried stammt wohl aus dem 12. Jh. Sein alter Eingang zeigt im Boden der Türnische ein Loch zum Verlies, das einst durch eine Falltür geschlossen war. Westlich vom Bergfried stehen Reste eines quadratischen Turms (11. Jh.). Der Palas wurde im 15. Jh. erweitert; er birgt die Reste einer Kapelle (um 1230) mit erhaltenen Knospenkapitellen. Die Wehrmauer stammt aus dem 14. Jh.; im Westen und Norden ist ein Zwinger mit Ecktürmen vorgelagert (um 1498). 1646 wurde die Oberburg zerstört. Die Unterburg dient heute als Gaststätte.

Münzenberg „Wetterauer Tintenfaß" nennt der Volksmund die Ruine der Burg Münzenberg wegen der charakteristischen Form ihrer beiden mächtigen Rundtürme. Kuno I. von Hagen, der sich ab 1165 „von Münzenberg" nannte und Reichskämmerer Barbarossas war, erbaute die Anlage 1153–1165 auf Veranlassung des Stauferkaisers. Burg Münzenberg diente mehr der Repräsentation als der Verteidigung. Sie wurde vor allem auf Fernwirkung hin errichtet: Die Burgmauer wurde durch überdimensionierte Zinnen gegliedert, die militärisch fast nutzlos waren. Die gewaltigen gelben Buckelquadersandsteine leuchten weithin, und der östliche Turm wurde kurz nach Baubeginn um 4 m verschoben, um eine bessere optische Wirkung zu erzielen. Weiß verputzt und mit grausilbrigem Schiefer gedeckt, bot er einst einen imposanten Anblick. Ein Dach aus roten Ziegelplatten besaß der reichverzierte romanische Palas, dessen Obergeschosse durch eine Freitreppenanlage (Reste im Westteil erhalten) zugänglich waren. Die prächtige Schauseite ist noch teilweise erhalten; kunstvolle Fensterarkaden und Kleeblattbogenportale zeugen vom einstigen Glanz. Mitte des 13. Jh. zerstört, wurde die Burg um 1300 wieder aufgebaut, insbesondere durch die Herren von Falkenstein. Aus dieser Bauperiode stammen das Obergeschoß des östlichen Bergfrieds, der Westturm und der zweite Palas im Norden, von dem u. a. eine bemerkenswerte Dreiergruppe von frühgotischen Fenstern erhalten ist. Die Falkensteiner vermauerten auch die breiten Zinnen der Ringmauer.

🛈 Burg Münzenberg: täglich 10–12, 13–18 Uhr (April–Oktober).

Burg Kronberg
Der Blick durch das Guckfenster des Eingangstors fällt auf den stark erneuerten Rundturm der Unterburg. Sie bot einst der Bevölkerung Kronbergs Schutz bei Gefahr. Im Hintergrund erhebt sich der Viereckturm der Mittelburg aus dem 15. Jh.

Trutzige Zeugen aus Stein

Im Land zwischen Main und Rhön entstanden ab dem 11. Jh. zahlreiche Burgen. Obwohl viele im Lauf der Geschichte bei kriegerischen Auseinandersetzungen oder von Wind und Wetter zerstört wurden, erinnern ihre malerischen Ruinen noch heute an die Zeit im Mittelalter, als starke Mauern der einzige Schutz vor anrückenden Feinden waren. Sogar Kirchen wurden befestigt und boten als Kirchenburgen wie in Ostheim v. d. Rhön den Bauern der Umgebung Zuflucht.

Stadtprozelten Die geschlossene, wuchtige Burgruine hoch über dem Main war Anfang des 12. Jh. Sitz der Herren von Prozelten. Der Deutschritterorden erwarb sie um 1320 und baute die Burg, die an drei Seiten durch Steilhänge gesichert ist, im 14. und 15. Jh. gotisch aus. Der Palas hatte seine Haupträume im dritten Geschoß. Die spitzbogige Fenstergruppe im Norden deutet auf eine Kapelle hin. Das große Wohn- und Wirtschaftsgebäude im Westen, das vor 1484 entstand, weist nach außen eine schildmauerartige Wand auf, die die beiden Bergfriede verbindet.

Wertheim Die Grafen gleichen Namens errichteten Anfang des 12. Jh. hoch über dem Main- und Taubertal ihre Burg, die im Lauf der Zeit zu einer der gewaltigsten in Deutschland anwuchs. Ende des 16. Jh. erlangten die Herren von Löwenstein hier die Macht. Die in rotem Sandstein errichtete Hauptburg mit Bergfried, Kapelle und Palas entstand seit 1150, das obere Bollwerk jenseits der „Schlucht" um 1380. Die Burg baute man im 15. und 16. Jh. zum Dynastensitz aus. 1634 wurde sie zerstört und verfiel bis auf Teile der Vorburg. Z. Zt. wird sie restauriert.

Rothenfels Mit der Begründung, wirksamen Schutz gewähren zu können, erbat sich der Klostervogt Marquart II. von Grumbach 1148 von der Abtei Neustadt die Erlaubnis, auf dem roten Felsen eine Burg für sich zu erbauen. Auf klostereigenem Grund über dem Maintal entstand so die heute noch gut erhaltene Burg Rothenfels, die später die Herren von Grumbach als Lehen übernahmen. Der Bergfried mit den schönen Buckelquadern, den man besteigen kann, geht auf die Gründungsanlage

Ostheim v. d. Rhön
Ein quadratischer, mit einer doppelten Ringmauer befestigter Kirchhof bildet das Gelände einer der größten Kirchenburgen in Deutschland (links), deren niedriger Turm die vier Ecktürme der Mauer überragt.

Trimberg Hoch auf einem steilen, bewaldeten Bergsporn thront über der Fränkischen Saale die einer Festung gleichende Burgruine (rechts), heute ein beliebtes Ausflugsziel.

Burgruine Wertheim Noch heute zeugen die gewaltigen Ruinen der Burg (links) von der einstigen Größe dieser Anlage, die zu Anfang des 12. Jh. entstand.

zurück, das Tor zur Kernburg stammt aus dem 16. Jh. 1919 übernahm der Bund Quickborn die Anlage, die man von außen besichtigen kann, und machte sie zu einem Zentrum der deutschen Jugendbewegung.

Gössenheim Weithin sichtbar auf einer Bergzunge liegt Burg Homburg, früher Mittelpunkt einer bedeutenden Herrschaft. Die rechteckige Hauptburg aus dem 11. Jh. wurde später, wie die gewaltigen Reste bezeugen, zu einer dreiflügligen Anlage mit kleinem Hof aus romanischer und frühgotischer Zeit ausgebaut, von einem schmalen Zwinger umgeben. Sie ist durch einen Graben von der Vorburg getrennt, die im Osten durch eine starke Ringmauer mit Türmen geschützt ist. Außerdem sind noch Reste von Wirtschaftsgebäuden und der gotischen Kapelle mit schönem Chor erhalten.

Trimberg Die mächtige Ruine der Trimburg beherrscht auf einem Bergsporn das Tal der Fränkischen Saale. Der Burgkomplex umfaßte drei Anlagen; die älteste ist die am höchsten gelegene Alte Burg, von der geringe Reste vorhanden sind. Die mittlere Hauptburg geht auf das 12. Jh. zurück. 1226 kam sie als Lehen an das Hochstift Würzburg, dessen Bischöfe sie zum Amtssitz machten und ausbauten. Die Kernburg aus dem 12. Jh. hat einen keilförmigen Grundriß. Die Angriffsseite schützt eine starke Schildmauer, die vor dem quadratischen Bergfried halbrund hervortritt.

ℹ Besichtigung So 13–18 Uhr (Mai–Oktober).

Bad Kissingen Burg Bodenlauben über der Stadt geht auf das 13. Jh. zurück. 1234 verkaufte sie der Minnesänger Otto von Bodenlauben an den Bischof Hermann von Würzburg. 1525 zerstörten sie die aufständischen Bauern. Die Burg, die sich auf einer ovalen Kuppe oberhalb der Stadt erhebt, besitzt zwei Bergfriede. Der südliche zeigt Kalksteinquader mit Randschlag und ist zum Teil erneuert, auch der nördliche weist schöne Buckelquader auf. Im Westen ist ein Stück der Ringmauer erhalten, und Fundamente von Innenmauern sind teilweise sichtbar.

Bad Neustadt a. d. Saale Die steil über dem Saaleufer gelegene Salzburg, im 11. Jh. vom Würzburger Bischof gegründet, war von Anfang an Ganerbensitz, wurde also eingeteilt in Anteile für verschiedene Familien. Eine 450 m lange Ringmauer aus dem 12. Jh. umgibt die Anlage. Sie ist mit Zinnen und vier Türmen bewehrt; einer davon dient als Tor. Die teilweise mit schönen Kaminen ausgestatteten Wohntürme entstanden im 13. Jh. Den Glanzpunkt der Anlage bildet

Von Stadtprozelten nach Gemünden
Vom Startpunkt der Tour am Main geht es, teilweise dem Flußlauf folgend, nach Gössenheim. Ab hier führt der Weg nordostwärts bis an die Rhön und dann zurück an den Main.

die sogenannte Münze, ein prächtiger Palas mit Treppengiebeln aus der Mitte des 13. Jh. Sehenswert sind auch seine frühgotischen Fenster mit den Spitzbogenarkaden. In der teilweise zugänglichen Ruine ist heute eine Gaststätte untergebracht.

Ostheim v. d. Rhön Die Kirchenburg ist eine der besterhaltenen und mächtigsten Burgen dieser Art in Deutschland. Um 1410 wird die Kirche erstmals erwähnt, aus dieser Zeit stammt auch die sie umgebende Befestigung. Sie war Zuflucht für die Bewohner der Ortschaft, die sich hier mit ihrer Habe in festen Kellern verbergen konnten. Eine doppelte Ringmauer umschließt den Kirchhof, die innere ist an jeder Ecke durch einen hohen Turm bewehrt und wird von einem Zwinger umgeben. Über dem malerischen Tor hat man die Wohnung des Küsters erbaut. An manchen der Gaden, die noch als Vorratskeller benutzt werden, findet man Inschriften aus dem 16. Jh.

Auch die nahe gelegene Ruine der Lichtenburg kann man besichtigen. Das Stift Fulda erwarb sie 1230. Während der Fehden des Fuldaer Abtes mit den Grafen von Henneberg und dem Bischof von Würzburg in der

ersten Hälfte des 14. Jh. wurde sie verstärkt und der große Turm angebaut. Die umfangreiche Anlage besitzt eine doppelte Ringmauer. Beachtenswert sind Reste der Kapelle und die Ruine des Palas mit hohem Ostgiebel und mächtigem Kamin. Die Kemenate dient heute als Gaststätte.

ℹ Kirchenburg: Führungen jeden Mi 11 Uhr und n. Vereinb., Tel. 0 97 77/4 37.

Schwarzenfels Von den Herren von Hanau Ende des 13. Jh. erbaut, ist die Burg heute ein beliebtes Ausflugsziel. Der langgestreckte Marstall in der Vorburg mit verschiedenartig gestalteten Fensterfronten wurde 1557 errichtet. In die frühere Schildmauer fügte man den Bergfried ein. Das prächtige Tor mit Wappen, Säulen und Reliefs stammt von 1621. Südlich stand die 1305 erwähnte Kapelle, deren Krypta erhalten ist.

ℹ Besichtigung Mo, Mi–So 9.30–18 Uhr (März–Oktober).

Gemünden Die Scherenburg, einst im Besitz der Grafen von Rieneck, ragt hoch über der Stadt und über der Mündung von Sinn und Fränkischer Saale in den Main. Die jetzige Anlage, deren Ringmauer sich in der Stadtbewehrung fortsetzt, wurde nach 1243 errichtet. Der Bergfried besteht aus Quadersteinen, in denen Zangenlöcher sichtbar sind. Die prächtige Kellerhalle des Palas aus dem 14. Jh., in der sich heute eine Gaststätte befindet, zeigt Kreuzgewölbe auf stämmigen Rundsäulen.

Zweikampf um den Sieg im Turnier

Die Zuschauer nehmen auf der Tribüne Platz und warten auf den Auftritt des Herolds, der den ritterlichen Kampf eröffnet. Von der Hektik der vergangenen Tage und Wochen ist nichts mehr zu spüren. Alle sind in festlicher Stimmung und gespannter Erwartung. Das sachverständige Publikum – die nicht mehr aktiv teilnehmenden älteren Ritter, die höfischen Damen und die Knappen – weiß, worauf es ankommt: Der Ritter muß sein Pferd beherrschen können, damit er sich ganz auf den blitzschnellen und eleganten Gebrauch der Waffe konzentrieren kann, mit der er treffen und stoßen, aber den Gegner möglichst nicht verwunden soll.

Der Turnierplatz liegt ein wenig unterhalb der Burg Diemerstein, wo sich eine kleine ebene Fläche in dem sonst bergigen Gelände befindet. In der Mitte des rechteckigen Platzes ist frischer Sand ausgestreut. Die Zuschauertribüne steht an einer Längsseite, an den beiden Schmalseiten markieren Fahnenstangen die Antrittspunkte.

Ein solches Turnier auszurichten erfordert einen großen Aufwand. Sechs Wochen vorher hatte der Gastgeber, Graf Berward, bereits Herolde ausgeschickt, um die Einladungen zu überbringen. Es sind rund 300 Gäste erschienen, die beherbergt und verpflegt werden wollen. Die Keller müssen gefüllt sein, und seit Tagen wurde gebraten, gekocht und gebacken. Auch Heilkräuter und Binden müssen vorbereitet werden,

denn trotz der stumpfen Waffen gibt es immer wieder Verletzungen.

Turnierfähig sind außer den Rittern auch die Knappen, die kurz vor der Schwertleite, dem Ritterschlag, stehen. Die Teilnehmer sind inzwischen zum Kampf gekleidet. Über Hemd und Beinlingen tragen sie eine dicke, gesteppte Weste und ein Polster als Hüftschutz. Darüber wird das Kettenhemd aus Eisendrahtringen gezogen, das bis über die Knie reicht. Dazu kommen Knieschoner und Ringelpanzer für die Unterschenkel sowie Fausthandschuhe. Über das Halspolster wird ein Metallkragen gestülpt. Auf den Kopf kommt zuerst eine gepolsterte Haube, darüber dann der Helm, der mit dem Kragen verbunden wird. Über die ganze Rüstung wird schließlich noch der Waffenrock gezogen. Er dient zur Zierde, hilft aber auch im Kampfgetümmel die Gruppen zu unterscheiden, denn von den Gesichtern ist nichts zu sehen.

Plötzlich wird es still auf der Tribüne. Ein Herold verliest die Namen der Teilnehmer. Dann stellen sich die beiden Gruppen, jeweils 30 Reiter, an den Schmalseiten unter den Fahnenstangen auf. Jede Seite wird von einem Ritter angeführt, der mit seiner Lanze seiner Gruppe Zeichen gibt und sie lenkt. Konrad von Wildburg trägt die Lanze mit dem grünen Wimpel, Heinrich von Falken-

eck die mit dem schwarzgelben. Da gibt Heinrich als erster das Zeichen, und seine Ritter stürmen los. Fast gleichzeitig setzt sich der andere Trupp in Bewegung, und unter unbeschreiblichem Getöse, dem Klirren der Kettenhemden, dem Hufschlag und Schnauben der Pferde, prallen die Trupps aufeinander, lösen sich wieder und nehmen einen neuen Anlauf. Sieger ist, wer einen Trupp sprengen oder vom Platz treiben kann.

Aber die beiden Gruppen scheinen fast gleich stark und gleich geübt in der Taktik zu sein. Das Kampfgetümmel ist groß und der Lärm gewaltig. Nur um wenige Pferdelängen wird mal die eine, mal die andere Seite von der Mitte zurückgedrängt. Als die beiden Anführer das Zeichen zum Abbruch geben, ziehen sich die Ritter auf ihre Seiten zurück. Ihre Anführer wollen sich nun im Zweikampf messen.

Ritterliche Turnierspiele Unter dem Beifall des sachverständigen Publikums reiten die beiden Ritter mit eingelegter Lanze aufeinander zu. Während Konrads Stoß ins Leere geht, trifft Heinrichs Lanze mit voller Wucht den Schild seines Gegners. Die starke Panzerung schützt die Kämpfenden vor ernsthaften Verletzungen.

Sie lassen sich die Helme abnehmen, um ein wenig zu verschnaufen. Aber schon werden frische Pferde gebracht. Konrad und Heinrich sitzen auf und stürmen mit eingelegten Lanzen aufeinander los. In der Mitte des Platzes stoßen sie zusammen, die Lanzen treffen die Schilde des Gegners, aber beide halten dem Aufprall stand und bleiben fest im Sattel. Sofort kehren sie um und nehmen einen neuen Anlauf. Konrads Stoß geht diesmal vorbei, während Heinrich den Schild mit solcher Wucht trifft, daß die Lanze splittert. Am Rand des Feldes springt schon ein Knappe mit einer neuen Lanze herbei. Der Kampf geht eine halbe Stunde so, ohne daß eine Überlegenheit des einen oder andern zu erkennen wäre. Dann plötzlich ist Konrad einen Augenblick lang unaufmerksam – vielleicht hat ihn der Kampf zu sehr ermüdet – und wird durch einen Lanzenstoß aus dem Sattel gehoben. Doch der Beifall für Heinrich verebbt, ehe er recht begonnen hat, denn sein Pferd scheut, bäumt sich auf und wirft den Reiter ab.

Knappen holen die Pferde vom Feld und tragen die Lanzen fort. Die Ritter messen sich nun mit den Schwertern, deren Ungefährlichkeit vor Beginn des Wettkampfs vom Turnierrichter geprüft wurde, wie es die Regeln verlangen. Ein wenig schwerfällig gehen die beiden Ritter in ihren Rüstungen aufeinander zu, dann treffen sich klirrend die Klingen oder schlagen dumpf auf die Schilde. Heinrich wird die Helmzier abgeschlagen, aber das spornt ihn nur noch mehr an. Mit einem weit ausholenden, mächtigen Hieb trifft er den vorgehaltenen Schild mit solcher Wucht, daß Konrad zu Boden stürzt. Als Sieger setzt Heinrich von Falkeneck seinem Gegner die Schwertspitze auf die Brust. Doch die Geste hat nur symbolische Bedeutung, und unter dem brausenden Beifall des Publikums hilft er ihm wieder auf die Beine. Der unterlegene Konrad ist jetzt sein Gefangener, aber er wird sich mit dem Preis seines Pferdes auslösen. Denn wie die Siegerpreise sind auch die Aus-

lösesummen vorher festgelegt worden: Großes Beutemachen ist nicht der Sinn eines solchen Turniers. Noch einmal gibt es Beifall, als der Sieger vor die Tribüne tritt, sich vor dem Burgherrn und den Damen verneigt und von der Herrin einen Kranz und einen Jagdfalken als Preis entgegennimmt.

Glücklicherweise gibt es keine Knochenbrüche, sondern nur Prellungen und Schürfwunden zu verarzten, und so können alle Turnierteilnehmer mit den Gästen und Gastgebern an dem anschließenden Festessen mit Sängern und Spielleuten im Palas teilnehmen.

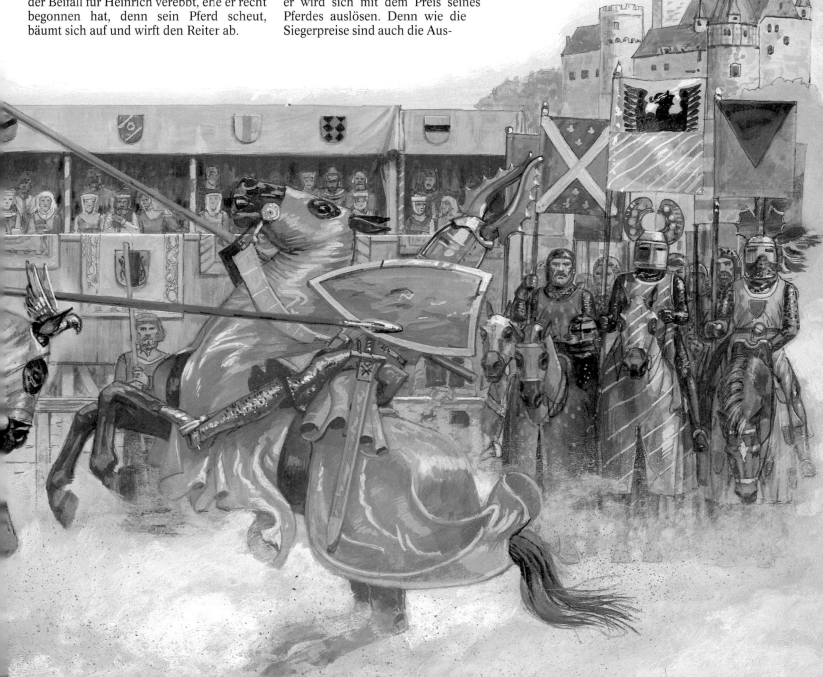

Eine Fülle kleiner Herrschaftsgebiete

Die große Zahl von Burgen auf engem Raum läßt auf eine einstige politische Zersplitterung in zahlreiche Herrschafts- und Verwaltungsgebiete schließen, mit ständigen Reibungspunkten für Konflikte, die nicht immer friedlich gelöst wurden. In kultureller Hinsicht wirkte diese Vielfalt jedoch fruchtbar, was sich nicht zuletzt in der Baukunst niederschlug. Die Burgen Lichtenberg und Altwolfstein bezeugen den hohen architektonischen Rang mittelalterlicher Baumeister.

Dalberg Ein Fußweg von etwa 500 m Länge führt von der Ortsmitte zur Ruine der Burg Dalberg. Godebold von Weierbach gründete sie um 1170 in dem damals noch dünn besiedelten Waldgebiet. Ab dem 17. Jh. verfiel die Anlage. Vom Ende des 12. Jh. stammen der Wohnturm und der runde Bergfried. Die Anlage um den inneren Hof mit Kapelle, Dieterbau und Dieterturm fügte im 14. Jh. Dieter von Dalberg hinzu. Im Halsgraben stehen noch zwei Pfeiler einer früheren Wasserleitung.

Burg Koppenstein Eine herrliche Aussicht bietet der fünfseitige Bergfried aus dem 13. Jh. Unterhalb sind Reste des Palas erhalten. Ein etwa 30minütiger Spaziergang vom Parkplatz „Burg Koppenstein" (an der Straße von Dalberg nach Gemünden der Beschilderung folgen) führt zur Ruine. Die wohl im 10. Jh. gegründete Anlage wurde im 14. Jh. zum Stammsitz der Ritter von Koppenstein. 1330 erhielt die Siedlung um die Burg Stadtrecht, sie wurde jedoch im Dreißigjährigen Krieg zerstört. Das Gelände der einstigen Stadt, von der noch Spuren erkennbar sind, ist heute von Wald überwachsen.

Schneppenbach Ein Wegweiser im Ort zeigt den 30minütigen Fußweg zur Ruine der Schmidtburg, die einsam im Wald liegt. Sie entstand wohl schon 926 zum Schutz gegen die Ungarn. Um ihren Besitz kam es im 14. Jh. zu drei gewaltigen Fehden, in denen fast der ganze Adel des Hunsrücks und des Nahegebiets gegen die – letztlich siegreichen – Erzbischöfe von Trier und Mainz kämpfte. 1688 wurde die Schmidtburg zerstört. Ende des 18. Jh. diente die Ruine dem Schinderhannes als Schlupfwinkel. In der Unterburg erhebt sich auf einem Felsklotz der Bergfried; eine dreibogige Brücke führt über einen tiefen Graben zur Oberburg mit der Ruine des Palas (um 1328).

Frauenberg Gräfin Loretta von Sponheim errichtete um 1330 die Frauenburg von dem Lösegeld, das ihr Erzbischof Balduin von Trier für seine Freilassung zahlen mußte. Im 17. Jh. wurde die Burg zerstört. Die rechteckige Anlage besaß vier Ecktürme. Die beiden an der östlichen Schmalseite erhaltenen sind durch eine hohe Schildmauer verbunden. Der Weg zur Ruine ist hinter Frauenberg ausgeschildert.

Thallichtenberg Burg Lichtenberg war eine der größten Burgen Deutschlands. Die Unterburg, von der noch Mauerreste erhalten sind, wurde wohl im 12. Jh. durch die Grafen von Veldenz gegründet, im späten 13. Jh. legten sie die Oberburg an. Um 1400 wurden beide Festen zu einer Gesamtanlage von über 400 m Länge verbunden. Der Ostpalas (um 1325) besaß im Erdgeschoß einen Saal mit einer schönen Altarnische. Erst um 1425 ist der westliche Palas entstanden und um 1480 der halbrunde Geschützturm. Der quadratische Bergfried (13. Jh.) wurde 1982–1983 wieder auf seine ursprüngliche Höhe gebracht und dient jetzt als Aussichtsturm. In der ehem. Zehntscheuer zeigt das Hei-

Burg Dalberg Bis zur Höhe des dritten Stocks sind die mächtigen Mauern der Wohngebäude erhalten. Der 60 × 30 m messenden, rechteckigen Burg waren an der Südseite Zwingeranlagen vorgebaut.

matmuseum u. a. eine interessante Kanonensammlung.

ℹ️ Heimatmuseum: Mo–Sa 10–12, 14–17, So 10–17 Uhr.

Wolfstein An der engsten Stelle des Lautertals gründete Kaiser Friedrich Barbarossa nach 1152 Burg Altwolfstein als Reichsfeste. Der etwa 20minütige Fußweg zur Burgruine, die kontinuierlich restauriert wird, ist ab Wolfstein ausgeschildert. Ihre hohe Mantelmauer und der fünfseitige, wohnturmartige Bergfried stammen wahrscheinlich aus dem 12. Jh. Von der Vorburg im Norden und Osten sind Reste erhalten.

Obermoschel Die Ruinen von Burg Landsberg (Moschellandsburg) erreicht man über einen ab Obermoschel ausgeschilderten Fußweg (etwa 15 Minuten). Die ausgedehnte Anlage, die wohl Anfang des 12. Jh. durch Graf Emich I. von Schmidtburg gegründet wurde, hat einen unregelmäßigen Grundriß. Durch einen Torturm am inneren Zwingerabschnitt erreicht man über Stufen mit Renaissanceornamenten die Kernburg. Vom Palas sind überwölbte Keller erhalten. Die riesige Schildmauer besteht aus Fels mit umkleidenden Quadern. Auf einem Felsklotz steht der Rest des Bergfrieds mit Buckelquadern.

Altenbamberg Die Altenbaumburg, eine langgestreckte rechteckige Anlage, 1129 erstmals erwähnt, war Stammburg der Raugrafen. Zu Anfang des 15. Jh. erwarben Kurpfalz und Pfalz-Simmern die Burg; schon 1482 war sie verfallen. Die Burg (der Weg ist hinter Altenbamberg an der B 48 ausgeschildert) zeigt eine Dreiteilung, die auf spätere Erweiterungen zurückgeht. Über den breiten äußeren Halsgraben führt eine Brücke zur Oberburg. Eine mächtige Schildmauer schützt sie, an den Seiten durch Türme bewehrt. In der Mitte steht der Rest des Bergfrieds mit Buckelquadern des 13. Jh. Die Oberburg ist durch den inneren Halsgraben von den übrigen Teilen getrennt, jedoch mit ihnen durch eine gemeinsame Ringmauer verbunden. In der mittleren und unteren Burg stehen Reste gotischer Wohnbauten. In der Kapelle sind Wände des Chores mit Ansätzen eines gotischen Gewölbes und einem Altarblock erhalten. 1981–1983 wurde der Palas aus dem 13. Jh. wieder aufgebaut; er dient nun als Gaststätte. Der Saal im Obergeschoß hat an den Giebelwänden Kamine mit originalen Wangen.

Südlich der Hauptburg, von Weinbergen umgeben, liegt das selbständige, sagenumwitterte Vorwerk Burg Treuenfels, 1253 durch Raugraf Konrad II. errichtet. Die Ringmauer ist zum Teil erhalten.

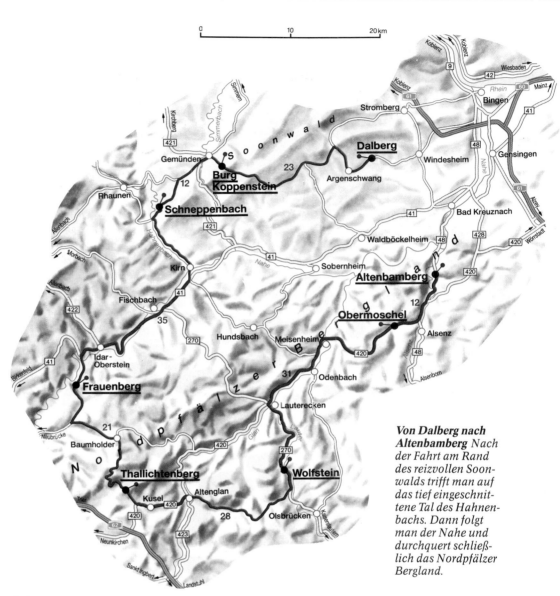

Von Dalberg nach Altenbamberg Nach der Fahrt am Rand des reizvollen Soonwalds trifft man auf das tief eingeschnittene Tal des Hahnenbachs. Dann folgt man der Nahe und durchquert schließlich das Nordpfälzer Bergland.

Die Burg zu ihrer Blütezeit im 13. Jh.

Burgen dienten gleichzeitig als Wohn- und Verteidigungsanlage. Oft lagen sie auf einem Bergsporn. Der Halsgraben, der sie dann quer gegen die anschließende Hochfläche abriegelte, bildete die erste Hürde für Angreifer. Der Zwinger war der äußerste, durch Mauern abgesicherte Bereich, dem sich meist die in sich voll verteidigungsfähige Vorburg anschloß. Ihr folgte die Haupt- oder Kernburg. Als letzte Zuflucht blieb den Verteidigern der Bergfried. Dieser hochragende Turm ließ sich – wie manchmal auch das Hauptwohngebäude (Palas) – nur über eine Leiter oder schmale Treppe durch einen engen Türdurchschlupf im zweiten Geschoß betreten. Von der oberen Wehrplattform des Bergfrieds konnten Gegner von weitem ausgemacht und auch beschossen werden. Kamen sie näher heran, so prasselten Wurfgeschosse, Steine, heißes Öl oder Pech von den zinnenbewehrten Mauern, den Schießscharten, überdachten Wehrgängen und Gießerkern der Burg auf sie herab.

① Kernburg
② Bergfried
③ Palas mit Ziehbrunnen und Kemenate
④ Küchen- und Vorratshaus
⑤ Kapellenbau
⑥ Wohnbau für Gesinde und Dienstmannen
⑦ Innere Ringmauer mit zinnenbewehrtem Umgang
⑧ Vorburg
⑨ Wirtschaftsgebäude
⑩ Backhaus
⑪ Äußere Ringmauer
⑫ Torhaus mit Zugbrücke
⑬ Zwinger
⑭ Halsgraben

Mächtige Ruinen an der Weinstraße

Meterdicke Mauern, unüberwindlich hochgetürmte Buckelquader, wuchtige Türme und hohe Hallen: so präsentieren sich die Burgruinen an der Weinstraße. Die Madenburg hat Mauern, die sich den Ankommenden wahrhaft wie ein Schild entgegenstellen, die Ramburg beeindruckt durch ihre Höhe, die Hardenburg gilt gar als eine der großartigsten Ruinen überhaupt. Die Tour führt zu diesen und weiteren sehenswerten Beispielen mittelalterlichen Burgenbaus in der Pfalz.

Neuleiningen Burg Neuleiningen, die das gleichnamige, malerisch mittelalterliche Örtchen krönt, ist eine für ihre Erbauungszeit (1238–1241) sehr moderne Burg. Sie gilt als frühes deutsches Beispiel des annähernd rechteckigen Kastelltyps, der an Römerlager und sarazenische Wehrbauformen erinnert und im 13. Jh. eher in Frankreich vertreten war. Es ist daher zu vermuten, daß der Bauherr, Graf Friedrich III. von Leiningen, in Frankreich geschulte Steinmetze, Maurer und Architekten beschäftigte.

Charakteristisch für den Kastelltyp sind die an den Ecken dreiviertelrund vorspringenden Türme, die die Ringmauer verstärken. Der nordwestliche Turm überragte einst als Bergfried die übrigen drei. Das Mauerwerk ist nicht mehr aus Buckelquadern gefügt, es ist aus kleinen, glatten Quadern in regelmäßigen Lagen aufgemauert. Von den Wohngebäuden blieb nach der Einäscherung durch die Franzosen im Jahr 1690 nicht viel erhalten; vom Palas sind u. a. Teile eines Treppengiebels und Maßwerkfenster vorhanden.

In der Vorburg vor dem einfachen Durchgangstor mit seinen Angeln und Löchern für Verriegelungsbalken lag die Burgkapelle des 13. Jh. Aus ihr ging nach Erweiterungen im 16. Jh. die jetzige Pfarrkirche Sankt Nikolaus hervor.

Hardenburg Eine der letzten Burgen im streng mittelalterlichen Sinn – Wehr- und Wohnbau zugleich – ist die 1205 zum Schutz der nahen Abtei Limburg gegründete Hardenburg. (Beschilderung ab Bad Dürkheim. Vom Parkplatz rund 15 Minuten Fußweg.) Von 1317 bis 1725 war sie im Besitz der mächtigen Linie Lei-

Burg Landeck bei Klingenmünster Die Exponate, die im kleinen Museum im Bergfried zu sehen sind, sind Fundstücke aus der Umgebung. Auf dem Hintergrund der mächtigen Quader des Turms wirken sie besonders eindrucksvoll (rechts). Der Bergfried, der als einer der besterhaltenen der Bundesrepublik gilt, stammt aus dem frühen 13. Jh.

Sängerwaldfest auf der Ramburg Am Samstag nach Johanni lädt der Ramberger Männergesangverein „Harmonie" zu einem Sängerfest vor der Ramburgschenke ein (oben).

Die Madenburg bei Eschbach Die Treppentürme mit ihren aufsteigenden Fenstern, Schmuck und Kennzeichen der Madenburg, haben einen polygonalen Grundriß und sind durch horizontale Gesimse gegliedert (rechts).

ningen-Hartenburg, 1794 fiel sie dem Feuer zum Opfer.

Eindrucksvoll sind die Geschütztürme und die gewaltige Westbastion jenseits des Halsgrabens, deren Mauern nicht weniger als 6,8 m dick sind. Unter dem 26 m langen Verbindungsbau von der Bastion zur Haupt- und Wohnburg, die sich auf felsigem Untergrund an der Nordwestecke aufstaffelt, führt ein Durchgang hinauf zum Vorhof. Von den Wohnbauten sind 5 m hohe, teilweise in den Fels gehauene Keller mit Kreuzgewölben auf Bandrippen erhalten; die Schlußsteine tragen die Jahreszahlen 1509 und 1510. Ein Wendeltreppenturm mit sechseckigem Grundriß zeigt ein abgestuftes Doppelfenster und eine kielbogige Tür mit feinem Renaissanceschmuck, das sogenannte Lilienportal. Nach Osten folgen die Ruine des Marstalls und der Kugelturm, so benannt wegen seiner halbkugeligen Quadersteine, die den Eindruck von steckengebliebenen Geschützkugeln erwecken sollen.

ℹ️ Besichtigung Di–So 9–13, 14–18 Uhr (April–September), sonst Di–So 9–13, 14–17 Uhr.

Neustadt an der Weinstraße Die langgestreckte Wolfsburg mit ihrer mächtigen, in der Mitte leicht gewinkelten Schildmauer beherrscht seit dem 13. Jh. von einem schmalen Bergrücken aus die alte Straße nach Kaiserslautern. An die Innenseite dieser schützenden Außenmauer aus starken Buckelquadern schließt ein Felssockel an, der den Bergfried trug. Gegenüber liegt der Palas (13./14. Jh.), dahinter die Vorburg mit einem zweiten Bergfried, der als Aussichtsplattform aufgemauert ist. Eine doppelte Ringmauer umschließt die Anlage. Man erreicht die Ruine über die B 39 Richtung Kaiserslautern vom Neustädter Ortsteil Schöntal aus. Von der Fabrikstraße sind es 30 Minuten Fußweg.

Burg Modeneck Die Burg, ursprünglich eigentlich Meistersel (Herrenhaus) genannt, ist mit ihrem Gründungsdatum Ende des 11. Jh. eine der ältesten Pfalzburgen.

Vom Vorwerk führt eine Brücke über den 11 m breiten, in den harten Fels gehauenen Halsgraben zur Unterburg. Diese hatte auf dem höher gelegenen felsigen Berggipfel, der die Oberburg trägt, keinen Platz mehr. Zwei der alten Brückenpfeiler sind erhalten, ebenso das spitzbogige innere Tor und Reste der Ring- und Zwingermauern. Von der Unterburg zu den beiden Palasbauten der Oberburg steigt in steilem Zickzack eine in Stein gehauene Treppe hinauf. Der nördliche Palas zeigt Buckelquader, eine Zisterne und

Teile eines Kamins, der südliche besticht mit einer für die gotische Zeit sehr seltenen Gruppe von vier schmalen spitzbogigen Fenstern. Vom Ramberger Parkplatz „Drei Buchen" führt ein etwa 1 km langer Fußweg zur Burg.

Burg Ramburg Kaiser Barbarossa gilt als Gründer dieser starken kleinen Burg, die heute durch die wie eine mächtige Wand aufragende Schildmauer auffällt. An dieser bis zu 20 m hohen Schutzmauer sind Steinkonsolen zu sehen, die sie in sechs Geschosse von je rund 3 m Höhe einteilen. Reste von Ringmauer und Palas vervollständigen das Bild. Unter der Anlage wurde der geräumige Burgkeller (17 × 10 × 2,5 m) ganz aus dem Fels gehauen. Zwei Felspfeiler dienen als Stütze für das Gewölbe und die Burgbauten darüber. Ab Ramberg folgt man der Ausschilderung, vom Parkplatz sind es 1,2 km Fußweg.

Burg Neuscharfeneck Ungewöhnlich stark ist auch die Schildmauer der im 13. Jh. als Vorwerk der heute zerstörten Burg Altscharfeneck gebauten Anlage: 58 m lang, 12 m breit und über 20 m hoch. Sie hat Schießkammern sowie ein spitz- und ein rundbogiges Durchgangstor. Die Oberburg erhebt sich auf einem Felsriff, das noch Reste einer Buckelquaderverkleidung trägt; trapezförmig um sie herum liegt die Unterburg (15./16. Jh.) und westlich die tiefer gelegene Vorburg (15. Jh.). Im Hof der Oberburg dienten vier stichbogig geöffnete Nischen mit Wasserbecken als Viehtränken. Die Palasruine in der Unterburg und die Nordmauer enthalten mehrere Erker. Beachtenswert sind die zahlreichen Schmuckformen an der ganzen Anlage. Vom Ramberger Parkplatz „Drei Buchen" aus sind es noch 3 km zur Burg.

Madenburg Die „Jungfrauenburg" (Maidenburg), herrlich über der Rheinebene gelegen, gehörte lange den Bischöfen von Speyer, ehe sie 1689 zerstört wurde. Die ausgedehnte Anlage ist umgürtet von zwei Ring- und drei Schildmauern, einer 5–7 m dicken äußeren (16. Jh.) und einer doppelten inneren (13./14. Jh.). Um den Außenhof gruppiert sich die 100 m lange Vorburg mit Zeughaus und Wirtschaftsbauten. Im Westen wird sie von einer Felsbank begrenzt, auf der sich die Ruine einer Kapelle mit gotischen Fenstern erhebt. Den Hof der Hauptburg beherrschte der ehemals dreigeschossige Eberhardsbau; erhalten sind seine schlanken Treppentürme mit verzierten Portalen. Die Beschilderung erfolgt ab Eschbach; vom Parkplatz läuft man noch 40 Minuten.

Klingenmünster Burg Landeck wurde als Ersatz für ihre zerstörte Vorgängerin, Burg Schlößl, Ende des 12. Jh. zum Schutz der Abtei Klingenmünster erbaut. Sie gilt als gut erhaltenes Beispiel einer Wehranlage aus der Stauferzeit (Beschilderung ab Klingenmünster).

Wie in dieser Zeit allgemein beliebt, hat sie einen ovalen Grundriß mit starker Schildmauer und Bergfried an der Angriffsseite. Beide zeigen wirkungsvolle Buckelquader. In dem 23 m hohen Turm ist ein kleines Burgmuseum untergebracht. Ein schmaler Zwinger, durch Mauertürme bewehrt, umzieht die Kernburg. An die Ringmauer lehnt sich neben anderen Wohnbauten der Palas, dessen Fensteröffnungen mit

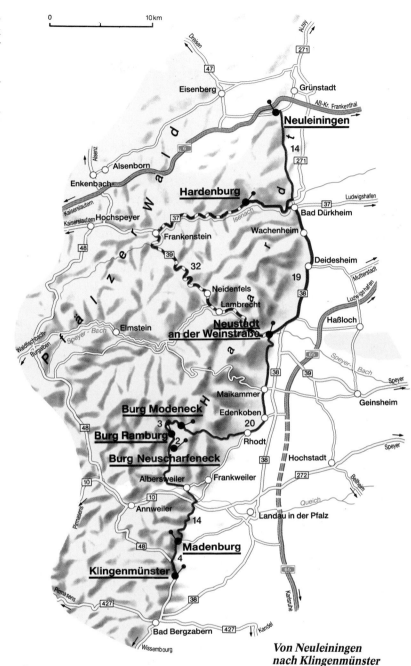

Von Neuleiningen nach Klingenmünster
Da diese nur 76 km lange Tour ein weites Stück am Saum der Rheinebene entlangführt, bietet sie großartige Ausblicke ins Rheintal und über den Pfälzer Wald.

Sitznischen versehen sind. In den nordöstlichen Teil der Mauer sind romanische Werkstücke eingelassen.

Die Zisterne mit polygonalem Grundriß hat in der Mitte einen runden Brunnenschacht. Vor der Entnahme wurde das Wasser erst durch filternde Steinschichten geleitet.

ℹ️ Besichtigung Mi–Mo 10 Uhr bis Einbruch der Dunkelheit.

Kühne Felsennester verwegener Ritter

Die Südpfalz und die Nordvogesen sind reich an Ruinen alter Felsenburgen, die wie Adlerhorste auf die Spitzen bizarrer Felsen gesetzt oder auch weitgehend direkt aus dem Stein herausgearbeitet wurden. So manche dieser Burgen war als Raubritternest verschrien und wurde ausgehoben und zerstört; viele sind schon seit Jahrhunderten Ruine. Burg Berwartstein wurde dagegen im letzten Jahrhundert wieder aufgebaut und bietet einen vollständigen Eindruck von alter Ritterherrlichkeit.

Burg Hohenecken Die Ruine, weithin sichtbar auf einem Bergrücken gelegen, war eine charakteristische Burg der Hohenstaufenzeit. Der etwa zehnminütige Fußweg ist ab Kaiserslautern-Hohenecken ausgeschildert. Zwischen 1200 und 1220 zum Schutz der Straße von Kaiserslautern nach Weißenburg errichtet, war der Komplex durch einen Halsgraben und eine querliegende Felsbank gesichert. Eindrucksvoll erhebt sich die 25 m lange und 3 m starke Schildmauer der Oberburg. Der fünfeckige Bergfried mit der Spitze zur Angriffsseite ist in die Schildmauer eingefügt. In den Resten der Wohngebäude finden sich noch Kamine und Sitznischen in den Fenstern; an einem Fenster des Nordbaus ist ein romanisches Mittelsäulchen mit Laubwerkkapitell erhalten.

Burg Gräfenstein Die auch Merzalber Schloß genannte Burgruine gibt einen guten Eindruck von der spätstaufischen Wehrarchitektur des 13. Jh. Vom Wanderparkplatz in Merzalben führt ein Fußweg (10 Minuten) dorthin. Die ein Oval von 60 m Durchmesser bildende Unterburg hat eine Reihe von Toren und Pforten, durch die man in das nochmals durch Wehranlagen abgesicherte Gelände der Oberburg gelangt. Die Seitenwände des dreigeschossigen Palas und der siebeneckige Bergfried sind beide fast noch in ursprünglicher Höhe erhalten.

Dahn Eine geologische Besonderheit des Wasgaus sind die durch Erosion bizarr geformten roten Sandsteinfelsen, die sich bestens eigneten, in einen Burgenbau einbezogen zu werden. Auf fünf nebeneinanderstehenden Felsen südöstlich

Rüstkammer in Erlenbach Der in den Fels gehauene Raum von Burg Berwartstein (links) birgt Rüstungen sowie Hieb- und Stichwaffen. Die ovalen Steine im Vordergrund dienten als Munition für Schleudermaschinen.

Die Dahner Burgen Einen herrlichen Blick auf das Dahner Felsenland hat man von der Burgengruppe Altdahn, Grafendahn und Tanstein (oben), die auf einem etwa 200 m langen, mehrfach untergliederten Felsgrat erbaut wurde.

von Dahn entstanden zwischen 1100 und dem frühen 14. Jh. die Burgen Altdahn, Grafendahn und Tanstein. Ab Dahn ist der Weg zum Parkplatz unterhalb der Burgen ausgeschildert. Kammern, Keller, Treppen und Verliese wurden teilweise direkt aus dem Fels herausgehauen. So verbindet auch eine in den Fels geschlagene Treppe die Unterburg mit der Oberburg von Altdahn, der ältesten und größten Anlage der Dreiergruppe. Die 1287 als neu erbaute Burg erwähnte Feste Grafendahn wurde auf dem mittleren Felsen errichtet. Hier befindet sich auch das 1987 eröffnete Burgenmuseum, in dem auf den Dahner Burgen zutage geförderte Funde zu besichtigen sind – darunter eine Taschensonnenuhr aus Bein. Ringmauerreste der Unterburg sowie zwei Felskammern und ein Brunnenschacht sind noch zugänglich. Die erst 1328 neu errichtete Burg Tanstein war bereits um 1585 wieder verfallen – nur Felskammern und einige Mauerreste sind noch erhalten.

Im Gegensatz zu diesen drei Burgfesten ist die nordwestlich der Stadt gelegene Ruine Neudahn auf den Felsen aufgesetzt. Die unregelmäßige, vieleckige Anlage entstand im frühen 13. Jh., wurde aber im 15. und 16. Jh. umgestaltet. Der Fußweg (20 Minuten) ist ab dem Stadtteil Neudahnerweiher ausgeschildert.
ℹ Burgenmuseum: täglich 10–12, 14–17 Uhr (April–Oktober), sonst n. Vereinb., Tel. 0 63 91/21 04.

Busenberg Weithin beherrscht der steil aus dem Wald aufragende Sandsteinblock des Drachenfels mit dem turmartigen Aufsatz das Bild der Landschaft. Der Weg zum Parkplatz unterhalb der Ruine ist ab Busenberg ausgeschildert. Gebäudereste sind kaum vorhanden; vieles dürfte in Holz gebaut gewesen sein, wie Balkenlöcher vermuten lassen – wie etwa die an der östlichen Grabenwand, die dort die Ritzzeichnung eines Drachen (14. oder 15. Jh.) durchschlagen. Doch der Komplex ist reich an direkt in den Felsen gehauenen Treppen, Kammern und Gängen. Teilweise sehr stark ausgetretene Sandsteinstufen führen von der Torburg durch höhlenartige Durchgänge bis hinauf zu einer Aussichtsplattform auf dem Turmstumpf. Die um 1200 gegründete Burg wurde 1335 von Truppen der Stadt Straßburg als Raubritternest niedergebrannt. Wieder aufgebaut, war sie im 15. und 16. Jh. Eigentum einer Erbengemeinschaft, der auch Franz von Sickingen angehörte. Der einstige Versammlungsort der im Wasgau ansässigen Ritter wurde 1523 in der sogenannten Sik-

kingischen Fehde in Schutt und Asche gelegt und ist seither Ruine.
Erlenbach Die einzige noch bewohnte Felsenburg der Südpfalz ist Burg Berwartstein (12. Jh.). Der ausgeschilderte Weg führt ab Erlenbach zur Burg. 1314 wurde sie durch die Städte Straßburg und Hagenau als Raubritterunterschlupf zerstört. Die bald darauf neu errichtete Anlage brannte 1591 aus und wurde 1893 unter spätromantischen Vorzeichen wieder aufgebaut. Imponierend ist der 104 m tiefe, bis zur Talsohle reichende Brunnenschacht. In der alten Küche sind Hausgeräte, in Rüst- und Folterkammer Waffen und Marterinstrumente zu besichtigen. Der Rittersaal mit einem in den Fels gehauenen Aufzugschacht dient heute als Gaststätte.
ℹ Burg Berwartstein: täglich 9–18 Uhr (März–Oktober), sonst So 13–17 Uhr und n. Vereinb., Tel. 0 63 98/2 10.

Burg Fleckenstein An der Elsässer Grenze, schon auf französischem Gebiet, liegt die Ruine der Burg, die hier Château de Fleckenstein heißt. Hinter dem Grenzübergang an der Straße nach Lembach weisen Schilder den Weg. Die bereits 1129 erwähnte Burg steht kühn auf einem 52 m langen, bis zu 8 m breiten Felsplateau und bewahrt neben imposanten Mauerresten auch in den Fels gehauene Kammern – in einer zeigt ein kleines Museum u.a. Waffen- und Werkzeugfunde. Ein einzelnstehender Fels diente als Wachturm – in sein Inneres schlug man eine Wendeltreppe. Ein ebenfalls in den Fels gehauener Saal hat natürliche Felspfeiler, und eine Geheimtreppe führte von hier in die oberen Gemächer. Im Burghof steht die Rekonstruktion eines Tretrades für einen Lastenaufzug.
ℹ Burg Fleckenstein: täglich 9–19 Uhr (April–20. November).

Hohenburg Auf der Straße nach Lembach folgt man der Abzweigung „Gimbelhof". Ab hier ist der Weg zum Parkplatz ausgeschildert. Ein Fußweg (50 Minuten) führt schließlich zur Ruine Hohenburg (Château de Hohenbourg). Die wohl im 13. Jh. gegründete Anlage bewahrt ansehnliche Baureste, darunter die fünfeckige Ringmauer aus der Stauferzeit. Im nordwestlichen Teil eine kleine Sammlung von Skulpturen und Wappensteinen.
Wegelnburg Die auf einem 572 m hohen Bergrücken gelegene langgestreckte schmale Anlage aus dem 12. Jh., die man nach 20 Minuten Fußweg von der Hohenburg aus über die „grüne Grenze" erreicht, ist die höchstgelegene Burgruine der Pfalz. Von der unteren und mittleren Burg sind Reste von einer Ring-

mauer, von Toren und Gebäuden erhalten. In den Felsen, auf dessen Plattform einst die Oberburg stand, ist eine Kammer mit einem Rundbogentor hineingeschlagen.
Burg Wasigenstein Die an der Grenze zu Deutschland gelegene Burg Wasigenstein – heute Ruine – soll einst Schauplatz des im Waltharilied geschilderten Kampfes zwischen Walther von Aquitanien, Gunther und Hagen um den Schatz des Königs Etzel gewesen sein. Vor Obersteinbach führt eine Abzweigung nach rechts zum Parkplatz (ab hier 15 Minuten Fußweg). Durch das Eingangstor erreicht man den Vorhof der im 12. Jh. gegründeten Burg, den eine starke Ringmauer umschließt. Eine abenteuerliche Felsentreppe führt zu den Resten

Durch den Pfälzer Wald Die Tour führt auf schönen Strecken durch den Naturpark Pfälzer Wald und endet auf französischem Gebiet. Ein lohnender Spaziergang erschließt die Hohenburg und die Wegelnburg an der „grünen Grenze".

von Palas und fünfeckigem Bergfried hinauf; Sichtschlitze erhellen die in den Fels gehauenen Kammern. Der wohnturmartige Bau der Burg Kleinwasigenstein, der 1299 entstand, ist über eine steile Felsentreppe zu erreichen.

Bergfried, Palas und Kapelle

Mehrere guterhaltene Burgen, die diese drei Hauptbestandteile ihrer Anlagen wenigstens teilweise bewahrt haben, erheben sich über dem Neckar, wie beispielsweise die Burg Guttenberg, die seit einem halben Jahrtausend im Besitz desselben Geschlechts ist. Häufig verdanken die Burgen ihre Entstehung einem Kloster, das seine Besitzungen schützen wollte. Auf dieser Tour ist es das Kloster Lorsch, das im 11. und 12. Jh. gleich drei Anlagen errichtete.

Bensheim-Auerbach Die ab der Stadt ausgeschilderte Burg Auerberg (Auerbacher Schloß), jetzt eine großartige Ruine, die auf steilem Bergkegel liegt, wurde wohl durch das Kloster Lorsch gegründet. Als der Erzbischof von Mainz in der ersten Hälfte des 13. Jh. dessen Besitz übernahm, gab er die Burg und das dazugehörige Land den Grafen von Katzenelnbogen zu Lehen. Als Gegenleistung mußten sie dem Lehnsherrn, dem sie durch einen Treueid verpflichtet waren, in Kriegszeiten Militärdienst leisten.

Die Grafen bauten die Burg Auerberg im 13.–15. Jh. aus. 1479 fiel sie an Hessen, 1674 eroberte sie Marschall Turenne. Seitdem verfiel sie.

Eine Rampe führt zum inneren Tor. Es ist mit Neidköpfen aus dem 14. Jh. versehen, die böse Geister und Dämonen bannen sollten. Der Grundriß der Kernburg, der ein gleichseitiges Dreieck bildet, geht wohl ins 13. Jh. zurück. Die Ecken sind durch Türme aus dem 14. Jh. geschützt. Zum Halsgraben hin erhebt sich ein starkes vieleckiges Bollwerk, ebenfalls aus dem 14. Jh. Der südliche Turm war zugleich Bergfried. Ein runder Bergfried des 13. Jh. stand einst frei im Hof. Im Südosten erhebt sich die eindrucksvolle Ruine des Palas, im Westen lagen Wirtschaftsbauten. Der zu dieser bedeutendsten Burganlage der Bergstraße gehörende Brunnen hat eine Tiefe von 75 m.

ⓘ Besichtigung Di–So 10–17 Uhr.

Heppenheim Auf einer Anhöhe über der Stadt liegt die Starkenburg, die Mitte des 11. Jh. vom Kloster Lorsch gegründet wurde. Im Jahr 1232 erhielten sie die Erzbischöfe von Mainz. In der zweiten Hälfte

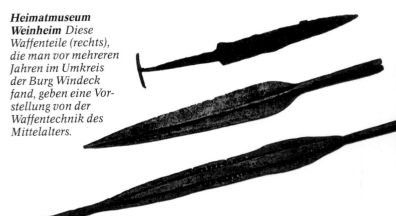

Heimatmuseum Weinheim *Diese Waffenteile (rechts), die man vor mehreren Jahren im Umkreis der Burg Windeck fand, geben eine Vorstellung von der Waffentechnik des Mittelalters.*

Schloßruine Auerbach *Das Mauerwerk der Ruine, das einstmals Teil der Befestigungsanlage war, vermittelt einen Eindruck von der Wehrhaftigkeit der mittelalterlichen Burg. Einer ihrer Türme ist heute so gesichert, daß er als Aussichts-* *turm benutzt werden kann. Er bietet bei gutem Wetter einen überwältigenden Rundblick über die weite Landschaft (oben).*

Heidelberg-Handschuhsheim *Die romantische Anlage der Tiefburg, deren Anfänge bis ins 13. Jh. zurückreichen, wurde 1689 durch General Mélac zerstört. Heute sind die reizvoll im Ort gelegenen Ruinen ein beliebtes Ausflugsziel (rechts).*

des 17. Jh. hat man sie in größerem Maße umgestaltet und den Erfordernissen der Zeit entsprechend zu einer Festung gemacht. Ab Mitte des 18. Jh. verfiel die Burg.

Heute benutzt man einen erneut aufgebauten Bergfried und den Palas wie bei vielen Burgen als romantische Jugendherberge. Von den alten Bauten sieht man noch Teile der Ringmauer mit ihren Ecktürmchen und im Norden Überreste von Befestigungen, die um 1680 entstanden sind.

Weinheim Die Burg Windeck, im Sommer ein beliebtes Ausflugsziel, ist seit den Zerstörungen im 17. Jh. eine Ruine. Die ältesten Teile der Burg, der 28 m hohe Turm und das Kellergewölbe, in dem heute die Burgschenke untergebracht ist, gehen auf das frühe 12. Jh. zurück. Der Abt von Lorsch, der die Burg zum Schutz der Klosterbesitzungen erbauen ließ, mußte sie jedoch 1114 auf Betreiben des Propstes von Michelstadt schleifen lassen, da sie widerrechtlich auf dessen Besitz stand. 1130 konnte die Windeck wiederhergestellt werden.

Aus jener Zeit ist der sonderbare Brauch überliefert, daß die Burg jedesmal, wenn ein Lorscher Abt starb, von kaiserlichen Truppen besetzt wurde. Der neue Abt mußte dann den eigenen Besitz mit einem größeren Betrag wieder freikaufen.

Unter den Pfalzgrafen, die im 13. Jh. die Burg von der Abtei Lorsch übernahmen, entstand der romanische Palas, von dem die Ostwand erhalten ist. Er hatte – für die damalige Zeit ungewöhnlich – vier Stockwerke. Palas und Turm sind durch eine starke Mauer mit dem Wehrgang verbunden.

Im alten Ziehbrunnen im Burghof fand man u. a. alte Waffenteile, die im Heimatmuseum zu sehen sind. Dort, wo sich früher die Wirtschaftsgebäude befanden, hat man heute bei klarer Sicht einen herrlichen Blick in die Rheinebene und auf den Pfälzer Wald.

ⓘ Heimatmuseum, Amtsgasse 2: Mi, Sa 14–16, So 10–12, 14–16 Uhr.

Schriesheim Die Strahlenburg, von der nur noch Ruinen erhalten sind, ragt inmitten von Weinbergen über die Stadt. Konrad von Strahlenberg errichtete sie vor 1237 auf dem Grundbesitz des Klosters Ellwangen und geriet dadurch in die Reichsacht. Nach der Vermittlung Kaiser Friedrichs II., in dessen Dienst er in Italien stand, belehnte ihn das Kloster mit der Burg. 1347 kauften die Pfalzgrafen die Anlage, die jedoch rund 250 Jahre später zerstört wurde. Mit der Burg verknüpft ist die Sage vom „Käthchen von Heil-

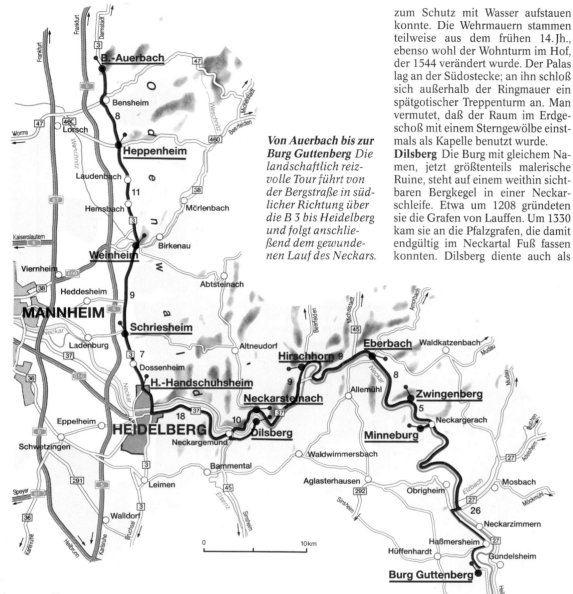

Von Auerbach bis zur Burg Guttenberg *Die landschaftlich reizvolle Tour führt von der Bergstraße in südlicher Richtung über die B 3 bis Heidelberg und folgt anschließend dem gewundenen Lauf des Neckars.*

bronn", die Heinrich von Kleist dichterisch gestaltet hat.

Die fünfeckig angelegte Burg, auf deren Gelände sich eine Gaststätte befindet, liegt auf einem hohen Sporn. Sie ist gegen Süden und Osten durch einen Graben gesichert. Der starke runde Bergfried aus Bruchsteinen entstand um 1235 und wurde in die keilförmige Schildmauer aus der gleichen Zeit integriert. Angebaut ist im Südwesten der eindrucksvolle Palas. Er zeigt prächtige Fenstergewände aus der Zeit um 1240, in jedem Geschoß in anderer Gestalt: im ersten und zweiten Oberstock doppelfenstrig, im dritten mit breitem Spitzbogen. Hier befand sich der Rittersaal. Die spitzbogige Durchfahrt zum Hof entstand um 1400. Ursprünglich gehörten noch eine Vorburg im Osten und im Norden eine Unterburg mit Wirtschaftsgebäuden zu der ab Schriesheim ausgeschilderten Anlage.

Heidelberg-Handschuhsheim Burg Handschuhsheim, die stimmungsvolle Tiefburg an der Burgstraße, ging aus einem Freihof der Herren von Handschuhsheim hervor und reicht möglicherweise in das 13. Jh. zurück. Später waren Angehörige eines Geschlechts von Handschuhsheim Beamte der Pfalzgrafen, die die Burg 1466 als Pfand und 1650 endgültig erwarben. Der Letzte der Familie wurde 1599 bei einem Zweikampf getötet. Erben waren die Herren von Helmstatt. 1689 wurde die Burg eine Ruine, als General Mélac Handschuhsheim niederbrennen ließ. 1911–1913 sorgten die Freiherren von Helmstatt dafür, daß sie wieder bewohnbar wurde.

Die Burg, die man von außen besichtigen kann, hat einen etwa quadratischen Grundriß. Ein tiefer Graben umschließt sie, der als Gemüse- und Gewürzgarten diente, den man in Zeiten der Gefahr jedoch

zum Schutz mit Wasser aufstauen konnte. Die Wehrmauern stammen teilweise aus dem frühen 14. Jh., ebenso wohl der Wohnturm im Hof, der 1544 verändert wurde. Der Palas lag an der Südostecke; an ihn schloß sich außerhalb der Ringmauer ein spätgotischer Treppenturm an. Man vermutet, daß der Raum im Erdgeschoß mit einem Sterngewölbe einstmals als Kapelle benutzt wurde.

Dilsberg Die Burg mit gleichem Namen, jetzt größtenteils malerische Ruine, steht auf einem weithin sichtbaren Bergkegel in einer Neckarschleife. Etwa im 1208 gründeten sie die Grafen von Lauffen. Um 1330 kam sie an die Pfalzgrafen, die damit endgültig im Neckartal Fuß fassen konnten. Dilsberg diente auch als

Jagdschloß, besonders für den Reiherfang. Im Dreißigjährigen Krieg mehrfach umkämpft, wurde die Burg zuletzt als Staatsgefängnis benutzt und 1827 zerstört.

In der Vorburg sind die Zehntscheuer von 1537 und das Kommandantenhaus aus dem 16. Jh. (später Rathaus) erhalten. Die Hauptburg besitzt eine gewaltige Mantelmauer mit Buckelquadern. Sie entstand wohl im 13. Jh., wurde aber später verändert. Vom Palas sind noch Kellergewölbe und ein Treppenturm (um 1540) sichtbar. Der 46 m tiefe Brunnen ist oben ausgemauert, unten roh aus dem Fels geschlagen; zu seinem Schacht führt ein eindrucksvoller, 82 m langer Stollen, der in der Nähe des Kommandantenhauses beginnt. Man konnte ihn ursprünglich wohl auch als Fluchtweg benutzen. Die im Ort ausgeschilderte Burg bildete mit der Stadt ein zusammenhängendes Befestigungssystem.

ⓘ Besichtigung täglich 11–18 Uhr.

Neckarsteinach Der Ort zeichnet sich durch vier Burganlagen aus. Drei davon kann man ab dem Parkplatz „Vier Burgen" nördlich von Neckarsteinach an der Straße nach Heidelberg auf einem etwa anderthalbstündigen Rundweg erwandern.

Der Stammsitz der Landschade von Steinach war die Hinterburg, jetzt eine malerische Ruine, die nach 1100 gegründet wurde. 1272 war sie im Besitz des Bistums Speyer und wurde nach 1344 erneuert. Um die Mitte des 18. Jh. war sie verfallen. Der Grundriß bildet ein Fünfeck mit dem Bergfried an der Bergseite. Er entstand vor 1200 und weist Buckelquader und einen Eingang mit verzierten Konsolsteinen auf. Der frühgotische Palas aus der Mitte des 13. Jh., das Hauptwohngebäude, zeigt drei verschieden geformte Fenstergruppen. Das anschließende, schön gearbeitete Tor entstand zur gleichen Zeit, der innere Zwinger mit seinem alten gepflasterten Zugangsweg nach 1344. Den äußeren Zwinger (eine halbkreisförmige Toranlage) errichtete man 1426.

Burg Schadeck (Schwalbennest) liegt südlich der Hinterburg und ist jetzt Ruine. Die Burg entstand wohl nach 1345 und war 1454–1653 Alleinbesitz der Landschade von Steinach. Wohl ab dem 17. Jh. verfiel sie. Ein tiefer Halsgraben und eine starke, im Winkel gegen die Bergseite vorspringende Schildmauer mit zwei Rundtürmen, Wehrgang und Gußerker über dem hoch gelegenen Eingang sichern den angefügten Palas, der auf rhombischem Grundriß steht. Den talseitigen terrassenförmigen Hof schützt eine Ringmauer. Die kleine Anlage verdeutlicht anschaulich die Wehrbaukunst der Gotik.

Die ursprünglich rechteckig erbaute Mittelburg entstand um 1165. Bergfried und Teile der Außenmauern der Burg, die man von außen besichtigen kann, sind im Kern erhalten. Um 1575 wurde sie zum Schloß umgestaltet, um 1842 bekam sie ihr heutiges neugotisches Aussehen.

Die Vorderburg wurde wohl um 1200 ebenfalls durch die Landschade von Steinach gegründet. Diese vierte der Neckarsteinacher Burgen ist unzugänglich und kann nicht besichtigt werden.

Hirschhorn Burg Hirschhorn, herrlich über dem Neckar gelegen, wurde um 1200 gegründet. Sie war Stammsitz des gleichnamigen mächtigen Geschlechts, ein Lehen des Mainzer Erzbistums, und fiel 1634 nach dem Erlöschen der Familie an Mainz zurück. Jetzt dient sie als Gaststätte und Hotel.

Um 1200 entstanden die starke Schildmauer und der quadratische Bergfried, dessen oberer Teil gotisch ist. Der frühgotische Palas wurde 1582–1586 nach einem Brand als schöner Renaissancebau mit Erker und Giebeln wiederhergestellt. Die Kapelle von 1346 enthält Wandmalereien. Die obere Vorburg, um 1400, stellt mit der gleichzeitig entstandenen unteren Vorburg die Verbindung zur Stadtbefestigung her. Die Anlage ist im Ort ausgeschildert.

Eberbach Die Burganlage von Eberbach am Neckar erreicht man vom Parkplatz „Eberbacher Burgen" aus an der Landesstraße 542 nach Oberdielbach. Die reizvolle Ruinenstätte besteht aus drei Burgen: von Süden her Vorderburg, Mittelburg, Hinterburg. Um 1000 wurde das Gebiet um Eberbach durch Schenkungen der Könige Besitz des Bistums Worms. Dieses errichtete wohl schon im 11. oder 12. Jh. eine Burg. Man nimmt an, daß 1196 hier auf dieser Vorderburg Konrad Graf von Eberbach gelebt hat. 1227 erwarb König Heinrich (VII.) nach zähen Verhandlungen vom Wormser Bischof Wimpfen und Burg Eberbach. Möglicherweise begann der Bau der Mittelburg bereits 1217. Als letztes Element wurde die Hinterburg 1230 der Anlage zugefügt. Diese Maßnahmen sollten den staufischen Besitz am Neckar unangreifbar machen. Ab 1297 war Eberbach verpfändet und kam so 1330 an die Pfalzgrafen. 1403 erhielt Ritter Hans von Hirschhorn, der die Burg vom Pfalzgrafen Ruprecht II. als Pfand bekam, die Erlaubnis, das Gemäuer abzubrechen. 1908 begann man, die Burgmauern originalgetreu wiederherzustellen.

Die drei Burgen bilden eigene Befestigungsanlagen. Die Ringmauer des ältesten Komplexes, der Vorderburg, bildet ein unregelmäßiges Vieleck. Neben dem Tor befindet sich im Innenhof ein quadratischer Turm. Mitten im Hof liegt die Zisterne, die zur Versorgung der Burg mit sauberem Wasser diente. Im Süden sind die Reste eines Wohnturms aus der Zeit nach 1227 erhalten.

Die Mittelburg weist beeindruckende Bauteile auf, so den teilweise wieder errichteten Palas mit seinen prächtigen Fenstern. Der gewaltige Bergfried, der bis zur halben Höhe erhalten ist, trägt Buckelquader und behauene Steine; sein Inneres, das das Verlies barg, ist mit kleineren,

Dilsberg Burg und Stadt über dem Neckar bildeten zusammen eine Befestigungseinheit, die noch heute an das Mittelalter erinnert (oben).

Burg Guttenberg Hoch über dem Neckartal kann man vor der Kulisse der bewaldeten Hänge die Vorführungen der auf der Burg gezüchteten Greifvögel bestaunen (rechts).

glatt bearbeiteten Steinen ausgestaltet. Die Hinterburg entstand in der ersten Hälfte des 13. Jh. Ihrem länglichen Grundriß ist im Süden ein Turm vorgesetzt, während sich im Norden der Palas erhebt.

Die eindrucksvolle Ruine der wohl im 13. Jh. errichteten Burg Stolzeneck liegt gegenüber Eberbach über dem Neckar. Man erreicht sie vom Waldparkplatz „Stolzeneck" nördlich von Schwanheim. Sie war wohl ursprünglich eine Reichsburg. 1284 erwarb Pfalzgraf Ludwig II. die Feste, die 1504 zerstört, danach aber wieder aufgebaut wurde. Nachdem das Geschlecht der Lehensinhaber, der Freiherren von Frauensburg, erloschen war, fiel sie 1612 an die Kurpfalz zurück und wurde geschleift.

Trotzdem ist das Mauerwerk der Burg noch weitgehend erhalten. An der Dicke ihrer gewaltigen Schild-

Eberbach Die Ruinen dieser ehemals ausgedehnten Burganlage erheben sich malerisch über der Stadt. Heute führen leicht verfallene Stufen zu dem einst mächtigen Gemäuer, dessen Doppelfenster den Besucher geheimnisvoll anblicken.

gelegene großartige Ruine war im 13. Jh. Besitz der Hofwart von Kirchheim. 1349 erwarb Pfalzgraf Ruprecht I. die Burg, die dann von der Kurpfalz verpfändet oder als Lehen ausgegeben wurde. So erhielt sie 1521 Wilhelm von Habern als Erblehen, der sie verstärkte und Wohnbauten errichtete. Nach dem Erlöschen dieser Familie 1560 war sie Sitz einer pfälzischen Verwaltungsbehörde und wurde wohl im Dreißigjährigen Krieg zerstört.

Die Burg ist von einer Zwingeranlage von 1522 umgeben, die gegen Feuerwaffen schützte. Man bewehrte sie mit starken Türmen, die an der Rückseite offen sind. Von einem der Türme führt ein unterirdischer Gang aus dem Burgkomplex hinaus. Die Kernburg, die ein Tor aus der Erbauungszeit besitzt, bildet etwa ein Fünfeck. Über dem Halsgraben steht der Bergfried aus ungeglätteten Quadern und Eckbuckelquadern (13. Jh.), die beiderseits anschließende Schildmauer ist etwas jünger.

Noch später entstand der gotische Palas, der 1521 und dann nochmals 1607 umgestaltet wurde, ein prächtiger Bau mit Treppenturm, mehrgeschossigem Erker und Staffelgiebel. Drei zugemauerte Fenster weisen zum Hof hin, dessen altes Pflaster erhalten ist.

Burg Guttenberg Der mächtige Bau auf ansteigendem Gelände, der von Haßmersheim-Neckarmühlbach an ausgeschildert ist, stammt in seinen ältesten Teilen aus dem 12. Jh. und war wohl eine staufische Anlage zum Schutz der Pfalz in Wimpfen. Nach dem Untergang der Staufer wurden die Herren von Weinsberg Besitzer von Guttenberg. Sie verkauften die Burg 1449 an Hans den Reichen von Gemmingen, und noch jetzt ist sie Eigentum des Geschlechts der heutigen Freiherren von Gemmingen.

Die nie zerstörte Burg verdeutlicht die mittelalterliche Wehrtechnik. Durch mehrere, teilweise mit Türmen verstärkte Tore und den inneren Zwinger gelangt man in den Innenhof. Der hohe Bergfried, der eine herrliche Aussicht bietet, stammt aus dem 12. Jh., ebenso die anschließende Schildmauer. Der Alte Bau des frühen 16. Jh. mit gotischen Teilen birgt Küchenräume, sehenswerte Gemächer und wertvolle Sammlungen. Die reich bestückte Bibliothek umfaßt Werke des 15.–18. Jh. Die Hauptattraktion der Burg aber sind die einzigartigen Greifvogelvorführungen.

ⓘ Museum und Greifvogelanlage: täglich 9–17 Uhr; Greifvogelvorführungen 11, 15 Uhr (März–Oktober).

mauer, die wohl um 1510 entstand, erkennt man, daß das Schießpulver bereits erfunden war. Ihre Buckelquader stammen von einem älteren Bauwerk, entweder einem Bergfried oder einer früheren Schildmauer, und wurden ein zweites Mal verwendet. Sie weisen in das 13. Jh. Die Errichtung des viergeschossigen Palas zog sich über mehrere Bauperioden vom 13. bis zum 16. Jh. hin. Zum ersten Stock führte eine Freitreppe, deren Fundament im Hof noch erkennbar ist.

Zwingenberg Die malerisch über dem Neckar gelegene Burg, zu der ein viertelstündiger Fußweg ab dem Bahnhof führt, entstand wohl in der Mitte des 13. Jh. Die Herren von Zwingenberg, die bereits 1253 erwähnt werden, mehrten ihre Einkünfte durch Neckarzölle. Deshalb zerstörten der Schwäbische Städtebund und der Pfalzgraf vor 1364 die Anlage. 1808 kaufte Baden die Burg Zwingenberg, die noch heute im Besitz des Hauses Baden ist. Sie wurde im 19. Jh. erneuert.

Die gut erhaltene Kernburg ist von einer Ringmauer mit Türmen umschlossen. Der malerische enge Innenhof, den man durch eine Tor-

halle mit Wappen aus dem 15. Jh. erreicht, ist mit kostbaren Wandmalereien aus dem 16. Jh. geschmückt. Sie wurden 1970–1972 erneuert. Der Bergfried entstand um 1250, sein Obergeschoß und die anschließende Schildmauer um 1410. Die alte Kapelle, die sich im ersten Stock des Palas befindet, ist 1424 geweiht worden. Sie birgt eine bedeutende, fast vollständige Ausmalung aus der Zeit um 1405–1415, die Arbeit eines

schwäbischen Meisters. Außerdem kann man noch Sammlungen, u.a. von Kupferstichen und Wappen, besichtigen. Zu dem weiträumigen Burgkomplex gehören außer der Kernburg noch eine Vorburg mit Turm und das im neugotischen Stil errichtete Rent- und Forstamt.

ⓘ Besichtigung Di, Fr, So 14–16.30 Uhr (Mai–September).

Minneburg Die nördlich von Guttenbach am Ende eines Bergkamms

Erkennungszeichen der Ritter

Für die Ritter war es oft lebenswichtig, im Kampfgetümmel Freund oder Gegner zu unterscheiden. Da das in voller Rüstung unmöglich war, verfiel man auf die Idee, am Schild eine farbige ornamentale oder auch figürliche Kennzeichnung, häufig in Form eines Tiers oder einer Pflanze, anzubringen, an der die Familienzugehörigkeit des Ritters erkennbar war. Diese Unterscheidungsmerkmale, die manchmal eine vorhandene oder angestrebte Eigenschaft ihres Trägers versinnbildlichen sollten, setzten sich durch und wurden später auch z.B. an Hauswänden angebracht, wobei ihre schildförmige Umrahmung beibehalten wurde. Da das Wappen auf größere Entfernung zu erkennen sein

sollte, mußten seine Farben und Zeichnungen möglichst auffällig sein, wie beispielsweise das hier abgebildete Wappen des Pfalzgrafen bei Rhein, das ab Ende des 14. Jh. auch die Herzöge von Bayern führten.

Wehrhaftes fränkisches Land

Franken hat anschauliche Beispiele mittelalterlichen Burgenbaus: Von der kaiserlichen Feste Karls IV. über die mächtige, in Größe und künstlerischer Ausgestaltung bedeutende Geschlechterburg bis hin zum bescheidenen Adelssitz findet man sie entlang der Regnitz und ihren Nebenflüssen. Viele bestechen schon durch ihre eindrucksvolle Lage über den tief eingeschnittenen Flußtälern. Diese Tour stellt einige der schönsten Burgen des fränkischen Landes vor.

Cadolzburg Die mächtige Dynastenburg wird schon 1157 erwähnt. Mitte des 13. Jh. kam sie an die Nürnberger Burggrafen, die Hohenzollern, die oft dort wohnten, bis 1456 ihre Residenz nach Ansbach verlegt wurde. Friedrich III., ein Stammvater der fränkischen Linie der Hohenzollern, lebte und starb auf der Cadolzburg. Mit ihm begann der Aufstieg der Zollern zur Macht, der schließlich in der preußischen Königs- und der deutschen Kaiserkrone gipfelte. Im Zweiten Weltkrieg brannte die Zollernburg nieder; der Wiederaufbau ist im Gang.

Wuchtige Buckelquader prägen das Bild der Kernburg mit ihrem zeltdachgekrönten Torturm. Die Bauten lehnen sich an die Ringmauer der auf ovalem Grundriß errichteten Anlage: im Westen der Alte Bau (vor 1450) und der Folterturm,

südlich anschließend der Küchenbau mit riesigem Rauchfang und „Ochsenbraterei", einer Feuerstelle mit offenem Rauchabzug. Nach Norden folgt der mittelalterliche Kapellenbau mit Arkaden. Zwei Aquarelle Dürers im Neuen Bau zeigen den malerischen spätmittelalterlichen Hof der Cadolzburg.

ℹ️ Der Innenhof ist bis 1991 wegen Bauarbeiten geschlossen.

Lauf a. d. Pegnitz Die Kaiserburg, auch Wenzelsschloß genannt, kann als Beispiel für den Wandel von der romanischen Burg zum gotischen Wohnschloß dienen. Kaiser Karl IV. kaufte die Burg 1353 von den Wittelsbachern und ließ sie 1356–1360 weitgehend erneuern. Wegen ihrer Lage an der Straße von Nürnberg nach Prag war sie als standesgemäßes Quartier für den Kaiser von besonderem Wert.

Kaiserburg Lauf a. d. Pegnitz *Der Ostflügel der Burg enthält den herrlich gewölbten Wappensaal. Kaiser Karl IV. ließ ihn mit den Wappen seines ganzen Hofstaats schmücken: über 100 in Stein gehauene, bemalte und beschriftete Flachreliefs.*

Burg Pottenstein *Herausragender Bau der großartig gelegenen Burganlage ist der mächtige zweigeschossige Palas (oben rechts). Seine Steinmauern scheinen direkt aus dem Fels herauszuwachsen.*

Waffen aus der Burg Gößweinstein *Im Hauptgebäude befinden sich einige Räume, die u. a. mit alten Waffen wie diesen Kriegsflegeln aus dem 15. Jh. dekoriert sind (rechts). Am bekanntesten ist der Morgenstern ganz links.*

Die Burg liegt auf einer künstlichen Pegnitzinsel und ist über einen überdachten Holzsteg und eine feste Holzbrücke mit dem Ufer verbunden. Sie gilt als typisch fränkische Anlage, bei der unterschiedliche Bauwerke malerisch um einen schmalen dreieckigen Hof gruppiert sind. Den südlichen Zugang beherrscht der Torturm mit seinem auffälligen spitzen Dach. Der Bergfried im Westen war ursprünglich auch höher, wurde aber später auf Höhe der Wohngebäude verkürzt.

ℹ️ Besichtigung nur n. Vereinb. Mo–Do 8–12, 14–18, Fr 8–12 Uhr sowie am Wochenende, Tel. 0 91 23/ 18 40.

Pottenstein Die imposant auf einem 60 m hohen Felsen über der Püttlach thronende Burg wurde im 11. Jh. von Pfalzgraf Botho von Kärnten auf den Resten einer noch älteren Anlage errichtet. Im 12. Jh. ging sie in den Besitz des Bistums Bamberg über. Bischof Ekbert hielt 1227/1228 hier seine Nichte gefangen, die verwitwete Landgräfin Elisabeth von Thüringen, die später heiliggesprochen wurde. Sie hatte sich nach ihrer Vertreibung von der Wartburg zu ihm geflüchtet; er dagegen plante ihre Wiedervermählung mit Kaiser Friedrich II. – vergeblich.

Von der tiefer gelegenen Vorburg führt ein kühner schindelgedeckter Aufgang am Fels entlang zum zweigeschossigen Palas der Oberburg. Im Burggarten findet man die Zisterne mit ihrem Brunnenhaus. Die große Zehntscheune (16. Jh.) zeigt eine burgenkundliche Bilderschau.

ℹ️ Besichtigung Di–So 10–16.30 Uhr (Ostern–Oktober).

Gößweinstein Burg Gößweinstein hoch über der Wiesent, im 11. Jh. das erstemal erwähnt, wurde wiederholt zerstört und zuletzt im neugotischen Stil wieder errichtet. An die mittelalterliche Vergangenheit erinnern das Burgverlies, eine Kemenate mit einer wuchtigen Eichenbalkendecke sowie alte Gerätschaften und Waffen.

ℹ️ Besichtigung täglich 10–18 Uhr (April–Oktober).

Rabeneck Auf einem Felsvorsprung über der Rabenecker Mühle bei Waischenfeld gelegen, überragt Burg Rabeneck ein Stück des Wiesenttals, das im Mittelalter als öde und unheimlich galt. Es wurde wegen seiner kahlen schwarzen Felsen sogar Tal des Todes genannt.

Als Gründer gelten die Herren von Rabeneck (13. Jh.). Eine Bogenbrücke überquert den breiten, in den Fels gehauenen Graben. Der Torturm hat schlüsselförmige Scharten und Führungssteine für das Fallgatter. Die unteren Teile des Wohnbaus im Süden stammen aus dem

12./13. Jh., das restliche Mauerwerk ist spätgotisch. Das Schütthaus im Norden, ein Giebelbau, wurde im Obergeschoß zu einer Kemenate ausgebaut. Auf dem Fußweg von Waischenfeld erreicht man Rabeneck in rund 30 Minuten.

ℹ️ Besichtigung nur n. Vereinb., Tel. 0 92 05/5 65.

Streitberg Ein mächtiger Felsblock trägt die geringen Reste der Burg Streitberg aus dem 12. Jh., die nach vielfachem Besitzerwechsel 1811 endgültig abgebrochen wurde. Erhalten ist das Tor von 1563 mit Sandsteinrahmung und dem Wappen des Markgrafen von Bayreuth. Reste der Torstube schließen sich an. Diese liegen am Westende der Bastei, einer dammartigen, 10 m breiten Erhebung hinter dem Halsgraben. Im Osten sind am Steilrand Außenmauern sichtbar. Herrlich sind landschaftliche Lage und Aussicht. Einen Wegweiser findet man im Ort.

Aufseß Burg Unteraufseß ist Stammsitz des Geschlechts der Aufseß, die bereits 1114 erwähnt werden und die Burg noch immer besit-

Von der Cadolzburg zur Burg Giech Die gut 150 km lange Tour startet in der sanften Acker- und Waldlandschaft Westmittelfrankens und führt direkt hinein in die Fränkische Schweiz mit ihren aufragenden Felsen, engen grünen Tälern und dunklen Wäldern.

zen. Die heutige Burg stellt den Kern einer früher viel größeren Anlage dar. Ihre ältesten Teile, darunter der hohe Bergfried mit starken Quadermauern, liegen am Westrand auf steiler Felsklippe. An den Turm schließt sich das Meingoz-Steinhaus an (um 1136, als es einen Meingoz von Aufseß gab). Neben dem Schloßtor liegt das Neue Schloß, ein Bau in Winkelform mit drei runden Ecktürmen. Sein ältester Teil ist der Südtrakt, die frühere Kemenate des Otto von Aufseß (13./14. Jh.). Das Innere birgt wertvolle Kunstwerke.

ℹ️ Führungen halbstündlich Di–So 9–11, 14–17 Uhr sowie für Gruppen n. Vereinb., Tel. 0 91 98/15 56.

Hollfeld Burg Neidenstein war ebenfalls eine Gründung derer von Aufseß. Im 15. Jh. errichtet, wurde sie wohl im Dreißigjährigen Krieg zerstört, so daß heute auf der Terrasse zum Talrand nur noch eine ansehnliche Ruine zu bewundern ist. Hervorstechend ist der früher dreigeschossige Palas mit hoch aufragendem Südgiebel. Die verzahnte Eckquaderung des Bruchsteinmauerwerks ist an den Resten der Süd- und der Westecke erkennbar. Auch den 9 m breiten Graben kann man noch sehen, desgleichen Reste der äußeren Tormauer.

Hinweisschilder findet man an der Straße von Hollfeld nach Bamberg.

Burg Giech Die weithin sichtbare gewaltige Baugruppe der Burg Giech bei Scheßlitz blieb bis zum 19. Jh. erhalten. Nachdem sie jahrhundertelang im Besitz des Bistums Bamberg gewesen war, ließ der Bauinspektor von Hohenhausen nach der Säkularisation die Dächer der Anlage abtragen, und die Burg verfiel.

Im Hochmittelalter wurde die Burg verkleinert; ein Drittel der ursprünglichen Fläche wurde abgetrennt. Der gequaderte Bergfried wurde im 13. Jh. errichtet, ebenso die Schildmauer. Die Ringmauer mit den Rundtürmen und Bastionen ist spätgotisch; das Wohnschloß (heute Gaststätte) wurde in der Renaissance neu errichtet, der Rest ist Ruine geblieben.

Die Ausschilderung erfolgt von Scheßlitz aus.

Von der Burg zur Festung

Mit der Verbreitung von Feuerwaffen büßten die Burgen einen Großteil ihrer militärischen Bedeutung ein. Nur einige strategisch günstig gelegene Anlagen wurden zu starken Festungen ausgebaut. So verstärkte man vor allem an den Angriffsseiten die Schildmauer, baute die neuen Rundtürme breiter als früher und zog rings um die Anlagen tiefe Gräben. In Baden-Württemberg finden sich noch einige Beispiele solcher Festungen, deren Kern oft bis heute überdauert hat.

Burg Hohenneuffen Die ab Erkenbrechtsweiler ausgeschilderte Anlage entstand Ende des 11. Jh. und wurde der Mittelpunkt eines Herrschaftsbereichs. Ständig wurde sie ausgebaut, um den neuen Waffen standhalten zu können. So kamen in der Mitte des 16. Jh. die drei mächtigen Rundtürme hinzu und im letzten Drittel des 16. Jh. der Pulverturm. Vom 15. bis zum 18. Jh. diente Burg Hohenneuffen als Staatsgefängnis.

ℹ Besichtigung Di–So 10–19 Uhr (Sommer), sonst 14–17 Uhr, Januar und Februar geschlossen.

Bad Urach Graf Ludwig von Württemberg wählte nach der Landesteilung 1441 Urach als Regierungssitz und errichtete hier das nahe dem Marktplatz gelegene Schloß. Besonders sehenswert sind der Palmensaal im ersten Stock, den gemalte Palmen mit Wappen von 1474 schmücken, und der Goldene Saal. Das Museum beherbergt wertvolle Waffen und Sammlungen.

Die an der B 28 zwischen Urach und Metzingen ausgeschilderte Festung Hohenurach erreicht man vom Parkplatz nach einem 45minütigen Fußweg. Sie war der Sitz der Herren von Urach im 12. Jh. und kam 1264 an Württemberg. Die Burg erhielt im 16. Jh. einen äußeren Mauergürtel mit fünf Türmen. Im oberen Hof entstanden Bauten für die Garnison, Waffen und Vorräte, verbunden durch eine Galerie auf Achtecksäulen. Besonders beachtenswert ist die Ruine des Palas aus dem 14. Jh. mit schönen frühgotischen Fenstern.

ℹ Schloß Urach: Führungen Di–So jede Stunde 9–11, 14–17 Uhr (Oktober–März nur nachmittags).

Burg Wildenstein Ein Felskamm mit langer, schmaler Vorburg und eine 25 m tiefe Schlucht schützen die auf steilen, künstlich abgeschrofften Felsen über der Donau gelegene Burg (oben).

Graf Eberhard im Bart Auf Schloß Urach hängt das Bildnis des württembergischen Herrschers (rechts), der sich hier im Jahr 1474 vermählte.

Festung Hohentwiel bei Singen Auf dem steilen vulkanischen Felsen stehen die Reste der einstigen kühnen Burg, die noch beachtliche Mauerteile aufweist. Vom Kirchturm der Doppelanlage aus bietet sich dem Besucher ein herrlicher Blick über *das schöne Umland und die Vulkankegel des Hegaus.*

Stetten Hoch über der Sohle des Laucherttals erhebt sich in 815 m Höhe auf höhlenreichem Felsmassiv die malerische Ruine der wohl im 13. Jh. erbauten Burg der Herren von Hölnstein. Die ringsum erhaltene Ringmauer ist rund 1,15 m stark und etwa 5–6 m hoch. Inmitten der Burganlage erhebt sich ein frei stehender Fels.

Burg Wildenstein 1077 erstmals erwähnt, war die Burg um 1250 im Besitz der Herren Wild von Wildenstein. Ab 1397 hatten die späteren Grafen von Zimmern Anteile an der Burg, ein Geschlecht, das Dichter und Gelehrte hervorbrachte. Im 16. Jh. erhielt die ab Leibertingen ausgeschilderte Anlage, in der eine Jugendherberge untergebracht ist, ihre jetzige Gestalt. Sie bietet ein gutes Beispiel für den Festungsbau der Renaissance in kleinem Maßstab. Man erreicht sie über eine schmale Vorburg auf einem Felskamm und betritt zunächst die Bastei mit Geschützständen, bevor man in den malerischen Hof gelangt.

Burg Neuhewen Die „Zum Hegaublick" ausgeschilderte Anlage erreicht man nach einem viertelstündigen Fußweg ab dem Parkplatz an der B 31 bei der Straßenkreuzung Stetten/Mauenheim. Die heutige Ruine wurde um 1250 von den Herren von Engen errichtet und kam 1315 an Österreich. 1639 eroberten bayerische Truppen die Burg und brannten sie nieder. Auf einer flachen Kuppe liegt die rechteckige Kernburg, deren Bauformen in das 13. Jh. weisen. Der Bergfried aus wuchtigen Basaltblöcken und Buckelquadern hat einen Eingang mit Sandsteinquadern und ist, obwohl er gleichzeitig mit der Burg entstand, nicht im Mauerverband mit ihr verbunden.

Burg Hohenkrähen Vom Parkplatz an der B 33 nördlich von Singen erreicht man nach einem halbstündigen Fußweg die Burg. Um 1185 gründeten die Herren von Krähen-Friedingen, die im 13. Jh. einflußreich waren und später einen Stützpunkt für ihre Raubzüge brauchten, auf einem steilen Felskegel die Anlage. Der Schwäbische Bund ließ sie 1512 von Georg von Frundsberg mit 8000 Mann und schwerem Geschütz belagern und zerstören. Wieder aufgebaut, kam sie als Lehen 1555 in den Besitz der Fugger. Diese errichteten das Gebäude auf dem höchsten Punkt des Terrains. Zwei von ehemals drei Gewölben sind noch heute erhalten.

Singen Das Gebiet um den Hohentwiel ist seit der Steinzeit besiedelt. Schon um 915 bestand auf dem fast 700 m hohen Berg eine Burg, die

durch Scheffels 1857 entstandenen Roman „Ekkehard" bekannt geworden ist. Nach wechselvoller Geschichte kam sie 1521 an Württemberg. Herzog Christoph errichtete 1559 auf den Resten des Palas ein Schloß. In dieser Zeit entstand auch der mächtige Turm, das Rondell „Augusta". Während des Dreißigjährigen Krieges wurde der Hohentwiel zur starken Festung ausgebaut und von Konrad Widerholt verteidigt. Dieser ließ 1639–1645 die Kirche erbauen; sein Wappen sieht man am achten Tor. Die großartige Doppelanlage der Burg, die ab Singen ausgeschildert ist und vom Parkplatz aus in einer Viertelstunde zu Fuß erreicht werden kann, zeigt beachtliche Mauerteile, vor allem aus dem 17. und 18. Jh.

ℹ️ Besichtigung 8.30–18 Uhr (April bis September), 10–15 Uhr (November), sonst 9–16 Uhr.

Burg Altbodman Nach 1277 errichteten die Herren von Bodman außerhalb des Ortes eine Burg, die schon 1307 durch Blitzeinschlag vernichtet wurde. An ihrer Stelle entstand die Kirche Unserer Lieben Frau, ihr gegenüber die Nachfolgeburg, Burg Altbodman, die 1643 zerstört wurde. Man erreicht vom Parkplatz am Wasserhochbehälter (Königsweingarten) aus das Plateau der südlich gelegenen Vorburg und das Haupttor im Nordwesten. Der

mächtige Wohnturm der heutigen Ruine war zugleich Palas, Bergfried und zur Angriffsseite abgerundete Schildmauer. Er trug ein zum See hin geneigtes Pultdach, das ihn gegen Geschosse und Brandpfeile schützte.

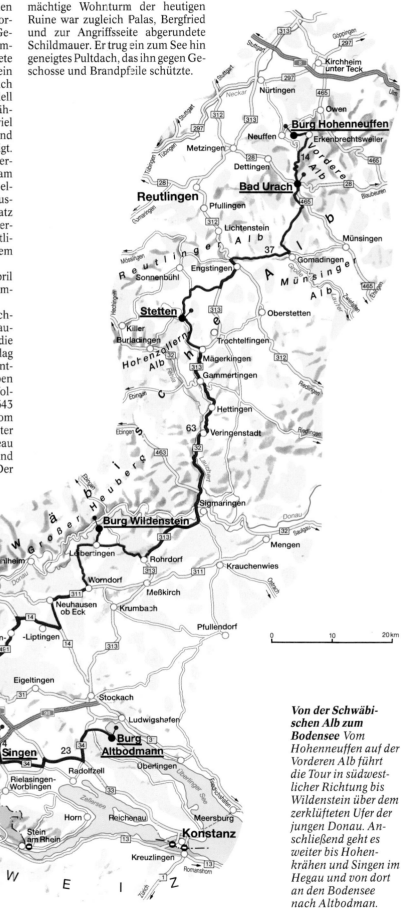

Von der Schwäbischen Alb zum Bodensee Vom Hohenneuffen auf der Vorderen Alb führt die Tour in südwestlicher Richtung bis Wildenstein über dem zerklüfteten Ufer der jungen Donau. Anschließend geht es weiter bis Hohenkrähen und Singen im Hegau und von dort an den Bodensee nach Altbodman.

Bernhardsbau in Baden-Baden Blick auf die nördliche Innenwand des großen Palas des Alten Schlosses Hohenbaden. Im Vordergrund eine der Säulen der einstigen Erdgeschoßhalle mit reichverziertem Kapitell.

Altena In der ausgedehnten Burganlage der kleinen Stadt etwa 20 km südöstlich von Dortmund entstand 1912 die erste Jugendherberge der Welt, die – neben der modernen Weltjugendherberge – noch mit alter Einrichtung erhalten ist. Die Feste wurde im frühen 12. Jh. von den Grafen von Arnsberg gegründet. Durch einen malerischen engen Zwinger mit drei Toren erreicht man den unteren, durch weitere Tore den oberen Hof. Mächtig ist der Bergfried. Die Bauten bergen auch noch das Museum der Grafschaft Mark, das Deutsche Drahtmuseum und das Märkische Schmiedemuseum.
ⓘ Burg Altena, Fritz-Thomée-Straße 80: Di–So 9.30–17 Uhr.

Bad Bentheim Das Schloß oberhalb des Städtchens an der Grenze zu den Niederlanden, ist die größte Befestigungsanlage Niedersachsens. Sie soll bis in karolingische Zeit zurückreichen. Seit dem 13. Jh. ist sie Besitz der Grafen und jetzigen Fürsten von Bentheim und wurde laufend erweitert. Mächtige Türme mit Zinnen sind durch hohe Mauern und Terrassen verbunden. Die Katharinenkapelle (13. Jh.) birgt heute das Schloßmuseum mit Bentheimer

Roland in Bederkesa Mehr als 100 Jahre war das Ritterstandbild verschollen. 1945 wurde es in einem Straßengraben gefunden und 1982 schließlich auf neuem Sockel wieder im Burghof aufgestellt.

Steinmetzarbeiten. Im früheren Kornboden ist das Fürstliche Museum (Bentheimer Geschichte, Uniformen, Waffen) untergebracht. An einer Burgmauer beim Pulverturm steht der berühmte „Herrgott von Bentheim", ein Steinkreuz mit bekleideter Christusfigur (um 1100).
ⓘ Schloß Bentheim mit Schloßmuseum und Fürstlichem Museum: täglich 9.30–18 Uhr (Mitte März–Oktober).

Baden-Baden Als ältester Bauteil des Alten Schlosses Hohenbaden, einer Gründung des Markgrafen Hermann II. von Zähringen aus dem 12. Jh., gilt die Oberburg mit rechteckigem Bergfried und Hermannsbau auf den Felsstufen des Battert. Tore einer mächtigen Mauer mit

Rundbogen und Wehrgang sind aus dieser Zeit erhalten, Relikte einer stärkeren Befestigung und die Unterburg stammen aus dem 13. und 14. Jh. Den gewaltigen Palas ließ Markgraf Bernhard I. Ende des 14. Jh. errichten. Um 1590 wurde die Anlage durch Brand zerstört. Die Ruine liegt etwa 3 km nördlich der Stadt.

Bederkesa Um 1200 wurde die Burginsel zum ständigen Sitz der Herren von Bederkesa, einflußreichen Ministerialen des Erzbischofs von Bremen. Die heutige Burganlage, ein dreigeschossiger, zweiflügliger Backsteinbau, entstand ab dem 15. Jh. Er enthält neben einem Restaurant auch das Kreismuseum mit Sammlungen zur Vor- und Frühgeschichte und zur Geschichte der Burg. Der Roland im Burghof entstand um 1600. Er zeugt von stadtbremischem Recht, das hier bis 1654 galt. Bemerkenswert viele Reste der Vorgängerbauten des heutigen Burgkomplexes sind noch erhalten; die ältesten stammen aus dem 12. Jh.
ⓘ Burg Bederkesa, Amtsstraße 15: Di–So 10–18 Uhr (Mai–September), sonst Di–So 10–17 Uhr.

Burghausen Der wohl ausgedehnteste Burgkomplex Deutschlands liegt an der Grenze zwischen Bayern und Österreich. Er besteht genaugenommen aus sechs Einzelburgen, die durch Brücken miteinander verbunden sind. Herzog Georg der Reiche verlieh ab 1480 der Burg, die seit 1164 im Besitz der Herzöge von Bayern war, durch umfangreiche Ausbauten ihre heutige Gestalt. Zum einen diente sie ihm als Sicherung gegen die Türken, zum anderen verbannte er seine Gemahlin hierher, die polnische Königstochter Hedwig, mit der er noch 1475 in Landshut prunkvoll Hochzeit gefeiert hatte. In den engen Teilen der Kernburg herrscht der Übergangsstil zwischen Romanik und Gotik vor. Der Palas aus der zweiten Hälfte des 13. Jh. birgt im ersten Obergeschoß das Burgmuseum mit Möbeln und Kunstwerken des 15. und 16. Jh. Eine Galerie der Bayerischen Staatsgemäldesammlungen mit etwa 50 gotischen Tafelbildern ist im zweiten Stockwerk untergebracht. Schließlich befindet sich das Stadtmuseum in der einstigen Kemenate (13. Jh.), u. a. mit einem Modell von Burg und Stadt des Jahres 1574 und einer Waffensammlung. Die innere Burgkapelle aus dem 13. Jh. ist mit Wandfresken (um 1400 und 1570) ausgestattet.
ⓘ Burg zu Burghausen mit Burgmuseum und Staatsgemäldegalerie: täglich 9–17 Uhr (April–September), sonst Di–So 9–16 Uhr.
Stadtmuseum: täglich 8.30–16.30 Uhr (Mitte März–Oktober).

Burghausen *Die Anlage auf einem Felsrücken über der Salzach gilt mit mehr als 1000 m als längster Burgkomplex Deutschlands.*

Coburg Auf einer Bergkuppe über dem Itztal erhebt sich die Veste Coburg, die gern als „fränkische Krone" bezeichnet wird, über der gleichnamigen Stadt, die etwa 15 km von der Grenze zur DDR entfernt liegt. Die Anlage mit ihrem dreifach gestaffelten Bering ist heute berühmt für ihre Kunstsammlungen, zu der u. a. eine Waffensammlung mit rund 10 000 Stücken, ein Kupferstichkabinett mit Arbeiten von etwa 5000 Künstlern des 15.–20. Jh. und ein Münzkabinett mit 30 000 Münzen gehören. Bereits im 11. Jh. gab es Befestigungen im jetzigen Burgbereich; vom Ausbau des 12.–13. Jh. stammen die ältesten Bauteile der Kernburg mit Palas (seit dem 16. Jh. Fürstenbau), Steinerner Kemenate und Bergfried (um 1500 abgetragen) sowie die Vorburg mit dem Blauen Turm. Die Hohe Kemenate westlich des Fürstenbaus ist spätgotisch. Von Lucas Cranach d. Ä., 1505 von Kurfürst Friedrich dem Weisen zum Hofmaler ernannt, stammt der Holzschnitt „Sächsischer Prinz zu Pferd" von 1506, dessen Hintergrund eine der ältesten Darstellungen der Veste zeigt.
ⓘ Kunstsammlungen der Veste Coburg: täglich 9.30–13, 14–17 Uhr (April–Oktober), sonst Di–So 14 bis 17 Uhr.
Fürstenbau: halbstündliche Füh-

rungen Di–So 9.30–12, 14–16 Uhr (April–Oktober), sonst nur 14, 14.45, 15.30 Uhr.

Dischingen Etwa 20 km nordöstlich von Heidenheim, im Härtsfeld zwischen Dischingen und Neresheim, liegt Burg Katzenstein, das Urbild einer südwestdeutschen Anlage des Mittelalters. Die Anfänge reichen bis ins 11. Jh. zurück, bis heute ist sie ohne Unterbrechung bewohnt. Im 13. Jh. wurde sie erweitert – nach 1220 setzte man den 20 m hohen Bergfried aus Buckelquadern auf einen ehem. Torbau. Im ersten Obergeschoß ist ein offener Kamin erhalten. Gleichzeitig entstand der Palas mit seinem 40 m tiefen Burgbrunnen. Der romanische Kapellenbau (13. Jh.) enthält einen farbenprächtigen Wandgemäldezyklus aus der zweiten Hälfte des 13. Jh.
ⓘ Burg Katzenstein: Öffnungszeiten erfragen unter Tel. 0 73 51/2 10 13.

Dreieich Im Mittelpunkt des Reichsforstes Dreieich, etwa 12 km südlich von Frankfurt, entstand im 9. oder 10. Jh. ein königlicher Jagdhof, dem eine Turmburg folgte. Heute liegt die malerische Ruine der ehem. Wasserburg Hain mitten im Ortsteil Dreieichenhain. Der runde Bergfried entstand um 1170, ebenso der Palas. Das Dreieichmuseum an der westlichen Burgmauer zeigt u. a. Funde aus der Burg, darunter einen seltenen Brettspielstein des 13. Jh.
ⓘ Dreieichmuseum, Fahrgasse 52: Di–Fr 9–12.30, 14–18, Sa 14–18, So 10.30–12.30, 14–18 Uhr.

Haag Einst war der oberbayerische Ort, etwa 40 km östlich von München, Sitz der von Bayern unabhängigen Reichsgrafenschaft Haag. Von der ausgedehnten Befestigungsanlage ist neben dem kleinen Schloßturm und der inneren Ringmauer vor allem der siebenstöckige, 43 m hohe Schloßturm erhalten. Die ersten drei Geschosse dieses Wohnturms entstanden um 1200, das letzte um 1500. Das Museum, das hier untergebracht ist, informiert u. a. über die Geschichte der Burg.
ⓘ Burgruine Haag mit Museum: Sa 13–16 Uhr (Mai–Oktober).

Kirchzell Die Wildenburg ist berühmt durch ihren Reichtum an edlen Kunstformen und als Wirkungsstätte Wolfram von Eschenbachs, der sie in seinem „Parzival" erwähnt. Sie befindet sich etwa 6 km südlich des fränkischen Städtchens Amorbach und ist vom Kirchzeller Gemeindeteil Buch in etwa 20 Minuten Fußweg erreichbar. Im 12. Jh. wurde die Burg von den Herren von Dürn errichtet; rund 400 Jahre später brannten sie aufständische Bauern nieder. Zu den stauferzeitlichen Bauten gehören u. a. der Bergfried mit gewaltigen Buckelquadern, der Torturm mit prächtigem Außenportal und der Palas mit mächtigem Kamin und eindrucksvollen spätromanischen Fensterarkaden.
ⓘ Wildenburg: Besteigung des Bergfrieds an Sonn- und Feiertagen und n. Vereinb., Tel. 0 62 84/5 28.

Kleve Der Grundriß der Schwanenburg, die das Bild der niederrheinischen Stadt beherrscht, geht auf das

Veste Coburg *Im Vordergrund liegt die Bärenbastei. Der Rote, der Blaue und der Bulgarenturm (von links nach rechts) gliedern den gestaffelten Mauerring.*

11. und 12. Jh. zurück. Von der einstigen Stammburg der Grafen von Cleve, die der Sage nach vom auch Lohengrin genannten Schwanenritter abstammen sollen, sind noch Teile einer Prunkpforte des Palas erhalten (Anfang 13. Jh.). Der Schwanenturm, dessen Spitze das klevische Wappentier krönt, stammt wie der Spiegelturm aus dem 15. Jh. und birgt im Fotogalerie sowie eine geologische Sammlung.
ⓘ Schwanenturm: täglich 9–17 Uhr.

Königswinter Weithin sichtbar erhebt sich der Drachenfels bei Königswinter über den Rhein. Hier soll der Sage nach die Drache des Nibelungenlieds gehaust haben, den Siegfried bezwang. Im 12. Jh. errichtete Erzbischof Arnold von Köln u. a. den quadratischen Bergfried aus sorgfältig gemauerten Buckelquadern. Vom Außenbering ist fast die ganze Ostmauer erhalten, in der Mitte die Außenpforte, daneben Rundturm und Zwingermauer. Seit 1883 fährt eine Zahnradbahn auf den Berg. Man kann sich jedoch auch auf dem Rücken eines Esels hinauftragen lassen, um die herrliche Aussicht zu genießen.

Krautheim Hoch über der Jagst, etwa 12 km nördlich von Künzelsau, liegen die Ruine der Burg Krautheim und das gleichnamige Städtchen. 1239 erwarb Gottfried von Hohenlohe die Anfang des Jahrhunderts erbaute Anlage. Mit viel Kunstsinn ließ er die Kapelle umgestalten, wohl auch um einen würdigen Platz für die Reichskleinodien zu schaffen, die er Mitte des 13. Jh. verwahrte. Das zweigeschossige Gotteshaus ist mit zierlichen Gewölben und prachtvollen Kapitellen geschmückt. Der runde Bergfried ist noch 30 m hoch erhalten. Ein reich verziertes Portal bildet den Zugang zum Palas, der größtenteils Ruine ist, aber dennoch ein sehenswertes kleines Burgmuseum beherbergt.
ℹ Burgmuseum: Sa, So 14–17 Uhr (Mai–September).

Krefeld-Linn Die Anfänge der niederrheinischen Wasserburg Linn, die auf einem künstlichen Hügel errichtet wurde, reichen bis ins 12. Jh. zurück. Tor, Ringmauer, Bergfried und Rundtürme wurden später erbaut. Der Palas birgt zwei Rittersäle und eine Kapelle mit gotischen Gewölben. Die Bauten enthalten das Museumszentrum Burg Linn mit Exponaten u. a. zur Burggeschichte.
ℹ Burg Linn: Di–Sa 10–13, 15–18, So 10–18 Uhr (April–Oktober), sonst Di–So 10–13, 14–17 Uhr.

Ludwigstadt Etwa 3 km nördlich des oberfränkischen Städtchens liegt die malerische Burg Lauenstein, die sich in Hauptburg und Vorburg gliedert. Die ältesten Teile, der Rumpf des Bergfrieds und Reste der Innen-

Burgküche in Meersburg Einen Einblick in die Kochkunst des Mittelalters gewährt die vollständig eingerichtete Küche des Alten Schlosses.

mauer, stammen aus dem 12. Jh., der nach seinem Erbauer Christoph von Thüna benannte Flügel (1551–1554) ist ein bedeutendes Werk der Renaissance. Die Gebäude enthalten mehrere Sammlungen, u. a. fränkische Möbel, schmiedeeiserne Kunstgegenstände und Folterwerkzeuge.
ℹ Burg Lauenstein: nur mit Führung Di–So 9–11.15, 13–16.15 Uhr (April–September), sonst Di–So 10–11.15, 13–15 Uhr.

Meersburg Das Alte Schloß gilt als schönster Wehrbau am Bodensee. Es reicht vermutlich ins frühe 12. Jh. zurück. Sein von vier Staffelgiebeln gekrönter Bergfried (Dagobertsturm) stammt wie die Schildmauer aus dem 12. Jh. Das jetzige Erscheinungsbild der Anlage prägte der Konstanzer Fürstbischof Hugo von Hohenlandenberg im 16. Jh. Er baute die vier Rundtürme, die Ummantelung des Bergfrieds und den Torbau. Das Innere ist heute ein reichhaltig ausgestattetes Museum – u. a. sind Ritter- und Fürstensaal, Verlies, fürstbischöfliche Kapelle und die Wohnräume der Dichterin Annette von Droste-Hülshoff zu besichtigen, die hier ihre letzten Jahre verbrachte.
ℹ Altes Schloß: täglich 9–18 Uhr (März–Oktober), sonst täglich 10–17 Uhr.

Nideggen Zu den eindrucksvollsten Burgruinen des Rheinlands zählt Burg Nideggen. Zu Füßen des Burgbergs liegt das gleichnamige Eifelstädtchen, etwa 30 km südöstlich von Aachen. Die Burg war ab dem 12. Jh. Residenz der Grafen und späteren Herzöge von Jülich und eine wichtige Festung im Streit mit Kurköln. Der älteste Teil ist der mächtige Wohnturm (12. Jh.) mit Kapelle und Gefängnis, in dem jetzt das Rheinische Burgenmuseum untergebracht ist. 17 × 52 m maß der Palas (14. Jh.), von dem die Außenwand mit zwei Ecktürmen und Mittelturm erhalten blieb. Er war einer der größten mittelalterlichen Saalbauten Deutschlands und der Mittelpunkt des prunkvollen höfischen Lebens auf der Burg.
ℹ Burg Nideggen: Di–So 10 bis 17 Uhr, im Winter je nach Witterung, Tel. 0 24 27/68 60.

Oberstenfeld Auf einem Bergvorsprung über der schwäbischen Gemeinde, etwa 15 km südöstlich von Heilbronn, entstand um 1200 Burg Lichtenberg, der Stammsitz der Herren von Lichtenberg. Seit 1483 bewohnen die jetzigen Freiherren von Weiler die nie zerstörte Anlage mit Halsgraben, Brücke, gotischem Torbau, Ringmauer und spätromanischem Palas. Lediglich an den beiden Bergfrieden nagte der Zahn der Zeit – einer ist noch 30 m hoch erhalten, vom anderen sind nur noch Reste vorhanden. In der Kapelle (um 1225) sind in drei zum Teil übereinanderliegenden Malschichten romanische, früh- und spätgotische Wandmalereien erhalten.

Dollingersaal in Regensburg Um 930 sollen die Hunnen mit König Heinrich I. in der Stadt über einen Waffenstillstand verhandelt haben. Der Sage nach forderte der Hunne Krako die Ritter zum Turnier, doch nur der mutige Regensburger Dollinger wagte es, diesem Riesen gegenüberzutreten.

Pappenheim Der Stammsitz des bekannten Adelsgeschlechts wurde im 12. Jh. auf einem von der Altmühl umflossenen Felsrücken über dem Ort (etwa 40 km nordwestlich von Ingolstadt) angelegt. Im Dreißigjährigen Krieg wurde die Burg zerstört. Starke, mit Rundtürmen bewehrte Zwingermauern sicherten die Hauptburg. Der Bergfried stammt aus der Gründungszeit; vom Palas (13. Jh.) sind noch Reste sichtbar. Die Vorburg kam Mitte des 14. Jh. hinzu. Im ehem. Eselstall dokumentiert das Burgmuseum die Geschichte der Anlage.
ℹ Burg Pappenheim: Di–So 9–12, 13–18 Uhr (April–Oktober).

Regensburg An der Rückseite des Alten Rathauses, das auf das 13. Jh. zurückgeht, schließt sich das Neue Rathaus (17.–18. Jh.) an. Zu ihm gehört der Dollingersaal, der aus dem 1889 abgebrochenen Patrizierhaus der Familie Dollinger stammt, 1963 aus Originalteilen neu aufgebaut wurde und heute im Rahmen von

Heiliger Adrianus in Solingen *Als Wahrzeichen des Museums im Schloß Burg dient diese Eichenholzplastik, die um 1550 entstand und den Heiligen in ritterlicher Kleidung zeigt.*

Märchenspiele Zons *Wuchtig überragt der Torturm der Burg Friedestrom die Freilichtbühne der Märchenspiele Zons.*

Konzerten und Ausstellungen zugänglich ist. In diesem gotischen Raum mit wuchtigem Kreuzrippengewölbe stellen Abgüsse der 1889 zerstörten Wandreliefs (um 1290) König Heinrich I., den heiligen Oswald und den Höhepunkt einer Rittersage dar: Der Regensburger Dollinger soll den Hunnen Krako im 10. Jh. im Zweikampf auf dem Haidplatz besiegt haben.

ℹ️ Dollingersaal, Rathausplatz: Tourist-Information Regensburg, Tel 09 41/5 07 21 41.

Riedenburg Über der Stadt an der Altmühl, etwa 15 km westlich von Kelheim, erhebt sich die im 13. Jh. errichtete Rosenburg. Aus der Gründungszeit stammen Reste des Bergfrieds und Teile der Umfassungsmauer. Der heutige Schloßkomplex wurde hauptsächlich im 16. Jh. erbaut. Er beherbergt neben dem Heimatmuseum mit Sammlungen zur Geschichte von Burg und Stadt das einzige Falknereimuseum der Welt und den bayerischen Landesjagdfalkenhof, der täglich Flugvorführungen veranstaltet.

Etwa 4 km altmühlabwärts liegt Burg Prunn auf einem engen Felsplateau zusammengedrängt. Sie wurde 1037 erstmals urkundlich er-

wähnt und war schon früh ein kleines Zentrum höfischer Kultur. 1575 entdeckte man auf ihr eine der schönsten Handschriften des „Nibelungenlieds" aus dem 14. Jh. – Kopien sind in der Burg zu besichtigen. Eine Wandstärke von 3 m weist der quadratische Bergfried aus Buckelquadern (13. Jh.) auf. Der schmale Wohntrakt der guterhaltenen, im 15.–17. Jh. ergänzten Anlage stammt aus dem 12./13. Jh. Die sehenswerten Wohnräume sind mit alten Möbeln ausgestattet, die Wachstube zeigt eine reichverzierte Balkendecke und Wandmalerei (um 1420).

ℹ️ Rosenburg: Di–So 9–17 Uhr.
Burg Prunn: täglich 9–17.30 Uhr (April–September), sonst Di–So 9–15.30 Uhr.

Saarburg Über der Stadt an der Saar erhebt sich die Ruine der gleichnamigen Burg. Die langgestreckte Anlage ist eine der ältesten Höhenburgen in der Bundesrepublik. 964 erhielt sie Graf Siegfried II., Stammvater des Hauses Luxemburg, als Lehen. Ein romanisches Turmhaus (12. Jh.) mit später eingebautem Rundturm, dem „Kutzägel" (Kuhschwanz), ferner Teile der Außenmauern und ein gotisches Burghaus (heute Gaststätte) sind erhalten.

Solingen 1133 wurde die Burg an der Wupper Stammsitz der Grafen von Berg. Ihren Schloßcharakter erhielt die romanische Anlage erst rund 100 Jahre später, als Graf Engelbert II., Erzbischof von Köln und Reichsverweser Kaiser Friedrichs II., sie zur repräsentativen Hofburg erweitern ließ. Der Wiederherstellung von Schloß Burg (1890–1915) liegen mittelalterliche Baureste, so von Mauerring, Bergfried und Kapelle, und eine Zeichnung von 1715 zugrunde. Das Innere birgt ein historisches Museum, das u. a. Einblick in den Alltag des mittelalterlichen Burglebens gibt und über eine große Waffensammlung verfügt.

ℹ️ Schloß Burg mit Bergischem Museum, Schloßplatz 1: Di–So 9–17.30, Mo 13–17.30 Uhr (März–Oktober), sonst Di–So 9–16.30 Uhr.

Waldeck Zu den schönsten Ritterburgen Deutschlands zählt die im 12. Jh. gegründete Burg Waldeck. Eine Gondelbahn führt von Ostern bis Oktober von der gleichnamigen hessischen Stadt auf den steilen Bergkegel hinauf, von dem man einen herrlichen Blick über den Edersee hat. Um den Innenhof der heute als Hotel genutzten Burg gruppieren sich neben dem Bergfried (13. Jh.) überwiegend Gebäude aus dem 16. Jh.: Hexenturm, Reste des Südflügels, der Nordflügel und drei Bastionen, in deren unterirdischen Gewölben ein kleines Burgmuseum über die Geschichte der Burg und des bekannten Fürstenhauses von Waldeck informiert.

ℹ️ Burg Waldeck: täglich 10–17 Uhr.

Zons Ende des 14. Jh. baute Erzbischof Friedrich von Saarwerden den Ort, der damals unmittelbar am Rhein lag, zur kurkölnischen Zollstadt aus. Heute gilt der jetzige Stadtteil von Dormagen als die besterhaltene mittelalterliche Festung am Niederrhein. Die Mauer der Stadtbefestigung bildet ein Trapez von etwa 250 × 300 m. Achteckige Wachtürmchen, Rundtürme, Wehrgänge, Doppeltore und der quadratische, sechsgeschossige Rheinturm bilden ein einzigartiges Ensemble. Der Wehrturm an der Südwestecke wurde im Mittelalter zur Windmühle umgebaut (1965–1966 restauriert). Von der an der Südostecke von Zons angelegten Zollburg Friedestrom blieben u. a. die Umfassungsmauer, der runde Juddeturm mit seinem vorkragenden Wehrgang, der Torturm und das Südtor erhalten. Die Burg bildet jeden Sommer, etwa von Juni bis September, die Kulisse für die Freilichtaufführungen der Märchenspiele Zons.

ℹ️ Freilichtaufführungen: Amt für Fremdenverkehr, Tel. 0 21 06/5 35 18.

Tod beim Turnier

In der höfischen Kultur des Mittelalters spielte das Ritterturnier eine zentrale Rolle. Das erste auf deutschem Boden fand 1127 vor den Mauern Würzburgs statt. Obwohl es sich um Spiele mit genauen Kampfregeln handelte, kam es häufig zu tödlichen Unfällen. Grund genug für die Kirche, solche Turniere zu verbieten und den Verunglückten ein christliches Begräbnis zu verweigern. Über einen Todesfall beim Turnier und die Haltung der Kirche berichtet die Lauterburger Chronik 1175:

Graf Konrad [...] wurde bei einer ritterlichen Übung [...] am 17. November durch einen Lanzenstoß getötet. Dieses verderbliche Spiel hatte in unseren Gegenden damals solche Verbreitung gefunden, daß dabei in einem einzigen Jahre sechzehn Ritter ums Leben gekommen waren. Erzbischof Wichmann sprach deshalb über alle den Kirchenbann aus, die sich an einem Turnier beteiligten. Er hielt sich eben in Österreich auf, als er die Nachricht vom Tode des Grafen Konrad erhielt, und sandte sofort Boten, die dessen kirchliches Begräbnis verhindern sollten. Als dann später der Erzbischof [...] zu Halle eine Synode abhielt, erschienen daselbst der Vater des toten Grafen und seine Brüder [...]; die [...] flehten, man möge den Toten durch die Verweigerung eines christlichen Begräbnisses nicht von der Gemeinschaft der Gläubigen ausschließen. Sie versicherten, der Graf habe vor seinem Tode gebeichtet [...]. Als nämlich der Graf schwer verwundet dalag, war eben ein Ordensgeistlicher vorbeigekommen, der sich auf die Bitten der Freunde zu dem Sterbenden begab. [...]

Als die [...] Fürsten dieses [...] versichert hatten, wurde der Priester, der bei dem Sterbenden gewesen und der auch jetzt zugegen war, gebeten, das alles mit einem Eide zu bekräftigen [...]. Nun erst bewilligte der Erzbischof dem Toten ein kirchliches Begräbnis, jedoch mit dem Vorbehalt der päpstlichen Genehmigung.

So kam es, daß Graf Konrad unbeerdigt blieb, bis einer seiner Ritter, namens Werner, die päpstliche Einwilligung eingeholt hatte.

Lob der Frau

Die unerfüllte Liebe zu einer meist sozial höhergestellten Dame gehörte zu den beliebtesten Themen der höfischen Minnelyrik. Walther von der Vogelweide war der erste Minnesänger, der ein selbstbewußt vorgetragenes „Preislied" auf alle deutschen Frauen verfaßte:

I. Sagt „Willkommen!": denn ich bin es, der euch Neuigkeiten bringt. Alles was ihr bisher zu hören bekommen habt, das ist ganz nichtig: so fragt mich! Ich verlange aber Botenlohn. Fällt der Entgelt einigermaßen gut aus, dann berichte ich euch vielleicht, was euch wohltut. Nun seht zu, was ihr mir verehren wollt.

II. Ich will von deutschen Frauen so sprechen, daß sie allen Leuten umso besser gefallen werden – das tue ich ohne große Vergütung. Was für einen Lohn wollte ich auch? Sie stehen mir zu hoch dafür. Drum bin ich bescheiden und bitte sie um weiter nichts, als daß sie mir freundlich begegnen.

III. Ich habe viele Länder gesehen und gerne die Edelsten kennen gelernt. Unheil möge mich treffen, vermöchte ich je meinen Sinn dahin zu bringen, daß ihm ausländische Art wohlgefiele. Wozu hülfe es mir auch, etwas Falsches zu behaupten? Deutsche Lebensart und Bildung übertrifft sie alle.

IV. Von der Elbe bis an den Rhein und hierher zurück bis an Ungarn – da leben gewiß die Edelsten, die ich in der Welt kennengelernt habe. Verstehe ich mich auf Schönheit und vollendetes Benehmen – so wahr mir Gott helfe, ich legte einen Eid darauf ab, daß die Frauen *hier* edler sind als anderwärts.

V. Deutsche Männer sind feingebildet, die Frauen sind wie wahre Engel. Wer sie schmäht, der ist falsch berichtet; anders kann ich ihn nicht begreifen. Wer nach hohem Sinn und keuscher Liebe verlangt, der komme in unser Land, da ist Lust und Wonne. Dürfte ich noch lange darin leben!

VI. Sie, der ich meinen Dienst ganz gewidmet habe und immerdar mit Freuden widmen will – die gebe ich keineswegs frei. Aber ihrerseits bereitet sie mir so viel Weh. Herz und Geist weiß sie mir schmerzlich zu verwunden. Nun verzeih ihr Gott, daß sie unrecht an mir handelt; aber künftig kann sie ja darin andern Sinnes werden!

Ritterspiele Die Erprobung der eigenen Reitkunst und der gekonnte Umgang mit der Waffe gehörten zu den Selbstverständlichkeiten des ritterlichen Daseins. Auf zahlreichen Turnieren hatten die Ritter Gelegenheit, ihre Fähigkeiten zu zeigen. Die Buchmalerei stammt aus der Großen Heidelberger Liederhandschrift. Oben im Bild sieht man die Damen des Hofes, die den Zweikampf aufmerksam verfolgen.

„Ich saß auf einem Steine ..." Mit diesen Worten beginnt eines der berühmtesten Gedichte Walthers von der Vogelweide (um 1170–1230). Die Abbildung aus der Weingartner Liederhandschrift zeigt den Dichter in nachdenklicher Pose. Das große Schwert deutet auf Walthers ritterliche Abkunft. Mit seinem Werk erreicht die höfische Minnelyrik ihre Vollendung.

Burgleben

Die Legende vom romantischen Ritterdasein entstand nicht erst in heutiger Zeit. Bereits Anfang des 16. Jh. versuchte der Nürnberger Patrizier Pirckheimer seinen Freund, den Ritter Ulrich von Hutten, zur Rückkehr auf seine „ruhige" Burg zu bewegen. Hutten antwortet nüchtern:

Ihr Bürger lebt in den Städten leichtlich nicht nur angenehm, sondern auch bequem, wenn Euch das gefällt; glaubst Du aber, daß ich jemals unter meinen Rittern Ruhe finden werde und hast Du vergessen, welchen Störungen und Beunruhigungen die Männer unseres Standes ausgesetzt sind? Laß ab von Deiner Meinung und beurteile nicht mein Leben nach dem Deinigen. [...] Man lebt auf dem Lande, in den Wäldern, auf jenen Felsennestern. Unsere Ernährer sind ärmliche Landleute, denen wir unsere Äcker und Weinberge, unsere Wiesen und Wälder verpachten. Die Pacht, welche daraus eingeht, ist im Verhältnis zu der angewandten Mühe gering und kärglich. Soll sie groß und reichlich sein, so bedarf es großer Sorge, großer Tätigkeit, wir müssen die sorgsamsten Haushälter sein. Gehört man nicht zur Lehnsmannschaft irgendeines Fürsten, der unsere Sicherheit verbürgt, so glaubt sich jeder alles gegen uns erlauben zu dürfen, und ist man selbst Lehnsmann,

so ist dennoch die Hoffnung auf Sicherheit mit Gefahr und täglicher Furcht verbunden. Denn verlasse ich nur einmal das feste Haus, so steht zu fürchten, daß ich denen in die Hände falle, mit denen mein Herr und Fürst, sei es, wer es sei, einen Handel hat oder im Kriege steht. Daraufhin fallen sie mich an und schleppen mich davon und wenn es schlimm kommt, so geht leicht die Hälfte meines Erbes für den Loskauf darauf; so droht mir Gefahr, wo ich Schutz hoffte. Deswegen halten wir nun Pferde und schaffen Waffen an, umgeben uns mit zahlreichem Gefolge, alles mit großen und schweren Kosten. Nicht zwei Morgen weit dürfen wir unbewaffnet ausgehen, keinen Meierhof ungerüstet besuchen, mit dem Schwert nur darf man auf die Jagd oder auf den Fischfang gehen. [...] Da hast Du den Reiz, die Ruhe und Muße unsres Landlebens. Mag die Burg auf einem Berge oder in der Ebene stehen, sie ist nicht zum angenehmen Aufenthalt, sondern zum Schutz aufgebaut, mit Graben und Wall umgeben, der Raum im Innern beschränkt, durch Stallungen für das Vieh verengt; daneben dunkle Gewölbe für das Geschütz, mit Pech, Schwefel und dem übrigen Zubehör für die Waffen und Kriegsmaschinen angefüllt, überall Pulvergeruch, Gestank nach Hunden und Hundekot, eine angenehme Atmosphäre, dünkt mir.

Ulrich von Hutten *Der Reichsritter und prominente Humanist war eine der schillerndsten Gestalten der Reformationszeit. Als junger Mensch entlief er dem Kloster, floh auch aus der Enge der elterlichen Burg bei Fulda, studierte in Köln und Erfurt und führte schließlich als politischer Schriftsteller ein Wanderleben.*

Ritterregeln

Besonders im Hochmittelalter, zur Zeit der Kreuzzüge, bildete sich das Rittertum als sozialer Stand heraus, der sich seine eigenen Lebensregeln gab. Das in der höfischen Dichtung beschriebene ritterliche Ideal wurde im Hochmittelalter schließlich für den Adel, aber auch für die Bürger, für wohlhabende Bauern und selbst für die Fürsten zu einem Leitbild. Johannes Rothe, Pfarrer an der Eisenacher Frauenkirche, faßt die Regeln in seinem „Ritterspiegel" zusammen:

Es gibt jetzt dreierlei Arten Ritter: die ersten taugen nicht ein Ei, sie haben weder Ehren noch Gut [...], zu diesen bösen Rittern gehören die, die ehrlos auf den Straßen rauben und morden.

Die zweiten, die sich auch Ritter nennen, tragen Lehen von Edelleuten, sind aber auch ihre Güter frei, so halten sie sich nicht, wie es ihrem Stande zukommt. Sie sind schlechte Christen, machen viele zu Witwen und Waisen und nähren sich nur vom Rauben und anderen unehrlichen Sachen. [...]

Die der dritten Art allein sind edel, sie werden zu Rittern, wenn ihre Fürsten zu allgemeinem Nutzen und für eine gerechte Sache Krieg führen [...]. Oder sie ziehen zum Heiligen Grab und lassen sich dort zum Ritter segnen. Solche Leute sehe ich als fromme Ritter an [...].

Der Ritter soll gegen seinen Freund weich sein wie das lautere Gold, den Bösen soll er immer feind sein, so ist er weise und kühn. Wer gegen die Seinen allezeit hart und ungut ist, der hat eine schlimme Art an sich, sein Adel liegt im Dreck. Der Ritter soll gegen sein Hausgesinde kein Löwe sein, er könnte sie sonst ungetreu finden. Er soll auch nicht zu zart gegen sie sein, sonst könnten sie sich darauf verlassen und ihm den Gehorsam weigern; er trachte nach dem rechten Maß. [...]

Wenn einer Ritter geworden ist, so soll er ein Gefolge von Knechten haben, zum mindesten einen Knecht, der ihm ständig aufwartet. Der Ritter soll tugendhaft und gerecht sein, sich in harter Zucht halten und sich vor Trunkenheit hüten, zu allen Tugenden [...] soll ihn sein Knecht mahnen, denn darin liegt all sein Adel.

Recht und Gesetz im Mittelalter *Der Sachsenspiegel des Eike von Repgow aus dem 13. Jh. beschreibt in Wort und Bild Rechtsfälle aus dem ritterlichen Leben (von oben): Der Burgherr empfängt einen friedensbrecherischen Gast; der Burgherr zahlt Schadensgeld; bewaffnete Ritter töten einen Mann; Krieger brechen auf Befehl des Grafen in ein Haus ein; Jude und Pfaffe tragen unerlaubt Waffen, und zwei Knechte bestrafen eine Frau.*

223

STÄDTE IM MITTELALTER

Stadtluft macht frei

Mit diesem Spruch unterschieden sich im Mittelalter die Bürger von der Masse der Landbevölkerung, die in Abhängigkeit von den Feudalherren lebte. Umgeben von starken Mauern und bewehrt mit trutzigen Türmen, entwickelten sich Städte wie Dinkelsbühl (Foto) zum Hort bürgerlicher Freiheiten und zum Zentrum wirtschaftlicher und kultureller Blüte. Besonders die Reichsstädte erlangten politischen Einfluß, den sie in langwierigen Auseinandersetzungen gegen die Landesfürsten zu behaupten wußten.

KÖNIGREICH DÄNEMARK

N o r d s e e

O s t s e e

Lübeck
Hamburg
Bremen
Lüneburg
Verden
Uelzen

Deventer
Hannover
Braunschweig
Helmstedt
Herford
Hildesheim
Lemgo
Goslar
Brakel
Einbeck
Halberstadt
Wesel
Dortmund
Göttingen
Nordhausen
Soest
Mühlhausen
Duisburg
Warburg
Leipzig
Antwerpen
Kamenz
Köln
Görlitz
Lauban
Aachen
Bautzen
Düren
Löbau
Erfurt
Zittau

Frankfurt

Wetzlar
Friedberg
Frankfurt
Gelnhausen
Mainz
Schweinfurt

Pfeddersheim
Worms
1388
Windsheim
Speyer
Wimpfen
Rothenburg
Nürnberg
Landau
Schwäbisch
Heilbronn
Hall
Dinkels-
Weißenburg
Weinsberg
bühl
Weißenburg
Selz
Schwäbisch
Bopfingen
Hagenau
Gmünd
Nördlingen
Regensburg
Saarburg
Wei
Aalen
Toul
Straßburg
Döffingen X
Esslingen
Rosheim
1388
Giengen
Donauwörth
Oberehnheim
Offenburg
Ulm
Schlettstadt
Gengenbach
Reutlingen
Augsburg
Kaysersberg
Zell
Türkheim
Buchau
Biberach
Münster
Colmar
Rotweil
Memmingen
Pfullendorf
Kaufbeuren
Mülhausen
Überlingen
Ravensburg
Linz
Schaffhausen
Leutkirch
Kempten
Buchhorn
W.
Isny
Besançon
Basel
Konstanz
Lindau
Zurzach
Wil
Sankt Gallen

W.=Wangen

KGR. FRANKREICH

Verdun
Metz

0   50   100

Die neue Herrschaft – Patrizier und Handwerkszünfte

Aus den Marktsiedlungen der Kaufleute und Handwerker entwickelten sich ab dem 12. Jh. in Deutschland die ersten Städte. Die weltlichen oder geistlichen Herren, die den Orten in einer Gründungsurkunde die Stadtrechte verliehen, waren an der Förderung der Städte interessiert, weil sie ihnen durch Zölle und Abgaben reiche Einnahmen bescherten. Zu den gewährten Rechten, die den Zuzug fördern sollten, gehörte auch, daß Hörige, die ein Jahr und einen Tag in der Stadt gelebt hatten, ihre Freiheit erhielten. Dies veränderte die mittelalterliche Gesellschaft grundlegend. Bis dahin gehörten die meisten Menschen als Leibeigene einem Grundherrn, lebten auf dem Land und waren an ihren Acker gebunden. Seit dem hohen Mittelalter boten nun die aufkommenden Städte die Möglichkeit, persönliche Freiheit, Besitz und Reichtum zu erlangen.

In dem Maß, in dem die Städte erfolgreich Handel trieben und an Attraktivität gewannen, wuchs auch ihr Streben nach Eigenständigkeit. Manche Rechte kaufte man dem Stadtherrn ab, andere mußte man sich hart erkämpfen. Aus königlichen Stadtgründungen entwickelten sich so die späteren Reichsstädte, die dem Kaiser direkt unterstanden und oft über große Territorien verfügten wie Nürnberg, Ulm oder Rothenburg, aus den Bischofsstädten wurden freie Städte wie Worms, Speyer und Mainz. Unter den etwa 25 Großstädten mit über 10 000 Einwohnern war Köln mit 35 000 im Jahr 1450 die weitaus größte Stadt im Reich.

Die sozialen Unterschiede führten im 14. Jh. fast in allen Städten Deutschlands zu Unruhen. Die Handwerker, in Zünften organisiert, wollten am Stadtregiment beteiligt werden. In zahlreichen Städten gelang es ihnen, dem Patriziat, den führenden reichen Kaufleuten, die Macht zu entreißen. Um ihre Selbständigkeit gegenüber den Landesfürsten zu behaupten, schlossen sich die meisten Städte im 14. Jh. in Städtebünden zusammen. Die Territorien rund um die Städte dienten als Aufmarschgelände für die städtischen Heere ebenso wie zur Nahrungsversorgung. Ihr Reichtum ermöglichte es vielen Städten, sich waffenerprobte Söldnerheere zu halten. Besonders die schwäbischen Städte sahen sich von den Grafen von Württemberg bedroht, denen die Reichsstädte in ihrem Territorium ein Dorn im Auge waren. So gründeten diese Städte 1376 den Schwäbischen Städtebund. Ihr Bündnis richtete sich zugleich gegen Kaiser Karl IV., der zahlreiche Reichsstädte verpfänden wollte, um die ungeheuren Kosten für die Wahl seines Sohnes Wenzel zum deutschen König aufzubringen. Es kam schließlich zum Süddeutschen Städtekrieg, in dem nach anfänglichen Erfolgen der Schwäbische Städtebund 1388 den Württembergern bei Döffingen unterlag. Im selben Jahr schlug der Pfalzgraf Ruprecht I. aus dem Hause Wittelsbach bei Pfeddersheim den Rheinischen Städtebund, der seit 1381 mit den schwäbischen Städten verbündet war.

Die elsässischen Reichsstädte verstanden es am besten, ihre Reichsunmittelbarkeit zu erhalten, und konnten bis 1789 eine Sonderstellung einnehmen. Im Norden erlangten der von Kaiser Karl IV. anerkannte Sächsische und der Oberlausitzer Städtebund zeitweise regionale Bedeutung als politische Gegenspieler der welfischen und wettinischen Landesfürsten.

Mit dem königlichen Landfrieden von Eger 1389 endete die selbständige Politik der Städte, doch machten ihr Reichtum und die weitreichenden wirtschaftlichen und kulturellen Beziehungen die Städte des Mittelalters in der Folgezeit zu gefragten Partnern der Könige und Fürsten.

Karte

Deutschordensland

KÖNIGREICH POLEN

Weichsel

Warthe

Breslau

Oder

Städte im Mittelalter

///////	Grenze des Heiligen Römischen Reiches (1378)
——	Grenzen der Herzogtümer, Marken u. ä.
••••••	Grenze des Ordenslandes
▨	Hauptgegner der Städtebünde (Wittelsbacher, Württemberger, Habsburger)
⬡	Reichsstadt (Territorien bis Mitte des 16. Jh.)
◇	Bedeutende Messestadt
•	Mitglied eines Städtebundes ohne den Status einer Reichsstadt
Mainz	Rheinischer Städtebund (1381-1389)
Ulm	Schwäbischer Städtebund (1376-1389)
Colmar	Elsäßer Zehnstädtebund (1354-1378, 1418-1789)
Görlitz	Oberlausitzer Städtebund (1346-1547)
Goslar	Sächsischer Städtebund (1382-1389)
1388 ✗	Bedeutende Schlacht der Städtebünde
⋯⋯	Wichtige Handelsstraßen

Übergabe der Stadtrechte an die Zünfte
In zähen, zum Teil blutigen Auseinandersetzungen gelang es den Zünften oder Gilden oftmals, dem städtischen Patriziat, wie in Augsburg, die Macht zu entreißen.

Zentren städtischer Macht

Behäbige alte Fachwerkbauten, prächtige Rat- und Bürgerhäuser und teilweise noch sehr gut erhaltene Befestigungen bezeugen den einstigen Wohlstand und das durch ihre Unabhängigkeit rasch gewachsene Selbstbewußtsein der Städte in Oberschwaben, wo einst das reichsstädtische Zentrum war. Im Kern hat jeder Ort dieser Tour noch sein mittelalterliches Gesicht bewahrt – Stadtführungen bieten eine ideale Möglichkeit, die Orte und ihre Geschichte kennenzulernen.

Lindau Im 14. Jh. organisierte der aufsässige Patrizier Heinrich Rienolt einen Aufstand gegen die Reichsstadt. Die Aktion mißlang. Man ließ ihn und seine Genossen auf dem Marktplatz enthaupten. Ihre Köpfe warf man in den Brunnen neben der Richtstätte, der später zugeschüttet wurde. So erinnert heute nur noch ein Steinkranz an dieses blutige Kapitel der Stadtgeschichte.

Volutengezierte Staffelgiebel und ein gedeckter Treppengang zur Ratslaube im ersten Stock bestimmen die Nordansicht des Alten Rathauses. Von der alten Stadtbefestigung steht u. a. noch der Diebsturm (14. Jh.).

Wangen In langen Verhandlungen mußte sich die Stadt ihre Reichsunmittelbarkeit von den Sankt Gallener Äbten erkämpfen, in deren Besitz sie sich lange befunden hatte.

Das Bild der denkmalgeschützten Altstadt ist vor allem von den prächtigen Toren der Stadtbefestigung (14. Jh.) geprägt. Eine reizvolle Verbindung gehen der Pfaffenturm und das im wesentlichen barocke Rathaus ein. Als das Rathaus 1976 restauriert wurde, legte man an seiner Rückwand und am Turm die Bemalung aus dem 16. Jh. frei.

Isny Um die Altstadt zieht sich eine fast vollständig erhaltene Stadtmauer. Im Wassertor (15. Jh.) befand sich ein Gefängnis, in das die Gefangenen mit einem Seil hinabgelassen wurden. Zeugnisse jener Zeit sind die restaurierten Wandmalereien von Gefängnisinsassen. Heute ist hier ein Heimatmuseum untergebracht, in dem auch alte Urkunden zur Gerichtsbarkeit zu sehen sind.

🛈 Heimatmuseum im Wassertor: Führungen Mi 9.30, 10.45, Sa 9.30, 10.45, So 10.30 Uhr (April–Oktober).

Ratssaal in Überlingen An den Wänden ist die Ständeordnung des Reichs dargestellt: göttliche Macht, weltliche Macht mit Kaiser und König und schließlich Vertreter der Stände (oben).

Altes Rathaus Lindau Szenen des prunkvollen Reichstags von 1496 zieren seine Fassaden (rechts).

Biberach an der Riß Die Martinskirche ist in ihrer Art einzigartig in der Bundesrepublik: Seit der Reformation wird sie von beiden Konfessionen benutzt (ganz rechts).

Leutkirch Vom Ende des 13. Jh. an war Leutkirch Reichsstadt; viele stattliche Bürgerhäuser erinnern an diese Zeit. Die Leinwandweberei trug wesentlich zum Wohlstand Leutkirchs bei. Der Stoff wurde vor allem nach Südeuropa exportiert.

Von der spätmittelalterlichen Stadtbefestigung ist u. a. noch der Bockturm erhalten.

Memmingen Am Kreuzungspunkt zweier großer Fernstraßen gelegen, entwickelte sich die Stadt rasch zu einem der bedeutendsten Handelsplätze Süddeutschlands. Leinwand und Barchent wurden bereits im 13. Jh. nach Südeuropa und Flandern exportiert.

Mit der Zunftverfassung von 1347 wurde auch das Patriziat zum Eintritt in eine Zunft, nämlich die Großzunft, verpflichtet. Der Rat der Stadt war fortan paritätisch mit Patriziern und Handwerkern besetzt. Zunftgebäude wie das Weberzunfthaus und das Siebendächerhaus sowie Patrizierhäuser bestimmen heute noch das Bild der malerischen Stadt.

Das prachtvoll geschnitzte Chorgestühl (1501–1508) der Martinskirche ist ein bedeutendes Zeugnis städtischen Stolzes: Neben Propheten und Aposteln sind zwölf Bildnisse von bürgerlichen Kirchenstiftern zu sehen.

ℹ Wissenswertes über die Zunftgeschichte und das Memminger Patriziat erfährt man im Städtischen Museum, Hermanngasse 2: Di–Fr, So 10–12, 14–16 Uhr (Mai–Oktober). Sankt Martin: Mo–Sa 14.30–17 Uhr, So nach dem Gottesdienst (Mai–Oktober).

Biberach an der Riß Ein Bummel durch die Altstadt führt, vorbei an imposanten Bürgerhäusern, zu den beiden Ratsgebäuden. Das Alte Rathaus – zugleich Schlachtmetzig – wurde 1432 erbaut; bis ins 19. Jh. befanden sich im Erdgeschoß dieses alemannischen Fachwerkbaus die Verkaufsstände der Metzger, während im Neuen Rathaus die Bäcker ihre Ware feilboten. Von der Stadtbefestigung stehen noch drei Türme.

Die Geschicke der Stadt wurden fast ausschließlich von einflußreichen Patriziat gelenkt; die Zünfte waren im Stadtrat unterrepräsentiert. Ab Mitte des 17. Jh. herrschte im Stadtregiment eine konfessionelle Parität. Alle wichtigen Ämter waren doppelt besetzt, jeweils von einem Vertreter der katholischen und der evangelischen Kirche.

Pfullendorf Ganz im Gegensatz zu Biberach hatten im Stadtrat von Pfullendorf die Zünfte das Sagen. Am Rathaus beeindrucken die schönen Fenstermalereien (1524/1525) des großen Saales.

Von Lindau nach Ravensburg Die reizvolle B 18 führt nach Memmingen (von Wangen Umweg über Isny nach Leutkirch). In weitem Bogen geht es dann südlich der Donau weiter in Richtung Westen und über Pfullendorf wieder zurück zum Bodensee, dessen malerisches Ufer man aber bald wieder verlassen muß.

Einer der ältesten Fachwerkbauten Süddeutschlands ist das Alte Haus (auch Schoberhaus), das Anfang des 14. Jh. auf der Stadtmauer errichtet wurde. Der Stadtbering selbst ist in Teilen noch erhalten. Das Obere Tor stammt aus dem Jahr 1505.

Überlingen Ihre Blütezeit erlebte die von Kaiser Barbarossa gegründete Stadt vom 13. bis 16. Jh. als bedeutender Umschlagplatz von Getreide, Salz und Wein. Das einstige Kornhaus an der Seepromenade hat vier Rundtore an den beiden Längsseiten: An der Nordseite wurden die Waren eingeführt und an der Südseite auf Schiffe verladen.

Ein Zeugnis städtischen Wohlstands ist der hoch über der Stadt gelegene Patrizierpalast des Reichlin von Meldegg aus dem 16. Jh. mit einer gotischen Hauskapelle im Anbau.

Im Rathaussaal ist die Ständeordnung des Heiligen Römischen Reiches in Holz geschnitten (1494).

ℹ Besichtigung des Rathaussaales: Mo–Fr 7–12, 13.30–16 Uhr.

Ravensburg Die zu Füßen der welfischen Stammburg gegründete Stadt war im 14. Jh. eine der führenden Fernhandelsstädte Oberschwabens. Vor allem das Leinwandgewerbe und die Lederverarbeitung begründeten ihren Reichtum.

Diesen Wohlstand galt es zu sichern, und so wurde vom 13. bis 15. Jh. an der mächtigen Stadtbefestigung gearbeitet, die in großen Teilen noch erhalten ist. Wahrzeichen der Stadt ist der stämmige Weiße Turm unterhalb der Burg, der im Volksmund „Mehlsack" heißt.

Rund um den Marienplatz gruppieren sich die stolzen Zeugnisse des blühenden Handelszentrums. Im Waaghaus mit seinen hohen Staffelgiebeln befand sich ein Kaufhaus mit Lagerhalle. Im wuchtigen Blaserturm wohnte einst der Stadtwächter, der mit seinem Horn Feuersbrünste und die Uhrzeit bekanntgab. Im Museum im Vogthaus (15. Jh.) sind u. a. Zunfttafeln und ein historisches Richtschwert zu sehen.

ℹ Städtisches Museum, Charlottenstraße 36: Di–Sa 15–17, So 10–12, 15–17 Uhr, Juli und August auch Mo 10–12 Uhr.

Siebendächerhaus in Memmingen Das berühmte Gebäude in der Lindentorstraße gehörte einst den Gerbern, die unter den vorspringenden Dächern ihre Felle zum Trocknen aufhängten. Durch die Textilherstellung und den regen Handel zwischen Nord und Süd hatte es die Stadt zu großem Wohlstand gebracht.

Im Schutze wehrhafter Mauern

Die wehrhafte Befestigung sollte die mittelalterliche Stadt vor den Übergriffen von geistlichen und weltlichen Fürsten schützen. Um ihre Unabhängigkeit zu verteidigen, schlossen sich in Schwaben und im angrenzenden Franken viele Orte zum Schwäbischen Städtebund zusammen. Daß etliche dieser Städte ihr altes Gesicht bewahren konnten, liegt zum Teil an ihrer idyllischen Lage fernab der großen Verkehrsverbindungen des Industriezeitalters.

Frickenhausen Zu Stadtrechten hat es der romantische Marktflecken, der als ältester Ort Frankens gilt, nie gebracht. Über König Ludwig das Kind gelangte er in den Besitz des Bischofs von Würzburg und wurde 1406 dem Domkapitel übergeben.

Der Weinbau hat hier eine 1000jährige Tradition. Um die kostbaren Weinvorräte zu schützen, errichtete man im 15. und 16. Jh. rund um den wohlhabenden Markt eine Ringmauer, die noch vollständig erhalten ist.

Wie einst betritt man den Ort auch heute durch eines der vier Tore, die sich in die vier Himmelsrichtungen öffnen. In reizvollem Kontrast zu den schmucken Fachwerkbürgerhäusern reicher Weinhändler stehen die kleinen, engen Häuschen der einfachen Winzer.

Ochsenfurt Wie Frickenhausen gehörte auch Ochsenfurt zum Tafelgut des Bischofs von Würzburg; seit dem frühen 12. Jh. entwickelte es sich zu einem der Hauptplätze des Würzburger Hochstifts im Maintal. Der guterhaltene Mauergürtel birgt in seinem Inneren ein besonderes Kleinod: das Uhr- oder Lanzentürmchen des spätgotischen Neuen Rathauses mit einem Spielwerk aus dem Jahr 1560.

Rothenburg ob der Tauber Dieser Ort ist die mittelalterliche Stadt schlechthin, Anziehungspunkt unzähliger in- und ausländischer Besucher. Keine zweite deutsche Stadt hat den Glanz und Ruhm der mittelalterlichen Reichsstadt so bewahren können.

1142 errichtete der Stauferkönig Konrad III. an dieser Stelle eine Reichsfeste, die später allerdings ei-

Ochsenfurt Das achteckige Uhrtürmchen des Rathauses sollte man sich zur vollen Stunde einmal genauer ansehen: Dann nämlich dreht der Tod die Sanduhr um, und die beiden Ochsen gehen aufeinander los. Die Tiere weisen auf den bäuerlichen Ursprung der Stadt, der Bürgermeister unten am Turm auf die neue Bürgerkultur (links).

Frickenhausen Den Joachimsturm (1468) an der Nordseite der Stadtmauer nennt der Volksmund auch den Roten Peterturm: Der letzte Bewohner hatte rote Haare und einen roten Bart (rechts).

Handwerkerhaus in Rothenburg In dem alten Häuschen, das heute eines der interessantesten Museen der Stadt beherbergt, lebten von 1724 bis 1802 Schuhmacher. Die Schusterstube mit ihrem alten Mobiliar und Werkzeug vermittelt einen lebendigen Eindruck davon, wie dieses Handwerk früher ausgeübt wurde (rechts).

nem Erdbeben zum Opfer fiel. Aus dem Burgflecken wuchs eine Siedlung, die um 1172 durch Barbarossa zur Stadt erhoben wurde und rund 100 Jahre später von Kaiser Rudolf I. von Habsburg den Freiheitsbrief erhielt.

Noch vor 1200 wurde die Altstadt befestigt; von diesem inneren Bering stehen u. a. noch der Weiße Turm und der Markusturm mit dem Röderbogen. Vollständig ist dagegen die äußere, jüngere Stadtmauer erhalten (13.–14. Jh.). Auf ihrem Wehrgang kann man den Ort umwandern, und von hier erschließt sich dem Betrachter die Schönheit und Geschlossenheit der mittelalterlichen Stadtanlage besonders eindrucksvoll: Dicht aneinandergedrängt gruppieren sich Kirchen und hübsch restaurierte Bürgerhäuser um den rechteckigen Marktplatz. Im gotischen Teil des herrlichen Rathauses, eines Doppelbaus aus dem 13. und 16. Jh., befinden sich unter dem wuchtigen Kaisersaal noch die alte Folterkammer und drei unterirdische Gefängnisse.

An der Nordseite des Marktplatzes steht die ehemalige Ratstrinkstube mit ihrer vielbewunderten Kunstuhr, auf welcher der berühmte Meistertrunk dargestellt ist. Im Dreißigjährigen Krieg hatte General Tilly die Stadt erstürmt. In seiner Siegerlaune soll er versprochen haben, sie vor der Brandschatzung zu retten, wenn einer der Ratsherren einen Humpen mit 3 ¼ l Wein in einem Zug leeren könne. Altbürgermeister Nusch schaffte es. Tilly hielt Wort und verschonte die Stadt. Im Rahmen des Rothenburger Pfingstfestes wird diese Begebenheit alljährlich im Kaisersaal des Rathauses aufgeführt. Während die Geschichte selbst wohl eher im Bereich der Legende angesiedelt ist, kann man den gläsernen Kurfürstenhumpen von 1616 im Reichsstadtmuseum bewundern, das im ehem. Dominikanerinnenkloster untergebracht ist. Dort finden sich auch weitere Exponate zur Stadtgeschichte.

Interessante Einblicke in die mittelalterliche Rechtspflege gewährt das Kriminalmuseum, das bedeutendste seiner Art in der Bundesrepublik Deutschland. Folterinstrumente und Hinrichtungsgeräte sind Zeugen der menschenverachtenden Rechtsauffassung jener Zeit. Kaiser Karl V. hatte 1532 in der ersten Straf- und Prozeßordnung des Reiches die Folter ausdrücklich erlaubt. Ergänzt wird die sehenswerte Sammlung durch Gesetzesbücher, kaiserliche Dekrete und städtische Verordnungen.

In einem historischen Häuschen

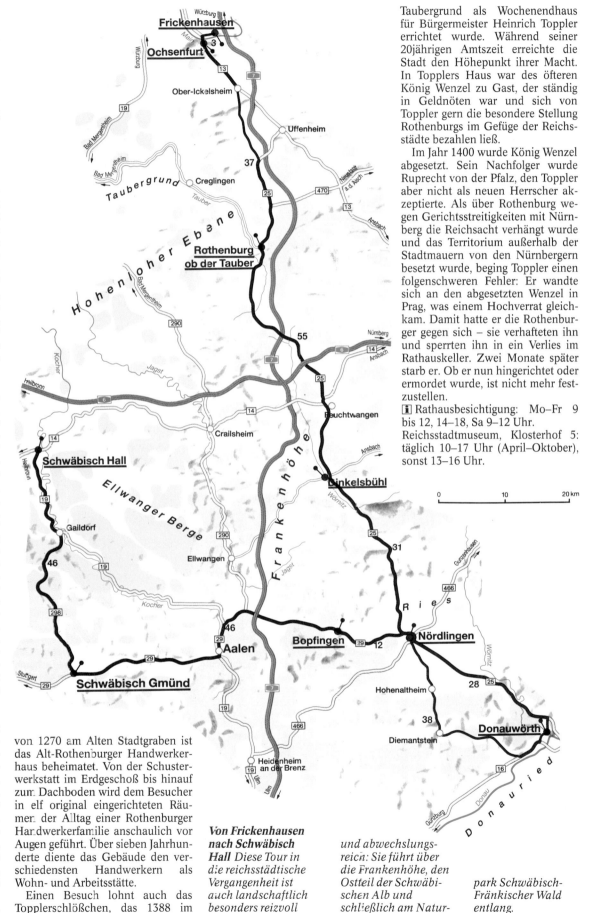

von 1270 am Alten Stadtgraben ist das Alt-Rothenburger Handwerkerhaus beheimatet. Von der Schusterwerkstatt im Erdgeschoß bis hinauf zum Dachboden wird dem Besucher in elf original eingerichteten Räumen der Alltag einer Rothenburger Handwerkerfamilie anschaulich vor Augen geführt. Über sieben Jahrhunderte diente das Gebäude den verschiedensten Handwerkern als Wohn- und Arbeitsstätte.

Einen Besuch lohnt auch das Topplerschlößchen, das 1388 im

Taubergrund als Wochenendhaus für Bürgermeister Heinrich Toppler errichtet wurde. Während seiner 20jährigen Amtszeit erreichte die Stadt den Höhepunkt ihrer Macht. In Topplers Haus war des öfteren König Wenzel zu Gast, der ständig in Geldnöten war und sich von Toppler gern die besondere Stellung Rothenburgs im Gefüge der Reichsstädte bezahlen ließ.

Im Jahr 1400 wurde König Wenzel abgesetzt. Sein Nachfolger wurde Ruprecht von der Pfalz, den Toppler aber nicht als neuen Herrscher akzeptierte. Als über Rothenburg wegen Gerichtsstreitigkeiten mit Nürnberg die Reichsacht verhängt wurde und das Territorium außerhalb der Stadtmauern von den Nürnbergern besetzt wurde, beging Toppler einen folgenschweren Fehler: Er wandte sich an den abgesetzten Wenzel in Prag, was einem Hochverrat gleichkam. Damit hatte er die Rothenburger gegen sich – sie verhafteten ihn und sperrten ihn in ein Verlies im Rathauskeller. Zwei Monate später starb er. Ob er nun hingerichtet oder ermordet wurde, ist nicht mehr festzustellen.

ℹ️ Rathausbesichtigung: Mo–Fr 9 bis 12, 14–18, Sa 9–12 Uhr. Reichsstadtmuseum, Klosterhof 5: täglich 10–17 Uhr (April–Oktober), sonst 13–16 Uhr.

Von Frickenhausen nach Schwäbisch Hall *Diese Tour in die reichsstädtische Vergangenheit ist auch landschaftlich besonders reizvoll und abwechslungsreich: Sie führt über die Frankenhöhe, den Ostteil der Schwäbischen Alb und schließlich am Naturpark Schwäbisch-Fränkischer Wald entlang.*

Kriminal- und Foltermuseum, Burggasse 3: täglich 9.30–18 Uhr (April bis Oktober), sonst 14–16 Uhr.

Alt-Rothenburger Handwerkerhaus, Alter Stadtgraben 26: täglich 9–18 Uhr (Ostern–Oktober).

Topplerschlößchen, Taubertalweg 100: täglich 13–16 Uhr (April–Oktober).

Dinkelsbühl Am besten lernt man die ummauerte Stadt mit ihren zahlreichen Toren und Türmen, nach Rothenburg wohl die schönste mittelalterliche Anlage der Bundesrepublik Deutschland, auf einem Rundgang kennen. 18 Türme und der geschlossene Mauerkranz erinnern an die große Zeit Dinkelsbühls im 15. Jh. Vor allem Wollweberei und Tuchmacherei hatten die Stadt, die ihren Namen von der alten Weizenart Dinkel herleitet, reich gemacht. Nach dem Ende der staufischen Herrschaft frei geworden, erhielt der Ort 1398 den Blutbann, also die hohe Gerichtsbarkeit, die ihm die Befugnis gab, die Todesstrafe zu verhängen und die Verurteilten hinzurichten.

Mittelpunkt der Stadt ist die kath. Stadtpfarrkirche Sankt Georg. Bei der Schranne, einem in der Nähe der Kirche gelegenen Kornhaus aus der Zeit um 1600, findet alljährlich Mitte Juli das Fest der Kinderzeche statt. Thema des Historienspiels ist eine Episode aus dem Dreißigjährigen Krieg: Im Jahr 1632 war die Türmerstochter mit einer Kinderschar den plündernden Schweden entgegengezogen und hatte deren Oberst Sperreuth gebeten, die Stadt nicht zu zerstören. Das Mädchen konnte sein Herz erweichen, und Dinkelsbühl wurde verschont.

Hochgiebelige Patrizierhäuser mit teilweise reichem Fachwerk bestimmen das Altstadtbild; fränkische und schwäbische Elemente bezeugen die Grenzlage der Stadt. Das Deutsche Haus in Dinkelsbühls Prachtstraße, der Segringer Straße, zählt zu den schönsten Fachwerkbauten Süddeutschlands. Seine Fassade stammt aus dem 16. Jh. Vom Segringer Torturm kann man an der Wehranlage entlang zum ehem. Kornhaus (1508) gehen, einem der stattlichsten Bauten der Stadt. Vorbei am pittoresken Grünen Turm führen die Treppen des Russelbergs hinab ins Schmiedeviertel.

Nördlingen Wahrzeichen der malerischen Stadt an der Romantischen Straße ist der „Daniel", der 90 m hohe Turm der ev. Georgskirche im Ortszentrum, von dem der Türmer auch heute noch sein „So, G'sell, so" ruft. Vom Turm, den man tagsüber besteigen kann, überblickt man die mittelalterliche Stadtanlage am besten. Deutlich zu erkennen ist der Verlauf des alten staufischen Mauerrings um den Stadtkern sowie der vollständig erhaltene äußere Bering, den Ludwig der Bayer 1327 zum Schutz der Vorstädte errichten ließ; diese Mauer wurde bis ins 17. Jh. ständig baulich verändert. Fünf Tore ermöglichen den Zugang zur Stadt.

Die unter dem Stauferkaiser Friedrich II. reichsfrei gewordene Stadt entwickelte sich im 13. Jh. rasch zu einem blühenden Gemeinwesen und brachte es zu beträchtlichem Wohlstand. Mit dafür verantwortlich war die günstige Lage am Kreuzungspunkt zweier bedeutender Handelsstraßen, die den Nördlinger Kaufleuten den Handel mit Südeuropa, den Niederlanden und Böhmen ermöglichte. Bereits 1219 fand hier die erste Pfingsthandelsmesse statt, die sich im 14. und 15. Jh. neben der Frankfurter zur wichtigsten oberdeutschen Fachhandelsmesse entwickelte. Man verkaufte vorwiegend Korn und Vieh aus dem fruchtbaren Ries und Erzeugnisse der Nördlinger Gerber und Färber; Nördlinger Rot und Schwarz waren lange Zeit unübertroffen. Im historischen Gerberviertel an der Eger vermitteln zahlreiche Häuser mit offenen Trockenböden und Lohgruben (hier wurden die Felle gegerbt) einen Eindruck vom damaligen Leben und Arbeiten dieser Zunft.

Am Marktplatz stehen sich Rathaus und Tanzhaus gegenüber. Das zwischen 1442 und 1444 erbaute Tanzhaus diente vor allem als eine Art Bürgertreff und wurde auch zum Empfang hoher Gäste genutzt. Seine Front ziert ein Standbild Kaiser Maximilians I.

Das Nördlinger Rathaus zählt zu den ältesten in Deutschland. Um dem wachsenden Repräsentationsbedürfnis der Stadt Rechnung zu tragen, wurde es im Lauf der Jahrhunderte ausgebaut und erhielt 1618 an der Ostseite eine steinerne Freitreppe, bei der Elemente der Renaissance und der Spätgotik eine reizvolle Verbindung eingegangen sind. Im zweiten Stock befindet sich die Bundesstube, wo sich von Beginn des 16. Jh. an die Delegierten des Schwäbischen Städtebundes trafen.

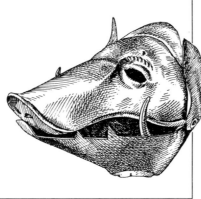

Burgtor in Rothenburg *Der mächtige Torturm (um 1350) gehört zu den ältesten Türmen der Stadt; die zierlichen Wachhäuschen und das mit dem Stadtwappen geschmückte Vortor kamen im 16. Jh. hinzu.*

Ein Wandgemälde von Hans Schäufelein aus dem Jahr 1515 stellt die Enthauptung des Holofernes dar.

Das Nördlinger Stadtbild ist wesentlich von schmucken Fachwerkbauten aus Spätgotik und Renaissance geprägt. Gemeinsam ist ihnen das liebevoll gestaltete Detail. Schnitzwerk und figürliche Darstellungen finden sich als Verzierung an manchen alten Häusern.

Das Hallgebäude am Weinmarkt,

Strafvollzug im Mittelalter

Man unterschied vier Arten von Strafen: Ehren-, Freiheits-, Verstümmelungs- und Todesstrafen. Mit einer heute beinahe unvorstellbaren Brutalität ging man dabei zu Werke: So wurden dem Delinquenten beim Rädern sämtliche Glieder einzeln zerbrochen. Harmloser waren die Schandmasken, die den Verurteilten dem öffentlichen Spott preisgaben. Die Schweinsmaske z. B. mußten Männer tragen, die sich „schweinisch" benommen hatten. Das Rothenburger Kriminalmuseum zeigt zahllose dieser Vollzugs- und Folterinstrumente.

Donauwörth An die reichsstädtische Vergangenheit der Stadt an der Wörnitzmündung erinnert die prachtvolle Reichsstraße, die gleichsam die Achse des planmäßig angelegten Ortes bildet. Die lebhafte Straße säumen die wichtigsten Bauten der Stadt: die beiden großen Kirchen, das Rathaus, das originelle Baudrexelhaus, das stolze Fuggerhaus und das alte Tanzhaus.

Nördlingen Die Statue am Tanzhaus zeigt Kaiser Maximilian I. mit Schwert und Reichsapfel (links); über seinem Haupt sind das Wappen der Habsburger und ein Doppeladler zu sehen. Der Freund und Gönner der Stadt weilte gern in Nördlingen. Die Sympathie beruhte auf Gegenseitigkeit: Die Bürger erwiesen ihm manchen Dienst, und der Kaiser dankte es ihnen mit einem Waffenbrief.

ein mit vier Erkern und Treppengiebeln versehenes Haus, wurde im 16. Jh. als Lager für Wein, Salz und Korn errichtet. Mit dem Weinmarkt untrennbar verbunden ist ein unrühmliches Kapitel der Stadtgeschichte: Der Platz galt als Zentrum des Hexenwahns im ausgehenden 16. Jh. Fast sämtliche Frauen, die am Weinmarkt wohnten, wurden als Hexen zum Tod auf dem Scheiterhaufen verurteilt, darunter auch die Frau des städtischen Zahlmeisters, die im Hallgebäude lebte. Ein Brunnen mit geschnitzten Flammensymbolen erinnert an diese Zeit der Hexenverfolgung, der 34 Frauen und ein Mann zum Opfer fielen.

ℹ️ Rathausbesichtigung Mo–Fr 7.45 bis 12, 13.30–16.30 Uhr.

Donauwörth Die Stadt, die ihren Namen einer Insel an der Mündung der Wörnitz in die Donau verdankt, kann auf eine wechselvolle Geschichte zurückblicken. Bereits im 11. Jh. besaß die Siedlung das Marktrecht. In der Folgezeit war die Stadt abwechselnd im Besitz der Wittelsbacher und der Staufer, bis sie der Habsburger Herrscher Albrecht I. im Jahr 1301 für das Reich forderte. Noch einmal kam Donauwörth in bayerischen Besitz, aber schließlich mußten die Wittelsbacher verzichten, und Kaiser Friedrich III. übergab der Stadt 1455 den Freiheitsbrief. Doch bereits 1607 fiel sie in Reichsacht, weil Protestanten eine katholische Prozession überfallen hatten. Zwei Jahre danach wurde Donauwörth an Herzog Maximilian I. (Bayern) verpfändet und im Jahr 1714 endgültig Bayern zugesprochen.

1945 wurde ein Großteil der alten Bausubstanz zerstört; in einem mühevollen Wiederaufbau hat man mit beachtlichem Erfolg versucht, das alte Stadtbild wiederherzustellen. Glanzstück ist das oft gerühmte Straßenbild der alten Reichsstraße, die mitten durch den Ort führt. Hier sind noch einige schöne historische Bauten erhalten geblieben wie der ehem. Stadtzoll mit seinem hübschen spätgotischen Erker und das Rathaus. Auf seinen alten Gebäudeteilen von 1236 und 1308 hat man später einen Barockbau errichtet und diesen Mitte des 19. Jh. mit neugotischen Stilelementen verziert (Stufengiebel und Glockenspielportal) – eine architektonisch nicht uninteressante Mischung. Das Sakramentshäuschen der spätgotischen Stadtpfarrkirche mit seinen natürlich wirkenden Relieffiguren (um 1500) wurde von einem Augsburger Bürgerehepaar gestiftet – Ausdruck des weitverbreiteten Strebens,

sich selbst ein Denkmal zu setzen. Von der alten Stadtbefestigung, die im frühen 13. Jh. vollendet war und später wiederholt verstärkt wurde, sind neben Teilen der Mauer noch das Rieder- und Färbertor erhalten.

Bopfingen Die malerische Stadt am Fuße des Ipfs geht auf eine alemannische Siedlung zurück. 1242 war sie bereits Reichsstadt; da Bopfingen Mitglied des Schwäbischen Städtebundes war, konnte es sich diesen Rang trotz massiver Bedrohung durch die Grafen von Oettingen bewahren. Ohne eigenes Herrschaftsgebiet brachte es die Stadt jedoch nie zu politischer Bedeutung.

Ein Zeugnis der reichsstädtischen Vergangenheit ist das Bopfinger Rathaus (1585–1586) mit schmuckem Fachwerkgiebel und Pranger. Dieser wurde 1802 abgerissen, später jedoch erneuert. Am Pranger, der eines der typischen Elemente des mittelalterlichen Strafvollzugs war, mußten Verurteilte die Schmach des öffentlichen Spottes erdulden; außerdem verlas der Stadtknecht von dort oben wichtige Bekanntmachungen.

Schwäbisch Gmünd Von der Felsenkapelle Sankt Salvator auf dem Nepperstein zeigt sich der mittelalterliche Kern der Stadt, die einst bedeutender staufischer Verwaltungsstützpunkt war, besonders deutlich. Sechs der 24 Wehrtürme des Mauerrings aus dem 14. bzw. 15. Jh. sind bis heute erhalten geblieben, darunter der originelle Knöpflesturm.

In der Nähe des Neuen Rathauses bezeugen einige sehenswerte Fachwerkhäuser wie das ehem. Kornhaus (1507) den einstigen Reichtum der Stadt. Im Mittelalter berieten sich die Stadträte im Alten Rathaus, der Grät. Ältere Bauteile wie die Buckelquader deuten darauf hin, daß das Gebäude aus der Stauferzeit stammt. Im 14. Jh. war es das Kaufhaus der Stadt, wo vor allem Salz und Eisenwaren angeboten wurden. 1536 wurde es umgebaut und mit einem Fachwerkaufbau versehen.

Nachdem Gmünd zur Reichsstadt erhoben worden war, blühten Handwerk und Handel zur allgemeinen Zufriedenheit: Aus einfachen Sensen- und Waffenschmieden wurden Gold- und Silberschmiede, deren Produkte im späten Mittelalter bis nach Frankreich und Spanien verkauft wurden. Bereits 1372 wird erstmals ein Goldschmied urkundlich erwähnt. Dieses Handwerk verhalf der Stadt zu weltweitem Ruhm. Erzeugnisse der Gmünder Silber- und Goldschmiede vergangener Jahrhunderte, darunter die berühmten Silberfische (kleine Nadelbehälter aus Silber), sind in einer

Goldschmiedewerkstatt im Städtischen Museum zu sehen.

ⓘ Städtisches Museum im „Prediger", Johannisplatz 3: Di–Fr 14–17, Sa, So 10–12, 14–17 Uhr.

Schwäbisch Hall Ihren Namen und Reichtum verdankt die Stadt am Kocher dem Salz (griech. *hals*). Die Solquelle veranlaßte die Kelten schon vor mehr als 2000 Jahren, hier eine Siedlung zu bauen, die 1116 in staufischen Besitz kam. Seit Barbarossas Zeiten ist mit Schwäbisch Hall eine Münzeinheit verbunden: der Heller, ursprünglich eine Silbermünze, die hier entworfen und in der königlichen Münzstätte bis ins 16. Jh. hinein geprägt wurde. Nach dem Untergang der Staufer erfuhr der Haller Pfennig, den Hand und Kreuz als Symbole des mittelalterlichen Marktfriedens zierten, seinen Abstieg zur kleinen Kupfermünze. Einen Überblick über das alte Münzwesen bietet das Hällisch-Fränkische Museum in der Keckenburg. Der Keckenturm ist das besterhaltene mittelalterliche Turmhaus von Schwäbisch Hall. Einst bestimmten diese Geschlechterwohntürme das Stadtbild; heute sind leider nur noch wenige erhalten.

Allzu lange hielt es den Adel in Schwäbisch Hall allerdings nicht. Im Jahr 1512 nämlich wurde der Herrenstand, der zuvor maßgeblich die Geschicke der Stadt bestimmt hatte, gestürzt: In einer Auseinandersetzung zwischen Patriziern und Zünften errangen die Salzsieder und Handwerker den Sieg über die Adligen, die alsbald die Stadt verließen.

Das Bild der reizvoll am Hang gelegenen Altstadt ist von verwinkelten Gäßchen, malerischen Treppengassen und mächtigen Bürgerhäusern mit Fachwerkobergeschoß bestimmt. Erkleckliche Einnahmen aus dem Salzhandel – schon zur Stauferzeit war die Haller Saline die größte Salzproduktionsstätte im deutschen Südwesten – und die wachsenden Ansprüche des wohlhabenden Bürgertums schlugen sich in den Veränderungen des Stadtbilds nieder. Von der romanischen Michaelskirche ließ man nur die vier unteren Geschosse des Westturmes

Der „Mühlenbrand"
in Schwäbisch Hall
Jedes Jahr zu Pfingsten wird im Rahmen des Siederfestes auf dem Grasbödele, einer kleinen Insel im Kocher, der Mühlenbrand von 1376 nachgespielt: Die Haller Salzsieder löschen den Brand der Mühle.

stehen. An ihrer Stelle wurde im 15. Jh. ein dreischiffiges Langhaus in spätgotischem Stil erbaut. Vom Marktplatz führt eine wuchtige Freitreppe hinauf, auf der jedes Jahr von Juni bis August die berühmten Freilichtspiele stattfinden. Vor dem Standbild des Erzengels Michael (1290), des Schutzheiligen der Salzsieder, unter dem Gewölbe der Vorhalle soll einst der Schultheiß Recht gesprochen haben.

Unterhalb der Treppe steht einer der eigenwilligsten Marktbrunnen des späten Mittelalters, der Fischbrunnen aus dem Jahr 1509: Als Wandanlage weicht er vom üblichen Pfeiler- oder Säulentyp ab. In das Halseisen des Prangers direkt daneben wurden Verleumder und Streitsüchtige für mehrere Stunden eingespannt und der öffentlichen Schmach preisgegeben. Den Marktplatz umgeben Gebäude aus acht Jahrhunderten: schmucke Fachwerk- und mächtige Steinhäuser mit prachtvollen Fassaden und das barocke Rathaus an der Westseite.

An der höchsten Stelle der Stadtmauer, von der nur noch einzelne Türme erhalten sind, wurde Anfang des 16. Jh. südlich der Michaelskirche das große Büchsenhaus errichtet, in dessen Erdgeschoß das Waffenarsenal untergebracht war. Denn wehrhaft mußte die Reichsstadt sein, wurde doch ihre Freiheit des öfteren von außen bedroht. Die Obergeschosse dienten als Getreidespeicher. Später wurde hier ein Theatersaal eingerichtet, in dem eine englische Schauspielgruppe bereits 1603 Shakespeares „Romeo und Julia" aufführte.

Alljährlich zu Pfingsten feiert die Stadt das Siederfest. Mit einem Historienspektakel und einem festlichen Trachtenumzug begeht man den Jahrestag des Mühlenbrandes. Die Sage berichtet von einem großen Feuer an der Stadtmühle im 14. Jh. Die Salzsieder, im Umgang mit Feuer bestens geübt, eilten dem Müller zu Hilfe und bewahrten die wichtigste Mühle am Kocher davor, ein Raub der Flammen zu werden. Als Dank stiftete der Müller einen 100 Pfund schweren Mühlenkuchen. Der Tradition gemäß wird heute noch jedes Jahr ein großer Kuchen gebacken, der in einer feierlichen Prozession durch die Stadt getragen wird.

ⓘ Hällisch-Fränkisches Museum, Keckenburg: Di–So 10–17, Mi bis 20 Uhr.

Freilichtspiele und Siederfest: Auskunft beim Fremdenverkehrsamt, Tel. 0791/751321.

Ev. Pfarrkirche Sankt Michael: Mo bis Sa 9–12, 14–17, So 11–12, 14–17 Uhr (Mitte März–Ende Oktober).

Von Fürsten bedroht, vom Kaiser geschützt

Herr der Reichsstädte war der Kaiser. Er schlichtete innerstädtische Konflikte und sicherte die Freiheit der Stadt gegen Angriffe von außen. Reutlingen war zweimal das Angriffsziel württembergischer Herrscher: Zuletzt versuchte es Herzog Ulrich, der die Stadt 1519 sogar besetzte. Ein kaiserlicher Bann vertrieb ihn daraufhin aus seinem Herzogtum, in das er erst 1534 zurückkehren durfte. Doch nicht jede Stadt im Neckarland konnte ihre Reichsunmittelbarkeit bewahren.

Rottweil Ab dem 13. Jh. hatte das Hofgericht, eines der drei höchsten kaiserlichen Gerichte, seinen ständigen Sitz in der Staufergründung. Dort, wo es bis 1784 tagte, steht heute die Nachbildung eines Gerichtsstuhls (Königsstraße, Ecke Lorenz-Bock-Straße; das Original befindet sich im Stadtmuseum). Auf der Königsstraße zog einst der Herrscher in die Stadt. Der Hofrichter, ein hochgestellter Adliger, sprach im Namen des Kaisers Recht; seine Beisitzer waren angesehene Bürger.

Unter den schwäbischen Reichsstädten nahm Rottweil eine Sonderstellung ein. 1519 schloß man mit den Eidgenossen entgegen dem Gebot Kaiser Karls V. den „Ewigen Bund", der bis 1802 galt. An diesen Vertrag erinnert die Figur des Schweizer Eidgenossen auf dem Marktbrunnen.

Neben der Bundesurkunde birgt das Stadtmuseum eine weitere Kostbarkeit. Die Pürschgerichtskarte von 1564 gibt eindrucksvoll die zielstrebige Territorialpolitik der Stadt wieder: Vom Schwarzwald bis zur Schwäbischen Alb nannte sie 28 Dörfer ihr eigen.

🛈 Stadtmuseum, Hauptstraße 20: Mo–Do, Sa 9–12, 14–17, Fr 9–12, So 10–12 Uhr.

Reutlingen Wie Rottweil ist auch Reutlingen eine Gründung der Staufer. Kaiser Friedrich II. ließ die Stadt 1216–1240 neu anlegen. Von der Stadtbefestigung jener Zeit sind noch das Tübinger und das Gartentor erhalten.

Gegen den Grafen Ulrich von Württemberg, einen entschiedenen Gegner der schwäbischen Reichsstädte, konnte Reutlingen 1377 im Städtekrieg seine reichsunmittelbare

Hofgerichtsstuhl in Rottweil *Im Mittelalter tagte das Gericht im Freien: Eine Kopie des Rottweiler Gerichtsstuhls steht in der Königsstraße (links).*

Esslinger Rathaus *Durch die prächtige Schickhardtsche Vorhalle im zweiten Stock mit ihren schönen Kreuzrippengewölben gelangt man in die Räume des Stadtmuseums (links oben).*

Mosbach *Eine besondere Zierde des Marktplatzes ist das Palmsche Haus mit seinem reichen Zierfachwerk (1610). Von den Konsolen blicken bunte Neidköpfe herab (oben).*

Stellung behaupten. Die Standbilder Karls V. und Maximilians II. auf Kirch- und Marktbrunnen sind Zeichen der engen Verbindung zwischen Kaiser und Reichsstadt.

Esslingen Die einstige staufische Burg, von der heute fast nichts mehr zu sehen ist, war mit der Stadtbefestigung über Schenkelmauern verbunden, die mit Wehrgang, Turm und Wächterhaus erhalten blieben. Ebenfalls zur Stauferzeit entstand die Pliensaubrücke, eine beeindruckende Leistung der mittelalterlichen Baumeister.

Kennzeichnend für den städtischen Wohlstand sind neben den stattlichen, mit Fachwerk verzierten Bürgerhäusern im historischen Stadtkern die zahlreichen Pfleghöfe umliegender Klöster. Imposantes Denkmal des Bürgertums ist das Alte Rathaus (ehem. Steuerhaus) mit seinem eindrucksvollen Bürgersaal, das man 1430 über den Fleisch- und Brotbänken errichten ließ. Der marktseitige Giebel des prächtigen schwäbischen Fachwerkbaus wurde später von Heinrich Schickhardt im Renaissancestil umgestaltet. Bereits 1316 waren auch die Zünfte im Stadtregiment vertreten, doch ihre Machtteilhabe währte nur bis zur Mitte des 16. Jh. Dann nämlich führte Karl V. die alte patrizische Ratsverfassung wieder ein.

🛈 Stadtmuseum im Alten Rathaus: Mi–Fr 15–17, So 10–12 Uhr.

Sindelfingen 1351 kauften die Grafen von Württemberg das Landstädtchen. Sein Weg in die Eigenständigkeit war damit verbaut. Zur alten Bausubstanz der Stadt, die 1944 stark beschädigt wurde, gehört das stattliche Alte Rathaus (15. Jh., später mehrfach verändert), das sich mit dem Salzhaus zu einer reizvollen Baugruppe im Fachwerkstil des 16. Jh. verbindet.

Weil der Stadt Obwohl von württembergischen Territorien umgeben, konnte Weil der Stadt seinen Status als Reichsstadt bis 1803 behaupten. Schutz vor der Bedrohung von außen bot der Stadtbering, von dem außer der Mauer noch einige Türme erhalten sind. Diese Befestigung trägt wesentlich zum mittelalterlichen Erscheinungsbild bei. Den Marktplatz bestimmen das Rathaus mit Laubenhalle und die beiden Marktbrunnen: Der eine trägt ein Standbild Kaiser Karls V., der andere einen Löwen mit Reichsadlerschild.

Markgröningen Mittelpunkt der Stadt, die um 1240 von Kaiser Friedrich II. als staufischer Stützpunkt im schwäbisch-fränkischen Grenzgebiet gegründet wurde, ist das prachtvolle alemannische Fachwerkrathaus (15. Jh.) mit vorkragenden

Obergeschossen und einem hübschen Glockentürmchen. Den schönen Marktbrunnen (1580) ziert eine Statue Herzog Christophs – Zeichen dafür, daß sich die Stadt ihre Reichsunmittelbarkeit nicht allzu lange bewahren konnte: Bereits 1336 kam sie endgültig in den Besitz der württembergischen Grafen.

Besigheim Bis Ende des 16. Jh. war das Städtchen im Besitz der badischen Markgrafen; so trägt auch der Brunnen am Marktplatz das Standbild eines badischen Landesherrn. Zwei mächtige Buckelquaderrundtürme aus dem 12. Jh. sind noch erhalten, die Reste einer ehem. Burganlage.

Heilbronn Relativ spät reichsfrei geworden, wußte die Stadt diesen Status als Mitglied des Städtebunds erfolgreich gegen die mächtigen Nachbarn Württemberg und Pfalz zu verteidigen. Heute spürt der Besucher nur noch wenig von der reichsstädtischen Vergangenheit, wurde die Stadt doch 1944 fast vollständig zerstört. Die Schäden am gotischen Rathaus von 1417 mit seiner beeindruckenden Renaissancefassade und einer ausladenden Freitreppe wurden wieder behoben.

Bad Wimpfen Enge, winklige Gäßchen winden sich zwischen alten Fachwerkhäusern durch, die an die reichsstädtische Vergangenheit erinnern: prächtige Beispiele sind der Wormser Hof bei der Stadtkirche, das Riesenhaus in der Langgasse (1532) und das Badhaus (1534). Mitte des 14. Jh. wurde die Stadt, über der die Staufer eine ihrer größten Kaiserpfalzen errichtet hatten, reichsfrei und gleichzeitig Gerichtsmittelpunkt.

Mosbach Da Mosbach immer wieder von den Königen verpfändet wurde, konnte es nie eine eigene Politik entwickeln, und bereits Mitte des 15. Jh. verlor es seinen Status als Reichsstadt. Heute ist das hübsche Städtchen für seine zahlreichen fränkischen und alemannischen Fachwerkbauten bekannt.

Von Rottweil nach Mosbach Landschaftlich besonders reizvoll ist die erste Etappe nach Reutlingen. Immer wieder stößt man dann auf den Neckar, der die Tour streckenweise begleitet. Um das verkehrsreiche Stuttgarter Becken zu umfahren, sollte man bei Esslingen auf die A 8 ausweichen.

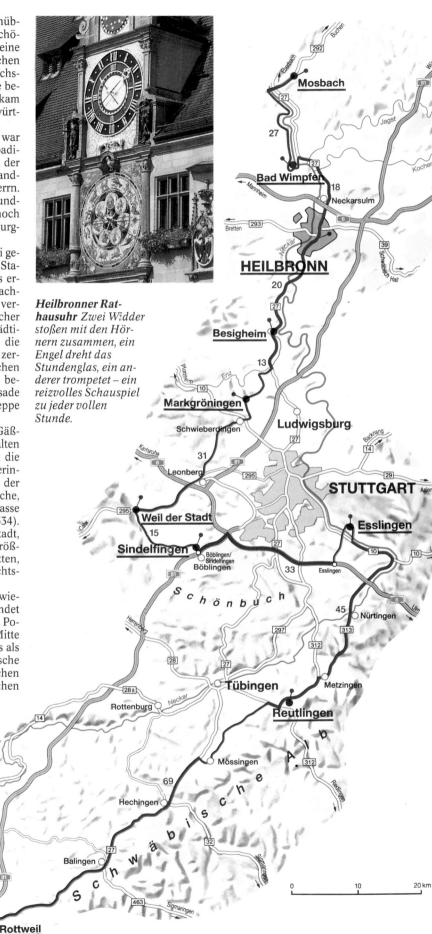

Heilbronner Rathausuhr Zwei Widder stoßen mit den Hörnern zusammen, ein Engel dreht das Stundenglas, ein anderer trompetet – ein reizvolles Schauspiel zu jeder vollen Stunde.

Das Gericht tagt

Auf dem Marktplatz der oberhessischen Stadt herrscht wie an jedem Mittwoch ein buntes Treiben. Das Areal zwischen Kirche und Brunnen gehört heute den Bauern. Die meisten sind mit dem Karren in die Stadt gekommen, der ihnen nun als Verkaufstisch dient. Andere haben ihre Ware wie Hühner, Eier und Käse in Körben mitgebracht und breiten sie auf dem Boden aus. Den größeren Teil des Platzes nehmen die Stände der städtischen Handwerker ein: Fleischer und Bäkker, Gold- und Hufschmiede, Töpfer, Sattler, Kürschner, Schuhmacher, Wachszieher, Tuchhändler, Schneider.

An diesem Mittwoch des Jahres 1472 scheint es niemand besonders eilig zu haben, mit seinen Einkäufen nach Hause zu kommen. Man betrachtet in Muße die Auslagen, man unterhält sich mit Bekannten oder stärkt sich im nahen „Adler" oder im „Goldenen Löwen", verliert aber dabei das Rathaus nicht aus den Augen. Einmal im Monat fällt nämlich der Markttag mit dem Gerichtstag zusammen, und dieses Ereignis möchte sich keiner entgehen lassen.

Mit ihren 2000 Einwohnern hat die Stadt eine für das späte Mittelalter übliche Größe. Sie besitzt seit dem 14. Jh. das Stadtrecht und verfügt als Zeichen städtischer Freiheit über die niedere Gerichtsbarkeit. Dazu gehören vor allem die alltäglichen Rechtsfälle wie Diebstahl und Beleidigung. Die hohe Gerichtsbarkeit dagegen, den Blutbann, darf in der Regel nur der König oder Landesfürst ausüben. Sie allein haben das Recht, über Leben und Tod zu entscheiden.

Die Neugierigen müssen nicht lange warten. Sechs Männer – der Richter, vier Schöffen und der Schreiber – betreten die an die Vorderseite des Rathauses angebaute Gerichtslaube und nehmen an dem langen Tisch Platz, auf dem das Richterschwert liegt. Der Richter greift zum Stab, dem Zeichen seiner Amtsgewalt, das er während der ganzen Sitzung nicht mehr weglegen wird.

Die beiden ersten Fälle sind schnell erledigt. Der erste Kläger behauptet, sein Sohn sei vom Zunftmeister der Schuhmacher zu vollem Recht in die Zunft aufgenommen worden, nun aber verweigere die Zunft ihm die zustehende Rechtsstellung als Meister. Der beklagte Zunftmeister kann sich auf richterliche Privilegien der Zünfte berufen und verlangt, die Sache an das Zunftgericht zu verweisen. Im zweiten Fall klagt ein Schneiderknecht wegen nicht gezahlten Lohnes. Auch dieser Fall wird an das zuständige Zunftgericht verwiesen.

Dann tritt eine Klägerin in einer Beleidigungssache auf. Der Richter begrüßt die Zeugen und weist sie darauf hin, daß sie sagen mögen, was ihnen wissentlich sei, niemandem zu Liebe oder zu Leide. Die Frau hat als einzige an diesem Tag einen sogenannten Vorsprech mitgebracht, der ihre Klage vorträgt: Die Nachbarin hätte sie eine diebische Hure gescholten, und sie begehre darüber Gericht und Recht. Auch habe sich der Ehemann der Beklagten eingemischt, sie ebenfalls eine Hure genannt und sogar einen Stein nach ihr geworfen. Sie hat drei Zeugen benannt. Bäcker und Bäckerin, deren Laden gegenüberliegt, haben den Streit von Anfang an beobachtet und können alles bestätigen. Ein dritter Zeuge war zu weit entfernt, um alles zu verstehen, aber er kann den Steinwurf bezeugen. Das beklagte Ehepaar versucht, den Vorfall herunterzuspielen, doch die Schöffen kommen nach kurzer Beratung zu ihrem Urteil, das der Richter formell von ihnen erfragt und verkündet: Das Gericht erkennt auf eine Buße von 30 Schilling.

Unter den Zuschauern, die aufmerksam und still die Verhandlung verfolgt haben, macht sich eine gewisse Unruhe breit. Offensichtlich sind die Sympathien in diesem Fall ganz auf der Seite der Klägerin, vielen erscheint die Buße wohl zu gering. Doch achtet man das Gericht zu sehr, als daß jemandem einfiele, seinen Unmut laut zu äußern. Zudem würde der Büttel den Vorlauten vom Platz führen, oder er bekäme sogar selbst eine Buße auferlegt.

Darauf müssen sich zwei Handwerksburschen wegen Messerstecherei verantworten. Sie waren in einem Wirtshaus in Streit geraten und hatten sich geprügelt. Als der Wirt sie beschwichtigen wollte, gerieten sie erst recht in Zorn und gingen mit Messern aufeinander los. Die Aussagen der geladenen Zeugen, des Wirtes und zweier Gäste, stimmen im wesentlichen überein. Der Richter erfragt von den Schöffen das Urteil. Es ist die übliche Buße bei einfachen Messerstechereien – 60 Schilling.

Doch nicht immer kommt der Angeklagte so glimpflich davon. Viel schlimmer als eine Geldbuße ist der Pranger, eine besonders schändliche Form der Strafe. In Eisen gelegt, wird der Verurteilte dem Spott und den Demütigungen der Öffentlichkeit preisgegeben. Der folgende Fall sorgte schon vor kurzem für Aufsehen auf dem Marktplatz. Als Kläger tritt ein Goldschmied auf, der einen Tuchhändler beschuldigt, ihm am Markttag der vergangenen Woche einen Teller, eine besonders schöne Arbeit mit der Darstel-

lung des heiligen Georg mit dem Drachen, von seinem Stand entwendet zu haben, während er einer Dame zwei Schmuckkassetten zeigte. Als die Dame ging, fiel sein Blick sofort auf die leere Stelle. Auf sein Jammern und Klagen gaben zwei Männer an, sie hätten beobachtet, wie der Tuchhändler etwas versteckt habe, das dem vermißten Gegenstand ähnlich sehe. Inzwischen hatte sich ein kleiner Auflauf gebildet, und alle zogen zu dem Tuchhändler. Die zwei Männer zeigten auf einen Stoffballen unter dem Tisch, und der Teller wurde tatsächlich darin eingewickelt gefunden.

Nun hebt der Richter, für alle sichtbar, den Teller hoch und fragt, ob es sich um den genannten Gegenstand handle. Der Goldschmied bejaht die Frage. Der Tuchhändler gibt zu, daß der Teller bei ihm gefunden wurde, leugnet aber, ihn entwendet zu haben. Er bleibt auch bei seiner Aussage, als die beiden Zeugen bestätigen, was der Goldschmied vorgebracht hat. Das Gericht verurteilt den Tuchhändler wegen hartnäckigen Leugnens zu einem Tag Pranger. Nicht oft wird in der Stadt auf diese Weise bestraft, und so wird im Lauf des Tages ein Großteil der Bevölkerung einen Spaziergang zum Rathaus unternehmen. Der Händler wird manche Beschimpfung über sich ergehen lassen müssen – zur Belustigung, aber auch zur Abschreckung der Leute.

Im letzten an diesem Tag anstehenden Fall geht es noch einmal um eine Beleidigung, aber er bringt dennoch eine Überraschung. Der Fall war bereits vor Gericht gewesen. Es hatte damals einen Gütetermin gegeben, aber da hatte die Beklagte ihre Beschimpfungen nicht nur wiederholt, sondern sogar noch weitere hinzugefügt: Sie hatte die Klägerin eine Diebin und anderes mehr gescholten. Für den erneuten Termin hat die Klägerin zwei Zeugen benannt. Aber als die Zeugen aufgerufen werden, sind sie plötzlich nicht mehr willens auszusagen. Die Klägerin verklagt nun umgehend beide Zeugen auf Aussage. Das Gericht vertagt den Fall bis zum nächsten Termin. Bitter ist für die Klägerin, daß sie nach dem in dieser Stadt gültigen Strafbußrecht den für solche Fälle festgelegten Bußsatz zunächst selbst zahlen muß, bis der Nachweis erbracht ist, daß die Beklagte sie in der vorgetragenen Form beschimpft hat.

Zufrieden dagegen kann das Publikum sein. Während die einen sich langsam auf den Heimweg begeben und die andern beginnen, ihre Stände abzubauen und ihre Karren zu beladen, überwiegt in den Gesprächen die Ansicht, daß das Gericht ausgewogene Urteile gefunden hat.

Rechtsprechung auf dem Markt *Die Klägerin erscheint in Begleitung ihres rechtskundigen Vorsprechs,* *der die Klage für sie vortragen soll. Von der Gerichtslaube aus verfolgt der Richter mit den Schöffen die* *Auseinandersetzung zwischen Klägerin und Beklagten.*

Wirtschaftszentren und Kleinstadtidylle

Viele Reichsstädte waren im Mittelalter wichtige Handelszentren und manche auch Messeorte. Frankfurt am Main, die Krönungsstadt von Königen und Kaisern, hat seinen Rang bis heute bewahrt und sich zum wirtschaftlichen Ballungsraum entwickelt. Andere Orte an dieser Tour durch die Wetterau und das Untermaingebiet haben ihre einstige Bedeutung verloren und machen einen eher verträumten Eindruck. Früher allerdings ging es dort nicht immer so still und friedlich zu.

Frankfurt In keiner anderen Stadt wurden so viele Herrscher gewählt wie hier in Frankfurt. 1152 wurde hier der Staufer Friedrich Barbarossa zum König gewählt, zwei Jahrhunderte später erhob Kaiser Karl IV. Frankfurt durch seine Goldene Bulle zur Stadt der deutschen Königswahlen, und ab 1562 schließlich wurden hier die Kaiser des Reiches gekrönt. Die Insignien – Krone, Zepter und Reichsapfel – brachte man eigens dafür aus Aachen und Nürnberg in die Mainstadt. Von 855 bis 1792 wurden nicht weniger als 36 Herrscher in Frankfurt gewählt und zehn gekrönt.

Während der Kaiser im Dom gekrönt wurde, fand derweil auf dem Römerberg ein großes Volksfest statt. Dieser Platz war und ist der eigentliche Mittelpunkt der Stadt; um ihn gruppieren sich stolze Fachwerkbürgerhäuser, die Nikolaikirche und das Rathaus, der berühmte Römer. 1944 legten zwei Bombenangriffe diese Zeugen aus der Zeit der Reichsstadt in Schutt und Asche; beim Wiederaufbau der historischen Häuser hat man großen Wert darauf gelegt, das alte Erscheinungsbild wiederherzustellen. Den Gerechtigkeitsbrunnen vor dem Hauptportal des Römers ziert die bronzene Statue der Justitia. Fordernd hält sie dem Rathaus und damit den Herren der Stadt Schwert und Waage entgegen.

Da sich Frankfurt im 13. und 14. Jh. schnell zu einer bedeutenden Messestadt entwickelte, hatten viele Kaufmanns- und Patrizierhäuser Lagerkeller und Verkaufshallen.

🛈 Kaisersaal im Römer: Mo–Sa 9–18, So 10–17 Uhr (April–September), sonst Mo–Sa 9–17, So 10–16 Uhr.

Friedberg Der zur Stadtseite hin gelegene Dicke Turm diente nicht nur der Abwehr feindlicher Angriffe von außen, sondern auch solcher seitens der Stadt – auch das kam zuweilen vor. Die innere Burg mit Kirche, Burggrafenhaus, Burgmannenhäusern und anderen Gebäuden wirkt selber wie eine kleine, wehrhaft ummauerte Stadt. Überragt wird der Komplex vom schlanken Adolfsturm. Im Bild das der Stadt zugewandte südliche Burgtor (links).

Der Römer in Frankfurt Das Rathaus mit seiner berühmten neugotischen Dreigiebelfront gilt als das Wahrzeichen der Stadt. Im Kaisersaal im Obergeschoß fanden ab 1562 die kaiserlichen Krönungsbankette statt. Im Vordergrund die speerbewaffnete Minerva auf steinernem Sockel (oben).

Karlstadt Vom gegenüberliegenden Mainufer bietet sich ein herrlicher Blick auf das Städtchen. Die imposanten Tore und Türme der im 15. und 16. Jh. errichteten Befestigung verleihen dem Ort ein idyllisches Flair (rechts).

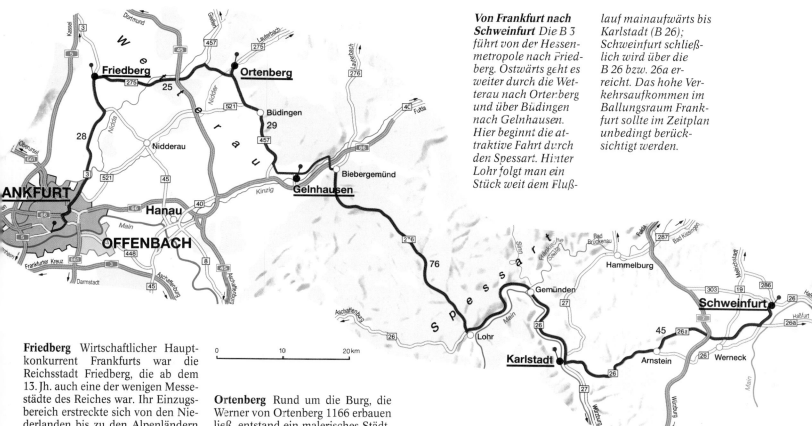

Von Frankfurt nach Schweinfurt Die B 3 führt von der Hessenmetropole nach Friedberg. Ostwärts geht es weiter durch die Wetterau nach Ortenberg und über Büdingen nach Gelnhausen. Hier beginnt die attraktive Fahrt durch den Spessart. Hinter Lohr folgt man ein Stück weit dem Fluß-lauf mainaufwärts bis Karlstadt (B 26); Schweinfurt schließlich wird über die B 26 bzw. 26a erreicht. Das hohe Verkehrsaufkommen im Ballungsraum Frankfurt sollte im Zeitplan unbedingt berücksichtigt werden.

Friedberg Wirtschaftlicher Hauptkonkurrent Frankfurts war die Reichsstadt Friedberg, die ab dem 13. Jh. auch eine der wenigen Messestädte des Reiches war. Ihr Einzugsbereich erstreckte sich von den Niederlanden bis zu den Alpenländern und nach Thüringen und Polen. Die Kaiserstraße mit ihren alten Kaufmannshäusern und dem Zunfthaus der Wollweber sowie die gotische Stadtkirche erinnern an die Blütezeit Friedbergs.

Wechselvoll waren die Beziehungen zwischen Stadt und Burg. Kaiser Barbarossa hatte die Reichsburg in der zweiten Hälfte des 12. Jh. auf dem Grundriß des alten Römerkastells errichten lassen; gleichzeitig wurde auch die Stadt gegründet. Nach dem Niedergang der Staufer gelang es ihr, sich von der Herrschaft der Burg zu befreien, doch die Unabhängigkeit währte nicht allzulange: Im 14. Jh. wurde Friedberg von Karl IV. verpfändet, und die Burggrafen konnten durch Aufkauf die Macht über die Stadt zurückerlangen. Im 15. Jh. wurde die Burg zur Adelsrepublik mit eigener Verfassung.

Friedberg besitzt eines der bedeutendsten Judenbäder des Mittelalters (um 1260). Da die Stadt auf einem Bergsporn liegt, ließ man in den Basaltfelsen einen quadratischen Schacht von 25 m Tiefe schlagen, bis das Grundwasser erreicht war. Halbbogen, die von Konsolen und Säulen mit gotischen Blattkapitelen gestützt werden, überspannen die 72 Stufen, die zum Bad hinabführen.

ℹ️ Judenbad, Judengasse 10: Mo–Do 9–12, 14–17, Sa 9–12, So 10–12 Uhr. Burgbesichtigung täglich 10–12, 13–18 Uhr (März–Oktober).

Ortenberg Rund um die Burg, die Werner von Ortenberg 1166 erbauen ließ, entstand ein malerisches Städtchen, das sich in der Folgezeit im Besitz wechselnder Herren befand. Die Burg mit Zwinger, Vor- und Hauptburg gehörte zum Befestigungssystem der kaiserlichen Wetterau und wurde im 13. Jh. von den rheinischen Kirchenfürsten im Kampf gegen die Staufer zerstört, später aber wieder aufgebaut und durch Anbauten ergänzt. Die Stadtbefestigung mit Türmen und Toren ist in großen Teilen noch erhalten.

Gelnhausen Bekannt ist die Staufergründung in erster Linie durch ihre Kaiserpfalz. Unter den Staufern entwickelte sich Gelnhausen rasch zu einem der wichtigsten Orte des Reichs, mit dem Niedergang des Geschlechts jedoch verlor auch die Stadt an Bedeutung.

Aus der Blütezeit stammt das Romanische Haus am Untermarkt (Altes Rathaus), das um 1180 als Amtssitz für den kaiserlichen Schultheißen errichtet wurde. Wie viele andere Gebäude ist es aus Stein erbaut, den man von den Brüchen oberhalb der Stadt herantransportierte. Fachwerk setzte sich erst im späten Mittelalter durch. Eines der ältesten Fachwerkhäuser Hessens mit vorkragendem Giebel steht in der Kuhgasse 1 (1356).

Die innere Mauer der staufischen Stadtbefestigung ist noch gut erhalten. Hinter dem östlichen Mauerzug gemahnt der runde Hexenturm (15. Jh.) mit steinernem Wehrgang

Hölzerne Hermen tragen das Gebälk

Sechs geschnitzte, üppige Menschenleiber zieren die Holzsäulen im ersten Stock des Schweinfurter Rathauses. Die Bezeichnung Hermen leitet sich von dem griechischen Gott Hermes her. Ursprünglich waren dies Bildwerke mit dem Kopf oder Oberkörper des Gottes, die als figürliche Gebälkträger auf Pfeilern verwendet wurden. Später ging man dazu über, auch andere Figuren auf diese Weise zu gestalten. Die Schweinfurter Hermen (1572) schuf Donatus Hornig.

an ein dunkles Kapitel der Stadtgeschichte: Zur Zeit der Inquisition hielt man hier vermeintliche Hexen gefangen, die dann an der Kinzig verbrannt wurden. Den Verfolgten wurde später ein Denkmal gesetzt.

Karlstadt Bereits im 13. Jh. führte die Stadt das Bild Kaiser Karls des Großen in ihrem Siegel. Doch nicht von ihm wurde Karlstadt gegründet, sondern von dem Würzburger Fürstbischof Konrad von Querfurt, der es planmäßig zur Sicherung der Nordwestgrenze seines Bistums ausbaute. Der unter ihm begonnene Mauergürtel – der Bischof wurde 1202 ermordet – wurde erst einige Jahre später fertiggestellt.

Das Rathaus stammt aus dem Jahr 1422 und besticht mit seiner spätgotischen Front. Im Erdgeschoß befand sich früher eine Markthalle.

Schweinfurt Das älteste Wappen Schweinfurts zeigt den Königsadler, Beweis dafür, daß die Stadt schon Ende des 13. Jh. von König Rudolf von Habsburg zur Reichsstadt erhoben wurde. Ein Großteil der alten Bausubstanz fiel im Zweiten Weltkrieg den Bomben zum Opfer; erhalten blieb jedoch das prachtvolle Renaissancerathaus mit seinen kunstvollen Holzschnitzereien im Innern.

ℹ️ Rathaus: Führungen Mi 10 Uhr (Juli–September), sonst n. Vereinb., Tel. 0 97 21/5 12 06.

Kaiserstädte und Bischofssitze

Die Reichsstädte Regensburg und Nürnberg gehörten im Mittelalter zu den wichtigsten wirtschaftlichen und politischen Zentren des Heiligen Römischen Reichs; in beiden wurden regelmäßig Reichstage abgehalten. Von den kleineren Städten in Ostfranken gelang manch einer der Sprung in die Reichsunmittelbarkeit, andere hingegen blieben jahrhundertelang im Besitz der Bischöfe. Gemeinsam ist den meisten eine außergewöhnlich gut erhaltene Stadtbefestigung.

Regensburg Im Mittelalter war Regensburg eines der politischen, wirtschaftlichen und geistlichen Zentren Europas. Die verkehrsgünstige Lage an den großen europäischen Verbindungsstraßen und an der Donau begründete den raschen Aufstieg der Stadt, die es durch regen Fernhandel bald zu gewaltigem Reichtum brachte. Daß ihre Geschäfte die Regensburger Kaufleute auch nach Italien führten, sieht man an den 20 noch erhaltenen Geschlechtertürmen: Die reichen Patrizier ließen ihre burgähnlichen Wohnhäuser nach dem Vorbild italienischer Stadtburgen errichten. Der höchste davon, der eindrucksvolle neunstöckige Goldene Turm in der Wahlenstraße, gilt als das Wahrzeichen des mittelalterlichen Kaufmannsviertels.

Nach einigen Schwierigkeiten erlangte die Stadt Mitte des 13. Jh. die Reichsfreiheit und das Recht, Bürgermeister und Stadtrat selbst zu wählen. Das Regiment war meist fest in den Händen der Patrizier; nur im 16. Jh. übernahmen es kurzfristig die Bürger. Die Ratsherren trafen sich im Reichssaalbau des Alten Rathauses, einem malerischen Gebäudekomplex, dessen Entstehungszeit mehrere Jahrhunderte umfaßt. Der Reichssaalbau von 1360 wurde nach einem Brand Anfang des 15. Jh. mit seiner charakteristischen gotischen Fassade, hohen Treppengiebeln und einem kleinen Erker wiederhergestellt. Von 1663 bis 1806 tagte im Reichssaal der Immerwährende Reichstag; durch ihn brachte es die Stadt, die im 15. und 16. Jh. durch Streitigkeiten unter den Patriziern und durch Verlegung der Fernhandelswege wirtschaftlich am Ende war, zu neuem Glanz und Ansehen.

Regensburg *Die Steinerne Brücke gilt als ein Meisterwerk des mittelalterlichen Brückenbaus: Auf einer Länge von über 300 m überspannen* *16 Bogen die beiden Arme der Donau (oben). Schon der Meistersänger und Dichter Hans Sachs hat die Einzigartigkeit der Brücke gepriesen.*

Altes Rathaus in Regensburg *Über dem Eingang zum Alten Rathaus sieht man zwei Krieger mit den Namen Schutz und Trutz und das* *Stadtwappen (links). Die beiden gekreuzten Schlüssel auf dem Wappen sind die Attribute des heiligen Petrus.*

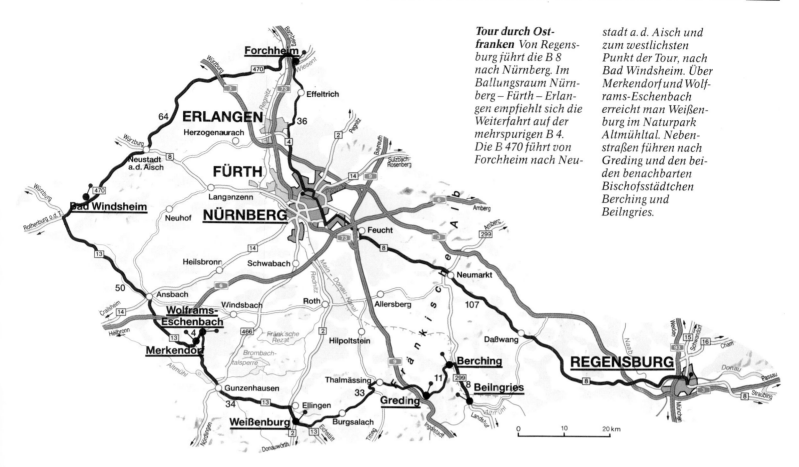

Tour durch Ost-franken Von Regensburg führt die B 8 nach Nürnberg. Im Ballungsraum Nürnberg – Fürth – Erlangen empfiehlt sich die Weiterfahrt auf der mehrspurigen B 4. Die B 470 führt von Forchheim nach Neu- stadt a. d. Aisch und zum westlichsten Punkt der Tour, nach Bad Windsheim. Über Merkendorf und Wolf-rams-Eschenbach erreicht man Weißen-burg im Naturpark Altmühltal. Neben-straßen führen nach Greding und den bei-den benachbarten Bischofsstädtchen Berching und Beilngries.

Auf die einstige Sitzordnung lassen die Stufen schließen: Ganz oben saß der Kaiser, darunter waren die Plätze der Kurfürsten, Fürsten und zuletzt der Repräsentanten der Reichsstädte. Eine freitragende Holzdecke, prachtvolle Malereien und Wirkteppiche lohnen die Besichtigung. Dokumente zu den Reichsversammlungen und zum Rechtswesen sind im Reichstagsmuseum im selben Gebäude ausgestellt. Genauso beeindruckend sind im Keller die alte Fragstatt – hier wurden die Gefangenen verhört und oft auch gefoltert –, das Armesünderstübchen, wo die Verurteilten auf ihre Hinrichtung warteten, und das Lochgefängnis.

Eine wahre Fülle von Gebäuden stammt noch aus dem 13. und 14. Jh., der Blütezeit der Stadt. Charakteristisch für die mächtigen, burgähnlichen Häuser sind oft romanische oder gotische Fenstergruppen. Weil es in den engen Gassen an Platz fehlte, mußten viele Patrizierhäuser in die Höhe gebaut werden. Die Stadt hat sich bemüht, die alten Wohnquartiere von jüngeren Einbauten zu befreien und hinter den geschichtsträchtigen Mauern zeitgemäße Wohnungen einzurichten. In den reizvollen Innenhöfen befinden sich heute oft Läden, Restaurants oder Cafés.

Vom Rathaus ist es nicht weit bis zum Haidplatz, den wuchtige Gebäude umstehen: die Arch, die Neue Waag, ein gotisches Turmhaus aus dem 13. Jh., das zunächst als städtische Waagstelle und später als Trinkstube fungierte, und der ehemalige Gasthof „Zum Goldenen Kreuz" mit seinem siebenstöckigen Zinnenturm, der ab dem 16. Jh. berühmte Herberge für Kaiser, Könige, Fürsten und Diplomaten war. Kaiser Karl V. begegnete hier der schönen Bürgerstochter Barbara Blomberg, die ihm später einen Sohn schenkte: Don Juan d'Austria ging als Sieger der Seeschlacht von Lepanto in die Geschichte ein.

Durch die Weingasse kommt man in die Keplerstraße am Donauufer, wo man auf einen der schönsten Regensburger Patrizierpaläste stößt: das Runtingerhaus (Nr. 1). Nachdem das Gebäude, in dem sich im 16. Jh. der Gasthof „Goldene Krone" befand, in den 60er Jahren saniert worden ist, sind heute die einzelnen Bauabschnitte deutlich erkennbar. Nur wenige Meter sind es nun noch bis zur berühmten Steinernen Brücke, zu der man durch das Brückentor gelangt.

ℹ Altes Rathaus mit Reichstagsmuseum: Mo–Sa 9.30–12, 14–16, So 10–12 Uhr; Führungen halbstündlich zu den angegebenen Öffnungszeiten; Karten sind bei der Tourist-Information im Alten Rathaus erhältlich, Tel. 0941/ 5 07 21 41.

Nürnberg Die Geschicke der Stadt waren im Lauf der Jahrhunderte eng mit dem Schicksal deutscher Könige und Kaiser verknüpft. 1219 verlieh ihr Kaiser Friedrich II. mit seinem Großen Freiheitsbrief weit-

Heiliggeistspital in Nürnberg Von der Museumsbrücke bietet sich der wohl schönste Blick auf den malerischen Sandsteinquaderbau. In zwei mächtigen Bogen überspannt er die Pegnitz.

reichende Rechte und Privilegien, und im selben Jahrhundert noch avancierte sie zur selbständigen Reichsstadt.

Die Pegnitz teilt die Altstadt in die ältere, gegen die Burg ansteigende Sebalder Stadt im Norden und die im 12. Jh. planmäßig angelegte Lorenzer Stadt im Süden, die jeweils nach ihrer Kirche benannt sind. Beide Stadtteile wurden mehrfach durch zwei verschiedene Mauerringe befestigt, die um 1320 durch Überbrückungsmauern miteinander verbunden wurden. Von 1377 bis Mitte des 15. Jh. entstand dann ein neuer gemeinsamer Wehrgürtel, der im 16. Jh. durch moderne Bastionen verstärkt wurde. Die Befestigung wurde nie erstürmt. Die vier Türme an den Eckpunkten des Berings, die auch heute noch das äußere Stadtbild entscheidend prägen, stammen ebenfalls aus dieser Zeit: der Laufer Torturm, der Spittler Torturm, das Frauentor und das Neue Tor.

Im 16. Jh. war Nürnberg der mächtigste Handelsplatz Frankens, und auf der Basis der günstigen wirtschaftlichen Verhältnisse erfuhr das Kunst- und Geistesleben der Stadt seine höchste Blüte. Auch das Nürnberger Handwerk brachte es damals zu seiner berühmten Kunstfertigkeit: Erinnert sei hier nur an den ersten Globus des Martin Behaim und an den Erfinder der Taschenuhr, Meister Peter Henlein. Die Liste der herausragenden Nürnberger Künstler jener Zeit ist lang: der Steinbildhauer Adam Krafft (filigranes Sakramentshäuschen im Chor der Lorenzkirche), der Holzschnitzer Veit Stoß (Engelsgruß in der Lorenzkirche, Kruzifix in der Sebalduskirche), der Erzgießer Peter Vischer d. Ä. und seine Söhne (Sebaldusgrab in der Sebalduskirche) und der wohl berühmteste Sohn der Stadt – Albrecht Dürer.

Weltberühmt ist das Glockenspiel „Männleinlaufen" am Michaelschor der Frauenkirche am Hauptmarkt. Die 1509 zu Ehren Karls IV. von Jörg Heuß geschaffene Uhr mit ihren Figuren von Sebastian Lindenast d. Ä., die im 19. Jh. erneuert wurden, gehört zu den ältesten der Bundesrepublik Deutschland. Als Erinnerung an die Goldene Bulle, die im Jahr 1356 auf einem Reichstag in Nürnberg veröffentlicht wurde und u. a. festlegte, daß der deutsche König mit der Stimmenmehrheit der Kurfürsten zu wählen war, laufen die sieben Kurfürsten, die den neuen Herrscher wählen, pünktlich mittags um 12 Uhr um den König herum. Die sieben Kurfürsten waren die Erzbischöfe von Mainz, Köln und Trier, der Pfalzgraf bei Rhein, der

Herzog von Sachsen, der Markgraf von Brandenburg und der König von Böhmen. Mit der Goldenen Bulle ordnete Karl IV. auch an, daß jeder künftige König seinen ersten Reichstag in Nürnberg abhalten müsse. Damit und mit der späteren Überführung der Reichsreliquien und der Kroninsignien (1424) nach Nürnberg war die Stadt an der Pegnitz zu einer der wichtigsten deutschen Reichsstädte aufgestiegen.

Im Alten Nürnberger Rathaus (1332–1340) stehen einige mittelalterliche Lochgefängnisse zur Besichtigung frei: Neben den Gefangenenzellen, der Wohnung des Lochwirts und einer Schmiedewerkstatt ist vor allem die Folterkammer interessant, die der schnelleren „Wahrheitsfindung" diente. Einige der ausgestellten Folterwerkzeuge wurden in der dazugehörigen Schmiede gefertigt.

Im Gegensatz zu manchen anderen Städten, wo sich die Handwerker in Zünften organisierten und ein Mitspracherecht im Stadtregiment erkämpften, hatten die Handwerker in Nürnberg nichts zu melden. Die Geschicke der Stadt lagen fest in den Händen von Patriziern, reichen Grundbesitzern und Kaufleuten. Der Rat sorgte in der Stadt für Ordnung, Recht und Zucht und ließ Spitäler für die Armen bauen. Im Weinstadel am Henkersteg (1446–1448) waren bis zum 16. Jh. Aussätzige untergebracht; danach wurde er allerdings zum Weinlager umfunktioniert. Das Gebäude mit seinem charakteristischen Satteldach gehört zu den imposantesten mittelalterlichen Fachwerkhäusern in Deutschland.

Das Heiliggeistspital an der Pegnitz (1331–1339) ist eine Stiftung von Konrad Groß, dem Reichsschultheißen Ludwigs des Bayern. In der Halle an der Nordseite des großen Innenhofes erinnern zwei Tumbengräber an den großzügigen Patrizier und seinen Mitstifter Herdegen Valzner. Auch heute noch dient das Spital einem sozialen Zweck: Es ist ein Altersheim.

Die mächtige Fleischbrücke (Ende 16. Jh.), die nach dem Vorbild der Rialtobrücke in Venedig gebaut sein soll, verbindet die beiden Altstadthälften. Im südlichen Stadtteil stößt man in der Karolinenstraße auf einen besonders gut erhaltenen Patrizierwohnturm, das Nassauer Haus, in dem vermutlich ein hoher Reichsbeamter residierte. Die steinernen Untergeschosse sind noch original aus dem 13. Jh. erhalten, während die oberen Stockwerke mit Chörlein und acht kleinen Ecktürmen erst im 15. Jh. hinzukamen.

Am Hallplatz sollte sich der Besucher die gewaltige Mauthalle an-

schauen, die nach ihrer Zerstörung im Zweiten Weltkrieg wieder aufgebaut wurde. Ab 1572 war in dem ursprünglich als Kornspeicher genutzten Gebäude das städtische Zollamt untergebracht.

Im Dürerhaus in der Sebalder Stadt kommen Kunstfreunde auf ihre Kosten: In dem fünfstöckigen Fachwerkbau aus dem 15. Jh. verbrachte der große Maler von 1509 bis 1528 die letzten 19 Jahre seines Lebens. In der Gedenkstätte sind Originalholzschnitte und eine rekonstruierte Presse zum Drucken von Holzschnitten ausgestellt. Mäzene Dürers und anderer Nürnberger Künstler waren die Mitglieder der alten Patrizierfamilie Tucher. Im 16. Jh. ließ Lorenz Tucher in der Hirschelgasse eine Sommerresidenz errichten. Im Tucherschlößchen sind heute u. a. Gemälde, Glasmalereien und das „Tucherbuch", eines der bedeutendsten Nürnberger Geschlechterbücher, zu besichtigen.

ℹ Lochgefängnisse unter dem Alten Rathaus: Mo–Fr 10–16, Sa, So 10–13 Uhr (Mai–September). Albrecht-Dürer-Haus, Albrecht-Dürer-Str. 39: Di–So 10–17, Mi bis 21

Uhr (März–Oktober), sonst Di–Fr 13–17, Mi bis 21 Uhr, Sa, So 10–17 Uhr.

Tucherschlößchen, Hirschelgasse 9–11: Führungen Mo–Do 14, 15, 16, Fr 9, 10, 11, So 10, 11 Uhr.

Forchheim Zu Beginn des 11. Jh. fiel Forchheim durch eine Schenkung Heinrichs II. an das Bistum Bamberg, das hier an der Stelle der ehemaligen karolingischen Kaiserpfalz eine fürstbischöfliche Residenz errichten ließ. Im 16. und 17. Jh. bauten die Bischöfe die Stadt zu einer ihrer wichtigsten Grenzfesten aus. Auf die ältere Befestigung folgte in dieser Zeit als Erweiterung eine zweite mit mehreren Bastionen, die zum Teil noch heute erhalten sind. Von den vier Toren steht nur noch das herrliche Nürnberger Tor (1698).

Daß Forchheim die „zweite Residenz" des Fürstentums war, ist unschwer an den zahlreichen herrschaftlichen Gebäuden zu erkennen. Das stattliche Fachwerkrathaus mit seinem hübschen achteckigen Uhrtürmchen (15. Jh.) gilt als eines der schönsten in Franken. Seinen Westflügel, der 1535 angefügt

Stadttor von Wolframs-Eschenbach
Daß sich der Ort früher im Besitz des Deutschen Ritterordens befand, wird dem Besucher schon klar, bevor er die Stadt überhaupt betritt: Den Oberen Torturm (1358–1375) schmücken zwei steinerne Wappen, links das des Deutschritters Philipp von Bickenbach, rechts das Wappen des Ordens. Auch das rund 100 Jahre später erbaute Vorwerk der Kopfquaderanlage trägt eine Tafel mit dem Wappen von sieben Ordensrittern.

Weißenburg Der geschlossene Mauergürtel mit seinen zahlreichen Türmen zählt zu den besterhaltenen Deutschlands (oben). Ein Rundgang entlang der Stadtmauer lohnt allemal; im Seeweiher, dem einstigen Stadtgraben, tummeln sich heute Enten und Schwäne.

Magistratsbau in Forchheim Den Westflügel des Rathauses schmückt schönstes Zierfachwerk, das den Bau berühmt gemacht hat (links).

um 1200 mit seinem *Parzival* das wohl bedeutendste Gralsepos des Mittelalters schuf. Ob Wolfram allerdings tatsächlich aus diesem Eschenbach stammt, darüber herrscht in der Literaturgeschichte noch immer Unklarheit, und ob seine Gebeine nun wirklich im Liebfrauenmünster ruhen, ist auch nicht eindeutig geklärt. Seit 1861 jedenfalls steht auf dem Marktplatz ein Standbild des Sängers, das von Kaiser Maximilian II. gestiftet wurde.

Weißenburg Von Norden kommend, gelangt der Besucher durch die mit Reichsadler und Stadtwappen verzierte Durchfahrt des Ellinger Tors in den im 14. Jh. zur Reichsstadt erhobenen Ort. In dieser Zeit entstand der Mauergürtel mit 38 Türmen, der die Stadt in einem geschlossenen und außergewöhnlich gut erhaltenen Ring umschließt. Das Ellinger Tor mit seinem Torturm, der von einem barocken Kuppeldach gekrönt wird, und seinem reizvollen zwingerartigen Vorwerk mit den beiden Ecktürmchen zählt zu den schönsten in Deutschland.

Seit 1382 waren auch die Zünfte am Stadtregiment beteiligt, das rund 100 Jahre später in einem gotischen Sandsteinquadergebäude sein Domizil bezog. Das ansonsten schlichte Rathaus hat als einzigen Schmuck einen reichen, mit Fialen besetzten Ostgiebel.

Greding Mit 21 Türmen und drei Stadttoren ist die Stadtbefestigung des malerisch an einem Hang zur Schwarzach gelegenen Städtchens noch fast vollständig erhalten. Im Ortskern findet man typisch fränkische Wohnhäuser. Bischof Friedrich von Öttingen ließ die Mauer nach 1383 errichten.

Berching Wie Greding war auch Berching im Besitz der Eichstätter Bischöfe, wo es bis zur Säkularisation im 19. Jh. verblieb. Darauf deutet auch noch das Stadtwappen mit den beiden gekreuzten Bischofsstäben hin.

In den 13 Wehrtürmen der beinahe unversehrten Stadtbefestigung (15. Jh.) sind heute größtenteils Wohnungen untergebracht. Einer der Türme wird wegen seines tief heruntergezogenen, pagodenähnlichen Dachs Chinesenturm genannt. Auf dem überdachten Wehrgang läßt sich die Stadt umrunden.

Beilngries Auch dieses hübsche Städtchen an der Einmündung der Sulz in die Altmühl fiel durch eine Schenkung im 11. Jh. an das Bistum Eichstätt. Im 15. Jh. wurde die Stadtmauer mit mehreren Wehrtürmen errichtet. Den Feuerturm bewohnte einst der Fluraufseher und Nachtwächter.

wurde, schmückt buntbemaltes Zierfachwerk mit deftig-humorvollem Figurenschmuck.

Bad Windsheim Nachdem das Bistum Würzburg den Ort im 13. Jh. an den Kaiser abgetreten hatte, avancierte er schnell zur Reichsstadt, der später auch die hohe Gerichtsbarkeit zugesprochen wurde. Das Stadtbild ist von schönen fränkischen Bürgerhäusern aus dem 15. und

16. Jh. geprägt, von denen der Städtische Bauhof besondere Beachtung verdient: Sein mit Tausenden von Ziegeln gedecktes Walmdach gilt als ein Meisterwerk mittelalterlicher Baukunst.

Merkendorf Den alten Ortskern der fränkischen Kleinstadt umschließt fast rechteckig eine noch vollständig erhaltene Mauer mit acht Türmen und vier Toren. Sie wurde Anfang

des 15. Jh. von den Besitzern der Stadt, den Heilbronner Äbten, errichtet, nachdem König Wenzel dem Ort 1398 das Stadtrecht verliehen hatte. Ihren dörflichen Charakter hat sich die Ackerbürgerstadt trotzdem bewahrt. Auch heute noch betreiben zahlreiche Einwohner eine Landwirtschaft.

Wolframs-Eschenbach Nach der Verleihung des Stadtrechts im Jahr 1322 konnten die Herren von Eschenbach mit dem Bau ihrer Stadtbefestigung beginnen, die sich bis heute mit ihren beiden Toren erhalten hat. Noch bis ins 20. Jh. hinein waren sie die einzige Möglichkeit, in die Stadt zu gelangen. Der ältere Obere Torturm (Richtung Ansbach) besaß früher eine Zugbrücke.

Stadtherren waren 600 Jahre lang die Mitglieder des Deutschen Ritterordens, der 1623 ein schmuckes Schlößchen erbaute und unter dessen Herrschaft der Ort seine wirtschaftliche Blüte erlebte.

Zu einem Besuch des hübschen, sehr geschlossen wirkenden Städtchens laden mehrere alte Fachwerkhäuser ein, darunter das spätgotische Alte Rathaus (1471) mit seinem Satteldach und schlichter Verzierung, das Hohe Haus und das Pfründehaus in der Färbergasse, das im Volksmund Arche Noah heißt.

Seit 1917 nennt sich die Stadt Wolframs-Eschenbach – zu Ehren des großen höfischen Dichters, der

Die Reichskleinodien im Aachener Rathaus
Im Krönungssaal erinnern Kopien an die große Zeit Aachens als Krönungsstätte des Deutschen Reichs. Die Originale sind in der Wiener Hofburg aufbewahrt.

Aachen 936 erhob Otto I. Aachen zur Krönungsstadt der deutschen Könige, in der sich bis 1531 immerhin 30 Herrscher krönen ließen. Im Anschluß an die Zeremonie in der Pfalzkapelle fand das Festbankett im Krönungssaal des gotischen Rathauses statt. Mitte des 14. Jh. hatten es die Bürger auf den Grundmauern der karolingischen Palastaula erbaut, die, wie auch die vier Geschosse des Granusturms, heute noch teilweise erhalten sind. Im Lauf der Zeit erfuhr der mächtige Bau mit seiner aufwendig verzierten Fassade mehrere Veränderungen.

Als Aachen 1336 Reichsstadt wurde, war es bereits zum größten Teil befestigt. Von der Umwallung sind noch das Ponttor mit Zwinger und Vorwerk, das Marschiertor und mehrere Türme zu sehen.
ℹ️ Rathaus: in der Regel Mo–Fr 8–13, 14–17, Sa, So 10–13, 14–17 Uhr.

Augsburg Die mittelalterliche Ständegesellschaft spiegelte sich auch hier in der räumlichen Aufteilung der Stadt: In der Oberstadt residierte das reiche Patriziat, in der Unterstadt siedelten sich die Handwerker an. In seiner Art einmalig ist der Augsburger Handwerkerweg im Lech- und Ulrichsviertel: Von der Silberschmiede über Gerberei und

Hufschmiede kann man in größtenteils mehrere Jahrhunderte alten Betrieben der Ausübung des historischen Handwerks zusehen.

1276 war Augsburg Reichsstadt geworden. Durch die Errichtung der Jakober Vorstadt mußte die alte Stadtumwallung aus dem 12./13. Jh. erweitert werden. Vor allem im Osten sind noch einige Teile der einst gewaltigen Wehranlage zu sehen. Jakobertor und Vogeltor sind im zweiten Bauabschnitt entstanden (Mitte 15. Jh.). Noch jünger ist das imposante Rote Tor im Süden der Stadt (16. Jh.). Neben einigen Wehr- und Wassertürmen sind außerdem der Fünfgratturm und das Wertachbrucker Tor erhalten.
ℹ️ Näheres über den Handwerkerweg beim Schwäbischen Handwerkermuseum im ehem. Brunnenmeisterhaus, Tel. 0821/3259224. Öffnungszeiten des Museums: Mo–Fr 14–18, So und feiertags 10–18 Uhr.

Beerfelden Das kleine Odenwälder Städtchen, dessen alte Bausubstanz 1810 fast vollständig den Flammen zum Opfer fiel, war im Mittelalter das Gerichtszentrum der Umgebung. Auf Zeugen der damaligen Gerichtsbarkeit stößt etwa 1 km nordwestlich des Orts auf einer Anhöhe an der Straße nach Affolterbach: Hier steht heute noch ein Galgen (1597), an dem 1804 die letzte Hinrichtung stattfand. Eine Zigeunerin hatte für ihr krankes Kind ein Huhn und zwei Laib Brot gestohlen.

Gerichtsstätte bei Beerfelden Hier steht neben der Zentlinde der besterhaltene „dreischläfrige" Galgen Deutschlands.

Gengenbach Die Geschichte der früheren Reichsstadt im Kinzigtal ist mit der des ehemaligen Benediktinerklosters eng verbunden. Ganz unproblematisch war die Verteidigung der 1360 erlangten Reichsfreiheit gegenüber dem Kloster nicht; so wurde beispielsweise der Reichsschultheiß vom Abt bestimmt.

Stadt und Kloster waren durch eine Mauer geschieden, während ein gemeinsamer ovaler Stadtbering beide umschloß – gleichsam ein Zeichen ihres zwiespältigen Verhältnisses. Heute noch erhalten sind das Haigeracher Tor und das Kinzigtor sowie drei Türme.
ℹ️ Über die städtische Gesellschaft und die Geschichte Gengenbachs informieren die Reichsstädtischen Sammlungen, Hauptstraße 15: Mi 17.30–20, Sa 14.30–17.30, So 10–12, 14.30–17.30 Uhr.

Giengen an der Brenz Von der Befestigung aus dem 13. Jh. sind noch einige Fragmente und der 1910 instand gesetzte Bocksturm zu sehen (im Südwesten).

Zu Beginn des 14. Jh. wurde Giengen Reichsstadt, kurz danach aber an Helfenstein verpfändet. Erst im großen Städtekrieg von 1378 konnte sich die Stadt von der fremden Herrschaft befreien und endgültig ihre Reichsunmittelbarkeit behaupten.

Gengenbach Selbstbewußt hält der steinerne Ritter auf dem Marktbrunnen von 1582 eine Urkundenrolle in seiner Hand – vielleicht den Freiheitsbrief?

Iphofen 1293 erhielt der fränkische Weinort Stadtrechte. Von der fast noch vollständig erhaltenen Stadtbefestigung aus dem 15. Jh. besticht vor allem das an den Zwinger angebaute Rödelseer Tor.

Kaufbeuren Mittelalterlich wirkt die Stadt auch heute noch, vor allem durch die fünf Wehrtürme des über weite Strecken erhaltenen viereckigen Stadtwalls aus dem 15. Jh. Als Wahrzeichen der alten Reichsstadt gilt der sechsgeschossige Fünfknopfturm. Eine Besonderheit ist die Blasiuskapelle, die auf der alten Stadtmauer erbaut wurde: Was der Betrachter für den Kirchturm hält, ist in Wirklichkeit ein Wehrturm, zu dem ein durch die Kirche verlaufender Wehrgang führt.

Kemptener Rathaus
Die 1934 in die Sit-
zungssäle integrierten
Holzdecken und die
Wandvertäfelungen
(1460) stammen ur-
sprünglich aus dem
Weberzunfthaus.

Kempten Die „Hauptstadt" des All-gäus zählt zu den ältesten Städten Deutschlands. Auch nachdem Kempten 1289 durch Rudolf von Habsburg erste Privilegien erhalten hatte, gab es ständig Streitereien zwischen Stift und Stadt. Bei den Kämpfen um die städtische Autono-mie zerstörten die Bürger den Sitz des Klostervogts und die Zwingburg der Fürstäbte.

Das reichsstädtische Selbstbe-wußtsein Kemptens schlug sich im 15. Jh. in einer regen Bautätigkeit nieder. Es entstanden die Kirche Sankt Mang, ein Weberzunfthaus mit Spitzbogeneingängen in der Gerberstraße und das Rathaus. An dem dreistöckigen Steinbau besticht vor allem die Ostansicht mit Trep-pengiebeln, zwei Seitentürmchen und dem großen Zwiebelturm, auf dem ein „Trompetenmännle" steht. Der Rathausbrunnen trägt die Bronzestatue eines römischen Feld-herrn, denn Kempten war einst eine der bedeutendsten Römerstädte der Provinz Rätien.

Landau in der Pfalz Auch hier stößt man auf mittelalterliche Zeugen der ehem. Reichsstadt: die Stiftskirche und den Galeerenturm in der Waf-fenstraße. Man vermutet, daß es sich bei dem Turm um den Bergfried ei-ner 1315 abgetragenen Reichsburg handelt. Viel mittelalterliche Bau-substanz fiel allerdings im 17. Jh. der Zerstörung durch Vauban zum Op-fer: Er ließ die Stadt niederbrennen, um auf den Trümmern eine stärkere Festung hochzuziehen.

Schaffhausen Auch die Schweizer Kantonshauptstadt war – mit Unter-brechung – bis zu ihrer Aufnahme in die Eidgenossenschaft 1501 Reichs-stadt. Als Wahrzeichen gilt die Hö-henfestung Munot (16. Jh.), ein mächtiger Rundbau mit eingebau-tem Wachturm auf einer Anhöhe über der Altstadt. Mit dieser ist die Feste durch zwei Mauern verbun-den. Sie ist Teil der Stadtbefestigung, die im 19. Jh. zum großen Teil ge-schleift wurde. Mehrere Türme sind aber verschont geblieben.

In der Vordergasse befand sich einst der Straßenmarkt. Auch heute noch ist sie von zahlreichen herr-lichen Zunft- und Wohnhäusern gesäumt, darunter das Rathaus (Anfang 15. Jh.) und das Haus zum Ritter (Nr. 65), ein Bürgerhaus mit herrlichen Fassadenmalereien, die auf allegorische Weise die bürger-lichen Tugenden verherrlichen.

Ulm Ihre Blütezeit erlebte die ehe-malige Stauferstadt im 14. und 15. Jh. Ihr außerordentlicher Wohl-stand gründete sich auf die Weberei und den Handel mit feinem Leinen und Barchent. Die Ulmer nutzten ih-ren Reichtum im 14. Jh. dazu, eines

Ulm Vor der Kulisse
des gewaltigen Mün-
sterturmes erhebt
sich der stolze Rat-
hauskomplex. Süd-
und Ostfassade sind
prunkvoll bemalt und
mit den Figuren von
Kaiser und Kurfürsten
versehen.

der ausgedehntesten reichsstädti-schen Territorien zu erwerben.

Die ungewöhnlich demokratische Stadtverfassung schuf eine weitere Voraussetzung für den Aufstieg Ulms zu einer der politisch wie wirt-schaftlich einflußreichsten Städte des Spätmittelalters. Der Große Schwörbrief von 1397 sicherte die freie Entfaltung des Gewerbes: Er verschaffte den Zünften die Mehr-heit im Stadtregiment und schränkte die Vorrechte des Patriziats emp-findlich ein. Zur Erinnerung daran erneuert der Ulmer Oberbürgermei-ster diesen Eid alljährlich am Schwörmontag (dem vorletzten Montag im Juli) vor der Bürger-schaft.

Eine führende Rolle nahm die Reichsstadt auch im Schwäbischen Städtebund ein. Er wurde 1376 auf Drängen Ulms ins Leben gerufen, um die Unabhängigkeit der 14 Mit-gliedsstädte zu wahren. Häufig fan-den die Tagungen in Ulm statt.

Der Zweite Weltkrieg legte einen Großteil der mittelalterlichen Bau-substanz in Schutt und Asche, doch manche Gebäude in der Altstadt wurden originalgetreu wieder aufge-baut. Von der Stadtbefestigung sind noch einige Türme erhalten, so der Metzgerturm an der Donau.

Von Wohlstand und Bürgerstolz

kündet der Rathauskomplex. Älte-ster Teil ist der Ostflügel, der 1370 als Kaufhaus errichtet wurde; seine Ratssaalfenster sind mit herrlichen Malereien umrahmt. Unter einem hübschen Staffelgiebel zeigt die be-rühmte Kunstuhr das mathemati-sche, technische und astronomische Wissen der Zeit. Ein Erkertürm-chen ziert die Südostecke des Ge-bäudes.

Über das Leben in der einstigen Reichsstadt informieren die Expo-nate in der historischen Abteilung des Ulmer Museums, darunter Handwerks- und Zunftgegenstände sowie Zeugnisse der Münz- und Fe-stungsgeschichte.

🛈 Ulmer Museum, Marktplatz 9: Di–So 10–17 Uhr (Juni–September), sonst 10–12, 14–17 Uhr.

Zell am Harmersbach Zell war die kleinste aller Reichsstädte und konnte sich nur im Bündnis mit Gengenbach und Offenburg seine Reichsfreiheit bewahren. Schwere Stadtbrände haben nur noch Frag-mente der ehemals doppelt um-mauerten ursprünglichen Stadt üb-riggelassen. Reste der Stadtbefesti-gung sind noch erhalten, darunter der Storchenturm (um 1330), in dem heute das Heimatmuseum unterge-bracht ist. Hier sind u. a. auch alte Handwerksstuben zu sehen.

🛈 Heimatmuseum, Bahnhofstraße 1: Mi 15–17, Sa 10–12 Uhr (Mai–Sep-tember).

Zunftkämpfe

In zahlreichen deutschen Städten kam es im 14. Jh. zu Zunftkämpfen. In Köln bildeten die Zünfte unter Führung der Weber einen freiwilligen Verbund, der 1370 gegen das Patriziat eine neue Verfassung durchsetzte und die Stadt nach seinem Willen regierte. Im November 1371 kam es zum Kampf, der mit der Niederlage der Weber endete. Über die Ereignisse berichtet eine Chronik:

Die Weber hielten eine Einigung ab und berieten, wie man den guten Leuten [den herrschenden Geschlechtern] ihre Macht nehmen könne. Danach strebten sie mit allen Zünften in der Stadt. [...] Es mußte nach dem Willen der Weber gehen. [...] So trieben es die Weber, und hatten es dabei so eingerichtet, daß sie die Mehrheit im Rate hatten und alles nach ihrem Willen gehen mußte. [...] [Die Weber entrissen einen zum Tode verurteilten Weber] mit Gewalt dem Henker und führten ihn in die Stadt zurück. Als dies Johann von Trojen und Tilmann von Covelshofen sahen, eilten sie nach dem Zunfthaus

Weberschlacht in Köln *Die Auseinandersetzungen um die Macht im Rathaus arteten 1371 zu offenen Straßenschlachten aus, in denen die Weber unterlagen. Viele von ihnen wurden öffentlich hingerichtet.*

von St. Brigitten und erzählten hier der Bruderschaft [dem Patriziat], was geschehen war. Als man diese Kunde vernahm, war jeder darauf bedacht, sich zu wappnen. Sie liefen nach Hause und legten Waffen an. Auch die Herren vom Rate säumten nicht lange und kamen nach St. Brigitten. Die ersten, die sich zu ihnen gesellten, waren die Lohgerber; dann eilte die Gesellschaft vom Eisenmarkt herbei; die Kaufleute vom Altenmarkt kamen gleichzeitig. Auch die Fischverkäufer kamen hinzu. Die Bruderschaft von St. Brigitten wollte es nicht dulden, daß man den Frieden bräche; sie erklärte, sie wolle eine Änderung der Herrschaft bewirken. Die Schmiede wollten den Webern zu Hilfe kommen; als sie aber die Weber geschlagen sahen, flohen sie auseinander. Die Bürger machten sich auf, groß und klein, und was sie erreichten, das schlugen sie tot auf der Straße. Der Rat ließ ein Gerüst auf dem Heumarkt errichten und ließ den Webern die Häupter abschlagen bei dem Pranger, so viele man von ihnen ergreifen konnte, und auch von den Walkern.

Bürgermeister

Der Schulmeister und Schöffe Johannes Frauenburg bekleidete in seiner Heimatstadt Görlitz das Amt des Stadtschreibers. Als Mitglied des Rates der Stadt verfaßte er 1476 eine Schrift, die er seinen Ratskollegen überreichte. Darin beschreibt er aus eigener Anschauung, welche Pflichten ein Bürgermeister zur damaligen Zeit allgemein zu erfüllen hatte und worauf er besonders achten mußte:

Zum ersten und vor allen Dingen soll ein Bürgermeister nach seiner Wahl sich Gott dem Allmächtigen und Maria, der Mutter Gottes, empfehlen [...]; denn ohne Gottes Hilfe kann für die Allgemeinheit nichts fruchtbringend vollendet werden. [...]

Item soll ein Bürgermeister darauf achten, daß die Ratmannen nicht leichtfertig oder mit ungebührlichem Benehmen im Ratsstuhl sitzen, sondern sie sollen in stiller Sitzung die Sachen der Armen und Reichen fleißig anhören und zwischen ihrer beider Klage und Antwort der Gerechtigkeit anhangen. [...]

Item soll ein Bürgermeister fleißig darauf achten, daß er bei den Übeltätern unterscheide, ob sie ihre Tat aus Schwachheit oder aus eigenem Übermut und Bosheit getan, auf daß Buße und Strafe der Schuld angemessen seien. [...] Er soll beständig und fleißig auf dem Rathaus sitzen und täglich den Leuten Gehör schenken und jedem zu seinem Recht verhelfen, so daß der Arme

vor dem Reichen und der Reiche vor dem Armen geschützt werde. [...]

Er soll ehrbar gekleidet gehen, der Stadt und dem Rat zu Ehren, den Fremden und Einwohnern zu würdigem Anblick und ehrbarem Vorbild.

Item ein Bürgermeister soll die Leute mit wenig treffenden Worten, die für die Sache genügen, abfertigen und besonders vor dem Rate, denn dadurch beweist er Reife des Gemütes und Weitblick im Handeln. [...]

Ein Bürgermeister soll sich eher einen Tod in Ehren wünschen, ehe in seiner Amtszeit durch seine Säumigkeit und Nachlässigkeit der Stadt Gnaden, Freiheiten und Herrlichkeiten gemindert würden.

Item ein Bürgermeister soll darauf achten, daß er in seiner Amtszeit wenig Schatzung der Gemeinde auferlege, wenn er es machen kann. Wäre es aber aus redlichen Ursachen notwendig zum Nutzen der Allgemeinheit, so soll er dabei nicht sparen, denn oft werden mit tausend Schock in der kommenden Zeit drei- oder viertausend erworben.

Bürgermeister in Nürnberg *Die Aufgaben eines Stadtoberhaupts waren in Nürnberg nicht viel anders als in Görlitz. Der Patrizier Jakob Muffel, Mitglied des Rates, wurde 1514 zum Bürgermeister in Nürnberg gewählt, eine Aufgabe, die er mit großer Gewissenhaftigkeit erfüllte.*

Städtekrieg

Bei dem Versuch der Grafen von Württemberg, ihre Landesherrschaft auszubauen, waren die besonders in Schwaben zahlreichen Reichsstädte ein Hindernis. Um ihre Unabhängigkeit zu wahren, schlossen sich 1376 unter der Führung Ulms 14 Städte zum Schwäbischen Städtebund zusammen, dem sich dann zahlreiche weitere Städte anschlossen. Nach der Niederlage der Städte bei Döffingen 1388 beendeten die königlichen Landfrieden von Eger und Heidelberg 1389 den Krieg. Über die 13 Jahre dauernden Auseinandersetzungen berichtet eine Chronik:

Im Jahr 1376 erhob sich ein Streit zwischen dem Grafen Eberhard von Württemberg und des Reiches Städten zu Schwaben. Der Krieg währte fast zwei Jahre, und das Schwabenland wurde also sehr verheert, daß auf beiden Seiten kaum ein Dorf war, das nicht verbrannt und geschatzt wurde. Besonders die von Württemberg taten den Reichsstädten viel Leid, Schmach und Schaden. Sie ritten vor die Städte und zerstörten in der Umgebung und in den Dörfern, was sie nur konnten, sie hieben das Kraut mit den Schwertern ab, sie ackerten Matten und Feld, die den Städten

gehörten, und säten Senf darein, denn wo einmal Senf wächst, da breitet er sich immer mehr aus, so daß man seiner nicht mehr Herr wird. Sie hieben die Reben und die Obstbäume ab. Aber die Städte taten nichts anderes, denn daß sie den Herren das Vieh nahmen, raubten und brannten und die Leute fingen, wie man es in offenen Kriegen tut. In diesem Krieg wurden an fünfzehnhundert Dörfer verheert und verbrannt und an vierzehnhundert Menschen auf beiden Seiten erschlagen und gefangen.

Die Ursachen des Krieges waren folgende: der von Württemberg meinte, die Städte entzögen ihm viel Leute, die sie als Außenbürger aufnahmen, sie enthielten ihm die Stadt Weil vor, die ihm der Kaiser um seiner Dienste willen gegeben hätte, und worüber er gute Briefe hatte [...]. Dagegen meinten die Städte, sie hätten gute Freiheiten von Kaisern und Königen, daß sie wohl Bürger aufnehmen dürften, und die Stadt Weil sei eine Reichsstadt und nicht württembergisch [...].

Um diesen Krieg zu schlichten, wurden viele Tagungen zu Mergentheim und zu Bamberg abgehalten, sie nützten aber alle nichts. Dann kamen die Herren und die Boten der Städte zu Eger zusammen vor dem Römischen König [Wenzel], dort einigten sich [am 5. Mai 1389] ein Teil der Städte mit den Herren, so Regensburg, Nürnberg und Weißenburg. Am Pfingstabend desselben Jahres schlossen dann die rheinischen und die Mehrzahl der schwäbischen Städte zu Heidelberg Frieden mit den Herren. Der Krieg ward gesühnt nach der Herren Willen, die Städte mußten ihnen großes Gut zahlen, alle Außenbürger wieder abgeben und auf viele Freiheiten verzichten, die sie vorher hatten.

Landfriedenssiegel König Wenzels Um im Reich die Ordnung wiederherzustellen, erließ König Wenzel zahlreiche Landfrieden. Sie galten mehrere Jahre und verboten den betroffenen Parteien, Fehde und Krieg zu führen.

Meistersinger

Hans Sachs lernte in Nürnberg das Schuhmacherhandwerk und zugleich von einem Weber den Meistersang. Nach fünfjähriger Wanderschaft durch Deutschland wurde er 1517 Meister in Nürnberg. Er verfaßte zahlreiche Lobsprüche, so auch 1568 auf die Reichsstadt Nördlingen:

Als man dabei zu zählen war / zwölfhundertachtunddreißig Jahr', / verbrannte die Stadt wiederum gänzlich. / Doch durch den zweiten Kaiser Friedrich, / das heißt durch dessen Hilfe und Rat / wurde Nördlingen wieder erbaut als Stadt / und nahm erneut zu an Volkes Menge; / dafür bald zu klein, wurd' wegen der Enge / erweitert die Stadt / gegen manch üblen Rat.

Dann nahm wieder ab die Bürgerschaft / an Reichtum wie an Handelskraft, / obwohl viele Juden in ihr saßen, / die die Bürger freilich mit Wucher fraßen, / weshalb im 1290er Jahr / ein Aufruhr gegen die Juden war / zur Nacht. Und eh es begann zu tagen, / waren Hunderte Juden erschlagen. / Hart strafte sie Kaiser Rudolf dafür; / doch Kaiser Karl [IV.] war freundlich zu ihr.

1440 geschah's, / daß mißgünstig Hans von Ötting, der Graf, / mit Geld die Torhüter bestach; / die öffneten ihm die Tore danach / an drei Nächten in die Stadt, / bis ein Ratsherr davon erfahren hat. / Der überraschte die Missetäter / und schlug sie tot, die Verräter.

Über zwei Jahre später dann / Anselm von Eyberg auf Rache sann; / und mit 700 beritt'nen Vasallen / wollt' er die Stadt überfallen / auf der Kaiser-Wiesen, als man / um den Scharlach zu rennen begann / gemäß einem alten Messestadt-Brauch. / Ein Ratsherr wurde gewarnt davor auch, / so daß er das Mordstück sofort erkannte / und der Feind abzog mit großer Schande. [...]

Im fünfzehnhundertsiebzehner Jahr / zu Nördlingen ein groß' Unwetter war, / mit Stürmen und Erdbeben, unerhörten, / die sogar die Kirche zerstörten. / Viele Häuser in Stadt und Land / und Obstbäume wurden zuschand'. [...]

Gott [...] möge der Reichsstadt Nördlingen geben, / daß sie groß werd', ergrüne und blühe und wachs', / an Ehre und Gut. Das wünscht ihr Hans Sachs.

Meistersinger Hans Sachs Der Nürnberger Dichter – hier in seiner Werkstatt (links) mit dem Maler Herneisen – verfaßte im 16. Jh. neben Spruchgedichten über 100 Komödien.

DIE HANSE
Koggen und Kontore

Im 12. Jh. schlossen sich einige norddeutsche Kaufleute zum Schutz ihrer Interessen zusammen. Daraus entwickelte sich ein mächtiger Städtebund, die Hanse, deren Reichtum und Macht ein weitverzweigtes Netz von Niederlassungen sicherte. Sie besaß Handelskontore in England, Norwegen und Rußland, und die Koggen der Kauffahrer beherrschten Ost- und Nordsee. Königin der Hanse war Lübeck, das Holstentor ihr Wahrzeichen (Foto).

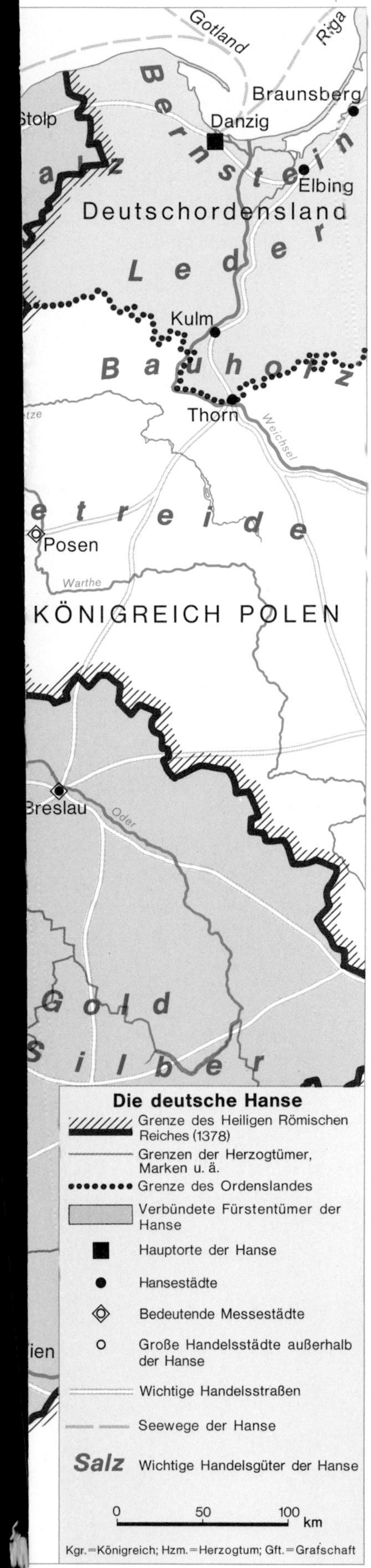

Reichtum durch die Seefahrt – der Bund der Kaufleute

Wagemutige Fernkaufleute transportierten im Frühmittelalter Waren unter Einsatz ihres Lebens über riesige Entfernungen zu den jeweiligen Bestimmungsorten. Zu ihrem Schutz schlossen sie sich in Bünden zusammen. Das ursprüngliche Zentrum des ausgedehnten Ostseehandels deutscher Kaufleute war Gotland.

Im 12. Jh. erkannte der Welfenherzog Heinrich der Löwe die wachsende Bedeutung des Fernhandels, der von England und Flandern im Westen bis ins Baltikum und nach Nowgorod im Osten reichte. Er gründete deshalb 1158 die Stadt Lübeck und gewährte ihr wichtige Rechte und Privilegien. Schon bald wurde die rasch aufblühende Stadt zur Schaltstelle des Nord- und Ostseehandels. Besonders der Zug deutscher Siedler im 13. Jh. nach Osten kam der Entwicklung der Hanse entgegen. Entlang der Ostseeküste entstanden zwischen Lübeck und Reval zahlreiche Städte, die es in kurzer Zeit zu Blüte und Wohlstand brachten. Pelze, Wachs, Bernstein und Getreide aus dem Osten, Salz aus der Lüneburger Saline, Wein aus den Gebieten am Rhein, Erze, Gold und Silber aus den deutschen Mittelgebirgen – wertvolle Waren wurden auf Kähnen über die Flüsse in die Küstenstädte geschafft, auf die seetüchtigen Koggen verladen und über Nord- und Ostsee weitertransportiert.

Die rasche Ausweitung des Handels führte dazu, daß die großen Kaufmannsfamilien nicht mehr selbst die gefährlichen Reisen unternahmen, sondern die Geschäfte in ihren Kontoren abwickelten. Über die großen Messestädte Frankfurt und Leipzig verschafften sich die Fernhandelskaufleute den Zugang zum süddeutschen Wirtschaftsraum mit seinen Verbindungen nach Italien. Die Ausdehnung der Hanse ins Binnenland führte vom 14. Jh. an zur regionalen Unterteilung der Städte in sogenannte Quartiere: der wendische Kreis mit Lübeck als Hauptort; der westfälische Kreis mit Köln; der sächsische Kreis mit Braunschweig und Bremen, der preußisch-livländische Kreis mit Danzig.

War die Hanse – das Wort bezeichnet ursprünglich eine Schar oder Gemeinschaft – zunächst lediglich ein Zusammenschluß von Kaufleuten gewesen, so wurde aus ihr bald ein Städtebund. 1358 schlossen sich zahlreiche norddeutsche Städte zur Sicherung ihrer Handelsvorteile zu einer Interessengemeinschaft der „stede van der dudeschen hanse" zusammen. Fortan traf man sich, wenn auch unregelmäßig, auf Hansetagen, um gemeinsame Beschlüsse zu fassen und durch entsprechende Maßnahmen in die Tat umzusetzen. Die Macht der Hanse war groß genug, um über unbotmäßige Städte oder Länder einen Warenboykott zu verhängen.

Die enge Zusammenarbeit der Hansestädte bewährte sich auch gegenüber dem politischen Gegner. Als der dänische König Waldemar IV. Atterdag Mitte des 14. Jh. die Rechte der Hanse beschneiden wollte, besiegte sie im Bund mit Holstein, Mecklenburg, Schleswig und Schweden die Dänen, eroberte 1368 sogar Kopenhagen und sicherte im Frieden von Stralsund 1370 ihre politischen und wirtschaftlichen Rechte. Nach erneuten militärischen Auseinandersetzungen mit Dänemark konnte die Hanse 1435 die Befreiung vom dänischen Sundzoll durchsetzen und damit den freien Zugang von der Ost- in die Nordsee erreichen.

Ihre Blütezeit erlebte die Hanse im 14. und 15. Jh. Von den rund 200 Städten, die mit der Hanse verbunden waren, waren 70–80 aktive Mitglieder. Die Sprache und Kultur der Kauffahrer prägte den gesamten Ostseeraum: Das Niederdeutsche wurde zu einer vielerorts verwendeten Handelssprache, und die typische Backsteingotik der spätmittelalterlichen Kirchen, meist Stiftungen reicher Patrizierfamilien, kennzeichnete die Architektur zahlreicher Städte.

Doch auf Dauer konnte sich die Wirtschaftsmacht der Hanse nicht gegen die Interessen von Fürsten und Königen durchsetzen. Vom 17. Jh. an bestimmten englische und holländische Kaufleute, die von ihren Herrschern gezielt gefördert wurden, den Welthandel. Die meisten Hansestädte verloren ihre städtische Freiheit an die Landesherren. Auf dem letzten Hansetag 1669 waren nur noch Hamburg, Bremen und Lübeck, die ihre alten städtischen Rechte hatten bewahren können, vertreten.

Danziger Kaufmann
Georg Gisze war einer jener geschäftstüchtigen Kaufleute aus dem Gebiet des Deutschen Ordens, der seine Geschäfte über den Stalhof, das Handelskontor der Hanse in London, abwickelte.

Die deutsche Hanse

- ///// Grenze des Heiligen Römischen Reiches (1378)
- —— Grenzen der Herzogtümer, Marken u. ä.
- •••••• Grenze des Ordenslandes
- ▭ Verbündete Fürstentümer der Hanse
- ◼ Hauptorte der Hanse
- ● Hansestädte
- ◈ Bedeutende Messestädte
- ○ Große Handelsstädte außerhalb der Hanse
- ═══ Wichtige Handelsstraßen
- ─ ─ Seewege der Hanse
- **Salz** Wichtige Handelsgüter der Hanse

0   50   100 km

Kgr.=Königreich; Hzm.=Herzogtum; Gft.=Grafschaft

Map labels: Gotland, Riga, Braunsberg, Stolp, Danzig, Bernstein, Elbing, Deutschordensland, Leder, Kulm, Bauholz, Thorn, Weichsel, Getreide, Posen, Warthe, KÖNIGREICH POLEN, Breslau, Oder, Gold, Silber, Salz

Die Hochburgen der Kaufmannschaft

In der Blütezeit der Hanse gehörten diesem mächtigen Bund fast 200 Städte an, die allerdings nicht alle gleich wichtig waren. Schon früh kristallisierte sich eine Führungsrolle der großen norddeutschen Zentren heraus, die sich den Vorteil der unmittelbaren Küstennähe zunutze machen konnten. Doch auch unter diesen gab es eine Stadt, die unangefochten den Ton angab: Um die Königin Lübeck gruppierten sich die Prinzessinnen Bremen, Lüneburg und Hamburg.

Lübeck Als Geburtsjahr der Hansestadt Lübeck gilt 1158: das Jahr, in dem Heinrich der Löwe seinen Vasallen, den Grafen Adolf II. von Schaumburg, zwang, ihm die rasch wachsende und vielversprechende Siedlung abzutreten. Der Herzog hatte erkannt, daß Lübeck das Tor Europas zum Ostseeraum und damit wichtiger Knotenpunkt des Handels werden konnte, und er förderte die junge Stadt entsprechend. Dazu kamen noch der Unternehmungsgeist der Lübecker Kaufleute und die verkehrsgünstige Lage am Schnittpunkt bedeutender Handelswege. So war es nur natürlich, daß Lübeck in der 1358 gegründeten Städtehanse die Führungsrolle übernahm und zur „Königin der Hanse" wurde.

Das Rathaus am Markt symbolisiert diese Führungsrolle am besten. Der monumentale Neubau (1340–1350) des ursprünglich viel kleineren romanischen Gebäudes sollte mit dem rund 36 m langen Hansesaal vor allem für die Hansetage den repräsentativen Rahmen schaffen. In der Blütezeit des Handelsbundes fanden hier Konferenzen statt, die das Schicksal von ganz Nordeuropa mitprägten. Seit 1818 allerdings ist der Hansesaal in kleinere Einzelräume unterteilt.

Schon die Fronten des Gebäudekomplexes demonstrieren in ihrer beeindruckenden schwarzen und roten Backsteingotik die Machtfülle Lübecks. Die prachtvolle ziegelgemauerte Schaugiebel- oder Schildwand zur Marienkirche hin ist geprägt durch Stiftstürme, Hoheitszeichen städtischer Unabhängigkeit (neugotisch rekonstruiert). Die ältere, gegenüberliegende Schaufront mit ihrem Fries aus glasierten Maß-

Ilmenau-Ufer in Lüneburg Bevor der Hafen wegen Wassermangel verlegt werden mußte, herrschte am Alten Kran reges Handelstreiben. Der drehbare Hebekran mit seinem langen Hals (links) gilt als eines der bedeutendsten technischen Kulturdenkmäler.

Lübecker Rathaus Der Reichtum der Lübecker Kaufleute zeigte sich auch in der Bautätigkeit an ihrem Rathaus, die sich über ganze vier Jahrhunderte hinzog. Diese gedeckte Prunktreppe (unten) wurde 1594 an den Kriegsstubenbau angefügt.

Heringsahm in Lübeck Ahm nannte man die gewaltigen becherartigen Gefäße, die in der Hansezeit zum Eichen von Heringsfässern verwendet wurden. Dieses massiv bronzene Exemplar aus dem Lübecker Rathaus stammt aus dem Jahr 1469 und faßt 14,75 l (links). Heute ist es im Museum im Sankt-Annen-Kloster ausgestellt.

werkplatten wurde 1435 von Nikolaus Peck umgestaltet: Das mittlere Türmchen wurde eingefügt, und man brach zwei riesige runde Windlöcher in die alten Spitzbogenblenden. Einen zusätzlichen Reiz verleiht der mächtigen Backsteinwand der filigrane helle Anbau einer Renaissancelaube mit Arkaden.

Dem südlich anschließenden Langen Haus wurde 1442–1444 noch der zweigeschossige Kriegsstubenbau angefügt. Baumeister Peck nahm hier die Symbole der Lü-

Von Lübeck nach Hamburg Die Tour ist etwa 416 km lang und faßt alle Städte zusammen, die in der Blütezeit der Hanse in Norddeutschland den Ton angaben. Die Route führt den Autofahrer durch die verschiedensten norddeutschen Landschaften: das Gebiet an der Ostseeküste, das stille

Lauenburg, die Lüneburger Heide mit ihrem eher herben Reiz und das weite, flache Niedersächsische Tiefland, das sich schon zur Nordsee hin öffnet.

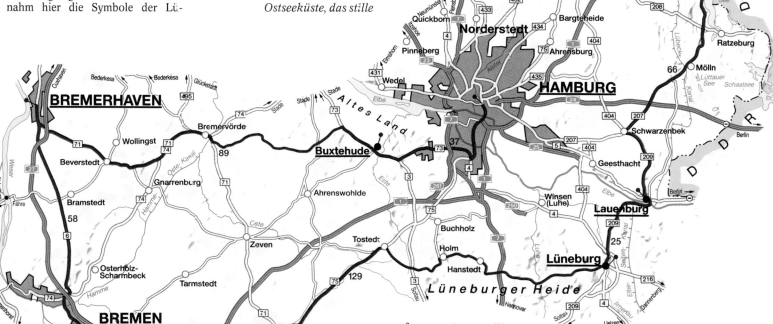

becker Macht aus dem Hauptbau wieder auf: Schildwände und Türme. Die wuchtigen Bogen der Erdgeschoßarkaden wölbten sich einst über der Stadtwaage.

Der Hafen war der Lebensnerv des Handels. Hier wurden die Hanseschiffe gebaut und die Handelsgüter umgeschlagen. Einem althansischen Spruch zufolge war Lübeck das Kaufhaus der Hanse: Die Stadt war an jeder Art von Warenhandel beteiligt. Vom Salzhandel mit Lüneburg künden noch die mehrgeschossigen, spitzgiebligen Backsteinhäuser (16.–18. Jh.), die als Salzspeicher an der Obertrave errichtet wurden.

Jeder Schiffer – heute würde man Kapitän sagen – war zugleich auch Kaufmann und besaß Anteile an seinem Schiff. Entsprechend dem Fahrtziel (z. B. Nowgorod, Riga oder Bergen) waren die Schiffer in Handelskompanien organisiert. Mehrere Kompanien zusammen richteten

sich 1535 ein Haus als Zunftunterkunft ein: die sogenannte Schiffergesellschaft. Das alte Gildehaus ist heute ein historisches Restaurant. Zur Erstausstattung der großen Halle im Erdgeschoß gehören die drei Reihen schmaler Tische und Bänke aus Schiffsplanken, deren seitliche Wangen die Wappen der damaligen Kompanien zeigen. Von der Holzbalkendecke hängen alte Schiffsmodelle und Kronleuchter.

Die Patrizierhäuser zeugen vom Reichtum, zu dem es die Lübecker Hansekaufleute brachten. Geschmückt mit prächtigen Giebelfassaden, entsprachen sie von der Innenaufteilung her dem Typus des niederdeutschen Dielenhauses mit einer großen Diele im Erdgeschoß und drei bis fünf Speicherböden. In der Großen Petersgrube und im unteren Teil der Mengstraße gibt es noch ganze geschlossen erhaltene Reihen alter Kaufmannshäuser.

Das hohe Niveau von Kunst und Kultur der Hansezeit verdeutlicht das Museum im Sankt-Annen-Kloster. In den spätgotischen Räumen des alten Augustinerinnenklosters ist die Strucksche Diele als Beispiel einer schönen Bürgerdiele zu sehen, außerdem die silbernen Willkomme der Lübecker Zünfte, die einem jungen Meister oder Gast mit dem Willkommenstrunk gereicht wurden.

Ein charakteristisches Element jeder Hansestadt sind auch die Wehranlagen. Zwei Haupttore sind in Lübeck erhalten. Beim Burgtor stammen die untersten Geschosse noch vom ältesten Befestigungsring (um 1230); die beiden oberen mit ihren Nischen und Fenstern wurden 1444 hinzugefügt. Im berühmten Holstentor, 1466–1478 zur Sicherung der Travebrücke und der Ausfallstraße nach Hamburg errichtet, ist heute ein Museum untergebracht. Besonders eindrucksvoll sind die Exponate, die Lübecks Tradition als See- und Schiffbaustadt illustrieren (Schiffsmodelle, Galionsfiguren u. a.).

ⓘ Rathausführungen täglich 11, 12 und 15 Uhr.

Museum für Kunst- und Kulturgeschichte im Sankt-Annen-Kloster, Sankt-Annen-Straße 15: Di bis So 10–17 Uhr (April–September), sonst Di–So 10–16 Uhr.
Stadtgeschichtliches Museum im Holstentor: Di–So 10–17 Uhr (April–September), sonst Di–So 10–16 Uhr.

Lauenburg Die Elbschiffersiedlung wurde durch den Stecknitzkanal (1390–1398), den ersten Wasserscheitelkanal Nordeuropas, mit Lübeck verbunden und so in den Hansehandel einbezogen. Das Lüneburger Salz konnte jetzt ohne Umladung zur Ostsee transportiert werden. Die hölzernen Stauschleusen verfielen bald; nur die alte Palmschleuse, 1724 zur in Stein gefaßten Kammerschleuse umgebaut, ist erhalten.

Das hansische Stadtbild ist noch in der Elbstraße bewahrt. Reizvoll sind die Fachwerkgiebelhäuser mit vorkragenden Obergeschossen (Nr. 105 und 107) und reichgeschnitzten Knaggen (Nr. 61 und 95/97).

Lüneburg Mitte des 14. Jh. trat die Stadt der Hanse bei. Sie wurde als Salzhaus der Gemeinschaft bezeichnet. Ihr Salz und ihre hervorragende

Lage – vom 15. Jh. an verlief der Warenverkehr zwischen den Seestädten und dem Binnenland fast vollständig über Lüneburg – machten sie zu einem bedeutenden Handels- und Gewerbeort. Auf beides verweisen die Nutzbauten am alten Hafen: der kupfergedeckte Alte Kran (1332 erstmalig erwähnt), der Fachwerkbau der Lüner Mühle (1576) und der fünfgeschossige Turm der Abtswasserkunst mitten im Fluß. Ebenfalls am Ilmenau-Ufer liegt das vor 25 Jahren wiedererrichtete Kaufhaus mit seiner alten Barockfassade, in dem zuerst nur Heringe gelagert, später dann auch Fleisch, Nüsse, Äpfel, Felle und andere Waren umgeschlagen wurden. Die Wetterfahne auf dem Glockentürmchen hat die Gestalt eines Ilmenau-Ewers, des Anderthalbmasters, auf dem das wertvolle Salz verschifft wurde.

Auch hier steht im Zentrum der Stadt, am Markt, der wichtigste öffentliche Bau: der Rathauskomplex, der noch Teile aus dem 13. Jh. aufweist und über fünf Jahrhunderte hinweg ständig erweitert und verschönert wurde. Dadurch wurde der Marktplatz um die Hälfte verkleinert. Zwei spätgotische, eine Renaissance- und eine Barockfassade sind an dem imposanten Bau insgesamt erhalten. Der älteste Raum ist die Gerichtslaube (um 1330). Ihr farbig gefliester Fußboden ist teilweise noch original. Innerhalb den den Gerichtsraum abgrenzenden Schranken findet man eine alte Fußbodenheizung, deren bronzene Deckel mit der Stadtmarke, dem Ratszeichen A, geschmückt sind. Die anschließenden Gemächer, die Alte Kanzlei (1433), die Bürgermeisterkörkammer (1491) und das Alte Archiv (1521), sind mit ihrer immer noch originalen Ausstattung Musterbeispiele hansischer Ratskultur.

Die Große Ratsstube im Obergeschoß, der prächtigste Raum im ganzen Rathaus, wurde 1564–1584 als Sitzungssaal angefügt. Die reichen Schnitzereien von Ratsstuhl und Türrahmungen sowie die Decken- und Wandmalereien weisen sie als eines der schönsten Prunkzimmer norddeutscher Renaissancekunst aus. Sehr sehenswert ist auch der große Fürstensaal (15. Jh.) mit seiner mit Fürstenmotiven bemalten Wandtapete.

Die Bürgerhäuser sind staffelgiebelgeschmückt und aus Backstein, eine Bauweise, die Lüneburg entsprechend seiner Orientierung an der Hansehauptstadt von Lübeck übernahm. Sehr schöne mittelalterliche Giebelhauszeilen sind vor allem noch Am Sande, Am Berge, in der Bäcker- und in der Heiliggeiststraße

zu bewundern. Von diesem Typus weicht das Glockenhaus ab, ein dreigeschossiges Traufenhaus, dessen riesige Speicher jahrhundertelang vor allem der Kornlagerung dienten.

Vieles, dem durch bauliche Maßnahmen die alte Umgebung genommen wurde, bewahrt das Museum für das Fürstentum Lüneburg: beispielsweise die Einrichtung einer Bürgerstube jener Zeit, Portalschmuck und Hauszier.

ⓘ Rathaus, Am Ochsenmarkt: Führungen Di–So 10, 11, 14, 15 Uhr. Museum für das Fürstentum Lüneburg, Wandrahmstraße 10: Di–Fr 10–16, Sa, So 11–17 Uhr.

Bremen Die Stellung Bremens innerhalb der Hanse war nicht immer ganz unproblematisch. Bereits im 11. und 12. Jh. fuhren Bremer Kaufleute weserabwärts, um bis nach Grönland Handel zu treiben; sie besaßen auch besondere Privilegien in Skandinavien, Flandern und England. Die wollten sie nicht aufs Spiel setzen, als die Hanse eine Blockade gegenüber Norwegen ausrief. Daraufhin wurde Bremen 1284 „verhanst", d. h. aus der Hanse ausgeschlossen. Erst 1358 wurde die Stadt wieder aufgenommen. 1427 und 1563 wurden die widerspenstigen Bremer noch mit zwei weiteren Verhansungen bestraft.

Am Markt setzte die Kaufmannschaft gegenüber der erzbischöflichen Autorität ihre eigenen Akzente. Als Festung des Bürgertums präsentierte sich das gotische Rathaus mit einem hölzernen Wehrgang mit Schießscharten und Zinnen sowie wehrbereiten Ecktürmen auf dem Gesims. Man mußte sich vor allem gegen die Söldner des Erzbischofs verteidigen, die erst eine Generation zuvor den Rat aus der Stadt gejagt hatten. Der Erzbischof wollte seine Ansprüche auf die Stadtführung nicht aufgeben. Aus dieser Zeit sind noch die über die Jahrhunderte am wenigsten veränderten Schmalseiten und der Figurenschmuck zur Marktseite hin erhalten. Die Originalfiguren sind heute allerdings im Bremer Landesmuseum ausgestellt; am Rathaus befinden sich Kopien.

In der oberen der beiden großen, übereinanderliegenden Hallen hängt die Hansevergangenheit buchstäblich von der Decke: in Gestalt von vier großen Orlogschiffsmodellen (Orlog = Krieg). Zu kriegerischen Zwecken setzte die Bremer Hanse solche Schiffe allerdings nie ein; sie dienten vielmehr dazu, die Handelsschiffe und ihre kostbare Ladung im Konvoi zu begleiten und sie vor Seeräuberangriffen und Kape-

rung zu schützen. Das eine Modell, die „Johann Schwartung" von 1650, ist ein Geschenk der Bremer Kaufleute an den Senat. Aus der gleichen Quelle stammt der mächtige Kronleuchter, der mit dem kaiserlichen Doppeladler und dem Bremer Schlüssel, dem Wahrzeichen der Stadt, verziert ist.

Dem Rathaus direkt gegenüber steht der Schütting, das ehem. Gildehaus der Kaufmannschaft (16. Jh.). Seinen eigenartigen Namen leitet es

vom plattdeutschen „schossen" (Geld zusammentun) ab. Daß sich die Bremer Hanseaten auf diese Kunst verstanden, bezeugt besonders das reichverzierte Eingangsportal mit seinem Treppenbau. Über den hohen, schmalen Fenstern sind die Wappen der hansischen Kontore in Bergen, Brügge, London und Nowgorod sowie der beiden Schwesterstädte Lübeck und Hamburg angebracht. Der Ziergiebel über dem Dachgesims trägt das Relief eines Hanseschiffes (1594).

Dem Marktplatz, der sich zwischen dem Rathaus und dem Schütting erstreckt, ist unübersehbar der Stempel der Hanse aufgedrückt. In der Marktplatzmitte ist ein großes Hanseatenkreuz in das Pflaster eingearbeitet.

Während sich die anderen norddeutschen Hansestädte auf reinen

Backsteinbau beschränkten, verwendeten die Bremer für ihre Stadtarchitektur auch hellen Sandstein von der Oberweser. So wechseln beispielsweise an der sehr sehenswerten Renaissancefassade der Stadtwaage (16. Jh.) die Farben Rot und Weiß ab. Das Gewerbehaus dagegen (Ansgarikirchhof) ist ganz in Sandstein gehalten. Hinter dem reich ornamentierten Doppelgiebel verbargen sich ursprünglich zwei Häuser, die 1619–1622 von der Ge-

Rathaus in Bremen
Auf einem 1 km breiten Dünenzug rechts der Weser liegt der Marktplatz mit dem berühmten Rathaus, Wahrzeichen des selbstbewußten Bürgertums und das Herzstück der Hansestadt.

wandschneidergilde zu einem vereinigt wurden, das als ihr Amtshaus fungieren sollte.

Die schmale Böttcherstraße war früher die kürzeste Verbindung zwischen dem Marktplatz und den Werften an der Weser. Hier lebten Handwerker, befanden sich Kontore und Lagerräume. Der Bremer Kaffeekaufmann Ludwig Roselius ließ 1923–1931 die Straße in einem Bau-

Hansekogge in Bremerhaven Es war eine Weltsensation, als man 1962 im Schlick des Bremer Hafens eine echte alte Kogge aus der Zeit der Hanse entdeckte. Sie wurde nach Bremerhaven ins Deutsche Schiffahrtsmuseum überführt, wo sie mit modernsten technischen Mitteln restauriert wurde.

Hamburg Obwohl aus der Hansezeit selbst nichts mehr erhalten ist, weist Hamburg doch typisch hanseatische Elemente auf.

Bier war eines der Hauptexportgüter der Stadt, weshalb Hamburg als Brauhaus der Hanse galt. Die Brauhäuser zogen sich an den Kanälen, den Fleeten, hin. Das Nicolaifleet vermittelt mit restaurierten Althamburger Häusern und Speichern einen Eindruck von dieser Zeit.

So auch die Kramerwittenwohnungen zu Füßen der Kirche Sankt Michaelis, des Hamburger Michels: Zwei Reihen mit je fünf zweistöckigen Fachwerkhäuschen ziehen sich an einem Hof, der einer winzigen Gasse ähnelt, entlang. Sie wurden von der Zunft der Krämer im 17. Jh. für die Hinterbliebenen verstorbener Zunftbrüder erbaut.

Im Museum für Hamburgische Geschichte ist die Rolle der Stadt in der Hanse an Beispielen der Baukunst, des Schiff- und Hafenbaus, der Münzgeschichte und militärischer Schutzmaßnahmen umfassend dargestellt. Ein besonderer Anziehungspunkt sind die Konvoischiffsmodelle, die den reichbeladenen Handelsschiffen zum Schutz beigegeben wurden. Daß die Hamburger in manchem Kampf mit den Piraten Sieger blieben, beweisen die im Museum ausgestellten Schädel zweier enthaupteter Seeräuber.

Durch die Elbe war Hamburg verkehrsgünstig mit dem Hinterland verbunden. Aber auch die Alster wurde durch den Alster-Beste-Trave-Kanal für die Binnenschiffahrt nutzbar gemacht. Über die norddeutsche Kanalschiffahrt informiert das Alstertalmuseum.

ⓘ Museum für Hamburgische Geschichte, Holstentorwall 24: Di–So 10–17 Uhr.
Kramerwittenwohnungen, Krayenkamp 10: Di–So 10–17 Uhr.
Alstertalmuseum, Wellingsbüttler Weg 79 g–h, Torhaus: Sa, So 11–13, 15–17 Uhr.

Hamburger Spendenbüchse Das Geld aus dieser Sammelbüchse (heute im Museum für Hamburgische Geschichte) diente im 16./17. Jh. dazu, in Gefangenschaft geratene Seeleute freizukaufen (rechts).

stil neu gestalten, der den alten Geist der hansischen Architektur mit modernen expressionistischen Elementen verband. Das einzige original erhaltene Haus, das sogenannte Roseliushaus, stammt noch aus dem 16. Jh. Eingerichtet wie ein althansisches Patrizierhaus, läßt es vor allem mit seinen Möbeln und Gemälden, seiner Buch-, Glas- und Silberkunst die Wohnkultur der Hansezeit wiederaufleben. Besonders eindrucksvoll ist der Renaissancetreppensaal.

Wie dagegen die Fischer, Fährleute, Bootsbauer und Schiffer einst lebten, zeigen die eng aneinandergereihten schmalen Fachwerkhäuser des Schnoorviertels.

Die Stadtgeschichte Bremens illustriert das Bremer Landesmuseum. Dort sind u. a. vier Wangen des Ratsgestühls von 1410, die ältesten Teile

des Ratssilbers und alte Stadtansichten zu besichtigen.
ⓘ Rathausführungen Mo–Fr 10, 11, 12, Sa, So 11, 12 Uhr (März–Oktober), sonst Mo–Fr 10, 11, 12 Uhr. Roseliushaus, Böttcherstraße 6: Mo–Do 10–16, Sa, So 11–16 Uhr. Bremer Landesmuseum, Schwachhauser Heerstraße 240: Di–So 10–18 Uhr.

Bremerhaven Die Hafenstadt, erst 1827 von Bremen aus gegründet, hat mit der Hanse selbst nichts zu tun. Aber im Deutschen Schiffahrtsmuseum wird die Schiffbautradition der Hanse lebendig. Paradestück der Exponate ist die Hansekogge von 1380, die 1962 im Bremer Hafen freigelegt und aus 2000 Einzelstücken wieder zusammengesetzt wurde. Sie ist die einzige originale Hansekogge der Welt. Dieser Schiffstyp diente zwischen 1200 und 1400 dem Waren-

transport; danach wurde er durch den Holk verdrängt, einen Vorgänger des Dreimasters.
ⓘ Deutsches Schiffahrtsmuseum, Van-Ronzelen-Straße: Di–So 10–18 Uhr.

Buxtehude Schon bevor die Siedlung am Elbnebenfluß Este 1363 der Hanse beitrat, florierte dort der Handel. Über die ehem. Fährstelle („hude") führte der Landweg von Lübeck nach Brügge, und auch die Verbindung mit der Nordsee war gegeben. Der rege Durchgangsverkehr verhalf der Stadt über Märkte und Zölle zu Wohlstand.

Ein Sakralbau dieser Zeit ist die Sankt-Petri-Kirche, eine dreischiffige Gewölbebasilika aus demselben Backstein, der für die Profanbauten der Hanse so charakteristisch ist. Zu ihren wertvollsten Ausstattungsstücken gehört der Halepagen-Altar, ein spätgotischer Flügelaltar aus dem 15./16. Jh. Er leitet seinen Namen vom 1485 verstorbenen Buxtehuder Pfarrer Gerhard Halepagen ab, dem er 1510 gestiftet wurde.

Das Stadtbild der Hansezeit prägten Fachwerkhäuser, wie sie noch Westfleth, Lange- und Abtstraße als geschlossene Zeilen aufweisen. Besonders schön: die reichen Schnitzereien des Hauses Fischerstraße 3.

Von der Stadtmauer hat sich allein der Marschtorzwinger aus dem 16. Jh. erhalten, ein trutziger, zweigeschossiger Backsteinbau mit Schießscharten.
ⓘ Sankt-Petri-Kirche, Kirchenstraße: Wegen Restaurierung erst im Laufe des Jahres 1989 wieder zu besichtigen.

Lübeck – Königin der Hanse

*E*in Tag im Frühherbst des Jahres 1382: Der Morgennebel über der Trave ist den spätsommerlichen Sonnenstrahlen gewichen. Von der Ostsee weht eine leichte Brise über die Stadt Lübeck. An den Kais im Hafen herrscht geschäftiges Treiben. Bis in die engen Gassen des Kaufmannsviertels hallen die Hammerschläge der Zimmerleute von der Werft. Mit Eifer arbeiten sie an der Fertigstellung einer neuen Kogge. Über einem offenen Feuer werden die Schiffsplanken in die gewünschte Form gebogen, bevor man sie, wie Dachziegel übereinandergeschichtet, an den Spanten befestigt. Klinkerbauweise nennen die Zimmerleute dieses Verfahren.

Der turmartige Aufbau an Bug und Heck – er erinnert ein wenig an eine befestigte Burg – dient dem Schutz und der Verteidigung gegen Seeräuber. Das verwendete Bauholz, ein wichtiges Handelsgut der Hanse, kommt aus den Wäldern Nordosteuropas; Pech, Wachs und Holzteer zum Abdichten der Fugen stammen aus Westrußland.

Für ihre Fahrten über die Ost- und Nordsee bevorzugen die hansischen Kaufleute die Kogge. Sie ist etwa 30 m lang und besitzt nur einen Mast, wodurch man sie leicht erkennen kann. Von den früheren Wikingerschiffen unterscheidet sie sich durch ihre größere Breite (7 m) und ihren stärkeren Tiefgang (3 m). Denn je größer der Laderaum ist, desto gewinnbringender sind die Handelsfahrten für die Kaufleute. Das ganze Vermögen manch eines Patriziers steckt in einer solchen Schiffsladung von 120–200 t. Die Koggen sind zwar langsamer als die schlanken Wikingerschiffe, aber dennoch benötigen sie für die Fahrt nach Danzig nur vier Tage, während ein Fuhrwerk immerhin zwei Wochen unterwegs ist.

Die Zimmerleute auf der Lübecker Werft können über Arbeitsmangel nicht klagen, denn Verluste durch Schiffbruch und Seeräuberei müssen ständig ersetzt werden. Außerdem baut man nicht nur für den eigenen Bedarf, sondern verkauft die Schiffe auch nach England, Holland und sogar Italien. Im Rat der Stadt Lübeck sind allerdings in letzter Zeit Stimmen laut geworden, diesen Export zu verbieten, statte man doch die Konkurrenz mit tüchtigen Schiffen aus.

Der Lübecker Hafen ist der größte innerhalb des Hansebundes. Außer in den Wintermonaten kommen hier täglich Schiffe die Trave heraufgefahren, bleiben

ein oder zwei Wochen zum Be- und Entladen liegen und stechen dann wieder in See – nach Flandern, England, Norwegen, Schweden, Gotland, Livland oder Rußland.

Am Ufer liegt ein flacher Prahm, ein Flußschiff, das Salz aus Lüneburg geladen hat. Lüneburger Salz versorgt über Lübeck fast konkurrenzlos ganz Osteuropa; der Reichtum Lübecks beruht zu einem großen Teil auf dem Salzhandel. Der Bedarf ist groß, braucht man doch zum Konservieren von vier bis fünf Fässern Hering ein Faß Salz. In Lübeck werden die Salzfässer von den nicht seetüchtigen Kähnen auf Koggen umgeladen. Ein Tretkran hievt die schweren Lasten an Bord. Während die Salzladung das Schiff allmählich tiefer ins Wasser drückt, legt eine andere Kogge ab, der man ansieht, daß sie kaum Ware mit sich führt. Sie hat Getreide aus dem

*Im Lübecker Hafen
Der Tretkran, früher von Ochsen, jetzt von Menschenkraft angetrieben, erleichtert das Be- und Entladen der Schiffe und verkürzt die Liegezeiten. Nebenan auf der Werft wird derweil eifrig am Bau einer Kogge gearbeitet.*

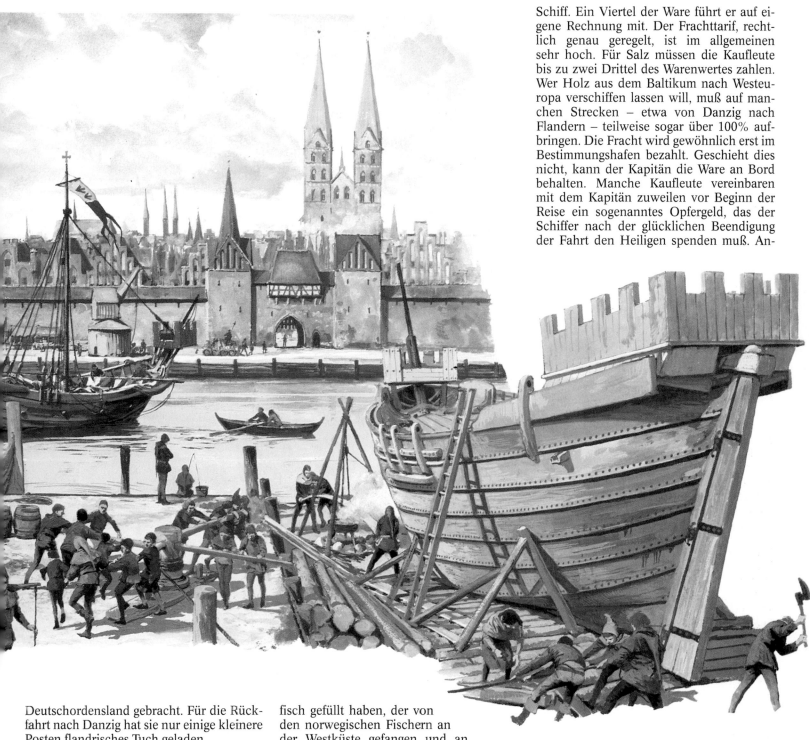

Schiff. Ein Viertel der Ware führt er auf eigene Rechnung mit. Der Frachttarif, rechtlich genau geregelt, ist im allgemeinen sehr hoch. Für Salz müssen die Kaufleute bis zu zwei Drittel des Warenwertes zahlen. Wer Holz aus dem Baltikum nach Westeuropa verschiffen lassen will, muß auf manchen Strecken – etwa von Danzig nach Flandern – teilweise sogar über 100% aufbringen. Die Fracht wird gewöhnlich erst im Bestimmungshafen bezahlt. Geschieht dies nicht, kann der Kapitän die Ware an Bord behalten. Manche Kaufleute vereinbaren mit dem Kapitän zuweilen vor Beginn der Reise ein sogenanntes Opfergeld, das der Schiffer nach der glücklichen Beendigung der Fahrt den Heiligen spenden muß. An-

Deutschordensland gebracht. Für die Rückfahrt nach Danzig hat sie nur einige kleinere Posten flandrisches Tuch geladen.

Unweit der Werft liegt eine Kogge vor Anker, die letzte Vorbereitungen zum Auslaufen trifft. Sie ist eines von etwa 25 Schiffen, die pro Jahr nach Bergen in Norwegen in See stechen, wo die Hansestädte ein Handelskontor, die Deutsche Brücke, unterhalten. Sechs Tage dauerte es, bis die Ladung im Schiffsrumpf verstaut und die Frachtbedingungen geregelt waren. Es führt Roggen, Weizenmehl, Braumalz und Salz mit sich. Wenn alles gutgeht, wird es seine Laderäume auf der Rückfahrt randvoll mit Stock-

fisch gefüllt haben, der von den norwegischen Fischern an der Westküste gefangen und an der Luft getrocknet wird.

Sechs Lübecker Kaufleute sind an dieser Fahrt mit Anteilen in unterschiedlicher Höhe beteiligt. Nur die wenigsten Patrizier können es sich erlauben, allein und auf eigenes Risiko zu fahren. Die meisten ziehen es inzwischen vor, ihre Ware auf mehrere Schiffe zu verteilen, um den finanziellen Schaden im Falle eines Verlustes so gering wie möglich zu halten.

Der Kapitän der Kogge, Hinrich Witters, ist jedoch sein eigener Herr. Ihm gehört das

dere Kosten, wie etwa die Lotsengebühren, werden anteilig unter den an der Fahrt Beteiligten umgelegt.

Als die Kogge ablegt und langsam traveabwärts Fahrt aufnimmt, legen die Zimmerleute kurz ihr Werkzeug aus der Hand, um den Matrosen zuzuwinken und ihnen eine gute Fahrt und glückliche Heimkehr zu wünschen. Sie haben auch dieses Schiff gebaut – an ihrer Handwerkskunst jedenfalls sollte das Gelingen der Fahrt nicht scheitern.

Silber, Bier und Politik

Unter der Führung Braunschweigs bildeten die südniedersächsischen Städte schon in der Frühzeit der Hanse eine Interessengemeinschaft, vor allem beim Handel am Brügger Kontor. Dorthin lieferten sie Metalle und Holz aus dem Harz, Getreide und Bier und führten dafür vorwiegend Textilien und Gewürze ein. Politisch schlossen sie sich in der Mitte des 13. Jh. zum Sächsischen Städtebund zusammen, der als regionales Bündnis eine wesentliche Stütze der Gesamthanse bildete.

Hannover Schon im 13. Jh. hatte Hannover Verbindungen zu den Küstenstädten, nach Flandern und Nowgorod. Zwei wichtige Fernhandelsstraßen, die von Lübeck nach Frankfurt am Main bzw. Köln führten, berührten die Stadt, die ab Mitte des 14. Jh. Mitglied der Hanse war. 1371 erhielt sie das Privileg der freien Schiffahrt nach Bremen.

Ins 14. Jh. fällt auch der Ausbau der Stadtbefestigung. Der dreigeschossige Beginenturm, der zwischen 1352 und 1357 errichtet wurde, war der wichtigste Turm der Stadtmauer. Einen Teil des Landwehrsystems bildete der Döhrener Turm von 1488 (Hildesheimer Straße). Seine drei Backsteingeschosse sind aus dunkel glasierten Ziegeln.

Hansezeit und -architektur dokumentieren die gotischen Backsteinbauten des Alten Rathauses, das in verschiedenen Phasen vom 13. Jh. an errichtet wurde, und der Marktkirche Sankt Georg und Jakobus, die aus dem 14. Jh. stammt. Das Rathaus, geschmückt durch einen Terrakottafries und figürliche Reliefs, vermittelt noch ganz das mittelalterliche Fassadenbild. Schön proportioniert sind die Staffelgiebel mit ihren nach oben abnehmenden fünf Geschoßhöhen und dem schichtweisen Wechsel von grün glasierten und dunkelbraunen Formsteinen. Nur das Äußere konnte nach den Brandschäden des Zweiten Weltkrieges in der alten Form wiederhergestellt werden. Die Marktkirche, die sich daneben erhebt, ist eine dreischiffige Hallenkirche mit einem 97 m hohen Westturm. Von der ehemals reichen Ausstattung ist im Hauptchor der Passionsaltar (um 1490) erhalten. Reste alter Glasge-

Reichsadler in Goslar
Ein Zeugnis Goslarer Erzgießerkunst ist der Marktbrunnen aus der ersten Hälfte des 13. Jh. (links). Der Reichsadler war ab 1340 auch das Wappentier der nur dem Kaiser unterstellten Reichsstadt.

Altes Rathaus in Hannover Das mittelalterliche Erscheinungsbild des Backsteinbaus wurde 1877–1882 wiederhergestellt. Der Brunnen (links) mit der Blumenhändlerin und der Fischverkäuferin wurde zum Gedenken an diese Renovierung 1881 gestiftet.

Magniviertel in Braunschweig Viele Häuser dieses fast vollständig erhaltenen mittelalterlichen Viertels (unten) wurden in den letzten Jahren renoviert.

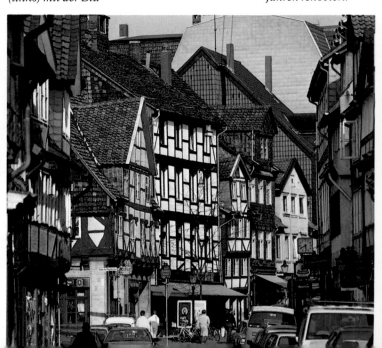

mälde befinden sich in den drei östlichen Hauptchorfenstern.

ⓘ Ev. Marktkirche: täglich 10–16 Uhr.

Braunschweig Die Blütezeit der Stadt, die Epoche ihrer Selbständigkeit, war die Zeit der Hanse. Braunschweigs Ende als freie Stadt (1671) und das Ende der Hanse mit dem letzten Hansetag (1669) fallen zeitlich zusammen. Die Stadt war aufgrund innerer Unruhen 1374–1380 „verhanst", d. h. aus der Hanse ausgeschlossen. Danach aber zählte sie als Vorort, als Wortführer des Sächsischen Städtebundes, bis zuletzt zu den wichtigsten Binnenstädten der Gemeinschaft. Hier fand 1427 der Hansetag statt, der den Sächsischen und den Wendischen Städtebund zu einem Schutz- und Trutzbündnis zusammenschloß.

Das Waffenhandwerk machte Braunschweig zum Zeughaus der Hanse. Die verschiedenen Zweige dieses Handwerks – Waffenschmiede, Plattenschläger, Helmschläger, Harnischmacher und Sporer – bildeten die einflußreiche Schmiedegilde. Daneben gab es die Damasculierer, die als Künstler außerhalb der Gilde tätig waren und Waffen und Rüstungen verzierten. Das Landesmuseum zeigt hervorragende Arbeiten dieses hansischen Handelsgutes: wertvoll gearbeitete Kandaren, Harnische und Helme (16. Jh.) sowie als bedeutendste Teile 23 reich gearbeitete Schlachtschwerter, sogenannte Bihänder (16. Jh.).

Das Städtische Museum verwahrt das Zunftzeichen der Schmiedegilde, einen Gußlöwen aus der zweiten Hälfte des 16. Jh., der bei Festlichkeiten als Gießgefäß zur Handwaschung benutzt wurde. Hier wird auch die Nachbildung einer Ratsherrenstube in der Ausstattung des 15. und 17. Jh. gezeigt sowie ein Stadtmodell von 1671.

Von den fünf Stadtkernen Braunschweigs war die heutige Altstadt die Marktsiedlung. Das Rathaus aus dem 14. und 15. Jh. mit seinen im spätgotischen Stil angefügten Lauben und dem freien Maßwerk des Obergeschosses repräsentiert den Bürgerstolz der Hansestadt. Es diente auch als Fest- und Hochzeitshaus.

Am Altstadtmarkt steht auch das Gewandhaus, das ehem. Kaufhaus der Tuchhändler, das die dominierende wirtschaftliche Stellung, die die Stadt noch an der Wende vom 16. zum 17. Jh. innehatte, widerspiegelt. Prachtvoll seine Renaissancefassade von 1590, die der Engel der Gerechtigkeit mit erhobenem Schwert krönt. Auf drei offene Korbarkaden folgen drei Geschosse, dann der viergeschossige Giebel,

Von Hannover nach Hildesheim Viermal überquert die B 65 auf dem Weg nach Braunschweig den Mittellandkanal. In ihrem weiteren Verlauf folgt die Tour hauptsächlich gut ausgebauten Bundesstraßen. Besonders reizvoll ist die Fahrt durch den Harz auf der B 241 von Goslar nach Osterode.

den u. a. das Stadtwappen ziert. Eine ähnlich gestaltete Fassade zeigt auch das Haus zur Rose, das um 1589 entstand (Kohlmarkt 31).

Das Gesicht der Stadt prägten vor allem traufständige Fachwerkbauten. Ein fast geschlossenes mittelalterliches Bild bietet das Magniviertel um die Sankt Magnus geweihte Kirche, die 1031 erstmals erwähnt wurde. Eine typisch braunschweigische Gasse ist hier die Herrendorftwete. In der Güldenstraße 7 beeindruckt das 1567 mit vorkragendem Obergeschoß vom Metzger und Ratsherrn Cyriakus Haberland erbaute Haus der Hanse durch überaus reiche Balkenschnitzereien.

ⓘ Braunschweigisches Landesmuseum, Burgplatz: täglich 10–17 Uhr. Städtisches Museum, Am Löwenwall: Di, Do–So 9–17, Mi bis 19 Uhr.

Goslar Schon um 1267 war die Stadt Mitglied der Hanse; 1290 erwarb sie mit der Reichsvogtei alle gerichtlichen und grundherrlichen Rechte, die vorher der Vogt im Namen des Kaisers ausgeübt hatte. Kaufmanns- und Handwerksgilden beherrschten den Rat der Stadt zusammen mit den Besitzern der Silber- und Kupfergruben und den Hüttenmeistern. Die wirtschaftliche Grundlage Goslars stellten das Erz-

bergwerk Rammelsberg, die Hütten am und im Harz sowie der Metallhandel dar. Bis ins 14. Jh. hinein ging das Kupfer über Hamburg nach Flandern und England und über Köln an die Maas. Lübeck erhielt Silber für seine Münze und den Ostseehandel. Nach 1360 legten zunehmende Entwässerungsprobleme den Kupferabbau lahm; es dauerte fast 100 Jahre, bis man die Förderung durch eine verbesserte Pumptechnik im alten Umfang wiederaufnehmen konnte. In dieser Zeit beschränkte sich der Handel auf Silber, Blei und das Nebenprodukt Vitriol. 1527 konnte der braunschweigische Herzog die im 14. Jh. verpfändeten Rechte am Rammelsberg zurückkaufen. Das bedeutete den Ruin der Stadt: 1566 stellte sie die Zahlungen an die Hanse ein.

Die wichtigsten Bauten der Hansezeit sind das Rathaus und die Gildehäuser. Das spätgotische Rathaus am Markt, das ab 1450 entstand, bezieht seine harmonischen Proportionen aus dem Übereinander von fünf Arkaden, sechs Maßwerkfenstern und sechs Zwerchgiebeln. Das sechste Arkadenfeld ist geschlossen – dort stand einst der Pranger. Die Nordseite schmückt ein mit reichem ornamentalem Schnitzwerk versehener Fachwerkgiebel (1560). An der Südseite führt eine Freitreppe (1637) in die Rathausdiele, deren blaue, sternengeschmückte Holzdecke noch aus der Erbauungszeit stammt. Das um 1500 vollständig vertäfelte und bemalte Ratsherrenzimmer, das auch Huldigungssaal genannt wird, zeugt von der Blüte der Stadt zur Zeit der Spätgotik. Dieser Raum ist eines der schönsten Beispiele für die spätgotische Innenausstattung eines Profanbaus. Zwei

Huldigungssaal im Rathaus von Goslar
Unter reichgeschnitzten Baldachinen reihen sich im spätgotischen Ratsherrenzimmer die Wandgemälde von Sibyllen und Kaisern aneinander.

der Wandfelder lassen sich öffnen. Sie geben den Blick auf die kleine, ebenfalls vollständig ausgemalte Trinitatiskapelle frei. Zu den bedeutendsten hier aufbewahrten Kostbarkeiten zählen das „Goslarer Evangeliar" (1230), die zum Ratssilber gehörende Bergkanne (1477) und eine bronzene Schwurhand (spätes 15. Jh.).

Gegen Ende des 15. Jh. entstanden am Markt neue, repräsentative Gildehäuser. Das der Gewandschneider (1494) mit dem Arkadengang zum Markt verdankt seinen Namen „Worth" der niederdeutschen Bezeichnung für den Hügel, auf dem es errichtet wurde. Auf einer Konsole steht das Dukatenmännchen, ein nackter Mann am Pranger. Ein Wappenstein – der Goslarer Adler mit einem Lebkuchen als Herzschild und anderem Gebäck – ziert das Bäckergildehaus (1501). Der Fächerfries am vorkragenden Kornspeichergeschoß wurde 1557 hinzugefügt (Marktstraße 45).

Das typische Bürgerhaus ab dem 15. Jh. ist das traufständige Fachwerkhaus; treten Giebel auf, so sind sie verschiefert. Für die Häuser des späten 15. und frühen 16. Jh. sind Treppen- und Trapezfriese an den Schwellhölzern und vorkragende Obergeschosse charakteristisch. Die schönsten erhaltenen Straßenzüge bieten die Berg-, Jacobi-, Worth- und Peterstraße. Eines der am aufwendigsten gestalteten Patrizierhäuser ist das Brusttuch (Hoher Weg 1) mit seinem extrem spitzwinkligen Dach. An dem 1521 errichteten Bau ziehen vor allem die grotesken Schnitzereien die Aufmerksamkeit auf sich: Hier tummeln sich Hexen, Teufel und Fabelwesen, und die berühmte Butterhanne zeigt derb auf ihren Allerwertesten.

Zu jeder Hansestadt gehörten spätestens ab dem 15. Jh. Wehrbauten zum Schutz gegen Angriffe seitens der Fürsten – vor allem mit dem Braunschweiger Herzog trug Goslar mit Unterstützung des Sächsischen Städtebunds manche Fehde aus. Von den starken Befestigungsanlagen der Stadt zeugt u. a. der kreisrunde Zwinger (1517) im Süden mit seinen bis zu 6,5 m dicken Mauern.

In der Rüstkammer befindet sich heute eine Ausstellung von historischen Waffen und Folterwerkzeugen. Das mächtige Breite Tor bilden der Rißlingsturm mit 42 m Höhe (1505), der kleinere runde Brieger Turm und ein eckiger Turm (1443) direkt über der Durchfahrt.
🛈 Huldigungssaal im Rathaus: täglich 10–17 Uhr (Juni–September), sonst täglich 10–16 Uhr.
Rüstkammer im Zwinger: täglich 9–17.30 Uhr (April–September), sonst täglich 9–17 Uhr.
Osterode Seine Mitgliedschaft im Sächsischen Städtebund machte Osterode zur hansischen Stadt. Die wirtschaftliche Basis bildeten das Brauereiwesen, die Eisenverhüttung im Sösetal sowie in der Spätzeit der Hanse die Wollweberei und die Ausfuhr von Holz und Gips aus dem Harz. Über Osterode erfolgte auch die Einfuhr von Getreide für die Bergleute im Harz. So trägt das mächtige Harzkornmagazin (Eisensteinstraße) aus nachhansischer Zeit (1719–1722) die Inschrift „Utilitati Hercyniae" (zum Nutzen des Harzes) im Giebelrisalit. Seine Speicher faßten etwa 207 t Korn.

Schlicht, mit einem Erker an der Front und verschiefertem Giebel, zeigt sich das Rathaus. Es entstand nach dem Stadtbrand von 1545.

Einbeck Motive aus antiker Sagenwelt und christlicher Überlieferung zeigen die bedeutenden Renaissanceschnitzereien im Fachwerk des Patrizierhauses in der Marktstraße 13.

Besonders schönes Fachwerk ist in der Scheffelstraße und der Gasse Am Rollberg zu sehen. In letzterer steht auch das Ritterhaus (1640) mit holzgeschnitztem Roland an der Ecke.
Northeim Nach der Verleihung des Stadtrechts im Jahr 1252 begann Northeim mit dem Bau einer Stadtmauer. Während des ganzen 15. Jh. wurde sie verstärkt. Im alten Friedhof ist sie noch in einer Höhe von 8 m erhalten. Der runde Brauereiturm (Brüderstraße) war Teil der Außenbefestigung des einstigen Oberen Tores.

Den zweiten Schutz für Handel und Gewerbe bildete spätestens ab 1426 Northeims Mitgliedschaft im Sächsischen Städtebund, wodurch es auch zur hansischen Stadt wurde. Der Fernhandel umfaßte flämisches Tuch, Leinwand, Heringe und Holz. Mit dem Beschluß des Hansetages

von 1534 in Lübeck, nur noch die aktiven Mitglieder als „Städte von der Hanse" anzusehen, schied Northeim aus der Gemeinschaft aus. Das historische Stadtbild bestimmen schlichte Fachwerktraufenhäuser. Davon heben sich aufwendigere Gebäude mit Fächerrosetten in den Brüstungsfeldern von 1566 (Breite Straße 37) oder Vorhangbogen über den Fenstern (Hagenerstraße 12) wirkungsvoll ab. Von der großen Zeit des Handels und der Gilden künden einige Exponate des Northeimer Heimatmuseums, wie historische Maße und Gewichte, Willkommhumpen der Gilden und Northeimer Münzen.

ℹ Heimatmuseum, Am Münster: Di bis Fr 10–12, 15–18, Sa, So 10–12 Uhr.

Von Pfennigen, Talern und Gulden

Nicht nur mit vielerlei ausländischen Währungen mußten die Kaufleute der Hanse rechnen, auch innerhalb Deutschlands war das Nebeneinander der verschiedenen Gulden, Taler, Pfennige und Markstücke schier unüberschaubar. Klöster, Fürsten und Städte brachten eigenes Geld in Umlauf, wie z. B. Northeim, das 1334 das Münzrecht vom Landesherrn erwarb. Der Marienpfennig mit dem fünftürmigen Tor, zu sehen im Northeimer Heimatmuseum, ist nur eine der vielen Münzarten, die die Stadt bis ins 17. Jh. prägte. Die Rechenmeisterschulen, die ab dem 15. Jh. nach italienischem Vorbild in fast jeder größeren Handelsstadt entstanden, bildeten die Kaufleute u. a. im Währungsrechnen aus. Der florentinische Gulden und der venezianische Dukaten bildeten – wenn auch nicht immer konsequent – ab dem 14. Jh. die Leitwährungen für den internationalen Handel.

Tempelhaus in Hildesheim Einst soll an der Stelle des markanten Bürgerhauses neben dem Rathaus der jüdische Tempel gestanden haben.

Einbeck Bier war seit Mitte des 14. Jh. das einzige, dafür um so bedeutendere Exportgut der Stadt, mit dem über Norddeutschland selbst Skandinavien beliefert wurde. Um den Fernhandel zu sichern, trat Einbeck der Hanse bei; ab 1426 ist seine Mitgliedschaft sicher nachweisbar. Im 16. Jh. verlagerte sich das Absatzgebiet in den Süden Deutschlands, und die Hanse verlor für Einbeck an Bedeutung. 1598 ließ es sich letztmalig auf einem Hansetag vertreten.

Fachwerktraufenhäuser waren auch in dieser Stadt bis ins 19. Jh. bestimmendes Merkmal der Architektur. Die noch vorhandenen Bauten der Hansezeit entstanden vor allem nach den Stadtbränden von 1540 und 1549. Am Marktplatz befinden sich die wichtigsten öffentlichen Gebäude. Die Fassade des Rathauses (um 1550) ist eigenwillig gestaltet: Einem hohen Steingeschoß mit hohen Fenstern ist ein niedriges Fachwerkobergeschoß aufgesetzt. Drei Vorbauten tragen eigentümliche schiefergedeckte Spitzhelme. Die Fassade des zweigeschossigen Fachwerkbaus der Ratswaage (1565), die als Eichstätte diente, schmücken Fächerrosetten über den Fenstern.

Am gegenüberliegenden Brodhaus der Bäcker, dem einzigen erhaltenen Gildehaus (1552), kragt das Obergeschoß über das hohe Erdgeschoß vor. Die Ratsapotheke daneben wuchs ab 1562 aus zwei Brauhäusern und drei Buden zusammen. Nach Spuren der Brauergilde wird man in Einbeck allerdings vergeblich suchen, das Braugewerbe war hier nie gildemäßig organisiert, sondern ein Recht der Bürger. Eine zusammenhängende, reich ornamentierte Fachwerkfront ihrer Wohnhäuser zeigt noch die Nordseite der Tiedexerstraße. Drei besonders schöne Beispiele bürgerlicher Prachtbauten sind das Haus von 1552 (Marktstraße 26), das mit prächtigem Schnitzwerk versehene Patrizierhaus von 1610 (Marktstraße 13) und das Städtische Museum. Hier sind neben Dokumenten zur Stadtgeschichte – u.a. einer Bündnisurkunde sächsischer Städte von 1576 – auch Besitztümer der Gilden, darunter besonders wertvolle Willkommpokale, zu sehen.

ℹ Städtisches Museum, Steinweg 11: Di–Fr 10–12, 14–16, Sa, So 10–12 Uhr.

Alfeld Das kleine Alfeld spielte vor allem als Mitglied des Sächsischen Städtebundes, dem es zum Schutz seines Handels beitrat, eine Rolle innerhalb der Hanse.

In der wirtschaftlichen Blütezeit Alfelds entstand um 1585 im Zentrum das stattliche dreigeschossige Rathaus aus Bruchstein. Blickfang sind ein polygonaler Treppenturm, bekrönt von einer achtteiligen Haube mit Zwiebelhelm, und ein bis zur Traufe hochgezogener Erker mit Ziergiebel. Das Portal des Treppenturms (1586) schmücken Säulen im ionischen Stil. Eines der schönsten bürgerlichen Fachwerkhäuser Alfelds stammt aus der Mitte des 16. Jh. und ist mit prachtvollen Schnitzereien verziert (Winde 17).

Hildesheim Ab Mitte des 14. Jh. war Hildesheim ein aktives Mitglied, eine sogenannte Stadt von der Hanse. Auf den Hansetagen allerdings ließ es sich zumeist – der hohen Kosten wegen – von Braunschweig, dem Hauptort des sächsischen Quartiers, vertreten.

Der Außenhandel war im 14. Jh. sowohl nach Westen als auch auf Lübeck ausgerichtet – in der Stadt gab es um diese Zeit sogar eine Heringswäscherinnung. Im 16. Jh. verlagerte sich dann der Handel nach Hamburg und Bremen.

Das Rathaus, das auf die zweite Hälfte des 13. Jh. zurückgeht, wurde vor allem um 1443 umgebaut und erweitert. Die Schäden des Zweiten Weltkrieges konnten behoben werden. Es besteht aus zwei Flügelbauten, die durch eine große gotische Halle verbunden sind. Darüber liegt der Ratssaal. Die Hauptfront über dem gewölbten Arkadengeschoß zum Marktplatz hin zeigt eine ausgeprägte Dreiteilung.

Ein Bürgerhaus dieser Zeit ist das Tempelhaus (1447), dessen Giebelfassade ebenfalls zum Marktplatz gerichtet ist. Die Spitzbogenfenster sind Stilelemente aus der Entstehungszeit; der Aufbau mit den markanten Ecktürmchen mutet fast orientalisch an. Am Erker, einem Renaissanceanbau von 1591, ist in den oberen Brüstungsfeldern das Gleichnis vom verlorenen Sohn dargestellt. Im Verlauf des Jahres 1989 sollen auch die umfangreichen Restaurierungen der historischen Häuser am Marktplatz abgeschlossen werden. Dann wird auch das „schönste Fachwerkhaus der Welt", das im Krieg zerstörte, mit überaus reichem Schnitzwerk verzierte Knochenhaueramtshaus der Metzgergilde aus dem Jahr 1529, wiedererstanden sein.

Handelsmacht im Binnenland

Wenn das Wort Hanse fällt, denkt man zuerst an die großen Städte an Nord- und Ostsee. Doch wichtige Hansemitglieder gab es auch im Binnenland. Wer weiß heute noch, daß Minden und Osnabrück, Soest und Paderborn einmal Hansestädte waren, die dem großen Handelsbündnis bedeutende Binnenmärkte erschlossen? Diese Tour stellt einige der rund 80 Städte zwischen Weser und Niederrhein vor, die die Verbindung zwischen Binnenland und Küste schufen.

Lemgo Vom Ende des 13. Jh. an gehörte Lemgo zur Hanse: Sein Handel mit Tuchen, Leinen und Garn machte es für das Bündnis interessant. Den Bürgerstolz dieser Epoche bezeugt der Umbau der spätromanischen Kirche Sankt Nicolai zu einer wuchtigen gotischen Hallenkirche (1280–1460). Der nördliche der beiden Türme mit Ausguck gehörte der Stadt und sollte ihre Ansprüche gegenüber den landesherrlichen Kirchenstiftern unterstreichen.

Bürgerliches Selbstgefühl spiegeln auch die dem Rathaus angefügten Renaissancevorbauten wider: die Ratslaube mit der weit vorkragenden Kornherrenstube mit schönem Beschlagwerkgiebel, der ähnlich gestaltete Giebel zur Südseite des Marktplatzes (1589) und der aufwendig verzierte Apothekererker an der Nordseite (1612).

Den Wohlstand der Hansezeit dokumentiert auch das gut erhaltene Stadtbild aus dem 16. Jh. mit den prächtigen Bürgerhäusern. Das Hotel Alt-Lemgo (Mittelstraße) zeigt reiches Schnitzwerk, Fächer- und Schnurrollenschmuck.

Herford Schon ab Mitte des 13. Jh. hatte die Leinenstadt Herford im Rheinischen Städtebund erkennen können, wie vorteilhaft sich die Mitgliedschaft in einem Handelsbündnis für sie auswirkte. 1342 schloß sie sich deshalb der Hanse an.

Aus dieser Zeit sind sowohl Stein- als auch Fachwerkbauten erhalten. Beachtenswert ist das ehem. Bürgermeisterhaus in der Höckerstraße mit seinem steilen, durchbrochenen Maßwerkgiebel (1538). Im Beschlagwerkstil dagegen ist der reichdekorierte Giebel des Kaufmannshauses am Neuen Markt 2 gearbeitet.

Detail aus dem Soester Osthofentor *Die ehem. Torburg, eines von zehn Toren im Ring der Stadtbefestigung, ist an der Ostwand auf der Höhe des Mittelgeschosses mit Reliefarbeiten geschmückt (oben). Das Tor wurde 1523–1526 aus dem typischen grüngefärbten Soester Sandstein erbaut. Es sollte eine ältere Toranlage ersetzen.*

Kaiserpokal aus Osnabrück *Prunkstück der Rathausschatzkammer ist dieser kostbare Pokal (links). Es heißt, daß jedes neue Ratsmitglied ihn in einem Zug leeren mußte.*

Rathaus in Paderborn *Besondere Wirkung erzielt der mächtige Bau durch die strenge Symmetrie der seitlich hervortretenden Ausluchten und der drei Giebel. Errichtet Anfang des 17. Jh. durch den Baumeister Hermann Baumhauer, gilt das Rathaus als eines der letzten großen Bauwerke des Bürgertums vor der Auflösung der Hanse (oben).*

Minden Die Stadt verdankt ihre Bedeutung vor allem ihrer günstigen Lage an der schiffbaren Weser. Da der Handelsverkehr zu Land durch Wegzölle und schlechte Straßen sehr behindert war, wurden die großen Flüsse zu Hauptverkehrsadern im Binnenland.

Vom Rathaus aus hansischer Zeit ist noch der massige vierjochige Laubengang erhalten, in dem früher Gericht gehalten wurde. Das Hansehaus am Papenmarkt ist heute eines der ältesten gotischen Einraumwohnhäuser. Die Alte Münze mit Staffelgiebel und Maßwerkfenstern beherbergte vom 14. bis zum 16. Jh. die Mindener Münzmeister. Die Häuser Hagemeyer am Scharn und Hill in der Bäckerstraße 45 sind schöne Beispiele der Weserrenaissance: architektonischer Ausdruck kaufmännischen Wohlstands.

Im Mindener Museum zeigt die Abteilung über die alte Weserschifffahrt die Bedeutung der Wasserwege für den Hansehandel auf.

ℹ️ Mindener Museum, Ritterstraße 23–33: Di, Mi, Fr 10–13, 14.30–17, Do 10–13, 14.30–18.30, Sa 14.30 bis 17, So 11–18 Uhr.

Osnabrück Schon früh – im Jahr 1246 – und bis zur Auflösung der Hanse war Osnabrück dank seiner weltbekannten Webereien ein bedeutendes Hansemitglied.

Das Unabhängigkeitsstreben und das Schutzbedürfnis der wohlhabenden Stadt bezeugen u.a. noch der Turm „Bürgergehorsam" und der Bocksturm, Reste der alten Stadtbefestigung. Das Patriziat erstellte sich auch sogenannte Steinwerke, mehrgeschossige Fluchttürme, von denen es einmal über 100 gab. Sie wuchsen später mit den umliegenden Wohnbauten zusammen. Schönstes Beispiel: der Ledenhof (gegenüber dem Schloß). Sein Steinwerk aus dem 14. Jh. wurde zu einem siebengeschossigen Bergfried erhöht (15. Jh.), dem später der Palas mit Spindeltreppe angefügt wurde (16. Jh.).

Mittelpunkt der Kaufmanns- und Gewerbestadt war der Marktplatz mit dem monumentalen, fast streng wirkenden Rathaus. Im Friedenssaal, in dem später ein Teil des Westfälischen Friedens ausgehandelt wurde, findet man noch Ratsgestühl und Schränke aus gotischer Zeit. In der Schatzkammer wird das kostbare Ratssilber aufbewahrt.

Die steinernen Kaufmannshäuser am Markt halten sich mit Putzfassaden und Treppengiebeln an die hansische Bautradition. Bei den Fachwerkhäusern dagegen trifft man auf ein speziell für Osnabrück geltendes Gestaltungsprinzip: Die reich ornamentierten Giebel sind zwi-

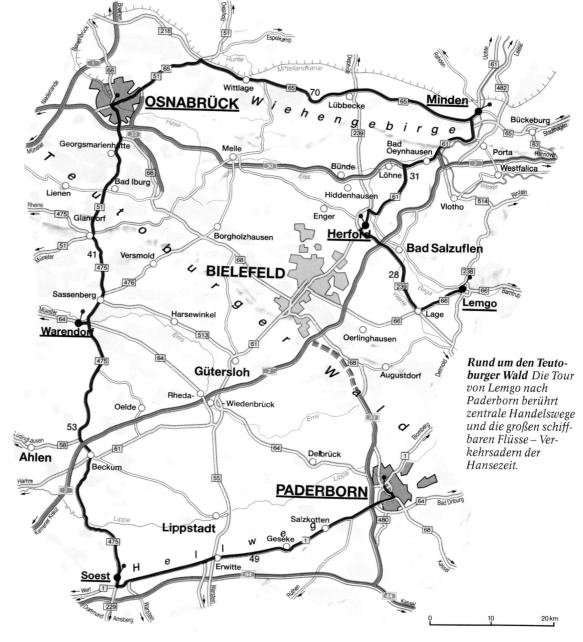

Rund um den Teutoburger Wald *Die Tour von Lemgo nach Paderborn berührt zentrale Handelswege und die großen schiffbaren Flüsse – Verkehrsadern der Hansezeit.*

schen dicken, vorkragenden Brandmauern eingefaßt, die als Feuerschutz zum Nachbargebäude dienen (Gasthof Walhalla und Haus Willmann, Bier-/Krahnstraße).

ℹ️ Rathaus: Mo–Sa 9–17, So 10.30 bis 13 Uhr, Führung So 10.30 Uhr.

Warendorf Begünstigt durch die Lage an einer Emsfurt, wurde Warendorf zum Vorposten der ostmünsterländischen Hanseorte. Anfang des 15. Jh. entstand die gotische Hallenkirche Sankt Laurentius, deren große Wandleuchter aus Zinn von reichen Zünften gespendet wurden.

Soest Am Hellweg, früher einer der wichtigsten Fernhandels- und Heerstraßen Europas, liegt Soest, im 13. Jh. die reichste und bedeutendste Hansestadt im Binnenland.

Diesen Reichtum schützte eine ausgedehnte Stadtbefestigung mit 36 Wehrtürmen, zehn Torburgen, zwei Wällen und Gräben. Ein Großteil davon ist relativ unversehrt geblieben, so auch das wuchtige Osthofentor mit dem Erker und dem hohen, steilen Dach. Am Mittelgeschoß findet man einen kleinen Vorbau, der den Wachen als Toilette diente. In den alten Wachstuben und Rüstkammern ist ein Museum zur Wehrgeschichte der Stadt untergebracht. Einzigartig ist die ausgestellte Sammlung von etwa 25 000 Armbrustbolzen.

ℹ️ Osthofentormuseum, Osthofenstraße: Di–Fr 14–16, Sa 11–13, So 11–13, 15–17 Uhr (April–September), sonst Mi 14–16, So 11–13 Uhr.

Paderborn Mit dem Aufblühen der Wirtschaft vollzog Paderborn den entscheidenden Schritt von der Bischofs- zur Bürgerstadt: Die immer selbstbewußter werdenden Bürger zwangen den Bischof 1275, seinen Sitz aus der Stadt hinauszuverlegen.

Das Rathaus (1613–1620) ist der wichtigste Profanbau Paderborns. Seine hohe Giebelfassade wird durch zwei große Ausluchten betont, die sich im Erdgeschoß zu Lauben öffnen. Eine mit biblischem Figurenschnitzwerk und Fächerrosetten verzierte Fachwerkfassade präsentiert das Adam-und-Eva-Haus, heute Museum für Stadtgeschichte.

ℹ️ Museum für Stadtgeschichte, Hathumarstraße 7–9: Di–Sa 10–18, So 10–13 Uhr.

***Hessesches Haus
in Duderstadt** Ein
hochgewachsener
spanischer Musketier
des 17. Jh., ein Junge
und eine Löwenfratze
mit Maulring zieren
die unterschiedlich
großen Streben des
Fachwerkhauses von
1620.*

Duderstadt Schraubenartig verdreht reckt sich der spitze Helm des
fünfgeschossigen Westertors (1424)
in die Höhe. Er war Teil der starken
Stadtbefestigung, die ab dem 13. Jh.
entstand und weitgehend erhalten
ist. In jene Zeit reicht auch der Kern
des Rathauses in der Marktstraße
zurück, das schon damals im Erdgeschoß ein Kaufhaus aufwies; im
15. Jh. wurde eine offene Vorhalle
angefügt. Die Stadt, die etwa 25 km
östlich von Göttingen nahe der
Grenze zur DDR liegt, war schon
der florierende Hauptort der „Goldenen Mark" – so wird die Talsenke
der Hahle noch heute genannt –, als
sie 1494 Mitglied der Hanse wurde.
Ungefähr 40 Jahre später erhielt das
Rathaus seine heutige, stolze Fassade: den offenen Laubengang mit
Freitreppe, dem ein Fachwerkobergeschoß mit Zwerchhäusern, asymmetrischen Giebeln und drei turmartigen Erkern aufgesetzt wurde.
   Das Stadtbild bestimmten bis
ins 19. Jh. Fachwerkhäuser, deren

Dachtraufen der Straße zugewandt
sind. Noch heute zeigt z. B. der südliche Teil der Apothekenstraße das
typische Straßenbild. Anfangs waren
die Häuser schmucklos gestaltet
(z. B. Sackstraße 166a von 1559);
Mitte des 17. Jh. wurden die Brüstungsplatten mit Ornamenten
(Marktstraße 80 und 84) oder figürlichen Reliefs verziert (Westertorstraße 21/23). Prachtvolle Figuren
wurden aus den Streben des Hesseschen Hauses (Marktstraße 84) geschnitzt, das 1620 gebaut wurde.

Emmerich Auch zur Hansezeit war
der Rhein die wichtigste Wasserstraße für den Warentransport von
und zur Küste. Im Rheinmuseum der
Stadt an der Grenze zu den Niederlanden wird die Entwicklung der
Rheinschiffahrt anhand von über 80
Schiffs- und Fährmodellen sowie
nautischen Geräten und Schiffszubehör anschaulich dargestellt.
ⓘ Rheinmuseum, Martinikirchgang:
Mo–Mi 10–12, 14–16, Do 10–12,
14–18, Fr, So 10–12 Uhr; April–September auch Fr 14–16, So 15–17
Uhr.

Göttingen Die Wappen von 55
Hansestädten zieren die Hallenwände des Alten Rathauses, dessen
Kern auf das Ende des 13. Jh. zurückgeht. Sie sind Bestandteil der
um 1900 angebrachten historisierenden Wandmalereien und erinnern
daran, daß Göttingen ab 1358 Hansestadt war. Der Sitzungssaal war
komfortabel ausgestattet: Durch Löcher im Fußboden wurde jeder der
zwölf Ratsherrenplätze einzeln beheizt. Die mittelalterliche Heizungsanlage ist noch vollständig erhalten.
Zinnenkranz und Ecktürme im Norden und eine hübsche Eingangslaube im Süden beleben die Fassade
des Rathauses, das ab 1369 zu seinem heutigen Erscheinungsbild ausgebaut wurde.
   Auch zahlreiche traufständig ausgerichtete Fachwerkhäuser stammen aus der Hansezeit, das älteste
(Paulinerstraße 6) wurde 1495 gebaut. Viele von ihnen wurden mit
prachtvollen Schnitzereien ausgestattet wie das Schrödersche Haus
von 1549 (Weender Straße 62) oder
der Erker der Junkernschänke um
1548 (Barfüßerstraße 5).
ⓘ Altes Rathaus: Halle Mo–Fr 9–18,
Sa, So 10–16 Uhr (April–Oktober),
sonst Mo–Fr 9–18, Sa 10–13 Uhr;
Sitzungssaal n. Vereinb., Tel. 05 51/
5 40 00.

Köln Nach Lübeck war Köln immer
die wichtigste Hansestadt. Aufgrund
ihres Weinhandels wurde sie als
Weinhaus der Hanse bezeichnet. Im
Hansasaal, dem großen Ratssaal des
Alten Rathauses, wurde 1367 die
Kölner Konföderation der Hansestädte gegen Waldemar IV. von Dänemark beschlossen, der den Städtebund mit seiner Hegemonialpolitik
bedrohte. Ein Jahr später eroberte
die Hanseflotte Kopenhagen; 1370
wurde Waldemar zum Frieden von

Oberländer im Rheinmuseum Emmerich
*Vom 16. bis ins 19. Jh.
transportierten auf der
oberen und mittleren
Rheinstrecke bis Köln
die sogenannten Oberländer Waren aller Art.
Rheinaufwärts wurden diese Schiffe von
Pferden gezogen.*

Stralsund gezwungen. An das Rathaus wurde 1569–1573 die Rathauslaube angebaut, eine zweigeschossige Renaissancevorhalle mit
säulenflankierten Rundbogen. Vom
Obergeschoß aus hielten einst die
Bürgermeister die Morgenansprache, bei der sie den Bürgern die
Ratsbeschlüsse verkündeten.
   Ein Kölner Adelsgeschlecht lieh
dem Gürzenich in der Martinstraße
seinen Namen. Er wurde 1437–1444
als städtisches Fest- und Tanzhaus
errichtet. Seine Stirnseiten zeigen
feingliederige Maßwerkblenden an
Obergeschoß und Zinnenbrüstung.
   Die Exponate des Kölnischen
Stadtmuseums zu den Themen Nahrung, Verkehr und Handel im Alltag
beleuchten insbesondere auch die
Hansezeit.
ⓘ Altes Rathaus, Hansasaal: nur mit
Führung Mo, Mi, Sa 15 Uhr (feiertags ausgenommen).
Kölnisches Stadtmuseum, Zeughausstraße 1–3: Di, Mi, Fr–So
10–17, Do 10–20 Uhr.

Marienhafe Anfang des 15. Jh.
diente der Ort, der heute wieder
etwa 10 km von der Nordseeküste
entfernt liegt, als Piratenunterschlupf. Schwere Sturmfluten hatten
1374 und 1377 einen Zugang zum
Meer geschaffen. Den Hafen, der
daraufhin entstand, stellte der ostfriesische Häuptling Widzel tom

Brok Klaus Störtebeker und seinen Vitalienbrüdern, ehem. Versorgungstruppen des schwedischen Königs, zur Verfügung, die in Marienhafe ihre geraubten Waren lagerten und absetzten. An den berühmten Piraten, der als Freund der Armen in das Reich der volkstümlichen Sagen einging, erinnern der einstige Hafen, das heutige Störtebekertief, und auch die Störtebekerkammer im Turm der Marienkirche. Ein Gemälde, das 1986 nach einer Vorlage aus dem 16. Jh. entstand, stellt hier den legendären Seeräuber dar. Ein Modell zeigt außerdem, daß die um 1260 erbaute Marienkirche mit 72 m Länge und 23 m Langhausbreite einst die Dimensionen des Osnabrücker Doms besaß. Erst im 19. Jh. wurde sie verkleinert.
ⓘ Marienkirche, Störtebekerkammer: Mo–Sa 10–12, 14–17, So 14–17 Uhr (April–Oktober).

Münster Durch den Fernhandel mit Münsterländer Leinwand spielte die Stadt schon in der Frühzeit der Hanse im 13. Jh. eine maßgebliche Rolle. Wie intensiv der Handel mit England gewesen sein muß, wird an den zahlreichen Nachprägungen des englischen Sterlings in der bischöflichen Münze deutlich. Einige davon sind im Münzkabinett des Stadtmuseums ausgestellt. 1494 wurde Münster zum Vorort der Hanse für Westfalen. Die einstige Wehrhaftigkeit der Stadt lassen die erhaltenen Teile der Stadtbefestigung erahnen. Der Buddenturm in der Münzstraße wurde wahrscheinlich im 13. Jh. errichtet. Der Zwinger, ein mächtiger Rundbau, der zwischen 1522 und 1532 entstand, verstärkte die Befestigung am Austritt der Aa.
ⓘ Stadtmuseum Münster, Windthorststraße 26: Di, Do–So 10–13, 15–18, Mi 10–13, 15–20 Uhr.

Münsterischer Pfennig Englische Shortcross-Sterlinge dienten als Vorlage für diese Münzen, die in der ersten Hälfte des 13. Jh. geprägt wurden.

Rostock Die Bierproduktion und der Seehandel mit Skandinavien machten Rostock – wie auch Wismar – zu einem bedeutenden Mitglied der Hanse, der es ab dem 13. Jh. angehörte. Backsteinarchitektur prägte das Gesicht der Stadt. Erhalten blieb u. a. von der Wehrmauer das Kröpeliner Tor, in dessen sechs Obergeschossen aus dem 14. Jh. das Stadtgeschichtliche Museum heute u. a. über die Hansezeit und das Zunftwesen informiert. Das Kerkhofhaus (Hinter dem Rathaus 5) ist mit seinem prächtigen Staffelgiebel aus dem 16. Jh. eines der schönsten Bürgerhäuser der Stadt. Im mächtigen gotischen Hallenbau der Marienkirche, welche die stolze Bürgerschaft im 14. und 15. Jh. zur heutigen Form ausbaute, sind Meisterwerke sakraler Kunst, darunter ein bronzenes Taufbecken (um 1290), zu besichtigen. Die kunstvolle astronomische Uhr von 1472 spiegelt die mittelalterliche Sicht des Weltalls wider – und gibt das Osterdatum bis zum Jahr 2017 an.
ⓘ Rostock-Information, Lange Straße 5, DDR-2500 Rostock.

Stralsund Unter den wendischen Ostseestädten besaß Stralsund im 14. und 15. Jh. die bedeutendsten Handelsbeziehungen zu den Ländern Westeuropas. Das Rathaus am Alten Markt trägt über den großen Fenstern seiner dekorativen Backsteinfront aus dem 15. Jh. die Wappen von Hamburg, Lübeck, Wismar,

Rostock, Stralsund und Greifswald. Hier wurde 1370 der Frieden von Stralsund geschlossen, der den Krieg der Hanse gegen Dänemark beendete. Neben dem Rathaus erhebt sich der Backsteinbau der Nikolaikirche, die um 1270 begonnen wurde und dem Rat der Stadt als Gotteshaus diente. Stiftungen des hansischen Patriziats sind im Inneren der Bergenfahreraltar (um 1500), der Bürgermeisteraltar (Anfang 16. Jh.) und das Nowgorodfahrergestühl (14. Jh.), auf dessen Reliefs russische Pelzjäger bei Jagd und Handel dargestellt sind.
ⓘ Reisebüro der DDR, Alter Markt 10, DDR-2300 Stralsund.

Uelzen Genau 200 Jahre nach der Stadtgründung wurde 1470 in der Heidestadt Uelzen ein Hansetag abgehalten. Wahrscheinlich versammelten sich die Teilnehmer aus Lübeck, Hamburg, Braunschweig und vielen anderen Orten im Nige Hus, der Ratsweinhandlung, die schon damals als Ratskeller und Festhaus genutzt wurde. Das Gebäude (Bahnhofstraße 42) wurde nach dem Städtebrand von 1647 wieder aufgebaut; üppige Schnitzereien und Ausluchten betonen seine Fachwerkgiebel.

Uslar Das heutige Rathaus aus der zweiten Hälfte des 17. Jh., ein schlichter Fachwerkbau mit Uhrtürmchen, entstand zu der Zeit, als die Hanse erlosch. Ab 1432 war die kleine niedersächsische Stadt am Südrand des Sollings Mitglied des Städtebunds. Aus der Hansezeit erhalten sind zwei Fachwerkhäuser in der Langen Straße. Das älteste von 1576 (Nr. 12) weist an der Traufseite Zwerchhaus und Fächerrosetten auf, der dreigeschossige Bau von 1629 (Nr. 40) hat antikische Gesimsmotive.

Rathaus von Stralsund Nach dem Vorbild des Lübecker Rathauses wurde im 15. Jh. die prunkvolle Schaufront an der Marktseite errichtet.

Warburg Kornhandel und Textilherstellung bildeten die wirtschaftliche Grundlage der Stadt im Weserbergland, die wahrscheinlich seit 1364 der Hanse angehörte. Die Altstadt im Diemeltal wurde im 15. Jh. mit der höher gelegenen Neustadt vereinigt. Die vierbogige Laube des gemeinsamen Renaissancerathauses (1568) diente als Verbindungsgang zwischen den beiden Stadtteilen. Das „Eckmänneken" (Altstadt, Lange Straße 2), das Gebäude der Bäckergilde, ist ein stattlicher Giebelbau von 1471, der seinen Namen den beiden geschnitzten Figuren an der vorspringenden Ecke zum Marktplatz verdankt.

Wismar Die Hansezeit, die für die Stadt 1358 begann, spiegeln noch zahlreiche Backsteinbauten wider: so der „Alte Schwede" von 1380 am Markt, das älteste Bürgerhaus Wismars, die Nikolaikirche aus dem 14. und 15. Jh. mit ihrem 37 m hohen Kirchenschiff und zwei sehenswerten gotischen Schnitzaltären aus dem 16. Jh. sowie der Fürstenhof aus dem 16. Jh. mit seinem reichen Terrakottaschmuck. Darüber hinaus dokumentiert das Heimatmuseum im 1569–1571 erbauten Schabbelthaus u. a. in seinen Abteilungen Stadtgeschichte, Handwerk und Schiffahrt die Hansezeit.
ⓘ Rat der Stadt, DDR-2400 Wismar.

Gründung Lübecks

1138 zerstörten Slawen unter der Führung des Fürsten Race die Burg Liubice. Unweit davon errichtete Graf Adolf II. von Schaumburg fünf Jahre später die Siedlung Lübeck. Erfolgreicher Handel zu Wasser und zu Lande machte die Stadt bald bekannt und ihre Bürger wohlhabend. In der Hanse nahm Lübeck die führende Stellung ein. Der Pfarrer Helmold von Bosau berichtet über die Gründung der Stadt und die Auseinandersetzungen mit Heinrich dem Löwen in seiner „Slawenchronik":

Danach kam Graf Adolf an einen Ort namens Bukow und fand dort den Wall einer verlassenen Burg, die Kruto, der Feind Gottes, erbaut hatte, und eine sehr große, von zwei Flüssen umrahmte (Halb-) Insel. An der einen Seite floß die Trave, an der anderen die Wakenitz vorbei, beide mit sumpfigem, unwegsamem Ufer. Dort aber, wo sie landfest ist, liegt ein ziemlich schmaler Hügel, der dem Burgwall vorgelagert ist. Da nun der umsichtige Mann sah, wie passend die Lage und wie trefflich der Hafen war, begann er dort eine Stadt zu bauen und nannte sie Lübeck, weil sie von dem alten Hafen und Hauptort, den einst Fürst Heinrich angelegt hatte, nicht weit entfernt war. Dann schickte er Boten an den Obotritenfürsten Niklot, um mit ihm Freundschaft zu schließen, und verpflichtete sich alle Vornehmen durch Geschenke so sehr, daß sie wetteiferten, ihm gefällig zu sein und sein Land in Frieden zu setzen. So begannen sich die Einöden Wagriens zu bevölkern und die Zahl

seiner Einwohner vervielfältigte sich. [...]

Eines Tages sprach der Herzog [Heinrich der Löwe] den Grafen mit den Worten an: „Schon seit geraumer Zeit wird uns berichtet, daß unsere Stadt Bardowick durch den Markt von Lübeck zahlreiche Bürger verliert, weil die Kaufleute alle dorthin übersiedeln. Ebenso klagen die Lüneburger, daß unsere Saline zu Grunde gerichtet sei wegen des Salzwerks, das ihr zu Oldesloe angelegt habt. Darum ersuchen wir euch, uns die Hälfte eurer Stadt Lübeck und des Salzwerks abzutreten [...]. Sonst werden wir verbieten, daß weiter zu Lübeck Handel getrieben wird." [...] Als nun der Graf ablehnte, da ihm solche Übereinkunft unvorteilhaft schien, verordnete der Herzog, daß zu Lübeck kein Markt mehr stattfinden [...] dürfe, außer für Lebensmittel.

Lübecker Stadtsiegel
Es zeigt eine Kogge, ein typisches Schiff der Hanse.

Handel mit Rußland

Smolensk, Hauptstadt eines russischen Teilfürstentums am oberen Dnjepr, war im Mittelalter einer der wichtigsten Warenumschlagplätze zwischen der Ostsee und dem Schwarzen Meer. Deutsche Kaufleute aus Gotland, Riga und anderen Ostseestädten bildeten hier eine privilegierte Genossenschaft. Gegen Pelze, Holz, Teer und Hanf lieferten sie Fertigprodukte wie Tuche und Metallwaren. Ein 1229 mit dem Smolensker Fürsten abgeschlossener Handelsvertrag nennt die genauen Bestimmungen:

15. Vernimmt der Amtmann der Tragestelle, daß ein deutscher Gast mit Smolenskern beim Volok [Volok = Umschlagstelle zwischen zwei Flüssen] angekommen sei, so soll er unverzüglich seinen Mann zu den Trägern schicken, und diese sollen den deutschen Gast und die Smolensker mit ihren Waren hinüberschaffen. [...]

16. Man werfe das Los darüber, wer zuerst über den Volok zu setzen habe; kommt ein fremder Russe, so hat er später zu folgen.

17. Jeder deutsche Gast in der Stadt hat der Fürstin ein Stück Tuch und dem Amtmann am Volok gotländische Fingerhandschuhe zu verabfolgen. [...]

19. Jeder deutsche Gast in der Stadt Smolensk darf seine Ware verkaufen ohne jegliche Einrede. [...]

21. Kauft ein Russe einem Deutschen eine Ware ab und trägt er sie aus dem Hof, so darf er sie nicht zurückgeben, sondern muß sie bezahlen [und umgekehrt]. [...] Ein Russe darf einen Deutschen nicht vor ein allgemeines Gericht fordern, sondern nur vor dasjenige des Fürsten von Smolensk; begehrt aber der Deutsche das allgemeine Gericht, so geschehe sein Wille. [...]

27. Läßt ein Deutscher eine Mark Silber beim Kauf wägen, so hat er den Wägern zwei Veksij [Eichhornfelle als Zahlungsmittel] zu geben, beim Verkauf nichts. [...]

29. Hat sich das Wachspud [Gewicht] verändert und liegt ein Kap [Normgewicht] in der heiligen Kirche auf dem Berge und das andere in der deutschen Kirche, so ist das Pud mit diesen zu vergleichen und wieder zu berichtigen. [...]

31. Der Deutsche braucht keinen Zoll zu zahlen von Smolensk bis Riga und von Riga bis Smolensk. Umgekehrt braucht der Russe keinen Zoll zu zahlen vom gotischen Ufer bis Riga und von Riga bis Smolensk. [...]

Widersetzt sich ein Russe oder ein Deutscher diesem Vertrag, so ist er wider Gott und das Recht.

Russische Pelzjäger
Der Handel führte die Hansekaufleute bis weit nach Rußland hinein, wo sie von den einheimischen Jägern die in Europa so sehr begehrten Pelze kauften.

Störtebekers Ende

Ende des 14. Jh. trieben in der Ost- und Nordsee Piratenbanden ihr Unwesen. Ihre Anführer waren Klaus Störtebeker und Godeke Michels. Mit Hilfe der friesischen Häuptlinge konnten die Freibeuter, die sich nach ihrem System der Beuteteilung auch „Likedeeler" (Gleichteiler) nannten, in Ostfriesland Fuß fassen. Von dort und von Oldenburg aus schädigten Störtebeker und seine Seeräuber den Handel der Hansestädte erheblich. Die vereinigten Flotten Hamburgs und Lübecks machten jedoch 1401 vor Helgoland dem Kaperkrieg mit Gewinnteilung ein Ende. Zusammen mit etwa 70 Gefährten wurde Störtebeker gefangengenommen und in Hamburg öffentlich hingerichtet. Ein zeitgenössischer Chronist berichtet:

Im Jahr 1401 sind die Hamburger bei Helgoland mit dem berühmten Seeräuber Klaus Störtebeker und einem weiteren namens Wichmann zusammengetroffen. Tapfer griffen sie die Piraten an: 42 Mann wurden getötet, 70 gefangengenommen und nach Hamburg gebracht, wo sie auf dem Brock enthauptet wurden; ihre Köpfe hat man auf Pfähle gesteckt. Der Scharfrichter hieß Rosenfeld. Zum Gedenken an diese rühmliche Tat – die Ehre gebührt neben Gott dem Herrn den Hamburger Ratsherren Simon von Utrecht, Hinrich Jenefeld und Claus Schacke sowie den Schiffskapitänen – hat man ein stattliches Silbergeschirr anfertigen lassen, aus dem Fremde und Einheimische auf ihr Wohl trinken. Dieses Geschirr steht im Haus der Schiffergesellschaft und

heißt Stürzbecher. Wir haben auch ein Buch überreicht, in das jeder seinen Namen und einen Gedenkspruch einzutragen pflegt. Im gleichen Jahr hat man noch weitere 80 Seeräuber aufgebracht; ihre Anführer waren Godeke Michels und Gottfried Wichold, ein promovierter Magister Artium. Auch sie wurden auf dem Brock enthauptet und ihre Köpfe neben den anderen auf Pfähle gesteckt.

Hinrichtung eines Piraten *Das zeitgenössische Flugblatt zeigt die Enthauptung des Piraten Klaus Störtebeker in Hamburg im Jahr 1401.*

Hanserecht

Unter den zur Hanse gehörenden Binnenstädten spielte Braunschweig eine führende Rolle als wirtschaftliches Zentrum zwischen Harz und Unterelbe. Die Stadt erlebte zahlreiche Aufstände gegen das herrschende Patriziat. Einer davon führte 1374 zum Ausschluß aus der Hanse. Als sie sechs Jahre später wieder in den Bund aufgenommen wurde, mußten die Bürger eine Sühnekapelle errichten und vor dem Hansetag ein formelles Reuebekenntnis ablegen. Über den Ausschluß befand der Lübecker Hansetag:

Es ist Fürsten, Städten, Rittern und Knechten, Land und Leuten bekannt, daß die Braunschweiger die ehrlichen Leute in ihrem Rate übel behandelt haben. Sie haben sie ohne Schuld, ohne Recht und ohne jegliche Verhandlung getötet, sie haben derer Freunde vertrieben, verfestet und von ihnen Abgaben erhoben. Sie haben sowohl den Toten wie auch den Lebenden zu Unrecht ihr Gut abgenommen. Und als die verbündeten Seestädte verlangten, daß darüber ein Tag abgehalten werde, haben sie das dreimal abgelehnt und erschienen nicht. Jedoch zum letzten, als die Städte einen Tag zu Lüneburg mit ihnen abhielten, weigerten sie sich, Recht vor Unrecht zu setzen. Sie bleiben hartnäckig und halten an der Untat fest und wollen dafür keine Genugtuung leisten. Deshalb sind die gemeinen Städte, die in der deutschen Hanse sind, mit Vollmacht der anderen Städte, die an ihren Rechten teilhaben, sämtlich und in voller Eintracht sich darüber einig geworden, daß sie die Braunschweiger aus der Hanse und aus den Rechten und Freiheiten des Kaufmanns ausschließen wollen. Kein Kaufmann in Flandern, England, Dänemark, Norwegen und Novgorod noch irgendwo anders

[…] soll […] Handel mit ihnen treiben, weder zu Wasser noch zu Lande, weder bei Einfuhr noch bei Zufuhr, bei Verlust von Gut und Ehre. Auch soll man niemandem erlauben, ihnen irgendwelches Gut zu liefern oder abzunehmen, soweit es sich verhindern läßt. Weiterhin sollen sie und ihr Gut in keiner Stadt, die an des Kaufmanns Rechten teil hat, sicheres Geleit erhalten. Und wenn in irgendeiner Stadt, die am Recht des Kaufmanns teil hat, Freunde oder Angehörige der in Braunschweig Erschlagenen sich einfinden, so soll hier über diejenigen, die mit Rat oder Tat am Totschlag beteiligt waren, bei Leib und Leben gerichtet werden. Alle diese oben angeführten Punkte sollen solange gültig bleiben, bis sie für die Untat, derer man sie beschuldigt hat, Sühne tun wollen, wie es angemessen und billig ist.

Braunschweig *An den zahlreichen Kirchtürmen, meist Stiftungen wohlhabender Bürger, konnte man den Reichtum der Hansestadt ablesen.*

UNIVERSITÄTEN IM UMBRUCH

Ein neues Weltbild entsteht

Der Übergang vom Mittelalter zur Neuzeit brachte für die Universitäten grundlegende Veränderungen. Das alte Weltbild der Gelehrten geriet durch naturwissenschaftliche Erkenntnisse und die Entdeckung fremder Kontinente ins Wanken, und die Ideen der Reformation wurden in den neugegründeten protestantischen Hochschulen aufgegriffen. Die Universitäten waren nicht nur der Hort von Wissenschaft und Forschung, sondern in späteren Jahrhunderten auch Träger liberalen Gedankengutes. Von Witz und Freiheitsstreben der Studenten künden auch die Wände des Karzers in Heidelberg (Foto).

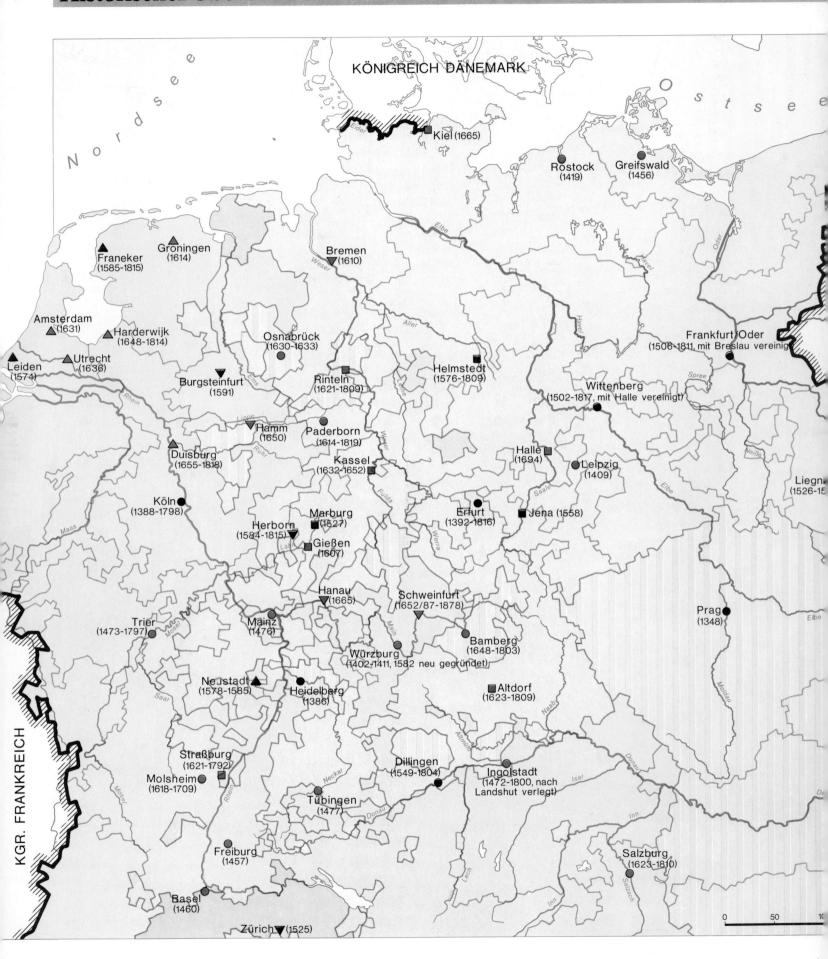

KÖNIGREICH DÄNEMARK

Nordsee

Ostsee

Kiel (1665)

Rostock (1419)

Greifswald (1456)

Franeker (1585-1815)

Groningen (1614)

Bremen (1610)

Amsterdam (1631)

Harderwijk (1648-1814)

Osnabrück (1630-1633)

Frankfurt/Oder (1506-1811, mit Breslau vereinigt)

Leiden (1574)

Utrecht (1636)

Burgsteinfurt (1591)

Rinteln (1621-1809)

Helmstedt (1576-1809)

Wittenberg (1502-1817, mit Halle vereinigt)

Hamm (1650)

Paderborn (1614-1819)

Halle (1694)

Leipzig (1409)

Duisburg (1655-1818)

Kassel (1632-1652)

Liegnitz (1526-15..)

Köln (1388-1798)

Marburg (1527)

Erfurt (1392-1816)

Jena (1558)

Herborn (1584-1815)

Gießen (1607)

Hanau (1665)

Schweinfurt (1652/87-1878)

Prag (1348)

Trier (1473-1797)

Mainz (1476)

Bamberg (1648-1803)

Würzburg (1402-1411, 1582 neu gegründet)

Neustadt (1578-1585)

Heidelberg (1386)

Altdorf (1623-1809)

Straßburg (1621-1792)

Dillingen (1549-1804)

Ingolstadt (1472-1800, nach Landshut verlegt)

Molsheim (1618-1709)

Tübingen (1477)

Freiburg (1457)

Salzburg (1623-1810)

Basel (1460)

Zürich (1525)

KGR. FRANKREICH

0   50   10

Stätten der Gelehrsamkeit und Zankapfel der Politik

Als im 14. Jh. die ersten Universitäten im Heiligen Römischen Reich entstanden, gab es in Italien, England und Frankreich bereits seit über 200 Jahren eine Reihe von berühmten Hochschulen. Bis dahin waren Generationen deutscher Studenten, denen die Ausbildung an den traditionellen Kloster- und Domschulen nicht mehr genügte, durch Europa gezogen: In Bologna studierten sie Rechtswissenschaften, in Paris und Oxford Theologie, in Montpellier Medizin.

Die Sprache der Studenten und Professoren war Latein. In Vorlesungen (Lektionen) und Streitgesprächen (Disputationen) machten sich die Studenten mit den wissenschaftlichen Methoden vor allem der Theologie vertraut, die bis weit in die Neuzeit hinein die wichtigste Fakultät an den Universitäten war. Andere Studienrichtungen, wenn auch untergeordnet, kamen im Lauf der Zeit hinzu: die Rechtswissenschaften, die Medizin und die philosophischen Fächer. Die Absolventen der Studiengänge, die den Grad eines Bakkalaureus, eines Lizentiaten, eines Magisters oder gar eines Doktors erlangt hatten, durften auf Beschäftigung im Dienst der Kirche, eines Fürsten oder einer Stadt hoffen. Hier konnten sie ihr Spezialwissen,

mehr aber noch ihre Weltläufigkeit und ihre Beziehungen einsetzen.

So ist es verständlich, daß ab dem 14. Jh. die Reichsfürsten Einfluß auf die Ausbildung ihrer späteren geistlichen und juristischen Berater nehmen wollten und deshalb eigene Landesuniversitäten gründeten. Den Anstoß gab Kaiser Karl IV., der 1348 in Prag die erste deutsche Universität ins Leben rief. Als Konkurrenz zu Prag entstand 1365 die Wiener Universität. Auch Pfalzgraf Ruprecht I. erkannte den Wert einer eigenen Hochschule und gründete 1386 die Heidelberger Universität. Den Studenten, die aus allen Teilen Europas stammten, wurde gerade in der Fremde die eigene Besonderheit und ihre Abstammung bewußt, und so organisierten sie sich in sogenannten Nationen, die ihre Interessen wahren sollten. Auf die bald hervortretenden Gegensätze zwischen den Nationen gingen dann auch der Auszug deutscher Studenten aus Prag und die Gründung der Leipziger Universität 1409 zurück.

Die Entdeckungen in der Astronomie, Physik und Technik im 16. Jh. brachten das mittelalterliche Weltbild ins Wanken. Aber auch die neuen religiösen Ideen der Reformatoren wurden an den Hochschulen erörtert. Martin Luther selbst lehrte

an der erst 1502 entstandenen Universität von Wittenberg den protestantischen Glauben. Da im Zuge der Reformation der Landesherr über die Religion seines Territoriums und seiner Untertanen bestimmte, kam es zu zahlreichen Neugründungen von Hochschulen aus konfessionellen Gründen. So errichtete Landgraf Philipp von Hessen, ein Parteigänger der Protestanten, 1527 die erste protestantische Landesuniversität von Rang in Marburg. Hier, wie auch in Jena (1558), Helmstedt (1576) und anderen Städten, wurde eine ergebene Pfarrerschaft herangebildet und damit auch der Gegensatz zwischen Protestanten und Katholiken vertieft.

Auch die Lehre der Reformierten Johannes Calvin und Ulrich Zwingli hielt, vornehmlich in den Niederlanden, Einzug in die Hörsäle. Im Reich verzichteten die Reformierten dagegen aus politischen Gründen auf den Status einer Universität und bauten die herkömmlichen Lateinschulen zu Akademien, Hochschulen ohne Promotionsrecht, aus.

Erst im 18. Jh. konnte die Konfessionalisierung der Hochschulen überwunden werden. In den Gründungen von Halle (1694) und Göttingen (1731) zeigte sich das neue, zukunftsweisende Universitätsideal, die Freiheit von Forschung und Lehre, die noch heute das Wissenschaftsverständnis prägt.

Hzm. Preußen

KÖNIGREICH

POLEN

Breslau
(1636, 1702-18■6)

Olmütz
(1579-1778)

Universitäten zwischen Mittelalter und Gegenreformation

░░░░░	Grenze des Heiligen Römischen Reiches (16. Jh.)
———	Grenzen der Herzogtümer, Marken u. ä.
••••••	Grenze des Hzm. Preußen
●	Universitätsgründung (14. Jh.)
●	Universitätsgründung (15. Jh.)
● ●	Kath. Universitätsgründung (16., 17. Jh.)
■ ■	Luth. Universitätsgründung (16., 17. Jh.)
▲ ▲	Reform. Universitätsgründung (16., 17. Jh.)
▼ ▼	Reform. Akademiegründung (16., 17. Jh.)
	Überwiegend kath. Bevölkerung
	Überwiegend luth. Bevölkerung
	Überwiegend reform. Bevölkerung (Calvin, Zwingli)
	Konfessionell nicht eindeutige Gebiete

Hohe Schul zu Wirtzburg.

Lehrbetrieb an einer Universität Die Studenten hören dem Vortrag des Magisters, der hinter seinem Katheder steht, aufmerksam zu. Außer den regelmäßig stattfindenden Vorlesungen gab es auch noch Streitgespräche, die im Abstand von einigen Wochen durchgeführt wurden und in denen auch die Studenten zu Wort kamen.

Tübingen – Hochburg der Gelehrsamkeit

„Attempto – ich wag's." Mit diesem Wahlspruch kam Graf Eberhard im Bart 1468 von einer Pilgerfahrt nach Jerusalem zurück. Damit die „tröstliche und heilsame Weisheit" der „menschlichen Unvernunft und Blindheit" ein Ende bereite, gründete er neun Jahre später die Universität – eine Tat, die das Gesicht der historischen Altstadt bis in unsere Tage hinein prägt. Bei einem Rundgang durch die engen, pittoresken Gassen stößt man auf zahlreiche Bauten aus der langen Universitätsgeschichte.

Ev. Stiftskirche Die spätgotische Georgskirche in der Münzgasse 33 wurde unter Graf Eberhard im Bart als dritte Kirche an dieser Stelle erbaut. Der Chor diente zunächst dem von Sindelfingen nach Tübingen verlegten Chorherrenstift Sankt Martin zum Gottesdienst und der Universität als Aula, in der disputiert wurde und Feierlichkeiten stattfanden. Mit der Einführung der Reformation wurde der Chor Mitte des 16. Jh. zur Grablege der württembergischen Herzöge umgewandelt: 14 figürliche Steintumben bilden eine stattliche Ahnengalerie des Fürstenhauses. Das reichverzierte Grabmal Graf Eberhards von 1551 befindet sich in der östlichen Grabreihe. Die lateinische Inschrift der auf liegenden Hirschen ruhenden Tumba nennt seine Verdienste als Gründer der Bildungsstätte. Die Glasmalereien der Chorfenster zeigen u. a. den Stifter und seine Gemahlin. Vom Chor führt ein Aufgang zum Kirchturm, der einen reizvollen Rundblick über die Dächer der Altstadt bietet.

ⓘ Turmbesteigung Sa 10.30–17, So nach dem Gottesdienst bis 17 Uhr und n. Vereinb., Tel. 0 70 71/5 25 83.

Wilhelmsstift Gegenpol des evangelischen Stifts ist heute das katholische Wilhelmsstift (links). Vom Turm der Stiftskirche kann man die schloßähnliche Anlage besonders gut überblicken.

Alte Aula In unmittelbarer Nähe des Westportals der Stiftskirche steht das Gebäude der Alten Aula (1547). Das einstige Zentrum der Universität wurde 1777 zum 300jährigen Gründungsjubiläum klassizistisch umgebaut.

Karzer Im alten Universitätskarzer (Münzgasse 20) büßten einst die studentischen Sünder für ihre Missetaten. Die Freiheitsstrafe bezog sich meist jedoch nur auf den nächtlichen Ausgang; der Besuch von Lehrveranstaltungen war den Insassen dagegen nicht untersagt.

ⓘ Führung Sa 14 Uhr (April bis Oktober).

Burse Schmale Treppengäßchen führen von der Münzgasse hinunter zur ehem. Burse (Bursagasse), dem 1478–1482 erbauten und damit ältesten erhaltenen Universitätsgebäude. Sie beherbergte viele der 300 Studenten, die sich im Gründungsjahr in die Universitätsmatrikel eingetragen hatten (heute sind es über 23 000). Daneben wurden hier auch Vorlesungen der Artistenfakultät gehalten, der späteren philosophischen und philologischen Fakultät. Eine Gedenktafel an der Südfassade erinnert an Philipp Melanchthon,

Stocherkahnrennen auf dem Neckar Bei dem traditionellen Rennen treten jedes Jahr am vierten Donnerstag im Juni die Mannschaften der verschiedenen studentischen Verbindungen gegeneinander an (unten).

Schickardsche Rechenmaschine Die erste mechanische Rechenmaschine der Welt (1623) beherrscht die vier Grundrechenarten und vermag z. B. auch Potenzen und Wurzeln zu berechnen. Sie ist im Theodor-Haering-Haus zu bewundern (unten).

der sich 1512 als 15jähriger an der Universität immatrikulierte und von 1514 bis 1518 als Magister in der Burse wohnte und Vorlesungen hielt. Als das Studentenwohnhaus zu Beginn des vorigen Jahrhunderts zum ersten Tübinger Klinikum umgebaut wurde, bekam es sein klassizistisches Gesicht.

Reuchlins Wohnhaus Direkt vor dem Treppenabgang zum Hölderlinturm trifft man auf das ehem. Haus des Johannes Reuchlin (Bursagasse 4B). An den Juristen und Berater des Grafen Eberhard erinnert heute lediglich ein Kragstein mit Löwenskulptur in der Hauswand. Reuchlin lehrte ab 1522 in Tübingen und gilt neben Erasmus von Rotterdam als der führende Kopf des deutschen Humanismus.

Hölderlinturm Die ältesten Teile des Turms am Neckarufer gehörten der mittelalterlichen Stadtbefestigung an. 1807 erwarb der Schreinermeister Ernst Friedrich Zimmer das Haus, und im gleichen Jahr bezog Friedrich Hölderlin das Turmzimmer im ersten Stock, wo er bis zu seinem Tod 1843 lebte. Der Turm in der Bursagasse 6 wurde mittlerweile als Gedenkstätte für Hölderlin eingerichtet, und wer heute durch die Ausstellungsräume geht, spürt noch immer etwas vom Genius des großen Dichters.
i Besichtigung Di–Fr 10–12, 15–17, Sa, So 14–17 Uhr, Führungen Sa, So 17 Uhr.

Ev. Stift Über den Klosterberg gelangt man hinauf zum Stift. In den Gebäuden des ehem. Augustinerklosters erhielt die Universität bereits 1490 einen Hörsaal. 1534, nach der Einführung der Reformation, wurde das Kloster aufgehoben und zwei Jahre darauf das Herzogliche Stipendium, eine Stiftung Herzog Ulrichs, als Studienstätte für württembergische Theologen eingerichtet. Auf die klösterliche Vergangenheit weisen noch die Stiftskapelle und der aus dem Kreuzgang hervorgegangene Innenhof hin. Seine breite, schloßartige Fassade erhielt das Stift jedoch erst im 18. Jh. Es diente der einheitlichen protestantischen Ausbildung der württembergischen Pfarrer- und Beamtenschaft. In der zweiten Phase der Reformation unter Herzog Christoph, der die evangelische Lehre zur ausschließlichen Landesreligion erhoben hatte, erhielt das Stift 1557 eine rechtliche und finanzielle Ordnung. Die Zahl der Stipendiaten wurde auf 150 beschränkt, um auch weiterhin eine gründliche Ausbildung der Studenten zu gewährleisten. Das Stift stand an der Spitze des württembergischen Schulwesens und brachte Gelehrte von hohem Rang hervor. Dem Theologen

Rundgang durch Tübingen *Am besten parkt man außerhalb der Altstadt, z. B. auf dem Parkplatz vor dem Haagtor. Über Haaggasse und Marktplatz erreicht man den Ausgangspunkt Stiftskirche.*

Jakob Andreä, später Kanzler der Universität, gelang es, die zerstrittenen Lutheraner auf die verbindliche dogmatische Konkordienformel (1577) zu einen, die Bekenntnisschrift der evangelisch-lutherischen Kirche. Jeder, der in den württembergischen Staatsdienst aufgenommen werden wollte, mußte diese Formel unterschreiben.

Einer der berühmtesten Stiftler wurde wegen seiner Weigerung, die geforderte Unterschrift zu leisten, nicht in den Landesdienst aufgenommen: Johannes Kepler, späterer Entdecker der Bewegungsgesetze der Planeten. Auch Keplers Lehrer, der Astronom Michael Mästlin – in der Burgsteige 7 kann man noch sein Wohnhaus sehen –, war Stiftler gewesen. Das berühmt gewordene Wort vom Stift als dem „Trojanischen Pferd der Geistesgrößen", das der streitbare Dichter und Stiftler Nikodemus Frischlin prägte, hat sich in der Tat bewahrheitet.
i Eine Broschüre über die Geschichte des Stifts und berühmte Studenten ist an der Pforte erhältlich. Zahlreiche Geistesgrößen, darunter Hölderlin und Uhland, liegen auf dem Stadtfriedhof im Norden der Stadt (Gmelinstraße) begraben. Für einen Besuch der Gräber bietet sich im Anschluß an die Tour ein 15minütiger Spaziergang an.

Theodor-Haering-Haus Am Nordflügel des Stiftsgebäudes führt die Neckarhalde, vorbei am Geburtshaus des Dichters Ludwig Uhland (Nr. 24B), bergabwärts zum Theodor-Haering-Haus (Nr. 31). Die Städtischen Sammlungen zeigen in

Raum 5 und 6 im ersten Stock Exponate aus der reichen Universitätsgeschichte (Siegel, Dokumente, Bildnisse berühmter Professoren) und Studentica (Verbindungsfarben, studentische Trachten, eine bekritzelte Tischplatte aus dem Studentenkarzer). Besondere Erwähnung verdient das nachgebaute und funktionstüchtige Modell der ersten mechanischen Rechenmaschine der Welt, die Professor Wilhelm Schickard 1623 konstruierte. Für die Nachwelt entdeckt wurde sie erst 1957, als die Wissenschaft auf die schriftlichen Aufzeichnungen Schickards aufmerksam wurde und ein Tübinger Philosophieprofessor ihre Funktionsweise erkannte. Auch das im Modell gezeigte Handplanetarium, welches das alte geozentrische und das neue heliozentrische Weltbild veranschaulicht, ist eine Erfindung Schickards.
i Besichtigung Di–So 14.30–17.30 Uhr.

Wilhelmsstift Auf dem Rückweg bietet sich vom anderen Neckarufer ein schöner Blick auf die zuvor besuchten Gebäude. Vorbei am Holzmarkt gelangt man in die Lange Gasse und zum imposanten Wilhelmsstift in der Collegiumsgasse. Die schloßartige Anlage wurde Ende des 16. Jh. auf der Grundlage eines aufgehobenen Klosters als *Collegium illustre* erbaut und war als Wohn- und Studienstätte ausschließlich dem protestantischen Adel vorbehalten. Seit der Verlegung des Ellwanger Konvikts nach Tübingen 1817 ist es eine Ausbildungsstätte für katholische Theologen.

Dichter, Denker, Philosophen

Das Tübinger Stift war Bestandteil der Schwäbischen Sozialisation: Über Lateinschule, Seminar und Stift wurden die Eleven auf ihr zukünftiges Pfarramt vorbereitet. Doch viele wandten sich von der Theologie und der Enge des schwäbischen Pietismus ab: Hegel entwickelte eine neue Geschichtsphilosophie, Schelling sein System des transzendentalen Idealismus. Ihr Freund Hölderlin lebte ganz der Poesie; sein „Hyperion" und vor allem seine Hymnen und Elegien gehören zum Besten, was das 19. Jh. hervorgebracht hat. Doch gescheitert an der Unvereinbarkeit seiner hohen Ideale mit der harten Wirklichkeit, zog er sich 36jährig in die innere Emigration zurück und verbrachte als „Geisteskranker" in Zimmers Turm die zweite Hälfte seines Lebens. Ein, zwei Generationen später besuchten junge Stiftler wie Waiblinger und Mörike den alten Mann des öfteren in seiner Turmstube. Für Mörike war Hölderlins tragisches Schicksal eine Warnung, sich nicht dem Pathos hinzugeben, sondern sich statt dessen dem Kleinen zuzuwenden.

Geistige Elite am Rhein

Am Rhein verliefen nicht nur die wichtigsten alten Handelsstraßen; das Tal begünstigte auch den regen Austausch geistiger Güter: Links und rechts des Stroms stehen Hochschulen mit glanzvoller Geschichte. Einige davon sind noch heute weithin berühmt, während in anderen längst nicht mehr gelehrt und geforscht wird. Die Tour führt u.a. zur ältesten deutschen Universität – Heidelberg – und zum Zentrum des europäischen Humanismus – nach Basel.

Eppingen Das Bild der vorbildlich sanierten Altstadt ist geprägt von zahlreichen schönen Fachwerkbauten, darunter auch ein Gebäude, das einst der Heidelberger Universität als vorübergehendes Domizil diente (links).

Alte Universität in Heidelberg Nach einer trockenen Vorlesung ist ein erfrischendes Getränk unter schattigen Bäumen stets willkommen (rechts).

Mainz Fast einziger Schmuck der Alten Universität sind die kunstvollen Säulenportale (rechts). 1618 betraten die ersten Theologie- und Philosophiestudenten den mächtigen Renaissancebau, und nach der Neugründung der Universität 1946 sind hier auch heute wieder verschiedene Institute untergebracht.

Mainz In seiner zweiten Amtszeit als Erzbischof von Mainz gründete Graf Diether von Isenburg-Büdingen am 1. Oktober 1477 die Mainzer Universität. Sein Grab kann man im Dom sehen; das Denkmal aus grauem Sandstein mit reich ornamentiertem gotischem Baldachin steht noch an seinem ursprünglichen Platz am mittleren Pfeiler der nördlichen Pfeilerreihe.

Zunächst wurde die neu gegründete Universität in der Burse zum Algesheimer Hof (Hintere Christofsgasse) untergebracht. Bursen standen unter der Leitung eines Regenten, der für die Hausverwaltung und für die Beköstigung der (zahlenden) studentischen Bewohner zu sorgen hatte. Daher erklärt sich auch der Name: Burse kommt von *bursa*, dem lateinischen Wort für Geldbeutel. Einzelräume waren Vorlesungen vorbehalten, ein Sitzungszimmer, die Stuba Major, den Senats- und Fakultätsberatungen.

In der frühgotischen Christophskirche gegenüber legte Petrus Canisius zu Ostern 1543 als erster in Deutschland das jesuitische Ordensgelübde ab; eine Gedenktafel befindet sich im ausgebrannten Kirchenschiff. Die Taufkirche Gutenbergs wurde im Zweiten Weltkrieg schwer beschädigt; die erhaltenen Ruinen sind seit den 60er Jahren ein Kriegsopferehrenmal.

1561, mit der offiziellen Berufung der Jesuiten nach Mainz, erlebte die Universität einen großen Aufschwung und gewann beherrschenden Einfluß. Die Burse zum Alges-

heimer Hof ging in den Besitz dieses damals modernsten Ordens über, und auch am Bau des Universitätsgebäudes, des Domus Universitatis (1615–1618), waren die Jesuiten entscheidend beteiligt. Hier wurden die theologische und philosophische Fakultät sowie das Jesuitengymnasium untergebracht. Noch heute imponiert der schlichte und dennoch stattliche vierstöckige Renaissancebau durch seine prachtvollen Säulenportale (Alte Universitätsstraße).

Heidelberg Im Juni 1386 beschloß Kurfürst Ruprecht von der Pfalz, nach dem Vorbild von Paris eine Universität in Heidelberg zu gründen. Es war, nach Wien und Prag, die dritte Hochschulgründung im Deutschen Reich. In Anwesenheit aller Scholaren feierten die ersten drei Magister am 18. Oktober 1386 die Gründungsmesse in der gotischen Heiliggeistkirche. Der heutige Bau wurde um 1400 als Pfarr- und Kollegiatstiftskirche unter König Ruprecht errichtet und diente außerdem als Begräbnisstätte der Kurfürsten. Von den zahlreichen Grabstätten ist nach einer Zerstörung im 17. Jh. heute nur noch im nördlichen Seitenschiff die Deckplatte des Grabmals von König Ruprecht I. und seiner Gemahlin Elisabeth von Hohenzollern erhalten. Auf den mächtigen Emporen wurde um 1560 die berühmte *Bibliotheca Palatina* eingerichtet, die von den Kurfürsten zusammengetragen worden war und als die reichste Europas galt. Doch im Dreißigjährigen Krieg eroberte der kaiserliche Feldherr Tilly die Stadt und ließ die wertvollen Bücher als

Kriegsbeute und Geschenk für den Papst 1623 in Ochsenkarren über die Alpen nach Rom bringen. Noch heute befindet sich der Hauptteil der 5000 Bücher und 3524 Handschriften in der Vatikanischen Bibliothek; lediglich 885 deutschsprachige Handschriften sowie 42 griechische und lateinische kamen Ende des 19. Jh. zurück nach Heidelberg.

Heute gehören sie zum wertvollsten Besitz der Universitätsbibliothek. Im Ausstellungsraum des neoromanischen Baus findet man u.a. den „Parzival" des Wolfram von Eschenbach in einer Handschrift des 15. Jh. Kostbarstes und berühmtestes Exponat ist der *Codex Manesse*, der auch Große Heidelberger Liederhandschrift genannt wird. Diese schönste Sammlung mittelhochdeutscher Liederhandschriften entstand in der ersten Hälfte des 14. Jh. vermutlich in Zürich. Auf 425 großen Pergamentblättern finden sich zahlreiche Gedichte u.a. von Walther von der Vogelweide, teilweise mit kunstvollen Dichterminiaturen versehen. Über Umwege kam die Sammlung nach Paris und gelangte erst 1888 im Tausch gegen französische Handschriften wieder nach Heidelberg.

Gegenüber der Universitätsbibliothek liegt die gotische Peterskirche, seit 1400 Universitätskirche. Das Kirchenschiff hat vier Seitenkapellen, darunter die kreuzgewölbte Universitätskapelle an der Südseite (1489). An den Außenmauern sind viele Grabmäler aus dem 16.–19. Jh. vornehmlich von Hofleuten und Professoren zu sehen.

Nachdem die mittelalterlichen Hochschulgebäude gegen Ende des 17. Jh. zerstört worden waren, errichtete Adam Breunig 1712–1713 einen schlichten Neubau, der heute Alte Universität genannt wird. Im östlich angebauten Pedellenhaus kann man den Studentenkarzer mit seinen sechs Räumen besichtigen. Er wurde noch bis 1914 benutzt, und zahlreiche Insassen haben sich mit Wasserfarben und Kerzenruß an seinen Wänden verewigt. Für groben Unfug und nächtliche Ruhestörung in betrunkenem Zustand mußten studentische Randalierer mit bis zu 14 Tagen Haft rechnen, und für Zusammenstöße mit der Polizei handelte man sich gar vier Wochen ein. Nach zwei bis drei Tagen bei Wasser und Brot war es gestattet, sich die Verpflegung von Freunden oder Verwandten in den Karzer bringen zu lassen und Mithäftlinge zu besuchen – daß es dabei oft recht munter zuging, kann man sich lebhaft vorstellen. Mindestens ein Aufenthalt im Karzer gehörte zur studentischen Ehre.

Im Hof der Neuen Universität (1931) steht noch ein Rest der mittelalterlichen Stadtbefestigung: Der Hexenturm diente einst u.a. als Frauengefängnis.

Im Kurpfälzischen Museum, das sich z. Zt. in einer mehrjährigen Umbauphase befindet, ist die 600jährige Universitätsgeschichte in einem Bildarchiv dokumentiert. Wer bei so viel Geschichte Durst bekommen hat, kann anschließend in einem der alten Studentenlokale wie dem „Seppl" oder „Roten Ochsen" gemütlich einkehren.

ℹ️ Heiliggeistkirche, Marktplatz: Öffnungszeiten und Führungen nach Aushang (April–Oktober).

Heidelberg Abends trifft sich ein munteres Studentenvolk in den urigen Altstadtkneipen, um bei einem Glas Bier zu diskutieren oder zu klönen. Denn nicht nur geistige Nahrung braucht der Mensch…

Ausstellungsraum der Universitätsbibliothek, Plöck 107–109: Mo–Sa 10–12 Uhr.
Peterskirche: Nur während des Gottesdienstes geöffnet.
Studentenkarzer, Augustinergasse: Mo–Sa 9–17 Uhr.
Kurpfälzisches Museum, Hauptstraße 97: Di–So 10–17, Do bis 21 Uhr.

Eppingen Inmitten der reizvollen Altstadt liegt das eindrucksvolle Gebäude der Alten Universität (Ecke Fleischgasse 2/Altstadtstraße 17), ein Fachwerkbau im alemannischen Stil aus dem 15. Jh. Als im Oktober 1564 in Heidelberg die Pest ausbrach, beschloß der Senat, Teile der Universität in das Städtchen im Kraichgau auszuquartieren – angesichts der häufigen Epidemien in dieser Zeit eine oft geübte Praxis. Sie

Universitäten am Rhein Nicht immer bleibt die Tour dem Strom treu: Nach Heidelberg geht es durch Kraichgau und Nordschwarzwald, bis der Rhein hinter Baden-Baden wieder erreicht ist. Bei Kehl fährt man über die Grenze nach Frankreich, um dann hinter Erstein wieder auf die deutsche Seite zu wechseln. Endpunkt ist Basel in der Schweiz.

blieb fünf Monate in Eppingen. Heute ist im Gebäude der Alten Universität ein Fachwerk- und Heimatmuseum untergebracht.

Straßburg An der Stelle des jetzigen Temple Neuf nördlich des Münsters stand bis zur Zerstörung durch die Deutschen 1870 ein Dominikanerkloster. Bereits 1537 wurde es aufgelöst und beherbergte in der Folgezeit das noch im selben Jahr gegründete erste Gymnasium der Stadt, aus dem 1621 die protestantische Universität hervorging. Noch heute zeugt die Rue des Étudiants zwischen Place Kléber und Place Broglie davon, daß im Gebiet des Temple Neuf die ersten Universitätsgebäude lagen. Ansichten des Dominikanerklosters sind im Skizzenbuch Hans Baldung Griens und in der „Topographia Alsatiae" (1643) von Matthäus Merian enthalten, die im Historischen Museum ausgestellt sind.

Eine Glanzleistung der Wissenschaft des 16. Jh. ist die Astronomische Uhr im südlichen Querschiff des Münsters: Sie wurde zwischen 1570 und 1574 nach einem Plan des Mathematikprofessors Dasypodius erbaut. In dem 18 m hohen Gehäuse haben ein ewiger Kalender, die Himmelskugel mit Anzeige der Tagundnachtgleichen, die Planetengötter, Sinnbilder der Wochentage, Planetarium und Sternkreiszeichen Platz gefunden. 1838 wurde sie umgebaut und ergänzt.

ℹ Musée Historique, Rabenbrücke: täglich 10–12, 14–18 Uhr (April bis September), sonst Mo, Mi–So 10–12, 14–16 Uhr.
Astronomische Uhr: Vorführung täglich 12.30 Uhr.

Molsheim Rivalin des protestantischen Gymnasiums und der Universität Straßburg war das Molsheimer Jesuitenkolleg (Rue Notre-Dame). Bereits 1558 verfolgte Petrus Canisius den Plan, hier ein katholisches Institut zur Bekämpfung der Reformation zu gründen. Der endgültige Beschluß wurde 1571 gefaßt, und neun Jahre später kamen die ersten acht Jesuiten aus Dachstein nach Molsheim. Ihre Schule wurde bald zur Akademie, die 1618 durch Papst Paul V. zur Universität erhoben wurde und von der noch ein großer Flügelbau erhalten ist. 1702 ordnete der Sonnenkönig Ludwig XIV. die Verlegung der Universität nach Straßburg an.
Die Kirche wurde Anfang des 17. Jh. mit großzügiger Unterstützung durch Erzherzog Leopold von Österreich, den Bischof von Straßburg, erbaut; auf dem Schlußstein des Gewölbes der linken Seitenkapelle sind seine Wappen zu sehen. Die Kirche ist das einzige größere Baudenkmal des Jesuitenordens im Elsaß.

ℹ Office de Tourisme, Place de l'Hôtel de Ville, Tel. 00 33 88/ 38 11 61.

Freiburg Die ältesten erhaltenen Gebäude der 1457 gegründeten Universität stammen aus dem 16. Jh. Überliefert ist jedoch, daß nach der Eröffnung der Hochschule durch Erzherzog Albrecht VI. von Österreich der Unterricht in einem Privathaus abgehalten wurde. Unter den ersten Lehrern war der Humanist und Sittenprediger Geiler von Kaysersberg; Thomas Murner, der spätere Gegner Luthers und der Reformation, zählte zu den ersten Studenten. Mitte des 16. Jh. zog die Universität in die beiden Giebelhäuser des Neuen Rathauses, die trotz vielfacher Umbauten ihren Renaissancecharakter bewahrt haben, vor allem im schönen reliefgeschmückten Erker an der Rathausgasse. Im Innenhof ist noch das alte Universitätsportal zu sehen.

Straßburger Münster
Die berühmte Astronomische Uhr ist ein Beweis dafür, wie fortgeschritten die Wissenschaft im 16. Jh. schon war.

Der Name des prominentesten Gelehrten des frühen 16. Jh. schmückt das Haus zum Walfisch (Franziskanerstraße 9): In dem vermutlich als Alterssitz für Kaiser Maximilian I. errichteten Gebäude lebte der Humanist Erasmus von Rotterdam, solange die Basler Universität geschlossen war. Sehenswert ist das herrliche spätgotische Portal mit darüberliegendem Erker und Balkon. Im Basler Hof (Kaiser-Joseph-Straße 167, jetzt Regierungspräsidium) war 1587–1677 der Amtssitz des vor der Reformation geflohenen Basler Domkapitels. Bauherr war einer der ersten Rektoren der Universität, Dr. Konrad Stürzel, der Kanzler Kaiser Maximilians I.
Bis 1944 war die Herrenstraße eine der reizvollsten Straßen der Stadt. Beim Wiederaufbau konnte man das schöne spätgotische Portal der Sapienz erhalten (Nr. 2), einer um 1500 gegründeten Studentenburse. Beredtes Zeugnis von der Frühzeit der Hochschule gibt die Universitätskapelle des Münsters (südlicher Chorkapellenkranz). Auf Kosten der Universität wurde sie 1505–1510 als Altarraum und Begräbnisplatz für die Professoren er-

baut, die bis ins 18. Jh. hier beigesetzt wurden. Erhalten sind viele Epitaphien berühmter Gelehrter, darunter das des Juristen Ulrich Zasius. Das Gewölbe des spätgotischen Chors zeigt einen Gewölbeschlußstein mit feinem Relief des Universitätspatrons Hieronymus. Die Glasfenster stammen aus dem Jahr 1524 und stellen Jesus im Tempel lehrend sowie die Patrone der vier Fakultäten dar: Lukas (Medizin), Katharina (Philosophie), Johannes (Theologie) und Ivo (Jura).
1620 übernahmen die Jesuiten die Universität; das Jesuitengymnasium fand sein Domizil in den Räumen der Alten Universität (Bertoldstraße), die im späten 16. Jh. an der Stelle älterer Hochschulbauten errichtet worden war. An der unein-

heitlichen Fassadenführung kann man noch heute erkennen, daß hier mehrere ältere Gebäude zusammengefügt wurden. Westlich davon schließt sich unmittelbar der wuchtige Saalbau der Universitätskirche an (1685–1690). Im Chor links ist das Grabdenkmal des Augsburger Weihbischofs Johannes Kerer zu sehen, der Professor und Rektor an der Freiburger Universität war.
Im Augustinermuseum sind u.a. zwei Universitätszepter aus den Jahren 1466 und 1512 ausgestellt.

ℹ Liebfrauenmünster: Mo–Sa 10 bis 18, So 13–18 Uhr.
Augustinermuseum, Augustinerplatz: Di–So 10–17, Mi bis 20 Uhr.

Basel Im Untergeschoß des Historischen Museums gibt eine Ausstellung Einblick in die Entwicklung

Studentischer Verein: Die Burschenschaft

Heute werden sie oft als unzeitgemäß und allzu konservativ belächelt. 1815, nach der Gründung der ersten Burschenschaft in Jena, deren Vorläufer freilich bis ins Mittelalter zurückgehen, war das anders: Die Burschenschaften forderten eine Reformation studentischen Lebens und eine staatliche Einigung Deutschlands. Aufgrund ihrer republikanischen Gesinnung wurden sie 1819 in den Karlsbader Beschlüssen verboten. An der Revolution von 1848 waren ehemalige Burschenschafter beteiligt.
Zur Unterscheidung führen die Verbindungen bestimmte Farben in ihrem Wappen, an denen man sie erkennt. Merkmal des Studenten einer

schlagenden Verbindung ist der Mensursäbel; einen Bierkrug haben wohl alle Burschenschafter. Bei einer Zusammenkunft trägt der Vorsitzende ein Parade-Cerevis als Kopfbedeckung.

Freiburg *Bei Feierlichkeiten trug der Rektor der Universität ein Zepter. Die beiden im Augustinermuseum ausgestellten Exemplare wurden aus teilvergoldetem Silber kunstvoll gefertigt (oben).*

Neues Rathaus in Freiburg *Zwei Bürgerhäuser wurden im 16. Jh. durch einen Zwischenbau verbunden und zur Universität umfunktioniert (links).*

des Basler Stadtstaats; besondere Abteilungen (Nr. 26–32) sind der Geschichte der Universität und – eng damit verbunden – des Humanismus sowie der Reformation gewidmet. Basel verdankt seine Universität dem Konzil, das 1431–1449 in seinen Mauern abgehalten wurde. Enea Silvio Piccolomini, der spätere Papst Pius II., hatte als Konzilsschreiber einige Jahre in Basel verbracht; dieses persönliche Verhältnis zu Basel mag dazu beigetragen haben, daß er am 12. November 1459 die Stiftungsbulle ausstellte – der Eröffnungsakt wurde fünf Monate später im Münster gefeiert. Aus dieser Zeit stammen der Siegelstempel und das silberne Universitätszepter, die im Historischen Museum zu sehen sind. Obgleich die Universität von Anbeginn eng mit der Stadt verbunden war, blieb sie in organisatorischer und wissenschaftlicher Hinsicht stets autonom und genoß sogar Steuerfreiheit. Eine Kuriosität ist in der Abteilung Nr. 32 ausgestellt: ein Portraitmedaillon in

Wachs (1560) der Wibrandis Rosenblatt, die nacheinander mit vier Humanisten und Reformatoren verheiratet war – Magister L. Keller, Johannes Oekolampad, Wolfgang Capito und Martin Bucer. Alle vier hatten an der Basler Universität gelehrt oder studiert.

Eng mit Basel verbunden ist der Name Erasmus von Rotterdam. Der große Humanist lehrte zwar nicht selbst an der Universität, doch beeinflußte er von seiner Wahlheimat aus das Geistesleben ganz Europas. Von 1521 bis zu seinem Tod lebte er in der Stadt; lediglich die Jahre 1529–1532, als die Universität aufgrund der Reformationswirren geschlossen blieb, verbrachte er in Freiburg. Nachdem er nach Basel zurückgekehrt war, lebte er als Gast des Buchdruckers Froben, bei dem seine Werke erschienen, im ersten Stock des Hauses zum Luft. Hier verstarb er am 12. Juli 1536; auf Anfrage im Geschäft – in dem stattlichen Haus sind heute die Verkaufs- und Redaktionsräume des Verlags

Erasmushaus untergebracht – kann man sein Sterbezimmer besichtigen. Über dem Kamin ist eine im 19. Jh. erneuerte Malerei zu sehen, welche die Büste des römischen Grenzgottes Terminus zeigt. Erasmus hatte ihn zu seinem Symbol erkoren; die lateinische Inschrift lautet „Der Tod ist die äußerste Grenze aller Dinge." Beigesetzt wurde der Humanist im Münster; sein Epitaph aus rotem Marmor ist in der Schalerkapelle zu besichtigen. In der Galluskapelle befindet sich die Grabstätte Georgs von Andlau, der 1460 zum ersten Rektor der Universität gewählt wurde. An der äußeren Westwand des großen Kreuzgangs erinnert ein Standbild (19. Jh.) an Johannes Oekolampad, der hier begraben liegt.

Ein Zeitgenosse des Erasmus war Paracelsus, der 1527 in Basel eine Stelle als Stadtarzt und Professor annahm. Als heftiger Bekämpfer der überkommenen Schulmedizin geriet er bald in Konflikt mit der medizinischen Fakultät und mußte schon im

Basel *Nur kurze Zeit wirkte der Arzt Paracelsus in Basel. Wegen seiner alchimistischen und naturphilosophischen Vorstellungen lehnten ihn seine Zeitgenossen ab (oben).*

Folgejahr aus der Stadt fliehen. In über 200 Schriften ist sein bis heute umstrittenes Werk erhalten.

Das Gebäude der Alten Universität (Rheinsprung 11) entstand im vorigen Jahrhundert durch die Vereinigung von drei alten Häusern, in denen schon seit 1460 die Hochschule untergebracht war (heute Zoologisches Institut). Der schönste Blick auf das Ensemble bietet sich von der mittleren Rheinbrücke.

ℹ Historisches Museum, Barfüßerkirche: Mi–Mo 10–17 Uhr.
Erasmushaus, Bäumleingasse 18: Tel. 00 41 61/23 30 88.
Weitere Informationen: Offizielles Verkehrsbüro Basel, Blumenrain 2, Tel. 00 41 61/25 50 50.

Studium am Seziertisch

Wie jeden Tag treffen sie sich auch an diesem Januarmorgen des Jahres 1494 am selben Tisch im Speisesaal ihres Wohnheims über dem Neckar: Hans aus Göppingen, Sebastian aus Überlingen, Wilhelm aus Hall und Lorenz aus Herrenberg. Die vier Medizinstudenten kennen sich seit ihrem zweijährigen Grundstudium an der Artistenfakultät der noch jungen Universität zu Tübingen. Im Saal herrscht lautes Stimmengewirr. Nur an ihrem Tisch ist es heute ungewohnt still, ist doch endlich ein lang erwarteter Tag angebrochen. Heute dürfen sie zum erstenmal zuschauen, wie der Körper eines Menschen geöffnet und anatomisch zerlegt wird. Professor Johannes Widmann, Leibarzt des württembergischen Grafen Eberhard im Bart, der 1477 die Universität gegründet hat, wird ihnen Lage und Funktion der Organe erklären.

Nur alle drei bis vier Jahre findet eine Sektion statt, und nicht immer sind die nötigen Voraussetzungen dafür erfüllt. Es darf nur die Leiche eines Verbrechers verwendet werden, und es muß kalt sein. Heute wurde am frühen Morgen die Hinrichtung vollzogen, und die klirrende Kälte, die vor wenigen Tagen eingesetzt hat, hält an. Die vier Studenten sind äußerst gespannt, denn Sektionen sind noch etwas ganz Neues, und bis vor wenigen Jahren wäre es unvorstellbar, gleichsam eine Gotteslästerung gewesen, den Körper eines Toten zu öffnen. Doch die Zeiten haben sich geändert. Das Mittelalter neigt sich dem Ende zu; eine neue Epoche kündigt sich an. Die Menschen beginnen sich selbst und die Welt zu entdecken. Kolumbus ist vor zwei Jahren an der Küste Amerikas gelandet. Ein ungeheurer Wissensdrang, die Suche nach neuen Erfahrungen treibt sie voran. Dieser Forschergeist erfaßt auch die Medizin. Erst vor zwölf Jahren hat Papst Sixtus IV. seine Zustimmung erteilt, daß an der Universität Tübingen eine bestimmte Anzahl von Leichen „armer Sünder" im Dienste der Forschung zergliedert werden darf. Lehrbücher allein genügen nicht mehr, Professoren und Studenten wollen ihr Wissen an der Realität überprüfen.

Es ist Zeit zum Aufbruch. Auf ihrem Weg hinunter zum Franziskanerkloster unterhalten sich die vier Freunde über das bevorstehende Ereignis. Hans hat bis zum Schluß seine Zweifel: „Ich glaube es erst, wenn ich es mit eigenen Augen gesehen habe." Im Kloster begeben sie sich zuerst in die Kirche, wo eine Messe gelesen und für das Seelenheil des Verstorbenen gebetet wird. Einige vornehm gekleidete Herren sind

schon da: Auch Standespersonen aus der Stadt ist es erlaubt, an der Sektion teilzunehmen. Dann endlich betreten sie den Raum, wo die Demonstration stattfinden soll. Vor dem erhöhten Stuhl des Professors steht ein langer Tisch, um den sich die Zuschauer gruppieren. Jetzt betritt Professor Widmann den Raum. Anschließend wird die Leiche hereingetragen und auf den Tisch gelegt. Stehend leisten der Professor und die anderen Teilnehmer den Eid, keine Teile des Leichnams zu entwenden. Denn die christliche Heilslehre besagt, daß der Mensch am Jüngsten Tag in seinem Fleisch auferstehen wird. Deshalb ist es unabdinglich, daß der Leichnam nach der Sektion wieder seine ursprüngliche Gestalt erhält.

Die Zuschauer treten ein wenig zurück, um dem Dissektor und dem Demonstrator Platz zu machen. Nun schlägt Widmann das Anatomiebuch auf, das Mondino dei Liucci 1316 als Professor in Bologna verfaßt hat

und seitdem als Standardwerk der Anatomie gilt. Anhand dieses Buches erklärt der Professor die einzelnen Teile des Körpers.

Gegenstand der auf vier Tage festgelegten Demonstration ist an diesem ersten Tag der Bauch. Der Dissektor trennt die Bauchdecke des Leichnams auf, und der Demonstrator deutet mit dem Zeigestock auf die Organe, die nacheinander im Buch abgehandelt werden: Bauchfell, Därme, Magen, Milz, Leber, Gekröse, Nieren, Blase und

Geschlechtsorgane. Auch auf die jeweilige Funktion sowie auf Beschwerden und Krankheiten geht der Professor ein. Er liest vor: „Bei Leibschmerzen wächst der Schmerz, wenn man ißt. Denn dann wird dieser Darm von der Speise gedrückt; aber zur Zeit des Hungers nicht. Aber es steigert sich der Schmerz der Nieren: und dies ist eines der Zeichen, das den einen Schmerz vom anderen unterscheidet. Und von dieser Stelle und Verbindung des besagten Darmes offenbaren sich uns zwei Dinge. Das eine nützlich in der Erkennung. Das andere in der Operation und der Erkennung. Denn wenn es Beschwerden gibt, beginnt der Schmerz auf der linken Seite."

Als Professor Widmann am Mittag das Anatomiebuch schließt, haben die angehenden Ärzte viel über diverse Unterleibserkrankungen und Nierenkrankheiten erfahren, über Bauchwassersucht, Nieren- und Blasensteine. Und im Gegensatz zu ihren Vorgängern, die sich mit Büchern und Bildtafeln begnügen mußten, haben sie die echten Organe betrachten können!

Der zweite Tag ist der Brust und ihrem Inhalt gewidmet, der dritte dem Kopf und dem Schädelinhalt und der letzte der Wirbelsäule und den Armen und Beinen mit ihren Muskeln, Adern und Knochen. Danach werden die sterblichen Überreste des Hingerichteten feierlich beigesetzt. Die Doktoren und Studenten geben ihm das Geleit.

Die vier Freunde haben eine Menge hinzugelernt. Der außergewöhnliche Anschauungsunterricht hat ihr Wissen vom menschlichen Körper und damit auch ihr Bild vom Menschen konkretisiert. Doch viele Bereiche des Lebens sind noch unerforscht, viele noch rätselhaft und voller Geheimnisse. Die Medizin wird ihren Beitrag leisten, Licht in das Dunkel zu bringen.

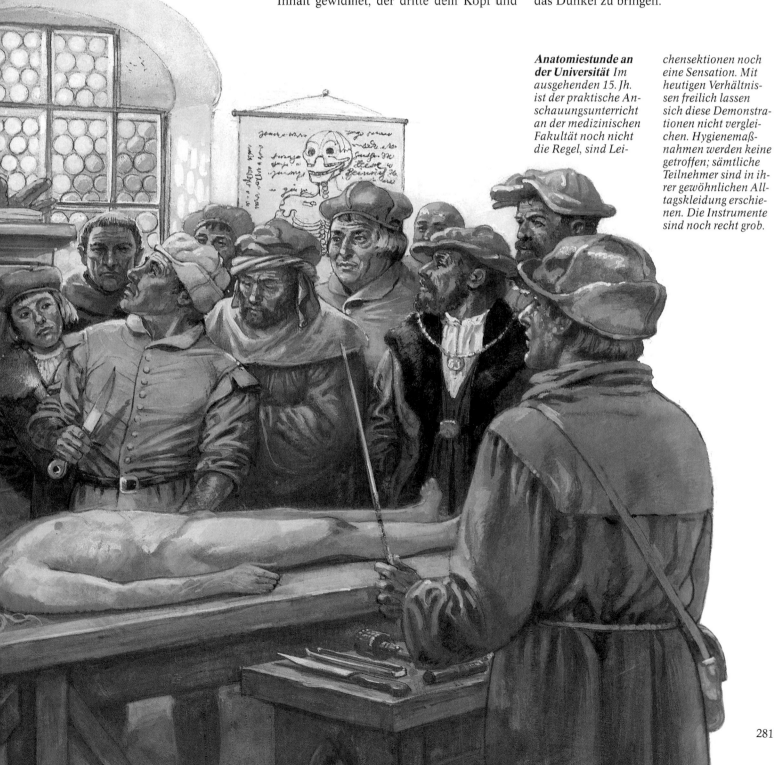

Anatomiestunde an der Universität *Im ausgehenden 15. Jh. ist der praktische Anschauungsunterricht an der medizinischen Fakultät noch nicht die Regel, sind Leichensektionen noch eine Sensation. Mit heutigen Verhältnissen freilich lassen sich diese Demonstrationen nicht vergleichen. Hygienemaßnahmen werden keine getroffen; sämtliche Teilnehmer sind in ihrer gewöhnlichen Alltagskleidung erschienen. Die Instrumente sind noch recht grob.*

Hochschulen beziehen Stellung

Eng verbunden mit der Geschichte deutscher Universitäten ist neben dem Humanismus auch die theologisch-politische Auseinandersetzung mit der neuen Lehre Martin Luthers. Reformatorische Hochschulen standen Universitäten gegenüber, die entschieden die Sache der katholischen Kirche unterstützten. Die Tour führt u. a. zu den beiden Hochburgen der Gegenreformation, nach Dillingen und Ingolstadt, während Altdorf und Erlangen die protestantischen Universitäten vertreten.

Dillingen Zur Heranbildung des Klerus gründete Kardinal Otto Truchseß von Waldburg, der Fürstbischof von Augsburg, 1549 ein Collegium Litterarum, das zwei Jahre später vom Papst zur Universität erhoben wurde. Damit war Dillingen die erste Universität der Gegenreformation in Deutschland. Von 1563 bis zur Aufhebung des Ordens 1773 stand die Universität unter der Leitung der Jesuiten. Sie zeichnen verantwortlich für die prachtvolle, im Stil des Rokoko und Barock gehaltene Ausgestaltung der Bibliothek des Jesuitenkollegs und der Aula des Universitätsgebäudes, die wegen ihrer goldgefaßten Stukkaturen Goldener Saal genannt wird. Schönster Sakralbau ist die Studienkirche (1610–1617). Die Deckenfresken zeigen u.a. Professor Petrus Canisius dozierend am Katheder, während er mit einem Fuß

tritt auf Luthers Haupt die jesuitische Lehre gegen die reformatorische verteidigt. In den Seitenkapellen sind die Patrone der verschiedenen Lehrfächer dargestellt. Unter anderem mit der Universität und dem Jesuitenorden beschäftigt sich das Stadt- und Hochstiftsmuseum.

ℹ️ Stadtführungen mit Besichtigung von Studienkirche, Goldenem Saal und Bibliothek bietet das Städtische Kultur- und Verkehrsamt im Rathaus an, Tel. 09071/54108.
Stadt- und Hochstiftsmuseum, Am Hafenmarkt 11: Mi 14–17 Uhr, jeden ersten und dritten So 10–13 Uhr sowie n. Vereinb., Tel. 09071/4400.

Ingolstadt 1472 eröffnete Herzog Ludwig der Reiche die erste bayerische Landesuniversität und gab ihr im stattlichen spätgotischen Pfründnerhaus (1434), noch heute Hohe Schule genannt, eine würdige

Würzburg *Am Ende des nur wenige Jahre währenden Bestehens der ersten Würzburger Universität stand eine blutige Geschichte: Der Famulus ermordete den Rektor Johannes Zantfurt.*

Nachzulesen ist sie in Band 1 der „Würzburger Bischofschronik", wo man auch diese Abbildung findet (oben).

Ingolstadt *Christoph Scheiner baute das von Kepler entworfene Fernrohr mit zwei Konvexlinsen (unten). Das Bildnis hängt im Stadtmuseum.*

Ehem. Universität in Altdorf *Seit dem 16. Jh. haben sich die drei um einen quadratischen Innenhof gruppierten schmucklosen Quaderbauten*

mit ihren mächtigen Ziegeldächern außen gänzlich unverändert erhalten: ein seltener Glücksfall für den heutigen Betrachter (oben). In diesem Hof

finden seit 1894 alle drei Jahre im Juli/ August die Wallensteinfestspiele statt, das nächste Mal 1991.

Bleibe. Bis zur Verlegung der Universität nach Landshut (1800) wurden in dem breitgiebeligen, durch ein Türmchen geschmückten Bau Vorlesungen gehalten. Ein Kolossalgemälde an der Längsfront, das einen dozierenden Magister vor seinen buntgekleideten Studenten zeigt, weist auf die ehem. Bestimmung des ehrwürdigen Hauses hin.

Im 16. und 17. Jh. erlebte Ingolstadt eine Blütezeit als Zentrum der Gegenreformation und genoß den Ruf einer der angesehensten Hochschulen Europas, nicht zuletzt dank seiner herausragenden Lehrer, darunter Konrad Celtis, Johannes Reuchlin und Johannes Eck. Mitte des 16. Jh. wurden die Jesuiten nach Ingolstadt berufen; vom Jesuitenkolleg (Neubaustraße) ist heute nur noch der Südostflügel erhalten. Hier lehrte u.a. der Astronom Scheiner; sein Bildnis hängt im Stadtmuseum. Auch Petrus Canisius unterrichtete hier drei Jahre lang. Wiederholt predigte er auch in der Liebfrauenkirche, die zum festlichen Ort für die repräsentativen Gottesdienste der Universität wurde. Auf der Vorderseite des Hochaltars steckt das Jesuskind der heiligen Katharina von Alexandrien, der Patronin der philosophischen Fakultät, einen Ring an den Finger: Sinnbild für die Vermählung der theologischen mit der philosophischen Wissenschaft.

Im barocken Gebäude der Alten Anatomie – bis 1800 Sitz der medizinischen Fakultät und Schauplatz öffentlicher Leichensektionen – ist heute das Medizinhistorische Museum untergebracht. Neben Werkzeugen, chirurgischen Instrumenten, Präparaten und Skeletten gibt es auch manche Kuriosität zu sehen.

ℹ️ Stadtmuseum, Auf der Schanz 45: Di–Fr 9–12, 13–17, So 10–17 Uhr. Deutsches Medizinhistorisches Museum, Anatomiestraße 18/20: Di–So 10–12, 14–17 Uhr.

Altdorf Die Stadt hat ihre Universität der Reformation zu verdanken: 1575 wurde das evangelische Gymnasium von Nürnberg nach Altdorf verlegt, um die Studenten von großstädtischen Zerstreuungen fernzuhalten, und 1623 zur Universität erhoben. Für etwa 15 Professoren und nicht mehr als 200 Studenten erbaute man in der Silbergasse die Hohe Schule. Berühmtester Student war der spätere kaiserliche Feldherr Wallenstein, zur Zeit seiner Altdorfer Studien (1599–1600) dort allerdings eher berüchtigt: In mehrere recht derbe Raufereien verwickelt, wurde er nach nur sechsmonatiger Studienzeit bis zur Begleichung seiner Schulden unter Arrest gesetzt und anschließend exmatrikuliert. In der gut restaurierten ehem. Universitätskirche Sankt Laurentius sind der Rektorensitz mit Baldachin (erste Empore) und das ursprünglich für Professoren bestimmte Chorgestühl zu sehen. 1809 wurde die Altdorfer Universität aufgelöst und mit der Erlanger Hochschule vereinigt.

ℹ️ Die ehem. Universität ist, außer bei den Wallensteinfestspielen, nur von außen zu besichtigen. Kartenvorbestellung unter Tel. 09187/2224.

Erlangen 1743 verlegte Markgraf Friedrich von Brandenburg-Bayreuth die ein Jahr zuvor in Bayreuth gegründete protestantische Univer-

sität nach Erlangen. Nach dem Tod der letzten Markgräfin ging 1817 der gesamte Schloßbesitz an die Universität über, und ein Jahr später kam die Bibliothek der aufgelösten Altdorfer Universität in die Stadt.

Im Zentrum sind das ehem. Schloß (1700–1704) und die angrenzenden Universitätsgebäude aus dem 18. und 19. Jh. zu besichtigen. Im rechten Treppenaufgang des Schlosses hängen Ölgemälde mit den Bildnissen Erlanger Rektoren, deren Talarfarben ihre jeweilige Fakultät kennzeichnen.

ℹ️ Schloßbesichtigung: jeden zweiten So im Monat 10–13 Uhr (Oktober–Juli).

Würzburg Julius Echter von Mespelbrunn, der bereits 28jährig zum Bischof von Würzburg gewählt wurde, hatte sich zum Ziel gesetzt, in seinem Bistum den katholischen Glauben zu restituieren: Protestanti-

Von Dillingen nach Würzburg Entlang der Donau geht es auf reizvoller Strecke nach Ingolstadt und nordwärts über Altdorf nach Erlangen. Die B 8 führt dann durch den Steigerwald zum Endpunkt der Tour.

sche Geistliche und Beamte wurden entlassen, und mit starker jesuitischer Unterstützung gründete er 1582 die Universität als Bollwerk gegen die Reformation. Bereits 1402 war eine erste Würzburger Universität ins Leben gerufen worden, die jedoch nur bis 1411 Bestand hatte.

Zu einer langen Fassadenfront gefügt, stehen in der Neubaustraße die Renaissancegebäude der Universität. Monumentaler Bezugspunkt im Westen ist die ehem. Universitätskirche, die unter Bischof Echter begonnen wurde. Vollendet wurde sie erst nach 1696 durch den Baumeister Petrini, der die reichgegliederte Fassade und den wohlproportionierten Turm schuf. Östlich schließen das Priesterseminar und die frühklassizistische Michaelskirche an. In der Universitätsbibliothek lohnt ein Blick in die „Würzburger Bischofschronik", die bis 1519 geführt wurde.

ℹ️ Universitätsbibliothek, Am Husland: Mo–Mi 8–18, Do, Fr 8–20, Sa 8.30–14 Uhr.

Medizin einst und heute

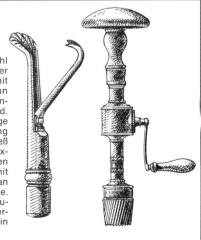

Ein heutiger Patient würde wohl fluchtartig das Behandlungszimmer verlassen, wollte ihm der Zahnarzt mit einem solchen Instrument einen Zahn ziehen (links), und auch der Knochenbohrer (rechts) wirkt beängstigend. Früher waren derartige Werkzeuge und Behandlungsmethoden gang und gäbe. Mit Pfeil und Bogen ließ man die Patienten zur Ader, mit Extraktionszangen aus Eisen wurden Kinder auf die Welt gebracht, und mit chirurgischen Sägen rückte man ohne Narkose den Knochen zu Leibe. Das Deutsche Medizinhistorische Museum in Ingolstadt bietet einen Überblick über die Geschichte der Medizin von der Antike bis heute.

Gießen *28 Jahre forschte und lehrte Justus von Liebig, der Begründer der modernen Chemie, an der Gießener Universität. Sein Laboratorium ist heute ein Museum.*

Erfurt Schon ab dem 13. Jh. war Erfurt eine Stadt der Gelehrsamkeit; u. a. lehrte hier der berühmte Mystiker Meister Eckehart. So war es nur folgerichtig, daß die Stadt bereits 1392 eine Universität bekam; bald genoß sie höchsten wissenschaftlichen Ruf. Berühmt wurde sie vor allem durch ihren einflußreichen Humanistenkreis und das Wirken Martin Luthers. Das Gebäude der Alten Universität wurde nach der Zerstörung 1945 nicht wieder aufgebaut. Die Ruine steht gegenüber der Michaeliskirche, der einstigen Universitätskirche. An den zweischiffigen frühgotischen Bau wurde um 1500 die spätgotische Dreifaltigkeitskapelle angefügt.
ⓘ Erfurt-Information, Bahnhofstraße 37, DDR-5000 Erfurt.

Gießen Nachdem die lutherischen Professoren und Pfarrer von der Marburger Universität vertrieben worden waren, nahm sie die 1607 von Landgraf Ludwig V. von Hessen-Darmstadt gegründete Hochschule in Gießen auf. Das Alte Schloß, ursprünglich eine Residenz der hessischen Landgrafen, wurde bis 1611 von der Universität mitbenutzt. Nach der Zerstörung im Zweiten Weltkrieg hat man es 1980 im alten Stil wieder aufgebaut. Heute befindet sich im ersten Stock das Oberhessische Museum, das auch Ausstellungsstücke aus der Universitätsgeschichte enthält. Ge-

zeigt wird u. a. eines der beiden Marburger Zepter (um 1540), das bei der endgültigen Trennung der Universitäten 1650 nach Gießen kam; darauf ist eine kleine Figur Kaiser Karls V. zu sehen. Hinter dem Schloß lädt der Botanische Garten zum Spaziergang ein; er wurde bereits Anfang des 17. Jh. angelegt und ist einer der ältesten noch bestehenden Universitätsgärten nördlich der Alpen.
Im Hauptgebäude der Universität, das im 19. Jh. im Stil der Neurenaissance errichtet wurde, lohnt es sich, im Treppenhaus die lebensgroßen Bildnisse der Landgrafen von Hessen-Darmstadt zu besichtigen. In der bekannten Professorengalerie im Senatssaal und in der Aula sind über 100 Portraits Gießener Professoren von der Zeit der Universitätsgründung bis zum Ende des 18. Jh. zu sehen. Auf dem Alten Friedhof, einer parkähnlichen Anlage auf dem Nahrungsberg, findet man zahlreiche Grabdenkmäler Gießener Professoren; einige wenige sind auch in der Friedhofskapelle. Die Verstorbenen sind jeweils ganzfigurig dargestellt; die Bildnisse sind farbig gefaßt. Hier liegt auch Wilhelm Conrad Röntgen, Entdecker der Röntgenstrahlen, begraben, der 1879–1888 in Gießen lehrte.
Einer der bekanntesten Bürger der Stadt war Justus von Liebig; die Universität trägt stolz seinen Namen. Sein chemisches Institut ist heute ein Museum. Die historischen Laboratorien vermitteln ein eindrucksvolles Bild von der analytischen Arbeit um die Mitte des vorigen Jahrhunderts.
ⓘ Oberhessisches Museum, Brandplatz 2: Di–So 10–16 Uhr.
Besichtigung von Aula und Senatssaal n. Vereinb., Tel. 0641/7022035.

Das Juleum in Helmstedt *Helle Sandsteinquader an Fenstern, Portalen und Turm heben sich reizvoll von dem dunkelroten Mauerwerk ab.*

Liebigmuseum, Liebigstraße 12: Di–So 10–16 Uhr.

Greifswald 1456 gründete der Bürgermeister der an der Ostsee gelegenen Stadt, Rudenow, die Universität. Das heutige Universitätsgebäude am Rudenowplatz wurde im 18. Jh. auf den Grundmauern eines 1591 begonnenen Vorgängerbaus errichtet. Bei Ausstellungen ist der Kunstbesitz der Hochschule zu sehen, darunter mittelalterliche Zepter und die Insignien des Rektors. Vom Universitätsgründer gestiftet ist das Tafelgemälde aus dem 15. Jh. im gotischen Backsteindom: Es zeigt mehrere Professoren im Gebet vor der heiligen Jungfrau.
ⓘ Reisebüro, Straße der Freundschaft 102, DDR-2200 Greifswald.

Herborn *Am historischen Katheder in der einstigen Aula der Hohen Schule werden heute wieder Vorträge gehalten.*

Helmstedt Mit der 1576 durch den Braunschweiger Herzog Heinrich Julius errichteten braunschweigischen Landesuniversität, der Academia Julia, wurde die Stadt zu einem Zentrum geistigen Lebens im Gefolge der Reformation. Als gewichtigste evangelische Hochschule des Reichs zog sie Gelehrte von Rang an. Nach der Gründung war sie zunächst im sogenannten Grauen Hof, dem Stadthof des säkularisierten Zisterzienserklosters Mariental, untergebracht. Das Juleum, ein würdiges Aulagebäude für die junge Universität, entstand erst 1592–1597. Der Weimarer Baumeister Paul Francke schuf das stattliche Renaissancegebäude. Das Aulaportal an der Südseite wird von einem Universitätswappen bekrönt, das Samson im Kampf mit dem Löwen zeigt. In der ehem. Universitätsbibliothek im ersten Stock ist eine kleine universitätsgeschichtliche Dauerausstellung untergebracht.
ⓘ Ehem. Universitätsbibliothek: Besichtigung nur nach Voranmeldung, Tel. 05351/121280.

Herborn 1584 gründete Graf Johann VI. von Nassau-Dillenburg in Herborn die Hohe Schule. Um bei den vielen vornehmen Fremden, die mit der Schule in die Stadt gekommen waren, keinen Anstoß zu erregen, soll der Rat der Stadt den Bürgern befohlen haben, nicht mehr barfuß und im Hemd auf den Straßen und Plätzen zu erscheinen.
Die Hohe Schule besaß kein Pro-

motionsrecht und war somit auch keine Universität. Doch schon kurz nach ihrer Gründung hatte sie es als eines der geistigen Zentren des europäischen Calvinismus zu großem Ruhm gebracht. Untergebracht war die Bildungsanstalt in einem dreiflügeligen Fachwerkbau (1590–1610) auf mittelalterlichen Bauresten, der heute dem Städtischen Museum, der Stadtbibliothek und einem Restaurant Platz bietet. Die ehem. Aula mit ihrem wuchtigen Deckengebälk dient jetzt als Vortragssaal. In den Räumen des Museums gibt eine besondere Abteilung Einblick in die Geschichte der Hohen Schule, deren Frühzeit von zwei herausragenden calvinistischen Theologen geprägt war. Caspar Olevian, bereits mit 14 Jahren Student in Paris und Orléans, war 1557 als 21jähriger Doktor der Rechte nach Deutschland zurückgekehrt. Er lehrte zunächst in Trier und Heidelberg und ab 1584 in Herborn. Einen fähigen Partner fand er in dem gebürtigen Straßburger Johannes Piscator. Von der Gründung bis zu seinem Tod war er Rektor der Hohen Schule. Im gotischen Chor der ev. Pfarrkirche sind die Grabplatten der beiden Anhänger Calvins zu sehen. Nach ihrer Blütezeit verlor die Hohe Schule ab dem zweiten Drittel des 17. Jh. mehr und mehr an Bedeutung, bis sie schließlich, zur kleinen Landesuniversität herabgesunken, 1815 in den Wirren der Napoleonischen Zeit aufgelöst wurde.

ⓘ Museum der Stadt, Hohe Schule: Do, Sa, So 14–17 Uhr.
Ev. Stadtkirche: Di, Do–Sa 14–16 Uhr (Mai–September).

***Marburg** Dieser zauberhafte gotische Wandteppich aus dem Universitätsmuseum erzählt das biblische Gleichnis vom verlorenen Sohn.*

Köln Als erste Universität Deutschlands, die nicht von der Kirche oder einem Fürsten, sondern von einer Stadt gegründet wurde, nahm die Kölner Hochschule am 6. Januar 1389 ihren Betrieb auf. Dokumente aus der Gründungszeit, darunter die erste Matrikel, sind im Historischen Archiv zu sehen. Um 1392 entstand das große Messingsiegel, das im Stadtmuseum ausgestellt ist. Es zeigt die Mutter Gottes als Schirmherrin der Wissenschaft und das Wappenschild der Stadt. Nach der Auflösung durch die Franzosen 1798 nahm die Hochschule ihren Betrieb erst wieder zu Beginn des 20. Jh. auf. Die alten Gebäude sind leider nicht mehr erhalten.

ⓘ Historisches Archiv, Severinstr. 222–228: Mo–Fr 9–16.30, Sa 9–13 Uhr.
Stadtmuseum, Zeughausstraße 1–3: Di–So 10–17 Uhr, Do bis 20 Uhr.

Marburg Als eifriger Anhänger Luthers gründete Philipp der Großmütige, Landgraf von Hessen, im Sommer 1527 im Alter von erst 23 Jahren die Universität Marburg und damit die älteste protestantische Hochschule Deutschlands. Die katholischen Klöster im Stadtgebiet wurden aufgelöst, und ihr Besitz fiel an die Universität.

Im späten 19. Jh. mußte das Dominikanerkloster einem Universitätsneubau im neugotischen Stil weichen (Alte Universität); lediglich die Fundamente sind noch erhalten. Be-

sonders sehenswert sind im Neubau der historische Studentenkarzer und die Eingangshalle. Die Dominikanerkirche (1320) wurde zur Universitätskirche umfunktioniert; ihr Langhaus blieb unvollendet.

Als Landgraf Moritz von Hessen-Kassel in Marburg die vom reformierten Bekenntnis beeinflußten „Verbesserungspunkte" einführen wollte, widersetzte sich die Bürgerschaft und blieb beim lutherischen Bekenntnis; die Universität jedoch wurde reformiert. Die lutherischen Theologen und Professoren gingen nach Gießen.

Eng mit der Geschichte der Universität verbunden sind so bedeutende Namen wie Denis Papin, der Erfinder der Dampfmaschine, und Robert Bunsen. Zum großen Kreis der später zu Berühmtheit gelangten Marburger Studenten gehören u. a. die Brüder Grimm. Als einzige bundesdeutsche Hochschule besitzt Marburg ein Universitätsmuseum, das in zwei Gebäuden untergebracht ist. Ausgestellt sind u. a. Werke sakraler Kunst sowie Zeugnisse und Dokumente zur politischen Landesgeschichte und zur städtischen Kultur.

ⓘ Alte Universität, Am Rudolphsplatz: Besichtigung n. Vereinb., Tel. 0 64 21/28 33 09.
Universitätsmuseum für Kulturgeschichte, Wilhelmsbau im Landgrafenschloß: Di–So 11–13, 14–17 Uhr.

***Rinteln** Die ehem. Universitätskommisse war einst Gasthaus und Studentenwohnheim mit Kantine.*

Rinteln Die 1621 von Fürst Ernst von Schaumburg gegründete Universität hatte ihr Domizil in dem heute nicht mehr erhaltenen Gebäude des aufgelösten Jakobsklosters. Der schmucklose Saalbau der spätgotischen Klosterkirche jedoch, die der Hochschule als Universitätskirche diente, blieb erhalten. Keine 200 Jahre nach der Eröffnung wurde die Universität 1809 auf Veranlassung Napoleons wieder aufgelöst.

Im Gebäude Weserstraße 11 war im 17. Jh. das Gasthaus der Universität untergebracht. Die Bezeichnung Kommisse leitet sich von *commissatio* her, was so viel heißt wie Trinkgelage.

Trier 1473 gründete Erzbischof Johann II. die erste Universität. Im Jesuitenkolleg, einem dreigeschossigen Gebäudekomplex von 1614, zogen die Jesuiten ein; nach der Auflösung des Ordens 1773 ging es in Universitätsbesitz über. Um den fast quadratischen Hof gruppieren sich die Bauten, in denen heute das Priesterseminar und die theologische Fakultät untergebracht sind. Wegen ihrer schönen Stuckverzierungen sind der zweischiffige Bibliothekssaal im Südflügel und die ehem. Promotionsaula im Ostflügel besonders bemerkenswert.

ⓘ Besichtigung des Bibliothekssaals nur n. Vereinb. mit dem Direktor, Jesuitenstraße 13; die Promotionsaula ist nur bei öffentlichen Veranstaltungen zugänglich.

Universität Freiburg

Am 21. September 1457 gründete der österreichische Erzherzog Albrecht VI. mit der Zustimmung des Kaisers und des Papstes die Universität Freiburg. Die feierliche Eröffnung fand allerdings erst drei Jahre später im Freiburger Münster statt. Die Hochschule verfügte über vier Fakultäten: Medizin, Jurisprudenz, Theologie und Philosophie. In der Gründungsurkunde heißt es:

Wir, Albrecht von Gottes Gnaden Erzherzog zu Österreich [wollen] den Brunnen des Lebens graben helfen, daraus unversiegbar von allen Enden der Welt erleuchtendes Wasser tröstlicher und heilsamer Weisheit geschöpft werden möge zum Löschen des verderblichen Feuers menschlicher Unvernunft und Blindheit.

Unter allen guten Werken haben wir die Stiftung einer hohen, allgemeinen Schule und Universität in unserer Stadt Freiburg, im Bistum Konstanz, ausgewählt und vorgenommen. Vom Heiligen Stuhl zu Rom haben wir die päpstliche Vollmacht erworben, das würde aber für den Bestand der Universität nicht genügen, und so begaben wir sie, alle ihre Meister und Schüler und alle, die zu ihr gehören, mit besonderen

Gnaden und Freiheiten, damit sie in allen unseren Landen und besonders in unserer Stadt Freiburg um so friedlicher und ruhiger bleiben mögen, von allen unbekümmert, unbeleidigt und ungehindert. [...]

1. Zum ersten wollen wir, daß alle Meister und Schüler, die jetzt hier in unserer Schule zu Freiburg sind und die noch kommen oder gehen, in welchem Stand und Wesen und in welchen Würden sie sein mögen, in all unseren Landen, Städten, Dörfern und Gebieten in allen den Gnaden, Freiheiten, Rechten und Gewohnheiten zu belassen und zu beschirmen sind [...].

2. Wir geben unserer Universität im allgemeinen und jeder Fakultät im besonderen volle Gewalt, für alle ihre Meister und Schüler und alle, die zu ihr gehören, geziemende und redliche Gesetze und Statuten, sooft dies nötig würde, für ewige Zeiten aufzustellen zu Mehrung, Nutz und Bestand der Schule [...].

3. Darum nehmen wir in unser und unser Nachkommen und Erben besonderen Schutz, Geleit und Hut alle Doktoren, Meister und Schüler, die jetzt hier sind, hierher kommen oder von hier fortziehen. [...]

4. Wir geben auch jedem Rektor und seinem Stellvertreter volle Gewalt, Recht zu sprechen über alles, was Meister und Schüler miteinander auszutragen haben. Wenn aber ein Laie mit einem Studenten etwas zu schaffen hat, soll der sich vor seinem Rektor verantworten. [...]

Universitätsgründer Albrecht VI. Im Gegensatz zu seinem um drei Jahre älteren Bruder, dem Kaiser Friedrich III., war der Habsburger Erzherzog ein tatkräftiger Herrscher, der Vorderösterreich zu einem kulturellen Zentrum ausbaute.

Kosmographie

Sebastian Münster, Professor in Heidelberg und in Basel, arbeitete fast zwei Jahrzehnte an einer Kosmographie, die 1544 in Basel erschien. Im Mittelpunkt stehen die deutschen Städte. Sein Wissen beruhte auf eigenen, nach genauem Plan ausgeführten Reisen und auf Mitteilungen aus aller Welt, die er brieflich erbat. So schreibt er an seinen ehemaligen Lehrer Konrad Pellikan:

Ferner bin ich auch durch fortwährende Arbeit in der Drukkerei beschäftigt, daß es oft nicht möglich ist, zu frühstücken und zu essen, wann es beliebt. Daß ich Dir seltener schreibe, hat seinen Grund in den ungeheuren Arbeiten. Oft muß ich außer den gewöhnlichen Arbeiten täglich vier oder sechs Briefe schreiben. Aber ich habe mir dieses Übel selbst eingebrockt, das mich dennoch nicht reut. Ich habe mich mit meinen Briefen an fast alle Staatswesen Oberdeutschlands gewandt und an die Bischöfe, Erzbischöfe, Äbte und einige Fürsten geschrieben. Von diesen haben mir nur wenige nicht geantwortet. Kürzlich schickte mir der Fuldaer Abt eine Abbildung und Beschreibung seiner Stadt. Auch die Schlettstädter und Straßburger, die mich zuerst nicht erhörten, haben nun von sich aus ihren Beitrag geschickt. Sogar auch die Nördlinger haben mir geschrieben [...]. Wir haben bereits mit dem Druck begonnen und haben fast fünf Bogen fertiggestellt und

sind schon bei Frankreich. Lange werden wir uns mit den Anfängen Deutschlands aufhalten; die Städte des alten Deutschland können deshalb noch rechtzeitig ihre Beiträge liefern. [...]

Ich weiß, daß mein Vorhaben mehr Zustimmung als Ablehnung finden wird. So konnte sich neulich ein Doktor und Botschafter der Königin Maria nicht genug darüber wundern, woher ich eine solche Menge von Material zur deutschen Geschichte habe. Aber ich verdanke das der geistigen Arbeit vieler Ehrenmänner, die auf meine Bitten großzügig ihre Beiträge schickten. Nur der Bischof von Mainz ist so taub, daß er bis heute nichts geschickt und nichts geantwortet hat, obwohl ich ihm vor drei Monaten geschrieben und ihn durch seine Sekretäre gemahnt habe. [...] Unser Basel habe ich bereits schon hergerichtet und die einzelnen wichtigen Gebäude fein dargestellt; aber der Rat war so geizig, daß er nicht einen Heller als Unterstützung geben wollte.

Der Kosmograph Sebastian Münster. Dank eines Mäzens konnte sich der Universitätsprofessor voll und ganz seiner Autorentätigkeit widmen und die Beschreibung der Länder und Städte Europas in Ruhe vorantreiben. Der studierte Theologe machte sich auch einen Namen als kenntnisreicher Hebraist.

Humanist Erasmus

Der bedeutendste Vertreter des europäischen Humanismus war der Theologe Erasmus von Rotterdam. Er trat für die Freiheit des Geistes ein und wandte sich gegen die veraltete scholastische Denkweise des Mittelalters. 3000 Briefe zeugen von seinen weitreichenden Verbindungen zur europäischen Geisteswelt. In einem Brief an seinen Widersacher Noël Beda, Theologieprofessor an der Pariser Sorbonne, gibt Erasmus eine treffende Selbstcharakteristik:

Ich bin ein Mensch und nichts Menschliches liegt mir fern, wie ich glaube. Was den Ruhm betrifft, so habe ich, wie ich gestehe, als junger Mann einst es für schön gehalten, von berühmten Männern gelobt zu werden, doch als ich erkannte, welche Last es bedeute, berühmt zu sein, habe ich nichts mehr gewünscht, als womöglich den Ruhm ganz abzuschütteln oder da zu verbergen, wo, wie man sagt, der Hirsch sein Geweih hinlegt. [...]

Niemand ist sein eigener gerechter Richter; ganz gewiß. Doch während ich sonst Fehler genug habe, dürfte mir die Ruhmsucht recht fernliegen, aus diesem Grunde: als Luther noch nicht aufgetreten war, und in aller Stille die wissenschaftlichen Studien blühten, dünkte ich mich [...] glücklich durch die Freundschaft mit so vielen gebildeten Menschen; an Lobsprüchen habe ich niemals besondere Freude gehabt, und wenn sie das Maß überstiegen, nahm ich sogar Anstoß daran. [...] Wenn ich auch weiß, daß es einen Frieden mit gewissen übel beleumundeten Geistern, die mich um der Wissenschaft willen hassen, niemals geben wird, so will ich doch lieber vollkommen wehrlos mich den Steinwürfen von rechts und links aussetzen, als in dieser Partei, die weithin Gebiete und Fürstenhöfe in Beschlag genommen hat, Führer und Statthalter sein, und bis jetzt konnten weder Schmeicheleien noch Drohungen [...] mich veranlassen, meinen Standpunkt aufzugeben.

Ein europäischer Geist *Erasmus lehrte in vielen Ländern und an zahlreichen Universitäten. Nach mehrjährigen Aufenthalten in England und den Niederlanden wurde Basel seine zweite Heimat. Zwischenzeitlich lebte er für sechs Jahre in Freiburg.*

Kopernikus

Als der Astronom Nikolaus Kopernikus erkannte, daß nicht die Erde im Mittelpunkt steht, sondern mit anderen Planeten um die Sonne kreist, bedeutete dies das Ende des mittelalterlichen Weltbildes. Sein Hauptwerk erschien erst in seinem Todesjahr 1543, aber bereits um 1510 schrieb er seine Theorie über die Bewegungen der Himmelskörper nieder, in der es heißt:

Was von Ptolemäus mitgeteilt worden ist, schien sehr viel Angreifbares in sich zu bergen. Als ich dies nun erkannt hatte, dachte ich oft darüber nach, ob sich vielleicht eine vernünftigere Art von Kreisen finden ließe, von denen alle sichtbare Ungleichheit abhinge, wobei sich alle in sich gleichförmig bewegen würden, wie es die vollkommene Bewegung an sich verlangt. Da ich die Aufgabe anpackte, die recht schwierig und kaum lösbar schien, zeigte sich schließlich, wie es mit weit weniger und viel geeigneteren Mitteln möglich ist, als man vorher ahnte. Man muß nur einige Grundsätze, auch Axiome genannt, zugestehen [...]:

1. Satz: Für alle Himmelskreise oder Sphären gibt es nicht nur einen Mittelpunkt.
2. Satz: Der Erdmittelpunkt ist nicht der Mittelpunkt der Welt, sondern nur derjenige der Schwere und des Mondbahnkreises.
3. Satz: Alle Bahnkreise umgeben die Sonne, als stünde sie in aller Mitte, und daher liegt der Mittelpunkt der Welt in Sonnennähe.
4. Satz: [...].
5. Satz: Alles, was an Bewegung am Fixsternhimmel sichtbar wird, ist nicht von sich aus so, sondern von der Erde aus gesehen. Die Erde also dreht sich mit den ihr anliegenden Elementen in täglicher Bewegung einmal ganz um ihre unveränderlichen Pole. Dabei bleibt der Fixsternhimmel unbeweglich als äußerster Himmel.
6. Satz: Alles, was uns bei der Sonne an Bewegungen sichtbar wird, entsteht nicht durch sich selbst, sondern durch die Erde und unseren Bahnkreis, mit dem wir uns um die Sonne drehen, wie jeder andere Planet. Und so wird die Erde von mehrfachen Bewegungen dahingetragen.
7. Satz: Was bei den Wandelsternen als Rückgang und Vorrücken erscheint, ist nicht von sich aus so, sondern von der Erde aus gesehen. Ihre Bewegung allein also genügt für so viele verschiedenartige Erscheinungen am Himmel.

Autorität gegen Erkenntnis *Bis kurz vor seinem Tod zögerte Kopernikus, seine bahnbrechende Entdeckung zu veröffentlichen. Er wußte, daß sein heliozentrisches Weltbild die Autorität der katholischen Kirche erschüttern würde. Auf dem Sterbebett soll ihm 1543 der erste Probedruck seines Hauptwerkes „Über die Bewegungen der Himmelskörper" überbracht worden sein. Die Kirche nahm zunächst keine Notiz davon. Erst ab 1616 durften seine Bücher nicht mehr erscheinen.*

REFORMATION UND BAUERNKRIEG

Im Namen Gottes

Luther, dessen Thesen sich auf die Heilige Schrift beriefen, spaltete die Christenheit in Protestanten und Katholiken. Vor dem Zugriff des Kaisers mußte er sich als „Junker Jörg" auf der Wartburg in Thüringen (Foto) verstecken.
Bestärkt durch die Ideen der Reformation, erhoben sich die Bauern gegen die Fürsten und forderten im Namen Gottes mehr Gerechtigkeit. Doch um die gottgewollte Ordnung zu erhalten, wurde ihr Aufstand schließlich brutal niedergeschlagen.

KÖNIGREICH DÄNEMARK

N o r d s e e

O s t s e e

Hzm.
Holstein-
Gottorp

Hzm.
Mecklenburg

Hzm. Pomm

Gft.
Ostfries-
land

Ebm.
Bremen

Kfsm. Brandenburg

Bm.

Bm.
Osna-
brück

Gft.
Schaumburg

Hzm.
Braunschweig

Bm.
Hildesheim

Münster
● Münster
● Bielefeld

Gft.
Lippe

Wittenberg

Gft.
Mark

Frankenhausen
✗15.5.1525

Markgft.
Lausitz

Mühlhausen
**Thüringer
Haufe**

Leipzig ●

S a c h s e n

Reichenberg ●

Marburg ●

Wartburg
Erfurt
●

Abtei
Schmalkalden
Fulda

Bm.

Coburg ●

Steckelburg

Schweinfurt ●

Bm.

Eger ●

Prag ●

Mainz
Ebernburg
Worms

Würzburg
Bamberg

K g r.   B ö h m e n

Pilsen ●

Hzm.
Luxemburg

Pfeddersheim
24.6.1525 ✗
Landstuhl
Speyer

**Odenwälder
Haufe**

✗Königshofen
2.6.1525

Iglau ●

Mä

● Nürnberg ◉

Jagsthausen
Schwarzer Haufe

Bm.
Eichstätt
Eichstätt

Regensburg ◉

Budweis ●

Hzm.
Hagenau

Böblingen
12.5.1525 ✗

Hzm.

Gft.
Öttingen

Donau

H z m.

E h z m.

Zabern
17.5.1525 ✗
Offenburg

Württemberg

Leipheim
4.4.1525

Augsburg ◉

B a y e r n

Gft.
Haag

Inn

Österrei

**Baltringer
Haufe**

Donau

Gft.
Mömpelgard

**Stühlinger
Bauern**

Wurzach
14.4.1525 ✗

Lech

Ebm.
Salzburg

Hzm. Steierma

Zürich ●

Seehaufe

Eidgenossenschaft

KGR. FRANKREICH

0   50

Luthers Reformation – vom Protest zum Protestantismus

Die Reformation in Deutschland begann am 31. Oktober 1517, als der Wittenberger Theologe Martin Luther seine berühmten 95 Thesen veröffentlichte. Seine Kritik richtete sich vor allem gegen den Mißbrauch des im Mittelalter allgemein üblichen Ablaßhandels und die marktschreierische Praxis, gegen die Zahlung hoher Summen den Gläubigen die Vergebung ihrer weltlichen Sünden zu gewähren. Von dem Erlös, ursprünglich für den Neubau des Petersdoms in Rom bestimmt, erreichte jedoch nur ein Teil seinen Bestimmungsort.

In mehreren programmatischen Schriften wandte sich Luther gegen die Verweltlichung der Amtskirche und ihrer Repräsentanten und stellte die Unfehlbarkeit des Papstes in Frage. Luthers Forderung, sich auf die Heilige Schrift als die einzig verbindliche Grundlage der christlichen Lehre zu besinnen, fiel wegen des allgemeinen Unmuts über die Kirche bei der Bevölkerung auf fruchtbaren Boden. Vor dem Hintergrund der breiten Bildungsbewegung des Humanismus und der Erfindung der Buchdruckerkunst gewannen die reformerischen Ideen rasch an Einfluß.

Für den weiteren Verlauf der Ereignisse war entscheidend, daß zahlreiche Landesfürsten Luthers Lehre tatkräftig unterstützten. Aus einer anfänglich theologischen Kritik entwickelte sich somit ein Politikum von ungeahnter Sprengkraft.

Die Versuche des Papstes und Kaiser Karls V., den aufbegehrenden Theologen in Acht und Bann zu erklären, brachten nicht den gewünschten Erfolg. Im Gegenteil: Luthers Landesherr, der sächsische Kurfürst Friedrich der Weise, stellte ihn unter seinen persönlichen Schutz. In der Folgezeit verteidigten die lutherischen Stände die Lehre des Reformators, ehe sie 1530 ihr Glaubensbekenntnis auf dem Augsburger Reichstag formulierten. Aus den protestierenden Katholiken waren Protestanten geworden. Die Spaltung der christlichen Kirche war nicht mehr aufzuhalten.

Trotz der militärischen Niederlage der Protestanten im Schmalkaldischen Krieg 1547 bei Mühlberg gegen die katholische Liga des Kaisers erreichten sie 1555 im Augsburger Reli-gionsfrieden ihre reichsrechtliche Anerkennung. Die Untertanen mußten nach dem Grundsatz: „Wessen Land, dessen Religion" die Konfession ihrer Landesfürsten annehmen.

Die Reformation vermochte es nicht, alle auf Veränderung drängenden Kräfte zu einen. Der Gegensatz zwischen Luther und dem Züricher Reformator Ulrich Zwingli in theologischen und gemeindeorganisatorischen Fragen begründete die Glaubensrichtung der Reformierten. Eigene Wege ging auch eine Reihe von religiösen Sonderbewegungen wie die Wiedertäufer, die in Münster das Täuferreich errichteten, das nur 16 Monate Bestand hatte.

In diese Zeit des Umbruchs und der allgemeinen Neuorientierung fielen auch zwei soziale Auseinandersetzungen. Die Reichsritterschaft suchte, nachdem sie ihre militärische Aufgabe an die Landsknechtheere verloren hatte, ihren sozialen und wirtschaftlichen Niedergang aufzuhalten. Die Bauern wiederum wandten sich gegen die Verschärfung ihrer persönlichen und grundherrlichen Abhängigkeit und wollten die alten Rechtszustände wiederherstellen; ihre Forderungen leiteten sie, wie einer ihrer Führer, Thomas Müntzer, aus den Ideen der Reformation ab. Beide Bewegungen scheiterten jedoch. Franz von Sikkingen, einer der herausragenden Repräsentanten des Rittertums, verlor 1523 sein Leben in einer Fehde, die er gegen die Pfalz und Trier angezettelt hatte. Die aufständischen Bauernhaufen im Südwesten und in Thüringen, regional zersplittert, versuchten mit einer Summe von Einzelaktionen, die Herrschaft der Grundherren zu brechen, doch erlagen sie 1525 der militärischen Übermacht der fürstlichen Heere. Luther, erschrocken über diesen Ausbruch sozialer, revolutionärer Gewalt, wandte sich in scharfen Worten gegen solche Aktionen. Mit seiner Reformation suchte er nicht, soziale Änderungen herbeizuführen – in diesem Punkt wurde er von den Aufständischen mißverstanden –, sondern dem einzelnen den Weg zu einem gnädigen Gott zu zeigen.

Martin Luther als Prediger *Der Reformator lehrte an der Wittenberger Universität Theologie und Philosophie. Gelegentlich vertrat er den Stadtpfarrer, seinen Beichtvater Johannes Bugenhagen, und predigte in der Stadtkirche wortgewaltig zu den Gläubigen.*

Karte (Legende)

Reformation und Bauernkrieg

- Grenze des Heiligen Römischen Reiches (16. Jh.)
- Grenzen der Herzogtümer, Marken u. ä.
- Grenze des Hzm. Preußen
- Überwiegend kath. Bevölkerung
- Überwiegend luth. Bevölkerung
- Überwiegend reform. Bevölkerung (Calvin, Zwingli)
- Konfessionell nicht eindeutige Gebiete
- Zentren der Wiedertäufer
- Ritteraufstand 1522/23
- Gebiet der Bauernunruhen 1524/25
- 2.6.1525 ✗ Niederlage der Bauern mit Datum
- Feldzug der Landesfürsten gegen die Bauern
- *Seehaufe* Bauernheer
- Reichstage zur Konfessionsfrage
- Wichtige Burg
- Bedeutender Ort der Reformation
- Städte mit überwiegend luth. Bekenntnis in kath. Gebiet
- Städte mit überwiegend kath. Bekenntnis in luth. Gebiet

Kgr. = Königreich; Kfsm. = Kurfürstentum; Ehzm. = Erz-herzogtum; Hzm. = Herzogtum; Ebm. = Erzbistum; Bm. = Bistum; Gft. = Grafschaft

Hzm. Preußen
KÖNIGREICH POLEN
Hzm. Oppeln
Schlesien
Weichsel
Oder

Kämpfer für die neue Lehre

Daß die Reformation innerhalb kürzester Zeit Fuß fassen konnte, war im wesentlichen dem Buchdruck zuzuschreiben. Die neue Lehre brachte weitreichende Veränderungen und war bald im ganzen Land bekannt. Wie die Bauern machten sich auch die Reichsritter die reformatorischen Ideen zu eigen, um daraus politisches Kapital zu schlagen. Zu den Wirkungsstätten bekannter Vorkämpfer und Vertreter der zum Teil recht uneinheitlichen Bewegung führt diese Tour.

Mainz Mit der Erfindung des Buchdrucks war es erstmals möglich geworden, Bücher und vor allem Flugschriften schnell und in großer Auflage herzustellen. Sie wurden oft auch an anderen Orten nachgedruckt. So konnte das reformatorische Gedankengut mit einer bis dahin ungeahnten Geschwindigkeit im ganzen Land verbreitet werden.

Im Gutenbergmuseum kann man sich über Anfänge und Geschichte der Buchdruckerkunst informieren. Zu festgesetzten Zeiten erklärt und demonstriert ein Drucker die Entstehung eines Buches nach der damaligen Verfahrensweise: vom Gießen der einzelnen Lettern über das Setzen, Einfärben und Drucken bis hin zum Binden. Eine ganz besondere Attraktion ist ein Exemplar der 42zeiligen lateinischen Gutenbergbibel (1452–1455) im Tresorraum.

ℹ Gutenbergmuseum, Liebfrauenplatz 5: Di–Sa 10–18, So 10–13 Uhr. Die jeweiligen Zeiten der Druckvorführungen sind dem Aushang im Foyer zu entnehmen.

Bad Münster am Stein–Ebernburg Die auf einem Bergsporn über der Nahe gelegene Ebernburg, ab Mitte des 15. Jh. für 300 Jahre im Besitz derer von Sickingen, galt als „Herberge der Gerechtigkeit". Reformatoren wie Martin Bucer oder Johannes Oekolampad und der Humanist Ulrich von Hutten fanden im Domizil des einflußreichen Reichsritters Franz von Sickingen zeitweilig Zuflucht. Im national gesinnten 19. Jh. hat man Hutten und Sickingen, den „Vorkämpfern deutscher Einheit und Größe", unterhalb der Burg ein bronzenes Denkmal gesetzt. Die Burganlage wurde mehrfach zerstört und im 20. Jh. restauriert.

Das Gutenbergmuseum in Mainz *Blickfang der vollständig eingerichteten Buchdruckerwerkstatt (links) aus dem ausgehenden 15. Jh. ist die große hölzerne Presse. Links davon der Schmelzofen, den Gutenberg zur Herstellung einer Legierung aus Blei, Zinn, Antimon und Wismut benutzte, bevor die Lettern dann im Handgießinstrument gegossen werden konnten.*

Das Reformationsdenkmal in Worms *Zwölf überlebensgroße Figuren von Persönlichkeiten aus Politik und Geistesleben des 15. und 16. Jh. erinnern an Luthers Aufenthalt in Worms (links).*

Bretten *Wo einst das Geburtshaus Melanchthons stand, wurde um 1900 ein neugotischer Bau als Gedenkstätte für den Reformator errichtet (oben).*

Worms „Seine Bücher sind auszurotten aus dem Gedächtnis der Menschen." So schließt das Wormser Edikt, das Kaiser Karl V. auf dem Reichstag 1521 unterschrieb: Luther hatte zum zweitenmal den Widerruf seiner Thesen verweigert. Er verließ die Stadt, ausgestoßen aus der christlichen Kirche durch die päpstliche Bulle und ausgeschlossen aus der Gesellschaft durch das kaiserliche Edikt. Das Reformationsdenkmal von 1868 am Lutherplatz gemahnt an Luthers mutige und unbeirrbare Standfestigkeit.

Schauplatz der geschichtsträchtigen Begegnung zwischen Kaiser und Reformator, die letztlich zur Entstehung der Reformation führte, war die Kaiser- und Bischofspfalz, die 1689 zerstört wurde. An sie erinnert heute nur noch eine Reliefplatte im Heylshofgarten. Die Ausstellung im Lutherzimmer des Stadtmuseums, das im Andreasstift untergebracht ist, befaßt sich mit Luther und der Reformationszeit: Neben zeitgenössischen Gebrauchsgegenständen sind insbesondere bildliche Darstellungen und Drucke des frühen 16. Jh. zu sehen.

Die reformatorische Lehre wurde 1527 in Worms eingeführt. In der Magnuskirche, der Pfarrkirche des Stiftes, wurde schon vor dem Reichstag nach der neuen Lehre gepredigt. Sie zählt damit zu den ältesten evangelischen Gotteshäusern Deutschlands.

ℹ️ Städtisches Museum, Weckerlingplatz 7: Di–So 10–12, 14–17 Uhr.

Speyer Am 15. März 1529 versammelten sich hier die Stände des Reichs, um zu klären, ob das Wormser Edikt in allen Punkten von allen Fürsten streng einzuhalten sei oder ob es den Regenten überlassen bleiben solle, in ihrem Herrschaftsbereich die Reformation zu tolerieren. Der Kaiser verlangte ersteres und verbot jede weitere Reform. Dagegen erhoben die evangelischen Fürsten und Reichsstädte schriftlich Ein-

spruch, „Protestatio" genannt: Dieses Dokument gilt als die Geburtsurkunde des Protestantismus. Zur Erinnerung daran wurde 1893–1904 die stattliche neugotische Gedächtniskirche errichtet. Im Zentrum der sechseckigen Gedächtnishalle steht eine Statue Martin Luthers; in den Ecken sind Figuren der sechs Fürsten zu sehen, die die „Protestatio" unterzeichneten.

Nicht behaupten konnten sich hingegen die Juden: Sie wurden 1534 aus der Stadt vertrieben. Das Judenviertel wurde profaniert, und außer einigen Mauern existiert heute nur noch das unterirdische rituelle Bad (Anfang 12. Jh.). Der fast quadratische Badeschacht ist mit einem Kreuzgratgewölbe überspannt.

ℹ️ Gedächtniskirche, Landauer Straße: Besichtigung Mo–Fr 9–12, 14–17, So 13–17 Uhr (Sommer).
Judenbad, Judengasse: Führungen Sa 14, So 11 Uhr, Schlüssel beim Hotel Trutzpfaff, Webergasse 5.

Bretten Berühmtester Sohn des hübschen Fachwerkstädtchens im Kraichgau ist Philipp Melanchthon. Zum 400. Geburtstag des großen Reformators und Mitstreiters Martin Luthers wurde 1897–1903 das Melanchthon-Gedächtnishaus am Marktplatz erbaut. In der würdigen Gedächtnishalle stehen die Statuen von sieben Reformatoren. Die sieben Gewölbeschlußsteine tragen die Wappen der sieben protestantischen Reichsstände, die im Juni 1530 in Augsburg die von Melanchthon verfaßte „Confessio Augustana", die grundlegende Bekenntnisschrift der lutherischen Kirche, unterzeichneten.

Besonderer Anziehungspunkt der Ausstellung sind die wertvollen Originalhandschriften und Drucke, darunter die Septemberbibel von 1522 und ein Wittenbergischer Druck des Augsburger Bekenntnisses von 1540 sowie rund 800 Schriften Melanchthons. Zahlreiche Bücher zur Reformations-

Reformation am Rhein Zweimal verläßt die Tour, die in Mainz beginnt, den Fluß (vor Bad Münster und Bretten). Durch die Rheinebene und den Kraichgau erreicht man Bretten. Zwischen Schwarzwald und Rhein geht es weiter südostwärts nach Kehl und über die Rheinbrücke nach Straßburg im Elsaß.

geschichte sowie Zeichnungen (u. a. von Dürer und Lucas Cranach d. Ä.) runden die interessante Sammlung ab.

Die mächtige Stadtbefestigung hielt 1525 die aufrührerischen Bauern davon ab, Bretten anzugreifen. Heute sind davon noch der Simmelturm (14. Jh.), der Pfeiferturm (Anfang 16. Jh.) und einige Mauerreste erhalten.

ℹ️ Melanchthonhaus, Melanchthonstraße 1: geöffnet n. Vereinb. (April bis September), Tel. 07252/1095.

Straßburg 1529 führte die Reichsstadt die Reformation ein und wurde

bald zu einem der Hauptorte der neuen Lehre. Untrennbar damit verbunden ist der Name Martin Bucer. Zunächst Kaplan auf der Ebernburg bei Franz von Sickingen, war er nach dessen Niederlage seines lutherischen Bekenntnisses wegen exkommuniziert worden und kam dann 1524 nach Straßburg. Einige Jahre hatte er eine Pfarrstelle an der Thomaskirche inne.

Ein Denkmal unter der Westempore der fünfschiffigen gotischen Hallenkirche an der Ill erinnert an den gemäßigten Reformator, der sich stets für die Verständigung zwischen den reformierten Gruppierungen einsetzte.

ℹ️ Thomaskirche, Quai Saint-Thomas: täglich 9–12, 14–17 Uhr.

Zwei aufsässige Ritter: Hutten und Sickingen

Im Kampf um eine eigenständige Position im Reich machten sich auch die Ritter humanistische Ideale und reformatorisches Gedankengut zu eigen. Die Ebernburg des mächtigen Reichsritters Franz von Sickingen wurde 1520–1521 zur Zufluchtsstätte des kämpferischen Humanisten und Ritters Ulrich von Hutten, der durch Pamphlete gegen die römische Kirche seine Stellung am Hof des Mainzer Erzbischofs verwirkt hatte. Der von Sickingen initiierte Reichsritteraufstand freilich schlug fehl.

Hus, Luther, Eck: Kirche im Umbruch

Die Tour von Konstanz nach Ingolstadt ist gleichsam eine Fahrt durch die kirchenhistorisch entscheidenden 100 Jahre zwischen dem Konstanzer Konzil (1414–1418) und der endgültigen Kirchenspaltung im Jahr 1518. Sollte durch das Konstanzer Konzil die katholische Kirche noch neu geordnet und gestärkt werden, so war ein Jahrhundert später der Bruch unvermeidbar: Luther verweigerte in Augsburg vor dem päpstlichen Gesandten Cajetan den Widerruf seiner Thesen.

Konstanz Noch lange bevor Luther mit seinem Thesenanschlag die reformatorische Bewegung in Deutschland einleitete, erklärte ein Böhme der verweltlichten Kirche den Krieg: Jan Hus, Prediger und Rektor der Universität Prag. Unter Berufung auf die Bibel forderte er mit Nachdruck die Rückkehr zur apostolischen Armut der Urkirche.

Die Glaubensfrage des tschechischen Reformators zu klären war eines der Ziele, die sich das 16. allgemeine Kirchenkonzil gestellt hatte. Es fand 1414–1418 in den Mauern der Bodenseestadt Konstanz statt und sollte eine der größten Kirchenversammlungen des Mittelalters werden. Ferner hatte sich das Konzil die Lösung zweier weiterer Probleme zur Aufgabe gemacht: Die gespaltene Kirche sollte wieder geeint und das durch Ämtermißwirtschaft und Spaltung geschmälerte Ansehen der Kirche durch eine allgemeine Reform „an Haupt und Gliedern" wieder gehoben werden.

Im November 1414 wurde das Konstanzer Konzil im Liebfrauenmünster eröffnet. Zu insgesamt 45 Plenarsitzungen fanden sich 600–700 Theologen und noch einmal so viele Fürsten und Gesandte aus aller Welt ein. Das auf dem höchsten Punkt der Altstadt gelegene Münster, eine romanische Basilika, die im Lauf der Jahrhunderte vielfach umgestaltet wurde und heute mehrere Stilformen in sich

Prädikantenbibliothek in Isny *Klimaschwankungen können den wertvollen alten Handschriften und Drucken nicht viel anhaben (links): Hinter den Buchreihen ausgestreuter Hopfen zieht die überschüssige Luftfeuchtigkeit an und gibt sie bei Trockenheit wieder ab.*

Memminger Kramerzunfthaus *Seine Fassade schmückt eine Malerei, die an die berühmten Zwölf Bauernartikel von 1525 erinnert (rechts).*

Konstanz *Das gewaltige Walmdach des 1388 als Kauf- und Lagerhaus erbauten sogenannten Konzilgebäudes gibt der Hafenansicht ein besonderes Gepräge (rechts). Während das eigentliche Konzil im Münster stattfand, trafen sich hier die Teilnehmer im November 1417 zur Papstwahl.*

vereinigt, strahlt im Innern trotz jüngerer Hinzufügungen noch heute dieselbe strenge Würde aus wie zur Zeit, als sie Aula der großen Kirchenversammlung war.

Vor den Stufen zum Chor trifft man auf das Grab des Erzbischofs von Salisbury, Robert Hallum, der 1417 während des Konzils starb. Eine Granitplatte trägt sein Bildnis und eine Inschrift. Ein Kleinod ist das frühgotische Heilige Grab in der Mauritiusrotunde (Zugang vom Münsterhof). Im Innern des zwölfeckigen, fein ziselierten Baus ist das Heilige Grab von Jerusalem nachgebildet. Die reiche mittelalterliche Ausstattung des Münsters ging allerdings im Bildersturm der Reformation zugrunde.

Am 8. November 1417 schlossen sich Kardinäle und Gesandte im Korn- und Lagerhaus am Hafen zum Konklave ein; nach drei Tagen war Martin V. zum neuen Kirchenoberhaupt gewählt und das Schisma beendet. Damit war die Kirche wieder geeint. Heute nennt man deshalb das 1388 erbaute Lagerhaus Konzilgebäude. Für den Besucher dürfte auch der Anbau von 1836, die sogenannte

nur über den böhmischen Reformator, sondern auch über die Bewegung der Hussiten und die geistige und politische Umbruchstimmung zwischen Mittelalter und Neuzeit.

Leben und Schicksal des Jan Hus machen deutlich, daß die Mißstände, die Luther an den Pranger stellte, schon lange vor seiner Zeit erkannt und bekämpft wurden. Doch offensichtlich war damals die Zeit für den Böhmen und seine Reformpläne noch nicht reif.

ℹ️ Husmuseum, Hussenstraße 64: Di–Sa 10–12, 14–16, So 10–12 Uhr.

Waldburg Die Stammburg der Truchsessen von Waldburg liegt weithin sichtbar oberhalb der gleichnamigen malerischen Ortschaft auf einem steilen Hügel, dessen letzte Höhenmeter zu Fuß bezwungen werden müssen. Dank der sicheren Lage brauchte die Burg, in der von

gegen sie vor. Als sein 7000 Söldner starkes Heer bei Lindau dem um 5000 Mann überlegenen Seehaufen der Bodenseebauern gegenüberstand, schloß der geschickte Taktierer am 17. April 1525 den Vertrag von Weingarten, der den Gegnern eine gerichtliche Prüfung ihrer Forderungen zusicherte, sie aber zum

Von Konstanz nach Ingolstadt Mit der Autofähre gelangt man von Konstanz ans andere Bodenseeufer. Von Waldburg geht es über Wangen nach Isny. Über Memmingen und Mindelheim erreicht man Augsburg. Die abwechslungsreiche Tour endet schließlich in Ingolstadt.

Patronentasche, interessant sein: Hier befindet sich eine Gaststätte.

Hus, der mit der Zusage freien Geleits in die Stadt gekommen war, fand in Konstanz ein tragisches Ende: Er wurde in 39 Anklagepunkten der Ketzerei für schuldig befunden und, da er nicht bereit war zu widerrufen, am 6. Juli 1415 vor den Toren der Stadt auf dem Scheiterhaufen verbrannt. An diesen Tag erinnert ein Gedenkstein auf dem Brüel (südwestlich des Stadtkerns). Nur wenige Schritte vom Schnetztor entfernt wurde 1923 von der Prager Husgesellschaft eine Gedenkstätte eingerichtet. Das umfangreiche historische Material informiert nicht

1220 bis 1224 der staufische Reichsschatz aufbewahrt wurde, kaum als Wehrbau ausgebildet werden.

Georg III., Truchseß von Waldburg, war eine Schlüsselfigur im Bauernkrieg; ganz wesentlich trug er zur Niederwerfung des Aufstandes bei. Als oberster Feldhauptmann des Schwäbischen Bundes, der Vereinigung schwäbischer Reichsstädte zur Wahrung des Landfriedens, schlug er – ein erbitterter Gegenspieler des Götz von Berlichingen – die Bauernscharen u.a. in der Schlacht von Leipheim. Bei den Aufständischen war der „Bauernjörg" gefürchtet, denn überall, wo er auf die Rebellen traf, ging er mit gnadenloser Härte

Stillhalten verpflichtete. Damit hatte der Bund Zeit gewonnen und konnte sich für den Zug gegen andere Unruheherde rüsten.

Die heutige Burganlage trat nach 1525 an die Stelle älterer, im Bauernkrieg zerstörter Bauten. Lediglich der fünfstöckige Palas weist noch alte Mauerreste auf. Besonders sehenswert in seinem Innern ist der schöne Rittersaal (1568) mit kunstvollen Renaissanceholzdecken und -vertäfelungen, dessen Mobiliar aus dem 16. und 17. Jh. weitgehend erhalten ist. Die Burgkapelle birgt noch einen schönen Schnitzaltar (um 1500).

ℹ️ Die Burg wird z. Zt. renoviert und ist nur von außen zu besichtigen.

Isny Schon sehr früh faßte die reformatorische Lehre in der Reichsstadt Fuß, was in erster Linie ein Verdienst des Prädikanten Konrad Frick war. Die Nikolaikirche wurde nach der Reformation evangelisch.

Im Obergeschoß ihrer Sakristei ist in einem kreuzrippengewölbten Raum die wertvolle Prädikantenbibliothek (Predigerbibliothek) untergebracht, die auf das 15. Jh. zurückgeht. Neben 70 mittelalterlichen Handschriften, darunter ein Meßbuch aus dem 12. Jh., werden hier als besondere Kostbarkeit 171 Inkunabeln, früheste Druckwerke aus der Zeit vor 1500, aufbewahrt. Einen Schwerpunkt bilden die Schriften der Reformationszeit, in welcher der Buchdruck einen starken Aufschwung erlebte; neben 70 Lutherschriften, 16 Werken Melanchthons, 20 des Züricher Reformators Zwingli und 15 des Baslers Oekolampad beherbergt die bedeutende Sammlung zahlreiche Flugschriften, Traktate und Sendschreiben, die zum Teil von so berühmten Künstlern wie Lucas Cranach d. Ä., Albrecht Dürer und Hans Holbein illustriert sind.

ℹ️ Prädikantenbibliothek in der Nikolaikirche: Führung Mi 10.30 Uhr (April–Oktober).

Memmingen In der Allgäuer Reichsstadt wurde im wahrsten Sinn des Wortes ein Stück Geschichte geschrieben: die berühmten Zwölf Artikel der Bauern, gemäßigte Programmschrift des Bauernaufstands.

Im März 1525 hielten die Abgeordneten dreier schwäbischer Bauernhaufen im Kramerzunfthaus ihre erste Zusammenkunft ab, in deren Verlauf die Zwölf Artikel formuliert wurden. Das gotische Gebäude – 1479 in den Besitz der Zunft übergegangen – erhielt seine heutige Gestalt nach einem Umbau Anfang des 16. Jh. Seine Fassade wurde 1977 restauriert und mit einer Wandmalerei versehen, die auf das historische Ereignis hinweist.

Ein Mann aus dem Volk zeichnete neben dem Theologen Christoph Schappeler in erster Linie verantwortlich für die Artikelschrift: der in Memmingen tätige Kürschnergeselle Sebastian Lotzer. Gestützt auf das Evangelium und das göttliche Recht, forderten die Bauern eine Verbesserung ihrer Lebensbedingungen und mehr Gerechtigkeit. Ihre gemäßigten, in einem fast schon unterwürfigen Ton vorgebrachten Forderungen waren durch Bibelzitate untermauert – Zeichen dafür, daß das eigentliche Fundament der Bauernbewegung die reformatorische Lehre war. Die Memminger Schrift war kein radikales Programm, im Gegenteil: Ihr Ziel war ein friedlicher Ausgleich mit der Obrigkeit. Erst als sich die Bauern von ihren Herren und den Reformatoren enttäuscht sahen, griffen sie zur Selbsthilfe und erhoben sich.

Die unerhörte Breitenwirkung des Manifests ist in allererster Linie dem neuen Druckhandwerk zu verdanken: Die Zwölf Artikel wurden zu der am häufigsten gelesenen Schrift des Bauernkriegs; sie erlebten 25 Auflagen, wurden mehrfach nachgedruckt und gelangten sogar bis ins Elsaß und nach Thüringen.

Mindelheim Auf einer steil abfallenden Anhöhe südwestlich der Stadt erhebt sich die Mindelburg. Vom Parkplatz an der B 18 bietet sich ein sehr schöner Blick auf den Palas mit seinen beiden Ecktürmen. Vom ursprünglichen Bau ist nur wenig erhalten; nachdem die Anlage der Zerstörung durch die Schweden im Dreißigjährigen Krieg anheimgefallen war, wurde der ehem. Palas um 1670 wieder aufgebaut.

Ende des 19. Jh. wurde die Mindelburg wieder zum Wohnschloß umgestaltet. Heute ist das Schloß vermietet und daher nur von außen zu besichtigen. Den romanischen Bergfried hingegen kann man – außer in den Wintermonaten – besteigen; von dort oben bietet sich eine schöne Aussicht auf die Stadt.

Von 1467 bis 1586 gehörte die Burg zum frundsbergischen Besitz;

sie war der Geburts- und Sterbeort des Landsknechtsführers Georg von Frundsberg. Als oberster Feldhauptmann der Fußtruppen des Schwäbischen Bundes war er maßgeblich an der Vertreibung des Herzogs Ulrich von Württemberg beteiligt. Der Herzog hatte nach seinem Austritt aus dem Schwäbischen Bund das Bundesmitglied Reutlingen angegriffen. Den Beinamen „Vater der Landsknechte" erhielt Georg von Frundsberg, weil er sich stets für die Belange der Söldner einsetzte. Auf dem Wormser Reichstag wurde er 1521 zum kaiserlichen Rat ernannt. Dort soll er zu Martin Luther, der zu seinem Verhör vor Kaiser Karl V. trat, gesagt haben: „Mönchlein, du gehst einen schweren Gang."

Zu Ehren des Feldherrn wird alle drei Jahre im Juli ein Stadtfest mit historischem Umzug veranstaltet. Das nächste Fest findet 1991 statt.

Augsburg Die Reichsstadt war der erste Schauplatz des offiziellen Streits zwischen der mächtigen römischen Kirche und dem Augustinermönch Martin Luther. Im Jahr nach seinem Wittenberger Thesenanschlag wurde Luther zu einem Verhör durch den päpstlichen Kardinallegaten Cajetan nach Augsburg zitiert. Vom 7. bis 20. Oktober 1518 hielt sich der Reformator in der Reichsstadt auf und verweigerte im Fuggerpalast (Maximilianstr. 36–38) vor Cajetan den Widerruf seiner Thesen. Quartier bezog er im 1321 gegründeten Karmeliterkloster, der heutigen Sankt-Anna-Kirche, die eines der ältesten Gotteshäuser der Stadt ist. Die Lutherstiege führt zu den Räumen oberhalb des spätgotischen Kreuzgangs; dort sind seit dem Lutherjahr 1983 in einer Dauerausstellung wichtige Stationen dokumentiert, die zur Reformation und damit zur Entstehung verschiedener Bekenntnisse geführt haben. Im Cajetanflur, im Confessiozimmer, in der Lutherkammer, auf der Empore und im Friedenszimmer werden Schriften, Dokumente, kultische Gegenstände und Bilder aus der Zeit zwischen 1518 und dem Augsburger Religionsfrieden (1555) gezeigt und hervorragend kommentiert. Der vierflügelige Kreuzgang mit schönen Freskomalereien und Grabdenkmälern umschließt das sogenannte Lutherhöfle, einen Friedhof, dessen Grabplatten im Kreuzgang sich fast wie eine Stadtgeschichte lesen.

Im ehem. bischöflichen Palast, dem heutigen Fronhof, fand 1530 einer der denkwürdigsten Augsburger Reichstage statt, dessen Ziel vor allem die Beilegung der Religionsstreitigkeiten war. In seinem Verlauf überreichten die protestanti-

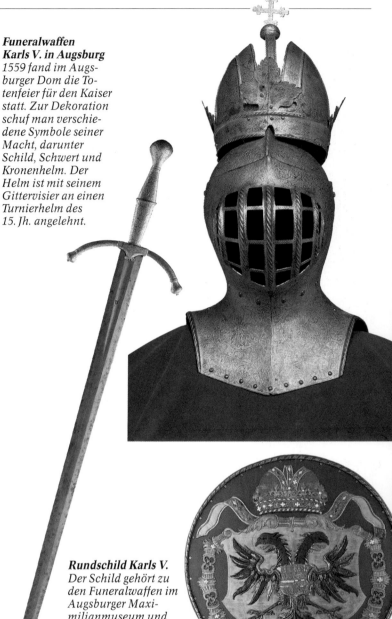

Funeralwaffen Karls V. in Augsburg
1559 fand im Augsburger Dom die Totenfeier für den Kaiser statt. Zur Dekoration schuf man verschiedene Symbole seiner Macht, darunter Schild, Schwert und Kronenhelm. Der Helm ist mit seinem Gittervisier an einen Turnierhelm des 15. Jh. angelehnt.

Rundschild Karls V.
Der Schild gehört zu den Funeralwaffen im Augsburger Maximilianmuseum und zeigt einen Doppeladler, Symbol der kaiserlichen Macht (rechts).

schen Fürsten Kaiser Karl V. die von Melanchthon verfaßte „Confessio Augustana", die grundlegende Bekenntnisschrift der lutherischen Kirche. In 28 Artikeln versuchte die Schrift Verständnis für die neue Lehre zu wecken und damit dem religiösen Frieden zu dienen. Heute ist das Augsburger Bekenntnis das offizielle Glaubensdokument für Millionen von Protestanten in der ganzen Welt. Der Palast wurde 1508 neben dem Dom erbaut und im 18. Jh. in barockem Stil umgestaltet. Heute ist der Fronhof Verwaltungssitz des Regierungsbezirks Schwaben. Im Innenhof erinnert eine Tafel an die Verlesung des Augsburger Bekenntnisses.

Die reformatorische Lehre wurde

in Augsburg erst 1537 eingeführt; katholische Geistliche verließen damals die Stadt. Während die lutherische Reformation von der Sankt-Anna-Kirche ausging, deren Prior sich bereits 1525 der neuen Lehre anschloß, war die Barfüßerkirche (Barfüßerstraße) der Ausgangspunkt der zwinglianischen Reformation. Von dem 1398 errichteten gotischen Gotteshaus ist nach dem Bombenangriff nur noch der Chor erhalten, dessen spitzbogige Fensteröffnungen im Barock in Rundbogen- und Ovalfenster unterteilt wurden. Die Kirche selbst wurde 1951 wieder aufgebaut, hat heute jedoch nur noch die Hälfte ihrer ursprünglichen Länge.

Eine zentrale Rolle im Glaubensstreit spielte Kaiser Karl V. Im Bünd-

Augsburger Sankt-Anna-Kirche *Im Südflügel des Kreuzgangs sind neben Grabdenkmälern Fresken von 1464 zu sehen, die man erst vor rund 20 Jahren entdeckt hat (oben).*

Ingolstadt *An der Fensterwand der Corporis-Christi-Kapelle des Münsters befindet sich das Bronze-Epitaph für Luthers Gegner Johannes Eck.*

nis mit dem Papst unterwarf er 1546–1547 die Protestanten im Schmalkaldischen Krieg. Erst nachdem er sich freiwillig aus der Politik zurückzuziehen begann, konnten sich die auf Frieden bedachten Kräfte im Reich durchsetzen. Auf dem Augsburger Reichstag von 1555 wurde am 25. September der Augsburger Religionsfrieden verkündet, der eigentlich nur bis zur Überwindung der Kirchenspaltung in Kraft bleiben sollte. Statt dessen blieb er bis 1806 Reichsgrundgesetz; er besiegelte die Glaubensspaltung und billigte den jeweiligen Landesherren das Recht zur Bestimmung der Konfession zu.

Im Maximilianmuseum, das in zwei Bürgerhäusern aus dem 16. Jh.

Quartier bezogen hat, erinnern die Funeralwaffen Karls V. an den Herrscher, der als einziger Kaiser des Heiligen Römischen Reichs freiwillig abgedankt hat. Der Kronenhelm zählt zu den wichtigsten Exponaten des Museums: Er ist ein einzigartiges Zeugnis der Augsburger Plattnerkunst. Im Raum 15a ist der päpstliche Ablaßbrief von 1487 für das Stift Sankt Moritz in Augsburg zu sehen. Dem europaweit betriebenen Geschäft mit dem Ablaß zur Finanzierung kirchlicher Bauten – „Wenn das Geld im Kasten klingt, die Seele aus dem Fegfeuer springt" – galt Luthers entschlossener Kampf.

ⓘ Sankt-Anna-Kirche, Annastraße 20: Di–So 10–12, 15–17 Uhr. Lutherstiege in der Sankt-Anna-

Kirche: Di–So 10–12, 15–17 Uhr. Maximilianmuseum, Philippine-Welser-Straße 24: Di–So 10–17 Uhr (Mai–September), sonst 10–16 Uhr.
Ingolstadt Von 1510 bis zu seinem Tod im Jahr 1543 lebte hier Johannes Eck, Professor und Vizekanzler der Universität und erbittertster Gegner Luthers. Der hartnäckige Verfechter der alten Kirche gegen die Reformation machte die Bildungsstätte zum geistigen Zentrum des Glaubensstreits und der Gegenreformation und damit die Stadt selbst zum Gegenpol des lutherischen Wittenbergs. An seinem Wohnhaus in der Bergbräustraße 3 unweit des Liebfrauenmünsters erinnert eine Gedenktafel an den katholischen Theologen. Sein Lehrstuhl ist im Stadtmuseum zu sehen.

Ecks Auseinandersetzung mit Luther gipfelte in der Leipziger Disputation, dem Streitgespräch mit dem Wittenberger Reformator: Im Juli 1519 gelang es dem gewandten Disputator, den hitzigen Luther zur Verteidigung der Lehre des Jan Hus zu verleiten, der rund 100 Jahre zuvor in Konstanz als Ketzer verbrannt worden war. Die Falle schnappte zu, Eck konnte mit diesem Argument die Bannbulle des Papstes gegen Luther erwirken, was ihm allerdings die Feindschaft seiner früheren humanistischen Gesinnungsgenossen einbrachte. Auf dem Augsburger Reichstag von 1530 war

er maßgeblich an der Abfassung der „Confutatio", der katholischen Gegenschrift zum protestantischen Augsburger Bekenntnis, beteiligt.

Eck starb am 10. Februar 1543, nachdem er sich in seinen letzten Lebensjahren ausschließlich der Gemeindearbeit gewidmet hatte, im Pfarrhaus (Ecke Konvikt-/ Kupferstraße; auch hier hängt eine Gedenktafel) und wurde auf dem Münsterfriedhof beigesetzt. Sein Grab ist heute durch eine Inschrift im Pflaster gekennzeichnet. Ein Bronzeepitaph hängt in der Corporis-Christi-Kapelle des Münsters, die sich rechts an die Sakristei anschließt; die lateinische Inschrift feiert Johannes Eck als „unbesiegten Theologen".

Nach seinem Tod waren es die Jesuiten, welche die Gegenreformation vorantrieben. Sie errichteten 1555–1556 ein Studienkolleg und verstanden es, maßgeblichen Einfluß auf die theologische und philosophische Fakultät der Universität zu nehmen.

Bei einem Besuch der mittelalterlichen Stadt sollte man nicht versäumen, die guterhaltene wehrhafte Befestigungsanlage anzuschauen. Ingolstadt ist von drei Mauerringen umgeben, die auch im Dreißigjährigen Krieg nicht erstürmt werden konnten.

ⓘ Stadtmuseum, Auf der Schanz 45: Di–Sa 9–12, 13–17, So 10–17 Uhr.

Sensen und Sicheln gegen die Obrigkeit

Der Baltringer Bauernhaufe ist mehrere tausend Mann stark. Den Aufständischen im Lager auf der Anhöhe zwischen Fahlheim und Bühl haben sich auch unzufriedene Stadtleute aus dem nahen Leipheim angeschlossen. Ihr Lagerplatz ist günstig: Der Wald auf der einen, das Flüßchen Biber auf der anderen Seite bieten den Bauern Schutz vor einem überraschenden Angriff. Im Rücken haben sie ihre Wagen wie eine Festung zusammengezogen, und vor ihnen liegt sumpfiges Gelände.

Man schreibt den 4. April 1525. Am Horizont zeigt sich der erste Schimmer. Schon sind alle auf den Beinen, denn Kundschafter haben gemeldet, daß das Heer des Schwäbischen Bundes unter seinem Anführer, dem Feldhauptmann Georg Truchseß von Waldburg, im Anmarsch ist. Der „Bauernjörg", gefürchtet und verhaßt wegen seiner Grausamkeit, ist einem Hilferuf der Ulmer gefolgt, die sich von den brandschatzenden Bauern bedroht fühlen, denn erst vor wenigen Tagen hat der Baltringer Haufe auf seinem Raubzug das Kloster Elchingen nordöstlich von Ulm überfallen und geplündert.

Noch ein letztes Mal werden die Waffen geprüft. Die Aufständischen besitzen zwei Falkonettlein, leichte Feldgeschütze mit einer Ladung von zwei Pfund. Auch einige Hakenbüchsen haben sie, darunter die fünf, die sie erbeuten konnten, als sie vor ein paar Tagen Schloß Schemmerberg niederbrannten; dazu kommen Schwerter und Spieße. Doch die meisten sind nur mit bäuerlichem Gerät ausgerüstet. Über allem weht die Fahne mit dem Bundschuh, dem Symbol des Aufstands, das ihnen Mut machen soll. Und den haben die Bauern auch bitter nötig, verfügen doch die im Schwäbischen Bund zusammengeschlossenen Reichsstädte und Fürsten über ein weitaus besser bewaffnetes Heer.

Angespannt erwarten die Baltringer den Gegner. Da erblicken sie in der Ebene die Rennfahne der Bündischen, die dem Heer vorangetragen wird. Es folgen die Reitervorhut mit dem Truchseß an ihrer Spitze, dahinter die Schützenfahne und das Feldgeschütz und schließlich das Fußvolk, die Wagen, der Troß und ganz am Schluß noch einmal Reiter.

Die Aufständischen eröffnen das Feuer. Viel können sie mit ihren wenigen Schußwaffen freilich nicht ausrichten; im Gegenteil, sie verraten damit ihre Stellung und locken weitere Berittene und das Fußvolk herbei. Der Anblick der vorpreschenden Reiter läßt auf eine große Übermacht schließen, und überall hört man den erschreckten und verzweifelten Ruf: „Nach Leipheim, zurück nach Leipheim!" Dort hoffen sie, Verstärkung zu finden.

Der Truchseß aber ist mit dem Gelände gut vertraut und gibt Befehl, den Sumpf zu umgehen. Er selbst reitet mit seiner Vorhut voraus, und als sie das unwegsame Gebiet hinter sich haben, stoßen sie auf einen Teil des Bauernhaufens, der sich schon von der Hauptgruppe abgesetzt hat. Der Truchseß und seine Reiter sprengen mitten in die Bauern hinein. Nur kurz leisten die überrumpelten Männer Widerstand. Als die ersten unter die Hufe der Pferde kommen oder erstochen zu Boden sinken, geraten die vorderen Reihen schnell ins Wanken. Die andern versuchen, ihre Flucht gen Leipheim fortzuset-

Die Schlacht von Leipheim Die Bauern kämpfen mit Sensen, Sicheln, Keulen, Dreschflegeln, Äxten und Mistgabeln. Doch gegen die mit Feldgeschützen und Feuerwaffen ausgerüsteten Truppen des Schwäbischen Bundes haben sie keine Chance. Die Landsknechte des „Bauernjörg" sind erfahrene und disziplinierte Kämpfer, die dem unorganisierten Bauernhaufen in allen Belangen überlegen sind.

zen. Doch dieser Weg ist ihnen nun von den Landsknechten abgeschnitten. Es entsteht ein heilloses Durcheinander: Die letzten Bauern von der Bühler Anhöhe wollen noch nach Leipheim fliehen, die andern drängen wieder zurück. So hat das Heer des Schwäbischen Bundes ein leichtes Spiel und hetzt die Flüchtenden wie bei einer Treibjagd vor sich her. Wer den Landsknechten vor die Waffe kommt, wird erbarmungslos niedergemetzelt.

Selbst der Fluß bietet keinen Schutz. Von den nachsetzenden Söldnern ins Wasser gedrängt, ertrinken viele der Bauern. Einige können schwimmend das andere Ufer erreichen, aber auch dort ist keine Rettung: Sie fallen den Reitern in die Hände, die Landgraf Philipp von Hessen zur Unterstützung des Schwäbischen Bundes geschickt hat. So nimmt die Schlacht, die eher einer gnadenlosen Verfolgung gleicht, bald ein blutiges Ende: 1000 Tote gibt es auf seiten der Bauern. Der Bund hat mit Ausnahme einiger verwundeter Pferde keine Verluste zu beklagen. Der Weg nach Leipheim ist nun für den Truchseß frei. Der „Bauernjörg" gibt den Befehl, die Stadt beschießen und er-

stürmen zu lassen, um den Bauern, die sich dort verschanzt haben, den Garaus zu machen. Die entsetzten Leipheimer Bürger schicken daraufhin einen Mann und mehrere Frauen vor die Mauern der Stadt, die darum bitten, Leipheim zu verschonen. Kampflos kann der Truchseß in die Stadt einziehen. Die Rädelsführer werden öffentlich hingerichtet.

Die erste große Schlacht im Bauernkrieg ist geschlagen. Der Baltringer Haufe hat sie verloren. Die oberschwäbischen Bauern sind entmutigt und ergeben sich in den folgenden Tagen dem Schwäbischen Bund auf Gnade und Ungnade. Ihrem Bündnis mit den Allgäuer und den Bodenseebauern müssen sie abschwören. Der „Bauernjörg" zieht gestärkt in südlicher Richtung weiter, um den Bodenseehaufen zum Kampf herauszufordern.

Wenige Monate später war der Krieg vorbei. Die Unruhen im Odenwald, in Franken und in Thüringen wurden rasch und grausam niedergeschlagen. Der Aufstand der Bauern gegen Fürsten und Städte um ihre angestammten Rechte endete, bevor er eigentlich richtig begann.

Ein tapferer Ritter mit eiserner Hand

Tiefgreifende soziale und politische Spannungen prägen das Zeitalter der Glaubensspaltung: Der alte Stand der Reichsritter ist im Niedergang begriffen; das feudale Fehderecht wird 1495 durch die Verkündung des Ewigen Landfriedens außer Kraft gesetzt; erstmals in Deutschland begehren Bauern gegen die Obrigkeit auf. Symbolfigur der gärenden Unruhe dieser Epoche ist der Reichsritter Götz von Berlichingen. Seinen Spuren folgt diese Tour durch den Odenwald und das Bauland.

Heilbronn Als Amtmann und Vogt der Burg Möckmühl im Dienst Herzog Ulrichs von Württemberg wurde Götz von Berlichingen 1519 im Kampf gegen den Schwäbischen Bund gefangengenommen, 1522 aber dank der Verwendung der Gebrüder Sickingen wieder aus seiner Heilbronner Gefangenschaft entlassen. Zuvor hatte er schwören müssen, nie wieder gegen den Bund Fehde zu führen. Seinen im Alter verfaßten Lebenserinnerungen ist zu entnehmen, daß er der Haftzeit durchaus auch angenehme Aspekte abzugewinnen wußte: „Und des Nachts kommen sie in mein Stüblein zu mir in des Diezens Herberg. Und waren ihrer viel, daß sie nicht alle sizen kunten. Sondern musten das mehrer Teil stehen. Nun zechten wir und waren frölich."

Seine Haftstrafe saß er also in einer Herberge ab, und nur eine Nacht verbrachte er im runden Bollwerksturm (Untere Neckarstraße). Daß der Bollwerksturm weniger imposant wirkt als der Götzenturm, hat wohl dazu beigetragen, daß die volkstümliche Überlieferung das Gefängnis des Reichsritters lieber im sogenannten Götzenturm sieht. Ebenfalls am Neckarufer gelegen, bildet der gewaltige rechteckige Turm aus Sandsteinbuckelquadern (erbaut 1392) die Südwestecke der ehem. Stadtmauer, die Mitte des 13. Jh. errichtet wurde. Die beiden Türme, etwa 15 Gehminuten voneinander entfernt, gehören zu den wenigen Bauwerken, die aus dieser Zeit noch erhalten sind.

Obwohl Heilbronn mit seinen Klöstern und zahlreichen Klosterhöfen eine Hochburg des Katholizismus war, vermochte sich die refor-

Götzenturm in Heilbronn *Die Heilbronner Haft Götz von Berlichingens wurde nicht zuletzt dank* *Goethes Drama legendär, das den Ritter „im Gärtchen am Turm" sterben läßt (oben).*

Burg Hornberg *Die Szene im Götzkabinett (oben) zeigt ein Ereignis aus dem Jahr 1540: Während Ritter Stumpf von Schweinsberg auf Götzens Hornburg zu Besuch weilt, überbringt ein Gesandter Kaiser Karls V. dem Burgherrn die Freisprechung von der Reichsacht.*

Lauda-Königshofen *Seine Kruzifixe und Bildstöcke haben dem Bauland den Namen Madonnenländchen eingebracht. Diese Pieta erinnert an ein Blutgericht des Bauernkriegs (links).*

matorische Lehre in der Reichsstadt durchzusetzen. Dies war wesentlich ein Verdienst Johannes Lachmanns, der bereits 1524 nach der neuen Lehre predigte. Er wohnte im Käthchenhaus am Marktplatz (so benannt nach Kleists „Käthchen von Heilbronn"), einem ursprünglich gotischen Steinhaus aus dem 14. Jh. Der schöne Renaissance-Erker mit den Brustbildern von vier Propheten wurde nach Angaben Lachmanns gestaltet. Auch der Ausbau des mächtigen Hauptturms der Kilianskirche geht auf die Zeit der Reformation zurück. Den Abschluß des reichverzierten Turms im Stil der Frührenaissance bildet ein wappenhaltender Landsknecht (1529). Im Innern besticht der geschnitzte gotische Hochaltar von Hans Seyfer.

ⓘ Kirche Sankt Kilian, Kilianplatz: täglich 9–17 Uhr (März–Oktober), sonst 9–16 Uhr; Turmbesteigungen Di–So nach Voranmeldung beim Mesner, Tel. 0 71 31/8 28 18.

Burg Hornberg Die Anfänge der stattlichen Burg auf einem Bergrücken über dem Neckar bei Neckarzimmern liegen im Dunkel der Sage; urkundlich erstmals erwähnt wurde die ehemalige Doppelburg im Jahr 1184. Im 16. Jh. gehörte sie zum Besitz derer von Berlichingen. Plünderungen und Verwüstungen während des Pfälzischen Erbfolgekriegs 1689 zerstörten Teile der Anlage, doch sind aus der Zeit der Berlichingen noch einige zum Teil gut erhaltene Gebäude und Burgteile zu sehen.

Südlich des Oberen Tors gelangt man durch eine kleine Pforte neben dem eigentlichen Burgtor in den Burgzwinger, der die Burg spiralförmig umzieht. Nach wenigen Schritten trifft man auf ein zweites Tor mit dem Wappen derer von Berlichingen und der Jahreszahl 1571. Den inneren Burghof betritt man durch ein großes, spitzbogiges Tor in der Schildmauer, das einst mit einem Fallgitter geschlossen werden konnte. Unmittelbar dahinter steht linker Hand das Haus des Götz. Besonders sehenswert ist der prächtige Rittersaal an der Nordostecke des inneren Burghofs. Der daran angebaute Kaminraum beherbergt heute ein kleines Museum mit mittelalterlichen Ausgrabungsfunden (u. a. Hausrat und Waffen).

Die schön gearbeitete Eingangspforte des sechseckigen Treppenturms trägt eine Inschrift, aus der hervorgeht, daß dieser Turm und der Palas von 1573 von einem Enkel des Götz erbaut wurden. Über der Inschrift ist ein sehr fein gehauenes Wappen zu sehen. In der Götzenstube im Treppenturm befindet sich heute die Originalrüstung des Rit-

Rundtour durchs Hohenloher Land Das Neckartal geleitet den Autofahrer von Heilbronn zur Burg Hornberg. Von hier geht es weiter durch das Bauland und von den Städten im Taubergebiet durchs schöne Jagsttal wieder Richtung Heilbronn. Auf der rund 240 km langen Tour muß man damit rechnen, auf Militärkolonnen zu stoßen.

ters, ein Meisterwerk spätmittelalterlicher Waffenschmiedekunst.

Die Vorburg mit ihren starken Wehrmauern ist heute Wohnsitz der Freiherren von Gemmingen, die im ehem. Pferdestall und in anderen Gebäuden ein freundliches Hotel-Restaurant eingerichtet haben.

1517 hatte Götz von Berlichingen die Burg für 6500 Gulden erworben und sie zum ständigen Wohnsitz seiner Familie gemacht. Als er 1522 nach seiner Heilbronner Haft auf seine Burg zurückkehrte, führte er in seinem Herrschaftsbereich die Reformation ein und engagierte sich in verschiedenen ritterlichen Händeln, von deren Rechtmäßigkeit er zutiefst überzeugt war; denn seine Rechtsauffassung war noch gänzlich vom damals bereits veralteten germanischen Fehderecht geprägt. Beim Ausbruch des Bauernkriegs übernahm er 1525 für vier Wochen die Führung des Odenwälder Haufens. Als Obristhauptmann des Haufens zwang er den Mainzer Erzbischof und Kurfürsten Albrecht II. von Brandenburg, die Forderungen der in Memmingen verfaßten Zwölf Artikel der Bauern anzuerkennen.

Nach Ablauf der vier Wochen jedoch verließ Götz die aufständischen Bauern noch vor der entscheidenden Schlacht bei Königshofen mit dem Schwäbischen Bund, hatte er doch in Heilbronn schwören müssen, nie wieder gegen den Bund zu kämpfen. Vom Kammergericht wurde er 1526 für unschuldig erklärt, gleichwohl aber zwei Jahre in Augsburg gefangengehalten und anschließend auf seine Burg Hornberg verbannt. Bei seinem Eid durfte er nie wieder ein Pferd besteigen oder die Gemarkung Hornberg verlassen.

1540 hob Kaiser Karl V. die Reichsacht auf, und der Ritter konnte einen beschaulichen Lebensabend auf Burg Hornberg verbringen. In seinen letzten Jahren diktierte der fast erblindete Götz dem Pfarrer von Neckarzimmern die

Burg Hornberg Bei schönem Wetter bietet der 27 m hohe halbrunde Bergfried einen herrlichen Rundblick über das Neckartal, den Odenwald und die gesamte Burganlage mit Haupt- und Vorburg.

letzten Kapitel seiner Lebenserinnerungen, die Goethe als Vorlage für sein Drama „Götz von Berlichingen mit der eisernen Hand" dienten. 82jährig starb Götz am 23. Juli 1562 auf seiner Burg.

ⓘ Besichtigung täglich 9–17 Uhr (März–November).

Lauda-Königshofen An der alten steinernen Brücke über die Tauber (1510–1512) stößt man in Lauda am Parkplatz eines Sportgeländes auf einen restaurierten Pieta-Bildstock aus der ersten Hälfte des 17. Jh. Rund 100 Jahre nach dem Bauernkrieg wurde er nahe der Stelle errichtet, wo im Juli 1525 auf Befehl des Bischofs Konrad von Würzburg der erste reformierte Geistliche Laudas, Lienhart Beys, als „Rädelsführer" enthauptet wurde. Mit ihm fanden viele Aufständische den Tod.

Den Hinrichtungen war am 2. Juni 1525 die Schlacht bei Königshofen vorausgegangen, die das Schicksal des Odenwälder Haufens besiegelte. Der Bauernhaufe hatte sich an der Belagerung Würzburgs beteiligt, zog dann aber in Richtung Heimat, um sich bei Königshofen mit einem Heer zu verbinden, das vor allem aus Bürgern der kleineren Tauberstädte bestand. Zusammen versuchten sie, den Tauberübergang gegen die anrückenden Truppen des Schwäbischen Bundes zu verteidigen. Doch angesichts der Übermacht der Bündischen flohen die unorganisierten Aufständischen – Götz von Berlichingen hatte die Führung bereits aufgegeben und den Haufen verlassen – in Richtung Würzburg und wurden zu Tausenden im Schlachtholz oberhalb von Königshofen niedergemetzelt.

In einem alten Weinbauernhaus (1551) ist heute das Heimatmuseum der Stadt untergebracht. Auf verschiedenen Etagen kann man sich ein Bild vom bäuerlichen Leben und Arbeiten in früheren Jahrhunderten machen. Neben Wohn- und Schlafräumen beeindrucken Handwerkerstuben und ein Kelterraum mit altem Gerät und Mobiliar.

ℹ️ Heimatmuseum, Rathausstraße 25: So und feiertags 15–17 Uhr, Gruppen n. Vereinb., Tel. 0 93 43/45 17.

Giebelstadt Vor den Ruinen der im Bauernkrieg zerstörten Burg des Reichsritters und Bauernführers Florian Geyer wird jedes Jahr im Juli ein nach ihm benanntes Freilichtspiel aufgeführt. Ein Denkmal vor dem Burgtor erinnert an die Geschichte des begüterten fränkischen Ritters, der sich 1525 aus innerer Überzeugung den Bauern anschloß und sie bis vor den Würzburger Marienberg führte.

Nach der Niederlage von Königshofen mußte Geyer fliehen, doch im Juni 1525 wurde er im Gramschatzer Wald bei Rimpar von einem Knecht seines Schwagers Wilhelm von Grumbach ermordet. Geyers Beliebtheit bei den Aufständischen ist in einem Protestlied der Bauern überliefert: „Wir sind des Geyers schwarzer Haufen, / wir wollen mit Tyrannen raufen: / Drauf und dran, Spieß voran, / setzt aufs Klosterdach den roten Hahn!"

Ein Nachbar und Gegner Florian Geyers war Melchior Zobel. Noch heute steht sein gut erhaltenes Wasserschloß im Ortskern etwas versteckt hinter einer kleinen Parkanlage an der B 19. In zwei Phasen wurde der Renaissancebau im 16. Jh. auf den Resten einer im Bauernkrieg zerstörten Wasserburg errichtet. Das dreiflüglige Schloß mit seinen vier

Rundtürmen ist von einem Graben umgeben.

Als 20jähriger hatte Zobel an der Verteidigung der Würzburger Marienburg gegen die von Geyer geführten Bauern teilgenommen. Ab 1544 Bischof von Würzburg, versuchte er aus einer humanistischen Gesinnung heraus, die alte Kirche neu zu ordnen und Mißstände zu beseitigen – freilich ohne nennenswerten Erfolg. 1558 wurde er von seinem Gegner Wilhelm von Grumbach erschossen. Im Schloß ist heute noch das Richtschwert aufbewahrt, mit dem Grumbach 1567 für sein Verbrechen geviertteilt wurde. Da das Schloß bewohnt wird, ist es nur von außen zu besichtigen.

ℹ️ Festspiele: Auskunft beim Rathaus, Tel. 0 93 34/2 71. Außerhalb der Spielzeit ist die Geyerburg nur von außen zu besichtigen.

Stuppach Die schlichte Pfarrkirche Sankt Maria (1607) im Bad Mergentheimer Stadtteil Stuppach hat durch

ihr Mariengemälde große Berühmtheit erlangt. Seit 1812 beherbergt ein eigens dafür errichteter Kapellenbau das inzwischen als Stuppacher Madonna weltberühmt gewordene Tafelbild von Matthias Grünewald, der das Werk 1517–1519 als Mittelbild eines dreiflügligen Altars in der Aschaffenburger Stiftskirche schuf. Schon wenige Jahre danach wurde das Triptychon auseinandergenommen. Die rechte Tafel des Altarbilds, das Maria-Schnee-Wunder, befindet sich heute im Freiburger Augustinermuseum; die linke ist verschollen. Das Mittelbild der Madonna wurde im 20. Jh. sorgfältig restauriert und kann nun in seinem ursprünglichen Farben- und Symbolreichtum in der Pfarrkirche bewundert werden.

1525 wurde Grünewald nach der Unterdrückung des Bauernaufstands aus dem Dienst des Mainzer Erzbischofs Albrecht II. von Brandenburg entlassen, da er ein Befürworter der Reformation war; in sei-

nem Nachlaß fanden sich lutherische Schriften.

ℹ️ Kirchenbesichtigung täglich 8.30–12, 13.30–18 Uhr (April bis Oktober), sonst n. Vereinb., Tel. 0 79 31/26 05.

Ballenberg In der Hauptstraße des zu Ravenstein gehörenden Dorfes lädt das 1531 erbaute, außen leider wenig glücklich restaurierte Gasthaus „Zum Ochsen" zur Rast ein. Innen erinnert die „Metzlerstube" an den Ochsenwirt Jörg Metzler, einen der Hauptführer im Bauernkrieg, an dem sich die Ballenberger Bürger zahlreich beteiligten.

Schöntal 1525 war Götz zum Zisterzienserkloster Schöntal geeilt, um seine Bauern, die sich den Aufständischen angeschlossen hatten, zur Rückkehr zu bewegen. Sein Vorhaben mißlang. An die 10 000 Mann lagerten in den Mauern des Klosters und hatten Teile der Bibliothek zerstört. Sie enthielt auch die Zinsbücher, in denen die finanzielle und materielle Abhängigkeit der Bauern des Umlands festgeschrieben war. Abt und Konvent wurden vertrieben. Von Schöntal aus begannen die Plünderungen und Brandschatzungen von Klöstern, Schlössern und Burgen in der Umgebung.

In der Familiengrablege der Berlichingen im ehemals gotischen Kreuzgang des Klosters fand der Ritter mit der eisernen Hand 1562 seine letzte Ruhestätte. Das Sandsteinepitaph zeigt den knienden Ritter in seiner Prunkrüstung vor einem Kruzifix. Am Fuß des Kreuzes lehnt sein federbuschgeschmückter Helm mit offenem Visier; gegenüber hängt an der Innenwand des Kreuzgangs eine

Den einen die Mühe, den andern der Lohn

Viele fränkische Bauern lebten im 16. Jh. vom Weinbau – doch das eher schlecht als recht. Unmäßige Abgaben an die Feudalherren, härteste Fronarbeit, eine viel zu geringe Entlohnung und zum Teil auch Leibeigenschaft – all das bedeutete ein Leben in äußerster Armut und Entrechtung. So nimmt es nicht wunder, daß der Bauernaufstand rasch auf Franken übergriff und hier besonders heftig tobte.

Die Herren hingegen hatte der Weinbau reich gemacht, wie hier in Lauda, wo im Heimatmuseum viele Originalgerätschaften über die Arbeit der Winzer informieren.

Jagsthausen Bei den Burgfestspielen (links) erwacht der Götz zu neuem Leben. Diese Szene des Goetheschen Dramas zeigt ihn mit dem Opportunisten Weislingen.

Schloßmuseum in Jagsthausen Die berühmte eiserne Hand (oben) wurde zum Markenzeichen des Götz von Berlichingen.

feinverzierte Bronzeplatte mit Inschrift. Das Erbbegräbnis nahmen die Berlichingen auch dann noch in Anspruch, als sie längst schon zum evangelischen Glauben gewechselt hatten. Im Kreuzgang sind zahlreiche weitere Bildgrabsteine des örtlichen Adels zu sehen.

Die dreischiffige romanische Pfeilerbasilika des Klosters wurde in der Gotik um den gewölbten Chor- und Kreuzbau erweitert und im 18. Jh. im barocken Stil umgestaltet.

ⓘ Klosterkirche: täglich 8–17 Uhr, auf Wunsch Führungen. Kreuzgang der Neuen Abtei: Führungen 11, 15, 16.30 Uhr und n. Vereinb. (April bis Oktober), Tel. 0 79 43/20 83.

Jagsthausen „Jaxthausen ist ein Dorf und Schloß an der Jaxt, gehört seit zweihundert Jahren den Herren von Berlichingen erb- und eigentümlich zu" – so definiert Götzens Sohn Karl in Goethes Drama die Besitzverhältnisse in dem hohenlohischen Dorf. Es war im 14. Jh. mitsamt der alten Burg und dem zugehörigen Grundbesitz in die Hände der Berlichingen gekommen. Die Familie gehörte zu den wohlhabendsten in Franken und entstammte

dem nahen Ort Berlichingen. Ihre Rechte und ihr ausgedehnter Besitz in Berlichingen gingen allmählich zum großen Teil an das Kloster Schöntal über. In Jagsthausen jedoch konnte das Geschlecht seine Besitzungen sichern und mehren, und so wurde das Schloß zum Mittelpunkt seiner Herrschaft, während in Berlichingen nur das alte, befestigte Steinhaus und die dazugehörigen Hofgüter ihre Bedeutung als namengebender Stammsitz derer von Berlichingen verraten.

1480 wurde auf der Burg Jagsthausen Götz geboren, was ihr später den Beinamen Götzenburg einbrachte. Von dem ursprünglichen Gebäude, das vermutlich im 10. Jh. errichtet wurde, sind nur noch der Nordflügel mit seinen beiden Türmen und der Innenhof erhalten. Der Rest wurde im 19. Jh. erneuert und umgestaltet. Hoch über der Jagst gelegen, ist die alte Burg von einem Burggraben umgeben. Über eine Brücke, an deren Stelle sich früher eine Zugbrücke befand, und durch ein wappengeschmücktes Tor gelangt man in den Burghof, wo sich die Anlage mit Kemenate, Herrenhaus (dem ehemali-

gen Palas) und dem Treppenturm präsentiert. Im mittleren Stockwerk des Herrenhauses befindet sich der weitläufige Rittersaal. Der nördliche Turm beherbergt ein Museum, das neben römischen Funden aus dem ehem. Limeskastell und einer Waffensammlung als besondere Attraktion die eiserne Hand des Götz zeigt. Sie ist ein Meisterwerk der Feinmechanik des 16. Jh. und hat Prothesenbauern bis ins 19. Jh hinein als Anschauungsobjekt gedient.

Während des Landshuter Erbfolgekriegs hatte der 24jährige Götz 1504 im Dienst des Markgrafen von Ansbach seinen rechten Unterarm verloren. Ein geschickter Dorfschmied fertigte dem Verwundeten nach dessen eigenen Angaben eine eiserne Behelfshand, die später zum Markenzeichen des Ritters wurde. Diese Prothese soll Goethe dazu bewogen haben, ein idealisierendes Drama über den ritterlichen Einzelkämpfer zu schreiben. Im Rahmen der alljährlichen Festspiele wird seit 1950 mit erstklassiger Besetzung auf dem Schloßhof aufgeführt. Immer wieder vermag dieses Schauspiel die zahlreichen Zuschauer zu begeistern, wozu bestimmt auch Götzens berühmter „schwäbischer Gruß" beiträgt.

In der Pfarrkirche des idyllischen Dorfes befinden sich zahlreiche Grabdenkmäler des Geschlechts der Berlichingen. Die Chorturmkirche stammt aus dem 14. Jh.

Auf Initiative des protestantischen Wolf von Hardheim wurde 1560 die reformatorische Lehre in Jagsthausen eingeführt. Doch nur langsam konnte sich die neue Glaubensrichtung durchsetzen, denn das nahe Kloster Schöntal bemühte sich nach Kräften, die Ausbreitung des Protestantismus zu verhindern.

ⓘ Schloßmuseum: täglich 9–12, 13–17 Uhr (Mitte März–Oktober). Burgfestspiele in der Regel Mitte Ju-

ni–Mitte August. Spielpläne für die Folgesaison können ab Oktober angefordert werden, Tel. 0 79 43/22 95. Ev. Pfarrkirche: Mo–So 9 Uhr bis Einbruch der Dunkelheit (Ostern bis Mitte Oktober), im Winter kann der Schlüssel beim Pfarramt abgeholt werden, Tel. 0 79 43/22 92.

Weinsberg Mit einem einzigen Satz nur brauchte Götz in seiner Lebensbeschreibung auf eine schreckliche Episode des Bauernkriegs einzugehen: Noch Jahrzehnte danach war die grausame Geschichte in aller Munde.

Am Ostersonntag des Jahres 1525, der als blutiger Ostersonntag in die Geschichte einging, stürmte der Odenwälder Haufe unter der Führung des Jäcklin Rohrbach die Stadt. Auf seine Veranlassung hin wurden die zehn adligen Verteidiger der Burg Weinsberg, darunter Graf Ludwig von Helfenstein, der Schwiegersohn Kaiser Maximilians, durch die Spieße gejagt und hingerichtet. Vergebens hatte die Gräfin, ein kleines Kind auf dem Arm, um Erbarmen gefleht: Sie wurde auf einem Mistwagen nach Heilbronn geschickt.

Angesichts der Weinsberger Bluttat trennte sich der Odenwälder Haufe von seinem fanatischen Anführer. Georg Truchseß von Waldburg ließ zur Vergeltung die Stadt niederbrennen. Rohrbach wurde gefangengenommen und verbrannt. Adlige trugen selbst das Holz zum Scheiterhaufen für deren entehrenden Tod zu rächen. Mit der Weinsberger Greueltat hatte Rohrbach der Bauernbewegung keinen Gefallen getan: Die öffentliche Meinung kehrte sich nun gegen die Aufständischen.

Erst neun Jahre nach der Zerstörung ging man an den Wiederaufbau der Stadt. Das alte Stadtbild mit seinen malerischen Winkeln rund um den Kirchberg hat sich bis heute größtenteils erhalten.

Bad Frankenhausen
Teil des 123 m langen Bauernkriegsgemäldes Werner Tübkes. Es entstand in zehnjähriger Arbeit.

Allstedt Im Turm der ehem. Sankt-Wigperti-Kirche befindet sich eine Gedenkstätte für den Bauernführer Thomas Müntzer, der hier 1523–1524 als Prediger tätig war. Seine Idee von der Volksreformation wollte er im bewaffneten Kampf durchsetzen. In der Kapelle des Allstedter Schlosses hielt er im Juli 1524 seine berühmte Fürstenpredigt, in der er den sächsischen Kurfürsten Friedrich den Weisen vergeblich zu überreden suchte, sich dem Kampf gegen die „Gottlosen" anzuschließen.
ℹ Rat der Gemeinde, DDR-4702 Allstedt (Bezirk Halle).

Bad Frankenhausen Auf dem Schlachtberg nördlich der Stadt fand am 15. Mai 1525 die vernichtende Schlacht gegen das thüringische Bauernheer unter Thomas Müntzer statt, die das Ende des Aufstands in Thüringen bedeutete. Nur 600 Aufständische, darunter auch Müntzer, wurden gefangengenommen, 5000 dagegen auf der Flucht erbarmungslos niedergemetzelt. Auf dem Schlachtberg hat man vor kurzem einen gewaltigen Rundbau errichtet, um ein 1722 m² großes Monumentalgemälde über die „frühbürgerliche Revolution in Deutschland" aufzunehmen. 1989 soll es der Öffentlichkeit zugänglich gemacht werden.
ℹ Rat der Gemeinde, DDR-4732 Bad Frankenhausen (Bezirk Halle).

Bad Oldesloe An der Straße nach Altfresenburg liegt die reetgedeckte Mennokate. Hier soll sich im 16. Jh. die Druckerei von Menno Simons, dem Gründer der reformatorischen Freikirche der Mennoniten, befunden haben. In der Kate ist ein Museum untergebracht.
ℹ Besichtigung n. Vereinb., Tel. 0 45 31/23 60.

Böblingen Am 12. Mai 1525 wurden vor den Toren der württembergischen Stadt etwa 15 000 aufständische Bauern vom nur halb so großen Heer des Schwäbischen Bundes vernichtend geschlagen. Das Bauernkriegsmuseum erinnert an die Wirren der damaligen Zeit. Beeindruckend ist das ausgedehnte Diorama über die Böblinger Schlacht.
ℹ Bauernkriegsmuseum in der Zehntscheuer: Di 10–20, Mi–Sa 15–19, So 11–17 Uhr.

Braunschweig Dem Ablaßhandel galt Luthers entschiedener Kampf; vor allem unter dem Dominikaner Tetzel erlebte diese Praxis ihre extremsten Formen und Auswüchse. Eine Ablaßkiste im Städtischen Museum wird ihm zugeschrieben.
ℹ Städtisches Museum, Am Löwenwall: Di–So 10–17, Do bis 20 Uhr.

Coburg Das Lutherzimmer in der Steinernen Kemenate und die Lutherkapelle im Fürstenbau der Veste Coburg sind die bedeutendsten Gedenkstätten für den Reformator in der Bundesrepublik. Hier lebte er vom 23. April bis zum 5. Oktober 1530, um das Geschehen des Augsburger Reichstags zu verfolgen.
ℹ Lutherzimmer: täglich 9.30–13, 14–17 Uhr (April–Oktober), sonst Di–So 14–16 Uhr; Lutherkapelle:

Di–So 9.30–12, 14–16 Uhr (April bis Oktober), sonst Führungen 14, 14.45, 15.30 Uhr.

Durach An eine blutige Episode des Allgäuer Bauernkriegs erinnern eine Gerichtslinde gegenüber der Pfarrkirche und das Bauernmahnmal nahe der Ruine Neuenburg. Viele Aufständische wurden hier gefangengehalten und gefoltert. Am 24. Juli 1525 ließ der Truchseß von Waldburg 18 Rädelsführer enthaupten.

Eisenach Vieles in der thüringischen Stadt erinnert an Martin Luther, der hier die Pfarrschule besuchte. In einem schön restaurierten Fachwerkbau hat man ein Museum eingerichtet: Neben dem Lutherstübchen sind seltene Bibeln und geistliche Drucke zu sehen (Lutherplatz 8). 1521–1522 hielt sich der Reformator – von Kurfürst Friedrich dem Weisen nach dem Wormser Reichstag in Sicherheit gebracht – als „Junker Jörg" auf der Wartburg auf. In dieser Zeit übersetzte er das Neue Testament aus dem griechischen Urtext in die Sprache des Volkes. Das restaurierte Lutherzimmer im Ritterhaus ist zu besichtigen.
ℹ Eisenach-Information, Bahnhofstraße, DDR-5900 Eisenach.

Eisleben Hier wurde Luther am 10. November 1483 geboren, und hier starb er auch (1546). Sein Geburtshaus in der Lutherstraße 16 beherbergt heute ein Museum zur Geschichte der Reformation und zum Leben Luthers. Auch sein Sterbehaus am Andreaskirchplatz 7 ist zu besichtigen. Am Markt wurde ihm im 19. Jh. ein Denkmal gesetzt.
ℹ Reisebüro, Am Markt 40, DDR-4250 Eisleben (Bezirk Halle).

Tetzelkiste in Braunschweig *Diese Kiste aus Eichenholz (16. Jh.) diente vermutlich als Sammelbehälter bei Ablaßpredigten.*

Friedberg (Hessen) Kaiser Karl V. beauftragte 1521 den Reichsherold Kaspar Sturm, über das freie Geleit Luthers auf dessen Weg zum Wormser Reichstag und zurück nach Friedberg zu wachen. Da Sturm ein Anhänger Luthers war, gestaltete sich die Reise eher als Triumphzug denn als Gang eines vom Papst gebannten Ketzers. Das gewaltige Schwert des Herolds ist im Wetterau-Museum ausgestellt.
ℹ Wetterau-Museum, Haagstraße 16: Di–Fr 9–12, 14–17, Sa 10–12, So 10–17 Uhr.

Hemmingstedt Auf der sogenannten Dusenddüwelswarft an der alten Straße nach Meldorf erinnert ein Denkmal an eines der merkwürdigsten Ereignisse im norddeutschen Bauernkrieg. Am 17. Februar 1500 fand hier eine Schlacht statt, bei der 6000 Dithmarscher Bauern die 13 000 Mann zählenden königlich-dänischen Verbände vernichtend schlugen: Die findigen Bauern trieben das Heer in meernahes Marschland und fluteten die Deiche. Die Bauernrepublik Dithmarschen hatte sich ihre Freiheit bewahrt.

Landstuhl Nachdem Franz von Sickingen erfolglos versucht hatte, Trier einzunehmen, und als Landfriedensbrecher in Acht gefallen war, wurde seine Burg Nannstein 1523 von den Vollstreckern der Acht gestürmt. Der Reichsritter wurde tödlich ver-

Luthers Sterbehaus in Eisleben *Hier sind Originalbriefe und Bilder des Reformators zu sehen.*

wundet. Seine Söhne ließen ihm ein überlebensgroßes Grabmal setzen, das ihn in voller Rüstung betend auf einem Löwen zeigt. Es steht heute in der kath. Pfarrkirche Sankt Andreas.

Mühlhausen Im August 1524 kam Thomas Müntzer in die Reichsstadt und verkündete in der Marienkirche sein revolutionäres Programm. Die Stadt wurde zum Zentrum des thüringischen Bauernaufstands. Nach der vernichtenden Schlacht bei Bad Frankenhausen wurde Müntzer gefangengenommen und unter Folter zum Widerruf seiner Lehre gezwungen. Am 27. Mai 1525 wurden er und einige seiner Mitstreiter vor dem Görmarer Tor hingerichtet.

Die ehem. gotische Marienkirche ist jetzt als Gedenkstätte für den „Volksreformator" eingerichtet, und auch die Ausstellung im Heimatmuseum (Leninstraße 61) dokumentiert u.a. sein Wirken in Mühlhausen. In der Herrenstraße steht das einstige Wohnhaus Müntzers. Eine weitere dem Bauernkrieg gewidmete Gedenkstätte befindet sich in der ehem. Kirche des Franziskanerklosters am Kornmarkt.
🛈 Stadtinformation, Görmarstraße 57, DDR-5700 Mühlhausen.

Regensburg In der Neuen Waag am Haidplatz fand 1541 das von Kaiser Karl V. einberufene Regensburger Religionsgespräch statt. Auf katholischer Seite debattierten die Theologen Gropper, Pflug und Eck; die

Friedberg *Das zweihändige Schwert des Kaspar Sturm ist im Wetterau-Museum ausgestellt.*

Protestanten waren mit Bucer, Melanchthon und Pistorius vertreten. Gegenstand des vierwöchigen Disputs war ein kaiserlicher Entwurf zur Lösung strittiger Religionsfragen. Ergebnis war das Regensburger Interim, das die Stellung der Protestanten stärkte. Ein Wandbild im stilvollen Arkadenhof (16. Jh.) erinnert an das Religionsgespräch.

Schlüchtern 1488 kam auf Burg Steckelberg der spätere Reichsritter und Humanist Ulrich von Hutten zur Welt. Von der 1388 nahe der Kinzig errichteten Burg sind noch einige Mauerreste und ein Rondell erhalten.

Schmalkalden In der thüringischen Stadt gründeten 1531 die evangelischen Reichsstände ein Schutzbündnis gegen Kaiser Karl V. und dessen Machtpolitik: den Schmalkaldischen Bund. In der Schlacht bei Mühlhausen wurde der Bund jedoch 1547 besiegt. Der Sitzungssaal des Bundes befand sich über dem Ratskeller des spätgotischen Rathauses am Altmarkt.

Mit dem Schmalkaldischen Bund befaßt sich eine umfangreiche Sammlung im Kreis-Heimatmuseum, das in den Räumen des imposanten Renaissanceschlosses Wilhelmsburg untergebracht ist.
🛈 Reisebüro, Am Busbahnhof, DDR-6080 Schmalkalden.

Sievershausen 1553 trafen die Heere des Kurfürsten Moritz von Sachsen und des Markgrafen Albrecht Alcibiades von Brandenburg-Kulmbach aufeinander. Die Schlacht besiegelte das Schicksal des niederdeutschen Protestantismus: Die kurfürstlichen Truppen trugen den Sieg davon. Der Kurfürst selbst allerdings mußte mit dem Leben bezahlen. Die blutige Schlacht forderte auf beiden Seiten über 4000 Todesopfer. Daran erinnern in der Turmhalle der ev. Pfarrkirche des zu Lehrte gehörenden Ortes ein großes Tafelgemälde (um 1600) und eine Schriftplatte an der Südseite des Langhauses. Am Schlachtort selbst steht heute ein Denkmal.
🛈 Kirchenbesichtigung: Schlüssel beim Pfarrbüro, Tel. 05175/7361.

Wittenberger Marktplatz *Die Denkmäler Luthers und Melanchthons erinnern an die große Zeit der Stadt als geistiges Zentrum der Reformation.*

Wittenberg 1508 wurde Luther als Professor nach Wittenberg berufen. An der spätgotischen Schloßkirche soll er im Oktober 1517 seine berühmten 95 Thesen gegen den Ablaßhandel angeschlagen haben. Eine bronzene „Thesentür" ersetzt seit 1858 die 1760 abgebrannte Holztür. Im Innern der Kirche, die heute eine reformatorische Gedenkstätte ist, befinden sich die Gräber Melanchthons und Luthers. Bis 1546 lebte der Reformator im ehem. Augustinerkloster, dem heutigen Lutherhaus (Collegienstraße 54). Hier befindet sich die original erhaltene Lutherstube. In den anderen Räumen liegen bedeutende Drucke der damaligen Zeit aus. Im kleinen Hörsaal ist die Lutherkanzel aus der Stadtkirche Sankt Marien zu sehen. Das Wohn- und Sterbehaus Philipp Melanchthons (Collegienstraße 60) ist heute ebenfalls Gedenkstätte. Im Studier- und Sterbezimmer und in anderen Räumen kann man sich über Leben und Werk des Humanisten und Reformators informieren.
🛈 Wittenberg-Information, Collegienstraße 8, DDR-4600 Wittenberg Lutherstadt.

Wider die Rotten

Martin Luther hatte anfangs Verständnis für die Lage der Bauern und ihre Forderungen. Als aber die Ausschreitungen 1524/25 zunahmen und die Bauernhaufen schließlich Kirchen, Klöster und Schlösser in Brand steckten, wechselte er auf die Seite der Landesherren und trat dafür ein, den Aufstand niederzuschlagen. In seiner Ende Mai 1525 entstandenen Schrift „Wider die räuberischen und mörderischen Rotten der Bauern" ging er hart mit ihnen ins Gericht:

Im vorigen Büchlein durfte ich die Bauern nicht verurteilen, weil sie sich zu Recht und besserem Unterricht erboten; [...] Aber ehe denn ich mich umsehe, fahren sie fort und greifen mit der Faust drein, mit Vergessen ihres Erbietens; rauben und toben und tun wie die rasenden Hunde. Dabei man nun wohl siehet, was sie in ihrem falschen Sinn gehabt haben, und daß eitel erlogen Ding sei gewesen, was sie unter dem Namen des Evangelii in den zwölf Artikeln haben vorgewendet. [...]

Dreierlei greuliche Sünden wider Gott und Menschen laden diese Bauern auf sich, daran sie

den Tod verdienet haben [...].

Zum ersten, daß sie ihrer Obrigkeit Treu und Huld geschworen haben, untertänig und gehorsam zu sein [...]. Weil sie aber diesen Gehorsam brechen mutwilliglich und mit Frevel, und dazu sich wider ihre Herren setzen, haben sie damit verwirkt Leib und Seel [...].

Zum andern, daß sie Aufruhr anrichten, rauben und plündern mit Frevel Klöster und Schlösser, die nicht ihr sind, womit sie, als die öffentlichen Straßenräuber und Mörder, alleine wohl zwiefältig den Tod an Leib und Seele verschulden; [...] Denn Aufruhr ist nicht ein schlichter Mord, sondern wie ein großes Feuer, das ein Land anzündet und verwüstet; [...] Zum dritten, daß sie solche schreckliche, greuliche Sünde mit dem Evangelio decken [...], nehmen Eid und Huld und zwingen die Leute, zu solchen Greueln mit ihnen zu halten. Womit sie die allergrößten Gotteslästerer und Schänder seines heiligen Namens werden [...].

Bauern plündern Kloster Weißenau
Die Aufständischen versuchten durch Plünderungen, sich Waffen und Lebensmittel zu verschaffen.

Zwölf Artikel

Die von Martin Luther verkündete „Freiheit eines Christenmenschen" bezogen die Bauern auf ihre politische und soziale Lage. Die „Zwölf Artikel" faßten ihre Forderungen zusammen. Sie wurden Ende Februar 1525 von dem Kürschnergesellen Sebastian Lotzer und dem Prediger Christoph Schappeler für die bei Memmingen versammelten Bauern formuliert und verbreiteten sich schnell in Deutschland:

Der erste Artikel. Zum ersten ist unsere demütige Bitte und Begehren, auch unser aller Wille und Meinung, daß wir nun Gewalt und Macht haben wollen, daß eine ganze Gemeinde ihren Pfarrer selbst erwählen und prüfen soll. [...]

Der zweite Artikel. Zum anderen, obgleich der rechte Zehnte im Alten Testament eingesetzt und im Neuen erfüllt ist, wollen wir den rechten Kornzehnten nichtsdestoweniger gerne geben, doch wie es sich gebührt. [...] Den kleinen Zehnten wollen wir gar nicht geben, denn Gott der Herr hat das Vieh frei dem Menschen geschaffen, so daß wir es für einen ungebührenden Zehnten halten, den die Menschen erdichtet haben. [...]

Der dritte Artikel. [...] Darum ergibt sich aus der Schrift, daß wir frei sind und sein wollen. Nicht daß wir

ganz frei sein wollen, keine Obrigkeit haben wollen, das lehrt uns Gott nicht. Wir sollen nach den Geboten leben, nicht nach freiem, menschlichem Mutwillen [...]. Wir haben auch keinen Zweifel, ihr werdet uns aus der Leibeigenschaft als wahre und rechte Christen gerne entlassen oder uns aus dem Evangelium erweisen, daß wir zu recht leibeigen sind.

Der vierte Artikel. [...] Darum ist unser Begehren: Wenn einer Wasser besitzt und durch Schriften genügend beweisen kann, daß man das Wasser mit Bewußtsein so erkauft hat, begehren wir es nicht mit Gewalt zu nehmen, sondern man müßte ein christliches Einsehen darinnen haben wegen der brüderlichen Liebe. Wer es aber nicht genügend beweisen kann, soll einer Gemeinde einen gebührenden Anteil gewähren.

Der fünfte Artikel. [...] So ist unsere Meinung, daß die Gehölze, mögen sie Geistliche oder Weltliche innehaben, die sie nicht gekauft haben, sollen einer ganzen Gemeinde wieder anheimfallen [...].

Forderungen der Bauern *Die Obrigkeit antwortete mit Gewalt auf die „Zwölf Artikel".*

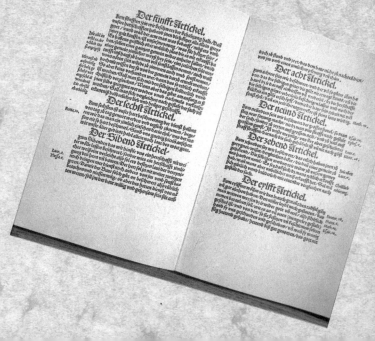

Hexenwahn

Der Hexenglaube steigerte sich im 16. Jh. vor dem Hintergrund der Auseinandersetzungen um den rechten Glauben und des zunehmenden Sektierertums zum Hexenwahn. Unter qualvollen Folterungen wurden die Beschuldigten gezwungen, ein Geständnis abzulegen. Über eine Hexenverbrennung im fränkischen Ort Schwabach heißt es:

Am Mittwoch nach Ruperti [24. September] des Jahres 1505 wurde die Zauberin Barbara zu Schwabach verbrannt. Als man sie unter freiem Himmel zum Gericht führte, da bat sie ihren Fürsprecher, den Hofmann: „Lieber Herr, um Gottes willen fristet mir mein Leben", ebenso redete sie zu allen, die sie kannte. Da las man einen langen Brief vor, in dem stand: Die Barbara hat bekannt, sie habe von einer Frau fünfzehn Pfennige, von einer anderen acht Pfennige geborgt, und wenn die Frauen es zurückforderten, so hätte sie ihnen den Hexenschuß geschickt; ebenso habe sie um irgendwelcher Feindschaft willen wohl noch fünfzehn Menschen den He-

Hexenwahn und Teufelsglaube In Gestalt eines Drachen – so sah man es im 16. Jh. – entführt der Teufel seine Geliebte, die Hexe, vom Scheiterhaufen durch die Lüfte.

xenschuß geschickt. Item bekannte sie auch, sie habe mit dem Teufel Buhlschaft getrieben. [...] Während man bei Gericht diese Bekenntnisse vorlas, saß sie nahe dabei auf einem Karren, war am Hals, in der Mitte und an den Füßen gebunden und hub mit zusammengebissenen Zähnen an zu reden: „Nein, ich gestehe nichts von dem allen, ich habe es nur in großer bitterer Marter bekannt, ich habe nichts davon getan." Da rief man die zwei vor, die dabeigewesen waren und alles gehört hatten, die sagten auf ihren Eid aus, sie habe sich ohne alle Marter zu all den Sachen bekannt. [...]

Ehe man das Feuer anzündete, sprach ein Pfaff – es waren drei dabei –: „Ihr liebe Frau, seid standhaft im christlichen Glauben und sterbt als ein Christenmensch." Sie sprach: „Das will ich!" Die Pfaffen sagten: „Wenn man das Feuer anzündet, so schreiet mit Andacht und lauter Stimme mit uns: Jesus Nazarenus, rex Judaeorum, Herr, erbarm dich über mich." Dies tat die Frau auch, solange sie irgend vor Rauch und Hitze zu schreien vermochte.

Bewegliche Lettern

Die Erfindung des Buchdrucks mit gegossenen beweglichen Lettern im 15. Jh. verhalf dem Mainzer Johannes Gutenberg zu ungeahntem Ruhm. Innerhalb kurzer Zeit wurde das handgeschriebene Einzelexemplar von der gedruckten Auflage mit beliebig vielen Exemplaren verdrängt. Mit dem neuen Angebot an Büchern und Flugschriften wuchs der Wissensdurst der Menschen. Abt Trithemius von Sponheim beschrieb um 1450 die neue Kunst in den Annalen des Klosters Hirsau:

Zu dieser Zeit wurde in Mainz, einer Stadt Deutschlands am Rheine [...] jene wunderbare und früher unerhörte Kunst, Bücher mittels Buchstaben zusammenzusetzen und zu drucken, durch Johannes Gutenberg, einen Mainzer Bürger, erfunden und ausgedacht. Nachdem er beinahe sein ganzes Vermögen für die Erfindung dieser Kunst aufgewendet hatte, vollbrachte er, mit übergroßen Schwierigkeiten kämpfend, indem er bald in diesem, bald in jenem zu knappe Mittel besaß und schon nahe daran war, an dem Erfolge zweifelnd, das ganze Unternehmen aufzugeben, doch endlich mit dem Rate und den Vorschüssen des Johann Fust, ebenfalls Bürger von Mainz, die angefangene Sache. Demnach druckten sie zuerst das unter dem Namen Catholicon bezeichnete Wörterbuch, nachdem sie die Züge der Buchstaben nach der Ordnung auf hölzerne Tafeln gezeichnet und die Formen zusammengesetzt hatten; allein mit densel-

ben Formen konnten sie nichts anderes drucken, eben weil die Buchstaben nicht von den Tafeln ablösbar und beweglich, sondern eingeschnitzt waren. Nach diesen Erfindungen folgten künstlichere. Sie erfanden die Kunst, die Formen aller Buchstaben des lateinischen Alphabets zu gießen. Diese Formen nannten sie Matrizen, und aus ihnen gossen sie hinwiederum eherne oder zinnerne, zu jeglichem Drucke geeignete Buchstaben; solche hatte man früher mit den Händen geschnitzt. Und in der Tat, wie ich vor beinahe dreißig Jahren aus dem Munde des Peter Schöffer von Gernsheim, eines Mainzer Bürgers [...], hörte, hatte die Buchdruckerkunst von Anfang ihrer Entstehung an große Schwierigkeiten zu bekämpfen. Als sie nämlich beschäftigt waren, die Bibel zu drucken, hatten sie schon mehr als viertausend Gulden ausgegeben, bevor sie auch nur das dritte Quaternium [9.–12. Bogen] zustande brachten.

Johannes Gutenberg Die Erfindung des Mainzer Buchdruckers führte zu einer raschen Verbreitung der Reformation. Die Vielzahl der Flugschriften machte die Gedanken der neuen Lehre unter der Bevölkerung sehr populär.

DIE RENAISSANCE
Geburt einer neuen Zeit

Die Menschen in Europa entdeckten die Antike wieder. Kunst und Kultur der alten Griechen und Römer hielten Einzug an den Fürstenhöfen und in den Bürgerhäusern. Der Humanismus mit seinen Bildungs- und Erziehungsidealen brachte neue Impulse. Der Ottheinrichsbau des Heidelberger Schlosses (Foto) verkörpert den Geist der deutschen Renaissance.

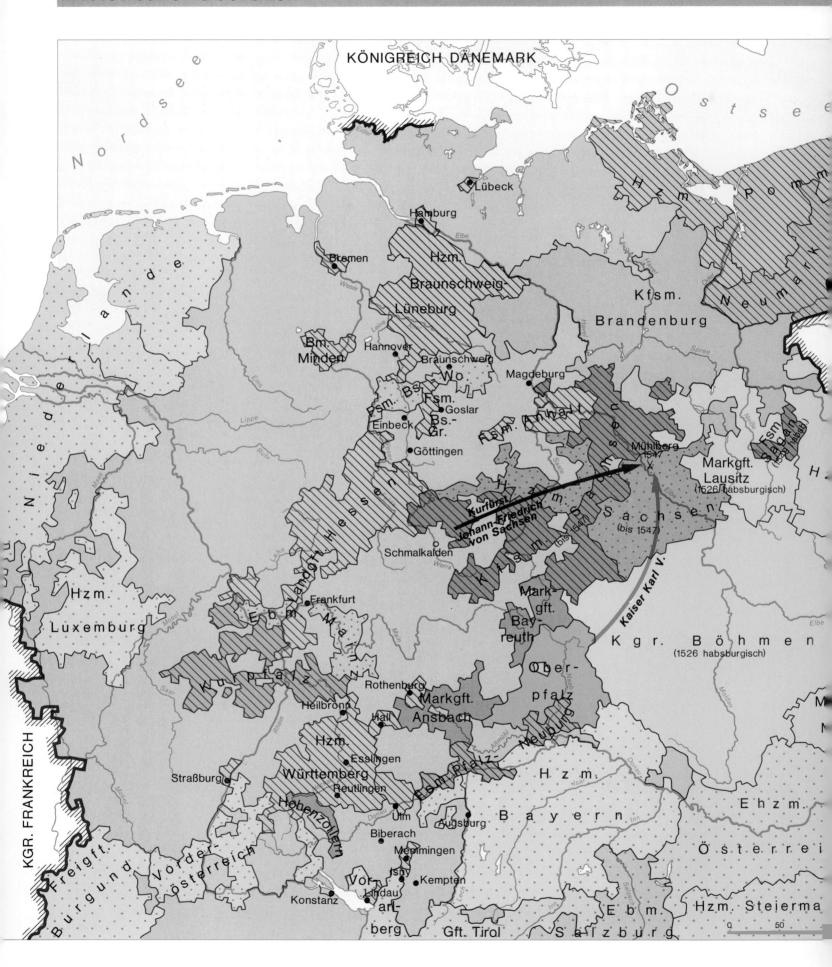

KÖNIGREICH DÄNEMARK

Nordsee

Ostsee

• Lübeck

Hamburg

• Bremen

Hzm.
Braunschweig-
Lüneburg

Hzm. Pomm

Kfsm.
Neumark

Bm.
Minden

Hannover •
• Braunschweig
• Magdeburg

Wo.

Fsm.
Bs.-
Gr.

Psm.
Bs.

• Goslar

Einbeck •

• Göttingen

Fsm. Anhalt

Mühlberg
1547
X

Kfsm.
Brandenburg

Fsm
Sagan

Markgft.
Lausitz
(1526 habsburgisch)

Hessen

Kurfürst
Johann-Friedrich
von Sachsen

Kfsm.
(bis 1547)

Sachsen
(bis 1547)

Schmalkalden •

Kaiser Karl V.

Ndrh-Hessen

• Frankfurt

Ebm
Main

Mark-
gft.
Bay-
reuth

Kgr. Böhmen
(1526 habsburgisch)

Hzm.
Luxemburg

Kurpfalz

Rothenburg •

Markgft.
Ansbach

Ober-
pfalz

Fsm. Pfalz-Neuburg

Heilbronn •

Hall •

Hzm.
Württemberg

• Esslingen

Hzm.

Bayern

Straßburg •

Reutlingen •

Hohenzollern

Ulm •

• Augsburg

Ehzm.

Biberach •

Memmingen •

Vor-
arl-
berg

Isny •
Lindau •

Konstanz •

• Kempten

Österrei

KGR. FRANKREICH

Freigft.
Burgund

Vorder-
österreich

Gft. Tirol

Ebm.
Salzburg

Hzm. Steierma

0   50

Kaiser Karl V. – Herrscher eines Weltreichs

Mit 16 Jahren erbte Karl von seiner Mutter Spanien und dessen Kolonien in Mittel- und Südamerika. Drei Jahre später starb sein Großvater, Kaiser Maximilian I., der ihm das habsburgische Erbe hinterließ. Als Karl sich anschickte, die Nachfolge als Kaiser im Heiligen Römischen Reich anzutreten, war er gerade erst 19 Jahre alt. Der junge Mann, der in der französisch-flämischen Kultur der Niederlande aufgewachsen war, hatte hochfliegende Pläne, die sich jedoch mehr an Idealen als an der politischen Wirklichkeit orientierten. Er strebte ein weltumfassendes, übernationales christliches Kaisertum an, das die mittelalterliche Kaiserherrschaft erneuern sollte.

Zunächst jedoch mußte er die Hürde der Kaiserwahl nehmen. Auch der französische König Franz I. hatte sich um die Krone beworben, um die politische Vormachtstellung der Habsburger in Europa zu verhindern. Karl war zwar durch seine Erziehung den deutschen Kurfürsten ebenso fremd wie der Franzose, aber er war immerhin ein Habsburger wie sein verstorbener Großvater. Dennoch verlangten die Kaisermacher für ihr Votum zahlreiche Zugeständnisse. So mußte der 1519 einstimmig gewählte Karl ihnen versprechen, die Selbständigkeit der Fürsten zu wahren, keine fremden Truppen ins Reich zu holen und das Reich aus allen weltpolitischen Verstrickungen herauszuhalten.

Der Kaiser herrschte über ein Weltreich, in dem, wie seine Zeitgenossen bewundernd sagten, „die Sonne nicht unterging". Aber diese Machtfülle rief auch seine Gegner auf den Plan. So kam es schon 1521 zum Krieg mit Franz I. Der Kaiser siegte 1525 bei Pavia in der größten Schlacht des Jahrhunderts, doch eine Entscheidung zu seinen Gunsten war damit nicht gefallen. Solange das Reich, Italien und Spanien in einer Hand vereint waren, fühlte sich Frankreich bedroht. So führte Franz I. drei weitere Kriege gegen den Kaiser, den zweiten im Bündnis mit dem Papst, und vor dem dritten verbündete er sich sogar mit den Moslems.

Der andere große außenpolitische Gegner des Reiches waren die Türken, die unter ihrem Sultan Suleiman II. den größten Teil Ungarns erobert hatten und 1529, wenn auch vergeblich, Wien belagerten. Die Türkengefahr zu bannen war in den folgenden Jahren eine vordringliche Aufgabe der kaiserlichen Politik.

Während Karl V. außenpolitisch gebunden war, konnte die Reformation im Reich weiter Fuß fassen. Nach dem Frieden mit dem Papst, der Karl 1530 als letzten Kaiser auf italienischem Boden krönte, wollte sich der Kaiser mit ganzer Kraft der inneren Ordnung des Reiches widmen. Auf dem Augsburger Reichstag 1530 erkannten die protestantischen Fürsten jedoch endgültig, daß Karl V. den alten Glauben in vollem Umfang wiederherstellen wollte. Unter der Führung Kursachsens und Hessens bildeten daraufhin viele lutherische Stände aus dem ganzen Reich im thüringischen Schmalkalden einen Verteidigungsbund zur Wahrung ihrer Rechte.

Gegen den sich weiter ausbreitenden Protestantismus schlossen sich 1538 die katholischen Reichsstände in Nürnberg zu einer Liga zusammen. Aber erst nach dem vierten Krieg gegen Frankreich konnte Karl V. gewaltsam gegen die protestantischen Fürsten vorgehen. 1546 kam es in Süd- und Mitteldeutschland zum Schmalkaldischen Krieg. Der sächsische Kurfürst Johann Friedrich wurde in der Schlacht bei Mühlberg 1547 gefangengenommen, und der Landgraf Philipp von Hessen ergab sich.

Die kaiserliche Macht hatte damit einen seit der Stauferzeit nicht mehr erlebten Höhepunkt erreicht. Das weckte schlimme Befürchtungen bei vielen Fürsten, und so wechselte Moritz von Sachsen, ein politisch begabter Parteigänger des Kaisers, zur Gegenseite über. Der Kaiser mußte vor der von Moritz betriebenen Fürstenverschwörung fliehen, und Karls Bruder Ferdinand, der Begründer der österreichischen Linie der Habsburger, handelte 1555 den Augsburger Religionsfrieden aus.

Der Kaiser dankte 1556 verbittert ab und zog sich nach Spanien in ein Kloster zurück, wo er zwei Jahre später starb. Mit seiner Regierung war der letzte Versuch, eine starke Zentralgewalt im Reich zu errichten, gescheitert. Die konfessionelle Spaltung war endgültig besiegelt.

Die italienische Renaissance, die die Antike wiederentdeckt hatte, löste im 16. Jh. in Deutschland die Gotik ab und übte auf die Baukunst und die Malerei einen bestimmenden Einfluß aus. Insbesondere die fürstlichen Residenzen und die städtischen Patrizierhäuser übernahmen Architektur- und Stilelemente der neuen Kunstrichtung.

Deutschland zur Zeit Karls V.

- Grenze des Heiligen Römischen Reiches (1556)
- Grenze des Hzm. Preußen
- Grenzen der Herzogtümer, Marken u. ä.
- Brandenburgische Linie / Fränk.-schwäb. Linien } Hohenzollern
- Bayerische Linie / Pfälzische Linie } Wittelsbach
- Österreichische Linie / Spanische Linie } Habsburg
- Albertinische Linie / Ernestinische Linie } Wettin
- Schmalkaldischer Bund 1530/31 (protestantische Fürsten und Städte)
- Katholische Liga von Nürnberg 1538
- Türkeneinfall 1529
- Feldzug der Katholiken
- Feldzug der Protestanten
- 1547 ✗ Entscheidende Niederlage der Protestanten

Kgr. = Königreich; Ehzm. = Erzherzogtum; Hzm. = Herzogtum; Kfsm. = Kurfürstentum; Fsm. = Fürstentum; Ebm. = Erzbistum; Bm. = Bistum; Gft. = Grafschaft; Bs.-Gr. = Braunschweig-Grubenhagen; Bs.-Wo. = Braunschweig-Wolfenbüttel

Kaiser Karl V. Der Habsburger gebot fast 27 Jahre über ein Reich, das halb Europa und die spanischen Eroberungen in der Neuen Welt umfaßte.

Goldene Zeiten für den Adel im Norden

Zur Zeit der Reformation erlebten die schleswig-holsteinischen Adligen einen bedeutenden Aufschwung ihrer wirtschaftlichen Macht. Von den dänischen Königen, die auch diese beiden Herzogtümer regierten, wurde der Adel mit zahlreichen Privilegien und einer gewissen Selbständigkeit ausgestattet. Hinzu kam, daß das Land eine feste politische Einheit bildete. Auf dieser soliden Basis erlebte die Kultur inmitten der herben Landschaft zwischen Nord- und Ostsee eine Blütezeit.

Glücksburg Herzog Johann d. J., den Chroniken zufolge ein harter Mann, ließ das Wasserschloß in Glücksburg 1582–1587 auf ehem. Klostergrund errichten. Bis heute wirkt der monumentale, fast schmucklose Bau – eines der Hauptwerke der Renaissance im Land – wie ein Symbol ungebrochenen Machtwillens.
🛈 Schloßbesichtigung Di–So 10 bis 16.30 Uhr (Mitte Mai–September), sonst 10–12, 14–16.30 Uhr.

Flensburg Nach dem Vertrag von Ripen (1460) war der dänische König für Jahrhunderte zugleich Herzog des Landesteils Schleswig, und Flensburg wurde von Kopenhagen aus mit verwaltet und regiert. Unter König Friedrich I. von Dänemark erlebte Flensburg im 16. Jh. seine Blüte; 200 Schiffe nannte die Stadt ihr eigen. Zwei Häuser aus dieser Zeit wurden zu dem noch existierenden Handelshof zusammengefaßt (Holm 19/21). Ein Handelshof vereinigte Wohnhaus, Laden, Saalbau, Speicher und Werkstätten unter einem Dach. Ins schönste Bürgerhaus mit prächtigem Renaissancefachwerkgiebel an der Ostseite zog die Tourist-Information ein (Ecke Große Straße/Kompagniestraße). Am Ende der alten Kompagniestraße steht das Zunfthaus der Schiffer und Kaufleute von 1602.

Das einzige erhaltene Stadttor im Schleswigschen ist das Flensburger Nordertor. Es wurde 1595 als Außentor am Nordende der alten Vorstadt Ramsharde errichtet. Treppengiebel und die tonnengewölbte Rundbogendurchfahrt bestimmen den Gesamteindruck.

Schleswig Friedrich I. ließ im 16. Jh. Schloß Gottorf, den Stammsitz seines Geschlechts, um den Süd- und West-

Kiel-Molfsee *Das älteste erhaltene Bauernhaus der Gegend ist im Freilichtmuseum zu bewundern: das Pfarrhaus von Grube aus dem Jahr 1569 (links).*

Meldorf *Äußerst prunkvoll ist der Swinsche Pesel (1568) im Dithmarscher Landesmuseum ausgestattet. Die Stube ist sichtbarer Ausdruck selbstbewußten Bauerntums (oben links).*

Schloß Ahrensburg *Durch seine geschwungenen Giebel und die vier Ecktürmchen wirkt dieses Prachtstück der Spätrenaissance inmitten einer herrlichen Parklandschaft fast graziös (oben).*

flügel erweitern. Sein Grabmal im gotischen Dom, eines der Hauptwerke niederländischer Renaissancekunst in Europa, schuf 1533 der flämische Bildhauer Cornelis Floris. Ein Werk seiner Schüler ist die hölzerne Emporenkanzel von 1560, die von einer dorischen Säule getragen wird. Ihre Reliefs zeigen u. a. Moses mit den Gesetzestafeln sowie die Kreuzigung und Auferstehung. In Schloß Gottorf befindet sich ein Museum. Die Schloßkapelle ist vollkommen im Stil des 16. Jh. eingerichtet.

i Schleswig-Holsteinisches Landesmuseum Schloß Gottorf: Di–So 9–17 Uhr (April–Oktober), sonst Di–So 9.30–16 Uhr.

Kiel-Molfsee Alle typischen Gebäudearten Schleswig-Holsteins aus dem 16.–19. Jh. zeigt das Freilichtmuseum auf rund 60 ha. Handwerker – Kerzenzieher, Korbflechter, Bäcker und viele mehr – führen ihre traditionsreiche Arbeit vor.

i Schleswig-Holsteinisches Freilichtmuseum: Di–Sa 9–17, So 10–18 Uhr (April–Mitte November), Juli bis Mitte September auch Mo, im Winter nur So und feiertags.

Bordesholm Ein Hauch von Tragik umgibt das Grabmal im Chorraum der Klosterkirche. Friedrich I. von Gottorf ließ es für sich und seine erste Frau Anna errichten, die schon mit 27 Jahren starb. Das Grab – reizvoll die Kombination von Elementen der Spätgotik und der Frührenaissance – blieb freilich leer, denn der spätere König wurde im Schleswiger Dom beigesetzt, und Annas Gebeine ruhen in einem Gewölbe der Bordesholmer Kirche.

Ahrensburg Das Wasserschloß (1595) gilt als Krönung des sogenannten goldenen Rantzauschen Zeitalters. Vorbild der Anlage war unverkennbar Glücksburg. Die Schloßkirche und die Gottesbuden (preiswerte Wohnungen) entstanden zur gleichen Zeit.

i Besichtigung Di–So 10–12.30, 13.30–17 Uhr (April–September), im Winter bis Einbruch der Dunkelheit.

Glückstadt Die Stadt nahe der Elbmündung wurde 1616 als Konkurrenz zu Hamburg und als militärische Basis auf dem Reißbrett der Stadtplaner geboren. Auftraggeber war der dänische König Christian IV. Noch heute ist der sternförmige Grundriß sichtbar.

Krempe In Erinnerung an die alte Kremper Brand- und Wehrgilde von 1541 feiert der Ort jährlich am 24. Juni sein Gildefest mit Fahnenschwenken. Waffen und Pokale der Gilde sind im Saal des Backsteinrathauses von 1570 ausgestellt.

i Rathaus, Am Markt 1: täglich n. Vereinb., Tel. 0 48 24/8 16.

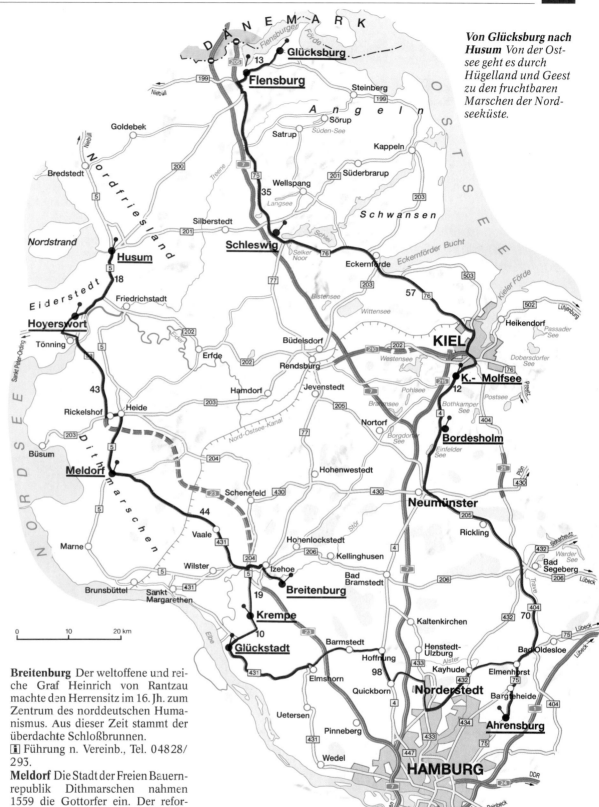

Von Glücksburg nach Husum Von der Ostsee geht es durch Hügelland und Geest zu den fruchtbaren Marschen der Nordseeküste.

Breitenburg Der weltoffene und reiche Graf Heinrich von Rantzau machte den Herrensitz im 16. Jh. zum Zentrum des norddeutschen Humanismus. Aus dieser Zeit stammt der überdachte Schloßbrunnen.

i Führung n. Vereinb., Tel. 0 48 28/ 293.

Meldorf Die Stadt der Freien Bauernrepublik Dithmarschen nahmen 1559 die Gottorfer ein. Der reformierte Glaube setzte sich durch – sichtbar im Alten Pastorat (1601) in der Papenstraße sowie im „Dom" am Renaissance-Chorgitter und an der Kanzel. Bäuerliches Kulturgut zeigt das Dithmarscher Landesmuseum.

i Museum, Bütjestraße 4: Di–Fr 9–17.30, Sa, So 10–16 Uhr (März bis Oktober, 15. 9.–5. 10. geschlossen), sonst Di–Sa 9–17.30 Uhr.

Hoyerswort Herzog Adolf von Gottorf schenkte das einzige Gut in Eiderstedt 1564 seinem Statthalter Caspar Hoyer. Das reizende kleine Seitenportal des Herrenhauses entstand 1594.

i Besichtigung n. Vereinb., Tel. 0 48 64/3 59.

Husum Hier errichtete Herzog Adolf 1577–1582 ein Schloß, das im 17. Jh. als Witwensitz der Herzoginnen diente. Auch das Cornilssche Torhaus im Stil der Spätrenaissance blieb erhalten.

i Schloß vor Husum: Di–So 10–12, 14–17 Uhr (April–Oktober).

Die reiche Saat der Flüchtlinge

Mit dem Zustrom der wegen ihres Glaubens aus den Niederlanden vertriebenen Flüchtlinge, die ihre hochentwickelte Kultur mitbrachten, kam ein neuer, weltoffener Geist nach Emden, Jever und Bremen. Der Handel florierte, die Bürger wurden selbstbewußt, wohlhabend und mächtig, und die schöpferische Kunst der Renaissance blühte. Dieser Aufschwung des städtischen Bürgertums im 16. Jh. brachte den Häuptlingen und Fürsten Ostfrieslands schwierige Zeiten.

Emden Das Bild der Hafenstadt, die nach Amsterdamer Vorbild mit Grachten durchzogen und eng mit Giebelhäusern bebaut wurde, zeigt hinreichend Spuren ihrer Glanzzeit. Kern ist der mittelalterliche Hafen mit dem Rathaus am Delft. Heute ist hier das Ostfriesische Landesmuseum untergebracht. Die großen, leuchtendbunten Glasfenster, 1576 von den Ratsmitgliedern gestiftet, zierten einst die Westfront und sind heute in der Renaissanceabteilung zu bewundern. Die Rüstkammer im Museum erinnert mit ihren rund 1000 Ausstellungsstücken, darunter 300 Rüstungen und Feuerwaffen, an die erfolgreiche Emdener Revolution 1595, als die Bürger ihre Unabhängigkeit gegen den Landesherrn durchsetzen konnten. Von den zahlreichen Stadt- und Hafentoren der damaligen Zeit zeugt noch das 1635 errichtete Hafentor. Relikt der einst stolzen Reihe ehem. Bürgerhäuser ist das 1585 erbaute Haus in der Pelzerstraße 12 mit seiner typischen Renaissance-Staffelgiebelfassade.

ℹ Ostfriesisches Landesmuseum im Rathaus: Mo–Fr 10–13, 15–17, Sa, So 11–13 Uhr (April–September, Mitte Juni–Mitte September Mo–Fr ab 14 Uhr), sonst nur Di–Fr.

Hinte In der trutzigen Wasserburg von Hinte wohnen bis heute die Nachkommen der ostfriesischen Adelsfamilie von Frese, welche die Anlage im 16. Jh. durch Heirat übernahm. Aus dieser Zeit stammt der Westteil der Vierflügelanlage, die als fast reiner Typ eines ostfriesischen Häuptlingssitzes gilt. Die Burg ist nur von außen zu besichtigen.

Lütetsburg Der Name Lütetsburg stammt von Häuptling Lüet Manninga, der den Ort gründete. Einzi-

Bremen *Eine feierliche Würde strahlt die üppig geschmückte obere Halle des Alten Rathauses aus (oben). An der Decke hängen Modelle von Kriegsschiffen: Das älteste stammt aus der Zeit um 1545.*

Oldenburg *Die Portraitmalerei der Renaissance entdeckte die individuelle Persönlichkeit. Von der strengen Profilansicht ging* *man zur natürlicheren Dreiviertelansicht über. Dieses Bild eines friesischen Meisters (um 1550) hängt im Landesmuseum (links).*

Verden *An prachtvollen Bürgerhäusern aus dem 16.–19. Jh. ist die Allerstadt auch heute noch reich. Bunte Fächerrosetten, Masken und Ranken-* *werk gliedern die Schauseite des hochgiebligen, dreigeschossigen Ackerbürgerhauses (oben).*

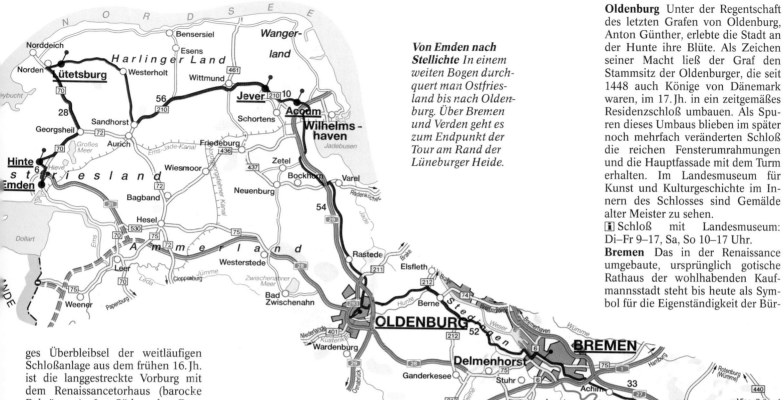

Von Emden nach Stellichte In einem weiten Bogen durchquert man Ostfriesland bis nach Oldenburg. Über Bremen und Verden geht es zum Endpunkt der Tour am Rand der Lüneburger Heide.

Oldenburg Unter der Regentschaft des letzten Grafen von Oldenburg, Anton Günther, erlebte die Stadt an der Hunte ihre Blüte. Als Zeichen seiner Macht ließ der Graf den Stammsitz der Oldenburger, die seit 1448 auch Könige von Dänemark waren, im 17. Jh. in ein zeitgemäßes Residenzschloß umbauen. Als Spuren dieses Umbaus blieben im später noch mehrfach veränderten Schloß die reichen Fensterumrahmungen und die Hauptfassade mit dem Turm erhalten. Im Landesmuseum für Kunst und Kulturgeschichte im Innern des Schlosses sind Gemälde alter Meister zu sehen.
ℹ️ Schloß mit Landesmuseum: Di–Fr 9–17, Sa, So 10–17 Uhr.
Bremen Das in der Renaissance umgebaute, ursprünglich gotische Rathaus der wohlhabenden Kaufmannsstadt steht bis heute als Symbol für die Eigenständigkeit der Bür-

ges Überbleibsel der weitläufigen Schloßanlage aus dem frühen 16. Jh. ist die langgestreckte Vorburg mit dem Renaissancetorhaus (barocke Bekrönung). Im Süden der Burg schließt sich ein ausgedehnter, heute öffentlicher Park an. Das Schloß ist nur von außen zu besichtigen.
Jever Das Fräulein Maria, einziges Kind des Häuptlings Edo Wiemken, zog es vor, sich eher unter die Schutzherrschaft von Kaiser Karl V. zu stellen, als sich mit einem der zahlreichen einheimischen Freier zu verheiraten. Dies bescherte Jever eine Blütezeit. Die selbstbewußte Regentin holte bedeutende Antwer-

pener Künstler in die Stadt, um ihre Residenz im Geiste der flämischen Renaissance auszubauen. So schuf Conelis Floris in ihrem Auftrag das raumbeherrschende Grabmal von Edo Wiemken in der Stadtkirche und die reich ornamentierte Eichenholz-Kassettendecke im Schloß, in

dem heute das Heimatmuseum untergebracht ist. Zu den kostbarsten Ausstellungsstücken gehört der Huldigungsbecher aus vergoldetem Silber von 1542. Beispiel hoher bürgerlicher Kultur der Renaissance ist das Rathaus am Kirchplatz mit seinem üppig verzierten Portal.
ℹ️ Schloß mit Heimatmuseum: Di–Sa 10–17, So 11–17 Uhr (Juni bis September), Di–So 10–13, 15–17, So 11–13, 15–17 Uhr (März–Mai, Oktober–Mitte Januar).
Accum In der Kirche des ehem. ostfriesischen Häuptlingssitzes ruht Tido von Knipens und Inhusen mit seiner Gemahlin unter einer in reicher niederländischer Renaissancemanier gestalteten Grabplatte aus schwarzem Marmor. Der Fürst führte 1555 nach dem Vorbild des übrigen ostfriesischen Adels das reformierte Bekenntnis ein.
ℹ️ Besichtigung n. Vereinb., Tel. 0 44 23/77 38.

Lütetsburg Ein weitläufiger öffentlicher Park umgibt das Wasserschloß, das 1957 nach mehrfacher Zerstörung sein jetziges modernes Gesicht erhielt.

ger. Es ist reich an prächtigen Details. Eines der schönsten Beispiele dieser Kunstepoche befindet sich an Front und Treppe der oberen Güldenkammer mit ihren Sinnbildern der Gerechtigkeit, Tugenden und Künste, mit den Fresken an der Nordwand und dem wappengeschmückten Alabasterportal.
ℹ️ Rathaus: Führungen Mo–Fr 10, 11, 12, März–Oktober auch Sa, So 11, 12 Uhr.
Verden Daß sich auch die gestrengen Domherren vom Geist der Renaissance anregen ließen, beweist u.a. der prunkvolle Sarkophag des Bischofs Sigismund im Innern des Doms. Ein schönes Beispiel eines Renaissancefachwerkhauses steht in der Strukturstraße 7.
Stellichte Gegenüber vom Schloß liegt die 1610 von Dietrich von Behr erbaute Gutskapelle, deren Inneres mit einer Fülle von Kostbarkeiten überrascht: mit Holzschnitzereien, Grabmälern und Totenschilden.
ℹ️ Besichtigung n. Vereinb. mit dem Küster, Tel. 0 51 68/3 09.

Schlösser im Land der Welfen

Durch das ehemalige Herzogtum Braunschweig-Lüneburg, das Land der Welfen, fließt die Aller. Dort, wo man den Fluß überqueren konnte, entstanden schon früh Burgen und Schlösser. Im 16. Jh. ließen die adligen Besitzer sie häufig im neuen, zeitgemäßen Stil der Renaissance umgestalten, um ihrem Kunstsinn und Wohlstand Ausdruck zu verleihen und um dem höfischen Leben auch in kleineren Landstädten einen prunkvollen Rahmen zu geben.

Celle Ein Eckturm mit Portraitmedaillons an der obersten Brüstung und zinnenartig aneinandergereihte Zwerchhäuser mit geschwungenen Giebeln, die ein zentraler Staffelgiebelbau mit halbrundem Erkerturm harmonisch gliedert, bestimmen die bewegte Ostfassade des Schlosses, die ganz im Stil der Renaissance gehalten ist. Die drei anderen Fassaden spiegeln den Umbau zu einem Barockschloß im 17. Jh. wider.

Die Schloßkapelle, ab 1560 vom Braunschweiger Herzog Wilhelm d. J. vollständig umgestaltet, beeindruckt durch ihre einheitliche Renaissanceausstattung. Besonders sehenswert sind der vielgestaltige ornamentale Schmuck der Wände – vor allem beim Fürstenstuhl auf der Empore – und die Gemälde, die Marten de Vos und seine Schüler schufen.

Die bekanntesten Bewohnerinnen des Schlosses waren zwei tragisch liebende Frauen aus dem Hause der Welfen: Sophie Dorothea, Mutter des englischen Königs Georg II. und Großmutter Friedrichs des Großen, die eine Affäre mit Philipp Christoph von Königsmarck hatte, und die Dänenkönigin Caroline Mathilde, die wegen ihrer Beziehung zum Grafen von Struensee 1772 nach Celle verbannt wurde.

Das Hoppenerhaus in der Poststraße 8 ließ Herzog Ernst der Bekenner 1532 für seinen Amtsrentmeister Simon Hoppener errichten. Seine Fassade ist phantasievoll mit Schnitzereien von Fabelwesen, antiken Gottheiten und volkstümlichen, oft derben Gestalten verziert. Ausgeprägte Renaissanceformen kennzeichnen auch das Rathaus von 1561–1579. Drei Zwerchhäuser beleben die Marktseite.

Fußgängerzone in Celle Die rund 450 Fachwerkgiebelhäuser aus fünf Jahrhunderten vermitteln ein außergewöhnlich geschlossenes Altstadtbild (oben).

Gifhorn Im 1581 fertiggestellten Nordflügel des Gifhorner Schlosses, dem sogenannten Kommandantenhaus, wohnte einst der jeweilige Schloß- und Amtshauptmann (links).

Renaissancestuhl im Wolfsburger Schloß Die Räumlichkeiten im Erdgeschoß des Ostflügels sind zum Teil mit Möbeln und Kunstgegenständen im Stil der Renaissance ausgestattet – repräsentativer Rahmen für Empfänge, Konferenzen und Konzerte (links).

i Schloßführungen: täglich jede Stunde 10–12, 14–16 Uhr.

Gifhorn 1525, während der gemeinsamen Regierung der Celler Herzöge Ernst und Otto von Braunschweig-Lüneburg, begann man mit dem Bau des Gifhorner Schlosses. Als die Stadt 1539 für zehn Jahre eigenständiges Herzogtum wurde, holte sich Herzog Franz, der jüngere Bruder von Ernst und Otto, den Baumeister Michael Clare aus Celle und ließ das Schloß zu seiner Residenz ausbauen. Das mächtige Torhaus trägt seit 1906 an seiner Hofseite den Wappenstein des Schloßherrn. Das Torhaus enthält bereits charakteristische Elemente der Frührenaissance wie die großen welschen Giebel und die Blendgliederung aus Backstein. Die Halbrundungen sind mit Steinkugeln besetzt. Im Ostflügel, dem Ablagerhaus, befanden sich einst die Wohngemächer des herzoglichen Paares.

Die Schloßkapelle (1547) nimmt die Nordostecke der Anlage ein. Eine kleine Freitreppe führt zur Vorhalle hinauf. Sie ist zum Hof hin geöffnet, und ihre Brüstungsfelder sind mit Maßwerk geschmückt. Die Spitze des Giebels, der durch schmale Wandpfeiler gegliedert wird, ist als offener Glockenbaldachin gestaltet. Unter dem Chorfenster stehen die Sarkophage von Herzogin Klara und Herzog Franz mit ausdrucksvoll gearbeiteten Grabmalfiguren in kniender und betender Haltung. Der Sarg neben Franz blieb jedoch leer: Seine Witwe wurde in Pommern beigesetzt. Im Kommandantenhaus und in der Schloßkapelle ist heute das Kreisheimatmuseum untergebracht.

Unter den Altstadthäusern von Gifhorn beeindrucken das ehem. Rathaus von 1562 durch reiches Schnitzwerk und in der Hauptstraße das Kavaliershaus mit Auslucht.

i Schloß mit Kreisheimatmuseum: Mi–Fr 14–18, Sa, So 11–17 Uhr.

Von Celle nach Salzgitter Südlich der Aller geht es nach Gifhorn und weiter nach Wolfsburg. Auf reizvoller Strecke gelangt man durch den Naturpark Elm-Lappwald nach Salzgitter-Salder.

Wolfsburg-Fallersleben Nach dem Tod ihres Mannes, Herzog Franz, ließ sich Herzogin Klara das Schloß Fallersleben 1551 als Witwensitz errichten, in dem sie noch 30 Jahre lebte. An den langgestreckten Fachwerkbau auf hohem, massivem Kellergeschoß hat man Anfang des 17. Jh. einen Treppenturm angefügt. Das Schloß ist nur von außen zu besichtigen.

Wolfsburg Ein altes Schloß gab einer neugegründeten Stadt seinen Namen. Die erstmals 1302 erwähnte Wolfsburg wurde 1598 von den Herren von Bartensleben zu einer imposanten Schloßanlage umgestaltet, deren vier Flügel sich um einen quadratischen Innenhof gruppieren. Dieser für die Renaissance typische Grundriß kam von Italien über Frankreich nach Deutschland.

Im Südflügel, dem Ritterhaus, befindet sich ein sehenswerter Stucksaal im Stil der Renaissance, dessen Wandfelder und Fensterlaibungen durch Kartuschen gegliedert sind. Ein Relieffries mit Jagdszenen bildet den oberen Abschluß. Heute ist das Schloß ein Kunstzentrum. Es beherbergt mehrere Museen, und im Park finden im Sommer romantische Konzerte statt.

i Schloß mit Museen: Di–Fr, So 9–17, Sa 13–17 Uhr.

Salzgitter-Salder Bereits 1161 erwähnt eine Urkunde die Herren von Salder auf ihrem Stammsitz, den sie im 17. Jh. wegen Verschuldung aufgeben mußten. Der braunschweigische Kriegsrat David Sachse, dem seit 1608 das Rittergut verpfändet war, ließ ein Jahr später das zweigeschossige, unverputzte Bruchsteinhaus im Stil der Renaissance errichten. In den Räumen – besonders prunkvoll sind der Fürstensaal und das Fürstenzimmer – ist heute das Städtische Museum untergebracht.

i Schloß Salder, Museumsstraße: Di–Sa 10–17, So und feiertags 10–15 Uhr. Im Sommer Schloßkonzerte und Museumsfest, Tel. 05341/ 40 24 20.

Celle Das Schloß entstand um 1540 aus einer von Aller und Fuhse umgebenen mittelalterlichen Wasserburg aus dem 13. Jh. Seine Ostfassade mit den beiden polygonalen Ecktürmen ist typisch für die Renaissance.

Juwele der Weserrenaissance

Auf ihren Feldzügen in Italien lernten die Adligen des Weserlandes die Architektur der Renaissance kennen. Ihre Heimat war eine reiche Kornkammer, und so verfügten sie über die finanziellen Mittel, den neuen, repräsentativen Baustil auch bei sich zu Hause einzuführen. Die Voraussetzungen waren ideal: Die Sandsteinbrüche der Weserberge lieferten das Baumaterial, die Steinbrüche des Sollings die Dachplatten, und die Weser diente als schneller und billiger Transportweg.

Stadthagen Die mächtige Vierflügelanlage des Schlosses ist das älteste Baudenkmal der Weserrenaissance in Niedersachsen; heute ist es Sitz des Finanzamts. Graf Adolf von Schaumburg ließ es ab 1534 an der Stelle einer mittelalterlichen Wasserburg von dem Tübinger Baumeister Jörg Unkair errichten. Zum erstenmal zeigen sich hier die für die Weserrenaissance typischen „welschen Giebel". Diese Treppengiebel mit gestaffelten, kugelbesetzten Halbkreisaufsätzen wiederholen sich an den zahlreichen Zwerchhäusern und Erkern sowie an dem reizvollen Kavaliershaus an der Schloßzufahrt. Vor dem Tor steht die 600 Jahre alte Linde, unter der einst das Landgericht des Grafen tagte.

Das Rathaus entstand durch den Umbau des Zeughauses und einen anschließenden Erweiterungsbau (1595–1613). Den Hauptakzent der Fassade bilden drei Ziererker, die von Medaillons mit vollplastischen Kriegerköpfen bekrönt sind.

Bei den repräsentativen Bürgerhäusern am Markt, die zum großen Teil nach einer Brandkatastrophe von 1554 erbaut wurden, blieb man zumeist bei der Fachwerkbauweise. Sie präsentieren sich als mehrgeschossige Giebelhäuser mit reicher Schnitzdekoration und häufig seitlicher Auslucht. Eine Sonderstellung nimmt hier das stattliche Bruchsteingebäude (Nr. 4) ein.

Der hallenartige Innenraum der außen schlichten ev. Stadtpfarrkirche Sankt Martini beeindruckt durch seine reiche Ausstattung. Der prächtige Altar, in den große Teile eines flandrischen Schnitzaltars eingefügt sind, stammt aus dem Jahr 1585. Ebenfalls auf das 16. Jh. gehen

Lemgo *Auf diesem Folterstuhl hat der berüchtigte Hexenbürgermeister seine Opfer gequält und gemartert (unten). Er ist heute im Museum zu sehen.*

Stadthagen *Rund um den Marktplatz zeigt sich die Stadt von ihrer Fachwerkseite. An einer Hauswand sind alte Binsenweisheiten phantasievoll illustriert (oben).*

Hexenbürgermeisterhaus in Lemgo *In dem freundlichen Haus (rechts) lebte einst ein finsterer Geselle: der Bürgermeister Cothmann, der im 17. Jh. 90 Menschen als Hexen und Zauberer hinrichten ließ.*

die bemerkenswerte Triumphkreuzgruppe, die Bronzetaufe auf Sandsteinpostament und die mit Schnitzwerk reich verzierte Kanzel zurück, deren Sockelzone – wie die Erker des Rathauses – Medaillons mit Kriegerköpfen enthält. Unter den zahlreichen Grabmälern ist das des Grafen Otto IV. von Schaumburg und seiner beiden Frauen (um 1580) das bedeutendste.

ℹ Sankt Martini: Besichtigung n. Vereinb., Tel. 0 57 21/7 60 01.

Rinteln In individuell gestalteter Architektur präsentiert sich das zierliche, überaus reich geschmückte Archivhäuschen, neben einer großen Scheune das einzige von dem ehem. Münchhausenschen Hof noch erhaltene Gebäude (Ritterstraße). Hilmar von Münchhausen ließ es 1546 von dem Hamelner Baumeister Cord Tönnis errichten.

Die Stadt zeigt noch einen reichen Bestand an Fachwerkbauten mit Renaissancedekor. Ein besonders schönes Beispiel ist das am Kirchplatz gelegene Giebelhaus, dessen Ständer, Schwellenhölzer und Brüstungen mit geschnitzten Motiven verziert sind. In der ev. Marktkirche Sankt Nikolai sind u. a. der Altar (um 1600) im Schweifwerkstil und das bronzene Taufbecken mit der Figur Johannes' des Täufers (1582) sehenswert.

ℹ Sankt Nikolai: Di–So 9–18 Uhr

Varenholz Zwischen 1540 und 1600 erbauten die Grafen zur Lippe das burgähnliche Renaissanceschloß Varenholz, in dem heute eine Realschule und ein Internat untergebracht sind. Es zeigt die ganze Bandbreite der Zierformen der Spätre-

naissance: Rollwerk, Girlanden, Fruchtgehänge und Löwenköpfe schmücken die Fenster, die Portale der Treppentürme und die Mittelauslucht, die über fünf Geschosse bis ins Dach aufsteigt. Typisch für diese Epoche ist auch der Kratzputz mit geometrischem Rautenmuster,

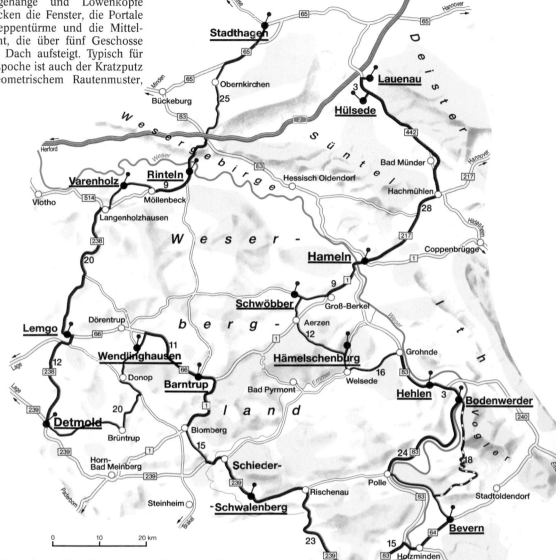

Die Freiherren von Münchhausen

Hilmar von Münchhausen hatte vier Söhne; einer von ihnen, Statius, ließ mehrere Schlösser im Stil der Weserrenaissance erbauen. Weitaus berühmter indessen wurde sein Urenkel Hieronymus, der am 11. Mai 1720 im Gutshaus das Licht der Welt erblickte. Seine erfundenen Geschichten haben ihm später den Beinamen „Lügenbaron" eingebracht. Die Geschichte vom halben Pferd ist vor dem Rathaus in Bodenwerder zu sehen.

das die Fassade der Vierflügelanlage ziert.

Lemgo Kaum eine andere Stadt der Region kann mit einer solchen Fülle sehenswerter Bürgerhäuser aus dem 16. Jh. aufwarten. Ein wahres Meisterwerk ist das Hexenbürgermeisterhaus, so benannt nach dem wegen seiner Hexenprozesse berüchtigten Bürgermeister Hermann Cothmann. Heute ist es das Domizil des Museums für Stadt- und Rechtsgeschichte, in dem u. a. noch die grausamen Folterinstrumente zu sehen sind, mit denen unschuldige Menschen gemartert wurden. Die Fassade gliedern dreiteilige Fenster und versetzt stehende Halbsäulen. Die Stufen des wuchtigen Giebels schmücken Volutenbänder mit Muschelfüllungen und Obelisken. Das prachtvolle Portal mit den Figuren von Adam und Eva rahmen zwei ungleiche Erker ein.

Zwei außergewöhnliche Sakralkunstwerke der Renaissance be-

Durch das Weserbergland Von Stadthagen führt die Tour über Detmold nach Höxter. In Wesernähe geht es dann nordwärts über die Rattenfängerstadt Hameln zum Endpunkt Lauenau.

wahrt die Marienkirche: die schwalbennestartig angebrachte Heldenorgel (um 1600), deren farbige Ausmalung leider braun übertüncht wurde, und die Taufe (1592), deren Becken von den Figuren der christlichen Tugenden getragen wird.

Schloß Brake im gleichnamigen Ortsteil, heute eine dreiflüglige Wasserburg, war ab dem 13. Jh. im Besitz der Edelherren zur Lippe. Am Nordflügel, den Graf Simon VI. 1584–1592 errichten ließ, befindet sich der sechsgeschossige, eckige

Turm, ein architektonisches Meisterwerk, das die Funktionen von Wohnturm (Gemächer, Altan) und Treppenturm (zwei Wendeltreppen) vereint. Das Schloß soll ab 1989 ein Museum für die Kunst der Weserrenaissance beherbergen.

ℹ Museum für Stadt- und Rechtsgeschichte im Hexenbürgermeisterhaus, Breite Straße 19: Di–Fr, So 10–12.30, 13.30–17, Sa nur 10–12.30 Uhr.
Sankt Marien: Mo–Sa 10–12, 14–18, So 14–18 Uhr.

Detmold Der Bau des Residenzschlosses der Grafen zur Lippe wurde 1549 von dem Tübinger Meister Jörg Unkair begonnen, von Cord Tönnis fortgesetzt und erst 1621 beendet. Deutlich tritt der durch die lange Bauzeit bedingte Stilwandel zutage: Die noch spätgotisch beeinflußten Formen des Tübingers werden vom typischen Stil der Frührenaissance abgelöst. Unkair schuf eine Vierflügelanlage mit Treppentürmen und welschen Giebeln an der Außenfront des Eingangsflügels. Tönnis fügte an dieser Seite die gegliederte Auslucht und zwei Zwerchhäuser hinzu, wobei er die Giebel umgestaltete. Der reizvolle Übergang wird auch an den beiden Portalen im Schloßhof sichtbar: spätgotisch die Stabgitterwerkeinfassung Unkairs, im neuen Stil dagegen das von Tönnis erbaute Kragenbogenportal. Ein dritter Baumeister schließlich schuf mit dem reichskulptierten Steingang eines der schönsten Werke der Frührenaissance im Weserland.

ℹ️ Führungen täglich jede halbe Stunde 9.30–12, 14–17 Uhr (April bis September), sonst jede Stunde 10–12, 14–16 Uhr.

Wendlinghausen Unweit von Dörentrup liegt die Wasserburg Wendlinghausen. Hilmar d. J. von Münchhausen ließ die Anlage mit Treppenturm und Auslucht an der Westfront und Zwerchhäusern an den Traufseiten für seinen Sohn erbauen (1613–1616). An der Rückseite hängen kleine Erker über dem Wasser: die Toiletten der damaligen Zeit. Das bewohnte Gebäude ist nur von außen zu besichtigen.

Barntrup Anna von Kanstein, die Witwe des im Hugenottenkrieg reich gewordenen Söldnerführers Franz von Kerßenbrock, ließ ab 1584 Schloß Barntrup errichten. Ihre Büste ist über dem Treppenturmportal angebracht. Das von runden und polygonalen Ecktürmen eingefaßte Gebäude zeigt als frühestes Beispiel im Weserland die reichen Zierformen der Spätrenaissance. Charakteristisches Element der Weserrenaissance ist die Auslucht, eine Art Erker oder Vorbau: In Barntrup trägt sie u.a.

Hameln Alle Jahre wieder kommt der Rattenfänger in die Stadt: zum Rattenfängerspiel auf der Terrasse des Hochzeitshauses. In ihren historischen Kostümen erwecken die Laienspieler die Sage zu neuem Leben.

Schwalenberg Eine holzgeschnitzte Tafel im Brüstungsfeld des Fachwerkrathauses zeigt als stolzes Symbol der Gerechtigkeit die Göttin Justitia mit Schwert und Waage.

Löwenköpfe als Dekor. Auf figürlichen Schmuck wurde fast durchgehend verzichtet, bis auf eine Ausnahme: Über dem Kellereingang grüßt ein Weinschenk. Die Vorderfront des bewohnten Schlosses ist von außen zu besichtigen.

Schwalenberg Die Burg Schwalenberg war im 13. und 14. Jh. die Residenz der gleichnamigen Grafen; heute wird sie als Hotel-Restaurant genutzt. Der Hauptflügel – mit Treppenturm – erhielt durch einen Umbau 1627–1628 seine heutige Form mit säulenverzierten Fenstern. In der malerischen Altstadt dominieren zumeist einfache Ackerbürgerhäuser mit großen Einfahrtstoren und den typischen roten Dächern. Das Fachwerkrathaus in Schwalenberg zeigt die ganze Farbenfreude und Zierlust seiner Erbauungszeit: Alle Hölzer sind vollständig mit bunten Flachornamenten ausgefüllt. In den Brüstungsfeldern rahmen Fächerrosetten viereckige Tafeln mit der Darstellung der Justitia und dem Stadtwappen ein. Ein typisches Merkmal des Weserlands sind plattdeutsche Inschriften, die sich über die ganze Fassade ziehen. Mit dem linken Anbau von 1603 sorgte man für eine beheizbare Ratsstube. Hinter der dreibogigen Laube des Hauptbaus befand sich einst die offene Markthalle.

Höxter Hier zeigen noch einige stattliche Fachwerkhäuser die charakteristischen Zierformen der Gegend. Prächtigstes Beispiel ist die sogenannte Dechanei, ein Doppelgiebelhaus mit mehreckigem Erker und rechteckiger Auslucht (1561). Seine Fassade schmücken Palmenrosetten mit einem auffälligen Schnürrollenmotiv. Die Fassaden anderer Gebäude zieren figürliche Schnitzereien: etwa die zeitgemäße Darstellung von Landsknechten am Haus Stummrigestraße 19 oder das biblische Motiv des Sündenfalls. Musen und Engelsköpfe zieren das Tillyhaus (1578), wo der Feldmarschall im Dreißigjährigen Krieg mehrmals Quartier genommen haben soll.

Bevern Statius von Münchhausen, der Urgroßvater des berühmten „Lügenbarons", ließ um 1610 Schloß Bevern errichten, mußte es aber schon neun Jahre darauf wegen Verschuldung an den Herzog von Braunschweig abtreten. Die mächtige Vierflügelanlage mit einer Seitenlänge von 51 m ist von einem breiten Graben umgeben. Als Baumaterial verwendete man überwiegend roten Wesersandstein. Die Dächer aus Sollingplatten werden durch vier Hauptgiebel und sechs Zwerchhäuser belebt. Die Hofseite präsentiert sich mit Fachwerkobergeschossen und achteckigen Treppentürmen. Das Schloß ist heute Kulturzentrum; ein Heimatmuseum lädt zum Besuch.

ℹ️ Führungen durch das Schloß nur n. Vereinb.; Heimatmuseum So 10 bis 12.30 Uhr und n. Vereinb., Tel. 0 55 31/84 17. Der Schloßhof ist immer zugänglich.

Bodenwerder In dem 1603 erbauten schlichten Herrenhaus, das seit 1936 als Rathaus dient, erblickte 1720 der „Lügenbaron" Carl Friedrich Hieronymus von Münchhausen das Licht der Welt. Hier starb er auch (1797). Beigesetzt hat man ihn im Querschiff der romanischen Klosterkirche im Stadtteil Kemnade. Im Rathaus wurde zu seinem Gedenken ein Museum eingerichtet.

ℹ️ Der Kirchenschlüssel kann im Haus Fährweg 16 abgeholt werden. Baron-Münchhausen-Museum: täglich 10–12, 14–17 Uhr (April bis September), sonst n. Vereinb., Tel. 0 55 33/25 60.

Hehlen Der kaiserliche Söldnerführer Fritz von der Schulenburg ließ

um 1580 Schloß Hehlen errichten. Es liegt nordöstlich des Dorfs, direkt an der Weser, und befindet sich in Privatbesitz. Die Vierflügelanlage mit zwei Treppentürmen im quadratischen Innenhof umgibt ein breiter Graben. Besonders auffällig sind die steilen Dächer mit den für die Region typischen Sollingplatten.

ℹ️ Besichtigung nur n. Vereinb., Tel. 0 55 33/18 18.

Hämelschenburg Mit Schloß Hämelschenburg entstand das Prunkstück der Weserrenaissance. Der Reiterführer Jürgen von Klencke erbaute am steilen Hang des Emmertals die hufeisenförmige Anlage als Kombination aus Wirtschaftshof und wehrhaftem Schloß. Sie war ursprünglich durch Wallanlagen und einen tiefen Graben befestigt. Ein monumentales Brückentor mit dem Wappen des Schloßherrn beherrscht den Zugang zum Hof.

Ältester Teil der Schloßanlage ist der zweigeschossige Nordflügel (1588–1592) mit Rittersaal und Gerichtslaube. Die reichdekorierte Auslucht war die Verkündigungskanzel für das „Adelige Gericht", das die Herren von Klencke gegen landesherrlichen Widerstand als gewachsenes, altständisches Recht verteidigten. Sichtbares Zeichen ist das heute noch erhaltene Richtschwert aus dem Jahr 1676.

Schloß Hämelschenburg Adliges Flair strahlen die historischen Innenräume aus. Die Schausammlungen und das prachtvolle Mobiliar lassen ahnen, welch ein herrschaftliches Leben der begüterte Landadel einst führte. Die Wappen des Bauherrn von Klencke und seiner Frau Anna von Holle findet man im Gebälk eines schönen Kaminunterbaus, der vom Rittersaal in die ehem. Küche umquartiert wurde (oben).

Der herrliche Kachelofen (rechts) steht im kleinen Saal des Westflügels. Seine Kacheln sind teilweise mit figürlichen Reliefs geschmückt, die in allegorischer Form die fünf Sinne darstellen.

Im Anschluß an den Nordflügel entstand der Mittelteil mit Marstall, Wirtschaftsräumen und zwei achteckigen Treppentürmen. Zuletzt folgte Anfang des 17. Jh. der Südflügel als Wohntrakt. Eindrucksvoll ist der Formenreichtum der zahlreichen steilen Zwerchhäuser, deren Giebel aufwendig gestaltet sind.

Im Innern kann man die Räume aus der Erbauungszeit und die Säle, die im vorigen Jahrhundert eingerichtet wurden, besichtigen. Herausragende Ausstattungsstücke im Renaissancestil sind u. a. ein schön gegliederter Kamin im Entrée, dem Erkerzimmer im Südflügel, und ein prachtvoller Kaminunterbau von 1593 in der ehem. Küche. Zur reichen Ausstattung gehören ferner eine Waffen- und Trophäensammlung sowie Gemälde und Möbel aus der Zeit vom 16. bis zum 19. Jh. Aussteuerstücke der Schloßherrin Anna von Holle sind ein viertüriger Ei-

chenschrank und das wappengeschmückte Ehebett.

ℹ️ Schloßführungen Di–So stündlich 10–12, 14–17 Uhr (April–Oktober).

Schwöbber Nachdem der kaiserliche Kriegsoberst und Söldnerführer Hilmar von Münchhausen von seinen Feldzügen in Westeuropa und Skandinavien zurückgekehrt war, ließ er sich als Mittelpunkt eines großen Guts in der Nähe von Aerzen das Schloß Schwöbber errichten. Den Kern dieses Guts bildete der Schwöbberhof, den die Familie von Münchhausen 1510 als Lehen vom Bonifatiusstift in Hameln erhalten hatte. Durch „Abmeiern" war es Hilmar gelungen, diesen Besitz noch um einiges zu vergrößern: Er hatte drei Bauern dazu bewogen, ihre Höfe gegen Zahlung einer Entschädigung aufzugeben. Dadurch konnte er die Ländereien schließlich zu einem großen Gut zusam-

---

Nützlicher Schmuck: Erker und Auslucht

Um zusätzlichen Wohnraum und bessere Lichtverhältnisse zu schaffen, ging man zur Zeit der Spätgotik und der Renaissance häufig daran, vor allem Fachwerkhäuser mit Erkern und Ausluchten zu versehen. Letztere sind eine Spezialität des Weserberglands: meist mehrgeschossige Erker, die als Vorbau über einem massiven Sockel errichtet sind. Ein Erker dagegen kragt meist frei vor. Die Dechanei in Höxter mit polygonalem Erker (siehe Bild) und Auslucht ist eines von vielen Beispielen in der Fachwerkstadt, die hervorragend demonstrieren, daß beide Ausbauten nicht nur einen praktischen Nutzen haben, sondern auch eine Freude für das Auge sind.

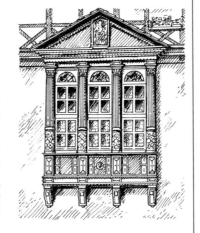

die Giebel und Zwerchhäuser der beiden Seitenflügel – mit reichem Dekor versehen sind. Der Südtrakt diente als Tor- und Magazingebäude. Der Teichflügel wurde 1908 zerstört, kurz darauf aber leicht verändert wieder aufgebaut. Zwei achteckige Treppentürme verbinden die Mittel- und Seitentrakte.

🛈 Wegen Umbauarbeiten (bis etwa 1991) nur eingeschränkt und n. Vereinb. zu besichtigen, Tel. 0 51 54/ 20 04.

Hameln Getreidehandel und Mühlenindustrie waren bereits im Mittelalter die Grundlagen eines Wohlstands, der bis zum Dreißigjährigen Krieg andauerte. Besonders Mitte des 16. bis Mitte des 17. Jh. erlebte die Stadt einen enormen wirtschaftlichen Aufschwung. Aus dieser Zeit stammt eine Reihe stattlicher Bürgerhäuser im Stil der Weserrenaissance.

Am Haus des Patriziers Johann Rike in der Bäckerstraße 16, heute der „Rattenkrug", spiegelt die schmale Auslucht die Gliederung der Gesamtfassade im kleinen wider. Niederländischem Vorbild entsprechen die Wappenhäuser links und rechts des Portals. Für den Kaufmann Gerd Leist errichtete der Baumeister Cord Tönnis 1585–1598 in der Osterstraße 9 ein nach dem Bauherrn benanntes Haus. Die zweigeschossige Auslucht zeigt in ihrer Giebelnische eine vollplastische Standfigur der Lukretia, die wohl die bürgerlich-republikanische Tugend verkörpern soll – wie auch die in einem Fries dargestellten christlichen Kardinaltugenden ein Hinweis auf die humanistische Bildung des Kaufmanns. Das Haus beherbergt heute zusammen mit dem benachbarten Stiftsherrenhaus das Museum Hameln. Das Stiftsherrenhaus wurde 1556–1558 für den Bürgermeister Friedrich Poppendieck errichtet und ist vor allem wegen seiner Holzschnitzereien bekannt: über dem Erdgeschoß Christus und die Apostel, über dem ersten Stock alttestamentliche Szenen und Figuren und über dem zweiten Stock Planetengottheiten.

Reichtum und Repräsentationsbewußtsein drückt auch das Rattenfängerhaus (1602–1603) in der Osterstraße aus, so genannt aufgrund einer Inschrift, die vom sagenhaften Kinderauszug des Jahres 1284 berichtet. Diese Begebenheit, die später mit der Geschichte vom Rattenfänger verwoben wurde versucht man heute mit der mittelalterlichen Anwerbung Jugendlicher für die Ostkolonisation in Zusammenhang zu bringen; sie ist aber letztlich nicht geklärt. Die gesamte Straßenfront, vor allem aber der Giebel des

Gebäudes, ist von einer Fülle kleinteiliger Zierformen überzogen wie Rollwerk, Kugelaufsätze, Masken, Löwenköpfe und Girlanden. Fast ganz auf plastischen Schmuck verzichtet dagegen das Hochzeitshaus am Markt (1610–1617), der damalige städtische Festsaalbau. Bei diesem mächtigen dreistöckigen Gebäude wird statt dessen durch endlos umlaufende Quaderverzierungen und geschoßtrennende Gesimse die Horizontale betont. Im westlichen Giebel zeigt zu bestimmten Zeiten ein Figuren- und Glockenspiel die Wegführung der Ratten und den Auszug der Kinder.

Als Kombination aus Fachwerk- und Steinbau entstand das Demptersche Haus (Am Markt 7). Von der Hochzeitshausterrasse, wo von Mitte Mai bis September jeden Sonntag um 12 Uhr das Rattenfängerspiel aufgeführt wird, ist das Demptersche Haus besonders gut zu überblicken.

🛈 Rattenfängerfiguren- und Glockenspiel: täglich 13.05, 15.35, 17.35 Uhr.

Hülsede In einem von einer Mauer umschlossenen Park liegt an der Straße über der Beeke die Wasserburg Hülsede, Teil des Ritterguts der Familie von Mengersen. Die zweigeschossige Dreiflügelanlage aus Bruchsteinmauerwerk mit Satteldächern aus Sollingplatten ließ der Heeresführer Claus von Rottorp 1529 erbauen, dessen Familie den Besitz vom Bischof von Minden als Lehen bekommen hatte. Durch ein hohes Gittertor sieht man die über einen breiten Graben gespannte steinerne Brücke und ein niedrigeres Torgebäude, das auf den rechteckigen Innenhof führt. Da sich das außergewöhnlich gut erhaltene Anwesen in Privatbesitz befindet, ist es allerdings nur von außen zu besichtigen.

Lauenau Auf dem Boden eines zerstörten welfischen Adelssitzes ließ sich Graf Otto IV. von Schaumburg ein vierflügliges Wasserschloß errichten (1568–1572). Den Eingangsflügel des schlichten, zweigeschossigen Renaissancebaus markiert eine rundbogige Durchfahrt, zu der eine steinerne Brücke über den heute zugeschütteten Graben führt. Der Innenhof des bewohnten Gebäudes ist zu besichtigen.

Im Stil der Weserrenaissance ist auch das Herrenhaus auf dem Münchhausenschen Gut Schwedesdorf errichtet (um 1600). Dem mächtigen Haupthaus wurde im rechten Winkel ein Nebengebäude mit Fachwerkobergeschoß angegliedert. Die Anlage in der Straße Im Rundteil ist nur von außen zu besichtigen.

Hameln Nach der Sanierung erstrahlen das Stiftsherrenhaus und das Leisthaus in der Osterstraße wieder im alten Glanz (oben).

Schloß Bevern Die Portale des Hamelner Baumeisters Johann Hundertossen zeugen von der hohen Qualität der Steinmetzarbeit im Weserland: Die figürliche und ornamentale Plastik hat hier einen ihrer Höhepunkte erreicht (links).

menfassen und rationell bewirtschaften.

Das dreiflüglige Schloß mit Innenhof ist von einem Wassergraben umgeben. Im Gegensatz zur Hämelschenburg beherrscht hier der drei-

geschossige Mittelflügel, mit dessen Bau Cord Tönnis 1574 begann, die Gesamtanlage. Blickfang der Hofseite sind zwei von Konsolen getragene Erker mit gestuften Giebeln, die – wie auch die Hauptgiebel und

Die Wasserburgen der Droste

Als sich der neue Stil der Renaissance durchzusetzen begann, ging diese Entwicklung bei den Burgen in Westfalen, die häufig im Besitz der Amtmänner oder Droste waren, nur zögernd voran. Zuerst zeigte sich an den Fassaden das neue Formempfinden. Figurenschmuck und Muster belebten die Wandflächen, die Giebel erhielten seitliche Stufen. So entwickelten die Fassaden allmählich immer mehr Schaucharakter, und die Wehrhaftigkeit bestand nur noch symbolisch.

Steinfurt Beim Bummel durch die Altstadt beeindruckt am Marktplatz das Alte Rathaus: ein typischer Renaissancebau von 1561 mit einer dreibogigen Erdgeschoßlaube und einem prachtvollen Giebel in geschwungener Form. Er besitzt Seltenheitswert im Münsterland, wo man sonst eher eine strenge Ausführung bevorzugte.

Am Südostrand der Stadt liegt auf zwei von der Aa umflossenen Inseln Schloß Burgsteinfurt, noch heute im Besitz der Fürsten zu Bentheim-Steinfurt. Die an der Straße nach Burghorst gelegene gesamte Anlage verrät ihren uralten Kern. Auf der ersten Insel steht halbkreisförmig die Vorburg, deren offene Seite zur Hauptburg auf der zweiten Insel gerichtet ist. Diese erhebt sich auf einem künstlichen Hügel. Immer wieder wurde die Oberburg erneuert,

ausgebaut, verändert. So erhielt sie 1559 ein besonderes Prunkstück, das im Innenhof sofort ins Auge fällt: Es ist die Auslucht vor dem Empfangssaal, ein zweistöckiger Renaissanceerker, den Johann Brabender, ein Steinmetz aus Münster, schuf und reich mit Tier- und Menschenmasken, Inschriften und Ornamenten verzierte. In einer Nische sind in einem Relief die gräfliche Erbauerin Walburg von Brederode und ihr Sohn verewigt. Brabender, dessen Meistermarke an einem Pfeiler im Inneren eingeschlagen ist, verwandte Baumberger Stein, einen gelben Kalksandstein aus dem Hügelland 20 km westlich von Münster. Er bildete in damaliger Zeit häufig das Material für die Verzierung der Fassaden. Als Gegengewicht zu diesem eleganten Erker reckt sich im Südwestwinkel des Hofes der hohe, vier-

Wasserschloß Darfeld Umgeben von breiten Wassergräben, liegt das romantische Schloß inmitten des weitläufigen englischen Parks. Seine geschwungene Form und die Giebel und Türme verleihen ihm ein südländisch heiteres Aussehen, das sich jedoch gut in die herbe Landschaft Westfalens einfügt.

eckige Renaissance-Treppenturm empor, der 1595 angefügt wurde.

ℹ Schloß Burgsteinfurt: Innen- und Außenbesichtigung nach Voranmeldung beim Verkehrsverein, Tel. 0 25 51/13 83.

Darfeld Westlich des Ortes an der Straße von Coesfeld nach Rheine liegt der „Traum des Südens": So nennt man das Wasserschloß Darfeld, das auf zwei Inseln errichtet wurde, denn es ist wohl das fremdartigste im ganzen Münsterland: ein Galeriebau mit 13 doppelgeschossigen Rundbogenarkaden aus hellen Baumberger Quadern, dessen zwei Flügel im stumpfen Winkel aufeinanderstoßen. Neben den übereinandergestellten Säulenreihen beleben reiche Steinmetzdekorationen mit Masken, Puttenköpfen und Beschlagwerk die Fassade. Welch seltsamer, ehrgeiziger Traum, die südliche Leichtigkeit italienischer Bauten im herben Münsterland heimisch werden zu lassen! Schöpfer dieses einzigartigen Bauwerks, das auch heute noch in Privatbesitz ist und nur von der Zufahrtsstraße aus besichtigt werden kann, war der Münsteraner Bildhauer Gerhard Gröninger, dessen Pläne allerdings noch weitaus großartiger waren: Sie sahen nämlich einen achteckigen Galeriebau vor, der einen grandiosen Innenhof umfangen sollte. Doch der Architekt bekam Streit mit dem Bauherrn Jobst von Vördern. Vielleicht meinte dieser, offene Arkaden und das herbe Klima Westfalens würden sich nicht vertragen, und so blieb das Schloß unvollendet.

Billerbeck Im oberen Berkeltal am Südrand der Stadt liegt an der Straße nach Darup die ehem. Wasserburg der Herren von Kolven. Haus Kolvenburg hat sich über viele Bauperioden zu dem bis heute erhaltenen Renaissancebau des 16. Jh. entwickelt. Es ist ein typisches

Durch das Münsterland Quer durch diese wasserreiche Landschaft in Westfalen führt die Tour. Sie beginnt nordwestlich von Münster in Steinfurt und geht dann nach Süden bis Lüdinghausen. Anschließend wendet sie sich kurz nach Osten, bevor nordwärts über Münster-Wolbeck die Hauptstadt der Region, Münster, erreicht wird. Endpunkt der Reise ist Hovestadt im Lippetal.

Wohnhaus des niederen Adels, nicht glanzvoll, aber von beeindruckender Schlichtheit. Den wuchtigen quadratischen Bau aus Baumberger Bruch- und Werksteinen deckt ein hohes Krüppelwalmdach mit Giebelschildern aus Backstein. Zwei Fensterreihen mit schwarzweißen Läden beleben die dicken Mauern. Ein kleiner, ebenfalls gegliederter Vorbau aus Ziegeln unterbricht die Geschlossenheit der Fassade. In den großzügigen Räumen, die der Kreis Coesfeld heute als Kulturzentrum und Altenbegegnungsstätte für wechselnde Ausstellungen und Konzerte nutzt, sind noch alte Kamine, Truhen und Wandschränke zu sehen. Zusammen mit den tiefen Fensternischen und Holzbalkendecken vermittelt diese Einrichtung einen guten Eindruck von der Ausstattung eines Herrenhauses in der Zeit zwischen Spätgotik und früher Renaissance.

ℹ Kolvenburg: Di–So 9.30–12.30, 14–17.30 Uhr.

Havixbeck Seit 1601 im Besitz der Freiherren von Twickel, ist das Wasserschloß Haus Havixbeck noch heute der Wohnsitz dieser Familie. Ganz versteckt liegt es inmitten eines weitläufigen Parkgeländes 1 km südwestlich vom Ort. Vorburg und Herrenhaus stehen heute auf einer gemeinsamen Insel, zur Erbauungszeit waren es zwei. Hinter den Torpfeilern erstrecken sich links und rechts die langgestreckten Wirtschaftsgebäude der Vorburg um einen rechteckigen Hof und geben den Blick frei auf die hufeisenförmige Anlage des Herrenhauses. Der Mittelteil dieses aus den hellen Sandsteinquadern der Baumberge errichteten dreiflügligen Gebäudes von 1562 verkörpert im Kern reinen Renaissancestil. Charakteristisch für die münsterländische Bauweise der Zeit sind die großen Dreistaffelgiebel mit Muschelaufsätzen und Kugelbesatz. Zum Kernbau gehört auch der achteckige Treppenturm an der Nordfront, den Wappentafeln zieren. 1674 wurde der Torturm an der Ostseite errichtet. Die mit Putten geschmückten Torpfeiler gehen auf Entwürfe des berühmten westfälischen Baumeisters Johann Conrad Schlaun zurück.

Zwischen Havixbeck und Roxel liegt Burg Hülshoff, der Geburtsort von Annette von Droste-Hülshoff, wo sie auch ihre Jugendzeit verbrachte. Schon seit dem frühen 15. Jh. gehörte die Burg diesem Geschlecht, und auch heute noch ist sie im Besitz einer Freifrau von Droste zu Hülshoff. Ein Vorfahr der berühmten Dichterin ließ das Herrenhaus um 1540–1545 errichten, aber durch Anbauten aus späterer Zeit, darunter die neugotische Kapelle, hat es manche Veränderung erfahren. Trotzdem behielt die gesamte Anlage einen stimmungsvollen Reiz: Durch weitläufige, gepflegte Parkanlagen führt der Weg erst zur Vorburg, wo der Hundeturm von 1580 und der Gärtnerturm von 1628 die Wirtschaftsgebäude einrahmen. Dahinter erblickt man das große Herrenhaus mit dem etwas niedrigeren Seitenflügel. Die roten Ziegelfassaden, die an heimische Bauernhäuser erinnern, sind an Portal und Fenstern sparsam durch Werkstein ge-

---

Die „Motten" und ihre Geschütze

Westfalen hat zum Schutz seiner Burgen keine Berge, dafür aber reichlich Wasser. Deshalb versuchte man, diese natürliche Gegebenheit optimal zu nutzen, und errichtete die Burg entweder direkt im Wasser wie Burg Vischering oder als „Motte": So nennt man feste Wohntürme, die sich auf künstlich aufgehäuften Hügeln befinden. Um diese zu errichten, hob man einen Graben aus und formte aus dem Aushub den erhöhten Bauplatz für die Burg. In den Graben ließ man umgeleitetes Wasser einströmen und machte damit die Anlage, die häufig nur über eine Zugbrücke betreten werden konnte, für die Angreifer schwer erreichbar. Burgsteinfurt ist z. B. eine solche Motte.

Zur Verteidigung gegen feindliche Attacken standen den damaligen Burgherren außerdem Waffen zur Verfügung, die mit der Zeit immer ausgeklügelter und wirkungsvoller wurden. So konnte man Angriffe beispielsweise mit Kanonenkugeln beantworten, die seit dem 15. Jh. aus bronzenen Geschützrohren abgefeuert wurden.

---

gliedert. Die streng gestaffelten Giebel mit den schmucklosen Firstschornsteinen zeigen die für das Münsterland typische Form. In diesem Gebäude sind heute ein Droste-Museum mit Erinnerungsstücken und Bildern der großen Dichterin sowie ein Restaurant untergebracht.
ℹ️ Haus Havixbeck: Außenbesichtigung auf Voranmeldung, Tel. 0 25 07/10 21.
Haus Hülshoff: Innenbesichtigung täglich 9.30–18 Uhr (14. März bis 5. November), sonst n. Vereinb., Tel. 0 25 34/10 52.

Lüdinghausen Die malerische Burg Vischering macht ihrem Namen als Wasserburg alle Ehre: 1271 begonnen, entspricht sie noch heute mit Vor- und Hauptburg, Zugbrücke und Außenwall dem Ideal mittelalterlicher Verteidigungsanlagen und kann mit Fug und Recht als eine der schönsten und am ursprünglichsten erhaltenen Wasserburgen Westfalens bezeichnet werden. Eine schmale Holzbrücke verbindet die trapezförmige Vorburg mit der Hauptburg, deren Mauern unmittelbar aus dem Wasser ragen. Diesen Komplex umgibt ein heute begehbarer, dichtbepflanzter Ringwall, den einstmals ebenfalls ein breiter Graben umfing.

Die am nördlichen Stadtrand gelegene Anlage ist mittelalterlich, die Bauten aber stammen aus dem 16. und 17. Jh. Nach einem Großbrand im Jahr 1521 entschlossen sich die Besitzer, damals wie heute die Droste zu Vischering, zum Wiederaufbau. Der alten kreisrunden Ringmauer der Hauptburg wurden Wohnbauten aufgesetzt. Damals entstand der heute etwas altertümlich wirkende Westflügel. Ihm fügte man später den Südflügel mit Treppenturm an. Dieser Wohntrakt durchbricht die Ringform, indem er sich rechtwinklig in den Wassergraben hineinschiebt. Die Südseite der alten Mantelmauer schließlich erhielt um 1620 als Auslucht einen reich verzierten Renaissanceerker, dessen Dreistaffelgiebel mit kugelbesetzten Halbkreisaufsätzen und Muscheldekor geschmückt ist.

Heute beherbergt Burg Vischering das Münsterlandmuseum mit einer sehenswerten Sammlung u.a. zu den Themenbereichen Wasserburgen und Wohnkultur des Adels.
ℹ️ Burg Vischering mit Münsterlandmuseum: Di–So 9.30–12.30, 14–17.30 Uhr (April–Oktober), sonst Di–So 10–12.30, 14–15.30 Uhr.

Drensteinfurt Mitten im Ort liegt Haus Steinfurt, eine Wasserschloßanlage auf zwei von der Werse umflossenen Inseln. Eine kleine stei-

nerne Brücke führte ehemals zur Vorburg, heute erfolgt der Zugang allerdings durch den Schloßpark. So macht das 1591 im Renaissancestil errichtete Torhaus des Schlosses mit seiner grasbewachsenen Zufahrt nun einen eher verträumten Eindruck, erfreut jedoch nach wie vor das Auge mit seinem farbig gemusterten Ziegelmauerwerk: Helle Rautenmuster überziehen die roten Backsteinflächen. Bekrönt wird der Bau von Halbkreismuscheln mit Kugelbesatz. Bodenständig und anheimelnd wirkt dieses Torhaus, eines der prächtigsten seiner Art. Dagegen präsentiert sich das klassizistische Herrenhaus eher steif-feierlich in der herben münsterländischen Landschaft.
ℹ️ Haus Steinfurt, Mühlenstraße 18: Außenbesichtigung nach Voranmeldung, Tel. 0 25 08/12 94.

Münster-Wolbeck Gleich an der Hauptstraße am Ende des Städtchens steht der Drostenhof, einer der ehem. Burgmannshöfe, von denen nur wenige erhalten sind. Die Burgmannen hatten als Ritter die Verpflichtung, die Landesburgen des Bischofs zu verteidigen. Einer von ihnen, der Obermarschall Dirk von Merveldt, verwaltete als Drost oder Amtmann das Amt Wolbeck, als er von 1554 bis 1557 das repräsentative Gebäude errichten ließ, wobei er das schon 1545 erbaute, erkerverzierte Torhaus in die Anlage mit einbezog. Hinter der Tordurchfahrt erhebt sich das Herrenhaus mit einem runden Treppenturm an der Hofseite. Die Backsteinfassaden werden durch farbige Rautenmuster

Haus Hülshoff in Havixbeck Dieses imposante Backsteingebäude (oben), dessen Fronten an Fenstern und Portal mit hellen Hausteingliederungen aufgelockert sind, war das Geburtshaus der Annette von Droste-Hülshoff.

Annette von Droste-Hülshoff Die große Lyrikerin des 19. Jh. (rechts) bezog ihre dichterische Kraft aus ihrer münsterländischen Heimat.

belebt, die bis in die Giebelwände reichen. Diese Stufengiebel sind besonders schön gestaltet: Hier wurden nicht nur die kugelbesetzten Halbkreismuscheln zum erstenmal verwandt; auch die Gliederung der Flächen durch Simse und flache, hervortretende Randstreifen, sogenannte Lisenen, war neu. Diese Formgebung haben später viele Schaugiebel im Münsterland übernommen.

Der Drostenhof befindet sich noch heute im Besitz der Familie von Merveldt, doch beherbergen seine Räume im Untergeschoß eine Zweigstelle des Westfälischen Landesmuseums für Kunst und Kulturgeschichte mit einer Sammlung zur Volks- und Landesgeschichte. Die original erhaltene Aufteilung sowie

die Ausstattung der Räume – beachtenswert sind die Stuckdecken, Kamine und geschnitzten Türen – vermitteln ein hervorragendes Bild von der Anlage eines Adelssitzes im 16. Jh. und der damaligen Wohnkultur dieses Standes.
ℹ️ Drostenhof, Am Steintor 5: Museum und Innenbesichtigung Di–So 10–18 Uhr.

Münster Patrizierhäuser aus der Zeit um 1600 prägen das Bild des Prinzipalmarktes. Mit ihren Laubengängen und in vereinfachten Formen wieder errichteten Stufengiebeln – nur der Giebel von Haus Nr. 48 stammt noch aus dem Jahr 1627 – sind sie heute, nachdem die Schäden des Zweiten Weltkriegs behoben wurden, wie ehedem Zeugnisse der Renaissancebaukunst.

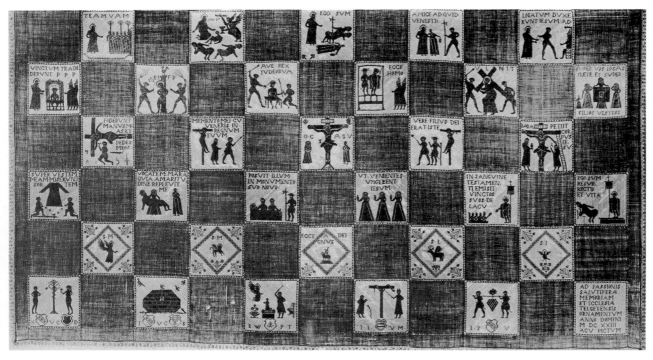

Das Telgter Hungertuch von 1623 Diese rund 7 × 4 m große Filetstickerei stifteten der Burgmann Henrich Vos und seine Frau Catarina Droste. Die an der Arbeit beteiligten Frauen der Stifterfamilie haben sich mit ihrem Monogramm und Wappen in der unteren Bilderreihe verewigt. Die 33 Szenen des Tuchs stellen vorwiegend die Passion Christi dar. Leere Hintergrundpartien in den Bildern sind mit lateinischen Sätzen oder Abkürzungen gefüllt.

Ganz in der Nähe, am Alten Steinweg 7, steht das Krameramtshaus: Das einzige erhaltene – heute wiederhergestellte – Zunfthaus der Kaufleute wurde 1589 erbaut und kündet nicht nur vom einstigen Wohlstand der Gilde, sondern erinnert auch an den Westfälischen Frieden – es beherbergte nämlich die niederländischen Gesandten; heute ist hier die Stadtbücherei untergebracht. Die Schauseite ist auffällig gestaltet: Wirkungsvoll kontrastiert der helle Baumberger Sandstein mit dem dunkel gebrannten Ziegelwerk, das bis hinauf in den Giebel reicht, und, wie hier üblich, sind dessen Stufen mit hellen, kugelbesetzten Halbkreismuscheln verziert.

Weitere typische Ziegelbauten mit Sandsteingliederung sind der Heeremannsche Hof in der Königsstraße 47, bei dem nur der Erker mit einem Giebel versehen ist, die Ratsschänke am Roggenmarkt Nr. 12 und ein Bogenhaus von 1583 an der Rothenburg Nr. 44.

Erhalten ist auch das mit reichem Renaissancedekor verzierte Nordportal der Petrikirche. Es entstand von 1595 bis 1597 und wird von den Heiligen Petrus und Paulus sowie der Madonna bekrönt. Das Monogramm IHS im Giebelfeld verweist auf das ehem. Jesuitenkolleg, zu dem der Sankt Petri einst gehörte.

Und auch im Dom Sankt Paulus hat der neue Stil Einlaß gefunden. Beachtenswert sind einige Werke der Künstlerfamilie tom Ring: Der Vater Ludger schuf 1538 das Votivbild des Domscholasten Rotger von Dobbe im südöstlichen Querhaus

und 1546 die „Auferweckung des Lazarus" am Kanzelpfeiler, sein Sohn Hermann um 1590 das Wandgemälde der Kreuzigung im nordöstlichen Querhaus. Dies ist die einzige Wandmalerei im Dom, die erhalten blieb. Sehenswert sind auch die neun steinernen Leuchterengel auf dem Laufgang des Chors, die Johann Brabender und sein Sohn Franz um 1650 modellierten. Ein Werk des Vaters ist zudem die Steinfigur der heiligen Katharina am nördlichen Mittelpfeiler des Langhauses; seine Meistermarke ist am Schwert zu erkennen. Weithin berühmt ist die astronomische Uhr von 1542 an der Südseite des Chorumgangs, ein technisches Wunderwerk ihrer Epoche.

Anmeldung beim Burgherrn

In mittelalterlichen Burgen war es die Aufgabe des Turmwächters, Besucher zu melden. Später kamen modernere Methoden auf. So enthält der Torturm von Haus Havixbeck eine originelle „Sprechanlage": ein Rufloch, kunstvoll als Tiermaske gestaltet. Und jeden Gast informierte die Inschrift über die Funktion: WERDA?

Sie zeigt die Tageszeit und den Stand der Sonne sowie die mittlere Bewegung aller Planeten. Täglich um zwölf Uhr (sonntags 12.30 Uhr) ziehen beim Klang eines Glockenspiels im Giebel die Figuren der Heiligen Drei Könige mit Dienerschaft an der thronenden Muttergottes mit Kind vorbei. Das gemalte Dekor der Schauwand stammt wiederum von Ludger tom Ring d. Ä. Die Andachtsbilder dieser Münsteraner Malerfamilie des 16. Jh. gehören auch zu den Kostbarkeiten der Sammlung westfälischer Tafelmalerei im Westfälischen Landesmuseum.

ℹ Westfälisches Landesmuseum für Kunst und Kulturgeschichte, Domplatz 10: Di–So 10–18 Uhr.

Telgte Eine alte Pastoratsscheune, um 1600 errichtet, wurde zu einem Museum, dessen Hauptattraktion das Telgter Hungertuch von 1623 bildet. Die Filetstickarbeit stellt Szenen aus der Leidensgeschichte Christi und dem Alten Testament dar. Sie gilt als das kostbarste Werk religiöser textiler Volkskunst in Westfalen. Mit einem Hungertuch wurde in der Fastenzeit der Altar verhängt.

ℹ Heimathaus Münsterland, Herrenstraße 2: Di–So 9.30–12, 13.30–17 Uhr.

Batenhorst Über einen Damm mit zwei Tümpeln, den Resten der Gräfte – der Wassergräben –, gelangt der Besucher zum 3 km südlich von Rheda-Wiedenbrück gelegenen Haus Aussel, einem in zweierlei Hinsicht bemerkenswerten Herrensitz. Zum einen wird von einer weißen Dame erzählt, die bei der Errichtung des Gebäudes um 1580 im

Keller mit eingemauert worden sein soll und seitdem hier umgehe, zum anderen ist Haus Aussel ganz aus Fachwerk errichtet. Die Erker an den vier Ecken, die durch ihre Giebeldächer wie kleine Ecktürme wirken, verleihen ihm das Aussehen eines bäuerlichen Adelssitzes; die reichen Schnitzereien des Fachwerks an der Eingangsseite hingegen – Figuren, Ornamente, Inschriften – vermitteln den Eindruck eines vornehmen Bauernhauses. Im Innern entdeckten Restauratoren noch Reste von Renaissancemalereien.

ℹ Haus Aussel: Besichtigung jeden ersten So im Monat 10–11 Uhr innen, 10–18 Uhr außen; Voranmeldung unter Tel. 0 52 42/5 92 07.

Lippetal-Hovestadt Das Wasserschloß Hovestadt war im 13. Jh. Landesburg der Kölner Erzbischöfe und somit strategischer Stützpunkt zwischen Kurköln und Münster. Von 1563 bis 1572 errichtete der Baumeister Laurenz von Brachum einen vollständigen Neubau, eine Zweiflügelanlage mit Pavillonturm. Als Meisterwerk gilt seine Gestaltung der Fassaden, vor allem zur Wasserseite hin: Plastische Zierformen aus Ziegeln – Kreise und Vierecke, Bänder, Rauten und auch Löwenköpfe – bilden das abwechslungsreiche, belebende Dekor. Leider vermittelt der heutige Zustand des Wasserschlosses, das dringend renoviert werden sollte, nur einen schwachen Eindruck von seiner früheren Großartigkeit.

ℹ Wasserschloß Hovestadt: Innenbesichtigung nach Voranmeldung, Tel. 0 29 23/5 26.

Stolze Domizile von Adel und Bürgertum

Im 15. Jh. ließen viele Adlige ihre mittelalterlichen Burgen im Stil der Renaissance zu weitläufigen, repräsentativen Residenzen ausbauen. Vor allem im Hohenloher Land begegnet man einer wahren Fülle dieser Schloßbauten, denen oft ein einheitliches Schema zugrunde liegt: Es sind Vierflügelanlagen um einen Innenhof. Der Aufschwung der bürgerlichen Wohnkultur äußert sich in stattlichen Rat- und Bürgerhäusern, die teilweise kunstvolles Fachwerk ziert.

Mainz Das zweiflügelige Kurfürstliche Schloß mit seiner streng gegliederten Außenfassade gehört zu den wenigen größeren Bauvorhaben, die man während des Dreißigjährigen Kriegs in Angriff nahm. Die reiche Bauplastik (giebelgekrönte Fensterumrahmungen, zum Teil mit Pilastern abgesetzt) verleiht der ehem. Residenz der Mainzer Erzbischöfe und Kurfürsten eine besondere Eleganz.

Das Alte Zeughaus (1620) in der Deutschhausgasse zeigt am Dach seines Mitteltrakts die typischen mit Voluten und Rollwerk geschmückten Giebel der Renaissance. Da hier einst die kurfürstliche Viehhaltung untergebracht war, wird es „Sautanz" genannt. Vor dem Dom steht der älteste und wohl schönste Marktbrunnen Deutschlands. Er wurde 1526 von Erzbischof Albrecht von Brandenburg zur Erinnerung an die Niederwerfung der aufständischen Bauern und den Sieg Kaiser Karls V. bei Pavia (1525) gestiftet.

In der Reihe der bedeutenden erzbischöflichen Grabdenkmäler im Mainzer Dom veranschaulichen die Werke des einheimischen Bildhauers Hans Backofen den Übergang von der Plastik der Spätgotik zur Renaissance: Beim Grabmal des Uriel von Gemmingen hat der Künstler die bis dahin verbindliche Konvention der stehenden Hauptfigur aufgegeben. Der 1514 verstorbene Erzbischof kniet zu Füßen Christi und der Schutzpatrone seines Erzstifts.
ⓘ Vom Kurfürstlichen Schloß kann neben einem Museum nur der Innenhof besichtigt werden.
Dom: Mo–Sa ganztägig, So 13–15, 16–18.30 (April–September), sonst 13–15, 16–17 Uhr.

Mespelbrunn *Eine zauberische, märchenhafte Atmosphäre umgibt das romantische Wasserschloß, dessen Gebäude sich mit den dunklen Wäldern in einem kleinen See spiegeln (links). Die alten Sagen und Legenden des Spessarts scheinen hier wieder lebendig zu werden.*

Frankfurt-Höchst *Das Torhaus des Schlosses ist durch prächtige Pilaster gegliedert (oben). In der Nische über dem Portal sieht man die Figur des heiligen Martin, des Schutzpatrons des fränkischen Reichs, der die Hälfte seines Mantels einem frierenden Bettler gibt.*

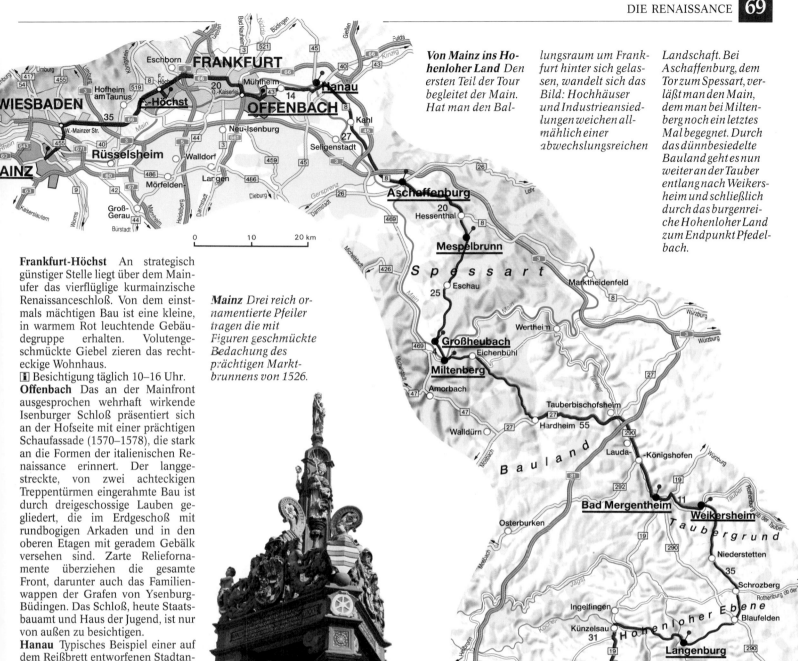

Von Mainz ins Hohenloher Land Den ersten Teil der Tour begleitet der Main. Hat man den Ballungsraum um Frankfurt hinter sich gelassen, wandelt sich das Bild: Hochhäuser und Industrieansiedlungen weichen allmählich einer abwechslungsreichen Landschaft. Bei Aschaffenburg, dem Tor zum Spessart, verläßt man den Main, dem man bei Miltenberg noch ein letztes Mal begegnet. Durch das dünnbesiedelte Bauland geht es nun weiter an der Tauber entlang nach Weikersheim und schließlich durch das burgenreiche Hohenloher Land zum Endpunkt Pfedelbach.

Frankfurt-Höchst An strategisch günstiger Stelle liegt über dem Mainufer das vierflügelige kurmainzische Renaissanceschloß. Von dem einstmals mächtigen Bau ist eine kleine, in warmem Rot leuchtende Gebäudegruppe erhalten. Volutengeschmückte Giebel zieren das rechteckige Wohnhaus.
ⓘ Besichtigung täglich 10–16 Uhr.
Offenbach Das an der Mainfront ausgesprochen wehrhaft wirkende Isenburger Schloß präsentiert sich an der Hofseite mit einer prächtigen Schaufassade (1570–1578), die stark an die Formen der italienischen Renaissance erinnert. Der langgestreckte, von zwei achteckigen Treppentürmen eingerahmte Bau ist durch dreigeschossige Lauben gegliedert, die im Erdgeschoß mit rundbogigen Arkaden und in den oberen Etagen mit geradem Gebälk versehen sind. Zarte Reliefornamente überziehen die gesamte Front, darunter auch das Familienwappen der Grafen von Ysenburg-Büdingen. Das Schloß, heute Staatsbauamt und Haus der Jugend, ist nur von außen zu besichtigen.
Hanau Typisches Beispiel einer auf dem Reißbrett entworfenen Stadtanlage der Renaissance ist die Hanauer Neustadt, deren schachbrettartiger Grundriß in der Straßenführung noch gut zu erkennen ist. In dieser „neuen" Stadt, die nach 1597 von Graf Philipp Ludwig II. von Hanau für die protestantischen Glaubensflüchtlinge geschaffen wurde, steht die Niederländisch-Wallonische Kirche (1600–1608). Ihre ungewöhnliche Konzeption als Doppelkirche für die verschiedensprachigen Einwanderergruppen ist trotz der Beschädigungen im Zweiten Weltkrieg sichtbar geblieben. Ausgehend von den an der Antike orientierten Rundtempeln hugenottischer Kirchen wurden ein achteckiger Zentralbau für die Niederländer und ein zwölfeckiger für die französisch sprechenden Wallonen zu einem einzigartigen Gotteshaus vereint.
Das ehem. Altstädter Rathaus

Mainz Drei reich ornamentierte Pfeiler tragen die mit Figuren geschmückte Bedachung des prächtigen Marktbrunnens von 1526.

(1537 bis 1538) dokumentiert das Repräsentationsbedürfnis des aufstrebenden Bürgertums: Zwischen hohen Staffelgiebeln zeigt sich eine erkergeschmückte, über zwei Stockwerke vorkragende Fachwerkfront.
ⓘ Niederländische Kirche, Altstraße: Besichtigung n. Vereinb., Tel. 0 61 81/2 26 38. Die Ruine der wallonischen Kirche ist Gedenkstätte.
Aschaffenburg In exponierter Lage über dem Main erhebt sich der prachtvolle rote Sandsteinbau von Schloß Johannisburg. Im Auftrag Johann Schweikards von Kronberg, des ranghöchsten deutschen Kirchenfürsten zur Zeit der Gegenreformation, wurde es 1605–1614 als zweite Residenz des Mainzer Erzstifts zu einem repräsentativen Schloß ausgebaut. Das Herrscherwappen wurde in die mainseitige Umfassungsmauer eingelassen. Die von vier mächtigen Türmen flankierten Fassaden schmücken reiche Dekorformen, in denen italienische, französische und niederländische Vorbilder erkennbar sind. Der Schwedenkönig Gustav II. Adolf soll von dem Schloß so begeistert gewesen sein, daß er es am liebsten mit nach Hause genommen hätte.
Von der ursprünglichen Innenausstattung sind in den hofseitigen Treppentürmen die fein gearbeiteten, frei endenden Spindeln der

Wendeltreppen erhalten. Ein giebelgekrönter Altar aus Marmor und Alabaster mit aufwendigen Relieffeldern und Einzelfiguren in der Schloßkapelle sowie die relief- und figurengeschmückte Kanzel wurden von dem fränkischen Bildhauer Hans Juncker geschaffen. Heute bilden die Räume des imposanten Schlosses den stilvollen Rahmen u.a. der Staatsgalerie und des Schloßmuseums der Stadt.
ⓘ Schloß mit Museen: Di–So 9–12, 13–17 Uhr (April–September), sonst 10–12, 13–16 Uhr.
Mespelbrunn Das inmitten dunkler Wälder besonders idyllisch gelegene Wasserschlößchen (1551–1569)

trägt seinen Beinamen „Perle des Spessarts" mit voller Berechtigung. Aus dem stillen Waldsee, der den Schloßbewohnern einst einen natürlichen Schutz bot, steigen die einzelnen Gebäude empor – stimmungsvolle Kulisse für Filmaufnahmen und beliebtes Reiseziel für alle, die Sinn für Romantik haben.

Hermann Echter II. hatte es sich zu Beginn des 15. Jh. errichten lassen – ganz offensichtlich wußte er der Stille der Wälder mehr abzugewinnen als der Betriebsamkeit und Pracht der Fürstenhöfe. Aus der Anfangszeit stehen nur noch die Untergeschosse der Türme; die heutige Anlage geht im wesentlichen auf Peter Echter III. zurück. Sein Sohn Julius, 1545 geboren, sollte der bedeutendste Sproß des Geschlechts werden: Der spätere Würzburger Fürstbischof spielte als Verfechter der Gegenreformation und Bauherr eine bedeutende Rolle in Franken.

Die Dreiflügelanlage mit ihren charakteristischen Staffelgiebeln umgibt einen reizvollen, von Lauben gesäumten Innenhof. Den kräftigen Treppenturm ziert ein schönes Portal, dessen Giebel mit Portraits von Peter Echter und seiner Gemahlin geschmückt ist. Die Innenräume bilden den passenden Rahmen für das Familienmuseum der Grafen von Ingelheim-Echter. Das Echterzimmer erinnert u. a. mit einem Steinbildnis an den Fürstbischof.

ⓘ Schloßbesichtigung täglich 9–12, 13–17 Uhr (April bis Oktober), November und März bei guter Witterung an Wochenenden.

Großheubach In wirkungsvoller Lage, mitten im Zentrum der Stadt, errichteten die Großheubacher 1612 ein Fachwerkrathaus mit reicher ornamentaler Verzierung, in dem sich heute das Verkehrsbüro befindet. Die Mainzer Räder im Wappen am Erker weisen darauf hin, daß Großheubach bis zur Aufhebung des geistlichen Staats 1803 zum Erzstift Mainz gehörte. Fast in ihrem ursprünglichen Zustand präsentieren sich noch die Säulenhalle im Erdgeschoß und die Raumaufteilung im Stockwerk darüber.

ⓘ Rathaus: Besichtigung während der Dienststunden.

Miltenberg Durch ihre günstige Lage am schiffbaren Main und an der Fernhandelsstraße von Köln nach Nürnberg hatte es die Zoll- und Münzstätte des Mainzer Erzstifts zu beträchtlichem Wohlstand gebracht. Diesem Reichtum verdankt das reizende Städtchen zahlreiche Fachwerkbauten mit ausgefeilter Zierkunst. Ein wahres Prunkstück ist das Haus zum Riesen in der Hauptstraße 99 (1590), das alle

Merkmale fränkischer Fachwerkkunst vereint: zweistöckiger Mittelerker, kreuz- und rautenförmig geschwungene Streben an den Brüstungen sowie farbig abgesetzte Schnitzereien an den Längsbalken. Hier kehrten Feldherren, Kurfürsten, Bischöfe und selbst Könige und Kaiser ein.

Der stimmungsvolle, zur Mildenburg hin ansteigende Marktplatz besticht zunächst durch den mit einem hübschen Puttenreigen verzierten Brunnen, den Michael Juncker 1583 schuf. Beherrscht wird der Platz jedoch vom Hohen Haus (1530) mit seinem polygonalen Erker und den x-förmigen Balkenverstrebungen, dem sogenannten Andreaskreuz. Es ist mit dem Torhüterhäuschen durch einen Torbogen verbunden, der im Volksmund Schnatterloch heißt. Schräg gegenüber liegt die ehem. Mainzer Amtskellerei (1541) mit Laubenhof und Erker; seit 1950 ist sie Bleibe des Heimatmuseums, das u. a. schöne Erzeugnisse der Glas- und Porzellanindustrie zeigt.

ⓘ Heimatmuseum, Marktplatz 171: Di–So 10–12, 14–16 Uhr (April–Oktober).

Bad Mergentheim 1525 wurde Burg Horneck am Neckar, eine bedeutende Kommende des Deutschen Ordens, durch aufständische Bauern vollkommen niedergebrannt. Die Stadt Mergentheim wurde zur vorläufigen, ab 1527 dann ständigen Residenz des Hoch- und Deutschmeisters und damit zum Zentrum

Schloß Weikersheim
Jagdszenen schmükken die Felder der gewaltigen Kassettendecke des Rittersaals (oben) – Ausdruck der Jagdleidenschaft des Grafen Wolfgang, der das Schloß im Stil der Renaissance erbauen ließ.

Bad Mergentheim
Die prächtige Wendeltreppe im ehem. Deutschordensschloß (rechts) windet sich frei um dünne Säulen nach oben. Die Unterseite des Treppenlaufs ist mit Blatt- und Rankenornamenten verziert.

des Ordens. Hauptsächlich im 16. Jh., aber auch noch in der Folgezeit ließ der Ritterorden die mittelalterliche Wasserburg der Herren von Hohenlohe zu einem stattlichen Schloß vergrößern und im Stil der Renaissance umgestalten. Vor allem das zur Stadt gerichtete Tor (1628), das seit 1809 das königlich-württembergische Wappen ziert, zeigt charakteristische Stilmerkmale: Den Torbogen umrahmt ein triumphbogenartiger Aufbau mit Säulen und Wandnischen; zierreiche Volutengiebel schließen den vierstöckigen

Bau ab. Im nordwestlichen Treppenturm befindet sich die berühmte Wendeltreppe, die nach einem Entwurf des Baumeisters Blasius Berwart gebaut wurde (1574). Im südwestlichen Torturm gelangt man über eine weitere Wendeltreppe in das Deutschordensmuseum, das die Geschichte des Ritterordens von den Kreuzzügen bis zur Gegenwart dokumentiert. Außerdem informieren Dokumente und Bilder über die städtische Vergangenheit.

Der Einfluß des Deutschen Ordens auf die Bautätigkeit der Stadt

Langenburg Das hoch über der Hohenloher Ebene liegende Schloß mit seinen vier wuchtigen Ecktürmen gibt sich erst in dem von vier Flügeln umschlossenen Innenhof als Renaissancebau zu erkennen: Charakteristisch sind der achteckige Treppenturm, Volutengiebel, Galerien und durchbrochene Steinbrüstungen. Ab 1611 hatte Graf Philipp Ernst die Burg zu einem Residenzschloß umbauen lassen.

ℹ Schloßbesichtigung Mo–Sa 8.30 bis 12, 13.30–18, So und feiertags 8.30–18 Uhr (Ostern–Oktober).

Neuenstein Auch dieses Hohenloher Schloß, das seit dem Umbau 1557–1564 als Sitz der gräflichen Linie Hohenlohe-Neuenstein dient, vereint alle typischen Merkmale einer repräsentativen Residenz der Renaissance. Die Vierflügelanlage mit Ecktürmen gruppiert sich um einen Innenhof mit Treppentürmen; reichverzierte Volutengiebel schmücken die Dächer. Eine reizvolle architektonische Variante sind die tempelartigen Bekrönungen der Rundtürme am Brückentor. Schloß Neuenstein besitzt einen ähnlich großen Rittersaal mit Kassettendecke wie Weikersheim. Seine Innenausstattung wurde zwar zu Beginn des 20. Jh. von Professor Bodo Ebhardt, der für seine Restaurierungen im historischen Stil bekannt war, aus Teilen anderer Hohenloher Schlösser neu zusammengestellt, doch schadet dies dem einheitlichen Raumeindruck keineswegs.

Eine bedeutende Kunst- und Antiquitätensammlung des 16.–18. Jh. und das Zentralarchiv des Hauses Hohenlohe, eine 25 000 Bände und kostbare Urkunden umfassende Bibliothek, laden zur Besichtigung.

ℹ Schloß mit Museum: Di–So und feiertags 9–12, 13.30–18 Uhr (15. März–15. November).

Pfedelbach Eine weniger aufwendige, doch in ihren regelmäßigen Formen klassische Schloßanlage der Renaissance schmückt das Weinstädtchen Pfedelbach. Sie entstand 1568–1572 nach dem Umbau einer mittelalterlichen Wasserburg als Winterresidenz der Grafen von Hohenlohe-Waldenburg; ab 1615 herrschte hier die Linie Hohenlohe-Pfedelbach.

Heute gehört das Schloß der Gemeinde, die hier u. a. die Stadtbücherei eingerichtet und Mietwohnungen untergebracht hat. Die Vierflügelanlage mit vier Ecktürmen und einem wuchtigen Torbau besitzt einen besonders reizvollen Innenhof, den man durch ein Tor mit dem Allianzwappen Hohenlohe-Tübingen betritt. Eine längsseitige Hoffront ist mit einer zweigeschossigen

Schloß Neuenstein
Wahrzeichen des Hohenloher Schlosses ist der Goldene Hirsch. Er gehört zum Bestand des Kunstmuseums.

Galerie auf korinthischen Säulen geschmückt; die gegenüberliegende Fassade ist mit Fachwerk verziert. Die Fenster und Türen der vier Hofseiten des heutigen Wohngebäudes sind von ornamentalen Architekturmalereien umrahmt – ein beliebtes Dekorationselement der süddeutschen Renaissance.

Schloß Langenburg
Die eigentliche Zier der reizvoll über dem Tal der Jagst gelegenen Anlage ist der Innenhof. Dreigeschossige Lauben gliedern die Fassaden: Über den Arkaden erheben sich Galerien auf korinthischen Säulen.

zeigt sich in der vom Schloß zum Markt führenden Burgstraße mit den Stein- und Fachwerkwohnhäusern des deutschmeisterlichen Beamtenadels aus dem 16.–18. Jh. und am Marktplatz selbst. Glanzstück ist das prächtige Rathaus (1564) mit seinen beiden Staffelgiebeln. Der Deutschmeister Wolfgang Schutzbar, genannt Milchling, ziert als Standbild den achteckigen Brunnen.

An der Chornordwand der Marienkirche steht das Bronzegrabmal des Walter von Cronberg. Der 1543 verstorbene Hoch- und Deutschmeister hatte es sich bereits 1539 von dem Nürnberger Peter Vischer fertigen lassen. Das Denkmal zeigt ihn im Gebet. Bemerkenswert ist die aufwendige Gestaltung seines Gewands.

ℹ Ehem. Deutschordensschloß mit Museum: Sa, So, feiertags 10–12, 14.30–17.30 Uhr (ganzjährig), zusätzlich Di, Fr 14.30–17.30 Uhr (März–Oktober).

Weikersheim Als vollendetes Beispiel eines Renaissancefestsaals präsentiert sich der Rittersaal von Schloß Weikersheim. Den fast 40 m langen Prunkraum, dessen Ausstattung auf die Jahre 1598–1605 zurückgeht, überspannt eine überdimensionale Kassettendecke. Von den Wänden schauen lebensgroße vollplastische Tiere aus Stuck; die Geweihe dagegen sind fast alle echt. Die Liebe zu Glanz und Pracht zeigt sich auch am Eingangsportal, das von der Statue des heiligen Georg, des Stadtpatrons von Weikersheim, bekrönt ist, und am Kamin mit den Wappen des Grafen von Hohenlohe und seiner Frau.

ℹ Schloßbesichtigung täglich 8–18 Uhr (April–Oktober), sonst 10–12, 14–16 Uhr.

Kämpfer für den Glauben

Erklärtes Ziel des Deutschen Ordens (gegründet 1198) war der Kampf gegen die Heiden. Bald hatte er sich auf seinen Kreuzzügen ein umfangreiches Territorium im Mittelmeerraum und in Deutschland erworben. Eine strenge Ordensregel verlangte von den Mitgliedern Keuschheit, Armut und Gehorsam. Abzeichen des Ordens war ein schwarzes Balkenkreuz, das auch die große Heerfahne (unten) ziert, die im Deutschordensschloß in Bad Mergentheim zu sehen ist.

Fürstbischof Echter und seine Zeit

Der Würzburger Fürstbischof Julius Echter, ein eifriger Verfechter der Gegenreformation, wollte auch mit seinen Bauten die alte, gotische Zeit zurückholen. Doch den Künstlern gelang dies nicht mehr ganz. So entstand der Juliusstil, eine reizvolle Mischung aus Renaissance und Gotik. Während der Renaissancezeit wurden Burgen zu schmuckvollen Wohnschlössern umgestaltet, die ersten Stadtresidenzen entstanden, und die Bürger auch kleiner Städte bauten sich stolze Rathäuser.

Kulmbach Nachdem die Plassenburg, die Residenz der Markgrafen von Brandenburg, 1554 im zweiten Markgräflerkrieg zerstört worden war, ging man fünf Jahre später daran, sie zur mächtigen Landesfestung wieder aufzubauen. Besonders sehenswert sind Christiansturm, Hauptburggiebel und -portale und der Schöne Hof als eine der bedeutendsten Schöpfungen der deutschen Renaissance. So berühmt war dieser Innenhof, daß Kaiser Ferdinand I. eigens deshalb nach Kulmbach reiste.
🛈 Besichtigung Di–So 10–16.10 Uhr.

Kronach Aus der einstigen Zuflucht für die Stadtbewohner entwickelte sich die gewaltige Festung Rosenberg, die das Bistum Bamberg im Norden sicherte. Schweif- und Stufengiebel schmücken die Bauten der Kernburg.

Der vom Bamberger Bischof mit besonderen Privilegien ausgestattete Ort erbaute sich ein reizvoll asymmetrisches Rathaus mit ziervollem Volutengiebel.
🛈 Festung Rosenberg: Führungen täglich 11, 14 Uhr und n. Vereinb., Tel. 0 92 61/9 72 17.

Coburg Die Ehrenburg erhielt ihren Namen angeblich von Kaiser Karl V., da die Bauleute Lohn erhielten und nicht in Fron standen. Herzog Johann Ernst hatte das dreiflügelige Stadtschloß ab 1543 errichten lassen und damit Coburg zur wettinischen Residenzstadt gemacht. Unter Herzog Johann Casimir wurde die Anlage erweitert. Ein Brand Ende des 17. Jh. machte schließlich eine dritte Bauphase nötig. Vom Ursprungsbau steht noch ein schöner Flügel mit Zwerchhäusern und ziervollem Erker.

Würzburg Um 1600 ließ Julius Echter die mittelalterliche Festung Marienberg zum Renaissanceschloß umgestalten (links). Heute präsentiert sie sich nach barockem Ausbau in einer reizvollen Mischung verschiedener Baustile als stolze Festungsanlage über dem Main.

Coburg Europäischen Rang haben die Kunstsammlungen der Veste Coburg. In diesem Prunkwagen (um 1560) fuhr Herzog Johann Casimir bei seiner zweiten Hochzeit mit Margarethe von Braunschweig-Lüneburg vor (unten).

Kitzingen Daß Museen durchaus auch unterhaltsam sein können, beweist das Kitzinger Fastnachtsmuseum: In sieben Stockwerken kann man sich im Falterturm über das närrische Treiben in vielen Jahrhunderten informieren. Links der Zämertanz der Nürnberger Metzger.

Johann Casimir war es auch, der Coburg mit prächtigen Bauten sein Renaissancegepräge gab: Gymnasium Casimirianum, das auch Goethes Vater besuchte, Cantzley (Stadthaus), Zeughaus und Rathaus, bei dem nur noch Eckerker, Rustikaportal und Treppenturm im Hof den Stil aufweisen, entstanden in dieser Zeit. Sehenswert sind auch das 13 m

Von Kulmbach nach Bamberg Immer wieder kreuzt die Tour den Main. Eine der reizvollsten Flußwindungen ist die Schleife bei Volkach.

hohe Alabastergrabmal des Herzogs Johann Friedrich II. in der Morizkirche und die Kunstsammlungen in der Veste, die ein Bild vom höfischen Lebensstil vermitteln.

ℹ Ehrenburg: Führungen Di–So stündlich 10–11, 13.30–16.30 Uhr (April–September), sonst nur bis 15.30 Uhr.
Kunstsammlungen in der Veste Coburg: täglich 9.30–13, 14–17 Uhr (April–Oktober), sonst nur Di–So 14–17 Uhr.

Gerolzhofen Nach den Wirren des Bauernkriegs erblühte die Stadt Ende des 16. Jh. unter Julius Echter aufs neue. Schneckenvolutengiebel zieren das Schloß, Fachwerk und ein mehreckiger Hofturm den Echterhof. Neben weiteren Sehenswürdigkeiten aus der Renaissance sind das ehem. Amtshaus und der Rathausanbau, der „Küchenbau", erwähnenswert – hier pflegten die Ratsherren aufwendige Festmähler zu veranstalten.

Würzburg Als Fürstbischof wurde Julius Echter von Mespelbrunn der bedeutendste Bauherr der Renaissance in Mainfranken. Er ließ die Marienburg zu einer Festung und symmetrischen Schloßanlage umgestalten. Das zierliche Brunnenhaus ist eines der schönsten Werke im Juliusstil: Über einem mehr als 100 m tiefen Brunnenschacht erhebt sich ein achteckiger Brunnentempel.

Die Stadt, von den geistlichen Landesherren regiert, bekam erst 1659 mit dem Roten Bau ein repräsentatives Rathaus. Im Stil der Spätrenaissance wurde das zweigeschossige Gebäude nahe dem mittelalterlichen Grafeneckart-Bau errichtet. Vom Rathaus bietet sich ein lohnender Spaziergang über die Alte Mainbrücke an, die 1474–1543 anstelle der zerstörten romanischen entstand. Die Prozession steinerner Heiligenfiguren (Kopien) kam im Zeitalter des Barock hinzu.

ℹ Festung Marienberg: Di–So 9–12, 13–17 Uhr (April–September), sonst 10–12, 13–16 Uhr.

Dettelbach Die Wallfahrtskirche Maria im Sand stellt ein vollendetes Beispiel des Juliusstils dar, der sich vor allem am Prachtportal, an den Giebeln und Gewölben sowie an den Zierformen der Kanzel zeigt.

Kitzingen Macht und Wohlstand strahlt das 1561–1563 erbaute Rathaus aus. Den Bau zieren die beiden Wahrzeichen der Stadt: das Kitzinger Kätherle und der Kitzinger Häkker. Vergnüglich ist ein Besuch im Fastnachtsmuseum: Masken, Requisiten und Bilder dokumentieren die Entwicklung des Fastnachtsbrauchtums von den vorchristlichen Anfängen bis heute.

ℹ Deutsches Fastnachtsmuseum im Falterturm: Sa, So 14–17 Uhr (April

Kulmbach Auf steilem Felsrücken liegt die Plassenburg über der Stadt. Der Schöne Hof (1565–1569) der vierflügeligen Hauptburg trägt seinen Namen zu Recht. Die Brüstungen und Pilaster der von zweigeschossigen Arkaden durchbrochenen Innenhoffassaden sind von dichtem plastischem Dekor überzogen.

bis November), sonst n. Vereinb., Tel. 0 93 21/2 33 55.

Iphofen Erst Julius Echters Hilfe ermöglichte den Wiederaufbau des Langhauses der gotisch nachempfundenen Kirche Sankt Vitus mit vielen Details im Juliusstil.

Scheinfeld Nach einem Brand der alten Burg entstand ab 1607 das Renaissanceschloß Schwarzenberg sowie die Schloßkirche, der Wirtschafts- und Beamtenhof. Die Vierflügelanlage erhebt sich malerisch auf einem sanft ansteigenden Hügel.

ℹ Besichtigung n. Vereinb., Tel. 0 91 62/78 39. Im Sommer finden Schloßkonzerte statt.

Bamberg Zu den Prachtbauten deutscher Renaissance zählt der Ratsstubenbau mit Ziergiebel, doppelgeschossigem Erker und Treppenturm, der zur Alten Hofhaltung am Domplatz gehört. Das Reiche Portal ist mit Allegorien der Flüsse Main und Regnitz sowie den Figuren des Kaiserpaars Heinrich II. und Kunigunde geschmückt. Das Historische Museum im Innern des Ratsstubenbaus enthält Werke berühmter Renaissancekünstler.

ℹ Historisches Museum im Ratsstubenbau, Domplatz 7: Di–Sa 9–12, 14–17 Uhr, So und feiertags 10–13 Uhr (Mai–Oktober).

Schlichte Kirchen, prunkvolle Paläste

Die Renaissance erlebte im Gebiet zwischen Baden-Baden, Stuttgart und Heidelberg eine besondere Blüte. Vielleicht lag es am Geist der Reformation, der sich hier auf dem Boden humanistischer Gelehrsamkeit rasch ausbreitete. Die neue Stilrichtung, die dem strengen Ideal klassischer Bauformen verhaftet war, wurde auch als Ausdruck der neuen Lehre empfunden. In Freudenstadt entstand mit kraftvollen, fast schmucklosen Linien einer der wenigen Sakralbauten der Zeit.

Heidelberg Kaum eine andere Schloßruine ist so verherrlicht worden wie die von Heidelberg. Die um 1300 begonnene Feste war der Sitz der Kurfürsten von der Pfalz und wurde zunächst als Verteidigungsanlage errichtet. Erst in der Renaissance erfolgte der Ausbau zur repräsentativen Residenz. Der älteste Palast im Stil der neuen Zeit ist der Gläserne Saalbau, dessen Festsaal einst rundum mit venezianischen Spiegeln ausgestattet war. Dreigeschossige Arkaden mit Wappentafeln von 1549 zeichnen seine Fassade aus. Vom Prachtbau an der Ostflanke des Hofs blieb vor allem die imponierende Schauseite erhalten. Kurfürst Ottheinrich, der die Reformation in der Pfalz einführte, ließ ihn ab 1557 errichten. Die Skulpturen in den Nischen stellen Helden des Alten Testaments, Göt-ter der Antike und die fünf Tugenden Stärke, Glaube, Hoffnung, Liebe und Gerechtigkeit dar – und glorifizieren somit auch das kurfürstliche Amt. 1601–1607 entstand der Friedrichsbau. Seine dem Hof zugewandte Schaufront weist wie der Ottheinrichsbau paarweise angeordnete Fenster und Figurennischen auf, und auch hier beherrschen kraftvolle Skulpturen die Fassade. Sie stellen die pfälzische Ahnenreihe dar.

Der Ottheinrichsbau war Vorbild für die Fassadengestaltung des Hauses zum Ritter von 1592 in der Hauptstraße. Den geschwungenen Giebel krönt die Figur des heiligen Georg.

ⓘ Schloßführungen täglich 9–17 Uhr.

Neckarbischofsheim Im Schloß-park steht das Steinerne Haus, der

Freudenstadt Der im Zweiten Weltkrieg zerstörte, nach dem alten Mühlespiel-Schema wieder aufgebaute Stadtkern (links) ist ein herausragendes Beispiel einer Stadtkonzeption der Renaissance. Herzog Friedrich von Württemberg gründete die Stadt 1599 im Zusammenhang mit der Erschließung der Silbergruben im Christophstal.

Neckarbischofsheim Dieses Renaissancewappen der Grafen von Helmstatt (links) prangt über dem Westportal der ev. Stadtkirche. Sie beherrschten die Stadt vom 13. Jh. bis 1806 als Lehensträger der Bischöfe von Worms.

Heidelberg Das Haus zum Ritter (rechts) ist heute ein Hotel. Die prächtige Renaissancefassade mit ihren reichen dekorativen Ornamenten erinnert an die Architektur des Ottheinrichsbaus des Heidelberger Schlosses.

Stuttgart Vollendete Renaissancekunst prägt den Innenhof des Alten Schlosses mit der steinernen Laubengalerie.

Von Heidelberg nach Stuttgart Durch Kraichgau, Schwarzwald und Schönbuch führt diese abwechslungsreiche Tour.

Überrest einer mittelalterlichen Wasserburg, die im 16. Jh. Erker und Treppenturm erhielt. Dahinter ist noch das 1590 in die Burgmauer eingebaute Prachttor zu bewundern. Die heutige ev. Stadtkirche wurde 1610–1612 mit Renaissanceportalen und reich dekoriertem Dreistufengiebel geschmückt. Im Inneren eine Kostbarkeit: die Alabasterkanzel, 1611 von Maria Magdalena von Helmstatt gestiftet. In den Feldern der Brüstung sind u. a. ihr Wappen und das ihres Gemahls zu sehen.
ℹ Ev. Stadtkirche: Schlüssel im Pfarramt, Turmstraße 6.

Karlsruhe-Durlach Markgraf Karl II. von Baden-Durlach, der 1556 in seinem Land die Reformation einführte, erhob Durlach zu seiner Residenz. Von seinem 1563–1573 errichteten Renaissanceschloß ist nur der Prinzessinnenbau, der einstige Torbau, mit der prächtigen Wappentafel des Bauherrn von 1565 erhalten. Hier ist heute das Pfinzgaumuseum untergebracht, das u. a. eine Durlacher Bibel von 1529 zeigt.
ℹ Pfinzgaumuseum: Sa 14–17 Uhr, So 10–12, 14–17 Uhr.

Gernsbach Aus roten Sandsteinquadern errichtet, die Schaufront mit Portal und Erker geschmückt und von einem aufwendig gestalteten Giebel bekrönt: so zeigt sich das Alte Rathaus am Markt. Es wurde 1617 vom wohlhabenden Murgschiffer Johann Jakob Kast als Stadtpalast errichtet.

Baden-Baden Das Neue Schloß Niederbaden war 1479–1705 Residenz der badischen Markgrafen. Im 16. Jh. wurde es umgebaut. Der Hauptbau erhielt eine strenge Renaissancefassade, die ein aufwendig gestaltetes Portal belebt. Dagegen setzen sich die zweigeschossige Loggia des Küchenbaus und die niedrigen Arkaden des Remisengebäudes im Süden wirkungsvoll ab. Das

Neue Schloß beherbergt heute das Zähringer Museum, das u. a. die Portraits dieses Herrschergeschlechts zeigt.
ℹ Zähringer Museum: Führungen Mo–Fr 15 Uhr und n. Vereinb., Tel. 0 72 21/2 55 93.

Freudenstadt Das Musterbeispiel einer Stadtanlage der Renaissance stellt Freudenstadt dar. Den von Arkaden gesäumten, 220 × 220 m messenden Marktplatz umziehen konzentrisch drei Straßenzüge, verbunden durch kurze Gassen. Den Mittelpunkt des Platzes sollte ein (niemals erbautes) Schloß bilden; an zwei Ecken stehen sich Rathaus und Stadtkirche diagonal gegenüber. Der 1601–1608 errichtete, fast schmucklose Sakralbau weist eine Besonderheit auf: Seine zwei rechtwinklig aufeinanderstoßenden Schiffe gleicher Länge bilden einen Winkelhaken mit jeweils einem Turm als Abschluß.

Sulz-Glatt Im 13. Jh. kam Glatt in den Besitz der Herren von Neuneck. Mitten im reizvollen Dorf liegt ihr viertürmiges Wasserschloß, das in seiner heute sichtbaren Form im 16. Jh. entstand. Künstler aus Tirol und Italien besorgten die originelle Rotbemalung an den Fassaden, die im Zuge der voraussichtlich Anfang 1989 abgeschlossenen Außenrestaurierung zum Teil erst freigelegt und aufgefrischt wurde. Sie zeigt u. a. groteske Tierdarstellungen, darunter spinnende Schweine und Hasen mit trompetenähnlichen Nasen.

Tübingen Steil geht es zum Schloß Hohentübingen hinauf, das der Württemberger Herzog Ulrich ab 1507 errichten ließ. An den schlich-

ten zweigeschossigen Bauten fallen besonders die schönen Portale auf, die mit ihren klaren antiken Formen und zarten Ornamenten Musterbeispiele der Frührenaissance sind.

Stuttgart Ab 1553 baute Alberlin Tretsch die aus dem 13. Jh. stammende Wasserburg der Herzöge von Württemberg zum Renaissanceschloß um. Besonders repräsentativ wurde der Innenhof mit seinen dreigeschossigen Arkadengängen gestaltet. Die 1560 angebaute Reittreppe erlaubte es, zu Pferde vom Hof bis ins zweite Obergeschoß des Haupt-

trakts zu gelangen. Das Alte Schloß beherbergt heute das Württembergische Landesmuseum, in dessen umfangreichen Sammlungen auch die herzogliche Kunstkammer aufgegangen ist, wie Bilder, Rüstungen und Waffen aus dem 16. Jh. belegen. Im Chor der gegenüberliegenden Stiftskirche sind die 1576–1608 geschaffenen Standbilder der elf Grafen und Herzöge von Württemberg aufgereiht, in Geste und Haltung Abbilder stolzer Renaissancefürsten.
ℹ Württembergisches Landesmuseum: Di–So 10–17, Mi bis 19 Uhr.

Auf den Spuren der Fugger

Der Name Fugger wurde zum Synonym für wirtschaftliche Macht und politischen Einfluß. Nur vier Generationen nachdem der junge Webergeselle Hans Fucker 1367 aus dem Dorf Graben nach Augsburg zugezogen war, zählte die Kaufmannsfamilie bereits zu den reichsten Europas. Mit ihrem durch Kreditgeschäfte und Warenhandel erworbenen Geld wurden Feldzüge finanziert und Kaiserwahlen wie die des Habsburgers Karl V. entschieden.

Donauwörth An der alten Reichsstraße, über die lange Zeit der Handel zwischen Nürnberg, Augsburg und Italien lief, steht – heute als Landratsamt genutzt – das Fuggerhaus (1536–1543). Dies hat durchaus Symbolkraft, denn der Handel mit Italien hatte den Fuggern zu Reichtum und Ansehen verholfen. Die Fassade wirkt zwar noch spätgotisch-deutsch, doch im Innern atmen die Flure und die prachtvolle Vorhalle schon den Geist der Renaissance.
ℹ️ Besichtigung Mo–Do 8–12, 13 bis 17 Uhr.

Augsburg Zentrum des Fuggerschen Imperiums war Augsburg. Hier stand ihr Handelshaus, von hier aus knüpften sie ihre weltweiten Geschäftsbeziehungen. Der 1515 errichtete Stadtpalast Jakobs des Reichen (Maximilianstraße 36/38) wurde im Zweiten Weltkrieg teil-

weise zerstört; aus seinen Ruinen hat man später die um mehrere Innenhöfe gruppierten Gebäude wieder aufgebaut. Den reizvollen Damenhof (Nr. 36) umgeben Arkaden, die von feinen Marmorsäulen getragen werden.

In der Jakober Vorstadt ließ Jakob Fugger die berühmte Sozialsiedlung, die Fuggerei, erbauen. Dort wurde im Haus Mittlere Gasse 13, dem einzigen original erhaltenen Gebäude, ein Museum eingerichtet. Für sich und seine Familie ließ Jakob 1509–1518 in der Sankt-Anna-Kirche eine Grabkapelle nach jenen neuen Gestaltungsprinzipien bauen, die er auf seinen Reisen nach Venedig kennengelernt hatte. So entstand hier, in einer gotischen Kirche, der erste Renaissancebau auf deutschem Boden. Zum Durchbruch kam dieser neue Stil in Augsburg aber erst,

Augsburger Rathaus
Mit dem jungen Stadtbaumeister Elias Holl hielt der neue Stil der Renaissance in Augsburg Einzug. In seinem wuchtigen und dennoch feingegliederten Rathausneubau fand das Selbstbewußtsein des städtischen Patriziats einen großartigen Ausdruck (links).

Babenhausen Diese Glaskanne im Fuggermuseum trägt das farbige Wappen des Geschlechts (rechts). Sie gehört zu einem Service aus Tirol, wo die Familie fast den gesamten Kupfer- und Silberbergbau in ihrer Hand hatte.

Donauwörth Nur noch die Fassade des schloßähnlichen Fuggerhauses mit seinen mächtigen Zinnengiebeln kündet von der einstigen Pracht (links). Die Inneneinrichtung wurde weitgehend zerstört.

Kirchheim in Schwaben Für die prunkvolle Kassettendecke im Zedernsaal des Fuggerschlosses ließ man eigens Zedernholz aus dem Libanon kommen (rechts).

Eine Wohnung für 14 Pfennig im Monat

1516–1521 entstanden die 53 Häuser der Fuggerei. Jakob Fugger der Reiche und seine Brüder Georg und Ulrich hatten sie als Unterkunft für arme, unschuldig in Not geratene Augsburger Katholiken gestiftet. Einzige Auflage: Die Bewohner mußten das Haus Fugger in ihr tägliches Gebet einschließen. Die – symbolische – Jahresmiete betrug damals einen Rheinischen Gulden. Auch heute noch können arme Bürger in der wohl ältesten Sozialsiedlung der Welt für 1,72 DM im Jahr eine Heimat finden.

Von Donauwörth nach Memmingen
Die Reise durchs Fuggerland ist nicht nur historisch, sondern auch landschaftlich ein Genuß: Auf der Romantischen Straße fährt man am Lech entlang nach Augsburg; von dort führen hübsche Landstraßen westwärts bis zum Illertal.

als Ruhm und Macht des Hauses Fugger bereits zu verblassen begannen und die Stadt den Höhepunkt ihrer Weltstellung überschritten hatte. Der neue Stil kam mit dem jungen Architekten Elias Holl, der 1602 den Auftrag erhielt, das neue Zeughaus zu gestalten, dessen bewegte Fassade schon barocke Züge trägt (Zeugplatz). Holls Werk gefiel, und so engagierte man ihn als Stadtbaumeister. Unter seiner Regie entstanden die Stadtmetzg am unteren Perlachberg, die markante Helmkrone und die Obergeschosse des mittelalterlichen Perlachturms und schließlich, neben vielen anderen Gebäuden, der Neubau des Rathauses. Prunkstück des wuchtigen Gebäudes, das als einer der schönsten Profanbauten der Renaissance nördlich der Alpen gilt, ist der erst vor kurzem wiederhergestellte Goldene Saal mit seiner prächtigen kassettierten Holzdecke. Letztes Werk des Baumeisters war das vierflügelige Heiliggeistspital (1623–1631) nahe dem Roten Tor.

1367 war Hans Fucker als erster der Familie nach Augsburg gekommen; in 20 Jahren arbeitete sich der Weber zu einem der reichsten Bürger der Stadt empor. Auch die Welser, die ebenfalls im Welthandel und

Bankgeschäft eine bedeutende Rolle spielten, und zahlreiche Handwerker waren maßgeblich daran beteiligt, den Reichtum der Stadt zu mehren. Vor allem den Handwerkern war das große Historische Bürgerfest 1985 gewidmet. Das Fest soll alle drei Jahre stattfinden, das nächste im Sommer 1991.
ℹ️ Fuggereimuseum, Mittlere Gasse 13: täglich 10–12, 14–17 Uhr.
Sankt-Anna-Kirche: täglich 10–12, 14.30–18 Uhr.
Rathaus: täglich 10–18 Uhr.
Wellenburg Schloß Wellenburg gehört seit 1595 der Familie Fugger-Babenhausen, die von hier aus ihren noch immer gewaltigen Besitz verwaltet. Im 19. Jh. ließen die Fugger das 1513 erbaute Schloß im neugotischen Stil umgestalten. Der langgestreckte, gelb getünchte Bau mit schlichter Fassade wird von einem fahnenbestückten Zinnenturm überragt. Eine Besichtigung ist nicht möglich.
Kirchheim in Schwaben Das weiße Schloß mit seinem hohen Kirchturm wurde als erste Stammsitz des Hauses Fugger außerhalb Augsburgs und wird heute von der fürstlichen Familie Fugger-Glött bewohnt. Graf Hans Fugger, einer der kunstsinnigsten Männer der Familie, hatte es

1578–1585 im Stil der Renaissance als Vierflügelanlage errichten lassen, von der heute nur noch der Süd- und Ostflügel erhalten sind. Der Zedernsaal, ein charakteristischer Renaissanceprunkraum, hat eine der schönsten Holzkassettendecken Deutschlands. Der prächtige Sarkophag des Bauherrn ist in der Schloßkirche zu sehen.
ℹ️ Zedernsaal im Fuggerschloß: täglich 9–12, 13–17 Uhr.
Babenhausen Nachdem der Kaiserliche Rat und Kaufmann Anton Fugger die Herrschaft Babenhausen gekauft hatte, ließ er Mitte des 16. Jh. zwischen dem alten Schloß und der Pfarrkirche einen stattlichen Neubau errichten. Der weitläufige

Komplex ist heute Stammsitz der fürstlichen Familie Fugger-Babenhausen. Ein Museum dokumentiert nicht nur den raschen Aufstieg, die wirtschaftliche Machtstellung und den politischen Einfluß der Fugger, sondern birgt auch Dokumente und Kunstschätze von hoher Qualität. Sie stammen zum Teil aus den Kunstkammern, welche die Fugger im 16. Jh. auf dem Höhepunkt ihrer Macht einrichten ließen. Auf den 1560 verstorbenen Anton Fugger weist ein Marmorepitaph in der Pfarrkirche hin.
ℹ️ Fuggermuseum im Schloß: Di–Sa 10–12, 14–17, So 10–12, 13–18 Uhr (April–November).
Memmingen Der von Jakob dem Reichen im ausgehenden 16. Jh. erstellte Fuggerbau am Schweizerberg fristet ein eher klägliches Dasein. Der noch immer stattlich wirkende Komplex, in dem sich heute u. a. eine Apotheke und Anwaltskanzleien befinden, ist stark erneuerungsbedürftig.

Dabei hat hier immerhin einmal König Gustav Adolf gewohnt und für vier Monate auch Wallenstein, den in diesem Haus die Nachricht von seiner Absetzung ereilte. Bereits 1687 wurde das Anwesen verkauft.

Augsburg Mit altem Handwerksgerät traten die Papyrer beim Bürgerfest 1985 an, um die Kunst des Papiermachens in ihrer historischen Form zu demonstrieren.

Eine Million für die Kaiserkrone

Ein grauer Himmel hängt an diesem Februarmorgen über Augsburg und läßt es nicht recht hell werden. Jakob Fugger steht am Fenster der Goldenen Stube in dem großen Haus am Rindermarkt und blickt in das leichte Schneetreiben hinaus. Sein tüchtiger Hauptbuchhalter Matthäus Schwarz berichtet über den Fortgang der Bauarbeiten an der Fuggerei, der Stiftung für bedürftige Augsburger. Fugger hat nämlich den Geschäften lange fernbleiben müssen, nachdem er sich in der Christmette erkältet hatte und sein Leben zeitweise an einem seidenen Faden zu hängen schien. Die europäischen Fürstenhäuser hatten in jenen Wochen gebannt nach Augsburg geblickt und sich gefragt: Was geschieht mit dem Haus Habsburg, wenn Jakob Fugger, der Finanzier der kaiserlichen Politik, die Augen für immer schließt? Denn während Fuggers Krankheit war Kaiser Maximilian aus dem Haus Habsburg am 12. Januar 1519 gestorben, ohne die Nachfolge im Reich geregelt zu haben. Es gibt nun zwei aussichtsreiche Kandidaten für die Kaiserkrone: den französischen König Franz I. und den jungen spanischen König Karl, Erbe des gewaltigen habsburgischen Besitzes, der von Österreich über Burgund bis in die Niederlande reicht. Kaiser Maximilian hatte sich in der Vergangenheit als Schuldner eng an das Haus Fugger gebunden. Würde Jakob diese Beziehung, die neben dem geschäftlichen Eigennutz im Lauf der Jahre auch menschliche Züge angenommen hatte, auf den 19jährigen Karl übertragen?

Es ist der 11. Februar 1519. Mit Spannung erwartet man im Haus Fugger den Ritter Paul von Armerstorf, einen Gesandten Karls. Matthäus Schwarz will noch einmal den zu erwartenden Geldbedarf eines Kandidaten für die Kaiserwahl vortragen, aber Fugger winkt ab: Er hat die Zahlen im Kopf. In den Tagen seiner Genesung hat er seine Entscheidung getroffen, wie immer allein, ohne die in der Firma tätigen Neffen zu Rate zu ziehen. Der nächste Kaiser soll Karl heißen! Fugger weiß, daß beide Bewerber um die Reichskrone auf seine finanzielle Hilfe angewiesen sind. Die finanziellen und politischen Forderungen der allmächtigen deutschen Kurfürsten, deren Stimme die Kaiserwahl entscheidet, sind bekannt. Emotionale Bindungen an das Haus Habsburg mögen für Jakob eine Rolle gespielt haben, aber entscheidend ist die nüchterne kaufmännische Rechnung, und die spricht für Habsburg. Wer würde sonst, so Fuggers Kalkül, für Maximilians Schulden einstehen? Und

was würde aus den Tiroler Kupfer- und Silberverträgen, die dem Haus Fugger das Handelsmonopol in Europa einräumen?

Hat Jakob Fugger seine Entscheidung bereits getroffen, so fällt es Karl anscheinend immer noch schwer, sein politisches Schicksal in die Hände eines deutschen Kaufmanns zu legen. Armerstorf ist bereits seit zehn Tagen in Augsburg, meldet sich jedoch erst heute zum Besuch im Haus Fugger an. Für dieses auffällige Zögern weiß Jakob nur eine Erklärung: Der spanische König versucht mit dieser Hinhaltetaktik den Preis zu drücken und bessere Konditionen auszuhandeln.

Als Ritter von Armerstorf eintrifft, wird er in der Goldenen Stube, seit Jahrzehnten der Inbegriff Fuggerscher Macht, zwar zuvorkommend, aber als Bittsteller empfangen, der vor dem selbstbewußten Herrn eines Weltunternehmens erscheint. Mag Jakob am Zustandekommen des Geschäfts noch so interessiert sein, so zeigt er es nicht. Er ist Bittsteller gewohnt: Nicht er hatte Maximilian aufgesucht, sondern der Kaiser war mit seinen Geldnöten stets bei ihm erschienen. Man kommt ohne Umschweife gleich zur Sache. Armerstorf legt fünf Wechsel vor, die über 275 000 Gulden und 25 000 Kronen lauten. Doch die Wechsel tragen italienische und spanische Namen, einige sind sogar auf die Welser, Fuggers Augsburger Konkurrenten, ausgestellt. Jakob Fugger ist verstimmt, er muß daraus schließen, daß man am 9. Januar in Saragossa, wo diese Geschäfte ausgehandelt wurden, versucht hat, sein Haus von der Finanzierung der Wahl auszuschließen. Um die Verhandlungen zu beschleunigen, läßt er durchblicken,

daß immer noch Kontakte nach Frankreich bestehen. Außerdem habe der brandenburgische Kurfürst angefragt, ob das Wahlgeld aus Spanien endlich in Augsburg hinterlegt sei. Schließlich drängt auch die Erzherzogin Margarete, Statthalterin der Niederlande und Tante Karls, die mit Deutschland besser vertraut ist als ihr Neffe, das Geschäft mit den Fuggern voranzutreiben.

Letztlich hat die Konkurrenz nur geringe Chancen, verwendet doch inzwischen die

Geld für die Krone
Der Hausherr Jakob Fugger (Mitte) empfängt in seinem Augsburger Kontor, der Goldenen Stube, den Ritter Paul von Armerstorf (links). Der Beauftragte Karls soll die Finanzierung der Kaiserwahl sicherstellen. Der Buchhalter Matthäus Schwarz (rechts), der das Gespräch mit Aufmerksamkeit verfolgt, überprüft die vorgelegten Wechsel. Der erfolgreiche Abschluß der Verhandlungen bringt Karl die Kaiserkrone und macht die Fugger zum bestimmenden Handelshaus Europas.

habsburgische Wahlpropaganda in den österreichischen Ländern den Namen Fugger, um Solidität zu beweisen. Jakob erklärt sich also bereit, den zur Wahl fehlenden Betrag zur Verfügung zu stellen. Er erfüllt auch die Bitte Armerstorfs, den brandenburgischen Kurfürsten persönlich über die Höhe des Wahlfonds zu unterrichten, denn für Markgraf Joachim zählt der Brief aus Augsburg mit der Unterschrift Jakob Fuggers mehr als jedes Versprechen des Habsburgers.

Armerstorf hat seinen Auftrag erledigt und verabschiedet sich. An jenem 11. Februar ist die Wahl jedoch noch nicht entschieden. Je länger sie hinausgeschoben wird, desto größer wird der kurfürstliche Appetit. Der Druck der Kurfürsten ist es schließlich, der Karl bewegt, sich endgültig und offen an Fugger zu binden: Die Firma solle, so läßt er Jakob in einem Schreiben mitteilen, dem Brandenburger die 200 000 Gulden Mitgift – sein Sohn heiratet eine spanische Infantin – für die Wahl in Gottes Namen garantieren. Als Sicherheit erhält das Augsburger Handelshaus dafür weitere Bergwerke in den österreichischen Ländern. Auch der Erzbischof von Mainz meldet sich mit einer Verdoppelung seiner ursprünglichen finanziellen Forderung.

Steht beim Augsburger Besuch Armerstorfs der Preis der Reichskrone noch bei 450 000 Gulden, liegt er zwei Monate später bereits bei 720 000. Karl muß schließlich die Bedingungen Jakob Fuggers erfüllen, um die Restsumme aufzutreiben: Der Kaufmann weist seinen Buchhalter an, nur noch Wechsel anzunehmen, die neben der Unterschrift des spanischen Königs auch die der Schatzmeister von Kastilien und Aragón tragen.

Am 28. Juni 1519 wählen die sieben Kurfürsten in Frankfurt den Enkel Maximilians als Karl V. einstimmig zum neuen Kaiser. Es ist ein offenes Geheimnis, wem der Herrscher die Krone letztlich zu verdanken hat. Die Nachricht von der Wahl trifft schon am nächsten Tag in Augsburg ein und wird mit einem Feuerwerk gebührend gefeiert. Karl selber erreicht die Meldung in Spanien, wo er sich seit 1517 aufhält.

Dem Fest folgt bald der Alltag. Jakob Fugger und Matthäus Schwarz sitzen in der Goldenen Stube über den Büchern. Die Wahl, so ergibt ihre Rechnung, hat die ungeheure Summe von insgesamt 852 189 Gulden gekostet. Der Fuggersche Anteil an der Finanzierung beträgt 543 585 Gulden. Die Verhandlungen über die Schuldentilgung gestalten sich außerordentlich schwierig und ziehen sich über Jahre hin. Die Finanzierung der Kaiserkrone macht die Fugger zu einem der einflußreichsten Handelshäuser Europas, verbindet aber zugleich ihre Zukunft unauflöslich mit dem politischen Schicksal des Hauses Habsburg.

Die Residenzen südlich der Donau

Als Folge der jahrhundertelangen Zersplitterung in zahlreiche Kleinstaaten besitzt Deutschland ungewöhnlich viele Residenzstädte. Auch in Bayern trifft man auf eine stattliche Anzahl – war es doch ab 1255 fast ein Vierteljahrtausend lang in bis zu vier Teilherzogtümer gespalten. Erst als mit dem Tod Georgs von Bayern-Landshut 1503 die Landshuter Linie im Mannesstamm ausgestorben war, gab es ein geeintes Bayern, und München wurde zur alleinigen Hauptstadt erhoben.

München Nachdem die Isarstadt zur Hauptstadt Bayerns erhoben war, konnte sie darangehen, diesen Status auch baulich zu demonstrieren. Vor allem galt es, die Neuveste auszubauen. 1569–1571 ließ Herzog Albrecht V. das Antiquarium errichten, das später zum Festsaal umfunktioniert wurde. Es steht im Ruf, der größte und bedeutendste Renaissanceraum nördlich der Alpen zu sein. In seinem Testament verfügte Albrecht, die Pretiosen der Residenz in einem Schatzfonds zu vereinen. Heute umfaßt die im Königsbau untergebrachte Sammlung über 1200 Exponate.

Als nächstes entstand westlich des Antiquariums unter Herzog Wilhelm V. der Grottenhof – ein rechteckiges „Lustgärtlein" mit Grotten und Brunnen. Der bedeutendste Renaissancebauherr der Residenz aber war Kurfürst Maximilian I. In der Nordwestecke ließ er den Kaiserhof mit der berühmten Kaisertreppe erbauen, und auch die heutige Westfront der Residenz mit der Figur der Patrona Bavariae entstand in seinem Auftrag. Die Reiche Kapelle war sein privater Betraum.

Schon 1563–1567 hatte Albrecht V. südlich der Residenz einen neuen Marstall für die herzoglichen Pferde errichten lassen, in dem später die Münzprägeanstalt untergebracht wurde. Ihr schöner dreigeschossiger Arkadenhof ist noch unverändert. Im Auftrag Herzog Wilhelms V. wurde ab 1583 die Jesuitenkirche errichtet. Ihre gewaltige Südfassade zählt zu den schönsten Leistungen der Renaissance in Bayern.
ℹ️ Schatzkammer und Residenzmuseum mit Antiquarium: Di–Sa 10–16.30, So 10–13 Uhr.

München *Die Schatzkammer der Residenz birgt als Kleinod die Kalzitstatuette des heiligen Ritters Georg im Kampf gegen den Drachen (oben).*

Neuburg a. d. Donau *Ein großer Spaß für jung und alt sind die Reiterspiele im Rahmen des Schloßfests (links), bei dem die Neuburger in historischen Kostümen die Zeit ihres Renaissancefürsten Ottheinrich wiedererstehen lassen. Hier bereitet sich ein edler Recke auf den Kampf vor.*

München *Das Antiquarium (1569–1571) der Residenz diente zunächst nur als Schauraum für die Antikensammlung Herzog Albrechts V., wurde aber bereits ab 1586 zum Festsaal umgestaltet (oben). Die italienischen Bildwerke in den Nischen sind größtenteils Kopien antiker Plastiken.*

Freising Die geistlichen Fürsten griffen den repräsentativen Renaissancebaustil der weltlichen Herren schnell und dankbar auf. Der Arkadenhof (1519) der ehem. bischöflichen Residenz auf dem Freisinger Domberg ist eines der frühesten Beispiele des neuen Stils im altbayerischen Raum. Die Arkaden ruhen auf roten Marmorsäulen.

ℹ Besichtigung des Arkadenhofs in Absprache mit dem Pförtner möglich.

Landshut 1503 war es mit der Herrlichkeit Landshuts als Hauptstadt eines eigenständigen Herzogtums vorbei. Nach dem Tod Georgs des Reichen fiel es an die Münchner Vettern, die fortan ihre jungen Prinzen nach Landshut schickten.

Herzog Ludwig X. hatte 20 Jahre auf der Burg Trausnitz gelebt, als er sich 1536 entschloß, in der Altstadt eine Stadtresidenz errichten zu lassen.

Landshut Die Commedia dell'arte erfreute sich auf der Burg Trausnitz großer Beliebtheit. Davon zeugen die in Freskotechnik gemalten Szenen der Narrentreppe (1578) von Alessandro Scalzi (links). Hier kämpft Pantalone mit einem ertappten Liebhaber.

Von München über Landshut nach Dachau Die Tour folgt bis Landshut der Isar und erreicht bei Neuburg die Donau.

sen. Doch im selben Jahr noch ließ er die Arbeiten einstellen: Bei einem Staatsbesuch in Mantua hatte ihn der Palast seines Gastgebers Giulio Romano so begeistert, daß er bald darauf italienische Baumeister engagierte, die für ihn den ersten Renaissancepalazzo nördlich der Alpen erbauten. Den Hof säumen elegante Arkaden, und innen beeindruckt der prunkvolle Italienische Saal.

Auch Burg Trausnitz aus dem 13. Jh. zeigt typische Merkmale der Renaissance. Bevor Wilhelm V. 1579 als bayerischer Herzog nach München ging, verbrachte er elf Jahre mit seiner Frau Renata auf der Burg. Er ließ den Innenhof von italienischen und flämischen Künstlern umgestalten und die Wände der Narrentreppe ausmalen: Als Liebhaber der italienischen Stegreifkomödie entschied er sich für Motive aus der Commedia dell'arte. Alessandro Scalzi, genannt Padovano, malte die ausdrucksstarken Szenen.

ℹ Stadtresidenz und Burg Trausnitz: Besichtigung nur im Rahmen von Führungen; Führungszeiten zu erfragen unter Tel. 08 71/2 26 38.

Neuburg a. d. Donau Zur Beilegung eines Erbstreits der Wittelsbacher wurde 1505 das Fürstentum Neuburg geschaffen und mit einer Pfälzer Nebenlinie besetzt. 1522 bestieg Ottheinrich den Thron; innerhalb von 28 Jahren verlieh er der Stadt den Charakter einer imposanten Residenz. Begeistert vom neuen Stil der Renaissance, ließ er ab 1530 ein dreiflügliges Schloß mit zwei mächtigen Ecktürmen errichten, das dem Besucher schon von weitem entgegenleuchtete. Besonders reizvoll ist sein asymmetrischer Innenhof mit eleganten Laubengängen und einzigartigen Sgraffitomalereien. Die um 1540 für den inzwischen zum protestantischen Bekenntnis übergewechselten Landesherrn erbaute Schloßkapelle verrät in ihren durch Pfosten unterteilten Maßwerkfenstern noch gotischen Einfluß. Als Ottheinrich 1556 in Heidelberg Kurfürst der Pfalz wurde, ließ er das kleine Fürstentum hoffnungslos verschuldet zurück, so daß

die begonnenen Bauten erst Jahrzehnte später vollendet werden konnten. Im Schloß ist ein Museum mit Schatzkammer, Handwerkerstuben sowie vor- und frühgeschichtlichen Funden untergebracht.

Alle zwei Jahre (zuletzt 1987) feiern die Neuburger am letzten Juni- und ersten Juliwochenende ihr Schloßfest. In Renaissancekostümen erfreuen sie mit höfischen Tänzen und dem Steckenreitertanz ihre zahlreichen Besucher.

ℹ Schloßkapelle: täglich 10–18 Uhr (Mai–Oktober); Schloßmuseum: Di–So 10–17 Uhr.

Neuburg-Grünau Der erste Bauabschnitt des Jagdschlosses Grünau entstand 1530/1531 noch in gotischen Formen, doch innen finden sich schon Renaissancemalereien. Der zweite Abschnitt wurde 1550–1555 als typischer Renaissancebau erstellt. Noch heute wirkt das Schloß, das nur zu Fuß zu erreichen ist (vom Parkplatz etwa 500 m), wie ein unberührtes Idyll.

ℹ Da das Schloß z. Zt. innen restauriert wird, ist es auf absehbare Zeit nur von außen zu besichtigen.

Dachau Rund um München ließen sich die Wittelsbacher größere und kleinere Jagdschlösser errichten. Von der 1546–1573 erbauten Anlage des Dachauer Schlosses existiert heute nur noch ein 1715 umgebauter Flügel. Erhalten sind im Festsaal die hölzerne Kassettendecke (1564–1567) und ein großer gemalter Fries mit mythologischen Szenen.

ℹ Der Festsaal ist nur bei Ausstellungen oder Schloßkonzerten zugänglich.

Stumpfhaus in Alsfeld Bekleidet mit einem knappen Wams, einer steifen Halskrause, Kniehosen und Schnallenschuhen präsentiert sich der Bauherr in Form einer Holzfigur.

Andernach Das Triebwerk des alten Rheinkrans ist heute noch funktionsfähig. Die Kransäule kann samt Dach und Ausleger geschwenkt werden, während zwei große Treträder die Lasten emporheben.

Alsfeld Die bedeutendsten Renaissancebauten des oberhessischen Fachwerkstädtchens stehen alle beim Marktplatz. Stolz hat sich der Bauherr im Pfosten der Südostecke des Hauses Nr. 6 (1609) verewigt: Der Bäckermeister Jost Stumpf, der zugleich auch Bürgermeister von Alsfeld war, steht dort als geschnitzte, bemalte Holzfigur. Diesem Fachwerkhaus steht das dreigeschossige, aus Stein errichtete Weinhaus gegenüber. Die dem Markt zugewandte Schmalseite trägt einen Treppengiebel mit Halbrädern auf den Staffeln. Im Minnigerodehaus (1687) befindet sich heute das Regionalmuseum. Den giebelgeschmückten Prunkerker verschönern ausgezeichnete Steinmetzarbeiten, darunter das Doppelwappen der beiden Bauherren.

Das Fachwerkrathaus besticht im Innern durch die feinen Arbeiten Michael Fincks: die Wendeltreppe, das Geländer und die prunkvolle Intarsientür (1604) zum heutigen Standesamt. Auch die kostbar verzierten Wandschränke in diesem Raum, der einst Gerichtsstube war, stammen von ihm.

ℹ Rathaus: Mo–Fr n. Vereinb., Tel. 0 66 31/1 82 24.

Andernach Ein seltenes technisches Denkmal der frühen Neuzeit ist der 1554 nach Plänen des Kölner Werkmeisters Clais Meußgin begonnene Rheinkran, ein stattlicher Rundbau mit ungewöhnlich reichen Verzierungen. Noch 1911 war der Kran in Betrieb; dann allerdings wurde der neue Rheinhafen eröffnet, und der Kran hatte ausgedient. Funktionieren würde er auch heute: Seine Mechanik ist noch in Ordnung.

Bad Bergzabern Das um 1600 errichtete Gasthaus „Zum Engel" wird gern als der schönste Renaissancebau der Pfalz bezeichnet. Auf merkwürdig verzogenem Grundriß erhebt sich das dreigeschossige Gebäude, das an drei Seiten mit geschweiften, reich verzierten Giebelaufsätzen abschließt. Zweigeschossige, mit üppigem Beschlagwerk versehene Erker schmücken die Hausecken der Vorderseite. Im Hof steht ein mehreckiger Treppenturm mit ausladendem Schieferdach, der im Innern eine reizvolle Spindeltreppe birgt.

Bad Hersfeld Der im Kern romanisch-gotische Bau des Rathauses der hessischen Stadt erhielt 1597 Giebelaufsätze und Überkleidungen, die ihn heute als prächtiges Beispiel der Weserrenaissance erscheinen lassen. Die dreistöckige Zweiflügelanlage – der Seitenflügel mit seinem Fachwerkobergeschoß wurde erst im frühen 17. Jh. angefügt – kann im Sitzungssaal mit einer wertvollen Stuckdecke aufwarten. Die kunstvollen Intarsien der Wandtäfelung konnten anhand erhaltener Teile ergänzt werden.

ℹ Besichtigung n. Vereinb., Tel. 0 66 21/20 12 15.

Bedburg Das Schloß der westlich von Köln gelegenen Stadt ist eine der ersten Backsteinburgen im Rheinland (um 1300). Sein architektonisch bedeutendster Teil ist die nach italienischem Vorbild gestaltete Renaissanceloggia im Innenhof. Man vermutet, daß diese Laubengänge um 1550 von dem Architekten Alessandro Pasqualini geschaffen wurden.

ℹ Das Schloß ist bei kulturellen Veranstaltungen zugänglich. Auskunft erteilt die Stadt, Tel. 0 22 72/40 20.

Bergheim Vermutlich nach 1550 wurde das Wasserschloß Frens aus dem 14. und 15. Jh. in der Nähe von Köln zu einer zweigeschossigen Rechteckanlage ausgebaut. Architekt war der Stadtbaumeister von Arnheim, Arndt Johannsen. Besonders hübsch ist der nördliche Zier-

giebel des nur über eine Brücke zugänglichen Herrenhauses. Er zeigt deutlich den Einfluß der niederländischen Renaissancearchitektur im Rheinland, die sich hier gegenüber dem früheren italienischen Stil immer stärker durchzusetzen vermochte.

Bocholt Das Rathaus der nordrhein-westfälischen Stadt gehört zu den schönsten Beispielen profaner Renaissancearchitektur. Der 1618 begonnene, vornehm wirkende Bau mit dreifach gestaffeltem Giebel ist geprägt von einer offenen Arkadenhalle im Erdgeschoß, einem reichgeschmückten Erker im ersten Stock und einer zierlichen Dachgalerie. Die Zerstörungen des Zweiten Weltkriegs wurden stilgerecht behoben.

Brackenheim 1556 ließ Herzog Christoph von Württemberg in dem malerischen Städtchen bei Heilbronn ein schlichtes dreiflügeliges Schloß mit runden Treppentürmen errichten. Die hufeisenförmige Anlage, in der heute das Amtsgericht untergebracht ist, birgt im Innern hübsche hölzerne Hoflauben.

Breese im Bruche 1515 sah sich Herzog Heinrich gezwungen, sein Gut in der Nähe von Lüneburg an einen Bürgerlichen namens Otto Grote abzutreten. Seither ist es im Besitz der später in den Grafenstand erhobenen Familie. Ein gleichnamiger Nachfahre Ottos ließ 1592 eine ev. Gutskapelle errichten – einen rechteckigen Backsteinbau, in dessen Innerem man ein hölzernes, mit Malereien geschmücktes Tonnengewölbe sowie zahlreiche Epitaphe der Familie Grote findet. Seine äußere Schlichtheit macht ihn zum Gegenstück aufwendiger fürstlicher Kapellenbauten.
ⓘ Besichtigung Fr 14.30–15.30 Uhr und für Gruppen n. Vereinb., Tel. 0 58 61/3 01.

Breuberg Zu Beginn des 17. Jh. ließ Graf Johann Casimir von Erbach die mächtige Burganlage im nordöstlichen Odenwald, die auf das 12. Jh. zurückgeht, schloßartig ausbauen. Der nach ihm benannte Bauteil erhielt im Untergeschoß einen gewölbten Marstall und darüber einen Festsaal, den Rittersaal, dessen Stuckdecke heute zum wertvollsten Schatz der Anlage gehört: Sie ist mit einer Wappenfolge und sechs großen Medaillons geschmückt.
ⓘ Besichtigung täglich 9–12, 13–17 Uhr.

Büren Bischof Dietrich von Fürstenberg ließ 1604–1607 die Wewelsburg auf einem Bergsporn in der Nähe von Paderborn zu einer eigenwilligen Renaissanceanlage aus-

Bocholt *Ziegel und Hausteine sind die Baumaterialien des Rathauses. Es beeindruckt vor allem durch seine formenreiche Fassade.*

bauen. Drei runde Ecktürme begrenzen den eindrucksvollen Bau, der in Form eines gleichschenkligen Dreiecks angelegt ist. 1646 ging er in Flammen auf, als die Schweden brandschatzend einfielen. Das verfallene Gemäuer wurde erst 1934 von den Nationalsozialisten wieder errichtet, und damit begann ein beschämendes Kapitel in der Geschichte der Burg: Sie wurde zu einer repräsentativen Zentrale der SS-Führung umgestaltet und 1945 von den Nationalsozialisten selbst zerstört.
Nach einem erneuten Wiederaufbau im ursprünglichen Stil der Weserrenaissance birgt das Schloß heute das Kreismuseum Wewelsburg mit Burgmuseum und eine Gedenkstätte für das ehem. Konzentrationslager Niederhagen, in dem 1285 Menschen dem SS-Terror zum Opfer fielen.
ⓘ Kreismuseum und Gedenkstätte: Di–Fr 10–12, 13–17, Sa 13–18, So 10–12, 13–18 Uhr.

Darmstadt Zur neuen Lebensart der Renaissance gehörte die wachsende Jagdleidenschaft der Fürsten, die sich nun entsprechende Häuser und Schlösser in ihren Jagdrevieren errichteten. Ein typisches Beispiel ist das dreiflüglige Schloß Kranichstein, das sich Landgraf Georg I. von Hessen-Darmstadt 1572 inmitten seines 400 Morgen großen Hirschgartens erbauen ließ. Durch die Fenster des mächtigen Rundturms an der Nordwestecke kann man die Schneisen des Jagdreviers einsehen. Ganz passend das Thema des im Schloß eingerichteten Museums: die Jagd.
ⓘ Wegen Renovierung können Schloß und Museum erst wieder ab 1991 innen besichtigt werden.

Gießen Ein schönes Beispiel für den ausgewogenen Fachwerkbau der Renaissance bietet das zwischen 1533 und 1539 für Philipp den Großmütigen erbaute Neue Schloß. Über einem massiven Steinuntergeschoß erhebt sich das klar gegliederte Fachwerkgebäude mit seinem steil aufragenden Dach. Ursprünglich bildete das Erdgeschoß einen einzigen Saal. Heute ist der Raum für die dort ansässige Ingenieurschule unterteilt. Die Strenge des Fachwerks wird durch polygonale Eckerker betont. An der südlichen Langseite zum Hof gliedert ein mehreckiger Treppenturm die Fassade. Das Schloß ist nur von außen zu besichtigen.

Eisenbartspiel in Hann Münden *Vor dem Rathaus kann man sich jedes Jahr an den Heilkünsten des berühmten Doktors ergötzen.*

Hann Münden Das Rathaus der am Zusammenfluß von Werra und Fulda gelegenen Stadt spiegelt mit seiner interessant gestalteten Schaufassade, den Erkern und reichgeschmückten Giebeln den Wohlstand der damaligen Bürgerschaft wider. Vor dieser Kulisse wird jedes Jahr im Sommer das „Spiel vom Doktor Eisenbart" aufgeführt. Der als Quacksalber verschriene Arzt war in Münden an den Folgen eines Schlaganfalls gestorben.
Um 1500 ließ Erich I. von Braunschweig-Calenberg die am Werraufer gelegene Burganlage zum Residenzschloß umbauen. Nach einem Brand 1561 erneuerte man es im Stil der Weserrenaissance. Kurz danach konnte auch das Westjoch von Sankt Blasius fertiggestellt werden. Als wertvollstes Ausstattungsstück der Kirche gilt ein Epitaph aus gelbem Juramarmor an der Nordwand des Chors. Es stellt Herzog Erich I. und seine beiden Frauen, Katharina und Elisabeth, dar.
ⓘ Ehem. Welfenschloß: Di–Fr 10–12, 14.30–17, Sa, So 10–12, 14.30–16 Uhr.
Sankt Blasius: Mo–Sa 10–12, 15–18, So 14–18 Uhr (Mai–September).
Eisenbartspiel: Auskunft unter Tel. 0 55 41/7 53 13.

Schloß Heiligenberg
Von allen Seiten flu-
tet durch rundbogen-
überwölbte Fenster
Licht in den herrli-
chen Rittersaal, der
seinen Reiz gerade
aus dem Kontrast von
einströmender Hellig-
keit und dunklem
Holz erhält.

Heiligenberg Schon in den Kaiserpfalzen des Mittelalters stellte der
Palassaal den eigentlichen Reprä-
sentationsraum dar. Im Sinne dieser
Tradition stattete man in den frühen
Schlössern den Festsaal mit besonderer Hingabe aus. Ein wahrhaft
prunkvolles Beispiel ist der um 1575
gestaltete Rittersaal im Südflügel
von Schloß Heiligenberg, das auf einem Bergsporn über der weiten Bo-
denseelandschaft liegt. Das von allen Seiten einfallende Licht bringt
die herrliche Kassettendecke aus
Lindenholz, die auf reichverzierten
Konsolen aus verschiedenen Hölzern ruht, ganz hervorragend zur
Geltung. Die Schmalseiten des 36 m
langen Raumes nehmen zwei mit
hohen Aufbauten geschmückte
Sandsteinkamine ein.

Fast ebenso prunkvoll ausgestattet
ist die Schloßkapelle im Westflügel.
Im Gegensatz zum Rittersaal ist hier
die geschnitzte Holzdecke gewölbt;
lediglich über der Orgelempore findet sich eine flache Kassettendecke.
Die Orgelbrüstung trägt Holzreliefs
mit biblischen Darstellungen. Auch
diese Ausstattung stammt aus dem
16. Jh.
ℹ️ Schloßbesichtigung täglich 9 bis
11.30, 13–17.30 Uhr (April–Oktober), November nur bei schönem
Wetter So 9–11.30, 13–17.30 Uhr,
sonst n. Vereinb., Tel. 0 75 54/2 42.

Jülich Verbündet mit den Herzog-
tümern Kleve und Berg, wuchs der
schon zur Römerzeit bedeutende
Ort am Niederrhein im späten Mittelalter zu einer wohlhabenden und
einflußreichen Grafschaft heran.
Nach dem großen Brand von 1547
konnte man es sich daher leisten,
den Architekten Graf Alessandro
Pasqualini aus Bologna mit dem Bau
einer großartigen Festung zu beauftragen, die zur wichtigsten am Niederrhein werden sollte. Der Meister
und später sein Sohn Maximilian
schufen eine imposante Vierflügelanlage im italienischen Renaissancestil, die größte Zitadelle diesseits der
Alpen. Im Ostflügel befindet sich die
Predigtkapelle, einer der ersten ev.
Kirchenbauten in Deutschland.
ℹ️ Die Anlage, in die heute ein Gymnasium integriert ist, ist in der Regel
tagsüber zu besichtigen.

Mönchengladbach Einflüsse der
italienischen und niederländisch-
flämischen Renaissance lassen sich
am außerhalb der Stadt liegenden
Schloß Rheydt ablesen. Das um
1570 errichtete Gebäude, bei dem
man schon bestehendes Mauerwerk
einer mittelalterlichen Raubritter-
burg teilweise einfügte, ist eine der
besterhaltenen Wasserburgen der
niederrheinischen Renaissance.

Baumeister war wahrscheinlich
Maximilian Pasqualini, Sohn des berühmten Architekten Alessandro
Pasqualini. Die Außenfront ist in italienischem Stil gehalten, dagegen
zeigt die spätere Hoffassade eher
niederländische Stilelemente. 1644
schwer beschädigt, wurde das
Schloß 1952 von Grund auf restauriert. Heute befindet sich darin das
Städtische Museum, das über eine
eigene Abteilung für Kunst und Kultur der Renaissance verfügt. Daneben sind Münz- und Waffensamm-
lungen und die reich mit Prunkstük-

Jülich Innerhalb der
wehrhaften Zitadelle
beeindruckt das
Schloß, das seinen
italienischen Bau-
meister nicht verleug-
nen kann.

ken der Goldschmiedekunst ausgestattete Weltliche Schatzkammer zu
sehen.
ℹ️ Städtisches Museum in Schloß
Rheydt: Di–So 10–18 Uhr (März bis
Oktober), sonst Mi, Sa, So 11–17
Uhr.

Neckarwestheim Schloß Liebenstein, das seit dem 17. Jh. zu Württemberg gehört, wurde im 16. Jh. auf
den Mauern einer früheren Burg errichtet. Der bedeutendste Teil der
asymmetrischen Anlage ist die sehr
sehenswerte Schloßkapelle, die um
1590 entstand. Als unabhängiger
Bau konzipiert, besteht die Andachtsstätte aus einem quadratischen Schiff mit anschließendem
achteckigem Turmchor. Die kunstvolle Fassade der Kapelle mit ihrem
reichen Rollwerk, dem üppig gestalteten Giebel, den ornamentalen
Bandmotiven und Masken läßt darauf schließen, daß sie das Werk
eines bedeutenden Baumeisters ist,
eventuell Georg Beers.
ℹ️ Besichtigung der Kapelle n. Vereinb., Tel. 0 71 33/70 01 34 oder Tel.
0 71 33/60 41.

Nörvenich In vielen spätgotischen
Burghöfen trifft man bereits auf Laubengänge, doch erst die Baumeister
der Renaissance haben sie ganz bewußt in die Architektur einbezogen.
Dies zeigt sich anschaulich am Beispiel des Herrenhauses Binsfeld in
Nörvenich, auf halbem Weg zwischen Köln und Aachen gelegen.
Die zur Hofseite liegende zweigeschossige Loggia aus rotem Nideg-
ger Sandstein hat im Obergeschoß
eine spätgotisch anmutende Maßwerkbrüstung; die Rundbogen des
Untergeschosses sind mit zierlichen
Maßwerknasen geschmückt.
ℹ️ Besichtigung n. Vereinb., Tel.
0 22 37/1 83 14.

Nürnberg Man könnte Nürnberg
eine Stadt der Brunnen nennen,
denn allein aus dem 16. Jh. kann es
mit vier bemerkenswerten Brunnen
aufwarten. Im Großen Rathaushof
steht der nach dem Bronzeputto auf
der Säule so genannte Putten-
brunnen, der auf dem Trogsockel die Jahreszahl 1557 trägt. Der Erzgießer
Pankraz Labenwolf hat vermutlich
den Apollobrunnen im Hof des Pellerhauses am Egidienplatz 23 ausgeführt wie auch den umgitterten Gän-
semännchenbrunnen (um 1550) im
Hof des Neuen Rathauses. Letzterer
zeigt einen fidelen Bauern, der zwei
Gänse unter den Armen hält. Benedikt Wurzelbauer gilt als der Schöpfer des dreigeschossigen Bronze-
aufbaus am Tugendbrunnen bei der
Lorenzkirche. Die beiden oberen
Geschosse tragen die Figuren der
sieben Tugenden. Vier Jahre, von
1585 bis 1589, brauchte der Meister,
um Liebe, Großmut, Tapferkeit,
Glaube, Geduld, Hoffnung und die
alles bekrönende Gerechtigkeit in
allegorische Figuren zu gießen.

Als die prächtigste Schöpfung des
Nürnberger Wohnbaus um die
Wende vom 16. zum 17. Jh. gilt das

Nürnberger Apollo-brunnen Im Hof des Pellerhauses (1602–1607) steht ein Brunnen mit einer bronzenen Apollofi-gur. Der griechische Gott und Schutzherr der Musen ist hier als Bogenschütze darge-stellt. Allerdings han-delt es sich um eine Kopie; das Original von 1532 steht im Germanischen Natio-nalmuseum.

Rittersaal in der Ronneburg Einen reizvollen Kontrast bilden das Mobiliar aus der Renaissance und die spätgotischen Gewölbe.

Fembohaus. Es wurde 1591–1596 von dem niederländischen Tuch-händler Philipp Oyrl erbaut; 1953 hat man hier das Stadtmuseum ein-gerichtet. Beispielhaft verkörpert das stattliche Steingebäude mit sei-nem von einer kupfernen Fortuna bekrönten Stufengiebel Bürgerstolz und gepflegte Wohnkultur der da-maligen Zeit, die sich dem Besucher in über 30 Räumen erschließt. Be-sonders sehenswert ist der Hirs-vogelsaal aus dem Jahr 1543.

ℹ Stadtmuseum im Fembohaus, Burgstraße 15: Di, Do–So 10–17, Mi 10–21 Uhr (März–Oktober), sonst Di, Do–Sa 13–17, Mi 13–21, So und feiertags 10–17 Uhr.

Ortenburg Schönste Zier des im 16. Jh. auf mittelalterlichen Funda-menten erbauten Schlosses über dem Wolfachtal südwestlich von Passau ist die hervorragend er-haltene Holzkassettendecke der Schloßkapelle. Die um 1600 ge-schaffene Intarsienarbeit mit Roll-werk und plastischen Rosetten ge-hört zu den Kostbarkeiten deutscher Ausstattungskunst der Renaissance-zeit. Das Wappen der Ortenburger prangt im ovalen Mittelfeld der Decke. Eine ebenfalls schöne, wenn

auch schlichtere Decke besitzt der große Rittersaal; an dieser Decke finden sich noch Reste von Male-reien.

ℹ Heimatmuseum in Schloß Orten-burg: täglich 10–18 Uhr (April–Ok-tober), sonst n. Vereinb. für Grup-pen, Tel. 0 85 42/5 96.

Ronneburg Akustischen Genüssen kann man sich auf der Ronneburg bei Büdingen in Hessen allmonat-lich hingeben, wenn hier klassische Konzerte veranstaltet werden. Die zugänglichen Räume der Kernburg, die aus dem 13. Jh. stammt, im 16. Jh. jedoch zu einer großzügigen Wohn-anlage ausgebaut wurde, beherber-gen heute ein Museum, das vor al-lem die Ronneburg und ihre Bauge-schichte dokumentiert. Hier kann man auch eine Folterkammer mit In-strumenten und das Brunnenhaus mit Tretrad besichtigen; der beleuch-tete Schacht reicht fast 100 m tief. Eine Turmbesteigung lohnt sich, denn von oben bietet sich ein weiter Rundblick über die hügelige Land-schaft von Vogelsberg, Taunus und Spessart.

ℹ Burgmuseum Ronneburg: Di–Do, Sa, So 10–17, Fr 10–16 Uhr (März bis November).

Vohenstrauß Runde, mit Kegeldä-chern versehene Ecktürme und zwei Mitteltürme an den Längsseiten um-geben in regelmäßigen Abständen den kraftvollen Bau von Schloß Friedrichsburg in der oberpfälzi-schen Stadt. 1586 begannen die Ar-beiten an dem Schloß, das nach sei-nem Erbauer Pfalzgraf Friedrich be-nannt ist. Er machte die Stadt 1593 zu seiner Residenz. Verantwortli-cher Baumeister der imposanten Anlage war bis zum Abschluß im Jahr 1590 Leonhard Greineisen aus Burglengenfeld. Durch spätere Um-gestaltungen hat das Innere des ockerfarbenen Gebäudes, in dem heute das Landratsamt unterge-bracht ist, seinen ursprünglichen Charakter fast völlig eingebüßt.

ℹ Das Schloß ist nur bei Burgfesten teilweise zugänglich; sonst lediglich Außenbesichtigung.

Wachtberg 1560 gab Ludwig von Blackart dem Wasserschloß Oden-hausen am Rhein sein heutiges Ge-sicht. Die Anlage, die von einem Doppelgraben umgeben ist, verkör-pert mit ihrem wappengeschmück-ten Portal, dem maßwerkverzierten Erker, der sich über zwei Geschosse erstreckt, und dem zum Hof gelege-nen Fachwerkvorbau die Über-gangsbauweise zwischen Spätgotik und Renaissance. Die bewohnte An-lage ist nur von außen zu besichti-gen.

Weiden in der Oberpfalz Reihen-häuser sind keine Erfindung der Neuzeit, wie die Anlage des Alten Schulhauses von 1566 in der Naab-stadt beweist: Michael Ermweig baute – gleich neben der ev. Kirche – das sieben Stockwerke hohe Alte Schulhaus, das unter einem mächti-gen Dachstuhl acht Häuser vereint und so als ein früher Vertreter des Reihenhausbaus angesehen werden kann. Der Dachstuhl diente einst als Kornspeicher. Jedes der selbständi-gen Häuser besitzt einen eigenen Treppenaufgang. Im Eckhaus zur Schulgasse hin befand sich die La-teinschule, im zweiten die Deutsche Schule, und in den anderen Häusern waren die Wohnungen der Lehrer, des Pfarrers und des Mesners.

Neben zahlreichen anderen Ge-bäuden im Renaissancestil beein-druckt vor allem das mit einem acht-eckigen Turm geschmückte Rathaus, das um 1540 auf Resten eines abge-brannten Vorgängerbaus errichtet wurde. Mittelalterliche Zeugnisse sind hier noch Teile des Prangers mit drei Halseisen sowie die Stadtmaße Schuh und Doppelelle. Ein hüb-scher Erker ist der Schmuck des Hauses Ecke Marktplatz/Thürlen-straße von 1583.

Dürers Idealstadt

Der Nürnberger Reichstag von 1522 setzte eine Kommission ein, die über Mittel zur Abwehr der Türkengefahr beraten sollte. Mitglied der Kommission war der Festungsbaumeister Jakob Tertsch, der mit Albrecht Dürer befreundet war und ihn zu Entwürfen von Festungen anregte. Darin verarbeitete Dürer seine Vorstellungen einer Idealstadt – ein zentrales Thema der Baukunst in der Renaissance. Im Abschnitt über die Anlage einer befestigten Residenz schreibt er:

Falls ein Herr ein großes und wohlgelegenes Land und die Wahl hätte, nach seinem Gefallen eine feste Residenz zu erbauen, daraus man sich gegen die Feinde verteidigen und worin man sich aufhalten könnte, so mag er ihm folgende Lage geben.

Erstlich soll eine fruchtbare Ebene gesucht werden, auf deren nördlicher Seite sich ein hohes Waldgebirge befindet, damit es zum Bau weder an Holz noch an Steinen fehle. Auf dieses Gebirge setze man einige dem Feinde schwer zugängliche, mit geheimen Aus- und Eingängen versehene Warten, von denen man die Gegend übersehen und Signale mit Rauch, Feuer oder durch Büchsenschüsse geben lassen könnte.

Die Stadt soll eine kleine Meile vom Gebirge stehen und gegen Süden ein großes fließendes Wasser haben, das nicht abgeleitet werden kann, aber durch alle Gräben zu leiten sei, daß man Fische darin ziehen könne. Will man den Graben trokken lassen, so mag man allerlei Kurzweil darin haben, wie Bogen-, Armbrust- und Büchsenschießen, Ballschlagen, oder auch Tier- und Baumgärten darin anlegen.

Die Stadt soll ganz quadratisch angelegt, nur die äußeren Ecken mit einer Linie von 600' abgestumpft werden und demgemäß auch die inneren Gebäude allmählich weniger. [...]

Die vier Ecken sollen gegen die vier Winde gerichtet sein, so daß sich diese daran leicht brechen [...].

Auf eine kleine Meile oder so weit, als man mit einer Feldschlange reichen kann, soll um diese Stadt kein festes hohes Haus erbaut noch Gräben oder andere zur Wehr dienende Dinge angelegt werden.

Die Stadt soll, der mindern Sorge und Hut wegen, nur ein großes, hohes und weites Tor [...] haben. Für den Herrn lege man einen verborgenen, allzeit in sauberm und brauchlichem Zustande zu erhaltenden Ausgang an, durch den er nach seinem Gefallen aus- und einfahren und reiten möge. [...]

Zur Verteidigung dieser Residenz sollen doppelte Wälle mit gefütterten Gräben ringsherum angelegt werden.

Albrecht Dürer *Seine Kunst kennzeichnet die Übergangszeit von der Spätgotik zur Renaissance in Deutschland. Auf Reisen nach Italien und in die Niederlande empfing er entscheidende Anregungen. Als erster deutscher Künstler schuf er eine Reihe von Selbstbildnissen.*

Türken vor Wien

Vom 16. Jh. an stand Österreich ständig im Kampf gegen die nach Westen vordringenden Türken. Vor allem das 1526 den Habsburgern zugefallene Königreich Ungarn war ein dauernder Zankapfel. Das Osmanische Reich hatte unter Sultan Suleiman II. seine größte Ausdehnung erreicht, und 1529 wagte der Sultan die Belagerung Wiens. Ein Augenzeuge berichtet:

Da [am 26. September] hat sich der türkische Kaiser eigener Person gewaltiglich rings um die Stadt auf dem Wasser und auf dem Land [...] gelagert, und sind der aufgeschlagenen Gezelte in die 25 000 und darüber geachtet und geschätzt worden [...]. Mittlerzeit sind alle Tore, ausgenommen den Salzturm, so allein zum Ausfallen freigehalten, verterrasset [verbarrikadiert] worden. Und daneben haben die Herren Verwalter [...] der Proviant und anderer Sachen halber Ordnung fürgenommen, wie es in Zeiten der Not gehalten und gehandelt werden sollte. [...]

Den achten Tag Octobris [...] haben die Feinde unterhalb des Kärntner Tores [...] die Stadtmauer 13½ Klafter lang und nit weit davon abermals einen Teil der Mauer bis über die Mitte unterhackt und am gemeldeten Tag Pulver untergefüttert, in der Meinung, dieweil sie die Mauer auswendig unterhackt, die selbe hinein in die Stadt wärts zu sprengen. Als das in der Stadt vermerkt worden, hat man die Mauer allenthalben mit großen starken Bäumen unterspreizt, und da die Feinde das Pulver angezündet, ist dasselbe durch die Gnade Gottes, und nachmals öfter, ohne Schaden aufgefahren und ihnen das Sprengen mißraten. [...]

Von dem 12. Tag bis auf den 14. Octobris zum Abend sind die Feind still gewest [...] darnach zur Nacht fingen die Feinde heftiger an zu schießen denn vor je. Und ungefähr um 11 Uhr zu Mitternacht sind die Janitscharen aus den Vorstädten mit großem Geschrei [...] abgezogen [...].

Die Belagerung Wiens *21 Tage lang belagerte der osmanische Herrscher Sultan Suleiman II. mit einem 250 000 Mann starken Heer Wien erfolglos. Damit war der erste Ansturm der Türken auf das Abendland abgewehrt.*

Landsknechte

Bis zum Beginn der Neuzeit gab es keine stehenden Heere. Im Kriegsfall beauftragte der Landesherr einen Feldhauptmann mit der Werbung von Söldnern. In der Hoffnung auf reiche Kriegsbeute verdingten sich diese Landsknechte gegen einen geringen Lohn meist auf Zeit. Blieb die Beute aus, so zogen sie plündernd und mordend durch das Land. Wie unbeliebt die Söldner bei der Bevölkerung waren, bezeugt die Chronik des Schriftstellers und Predigers Sebastian Franck von 1531:

Zu Maximilians Zeit sind auch die Landsknechte, dieses unnütze Volk aufgekommen, das unaufgefordert und ungesucht herumläuft, Krieg und Unglück sucht und ihm nachgeht. [...] Dieses unchristliche, verlorene Volk, dessen Handwerk ist Hauen, Stechen, Rauben, Brennen, Morden, Spielen, Saufen, Huren, Gotteslästern, freiwillig Witwen und Waisen machen, das sich über nichts denn anderer Leute Unglück freut, sich mit jedermanns Schaden nährt, im Krieg und Frieden auf den Bauern liegt mit Betteln, Schinden und Brandschatzen und niemanden, auch sich selbst nichts nütze ist: das kann ich mit keinem Schein entschuldigen, daß sie nicht

Landsknechte Die Bezeichnung „Landsknecht" für die zu Fuß kämpfenden deutschen Söldner in ihrem farbenprächtigen Aufzug wurde erstmalig 1486 für die Fußtruppen Kaiser Maximilians I. benutzt.

aller Welt Plag und Pestilenz seien. [...]

Kommen sie nach dem Krieg mit dem Blutgeld und dem Schweiß der Armen heim, so verführen sie andere Leute mit sich zum Müßiggang und spazieren müßig in der Stadt kreuzweis herum zu jedermanns Ärgernis, und sind niemand nichts nütze denn den Wirten. Denen die Beute nicht geraten ist, die laufen draußen auf der Gart herum, was zu deutsch betteln heißt. [...] Es ist dieses Volk also verroht in der Gemeinde, daß es sich keiner Bosheit schämt, sondern noch gerühmt sein will; und wie wohl man bei ihnen durchaus das Gegenteil eines Christen findet, so will man jetzt noch gute Christen aus ihnen machen, und sie selbst haben sich den Namen gegeben, daß man sie fromme Landsknechte nennen muß. Die andern, denen die Beute geraten ist, sitzen in den Wirtshäusern, schlemmen und dämmen, bis sie keinen Pfennig mehr haben, laden Gäste ein, reden von großen Streichen und was sie unter den Bauern erlebt haben und bringen also die andern auch von ihrer Arbeit zum Müßiggang.

Karl V. in Augsburg

Auf der Höhe seiner Macht gelang es Kaiser Karl V., die Front der Protestanten zu lockern. In der Schlacht bei Mühlberg 1547 gerieten die Führer der protestantischen Partei in seine Gewalt; schwer bewaffnet brachte er sie nach Augsburg zum sogenannten geharnischten Reichstag. Ein aufmerksamer Beobachter berichtet vom Zug des Kaisers nach Augsburg:

Am 3. Juli schrieb der Kaiser den Reichstag zum 1. September nach Augsburg aus.

Der Kaiser zog mit seinem Kriegszug gemächlich vorwärts, denn es war eine große Hitze in den Hundstagen. Unterdes ritt ich mit Georg von Wedell spazieren, die Kriegsleute entlang, was gar lustig anzusehen war, eines jeden Rüstzeug und Wehr in der Schlachtordnung. Bald waren wir bei den spanischen Kriegsleuten, bald bei den deutschen, und konnten doch am Abend wieder bei unsern Reitern sein. Die Marschierenden hielten nicht den rechten Fahrweg, sondern gingen in gerader Linie, sie machten eine ansehnliche Straße, viermal breiter als die Landstraße; was ihnen entgegen war, mußte weichen, die Zäune wurden niedergerissen, die Gräben wurden zugeschüttet.

Am 29. August des Jahres 1547 bin ich zu Augsburg in eine öffentliche Herberge am Weinmarkt eingeritten. Am Ende des Heumonats ist die Kaiserliche Majestät mit dem ganzen Heer angekommen. Den Landgrafen hat er mit einem Haufen Spanier zu Donauwörth gelassen, aber den gefangenen Kurfürsten hat er mit nach Augsburg gebracht und in einem Haus der Welser einquartiert, am Weinmarkt, durch zwei Häuser und ein kleines Gäßlein von des Kaisers Palast getrennt, nahe bei meiner Herberge. Die Nebenhäuser hatte der Kaiser durchbrechen und über das Gäßlein ein hölzernes Gerüst legen lassen, so daß man aus seiner Unterkunft in die des Kurfürsten gehen konnte. [...]

Die Kaiserliche Majestät hat, sobald sie zu Augsburg ankam, mitten in der Stadt [...] einen Galgen aufrichten lassen, und dann rechts gegenüber ein Gerüst, ungefähr eines mittelmäßigen Mannes Höhe, darauf man räderte, köpfte, strangulierte, vierteilte und dergleichen Arbeit mehr verrichtete.

Es war wohl ein geharnischter Reichstag, denn außer den spanischen Soldaten und deutschen Knechten, die der Kaiser mit nach Augsburg gebracht hatte, lagen bereits zehn Fähnlein Landsknechte dort zur Besatzung, und auf dem Lande um Augsburg herum lag spanisches und italienisches Kriegsvolk, aber es war auch ein ansehnlicher, pompöser Reichstag, denn es waren die Kaiserliche und Königliche Majestät zur Stelle, alle Kurfürsten in Person mit sehr starkem Gefolge und zahlreiche andere Fürsten und hohe Herren.

Kaiser Karl V. Von seinem Reich sagte man, daß darin die Sonne nie untergehe: Es erstreckte sich von Österreich über Italien, Spanien, die Niederlande und Deutschland bis nach Peru und Mexiko. Der Aufbau des spanischen Kolonialreichs in Amerika hinderte ihn allerdings, sich eingehender mit deutschen Fragen zu befassen.

BAROCK UND ROKOKO

Triumph der Sinnenfreude

Kaum waren die Leiden des Dreißigjährigen Kriegs vergessen, begann man in aufwendigem Stil zu leben. Die Freude am Genießen stand nun im Vordergrund. Man liebte die galanten Feste und fand Gefallen an einer verschwenderischen Prunksucht. Es war auch die große Zeit der Baumeister, Maler und Stukkateure. Formenreichtum, Detailbesessenheit und großzügige Ausstattungen bestimmten das Kunstschaffen. Sinnbild dieser unbeschwerten Heiterkeit und Üppigkeit waren die Putten, die man, wie hier in Rottenbuch (Foto), noch in vielen Barockkirchen finden kann.

Historischer Überblick

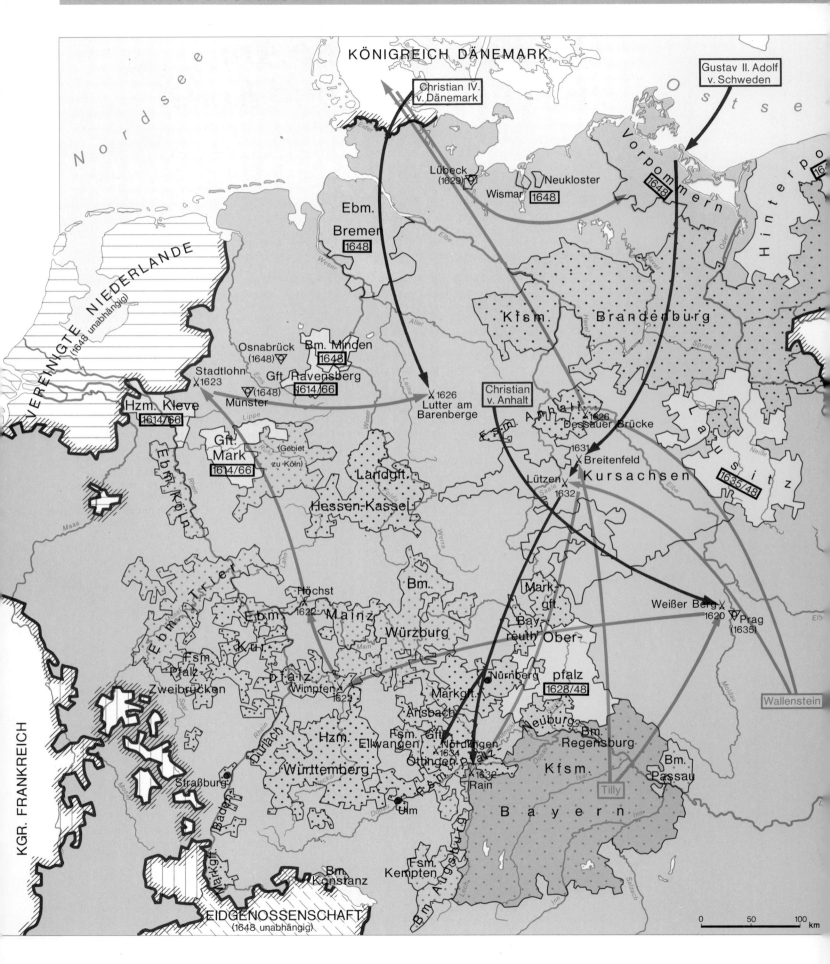

KÖNIGREICH DÄNEMARK

Gustav II. Adolf v. Schweden

Nordsee

Ostsee

Christian IV. v. Dänemark

Lübeck (1629)

Neukloster

Wismar 1648

Vorpommern 1648

Hinterpo 16

Ebm. Bremen 1648

VEREINIGTE NIEDERLANDE (1648 unabhängig)

Kfsm.

Brandenburg

Osnabrück (1648)

Bm. Minden 1648

Stadtlohn ✗ 1623

Gft. Ravensberg 1614/66

Münster (1648)

✗ 1626 Lutter am Barenberge

Christian v. Anhalt

Anhalt

✗ 1626 Dessauer Brücke

Hzm. Kleve 1614/66

Gft. Mark 1614/66

(Gebiet zu Köln)

Landgft. Hessen-Kassel

Ebm. Köln

1631 ✗ Breitenfeld

Kursachsen

Lausitz 1635/48

Lützen ✗ 1632

Ebm. Trier

Bm. Würzburg

Höchst ✗ 1622

Ebm. Mainz

Mark-gft.

Bay-reuth Ober-

Weißer Berg ✗ 1620

Prag (1635)

Wallenstein

Fsm. Pfalz-Zweibrücken

Kur-Pfalz

Wimpfen ✗ 1622

Markgft. Ansbach

Nürnberg

pfalz 1628/48

Neuburg

Bm. Regensburg

Hzm. Württemberg

Fsm. Ellwangen

Gft. Öttingen

✗ 1634 Nördlingen

Pfalz-

✗ 1632 Rain

Kfsm.

Tilly

Bm. Passau

Markgft. Durlach

Baden

Straßburg

Ulm

Bayern

KGR. FRANKREICH

Markgft.

Bm. Konstanz

Fsm. Kempten

Bm. Augsburg

EIDGENOSSENSCHAFT (1648 unabhängig)

0   50   100 km

Das Barock – eine Ära zwischen Krieg und Kunst

Während sich der Protestantismus nach dem Augsburger Religionsfrieden von 1555 zunächst weiter ausbreitete, sammelte der Katholizismus neue Kraft. An die Spitze der Gegenreformation stellte sich Bayern. Die Auseinandersetzungen zwischen den Bekenntnissen nahmen wieder zu. So gründete die Kurpfalz 1608 einen protestantischen Schutzbund, die Union, dem sich 1609 unter Führung Bayerns die katholische Liga entgegenstellte. Beide hatten Verbindungen zum Ausland geknüpft, beide waren zum Krieg bereit.

Die Spannungen entluden sich zuerst in Böhmen. Dort erhob sich der protestantische Adel gegen die katholische Politik Kaiser Ferdinands II., der zugleich böhmischer König war. Der Prager Fenstersturz im Mai 1618 löste den Dreißigjährigen Krieg aus. Die protestantischen Stände Böhmens setzten den Habsburger ab und wählten 1619 Friedrich V. von der Pfalz zum König. Friedrich regierte nur wenige Monate, was ihm den Beinamen „Winterkönig" eintrug. Für den Kaiser, der die böhmische Krone für Habsburg zurückgewinnen wollte, schlug das Heer der Liga unter dem Feldherrn Tilly die Böhmen am Weißen Berg. Friedrich floh nach Holland, die Union löste sich auf, und die Liga besetzte die pfälzischen Stammlande. Der Böhmisch-Pfälzische Krieg endete 1623 mit der Übertragung der Kurwürde von der Pfalz auf Bayern.

Der Vormarsch der Liga nach Norden forderte aber Christian IV. von Dänemark heraus, der als Herzog von Holstein auch Reichsfürst war. Der Kaiser bekam zusätzliche Hilfe durch das Söldnerheer Wallensteins. 1626 besiegte Wallenstein das Söldnerheer des Grafen Mansfeld an der Dessauer Brücke und Tilly den Dänenkönig bei Lutter am Barenberge. Die beiden Feldherren der Liga unterwarfen daraufhin ganz Norddeutschland. Der Friede von Lübeck (1629) beendete den Dänisch-Niedersächsischen Krieg.

Gegen die Machtfülle des Kaisers trat 1630 König Gustav II. Adolf von Schweden an, um die Reformation zu retten und zugleich die schwedische Ostseeherrschaft zu verteidigen. Die Schweden siegten in Breitenfeld und Rain am Lech, doch verloren sie in der Schlacht bei Lützen 1632 ihren König. Schließlich büßten sie durch die Niederlage bei Nördlingen 1634 ihre beherrschende Stellung im Reich ein.

Das Bündnis Frankreichs mit Schweden gegen den habsburgischen Rivalen brachte neue Machtkämpfe auf deutschem Boden, ohne daß einer Seite ein Durchbruch gelang. So führte endlich die allgemeine Erschöpfung zur Verhandlungsbereitschaft und nach 30 Jahren Krieg und Verwüstung 1648 in Münster und Osnabrück zum Westfälischen Frieden. Die am schlimmsten betroffenen Gebiete hatten bis zu zwei Drittel ihrer Bevölkerung verloren. Die Schweiz und die Niederlande schieden aus dem Reich aus. Frankreich und Schweden hatten deutsche Gebiete erworben und besaßen als Garanten des Friedensvertrags Mitspracherecht in zahlreichen Reichsangelegenheiten. Die Vormacht in Europa war nun nicht mehr Habsburg, sondern Frankreich.

Durch den Krieg fand das Barock in Deutschland erst später als in Süd- und Westeuropa Eingang. Als Kultur der Gegenreformation konnte es sich vor allem im süddeutsch-katholischen Raum entfalten und bestimmte für die nächsten knapp 140 Jahre bis zur Französischen Revolution das Lebensgefühl und die Weltanschauung sowohl des Adels als auch des einfachen Volkes. Die Landesfürsten förderten mit großen Beträgen die Kunst, um ihrer Herrschaft Glanz zu verleihen. So wirkten in Bayern die Brüder Asam, und in Franken schufen Baumeister wie Balthasar Neumann und Johann Dientzenhofer Kleinode barocker Baukunst.

Cosmas Damian Asam *Der süddeutsche Baumeister und Maler ist einer der vielen Künstler des Barock, denen die erstarkten Fürsten ein reiches Betätigungsfeld boten.*

Hzm. Preußen
1618

KÖNIGREICH

POLEN

Warthe

Weichsel

Oder

etze

r n

Der Dreißigjährige Krieg

Grenze des Heiligen Römischen Reiches (1648)

Grenze des Hzm. Preußen

Grenzen der Herzogtümer, Marken u. ä.

Territoriale Erwerbungen im Dreißigjährigen Krieg:

Kfsm. Brandenburg

Kfsm. Sachsen

Kfsm. Bayern

Kgr. Schweden

1648   Jahr der Erwerbung

Reichsverluste im Westfälischen Frieden 1648:

Niederlande

Frankreich

Eidgenossenschaft

Protest. Union (1608-21)
Kath. Liga (1609-35)   Wichtigste Fürstentümer und Städte

Christian IV.   Feldherr der Union

Tilly   Feldherr der Liga

Feldzug der Union

Feldzug der Liga (schematische Darstellung)

1634   Entscheidende Schlacht mit Jahresangabe

(1648)   Friedensvertragsort mit Jahreszahl

Kgr. = Königreich; Kfsm. = Kurfürstentum; Hzm. = Herzogtum; Ebm. = Erzbistum; Bm. = Bistum; Gft. = Grafschaft; Fsm. = Fürstentum

Das kühle Barock
Eutiner Baumeister

Da die Adligen in Schleswig und Holstein im 17. und 18. Jh. keine politischen Funktionen mehr innehatten, wandten sie sich in der langen Zeit des Friedens nach dem Dreißigjährigen Krieg vor allem der Verschönerung ihrer Wohnsitze zu. Auch Bürger, die zu Reichtum oder hohen Ehren gekommen waren, sei es als Beamte oder Kaufleute, bestellten bei den Eutiner Hofbaumeistern ihre Barockpalais, die in Form und Ausführung der landschaftlichen Strenge gerecht wurden.

Gelting Außen schlicht, innen erlesen – ein typisch spätbarockes Palais: So präsentiert sich bis heute das am östlichen Ortsrand gelegene dreiflüglige Herrenhaus holländischer Prägung von Gut Gelting. Erbaut hat es 1770 ein Mann aus bürgerlichem Stand, der als Söncke Ingwersen aus Langenhorn in die Welt zog und rund 20 Jahre später als Seneca Inggersen, Gouverneur von Batavia, heimkehrte, nachdem er vor allem auf Java reich geworden war. Die gesamte Anlage des bewohnten und daher nur von außen zu besichtigenden Guts umzieht ein Wassergraben. Vier Eckbastionen vermitteln den Eindruck einer Festung.

Kappeln Um 1790 ließ der Kammerherr Hans von Rumohr von angesehenen Baumeistern des Landes für rund 40 000 Reichstaler die barocke Backsteinkirche Sankt Nikolai in Kappeln errichten. Hoch über der Schlei, jedoch unmittelbar in der Altstadt gelegen, verkörpert sie den Typus einer Saalkirche mit eingebauten Emporen, die die erstaunliche Menge von 1200 Besuchern faßt. Ein Epitaph erinnert an den General Detlev von Rumohr, den die Bürger von Kappeln 1666 aus seiner türkischen Gefangenschaft freikauften.
🛈 Mo–Sa 10–11 Uhr (Mitte Juni bis September), Führungen n. Vereinb., Tel. 0 46 42/28 65.

Damp Das Gutshaus von Damp birgt seinen barocken Schatz im Innern: ein raumgreifendes zweigeschossiges Treppenhaus, das zugleich als Diele, Fest- und Musiksaal diente. Beherrschendes Motiv der Halle, die der damalige Gutsherr Jürgen von Ahlefeldt ausschmücken ließ, ist die friedliche Kunst der Mu-

Kletkamp Von Fischteichen umgeben, erstreckt sich die Gutsanlage über ein weitläufiges Areal. Den eingeschossigen Backsteinbau des Torhauses (oben) gliedert rechts von der Mitte der zweistökkige Tortrakt mit seinen anmutigen Schweifgiebeln. Eine zierliche Dachreiterlaterne bildet den reizvollen Abschluß.

Herrenhaus Borstel Der achteckige Gartensaal (oben) wurde im Zeitalter des Klassizismus umgestaltet: Deutlich zeigen dies die Kopien von Reliefs des Bildhauers Thorvaldsen an den Wänden. Der Kamin dagegen stammt aus dem Rokoko.

Altenkrempe Ein stimmungsvolles Ambiente bildet den Rahmen für die Konzerte in der Treppenhalle von Gut Hasselburg (links).

sik. Besonders hübsch sind die musizierenden Engel, die in den Ecken der prächtig stuckierten Flachdecke balancieren.

ℹ️ Die Anlage kann mit Ausnahme der Privaträume n. Vereinb. besichtigt werden, Tel. 0 43 52/22 03.

Ludwigsburg Um 1740 erstand der dänische Diplomat Friedrich Ludwig von Dehn den mittelalterlichen Hof Kohöved und ließ ihn zu dem großartigen barocken Herrenhaus Ludwigsburg umbauen, das rund 5 km südlich von Waabs unmittelbar an der Straße hinter einem alten Torhaus liegt. Durch seine hoch aufragende Backsteinfassade wirkt es sehr vornehm. Im Innern erhielt sich eine Kostbarkeit aus dem Vorgängerbau: die im 17. Jh. entstandene Bunte Kammer mit frühbarocker Emblemmalerei.

ℹ️ Besichtigung des Herrenhauses nur n. Vereinb., Tel. 0 43 58/10 35.

Bothkamp Das herrlich am Bothkamper See gelegene Herrenhaus erreicht man von Norden her über Kleinbarkau. Die Straße endet schließlich vor dem Schloß, das um 1700 seine heutige Gestalt erhielt. Besonders eindrucksvoll sind das Kleine und das überraschend monumentale Große Torhaus. Das Schloß befindet sich in Privatbesitz. Die Zufahrtsallee und der zugehörige Park sind für Besucher zugänglich.

Rastorf Die großzügig gegliederten und dekorativ verzierten Wirtschaftsgebäude von Gut Rastorf – das Herrenhaus selbst ist späteren Datums – geben ein Beispiel für die Kunst von Rudolf Matthias Dallin. Wie kein anderer verstand er es, aus den Formelementen der heimatlichen bäuerlichen Bauweise prachtvolle Barockfassaden zu gestalten. Das Gut ist nur von außen zu besichtigen.

Kletkamp Das letzte Glied einer Kette von Bauwerken, die ihre Entstehung dem kunstliebenden Grafen von Brockdorff verdanken, ist das 1773 erbaute Torhaus von Gut Kletkamp. Seine bewegte Form ist offensichtlich der gegenüberliegenden Fassade des Herrenhauses abgeschaut, das im Innern eine erst 1970 entdeckte wertvolle Balkendeckenmalerei von 1620 enthält (heute in der oberen Diele eingebaut).

ℹ️ Einige Räume des Guts, in dem Ferienappartements untergebracht sind, kann man für festliche Anlässe mieten, Tel. 0 43 81/70 28.

Güldenstein In den Jahren 1726 bis 1728 schuf der Barockbaumeister Dallin das Herrenhaus Güldenstein, einen streng gegliederten Backsteinbau im wirkungsvollen Farbzusammenklang von Ziegelrot und Weiß. Es ist nur von außen zu besichtigen.

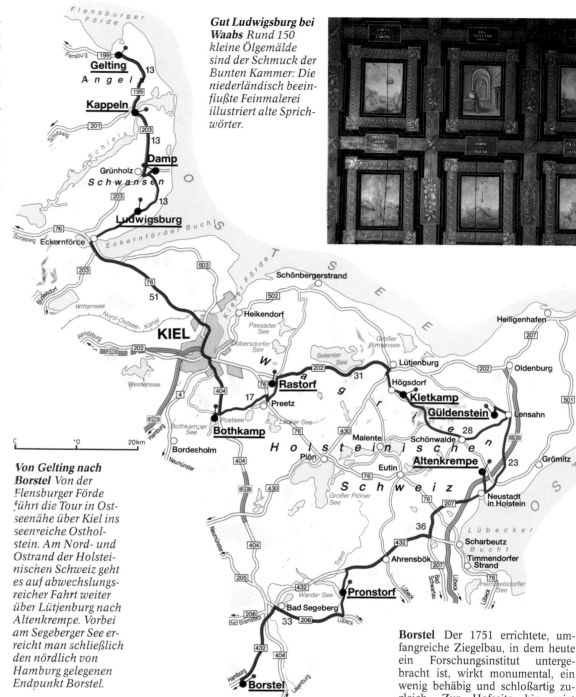

Gut Ludwigsburg bei Waabs Rund 150 kleine Ölgemälde sind der Schmuck der Bunten Kammer: Die niederländisch beeinflußte Feinmalerei illustriert alte Sprichwörter.

Von Gelting nach Borstel Von der Flensburger Förde führt die Tour in Ostseenähe über Kiel ins seenreiche Ostholstein. Am Nord- und Ostrand der Holsteinischen Schweiz geht es auf abwechslungsreicher Fahrt weiter über Lütjenburg nach Altenkrempe. Vorbei am Segeberger See erreicht man schließlich den nördlich von Hamburg gelegenen Endpunkt Borstel.

Altenkrempe Gut Hasselburg verkörpert den Idealplan barocker Anlagen, in denen Herrenhaus, Gutshof und Garten zu einem Gesamtwerk vereinigt sind. Bauherr war Graf Friedrich Otto von Dernath, der wohl den Eutiner Greggenhofer mit dem Ausbau des ehem. Lehnsgutes betraute. Das prachtvolle Treppenhaus im Innern des außen schlichten Herrenhauses gehört zu den Glanzpunkten spätbarocker Baukunst in Schleswig-Holstein. Doppeltreppe, Galerie und die reiche illusionistische Deckenmalerei von 1717 blieben original erhalten.

ℹ️ Das Herrenhaus ist nur bei Konzerten zugänglich. Kartenvorbestellung unter Tel. 0 45 61/44 02.

Pronstorf Bauherr Detlev von Buchwaldt ließ den ererbten Besitz anläßlich seiner Hochzeit umbauen. Der schloßartige zweistöckige Backsteinbau mit übergiebeltem Mittelrisalit, malerisch vor dem Warder See gelegen, wirkt ausgesprochen repräsentativ. Der schon als 29jähriger zum fürstlichen Hofbaumeister berufene Peter Richter schuf 1780 die Freitreppe und die Portalumrahmung. Das Gut ist bewohnt und nur von außen zu besichtigen.

Borstel Der 1751 errichtete, umfangreiche Ziegelbau, in dem heute ein Forschungsinstitut untergebracht ist, wirkt monumental, ein wenig behäbig und schloßartig zugleich. Zur Hofseite hin zeigt das walmdachgedeckte Herrenhaus zwei pavillonartige Eckanbauten, die Gartenfront wird durch einen vorspringenden Mittelrisalit gegliedert. Die Räumlichkeiten mit ihren platzsparenden Treppen und Domestikenfluren orientieren sich an französischen Vorbildern. In einigen Räumen ist noch die originale Dekoration erhalten, so die Stukkaturen im linken ovalen Ecksalon, die einem italienischen Meister zugeschrieben werden. Hin und wieder finden im Herrenhaus kulturelle Veranstaltungen statt.

ℹ️ Führungen n. Vereinb.; Tel. 0 45 37/1 00.

Große Schau der kleinen Fürsten

Unter den Adelsfamilien zwischen Weser und Ems spielten nur wenige über die Grenzen ihrer waldreichen Territorien hinaus eine politische Rolle. Doch auch sie ließen sich von der höfischen Prunksucht anstecken, die der mächtige Kurfürst Clemens August von Köln durch den Bau seines Jagdschlosses Clemenswerth im Land auslöste; viele bauten ihre Stammsitze zu repräsentativen Residenzen aus. Auch reiche Bauern und Bürger errichteten sich stolze Bauwerke.

Haren 3 km westlich der Emsstadt liegt im Gelände des weitläufigen Freizeitzentrums am Dankernsee das 1680–1689 erbaute Wasserschloß Dankern. Als Sitz des bischöflichen Rentmeisters des Amtes Meppen wurde es sorgfältig ausgeschmückt, z. B. mit üppigen Sandsteinrahmungen und antiken Plastiken. Der Zugang zum Schloß führt über eine Holzbrücke durch einen Triumphbogen im Stil des flämischen Barock. Im Innern beeindruckt vor allem der Barocksaal mit ausdrucksvollen Ornamenten.
ℹ️ Schloß Dankern: Innenbesichtigung nur mit Führung Di 9.30, 10.15, 14.30, 15.15 Uhr (Mitte März bis Oktober).

Meppen Von hier betrieb der Jesuitenorden seine Gegenreformation im Emsland und gründete 1692 ein Gymnasium. 1726–1729 erbaute Superior Karl Immendorf die backsteinerne Barockresidenz und wenig später die Gymnasialkirche. Reizvoll sind der Barockkamin und die Stuckdecken in der Residenz sowie die Barockaltäre in der Kirche.
ℹ️ Barockresidenz und Gymnasialkirche: an Schultagen 8.30–18 Uhr.

Sögel Die prächtige spätbarocke Anlage von Schloß Clemenswerth ließ sich der Erzbischof und Kurfürst Clemens August von Köln ab 1736 für Parforcejagden errichten. Das Schloß steht im Mittelpunkt, umgeben von sieben Gästepavillons, einer Kapelle und acht Alleen, die schnurgerade in den Wald hinausstreben. Das Schloß birgt heute das Emslandmuseum mit erlesenem barockem Porzellan und Fayencen. Das Thema Jagd kehrt im prächtigen Treppenhaus, im Festsaal und an den Stuckdecken immer wieder.

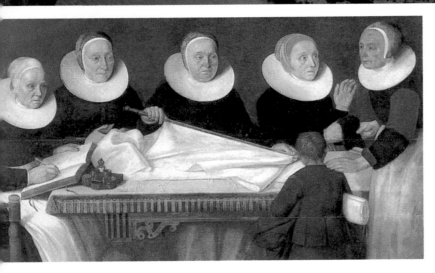

Wasserschloß Gödens
Von den Wirtschaftsgebäuden der Vorburg führt eine Brücke zum Hauptschloß, das vollständig von Wasser umgeben ist (links). Nur der Park kann an Werktagen besichtigt werden.

Brückenwächter in Dornum Zwei steinerne Löwen flankieren den Anfang der Holzbrücke, die zum Wasserschloß führt. Dieser hält das Wappen der Adelsfamilie von Closter (unten).

Gasthausvorsteherinnen in Emden Der Emdener Maler Alexander Sanders schuf das Bild (links) Mitte des 17. Jh. Ein Waisenkind wird von den Damen aufgenommen; die mittlere Frau mißt ihm Bettzeug zu. Die ernste Stimmung und die strenge Kleidung spiegeln die calvinistische Auffassung wider, die damals in Emden herrschte.

ℹ️ Emslandmuseum Schloß Clemenswerth: Di–So 10–12.30, 14–18 Uhr (April–Oktober).

Emden Da die Stadt vom Dreißigjährigen Krieg fast unberührt blieb, konnte die Bürgerschaft 1643–1648 für den Bau der Neuen Kirche 96 000 Gulden spenden. Vier Giebeldächer schmücken dieses früheste Beispiel einer Barockkirche in Ostfriesland. Als Vorbild diente die Amsterdamer Norderkerk. Die Nachbildung der Kaiserkrone auf dem Turm weist auf die angestrebte Reichsunmittelbarkeit der Stadt hin. Welch hoher Kunstsinn im 17. Jh. in Emdener Bürgerhäusern herrschte, zeigt die Gemäldegalerie des Ostfriesischen Landesmuseums.

ℹ️ Ostfriesisches Landesmuseum, Rathaus am Delft: Mo–Fr 10–13, 15–17, Sa, So 11–13 Uhr (Mai–September), sonst Mo geschlossen.

Aurich Im 16. Jh. hatten die Emdener Fürsten ihre Residenz nach Aurich verlegt. Noch immer verbreitet die heutige Neue Kanzlei, die 1731 als Marstall und Regierungsamt erbaut wurde, mit ihren eleganten Arkaden und dem schmiedeeisernen Brüstungsgitter einen Hauch barokken Lebensstils.

Dornum Um 1700 bauten die Herren von Closter ihre Burg aus dem 16. Jh. zu einem Wasserschloß um. Den schmuck restaurierten Vierflügelbau, ein Beispiel für eine kleine ostfriesische Adelsresidenz (heute Realschule), umgibt ein viereckiger Wassergraben. Eine Darstellung der Göttin Pallas Athene ziert das reich gestaltete Tympanon über dem Hauptportal.

Gödens Hier befindet sich das repräsentativste barocke Wasserschloß Ostfrieslands. Der Reichsfreisherr Haro Burchard von Fridag ließ den Westflügel nach niederländischem Vorbild 1669–1671 erbauen. Zwischen jenem und dem älteren Südflügel erhebt sich ein achteckiger

Im Land der Moore und Kanäle *Vom Emsland durch die hügelige Landschaft des Hümmlings führt die Tour an die Nordseeküste Ostfrieslands. Ab Gödens folgt man der Grünen Küstenstraße bis nach Rastede. Der Endpunkt Cloppenburg liegt mitten im Oldenburgischen Münsterland.*

Treppenturm mit Barockhaube. Durch Heirat kam das Schloß (Außenbesichtigung möglich) an die Freiherren von Wedel, deren Nachkommen hier noch heute leben.

Rastede Herrschaftlich steht Schloß Rastede auf dem Gelände einer ehem. Benediktinerabtei. Die Sommerresidenz der Grafen von Oldenburg baute Prinz Peter Friedrich Ludwig von Holstein-Gottorf zu ihrer heutigen Form aus. Er legte auch den weitläufigen Park an. Das Schloß kann nur von außen besichtigt werden.

Thedinghausen Sichtbar seiner Zeit voraus war der evangelische Erzbischof Bremens, Johann Friedrich, als er 1619 die Wasserburg von Thedinghausen im frühbarocken Stil erbauen ließ. Den hohen Backsteinbau (heute Privatbesitz) mit seinen drei großen Erkern zieren feine Sandsteinarbeiten mit Kerbschnittmustern, Fruchtgehängen und Masken. Der Wassergraben des heute Erbhof genannten Schlosses wurde zugeschüttet.

ℹ️ Erbhof: Führungen in größeren Gruppen n. Vereinb., Tel. 04204/ 368.

Vechta Die kath. Pfarrkirche Sankt Georg wurde im Dreißigjährigen Krieg schwer beschädigt und mußte 1749 neu eingewölbt werden. Bedeutende Barockwerke der prächtigen Innenausstattung sind der Hochaltar von J. H. König aus Münster (1766) und das Schnitzwerk der Kommunionbank.

Cloppenburg Die Schmuckfreude des Barock ging auch an den begüterten Bauern des fruchtbaren Artlandes nicht vorbei. Sie bauten sich stattliche Höfe wie beispielsweise die Wehlburg von Wehdel mit ihrem Wassergraben. Dieses „schönste Bauernhaus Norddeutschlands" mit seinem vierfach vorkragenden Torgiebel wurde 1750 erbaut und steht heute im Museumsdorf Cloppenburg. Auch die Inneneinrichtung zeigt großbäuerlichen Stil.

ℹ️ Museumsdorf Cloppenburg: Mo bis Fr 8–18, So 9–18 Uhr (März bis Oktober), sonst jeweils bis 17 Uhr.

Doofpötte aus Holland

Tausende von Arbeitskräften aus dem nordwestlichen Niedersachsen verdingten sich vom 17. bis ins frühe 19. Jh. zur Saisonarbeit nach Holland. Von ihnen wurden viele Gebrauchsgegenstände übernommen, wie Bettwärmer aus Messing oder die kupfernen Kohlendämpfer, die nach der holländischen Bezeichnung Doofpötte genannt wurden. Sie dienten zur Herstellung von Holzkohle. Wenn das brennende Holz keinen Rauch mehr entwickelte, wurde es in den Kupferbehälter geworfen, der rasch aufgesetzte Deckel erstickte die Flammen; es entstand Kohle. Repräsentative, reichverzierte Ausführungen der Kohlendämpfer waren beliebte Hochzeits

geschenke – wie vielleicht das abgebildete Exemplar aus dem Museumsdorf Cloppenburg, in dem die Sammlung historischer Herdgeräte einen Schwerpunkt bildet.

Baukunst im Welfenland

Das Fürstengeschlecht der Welfen entwickelte sich bis zum 12. Jh. zu einer der führenden Herrscherfamilien. Nach der offenen Auflehnung seines berühmtesten Mitglieds, Heinrichs des Löwen, gegen Kaiser Barbarossa ging jedoch der Großteil des Besitzes verloren, bis auf das später zum Herzogtum Braunschweig erhobene norddeutsche Gebiet. Obwohl hier keiner der großen Künstler tätig war, vermochten es die Baumeister dennoch, dem Adel reizvolle Barockanlagen zu errichten.

Brüggen Der Braunschweigisch-Lüneburgische Oberhofmarschall Friedrich von Steinberg ließ sich zwischen 1686 und 1716 das prächtige Barockschloß Brüggen errichten. Zur Anlage, die sich in Privatbesitz befindet, gehören eine Kapelle und ein Torbau mit achteckigem Fachwerkturm. Die einschiffige barocke Kirche mit einfacher, zum Teil noch aus der Erbauungszeit stammender Ausstattung wurde Mitte des 18. Jh. durch einen Turm mit mehrseitigem spitzem Helm geschmückt.
ℹ Ev. Pfarrkirche, Hohlestraße: Schlüssel im Pfarramt.

Lamspringe Wuchtig umfassen Kloster und Kirche Sankt Hadrian und Dionysius einen nach Westen geöffneten Hof. Die heutigen Gebäude des einstigen Benediktinerinnenklosters stammen von 1731. Der Bruchsteinbau der ehem. Abteikirche wirkt trotz der Auflockerung durch Rundbogenfenster und Figurennischen eher abweisend. Innen überrascht die dreischiffige Hallenkirche durch ihre reiche Barockausstattung. Herausragend ist der doppelgeschossige Hochaltar mit seinem Puttenfries und den lebensgroßen Heiligenfiguren. Ähnlich gestaltet sind der Marienaltar mit kunstvollem Drehtabernakel (1713) im nördlichen und der Benediktusaltar im südlichen Seitenschiff.
ℹ Kirche Sankt Hadrian und Dionysius: So 15–17.30 Uhr (März–Oktober), sonst nur vor und nach den Gottesdiensten wochentags 9 Uhr, sonntags 10 Uhr.

Söder Weiträumigkeit kennzeichnet die Schloßanlage, zu der, wie in der Barockzeit üblich, ein ausgedehnter Landschaftspark mit einem großen

Braunschweig *Das Reiterstandbild (links) stellt Herzog August d. J. dar, der im 17. Jh. sein Land mit Bedacht regierte. Er war ein weitgereister und kunstsinniger Mann, der mit zahlreichen Gelehrten seiner Zeit in Kontakt stand.*

Musikinstrumenten-Museum Goslar *Auf einem prächtigen Sessel präsentiert sich diese sonst in einer Vitrine ausgestellte „Mandoleone" (oben links), eine alte Mandoline, die 1767 von Antonio Vinaccia in Neapel hergestellt wurde.*

Festung Wilhelmstein *1761–1767 erbaute Graf Wilhelm I. von Schaumburg-Lippe diese als Musterfestung mit Militärschule geplante Anlage (oben), die auf einer künstlich erweiterten Insel im Steinhuder Meer liegt.*

See gehört. Von zwei langgestreckten Wirtschaftsgebäuden flankiert, beherrscht der 1742 vollendete Schloßbau, den man von außen besichtigen kann, den Hof. Ein Mittelrisalit mit halbrundem Giebelabschluß betont seine Fassade.

Goslar In der um 1500 zu einer dreischiffigen Hallenkirche umgebauten Jakobikirche beeindrucken viele Kunstwerke des Barock, so der zweigeschossige Hochaltar mit geschnitzten Heiligenfiguren sowie die Schnitzfiguren der Heiligen Nikolaus und Stanislaus Kostka. Barock ist auch das Gestühl, das aus dem nahe gelegenen, 1803 aufgelösten Kloster Riechenberg stammt.

Von außen gibt sich die 1711–1717 von einem italienischen Baumeister errichtete Klosterkirche des ehem. Augustinerchorherrenstifts im Ortsteil Grauhof sehr schlicht; das weiträumige Innere dagegen beleben prachtvolle Stukkaturen. Den Raum beherrscht der säulenreiche Hochaltar mit überlebensgroßen Schnitzfiguren. Aus grauem und weißem Marmor sind die Reliefs, Figuren und Ornamente der vier Seitenaltäre in den östlichen und westlichen Kapellen gearbeitet. Vielgestaltiger Figurenschmuck kennzeichnet auch die Kanzel, und musizierende Engel schmücken die Orgel.

Eine Kostbarkeit unter den Museen in Deutschland ist das Musikinstrumenten-Museum Goslar, das u.a. auch Instrumente aus der Barockzeit präsentiert, so z.B. ein einmaliges Elfenbeinjagdhorn von 1727, das dem Sohn Georgs II. von England gehörte, und ein Prunkhorn von 1684, erbaut von Carl Kodisch.

ℹ Kath. Pfarrkirche Sankt Maria und Georg, Goslar-Grauhof: Di–So 15–17 Uhr, 6. Januar–Ostern geschlossen.
Musikinstrumenten-Museum Goslar, Hoher Weg 5: täglich 10–18 Uhr.

Liebenburg Auf dem Burgberg hoch über dem hübschen Ort liegt das zweigeschossige, gelb leuchtende Barockschloß Liebenburg, 1754–1760 als Sommerresidenz der Fürstbischöfe von Hildesheim errichtet. Die Schauseite des Schlosses, das sich in Privatbesitz befindet, ist dem Hof zugewandt. In der schlichten Saalkirche, die den Westflügel der Anlage einnimmt, setzen das großartige Deckengemälde und die gemalte Scheinarchitektur des Altars in der Apsis die Akzente.

ℹ Kath. Schloßpfarrkirche: So 11 Uhr, Führung n. Vereinb., Tel. 0 53 46/14 84.

Schöppenstedt Heinrich Schrader von Schliestedt, mächtiger Minister in Braunschweig, ließ sich 1760

Von der Leine ans Steinhuder Meer Die Tour führt von Brüggen über Lamspringe und Söder an den Rand des Harzes, nach Goslar. Anschließend fährt man über Liebenburg bis Schöppenstedt, den östlichsten Punkt der Tour. Über Braunschweig und Hannover erreicht man dann Steinhude. Die letzte Etappe nach Wilhelmstein erfolgt mit dem Schiff.

Schloß Schliestedt zu einem zweigeschossigen Rokokobau mit dreiachsigem Mittelrisalit umgestalten. Heute beherbergt es das Kreisaltenheim und kann daher nur von außen besichtigt werden.

Auch den in Privatbesitz befindlichen Gutshof mit Schloß Sambleben, das im Jahr 1701 fertiggestellt wurde, kann man nur von außen besichtigen. Von der Einfahrt aus eröffnet sich ein Blick auf die zweigeschossige Südfront, in deren mittlerem Bauteil sich die von Doppelpilastern eingefaßte Tordurchfahrt befindet.

Einen Besuch lohnt die 1770–1774 erbaute kleine Kirche gegenüber. Herrschaftslogen und Emporen sind in schlichten Formen, der Kanzelaltar in üppigerem Barock gehalten.

ℹ Ev. Pfarrkirche, Ortsteil Sambleben, Bosselhaistraße: Besichtigung n. Vereinb., Tel. 0 53 32/21 68.

Salzgitter-Steterburg Von dem 1007 gegründeten Kanonissenstift zeugen noch die 1691/1692 errichteten Konventgebäude, die heute Privatwohnungen enthalten, und die ehem. Stiftskirche mit ihrem geschweiften Turmhelm, die um 1752 als prunkvoller spätbarocker Neubau entstand. Im Innern betonen das lichte Längsoval korinthische Holzsäulen. Aus der Erbauungszeit stammen der säulengegliederte Kan

zelaltar aus marmoriertem Holz und der Orgelprospekt.

ℹ Ehem. ev. Damenstiftskirche: Besichtigung n. Vereinb., Tel. 0 53 41/ 2 61 29.

Braunschweig Sehnsucht nach ihrer englischen Heimat veranlaßte Herzogin Augusta, Gemahlin des Erbprinzen Karl Wilhelm Ferdinand von Braunschweig, sich vor den Toren Braunschweigs an der Oker einen englischen Park gestalten zu lassen mit dem kleinen, 1769 als Mittelpunkt errichteten Lustschloß, das sie nach ihrem einstigen Zuhause „Richmond" nannte. Der aus einem abgerundeten Quadrat entwickelte Grundriß, der in kreisrunde und ovale Räume aufgeteilt ist, zeigt noch Anklänge an das Rokoko, seine innere und äußere Gestaltung dagegen den Übergang zum Klassizismus.

1754 beschloß Herzog Karl I. von Braunschweig, Kunstwerke und naturkundliche Gegenstände, die bisher nur den am Hof Beschäftigten zugänglich waren, öffentlich auszustellen. Als Hort für diese erste Schausammlung in Deutschland wählte man die alte Welfenburg Dankwarderode. Elf Jahre später zog man, da der Platz knapp wurde, in das ehem. Paulinerkloster um, bis 1887 ein Neubau eingeweiht wurde. In diesem Museum, das nach dem vielseitig begabten Kunstsammler

Herzog Anton Ulrich, einem Vorgänger Carls I., benannt ist, finden sich u.a. Gemälde von Rembrandt, Peter Paul Rubens, van Dyck sowie von italienischen Meistern.

Das Braunschweigische Landesmuseum für Geschichte und Volkstum beherbergt neben vielen anderen Exponaten das Reiterstandbild von August d.J., Herzog von Braunschweig-Wolfenbüttel, der nach dem Dreißigjährigen Krieg sein Land zielstrebig aufwärts führte.

ℹ Schloß Richmond, Wolfenbütteler Straße 55: Besichtigung nur auf Anfrage bei der Stadtverwaltung, Tel. 05 31/47 01.
Herzog-Anton-Ulrich-Museum, Museumstraße 1: Di–So 10–17, Mi bis 20 Uhr.
Braunschweigisches Landesmuseum, Burgplatz 1: täglich 10–17 Uhr.

Wilhelmstein Mit dem Schiff geht es über das Steinhuder Meer zur Seefestung Wilhelmstein, die 1761–1767 von Graf Wilhelm I. von Schaumburg-Lippe errichtet wurde. Die Zitadelle mit Rundturm umgaben einst 16 Außenwerke (Ravelins). Diese standen jeweils auf nur durch Zugbrücken erreichbaren eigenen Inseln. Die Wassergräben dazwischen sind nun zugeschüttet, doch 13 Ravelins sind erhalten.

ℹ Besichtigung täglich 9–12.30, 14–18 Uhr (April–Mitte Oktober).

Wasserschlösser in Westfalen

Nach dem 1648 zu Münster und Osnabrück geschlossenen Frieden begann auch für Westfalen die Zeit des Barock nach französischem Vorbild. Die Fürsten und Fürsterzbischöfe, die Adelsfamilien in den Städten und die Landadligen errichteten ihre Wasserburgen neu oder paßten sie wenigstens dem neuen Stil an. Der bedeutende Architekt Johann Conrad Schlaun (1695–1773) verbrachte fast 50 Jahre damit, prachtvolle Landsitze für den westfälischen Adel zu bauen.

Füchtorf Etwa 8 km nördlich von Sassenberg bildet das barocke Herrenhaus Harkotten-Ketteler mit dem klassizistischen Herrenhaus Harkotten-Korff eine Art Doppelschloß. Das strahlend weiß verputzte Haus Ketteler, eine für das 18. Jh. typische Wasserburg mit geschwungenem Giebel und großzügiger Freitreppe vor der Backsteinfassade, besticht durch seine elegante Symmetrie.
i Haus Ketteler: Außenbesichtigung n. Vereinb., Tel. 0 54 26/22 16.
Münster Wellenförmig breitet sich hinter einem mit geschwungenem Gitter eingefaßten dreieckigen Ehrenhof die Fassade des Erbdrostenhofs (1753–1757) aus. Wie ein Pavillon wird der betonte Mittelbau von einem Dreieckgiebel gekrönt. Ein zweigeschossiger, prächtig ausgemalter Festsaal ist im Inneren des Stadtpalastes zu bewundern. Außenform und -farben – roter Backstein unterbricht gelbgoldenen Sandstein – entsprechen der dahinterliegenden Clemenskirche, beides Schöpfungen Schlauns.

Im Friedenssaal des Rathauses wurde am 15. Mai 1648 der Teilfriede zwischen Spanien und den Niederlanden geschlossen, der das Ende des Dreißigjährigen Krieges einleitete.
i Erbdrostenhof, Salzstraße: Im Sommer Führungen durch den Verkehrsverein, Tel. 02 51/51 01 80. Friedenssaal im Rathaus: Mo–Fr 9–17, Sa 9–16, So 10–13 Uhr.
Münster-Nienberge Haus Rüschhaus, eine Synthese aus Bauern- und Herrenhaus, bekannt durch den langjährigen Aufenthalt der Dichterin Annette von Droste-Hülshoff, errichtete sich Schlaun als Refugium. Eine Wappenkartusche über der Freitreppe setzt den Hauptakzent.

Friedenssaal im Rathaus von Münster In diesem Saal (oben), dessen Einrichtung aus früheren Epochen stammt, wurde im Mai 1648 der Teilfriede zwischen Spanien und den Niederlanden unterzeichnet. Dies war der Durchbruch bei den Verhandlungen über das Ende des Dreißigjährigen Krieges. Am 24. Oktober 1648 wurde im katholischen Münster und im protestantischen Osnabrück der Westfälische Friede endgültig geschlossen.

Schloß Westerwinkel Außer dem prachtvollen Barockportal (oben) ist der Außenschmuck des Hauptschlosses, das von 1663 bis 1668 errichtet wurde, sparsam gehalten.

Schloß Anholt Die große weiße Zugbrücke, die über den Hausteich zum haubenbekrönten Torturm der Vorburg (links) führt, erinnert an das nahe Holland.

Das Interieur spiegelt die Wohnkultur des großen Baumeisters. Sandsteinputten und Buchsbaumhecken um abgezirkelte Rasenflächen bestimmen im Garten das Bild.
[i] Haus Rüschhaus: Di–So 9–12, 14.30–17 Uhr (April–23. Dezember), sonst n. Vereinb., Tel. 0 25 33/13 17.

Zwischen Ems und Rhein *Von Füchtorf führt diese abwechslungsreiche Tour durch das Münsterland bis in den Ballungsraum um Bottrop. Ein lohnen-* *der Abstecher ist der Halterner Stausee zwischen Westerwinkel und Lembeck.*

Itlingen An der Straße von Herbern nach Walstedde liegt auf einer Insel Haus Itlingen, seit dem 16. Jh. im Besitz der Familie Nagel. Durch Anfügen eines zweiten Flügels verwandelte Schlaun das ältere Herrenhaus in ein hufeisenförmiges Schlößchen, flankiert von zwei Pavillontürmen mit barocken Hauben. Im Inneren entwarf er auch den stuckgeschmückten Saal.
[i] Haus Itlingen: Innenbesichtigung n. Vereinb., Tel. 0 25 99/5 65.
Westerwinkel In Herbern ist die Zufahrt zu Schloß Westerwinkel ausgeschildert. Ein Fußweg führt vom Parkplatz durch den englischen Park zu der turmbewachten Anlage, die sich auf drei Inseln verteilt. Das vierflüglige Herrenhaus, dessen Strenge durch einen Erker und farbige Fensterläden gemildert wird, birgt ein prächtiges barockes Inneres.
[i] Schloß Westerwinkel: Di–Sa 14–17, So und feiertags 14–18 Uhr (April–Oktober).
Lembeck Das Schloß huldigt in gesteigertem Maß der Symmetrie, die das Barock so schätzte: Seine Straßenachse durchdringt das Herrenhaus, dessen strenge Form durch haubenbekrönte Eckpavillons aufgelockert wird. Zusammen mit der Vorburg liegt es in einem großen viereckigen Hausteich. Der größte Innenraum des Schlosses – ein Jugendwerk Schlauns – entzückt durch die Harmonie von Eichen-

holztäfelung, Marmorkaminen und zarten Stuckrocailles.
[i] Schloß Lembeck: täglich 9–17 Uhr (März–Oktober), sonst n. Vereinb., Tel. 0 23 69/71 67.
Raesfeld Der frühbarocke Westflügel des Wasserschlosses schließt mit einem fünfstöckigen Turm ab, dessen phantasievoll geformte Haube an ein Fernrohr erinnert: Der Erbauer dieses Schloßteils, Alexander II. von Vehlen, kaiserlicher Generalfeldmarschall im Dreißigjährigen Krieg, hatte eine ausgeprägte Liebe zur Astrologie. Zum Schloß gehört eine barocke zweitürmige Kapelle. Im Herrenhaus ist ein Restaurant untergebracht.
[i] Schloßkapelle: Innenbesichtigung n. Vereinb., Tel. 0 28 65/80 61.
Borken Barocke Um- und Anbauten am Wasserschloß Gemen, wie Brückentor und Balustrade, heben sich spielerisch von den trutzigen älteren Gebäuden ab. Blickpunkt der heutigen Jugendburg des Bistums Münster ist der 41 m hohe Bergfried (13. Jh.), der wegen seiner schwungvollen Barockhaube auch „Ballturm" genannt wird.
[i] Wasserschloß Gemen: Innenbesichtigung nur in Gruppen n. Vereinb., Tel. 0 28 61/50 68.
Isselburg-Anholt 1647 übernahmen die Fürsten zu Salm die wohl schon aus dem 12. Jh. stammende Wehrburg, die sie zur Residenz ausbauten. Vor- und Oberburg des Wasser-

schlosses liegen auf zwei großen Inseln, die von mehreren barocken Garteninseln umgeben sind. Die prächtigen Barocksäle im Innern beherbergen eine Gemäldesammlung; hier befindet sich auch Rembrandts Bild „Diana mit Actaeon und Kallisto" (1635), der Stolz der Galerie.
[i] Schloß Anholt: Di–So 10–18 Uhr (15. März–15. Oktober), sonst Sa, So 10–18 Uhr.
Wesel 1667 stellte sich Wesel unter brandenburgische Herrschaft. Die Preußen bauten danach die alte Befestigungsanlage stark aus. Das Berliner Tor, 1718–1722 errichtet, ist der letzte erhaltene Teil der ehem. Zitadelle. Es steht heute etwas vereinsamt auf dem weiten Platz, bewacht von Figuren der Minerva und des Herkules.

Haus Rüschhaus in Münster-Nienberge
Geräteschuppen und Schweinestall flankieren das herrschaftliche Bauernhaus Schlauns.

Bottrop-Feldhausen Das heute strahlend gelb verputzte Haus Beck mit seinem eleganten schwarzen Mansarddach wurde ab 1766 von Schlaun als typisches Landhaus für den westfälischen Adel außen schlicht, innen jedoch luxuriös gestaltet. Heute wartet die Anlage mit Park als „Freizeitschloß" mit Ponyreiten, Riesenrad und Gruselkeller auf.
[i] Freizeitschloß Beck: täglich 9–18 Uhr (Mitte März–Oktober).

Die Komödianten sind in der Stadt

Der große Frühlingsmarkt zieht wie in jedem Jahr die Bevölkerung aus der Umgebung in Scharen in die Stadt. Das Warenangebot ist groß und die Neugier der Schaulustigen kaum zu bremsen. Feinste Stoffe wie Brokat und Seide kann man bewundern. An zahlreichen Ständen werden die ausgefallensten fremdländischen Duftwässer angeboten, an anderen Buden riecht es nach Ingwer, Zimt und Nelken. Hier schaut man mit angehaltenem Atem einem Seiltänzer zu, dort steht man – in sicherem Abstand – um einen Gaukler herum, der zur

Belustigung der Leute seinen Bären allerlei Kunststückchen vorführen läßt.

Plötzlich dringt von irgendwoher ein Trommelwirbel, gefolgt von Trompetenstößen, ans Ohr. Neugierige drängen durch die engen Gassen zwischen den Ständen in die Richtung, aus der die Klänge kommen, und finden schließlich eine buntkostümierte Schar. Ein Narr versucht, die Zuschauer mit komischen Grimassen zum Lachen zu bringen. Als sich eine stattliche Menschenmenge eingefunden hat, tritt einer der Kostümierten vor und gibt bekannt, daß die

hessischen Komödianten am Nachmittag um drei Uhr auf dem Rathausplatz das berühmte Stück von Leben und Tod des Erzzauberers Doktor Johannes Faustus aufführen werden. Ein Trommelwirbel beendet die Ankündigung, und die Truppe zieht weiter, um auch auf den anderen Plätzen der Stadt das Ereignis kundzutun.

Die Komödianten waren am Vortag in der Stadt eingetroffen. Ihr Prinzipal hatte sich sofort zum Rat begeben und um die Erlaubnis nachgesucht, an mehreren Tagen Vorstellungen zu geben. Er erhielt die Geneh-

Theatergastspiel *Gebannt verfolgen die Zuschauer auf dem Platz vor dem Rathaus die Darbietungen der Komödianten. Doktor Faustus, der seine Seele dem Teufel verschrieben hat, unterhält das Volk mit allerlei Zauberkunststückchen, ehe Plutos Teufel auftreten, um ihn in die Hölle zu holen.*

migung für eine Woche. Die Schauspieltruppe hat längst die Erfahrung gemacht, daß die Räte sie im allgemeinen gern auftreten lassen, erheben sie doch eine beachtliche Steuer auf die Einnahmen der Komödianten, manchmal bis zu einem Viertel. Wenn die Truppe nicht das seltene Glück hat, fest engagiert zu werden – im vergangenen Winter z. B. waren sie vom hessischen Landgrafen in der Residenz verpflichtet worden –, hängt ihr Überleben vom Erfolg der Vorstellungen ab, und deshalb muß der Prinzipal sein ganzes Können bei der Organisation der Auftritte einsetzen. Schwierig war wieder einmal das Aushandeln der Eintrittspreise gewesen. Acht Kreuzer hatte der Prinzipal nehmen wollen, sechs Kreuzer nur bewilligte der Rat, allerdings gestand er zum Ausgleich einen Zuschlag von drei Kreuzern für die vorderen Plätze zu. Mit ei-

ner Woche Spielzeit war der Prinzipal zufrieden, denn dem Publikum mußten nicht nur zugkräftige Stücke, sondern jeden Tag auch etwas anderes geboten werden. Die Überlegung der Komödianten, während des Frühlingsmarktes Theater zu spielen, erweist sich als richtig. Denn zu keiner anderen Zeit sind so viele Menschen in der Stadt, bei denen das Geld so locker in der Tasche sitzt wie gerade jetzt bei der ausgelassenen Jahrmarktsstimmung.

Die Theaterbude ist am Rand des Platzes gegenüber dem Rathaus aufgebaut. Die breite Vorderbühne ist mit einem Vorhang abgeschlossen. Hinter seinem mittleren Teil befindet sich die kleinere Hinterbühne, und hinter den seitlichen Vorhängen können sich die Schauspieler umkleiden, denn die Truppe ist klein, und die zwei Frauen und sieben Männer müssen in mehreren Rollen auftreten.

Zuschauer haben sich in großer Zahl eingefunden, und während ein Schauspieler allerlei akrobatische Kunststücke zeigt, füllt

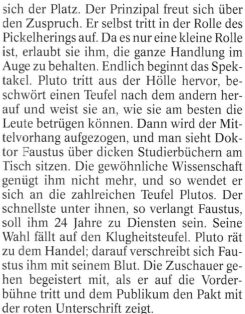

sich der Platz. Der Prinzipal freut sich über den Zuspruch. Er selbst tritt in der Rolle des Pickelherings auf. Da es nur eine kleine Rolle ist, erlaubt sie ihm, die ganze Handlung im Auge zu behalten. Endlich beginnt das Spektakel. Pluto tritt aus der Hölle hervor, beschwört einen Teufel nach dem andern herauf und weist sie an, wie sie am besten die Leute betrügen können. Dann wird der Mittelvorhang aufgezogen, und man sieht Doktor Faustus über dicken Studierbüchern am Tisch sitzen. Die gewöhnliche Wissenschaft genügt ihm nicht mehr, und so wendet er sich an die zahlreichen Teufel Plutos. Der schnellste unter ihnen, so verlangt Faustus, soll ihm 24 Jahre zu Diensten sein. Seine Wahl fällt auf den Klugheitsteufel. Pluto rät zu dem Handel; darauf verschreibt sich Faustus ihm mit seinem Blut. Die Zuschauer gehen begeistert mit, als er auf die Vorderbühne tritt und dem Publikum den Pakt mit der roten Unterschrift zeigt.

Danach wird eine Szene mit dem Pickelhering eingeschoben, der Gold sammeln will und dabei von allerhand verzaubertem Getier belästigt wird. Seine komische Art kommt beim Publikum gut an; er erntet viel Beifall und Gelächter. Inzwischen ist ein Bankett bei Faustus vorbereitet. Vergeblich versucht ein Einsiedler, den Gelehrten auf den rechten Weg zu bringen. Das Bankett soll eben beginnen, als sich die Speisen in wunderliche Figuren verwandeln. Aus einer Pastete treten fremdländisch gekleidete Menschen sowie Hunde, Katzen und andere Tiere hervor. Dem Doktor gelingen alle Beschwörungen. Er ruft die schöne Helena herbei und vergnügt sich mit ihr, doch seine Zeit ist abgelaufen, und Pluto schickt seine Teufel, um ihn zu holen. Das ist der eigentliche Höhepunkt des Stückes, als die Teufel über den Doktor herfallen, ihn in die Luft werfen, zu zerreißen drohen und schließlich in die Hölle zerren. Die Martern in der Hölle werden von Feuerwerken untermalt, und aus Feuer erscheinen die Worte: Accusatus est, judicatus est, condemnatus est – angeklagt, verurteilt, verdammt.

Als Nachspiel wird nach kurzer Pause eine aus dem Französischen übersetzte lustige Aktion gegeben: Ein Ehemann tritt auf, der von seiner Frau gequält wird. Der Beifall ist groß, und das Publikum ist zufrieden. Es wird schon dunkel, als die Vorstellung zu Ende geht. Viele Zuschauer treffen sich in einer der Schenken am Rathausplatz wieder. Überall ist das Theater bei Wein und Bier das Hauptthema. Besonders loben alle die Verwandlungskünste der Darsteller, die in den Zauberszenen aufgetreten sind. Auch der Prinzipal darf mit dem ersten Auftritt in der Stadt zufrieden sein, läßt er doch auch für den „Hamlet" am nächsten Tag auf ein großes Publikum hoffen.

Symphonie von Farben und Formen

Vor allem italienische Künstler waren es, die den barocken Stil Mitte des 17. Jh. in den Südosten Deutschlands brachten. Ihnen folgten einheimische Künstler wie die Baumeisterfamilie Dientzenhofer, die den spätbarocken Sakralbau der Region entscheidend prägte. Die Brüder Asam verwirklichten in Michelfeld erstmals ihre Idee vom Gesamtkunstwerk, bei dem Malerei, Plastik und Architektur zu Schöpfungen von überwältigender Pracht verschmelzen sollten.

Neustadt a. d. Waldnaab Neben dem bescheidenen Alten Schloß aus dem frühen 17. Jh. mit reizvoller Arkadenfreitreppe ließ Fürst Zdenko Adalbert von Lobkowitz ab 1689 das Neue Schloß in klaren Barockformen errichten. Heute beherbergt es das Landratsamt. Die 1737 neuerbaute Pfarrkirche Sankt Georg, die zugleich als fürstliche Hofkirche diente, schmückt zarter farbiger Rokokostuck der Wessobrunner Schule. Eine Besonderheit sind zwölf mit barocken Figürchen verzierte Zunftstangen, die bei Prozessionen von den jeweiligen Zünften vorangetragen wurden, und das aus Zunftstangen gearbeitete Lesepult. Die Wallfahrtskirche Sankt Felix auf einem Hügel oberhalb von Altenstadt ist eine Stiftung der Fürsten von Lobkowitz. Ihre Innenbemalung stellt 46 Szenen aus dem Leben des Schutzpatrons dar.

Waldsassen Zu den Kostbarkeiten des deutschen Barock zählt der üppig mit Stuck, Fresken und reichverzierten Regalwänden geschmückte Bibliothekssaal der Zisterzienserinnenabtei Waldsassen. Putten- und figurenbesetzter Stuck des Italieners Carlone unterstreicht die Architektur des reich ausgestatteten Gotteshauses, das heute als Stadtpfarrkirche dient. Ihr Chorgestühl ist u. a. mit phantasievollen Putten, Apostelfiguren und Medaillons verziert.

ℹ Stadtpfarrkirche: täglich 7.30–18 Uhr (Ostern–Oktober), sonst nur n. Vereinb., Tel. 0 96 32/13 87.
Klosterbibliothek: Mo 14–17.30, Di–Sa 10–11.30, 14–17, So 10–11, 14–17 Uhr (April–Oktober), sonst Mo 13–16, Di–Sa 10–11.30, 13–16, So 10–11, 13–16 Uhr.

Stiftsbibliothek Waldsassen Zehn humorvoll gestaltete, etwa lebensgroße Schnitzfiguren tragen die Galerie der Bibliothek (oben). Sie symbolisieren verschiedene Ausprägungen der Untugend: Rechts im Bild zückt der prahlerische Soldat sein „Aufschneidemesser", doch sind u. a. auch Heuchelei, Dummheit und Neugier dargestellt.

Vierzehnheiligen Die Achse der Wallfahrtskirche Mariä Himmelfahrt (links) ist genau auf das im Hintergrund erkennbare Kloster Banz ausgerichtet. Sie gilt als das schönste Werk Balthasar Neumanns in Franken.

Klosterkirche Speinshart Überaus reich geschnitzt sind die Wangen des Kirchengestühls (oben) aus dem frühen 18. Jh. Akanthusranken und Blumen umschlingen u. a. Symbole mit christlichen Inhalten.

Kappel Mit dem Neubau der Wallfahrtskirche auf dem Glasberg schuf Georg Dientzenhofer 1684 ein eigenwilliges Sinnbild für die Idee der Dreifaltigkeit: Der Kernbau besteht aus drei kleeblattförmig angeordneten Rundkörpern, zwischen denen sich drei laternenbekrönte Zwiebeltürme erheben.

Himmelkron Nach 1569 nutzten die Markgrafen von Kulmbach-Bayreuth das ehem. Zisterzienserkloster als Sommersitz (heute Behindertenheim). 1698–1723 erhielt die einstige gotische Klosterkirche eine gewölbte Stuckdecke, Emporen und einen damals bei reformierten Kirchen in Mode gekommenen Kanzelaltar. Teil der schön gewölbten Ritterkapelle ist die 1735 geschaffene Fürstengruft der Markgrafen.

Kulmbach Markgraf Christian aus der Brandenburger Linie der Hohenzollern, der nach dem Aussterben der fränkischen Linie nach Bayreuth übergesiedelt war, stiftete Mitte des 17. Jh. den figurenreichen, 15 m hohen Altar der Petrikirche (15. Jh.), den Kulmbacher Meister in strengen frühbarocken Formen schufen. Die Predella enthält rechts unten das Portrait des Stifters. Symbolfiguren von Weisheit und Gerechtigkeit schmücken die Rokokofassade des Rathauses in der Unteren Stadt.

Coburg Bereits 1543 verlegten die Coburger Herzöge ihre Hofhaltung von der Veste in die Stadt. Ab 1690 bauten sie ihr Residenzschloß Ehrenburg fast vollständig um. Hofkirche, Weißer Saal, Riesen- und Gobelinsaal sind einige der erhaltenen hochbarocken Prunkräume. Heute sind im Schloß das Bayerische Staatsarchiv Coburg und die Landesbibliothek untergebracht.

Zinngefäße, Fayencen und Creußener Steinzeug gehören unter vielem anderen zum Bestand der Kunstsammlungen der Veste Coburg. Die Glassammlung, eine der bedeutendsten Europas, zeigt u. a. venezianische Gläser (15.–18. Jh.) und geschliffene Pokale (17.–18. Jh.).

🛈 Schloß Ehrenburg: nur mit Führungen Di–So 10, 11, 13.30, 14.30, 15.30, 16.30 Uhr (April–September), sonst nur bis 15.30 Uhr.
Kunstsammlungen der Veste Coburg: täglich 9.30–13, 14–17 Uhr (April bis Oktober), sonst Di–So 14–17 Uhr.

Banz Zu einer wahren Gottesburg gestaltete sich ab 1695 der Neubau des ehem. Benediktinerklosters Banz. Johann Leonhard Dientzenhofer plante den monumentalen Komplex aus gelbem Sandstein, der mit seinen beiden stämmigen Türmen auf dem Banzer Berg das Maintal überragt. In schwungvollen Rokokoformen präsentiert sich das ver-

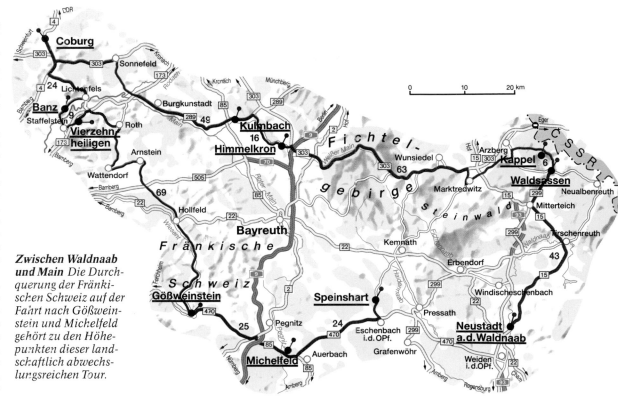

Zwischen Waldnaab und Main Die Durchquerung der Fränkischen Schweiz auf der Fahrt nach Gößweinstein und Michelfeld gehört zu den Höhepunkten dieser landschaftlich abwechslungsreichen Tour.

hältnismäßig niedrige Tor mit seiner zierlichen Balustrade. Eine doppelläufige Freitreppe und die Rokokofassade des Abteitrakts setzen die Hauptakzente des Ehrenhofs. Gewölbe, schwungvolle Gesimse und Emporenbalustraden erwecken im Innern der ehem. Klosterkirche den Eindruck von kraftvoller Bewegtheit. Den von sechs vergoldeten Säulen umrahmten Hochaltar krönt

---

Höfische Turniere im Barock

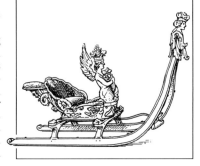

Das bereits im 16. Jh. aufgekommene „Damencarousell" war eine beliebte Lustbarkeit an den Höfen der Barockzeit. Dabei wurden mit prächtigen Schnitzereien verzierte Rennschlitten verwendet, wie die aus den Kunstsammlungen der Veste Coburg. Wie beim ritterlichen Ringstechen hatte die Dame die Aufgabe, mit einer Lanze bestimmte Gegenstände aufzuspießen, während ihr Kavalier auf der hinteren Sitzpritsche den Schlitten über das Eis oder eine geölte Holzbahn lenkte.

---

eine geschnitzte Darstellung der Verklärung des heiligen Benedikt.
🛈 Ehem. Klosterkirche: täglich 9–12, 14–17 Uhr (Mai–Oktober), sonst nur bis 16 Uhr.

Vierzehnheiligen Eine kleine Kapelle ging der Wallfahrtskirche Vierzehnheiligen an der Stelle voraus, wo Mitte des 15. Jh. die 14 heiligen Nothelfer einem Schäferjungen erschienen sein sollen. Die Kirche, ab 1744 nach Plänen von Balthasar Neumann neu erbaut, erhielt eine bis in die Turmspitzen plastisch durchgebildete Turmfassade. Der lichte Innenraum ist von subtilen Farben und ovalen Formen erfüllt. Neumann umrahmte den mit den Figuren der 14 Nothelfer besetzten Gnadenaltar, den Johann Michael Feichtmayr schuf, mit offenen Arkaden zwischen hohen Halbsäulen.

Gößweinstein Schon im 14. Jh. entwickelte sich hier ein Wallfahrtszentrum. Die jetzige große Kirche zur Heiligen Dreifaltigkeit, die mit ihrer figurengeschmückten Zweiturmfassade das Ortsbild beherrscht, entwarf Balthasar Neumann. Der phantasievolle Hochaltar von Küchel enthält das geschnitzte Gnadenbild der Heiligen Dreifaltigkeit mit der Krönung Marias. An den kleinen Altären in den Kapellen des Turms erblüht graziöser Rokokoschmuck.

Michelfeld Das ehem. Benediktinerkloster Michelfeld (heute Pflegeheim) im gleichnamigen Stadtteil von Auerbach erlebte in der zweiten Hälfte des 17. Jh. eine neue Blüte.

Um 1667 beauftragte man Wolfgang Dientzenhofer mit der Planung des Kirchenneubaus. Die Ausgestaltung des Chorraums ist eines der Frühwerke der Brüder Asam – hier klingt ihre Vorstellung vom Gesamtkunstwerk erstmals an. Die Ausmalung – vor allem mit Architekturmotiven – erweitert das flach gedeckte Holzgewölbe zu einer hohen Scheinkuppel. Architektonisch-plastisch komponierte Egid Quirin Asam den Hochaltar. Im Vordergrund des Hochaltarbilds porträtierte Cosmas Damian sich selbst (links mit Barett) und seinen Bruder (rechts mit Gefäß).
🛈 Ehem. Klosterkirche: Besichtigung n. Vereinb., Tel. 0 96 43/28 69.

Speinshart Im Zuge der Gegenreformation kehrten die Prämonstratenser 1661 wieder in ihr im 12. Jh. gestiftetes Kloster zurück. 30 Jahre später begann Wolfgang Dientzenhofer mit der Errichtung einer prächtigen Kirche für das inzwischen wieder zur Abtei erhobene Kloster. Der Tessiner Wanderkünstler Carlo Domenico Luchese schuf die phantasievolle Fülle der Stuckdekoration. Kränze aus Früchten, Blüten und Blattwerk umrahmen die lichten Deckenfresken seines Bruders Bartolomeo. Der üppige Formenreichtum findet seine Fortsetzung in den geschnitzten Wangen des Kirchengestühls. Seit 1923 ist Speinshart – nach über 100jähriger Unterbrechung – wieder Abtei des Prämonstratenserordens.

Den Kirchenfürsten und Gott zu Gefallen

Daß die geistlichen Fürsten und die Äbte reicher Klöster den weltlichen Herren nicht nachstehen wollten, zeigt sich besonders deutlich an ihren Bauten aus der Barockzeit. Die Prachtentfaltung in den Klosterkirchen galt zwar der Verherrlichung Gottes und der Heiligen, die zu Schlössern umgebauten Abteigebäude jedoch spiegeln das durchweg irdische Repräsentations- und Luxusbedürfnis der Klosterherren wider. Mit der Säkularisation 1803 endete die glanzvolle Epoche.

Amorbach Der Legende nach hat der vermutlich westgotische Wanderbischof Pirmin 714 nahe der später Amorsbrunn genannten heiligen Quelle einige Klosterzellen errichtet. Doch schon bald verlegten die Mönche ihr Kloster in das heutige Amorbach; erster Abt wurde der heilige Amor. Zwischen 1742 und 1747 wurde die Kirche der nun benediktinischen Abtei unter Beibehaltung der romanischen Türme in spätbarockem Stil umgebaut. Sie erhielt eine vorgeblendete Fassade mit doppelläufiger Freitreppe und innen einen weitläufigen, hohen Raum mit prachtvollen Deckenfresken. Stuck und hellrote Marmorsäulen zieren den mächtigen Hochaltar. Die ganze Breite des Kirchenschiffs nimmt die Barockorgel (1776–1782) ein; sie beeindruckt nicht zuletzt durch ihren hervorragenden Klang.

🛈 Kirchenführungen Mo–Sa 9–12, 13–18, So 11–18 Uhr (April–September), Mo–Sa 9–12, 13.30–17.20, So 11.30–17.20 Uhr (März, Oktober), sonst Mo–Fr 11, 14, 15, Sa 11, 14–16, So 14–16 Uhr.

Walldürn Der Überlieferung nach stieß um 1330 ein junger Priester beim Meßopfer den Kelch um. Der Wein, das Blut des Herrn, ergoß sich auf das Korporale, ein darunter liegendes Leinentuch, und ließ in der Mitte ein Bild des Gekreuzigten entstehen, umgeben von elf Abbildungen des dornengekrönten Hauptes Christi. Der Priester war so erschrocken, daß er das Tuch im Altar verbarg; erst kurz vor seinem Tod nannte er das Versteck. Zur Erinnerung an dieses Wunder pilgern noch heute Tausende von Gläubigen alljährlich zur Wallfahrtskirche Heilig Blut. Um diesen Zustrom aufneh-

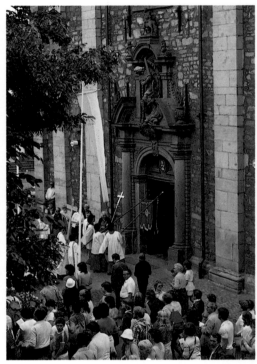

Klosterkirche Ebrach
Das herrliche schmiedeeiserne Gitter in sprühenden Rokokoformen (1747–1754) trennte einst das Laienschiff vom Mönchschor (oben). Im Hintergrund der mächtige Hochaltar von Materno Bossi. Obgleich schon frühklassizistisch im Aufbau, ist er doch noch vom Rokoko beeinflußt.

Bad Mergentheim
Drei bemerkenswerte Grabsteine an der Nordseite der Münsterkirche (links) verweisen wie vieles in der Stadt auf die langjährige Geschichte als Residenz des Deutschen Ordens: Sie sind drei Deutschrittern gewidmet. In der Mitte der Priester Franz Christ in typischer Ordenskleidung.

Walldürn *Vier Wochen lang – vom Fest der Heiligen Dreifaltigkeit bis zum fünften Sonntag nach Pfingsten – steht die Stadt alljährlich ganz im Zeichen der Wallfahrt (oben). Dann pilgern Tausende von Gläubigen zur Wallfahrtskirche Heilig Blut, um vor dem Schrein mit dem kostbaren Korporale zu beten.*

men zu können, errichtete man die Basilika um 1700 in großen Teilen neu. Ihr Äußeres ist schlicht, im Innern jedoch überrascht sie mit farbenfroher Illusionsmalerei, zarten Stukkaturen und reichgeschmückten Altären. Ein Schaubild an der Tür zum Nordquerhaus gibt einen interessanten Überblick über die Geschichte der Wallfahrt.

Osterburken Dem heiligen Wendelin, Patron von Feld und Vieh, ist das achteckige Kapellchen gegenüber der Baulandhalle geweiht. Es birgt einen schönen Rokokoaltar (um 1747) mit Heiligenfiguren. Die Muttergottes der Bekrönung wurde bereits um 1700 geschaffen.

ℹ Wegen Renovierung ist die Kapelle auf absehbare Zeit nicht zu besichtigen.

Schöntal Der baufreudige Abt Knittel aus Lauda ließ die Kirche des traditionsreichen Zisterzienserklosters an der Jagst durch einen glanzvollen Barockbau ersetzen und die Neue Abtei errichten. Um das Fortschreiten der Arbeiten zu begutachten, kletterte er manchmal selbst auf die Baugerüste. Da er des öfteren seine Lieblingstiere, zwei Hirsche und einen Pudel, mit sich führte, ließ er ihnen am Nordturm der Klosterkirche in Lebensgröße ein Denkmal in Form eines Reliefs setzen. Die zweitürmige Kirche, die mit einer vorzüglichen barocken Innenausstattung aufwartet, wurde 1736 geweiht. Das Treppenhaus der Neuen Abtei gehört mit seinem Rokokoschnitzwerk und dem Linienspiel der dekorativen durchbrochenen Brüstung zu den anmutigsten seiner Art.

ℹ Kirche und Treppenhaus sind tagsüber zugänglich. Führungen durch die Ordensräume 11, 15, 16.30 Uhr (April–Oktober) und n. Vereinb., Tel. 07943/2083.

Meßbach Die Eingangsfassade der Pfarrkirche Heilige Dreifaltigkeit schmückt das Wappen des Bauherrn, des Deutschordenskomturs Friedrich Karl von Eyb. Die Innenausstattung der originellen kleinen Kirche entstamm größtenteils dem Spätbarock; besonders hervorzuheben sind die Deckengemälde von Matthäus Günther (1776).

ℹ Der Schlüssel kann im Gasthaus „Zum Pflug" abgeholt werden.

Bad Mergentheim 1730 entschloß sich der Hochmeister Franz Ludwig von Pfalz-Neuburg, die Kirche im Innenhof des Deutschordensschlosses durch einen Barockbau zu ersetzen. Nach seinem Tod leitete Clemens August von Bayern, Deutschmeister und Kurfürst von Köln, die weiteren Arbeiten. Die lebhafte Gestaltung der Fassade und der Türme

sowie die Stuckzier im Innern gehen wohl auf Entwürfe des Münchner Hofbaumeisters François de Cuvilliés d. Ä. zurück. Ein aufwendiges Deckengemälde und schöne Rokokoaltäre mit venezianischen Malereien prägen den Innenraum.

100 Jahre zuvor war das Kapuzinerkloster entstanden – gemäß den Idealen dieses Mönchsordens außen wie innen äußerst schlicht. Nur die Gnadenkapelle, einst Betraum der Deutschmeister, erhielt eine Stuckzier aus Blattranken. Am Münster Sankt Johannes sind Grabsteine von Deutschrittern zu sehen.

ℹ Die Deutschordenskirche bleibt bis Frühjahr/Sommer 1989 wegen Restaurierung geschlossen; Tel. 07931/5 72 09.

Wiesentheid Durch Heirat gelangte der Ort 1701 in den Besitz eines Schönborn; das Schloß wurde erweitert und in barockem Stil umgestaltet. Durch die rege Bautätigkeit des ersten Grafen wandelte sich das Ortsbild gründlich. Das Rathaus, die Apotheke und die Häuser der Kanzlei sind einfache, aber wohlproportionierte Barockbauten. In der Pfarrkirche Sankt Mauritius, 1727–1732 erbaut, beeindruckt die Architekturmalerei des Italieners Giovanni Marchini, die das Innere optisch zu einem riesigen, wie plastisch durchgebildet wirkenden Raum erweitert.

Burgwindheim Sehenswerte Bauten aus der Barockzeit sind neben dem Schloß der überkuppelte Pavillon des Heiligblutbrunnens, mit dem

eine im 17. Jh. entdeckte Heilquelle gefaßt wurde, und die kath. Jakobuskirche, deren Beichtstühle züngelndes Schnitzwerk schmückt. Lebhafter Stuck – Rocailles und Blattwerk – umrahmt die Deckengemälde.

ℹ Sankt Jakobus: Führungen n. Vereinb., Tel. 09551/1050.

Ebrach Die Abtei Ebrach im Steigerwald war Frankens ältestes und bedeutendstes Zisterzienserkloster. Im Zeitalter des Barock wich das Kargheitsideal des Ordens dem Wunsch nach Prachtentfaltung; die Klostergebäude entstanden neu. Sehr sehenswert sind das Treppenhaus mit seiner Balustradenzier (1716) und der mit Stuck dekorierte Kaisersaal. Im Innern der Klosterkirche setzen mehrere Barockaltäre und ein barockes Chorgestühl prachtvolle Akzente.

ℹ Treppenhaus und Kaisersaal: täglich 10.30, 15 Uhr (April–Oktober) und n. Vereinb., Tel. 09553/332; Klosterkirche: 9.30–11.30, 14–18 Uhr (Mai–Oktober) und n. Vereinb., Tel. 09553/266.

Volkach Zahlreiche während der Barockzeit erbaute Bürgerhäuser prägen das Bild der alten Weinstadt an der Mainschleife. Im 18. Jh. wurde das Innere der gotischen Bartholomäuskirche in einen hellen Festsaal aus schönstem Rokoko verwandelt: Üppiger Stuck umzieht die Felder der Deckengemälde, und vergoldetes Schnitzwerk ziert die Altäre.

Von Amorbach nach Volkach Eine reizvolle Strecke führt durchs dünnbesiedelte Bauland ins Madonnenländchen nach Kloster Schöntal an der Jagst. Über Bad Mergentheim geht es weiter nach Würzburg und Wiesentheid. Endpunkt ist das fränkische Weinstädtchen Volkach.

Ein Symbol der Volksfrömmigkeit

Nach den Wirren des Dreißigjährigen Kriegs erlebte die Wallfahrt in Bayern einen erneuten Aufschwung. Man pilgerte wieder zu den heiligen Stätten, um vor Reliquien und Gnadenbildern Fürbitten und Dankgebete zu sprechen. Im Zeitalter des Barock waren es vor allem Madonnenbilder, die ganze Scharen von Gläubigen anzogen. So erklärt sich auch der Name „Madonnenländchen" für die Gegend um Walldürn. Eine solche Mariensäule (1720) steht bei der Kirche in Amorsbrunn, die über einer heiligen Quelle errichtet wurde. Deren Heilkraft soll der heilige Amor erwirkt haben.

Pracht und Stolz der reichen Klöster

Im Gegensatz zu den protestantischen Gebieten behielten die Klöster in den katholischen Territorien Südwestdeutschlands ihre große wirtschaftliche, soziale und kulturelle Bedeutung. Dank der Erträge aus ihrem umfangreichen Grundbesitz und großzügiger Stiftungen wohlhabender Adliger und Bürger waren sie in der Lage, Ende des 17. Jh. ihre oft durch den Dreißigjährigen Krieg in Mitleidenschaft gezogenen Klöster zu barocken Palästen auszubauen.

Sankt Peter Die ehem. Benediktinerabtei am Südosthang des Kandels wurde aufgrund ihrer Lage im damals österreichischen Grenzgebiet mehrmals zerstört. 1724–1727 errichtete der Vorarlberger Baumeister Peter Thumb die neue Kirche Sankt Peter mit einer schön gegliederten Zweiturmfassade aus rotem Sandstein. Die Stifterfiguren aus weißem, poliertem Stuck an den Langhauspfeilern stellen Mitglieder aus dem Geschlecht der Zähringer dar, die ab dem 11. Jh. in Sankt Peter ihre Grablege hatten. Peter Thumb erneuerte auch die restlichen Klostergebäude im Stil des Barock. Höhepunkt der Innenausstattung des Klostertrakts ist die Bibliothek mit ihrer schwungvollen Empore und dem großen Deckengemälde.
ℹ Bibliothek: So 11.30 Uhr und n. Vereinb., Tel. 0 76 60/2 05.

Sankt Märgen Das 1118 gegründete Augustinerchorherrenstift im Hochschwarzwald brannte mehrmals nieder, bevor man es 1716 im barocken Stil neu erbaute. Durch Blitzeinschlag wurde 1907 ein großer Teil des Klosters schwer beschädigt, doch noch im selben Jahr begann der Wiederaufbau der heutigen kath. Pfarrkirche, deren Turmpaar an ungewöhnlicher Stelle seitlich des Chors steht. Von der barocken Ausstattung konnte man u. a. einige Bildhauerarbeiten des „Herrgottsschnitzers" Matthias Faller (um 1775) retten.

Sankt Blasien Weder Feuersbrünste, Bauernkrieg, Plünderungen noch die Pest konnten die kulturelle Bedeutung der alten Benediktinerabtei im Albtal schmälern. Im 18. Jh. war sie ein bedeutendes Zentrum der Wissenschaft mit einer großen

Sankt Blasien *Machtvoll erhebt sich die frühklassizistische Klosterkirche hinter dem spätbarocken Portalgebäude (links).*

Honigschlecker in Birnau *Der Putto (unten) am Bernhardusaltar der Wallfahrtskirche spielt auf die Redekunst des Heiligen an: Seine Worte sollen wie Honig geflossen sein.*

Bibliothek und einer eigenen Druckerei. Unter Fürstabt Martin II. Gerbert erstand nach dem Brand von 1768 die majestätische frühklassizistische Kirche, die der Franzose Pierre Michel d'Ixnard nach dem Vorbild von Sankt Peter in Rom mit einer überdimensionalen Kuppel entwarf. Sie ist heute noch mit einem Durchmesser von 32 m und einer Höhe von 64 m die größte Kuppelkirche Deutschlands. Vom Geist der einstigen spätbarocken Klosteranlage, die 1768 ebenfalls abbrannte, kündet vor allem noch das repräsentative Portalgebäude mit seiner eleganten Balustradenkrönung.

Waldshut-Tiengen Am Hang über der Altstadt von Tiengen entstand 1755 das Alterswerk des Baumeisters Peter Thumb, die Wandpfeilerkirche Sankt Marien. Sie besitzt an den drei flach überkuppelten Gewölben sehenswerte Gemälde, darunter das Fresko Mariä Himmelfahrt mit der wegen ihrer perspektivischen Wirkung so bezeichneten Himmelsarchitektur.

Stühlingen Die Kapuzinerklosterkirche Maria Loreto hoch über dem Wutachtal ist eine der vielen Kapellen, die im 17. und 18. Jh. nach dem Vorbild des Heiligen Hauses im italienischen Loreto entstanden. Franz Joseph Spiegler schuf für sie das Fresko an der Triumphbogenwand und vier Seitenaltarbilder.

Hilzingen Die lichte Pfarrkirche Sankt Peter und Paul ist ein Kleinod inmitten des Hegaus. 1747 wurde Peter Thumb vom Benediktinerkloster Petershausen bei Konstanz mit ihrem Bau beauftragt. Teile der vorzüglichen Ausstattung, vor allem die Kanzel mit ihren vier Engeln am Korb, werden oft als eine Spitzenleistung deutscher Rokokokunst bezeichnet.

Mainau Um mit seinem Amtsbruder in Altshausen konkurrieren zu können, beauftragte der Komtur des Deutschen Ordens auf der Bodenseeinsel Mainau den Ordensbaumeister Johann Caspar Bagnato mit dem Bau einer neuen Residenz. So entstand 1734–1739 die schmucke Barockkirche, eines der besten Beispiele des frühen Rokoko am Bodensee; sie ist mit Fresken von Franz Joseph Spiegler und Stuckarbeiten von Joseph Anton Feichtmayr aus Linz, der in zahlreichen Orten am Bodensee wirkte, ausgestattet. Sieben Jahre später wurde das dreiflüglige Schloß eingeweiht, in dem allerdings nur der Wappensaal, in dem laufend Kunstausstellungen stattfinden, zugänglich ist. Heute befindet sich die Insel mitsamt der Schloßanlage im Besitz des Grafen Bernadotte.

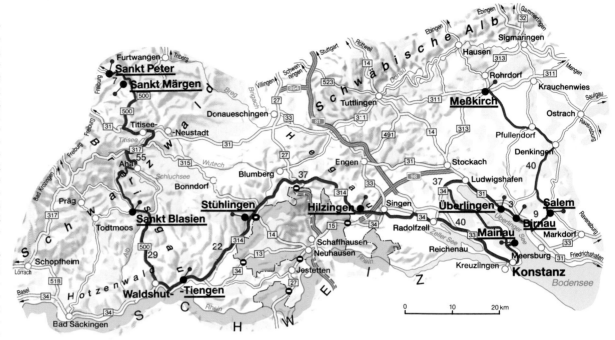

Von Sankt Peter nach Meßkirch Südlicher Schwarzwald, Hochrhein und Bodensee sind die Höhepunkte dieser landschaftlich abwechslungsreichen Tour.

ℹ Kunstausstellungen im Schloß: Informationen bei der Mainauverwaltung, Tel. 07531/3030.

Überlingen Die dreischiffige Franziskanerkirche aus dem 15. Jh., im Innern 1752 nach dem Zeitgeschmack zu einem lichtdurchfluteten Raum umgestaltet, ist ein sehr gutes Beispiel für das Zusammenwirken von Gotik und Rokoko.

Im Patrizierhaus der Reichlin von Meldegg auf dem Luzienberg, das 1695 im Innern barockisiert wurde, ist heute das Museum der Stadt untergebracht. Malerei und Plastik des Bodenseegebiets von der Gotik bis zum Barock bilden einen Schwerpunkt. Den schönen Saal von 1695 mit Galerie, Spiegeldecke und Wessobrunner Stukkaturen nutzt man noch heute für feierliche Veranstaltungen.

ℹ Museum der Stadt: Di–Sa 9 bis 12.30, 14–17, So und feiertags 10–15 Uhr (April–Oktober), sonst So und feiertags geschlossen.

Birnau Inmitten von Weinbergen nahe dem Bodenseeufer befindet sich eine der schönsten Marienwallfahrtskirchen Deutschlands. Peter Thumb bekam den Bauauftrag für die Rokokobasilika vom Kloster Salem. Für die Stuckarbeiten verpflichtete er Joseph Anton Feichtmayr, der mit dem Putto „Honigschlecker" am Seitenaltar des heiligen Bernhard von Clairvaux seine berühmteste Figur schuf. Von den Fresken des Hofmalers Gottfried Bernhard Götz beeindruckt vor allem das Engelskonzert über der Orgel. Eine Besonderheit sind die drei barocken Sonnenuhren am Turm und am Priesterhaus.

Salem An das Großfeuer, das 1697 fast die gesamte mittelalterliche Klosteranlage vernichtete, soll heute das Feuerwehrmuseum im Erdgeschoß des Prälaturgebäudes erinnern. Historische Feuerwehrgeräte vom 18.–20. Jh. sind hier ausgestellt. Der Klosterkomplex wurde 1697–1707 von Franz Beer im Stil des Barock neu errichtet. Besonders sehenswert ist der prachtvolle Kaisersaal mit seinen überlebensgroßen Standbildern.

ℹ Schloß: nur mit Führung Mo–Sa 9–12, 13–17, So und feiertags 11–17 Uhr (April–Oktober); Feuerwehrmuseum: wie Schloß (Juni–August), sonst Mi–Sa 9–12, 13–17, So und feiertags 11–17 Uhr (April, Mai, September, Oktober).

Meßkirch Das berühmte Brüderpaar Asam übernahm die Ausgestaltung der kleinen Nepomukkapelle, die 1732–1734 an die spätgotische Basilika Sankt Martin angebaut wurde. Egid Quirin schuf die prächtigen Stukkaturen, Cosmas Damian Altarbild und Wandgemälde.

Feuerwehrmuseum Salem Aus dem Jahr 1700 stammt diese pferdegezogene Handdruckspritze des Klosters Salem.

Orgeln, Bücher und Paläste

Eine Fülle von Kirchen-, Schloß- und Klosterbauten vom Frühbarock bis zu den Anfängen des Klassizismus verdanken wir dem Wettstreit, den die Grafschaften, Reichsstifte und freien Städte Oberschwabens ab der Mitte des 17. Jh. auf dem Gebiet der Architektur austrugen. Verschwenderische Innenausstattungen und gewaltige Orgeln künden von der Sinnenfreude der Zeit, und reichbestückte Klosterbibliotheken zeugen vom enormen Aufschwung der Wissenschaft.

Friedrichshafen Weit über den Bodensee grüßen die beiden zwiebelbehelmten weißen Türme der Schloßkirche, die als Prioratskirche im Auftrag des Benediktinerklosters Weingarten 1695–1701 entstand. Baumeister Christian Thumb errichtete sie zusammen mit der Klosteranlage, dem heutigen, nicht zu besichtigenden Schloß des Herzogs von Württemberg. Die Kirche ist typisch für das Vorarlberger Schema, dessen Kennzeichen Wandpfeiler mit Seitenkapellen und Emporen und eine in strengen Formen gehaltene Fassade sind. Die reiche Stuckdekoration der Wessobrunner Brüder Schmuzer mit ihren Ranken, Girlanden und Blüten ist unter den Galerien noch original erhalten.

Tettnang Mehr als 500 Jahre war die Stadt Residenz der Grafen von Montfort. Unter dem prunkliebenden Anton III. entstand 1712–1720 das Neue Schloß, ein damals schon ziemlich aus der Mode gekommener Vierflügelbau, mit dem er wohl in Konkurrenz zu den ähnlichen Schlössern in Meersburg und Wolfegg treten wollte. Architektonisch neu waren lediglich die diagonal gestellten Ecktürme. 1753 brannte das Schloß aus. Der Wiederaufbau mit der verschwenderischen Rokokoausstattung – beispielsweise des herrlichen Bacchussaals – durch Joseph Anton Feichtmayr ruinierte die Bauherren, so daß sie 1780 Schloß und Herrschaft an die Österreicher abtreten mußten. Die Wohn und Feträume der Grafen von Montfort bilden heute das Schloßmuseum, die Geschichte dieses Adelsgeschlechts ist Schwerpunkt des Montfortmuseums im Torschloß aus dem 15.–17. Jh.

Neues Schloß Tettnang *Umgeben von einer Grünanlage mit Barockgarten, beherrscht die einstige Residenz der Grafen von Montfort (oben links) die Altstadt von Tettnang.*

Blutritt in Weingarten *Mehr als 7000 Reiter zählte man 1753 bei der berühmten Prozession zu Ehren des Blutes Christi. Heute nehmen alljährlich immer noch mehr als 2700 Berittene, zum Teil in historischen Gardeuniformen, am Blutritt teil (links).*

Eustachiuszimmer in Ottobeuren *Ein Dekkengemälde mit einer Darstellung des heiligen Eustachius, neben Hubertus Schutzpatron der Jagd, gab dem Zimmer seinen Namen. Das ehem. Gesellschaftszimmer der Prälatur ist mit wertvollen barocken Möbeln ausgestattet (oben).*

ℹ️ Schloßmuseum im Neuen Schloß: Führungen täglich 10.30, 14.30, 16 Uhr (April–Oktober).
Montfortmuseum, Am Bärenplatz: Mi, Sa 14–16, So 10–12 Uhr.

Weißenau 1145 wurde hier ein Prämonstratenserstift (heute psychiatrische Heilanstalt) gegründet, für das zwischen 1708–1717 nach Plänen von Franz Beer ein großzügiger Neubau errichtet wurde. Die zugehörige Kirche Sankt Peter und Paul (heute Pfarrkirche) entstand kurz darauf in der Bauweise der Vorarlberger Schule mit weitem Mittelschiff und engen Seitenschiffen mit Emporen. Verbindendes Element zum etwa 100 Jahre älteren Chor, der von der Vorgängerkirche übernommen wurde, sind die Stuckarbeiten von Franz Schmuzer, in deren Akanthusranken sich Band- und Gittermuster mischen.

Weingarten Das Klosterwappen über dem Mittelportal der Benediktinerabteikirche enthält neben Mitra und Krummstab auch ein Schwert als Symbol weltlicher Macht: Der Abt des reichsunmittelbaren Klosters war gleichzeitig Landes- und Gerichtsherr über einen kleinen Klosterstaat. 1715 begann man mit dem Neubau der Abtei, deren Kirche alle süddeutschen Barockbauten an Größe und Pracht übertreffen sollte. Kuppelhöhe (67 m) und Länge (106 m) betragen ziemlich genau die Hälfte der entsprechenden Dimensionen der Peterskirche in Rom. 1956 erhielt die Hallenkirche von Papst Pius XII. den Ehrentitel „Basilika". Im Innern bilden die farbintensiven Fresken von Cosmas Damian Asam einen spannungsreichen Gegensatz zum feinen Stuck des Franz Schmuzer. Die Rokokoorgel besitzt eines der schönsten Gehäuse Deutschlands. Um die Zahlung des

kostspieligen, 1737–1750 gebauten Instruments zu erzwingen, soll ihr Schöpfer, Joseph Gabler, einen Geheimhebel eingebaut haben, ohne der. kein Ton zu erzeugen war.

Im Altar am Choreingang befindet sich hinter einer Glasscheibe die Heilig-Blut-Reliquie. Beim seit 1529 nachweisbaren Blutritt wird sie all-

jährlich am Freitag nach Christi Himmelfahrt mitgetragen.
ℹ️ Basilika: Mo–Fr 7–12, 14–18.30, Sa, So 7–20 Uhr.
Blutritt: Informationen beim Verkehrsamt, Tel. 07 51/40 51 25.

Wolfegg Ein Kleinod des frühen Rokoko ist die 1733–1742 vom Füssener Architekten Johann Georg Fischer erbaute ehem. Stifts- und Schloßkirche. In ihrem Innern schufen der Wessobrunner Stukkateur Johann Schütz und der Freskomaler Franz Joseph Spiegler einen wahren Farbenrausch in Weiß, Grün, Rosa und Gold.

Neues Schloß Kißlegg
Blickfang im kürzlich restaurierten Lüstersaal ist der reichverzierte Rokokospiegel.

Kreuz und quer durch Oberschwaben Die *Oberschwäbische Barockstraße ist das Herzstück dieser Tour. Sie wird allerdings nicht konsequent verfolgt: Hinter Gutenzell verläßt man die Barockstraße und fährt nach Wettenhausen und Günzburg. Über Ulm gewinnt man erneut Anschluß an die Hauptstrecke der Barockstraße, die in Steinhausen einen Höhepunkt und Schlußakkord setzt.*

Kißlegg Johann Georg Fischer baute das Neue Schloß Kißlegg (1721 bis 1727), einen typischen Allgäuer Barockbau mit italienischem Einschlag (heute Rathaus). Bemerkenswert sind – neben den prunkvollen Sälen in den Obergeschossen – die acht Stuckfiguren der Sibyllen im Treppenhaus von Joseph Anton Feichtmayr.

Die Pfarrkirche Sankt Gallus, die Fischer 1734–1738 barockisierte, erhält ihre Wirkung durch ein ungewöhnliches Tonnengewölbe über dem Langhaus. Sie birgt auch den einmaligen Kißlegger Silberschatz, den Pfarrer Lohr 1746 von einem Augsburger Goldschmied erwarb.
ℹ️ Neues Schloß: täglich 10–17 Uhr. Silberschatz, Pfarrkirche Sankt Gallus: n. Vereinb., Tel. 0 75 63/23 24.
Isny Die kath. Stadtpfarrkirche gilt als Rokokoperle des Westallgäus.

Um 1665 – in Anlehnung an die Spätgotik – als dreischiffige Halle erbaut, konnte das Gotteshaus erst 100 Jahre später auch im Innern ausgestattet werden, dann aber in der ganzen Farben- und Formenfülle des Rokoko mit stark bewegter Deckenmalerei und lebhaftem Stuckdekor.

Ottobeuren Auf einer sanften Erhebung des waldreichen Günztals erstreckt sich der riesige Komplex des vermutlich um 764 gegründeten Benediktinerklosters. Abt Rupert Neß ordnete 1711 den Baubeginn an. 20 Jahre später war das 142 × 128 m messende, mächtige Geviert vollendet. Im Kaisersaal erinnern die vergoldeten Schnitzfiguren von 16 habsburgischen Kaisern an die Reichsunmittelbarkeit des Klosters. Der Bibliothekssaal, der zum Vorbild für alle weiteren barocken Klosterbiblio-

Barocke Fülle für Auge und Ohr

Bereits im antiken Griechenland waren orgelähnliche Instrumente bekannt. Im 17. und 18. Jh. erreichte die Orgelbaukunst einen Höhepunkt. Die Sinnenfreude von Barock und Rokoko entwickelte vielseitige Klangmöglichkeiten. Flöten-, Blas- und Streichinstrumente konnten imitiert werden, mit der Vox humana, einem Zungenregister mit nasalem Klang, sogar die menschliche Stimme Doch auch optisch wurden die Instrumente zu Kunstwerken ausgestaltet, wie das Detail der Orgel von Joseph Gabler in Ochsenhausen zeigt.

theken in Oberschwaben wurde, kündet mit seinen 15 000 Bänden aus der Zeit von 1500 bis 1800 von der großen wissenschaftlichen Bedeutung der Abtei. Doch auch für die schönen Künste waren die Mönche offen, wie der Theatersaal des Klosters beweist. Die Kunstsammlungen der Abtei zeigen schwäbische Malerei und Plastik von der Gotik bis zum Rokoko. 1737 legte man den Grundstein für die gewaltige Kirche, die 1766 vollendet wurde. Bedeutende Künstler wie der Stukkateur Johann Michael Feichtmayr sowie die Freskomaler Johann Jakob und Franz Anton Zeiller entzündeten im Innern ein Feuerwerk an phantasievoller Ausstattung. 24 Jünglingsgestalten zieren das einzigartige Chorgestühl im Mönchschor. Hier befinden sich auch die beiden einander gegenüberliegenden Barockorgeln, die Karl Joseph Riep um 1760 konstruierte. Jeden Sommer finden in der Kirche große Orgel- und Chorkonzerte statt. ⓘ Benediktinerabtei mit Bibliothek und Kunstsammlungen: täglich 10 bis 12, 14–17 Uhr (März–November); Informationen zu den Konzerten: Tel. 08332/8128.

Rot an der Rot Mauritius Moritz, Abt des ältesten Prämonstratenserklosters in Schwaben (heute Jugendbildungsstätte), ging 1777 daran, eine neue Klosterkirche zu bauen. Zusammen mit seinem Klosterschreiber und dem Klosterschreiner hatte er Architekturbücher studiert und die Baupläne nach dem Vorbild der Klosterkirche von Obermarchtal entwickelt. Mönche aus Rot übernahmen auch die Ausführung, doch sie hatten wenig Erfahrung, und der Bau stürzte beinahe ein. Der Maler

Chorgitter in Weingarten Kunstvoll werden mit dem flachen Gitterwerk (um 1730) in der Abteikirche räumliche Eindrücke vorgetäuscht.

und Architekt Januarius Zick, der auch die Fresken im Innern schuf, rettete die Kirche. Sie steht kunstgeschichtlich an der Schwelle zum Klassizismus. Strenge Formen aus der Antike haben das freie Spiel rokokohafter Dekoration abgelöst. Ans Barock erinnern vor allem die beiden Türme, die Sakristei und das reichverzierte Chorgestühl.

Ochsenhausen Durch gezielte Umbauten verlieh Johann Michael Fischer um 1740 den schlichten Konventflügeln des ehem. Benediktinerklosters einen schloßartigen Charakter (heute Aufbaugymnasium). In der zweiten Hälfte des 18. Jh. war die Reichsabtei mit ihrer Schule und Bibliothek ein kultureller Mittelpunkt. Die Mönche betrieben auch astronomische Forschung. Ein Beweis dafür ist die barocke Sternwarte mit ihrer drehbaren Kuppel.

Die Ende des 15. Jh. als spätgotische Basilika erbaute Kirche wurde 1725–1732 unter der Leitung des Italieners Gasparo Mola einfühlsam barockisiert. Dekorativstes Stück ist die Rokokokanzel aus dem Jahr 1741. Die gewaltige Orgel auf der Westempore schuf der in Ochsenhausen geborene Joseph Gabler. ⓘ Ehem. Benediktinerabtei: Führungen Mo–Fr 11 Uhr (März–Oktober), sonst n. Vereinb. (mindestens fünf Personen), Tel. 07352/8259.

Biberach an der Riß Die gotische, 1746–1748 barokisierte Stadtpfarrkirche wird seit dem Ende des Dreißigjährigen Kriegs von beiden Konfessionen gemeinsam benutzt, der Chor mit seinem üppigen Rokokostuck ist allerdings dem katholischen Gottesdienst vorbehalten. In dem illusionistischen Deckenfresko von Johannes Zick, das das gesamte Mittelschiff überspannt, erscheint keine Heiligenszene – alle Motive sind der beiden Bekenntnissen gemeinsamen Bibel entnommen.

Zahlreiche bedeutende Künstler wie die Goldschmiedfamilie Dinglinger und der Maler Schönfeld verhalfen Biberach im 18. Jh. zu hoher kultureller Blüte, wie zahlreiche Exponate der Städtischen Sammlungen zeigen.

ℹ Städtische Sammlungen, Museumstraße: Di–So 10–12, 14–17 Uhr.

Gutenzell Die Kirche des ehem. Zisterzienserinnenklosters wurde 1756–1759 durch Dominikus Zimmermann, dessen Tochter hier ab 1759 Äbtissin war, im Stil des Rokoko umgestaltet. Kostbarster Schatz ist eine Barockkrippe mit teilweise 60 cm hohen Figuren, die besonders in der Weihnachtszeit viele Besucher anlockt.

Wettenhausen Malerisch im Kammeltal liegt das ehem. Augustinerchorherrenstift (heute Dominikanerinnenpriorat und Schule); hier begegnet man der frühen Zeit des Barock. 1670–1683 wurde es unter Leitung des Vorarlbergers Michael Thumb neu gebaut. Bemerkenswert sind vor allem die Wessobrunner Stuckarbeiten von 1680, die den eher schlichten Kirchenraum prunkvoll ausgestalten.

ℹ Kirche werktags geschlossen, Schlüssel im Pfarrhaus gegenüber.

Günzburg Die Frauenkirche, 1736–1741 von Dominikus Zimmermann erbaut, ist ein Ausdruck der Blüte der Stadt unter der Herrschaft Maria Theresias, als Günzburg zur österreichischen Markgrafschaft Burgau gehörte. Als Huldigung an die Kaiserin sind ihre beiden Söhne Leopold und Joseph auf dem Gemälde des Choraltars mit den Heiligen Drei Königen dargestellt. Die Monarchin begründete in Günzburg die Herstellung der vielleicht berühmtesten Münze der Barockzeit, des Mariatheresientalers, der in der Münze (erbaut 1763–1767, heute Rathaus) geprägt wurde. Im Heimatmuseum in dem von der Kaiserin ins Leben gerufenen Piaristenkolleg (1755–1757) ist ein Originalexemplar des Talers zu bewundern.

ℹ Heimatmuseum: Di–Fr 10–12, erster So im Monat 14–16 Uhr.

Elchingen Le salon du bon Dieu, Empfangssaal des lieben Gottes, nannte Napoleon 1805 die Kirche der ehem. Benediktinerreichsabtei im Ortsteil Oberelchingen. Weiß und Gold prägen den Innenraum der Kirche, deren Stuckarbeiten in den Seitenschiffen bereits dem Frühklassizismus angehören und tatsächlich an die Ausgestaltung eines Salons erinnern.

ℹ Ehem. Klosterkirche: Restaurierung bis etwa 1990, Besichtigung eingeschränkt möglich, Auskunft Tel. 0 73 08/25 64.

Ulm-Wiblingen Wenn auch beim Bau der ehem. Benediktinerabtei ab 1714 der typisch barocke Grundriß

Bibliothekssaal in Ulm-Wiblingen Die „Himmlische Weisheit" ist das Thema des Deckenfreskos von Franz Martin Kuen (1744). Der Ausschnitt (oben) stellt die Schenkung des Klosters durch die Grafen von Kirchberg dar. Daneben suchen zwei Benediktiner auf einer Landkarte Standorte für neue Ordensniederlassungen.

Erntedank in Zwiefalten Alljährlich wird der Altar (rechts) in der ehem. Abteikirche reich geschmückt. Sein strahlender Mittelpunkt ist die barokkisierte Gnadenmadonna von 1430.

– eine regelmäßige Vierflügelanlage mit der Kirche auf der Halbierungsachse – noch eingehalten wurde, so erkennt man bereits den Übergang zum Klassizismus in der Ausgestaltung der Kirche Sankt Martin (1772–1783). Kennzeichnend ist eine Vereinfachung der Bau- und Schmuckelemente. Die Deckengemälde von Januarius Zick schwelgen allerdings noch in typisch barockem Illusionismus. Die Hauptsehenswürdigkeit des Klosters ist jedoch der 23 m lange und 11 m breite Bibliothekssaal mit seiner beeindruckenden Rokokodekoration. Er wurde 1744 vollendet. Der zweigeschossige Raum, durch eine Empore unterteilt, vermittelt den Eindruck eines Theaters, nicht zuletzt durch die lebensgroßen Statuen, die die antiken und christlichen Wissenschaften symbolisieren; z. B. wird die Theologie durch die Figur mit Zepter, Buch und Auge Gottes versinnbildlicht.

ℹ Bibliothekssaal: Führungen Di bis So 10–12, 14–17 Uhr (April–Oktober), sonst Di–Fr 14–16 Uhr.

Ehingen Die Stadt an der Donau war vom 16. bis zum 19. Jh. einer der wichtigsten Verwaltungssitze Vorderösterreichs. Im Landhaus am Marktplatz, einem dreigeschossigen

Bau aus der Zeit Maria Theresias, tagten die schwäbisch-österreichischen Stände (heute Amtsgericht). Das ehem. Ritterhaus des Donaukantons aus dem Jahr 1692 in der Hauptstraße (heute Landratsamt) diente dagegen der Ritterschaft als Kanzlei, Archiv und Sitzungsgebäude. 1686 gründete das Kloster Zwiefalten in Ehingen ein Gymnasium (Konvikt). Die zugehörige Konviktskirche zählt zu den frühen Zentralbauten des Barock in Süddeutschland (1712–1719). Umgestaltungen im 19. Jh. ließen außer dem Raumgefüge nur den italienischen Stuck und die bemerkenswerten Deckenfresken unverändert.

Obermarchtal Um 1700, zur Zeit ihrer Fertigstellung, wurde die Kirche des ehem. Prämonstratenserklosters

(heute Akademie) als das schönste Gotteshaus Schwabens bezeichnet. Von hoher Qualität ist auch die Innenausstattung mit der ideenreichen, strahlend weißen Stuckzier Johann Schmuzers. Das Chorgestühl im Kapitelsaal, eine ausgezeichnete Eichenholzschnitzerei, schuf der Tiroler Andreas Etschmann. Von Joseph Appiani stammt das herrliche Deckenfresko des Refektoriums.

ℹ Ehem. Prämonstratenserabtei mit Kirche: Besichtigung nur n. Vereinb., Tel. 0 73 75./2 42.

Zwiefalten Weniger eine bauliche Notwendigkeit als ein neuer Zeitgeist war der Anlaß für die 1668 begonnene Erneuerung der Benediktinerabtei (heute psychiatrische Heilanstalt), die ihren Höhepunkt in der 1741–1765 von Johann Michael Fischer erbauten Abteikirche fand. Dieses Gotteshaus beeindruckt sowohl mit seiner harmonischen Architektur als auch mit seiner brillanten Rokokoausstattung. Der Stuck von Johann Michael Feichtmayr und die Deckengemälde von Franz Joseph Spiegler verwandeln den streng gegliederten Bau in einen Festsaal voller Farben, Licht und Bewegung. Das prachtvolle Chorgestühl mit seinen Reliefzyklen stammt wie die überlebensgroßen Figuren des Hochaltars von Josef Christian aus Riedlingen. Exotisch mutet ein Beichtstuhl an der Rückseite des Langhauses an, der eine von Schlingpflanzen überwucherte Ruine darstellt.

ℹ Ehem. Abteikirche: täglich 9–11, 13–18 Uhr (Ostern–Oktober), sonst n. Vereinb., Tel. 0 73 73/8 57.

Sießen Schon 1259 verlegten die Saulgauer Dominikanerinnen ihr Kloster 3 km weiter südlich nach Sießen. Beschädigungen im Dreißigjährigen Krieg und ein Brand waren die Gründe für einen vollständigen Neubau des Klosters, das heute den Franziskanerinnen gehört. Die schlichte Vierflügelanlage entstand 1716–1722 nach Plänen von Franz Beer und Christian Thumb. Die von Dominikus Zimmermann geschaffene Kirche (1725–1733) ist ein Frühwerk des Meisters, das z.B. mit den dreifach geschwungenen Fenstern bereits Hinweise auf das später begonnene Steinhausen gibt. Der Innenraum mit seinen kräftigen Wandpfeilern ist klar und großzügig gegliedert. Die vier Flachkuppeln über dem Kirchenschiff wurden von Johann Baptist Zimmermann, dem Bruder des Baumeisters, ausgemalt.

ℹ Klosterkirche: Mo–Sa 10–12, 14 bis 16, So 13.30–16 Uhr.

Altshausen Von hier aus wurde seit dem 15. Jh. der Deutschordensbezirk Elsaß-Schwaben-Burgund verwaltet, zu dem 26 Niederlassungen, u. a. in Basel und Straßburg, gehörten. 1729 beauftragte die Kommende den Ordensbaumeister Johann Caspar Bagnato mit dem Bau eines Schlosses, das – unter Einbeziehung älterer Teile aus dem 16. Jh. – alle Residenzen im Umkreis übertreffen sollte. Nur einiges wurde verwirklicht, so daß der Komplex heute, entgegen dem barocken Streben nach Symmetrie, etwas ungeordnet wirkt. Fertig geworden sind ein hübsches Torhaus, Marstall, Reitschule und Orangerie. Seit 1919 ist das ehem. Deutschordensschloß, das von außen besichtigt werden kann, Wohnsitz des Herzogs von Württemberg.

Wallfahrtskirche in Steinhausen Imposant ragt die Kirche Unserer Lieben Frau mit ihren vier elegant geschweiften Giebeln über die Dächer des kleinen Dorfes. Der schlanke Glockenturm scheint aus dem Dach zu wachsen.

Bad Schussenried Aus dem 16. und 17. Jh. stammen die meisten Gebäude des 1183 gestifteten Prämonstratenserklosters (heute Psychiatrisches Landeskrankenhaus). Sie sollten Mitte des 18. Jh. einem großangelegten Neubau von Dominikus Zimmermann weichen. Wegen Überschuldung des Klosters konnte aber nur der Nordtrakt vollendet werden. Hier, im berühmten Biblio-

Städtische Sammlungen in Biberach Johann Melchior Dinglinger (1664–1731) schuf diese kupferne Tabatiere. Der Deckel ist aus Perlmutt mit Goldeinlage.

thekssaal, kann man das Modell der geplanten Anlage studieren. Helle, zarte Farben und reizvolle Alabasterfiguren sorgen für die beschwingte Stimmung des Raumes. Die ehem. Klosterkirche wurde um 1745 durch den Münchner Hofmaler Johannes Zick barockisiert. Von ihm stammt auch das Langhausfresko, das die Geschichte des Ordensgründers Norbert darstellt. Um 1716 entstand das Chorgestühl mit seinen Heiligenstatuetten und Dämonen.

ℹ Bibliothekssaal: Sa 9.30–11.30, 13.30–17.30, So 13.30–17.30 Uhr.

Steinhausen Die zunehmende Beliebtheit der Wallfahrt zum Gnadenbild der Schmerzhaften Mutter Gottes in Steinhausen veranlaßte die Prämonstratenser von Schussenried, Dominikus Zimmermann mit dem Bau einer größeren Wallfahrtskirche zu beauftragen. Er errichtete 1728–1733 einen verhältnismäßig hohen, im Innern ovalen Bau, dessen Kuppel mit scheinbarer Leichtigkeit von zehn Pfeilern getragen wird. Der Architektur ebenbürtig ist die in zarten pastelligen Tönen gehaltene Auskleidung mit Stuck und Fresken im Innern, die der Bruder, Johann Baptist Zimmermann, ausführte – originell sind die stuckierten Tiere an den oberen Fenstern im Umgang. Hier tummeln sich u. a. Eichhörnchen, Hirschkäfer und Spinnen. Um mehr als das Sechsfache wurden die veranschlagten Baukosten von den Brüdern Zimmermann überschritten, doch schufen sie einen der Höhepunkte barocker Sakralkunst und vielleicht tatsächlich die „schönste Dorfkirche der Welt", wie sie oft gerühmt wird.

Die Zwiebeltürme im Voralpenland

Das Land vor den Bergen gilt gemeinhin als das Land des Barock. Und in der Tat erhebt sich hier in beinahe jedem Dorf der charakteristische Zwiebelturm, bilden weiträumige Klosteranlagen noch heute markante architektonische Fixpunkte. Aber es beeindruckt nicht nur die Fülle der Werke, sondern auch ihre ganz eigene Ausprägung: Hier hat das Barock zu einer Leichtigkeit und hellen Farbigkeit gefunden, zu einer himmlisch-irdischen Heiterkeit, wie sie anderswo kaum anzutreffen ist.

Schäftlarn Im Isartal liegt das im 8. Jh. gegründete Benediktinerkloster, das heute ein Internat beherbergt. Die dazugehörige Kirche, in der im Sommer Konzerte stattfinden, wurde um 1760 von Münchner Hofkünstlern ausgestaltet. Unverkennbar ist daher der Einfluß verfeinerten höfischen Geschmacks. Das Bräustüberl mit Biergarten ist ein beliebtes Ausflugsziel der Münchner.
ℹ️ Konzertauskunft: Tel. 0 81 78/ 34 35.

Bichl Ein barockes Kleinod ist die Kirche Sankt Georg, die 1751–1752 von Johann Michael Fischer errichtet wurde. Das Innere ist quadratisch mit einem kleinen Altarraum, der ganz von der dramatischen Figur des heiligen Georg im Kampf mit dem Drachen beherrscht wird. Prächtig kommt das große Rundfresko von Johann Jakob Zeiller mit

seiner plastisch wirkenden Architekturmalerei zur Geltung.

Benediktbeuern Das im 8. Jh. gegründete Benediktinerkloster, in dem im Sommer Konzerte stattfinden, ist eine der ältesten und bedeutendsten Klosteranlagen des Voralpenlandes. Nach einem verheerenden Großbrand zu Beginn der 80er Jahre wieder aufgebaut, breitet sie sich heute in alter barocker Pracht in der weiten Ebene vor den Bergen aus, überragt von den beiden Zwiebeltürmen ihrer Basilika. Die Fresken dieser Kirche (1680–1685) schuf als Erstlingswerk Hans Georg Asam, der Vater der berühmten Brüder Asam. 1751–1758 wurde dem Chor die lichte Anastasiakapelle mit der silbergetriebenen Reliquienbüste der heiligen Anastasia auf dem Altar angefügt. Die Klosteranlagen (1669–1675), die sich in drei Höfen

Klosterkirche Ettal *Der von Gold blitzende Rokokoraum (oben), eine Meisterleistung von F. X. Schmuzer und Johann Georg Ueblherr, bildet den kostbaren Rahmen für die feierliche Christmette.*

Füssen im Allgäu *Auf der Lechhalde steht die Spitalkirche von 1749, deren Fassade ein wiederhergestelltes volkstümliches Fresko schmückt (rechts). Es stellt die Heiligen Florian und Christophorus dar.*

Benediktbeuern *Von weitem schon grüßen die beiden mit Zwiebelhauben gekrönten Türme, die die weiträumigen Klosteranlagen überragen (oben). An diesem Ort wurden die mittelalterlichen „Lieder aus Beuern", die „Carmina Burana", gesammelt.*

um die Kirche gruppieren, werden heute von Salesianern betreut.

ℹ Besichtigung täglich 8–19 Uhr; Konzertkartenauskunft Tel. 0 88 57/ 8 80.

Murnau am Staffelsee Vom beinahe höchsten Punkt des Ortes herab leuchtet ockergelb der von außen schlichte Bau der Kirche Sankt Nikolaus. Innen öffnet sich ein reich ausgestatteter, lichtdurchströmter Raum, bei dem 1717–1727 zum erstenmal versucht wurde, einen Kompromiß zwischen der traditionellen Form des Langbaus und der für das Barock so typischen Form des Rundbaus zu finden. Eine Kostbarkeit ist der Altar mit einer Anna selbdritt in der nordöstlichen Kapelle.

ℹ Besichtigung täglich 7–12, 14–18 Uhr.

Ettal 1330 wählte Kaiser Ludwig der Bayer diesen Ort wegen seiner Abgeschiedenheit für die Gründung des Klosters, doch heute reißt der Strom der Besucher nicht ab, die den 1710–1752 von Enrico Zuccalli neu aufgeführten Kloster- und Kirchenbau besichtigen und den berühmten Klosterlikör probieren wollen. Einmalig ist, daß der Rundbau der Kirche bereits im Mittelalter vorgegeben wurde, eine für die deutsche Gotik höchst ungewöhnliche Bauform. Zuccalli hat den Bau lediglich barock überarbeitet. Neu ist allein die Kuppel. Sie wird im Innern des in schönster Rokokomanier ausgestalteten Raumes von einem prachtvollen Fresko geschmückt.

Füssen Der vierflüglige Bau des Klosters Sankt Mang dient der Stadt als Rathaus, sein berühmter Stucksaal ist Teil des Heimatmuseums, in dem u.a. wertvolle Musikinstrumente angesehener Füssener Geigenbauer zu sehen sind. Gleich nebenan erhebt sich die Spitalkirche (1748/49) mit ihrer originell bemalten Fassade. Im Innern grüßt ein freundlich heller Raum.

ℹ Heimatmuseum, Lechhalde 3: Führungen Mo–Sa 10.30 Uhr (Sommer), sonst nur n. Vereinb., Tel. 0 83 62/70 77.

Wies Der Legende nach vergoß eine Figur des gegeißelten Heilands in einer Einöde nahe Steingaden Tränen. Um den darauf einsetzenden Strom der Gläubigen aufnehmen zu können, beauftragte das Kloster Steingaden Dominikus Zimmermann mit dem Bau einer Wallfahrtskirche. Er errichtete 1745–1757 in der leicht hügeligen Landschaft vor dem Saum der Allgäuer Berge die wohl leichteste, heiterste und zugleich statisch kühnste Schöpfung barocken Kirchenbaus in Bayern. Bei dem von außen recht kompakt wirkenden Bau scheinen im Innern die Gesetze

der Schwerkraft aufgehoben. Ungewöhnlich große Fenster lassen verschwenderisch viel Licht in den weiten Raum, das den zarten Stuck umspielt und Deckenfresken und Altarbilder zum Leuchten bringt.

ℹ Trotz Sanierungsarbeiten soll die Kirche täglich bis Einbruch der Dunkelheit zugänglich bleiben.

Rottenbuch Die ehem. Klosterkirche ist ein besonders gelungenes Beispiel für die Barockisierung eines

Eine Tour durch den Pfaffenwinkel Sie führt von Schäftlarn Richtung Süden bis Benediktbeuern, wendet sich nach Westen bis zum Staffelsee und erreicht mit Ettal und Füssen ihre südlichsten Ziele. Anschließend geht der Weg über teilweise reizvolle Straßen nach Nordosten bis zum Endpunkt Andechs.

ursprünglich gotischen Kirchenraumes. Allerdings waren hier auch große Meister am Werk: Joseph und Franz Xaver Schmuzer belegten die Wände und Pfeiler mit zierlichem Rokokorankenwerk, und Matthäus Günther malte die Gewölbe mit farbenprächtigen Fresken aus.

Weilheim i.OB. Diese Stadt, das Eingangstor zum Pfaffenwinkel, hat eine lange Reihe bedeutender Barockkünstler hervorgebracht. Der vielleicht bedeutendste von allen war der Bildhauer Hans Krumper, dessen Werken man freilich nur im vorzüglichen Museum des Pfaffenwinkels begegnen kann. Dafür waren am Bau und an der Gestaltung der strengen frühbarocken Weilheimer Stadtpfarrkirche (1624–1631) zahlreiche einheimische Künstler beteiligt. Einen Besuch lohnt auch der barock

geprägte Marienplatz, dessen Mitte die Mariensäule von 1698 und der Stadtbrunnen von 1791 schmücken.

ℹ Museum des Pfaffenwinkels: Sa–Do, feiertags 10–12, 14–17 Uhr.

Wessobrunn 753 entstand das Benediktinerkloster von Wessobrunn, das im 18. Jh. von Grund auf neu gebaut wurde. Die Ausstattung der verbliebenen Bauten vermittelt nur eine Ahnung von jener Kunst, die man in der hiesigen Schule zu letzter Vollendung entwickelt hatte, der Kunst des Stukkierens. Im Gäste- oder Fürstenhaus mit seinen langen Fluren seinem Treppenhaus und dem Tassilosaal und in der eher bescheidenen Kapelle Sankt Johannes sind noch Beispiele dieser Kunst zu bewundern.

ℹ Führungen Mo–Sa 10, 15, 16 Uhr, So und feiertags nur nachmittags 15, 16 Uhr.

Dießen Festlich erstrahlt die Rokokofassade der Kirche des ehem. Augustinerchorherrenstifts, ein Werk Johann Michael Fischers. Das Innere wird von höfischem Formempfinden geprägt. Meisterwerke sind die vier Figuren der Kirchenväter am Hochaltar. Dieser ist ein seltenes *theatrum sacrum*: Das Altarbild ist versenkbar; dahinter liegt eine Bühne zur Darstellung unterschiedlicher christlicher Szenen.

ℹ Besichtigung täglich 8–12, 14–18 Uhr.

Andechs Auf einem Höhenrücken östlich des Ammersees liegt das Benediktinerkloster Andechs. Ab dem Ende des 14. Jh. lassen drei heilige Hostien einst wie heute Wallfahrer hierherströmen. Die ursprünglich spätgotische Wallfahrtskirche wurde im 18. Jh. umgestaltet und verwandelte sich im Innern so in einen glanzvollen Rokokoraum, vor allem durch die Stukkaturen und Fresken Johann Baptist Zimmermanns. Berühmt ist das Klosterbier, da die Mönche das Recht besitzen, ganzjährig Starkbier auszuschenken.

ℹ Besichtigung täglich 6.30–18 Uhr.

Wallfahrten und lokales Künstlertum

In keiner anderen Epoche wurde in Süddeutschland so viel gebaut wie in der Zeit um 1700. Zahlreiche Klosteranlagen wurden neu erstellt oder barock umgestaltet, und jeder Dorfpfarrer wollte für den Neubau seiner Kirche die besten Künstler engagieren. In dieser baufreudigen Zeit gingen Hochkunst und Volksschaffen hierzulande eine gelungene Verbindung ein, die ein charakteristisches Merkmal bayerischer barocker Kirchenbaukunst ist.

Dietramszell Aus der Zelle eines frommen Einsiedlers entstanden, liegt das Kloster in einem engen, fast düsteren Tal. Die Klosteranlage selbst ist schlicht und schmucklos errichtet. Doch die 1729–1741 erbaute Barockkirche gehört zu den schönsten Bayerns, vor allem wegen der überaus prächtigen Ausstattung durch Johann Baptist Zimmermann. Er hat es hier verstanden, mit der Leichtigkeit seines Stucks und der fröhlichen Farbigkeit seiner Fresken eine wunderbare Helligkeit in diesen Raum zu zaubern.

ℹ️ Klosterkirche Mariä Himmelfahrt: Führungen nur n. Vereinb., Tel. 0 80 27/8 59.

Bad Tölz So bayerisch-barock diese Stadt am Oberlauf der Isar vielen Besuchern auch erscheinen mag – an wirklich barocken Bauwerken ist sie nicht reich. Einige der Häuser an der Marktstraße, teilweise mit phantasievoller Lüftlmalerei geschmückt, reichen ins 17. und 18. Jh. zurück, und auch die Wallfahrtskirche Maria Hilf auf dem Mühlfeld zeigt trotz starker Veränderungen noch barocke Züge. Dann ist da noch, jenseits der Isar, der imposante Bau der Franziskanerkirche (1733–1735), von außen rechteckig schlicht, innen saalartig und hell, ohne Stuck und Fresken, beherrscht von drei Altären. Schließlich erhebt sich, weithin sichtbar auf dem Hochufer der Isar, die Kalvarienbergkirche (1722–1726). Mit ihr verbunden ist die Kapelle der Heiligen Stiege (um 1720), daneben die 1722 geweihte Leonhardskapelle, zu der alljährlich am 6. November der berühmte Leonhardiritt führt. Obwohl vieles an diesem Ensemble auf dem Kalvarienhügel erst im 19. Jh. ent-

Maria Birnbaum *Die Wallfahrtskirche (links) bei Sielenbach entstand auf Anregung eines Komturs des Deutschen Ordens, nachdem 1659 an dieser Stelle vor dem Gnadenbild Mariä wundersame Heilungen stattgefunden hatten. Konstantin Bader, der mit der Planung und Ausführung des Baus beauftragt wurde, schuf ein äußerst originelles* *Gotteshaus, das in seiner üppigen Formenfülle eher an einen slawischen Sakralbau als an eine bayerische Barockkirche erinnert.*

Sachsenkam *Fatschenkinder heißen diese ein Wickelkind darstellenden Figuren (rechts), die im Kloster Reutberg nahe Sachsenkam hergestellt werden. Sie sind ungefähr zwischen 25 und 80 cm groß und werden von vielen Besuchern als Votivfiguren oder zur Erinnerung an das Jesuskind gekauft.*

Weyarn *Die Klosterkirche des ehem. Augustinerchorherrenstiftes birgt als größten Schatz die ausdrucksstarken Plastiken des Münchner Bildhauers Ignaz Günther. Die tragbare Gruppe (rechts), die bei Prozessionen mitgeführt wurde, zeigt die kniende Maria, der der Erzengel Gabriel die Geburt Christi verheißt.*

Durch Oberbayern
Bei dieser Tour, die vom südlichsten Punkt, Bad Tölz, bis nach Maria Birnbaum im Norden führt, wird München großräumig umfahren.

stand bzw. umgestaltet wurde, so ist der Gesamtkomplex doch ein bis heute fortwirkendes Zeugnis barocker Wallfahrtsfrömmigkeit.

Sachsenkam Wenige bayerische Klöster liegen so prächtig wie Reutberg nahe Sachsenkam auf seinem Moränenrücken mit weiter Sicht in die Berge. Im 17. Jh. wurde das Franziskanerinnenkloster gestiftet, 1733 bis 1735 kam die neue Kirche hinzu, ein gedrungener Bau mit einem seltsamen Sternenhimmel über dem Chorraum. Seit 1743 wird hier eine aus Holz geschnitzte Figur des Jesuskindes verehrt, die aus der Geburtskirche von Bethlehem stammt. Jedes Jahr von Weihnachten bis Lichtmeß und an hohen Festtagen wird das Kindlein, prächtig geschmückt, in der Kirche ausgestellt.

Weyarn Dem Stukkateur und Freskomaler Johann Baptist Zimmermann begegnet man auch in der Kirche des ehem. Augustinerchorherrenstiftes wieder. Ihre eigentlichen Kostbarkeiten aber stammen von dem Münchner Bildhauer Ignaz Günther, dem Meister der schlanken, überirdisch grazilen Heiligenfiguren und Engel. Hier stehen u.a. seine berühmten Gruppen Marienklage und Verkündigung.

ℹ️ Pfarrkirche Sankt Peter und Paul: Besichtigung nur n. Vereinb., Tel. 0 80 20/2 90.

Tuntenhausen Die Kirche Mariä Himmelfahrt mit dem seltsam eng aneinandergebauten Turmpaar ist eines der großen Wallfahrtsziele in Bayern. In diesem noch im 17. Jh. in gotischen Formen errichteten Gotteshaus beeindruckt vor allem eine ganz typische Ausprägung bayerischer Volkskunst, die im 15. Jh. mit der Marienwallfahrt begann: die zahllosen Votivtafeln, die die Wände der Kirche bedecken. Aus den einzelnen Bildern, die Bitten oder Danksagungen ausdrücken, lassen sich nicht nur die Sorgen und Nöte der Stifter ablesen, sondern wird auch erkenntlich, wie die barocke Ausdrucksweise Eingang in die schlichten Darstellungen der frommen Votivbildermaler gefunden hat.

Rott am Inn Die ehem. Benediktinerklosterkirche ist das Meisterwerk eines Großen der Barockarchitektur: Johann Michael Fischer. 1759–1763 errichtete er diese Kirche, eine Verbindung aus Rund- und Langbau, deren Zentrum der quadratische, durch die Gewölbekuppel aber rund wirkende Hauptraum ist. Bemerkenswert ist, wie Fischer hier auf sehr schmalem, langem Grundriß eine Vielzahl verschiedener Raumbilder geschaffen hat. Beachtenswert sind auch die Fresken Matthäus Günthers und die Altäre

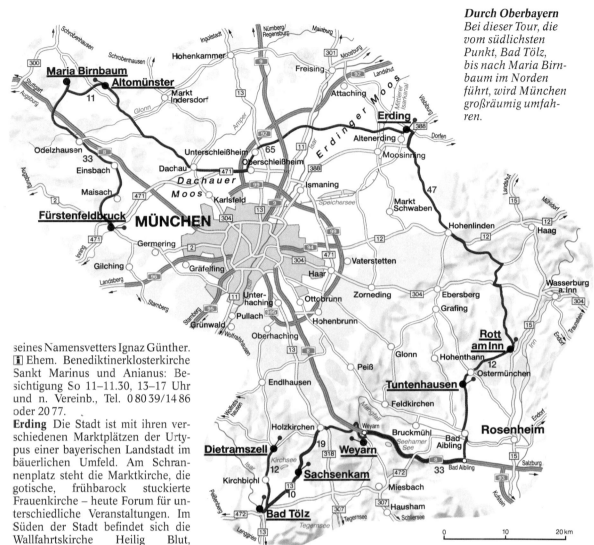

seines Namensvetters Ignaz Günther.

ℹ️ Ehem. Benediktinerklosterkirche Sankt Marinus und Anianus: Besichtigung So 11–11.30, 13–17 Uhr und n. Vereinb., Tel. 0 80 39/14 86 oder 20 77.

Erding Die Stadt ist mit ihren verschiedenen Marktplätzen der Urtypus einer bayerischen Landstadt im bäuerlichen Umfeld. Am Schrannenplatz steht die Marktkirche, die gotische, frühbarock stuckierte Frauenkirche – heute Forum für unterschiedliche Veranstaltungen. Im Süden der Stadt befindet sich die Wallfahrtskirche Heilig Blut,

---

Im Land der Zwiebeltürme

Fast überall im bayerischen Voralpenland grüßen die Zwiebelhauben, ein byzantinisch beeinflußtes Merkmal der süddeutschen Barockarchitektur. Zwiebeltürme gehören zu fast jeder Kirche, und zwiebelbehelmt ist selbst das mittelalterliche Stadttor in Erding.

1675–1677 erbaut und 1704 höchst ideenreich stuckiert. Im südlichen Stadtteil Altenerding prunkt die mächtige Barockkirche Mariä Verkündigung von 1724 mit einer ungewöhnlichen Schiffskanzel. Auch das Erdinger Umland ist eine wahre Fundgrube für beachtenswerte barocke Dorfkirchen, so etwa Mariä Heimsuchung in Bockhorn und Sankt Mariä in Groß-Thalheim.

Altomünster Johann Michael Fischer schuf ab 1763 die Pfarrkirche von Altomünster. Er erwies sich hier erneut als Meister in der Bewältigung schwieriger Raumprobleme, mußte die Kirche doch wegen des ansteigenden Untergrundes in drei Ebenen anlegen, über die man nun bis zum Altarraum emporschreitet. Dennoch gelang dem Baumeister der überzeugende Eindruck eines geschlossenen Gesamtraumes.

ℹ️ Pfarrkirche Sankt Alto: So und n. Vereinb., Tel. 0 82 54/82 35.

Maria Birnbaum Verblüfft steht man vor diesem hellen Kirchenbau im grünen Aichacher Hügelland bei

Sielenbach. Die Vielzahl von Kuppeln und zwiebelbehelmten Türmchen erinnert eher an den russischen Kreml als an eine bayerische Barockkirche. Dabei ist es nur so, daß dieses Frühwerk des Barock in Bayern (1661–1668) die Herkunft vieler seiner Bauelemente aus der byzantinischen Bautradition noch deutlicher zeigt als viele der späteren Werke. Im Innern vereinfacht sich das verwirrende Äußere jedoch zu einem klaren Rundbau mit einer reichhaltigen Stuckzier.

Fürstenfeldbruck Mit ihrer wuchtigen Fassade dominiert die ehem. Klosterkirche Mariä Himmelfahrt die Anlage des ehem. Zisterzienserklosters. Auch das Innere des 1741 geweihten Gotteshauses wirkt eher schwer, doch läßt die Helligkeit die prachtvolle, farbige Stuckornamentik und die Deckenfresken Cosmas Damian Asams aufleuchten.

ℹ️ Klosterkirche Mariä Himmelfahrt: So und feiertags 13.30–18.30 Uhr (Mai–September), sonst 13.30–16.30 Uhr.

Der barocke Saum der Donau

Wie Perlen an einer Schnur reihen sich entlang der Donau zahlreiche hervorragende Bauten des Barock. Hier sind es nicht nur Kirchen und Klöster, die im 17. und 18. Jh. im Stil der Zeit neu errichtet oder ausgeschmückt wurden – auch bei den städtischen Profanbauten haben Barock und Rokoko deutliche gestalterische Spuren hinterlassen. Auf dieser Tour durch die anmutige bayerische Donaulandschaft laden Adelssitze und Residenzen, Gotteshäuser und Klöster zum Verweilen ein.

Bergen Gerade im katholischen Donauraum waren Wallfahrten einst ein fester Bestandteil des Lebens, und so nimmt es nicht wunder, daß man hier auf etliche Wallfahrtskirchen trifft. Die Heiligkreuzkirche in Bergen nahe Neuburg war ursprünglich eine romanische Hallenkirche; der mächtige Glockenturm erinnert an diese Zeit. Die Jesuiten ließen sie 1755–1758 von einem italienischen Baumeister aus Eichstätt, Giovanni Domenico Barbieri, barockisieren und zur Wallfahrtskirche ausbauen. Er verlieh dem Innern den Charakter eines weiten, hellen Saalbaus, der mit seinem dezenten Schmuck den Eindruck großer künstlerischer Geschlossenheit vermittelt. Blickfang ist der sehr edel wirkende Hauptaltar in Marmor und Gold.

ℹ️ Führungen So 14 Uhr und n. Vereinb., Tel. 0 84 31/28 21.

Ingolstadt Die große Zeit der einstigen Herzogsresidenz endete, als im Jahr 1503 der Landshuter Zweig der Wittelsbacher ausstarb und die Stadt an die Münchner Linie zurückfiel. Damals standen schon fast alle jene Bauten, die noch heute das Bild der Altstadt bestimmen. Die Barockzeit hat nur weniges, dafür aber äußerst Reizvolles hinzugefügt, so z. B. das mit leichter Hand stuckierte Ickstatthaus in der Ludwigstraße 5. Die großartige Barockausstattung in der Stadtpfarrkirche Sankt Moritz – wertvolle Fresken und Stukkaturen – fiel im 19. Jh. einer Regotisierung zum Opfer, konnte aber bei der Wiederherstellung nach dem Zweiten Weltkrieg zum Teil erneuert werden. Tabernakel und Schnitzfiguren des Hochaltars stammen von dem früheren, 1888 abgebauten Altar.

Ein besonderes Kleinod des baye-

Prunkzelt in Ingolstadt *Am 12. August 1687 unterlag das rund 60 000 Mann starke Heer der Türken in Mohács im heutigen Ungarn in einer erbitterten Schlacht den kaiserlichen Truppen unter Herzog Karl von Lothringen. Mit von der Partie waren auch* *bayerische Soldaten, die u. a. dieses märchenhaft verzierte Wohnzelt des Großwesirs Suleiman II. erbeuteten (oben). Neben anderen Beutestücken aus den Türkenkriegen ist es im Bayerischen Armeemuseum zu bewundern.*

Wallfahrtskirche Aufhausen *Ein Kuppelgemälde im Hauptschiff (rechts oben) erzählt die Maria-Schnee-Legende: Im 4. Jh. fand Papst Liberius mitten im Sommer in Rom einen verschneiten Hügel. Darauf stiftete er dort eine Kirche.*

rischen Rokoko ist die hochgiebige Kirche Maria de Victoria (1732 bis 1736), ursprünglich ein Betsaal der Marianischen Studentenkongregation, einer katholischen Laienbewegung. Den Höhepunkt ihrer verschwenderisch prachtvollen Innenausstattung, das grandiose, 600 m² große Deckenfresko, schuf Cosmas Damian Asam 1734 angeblich in der kurzen Zeit von nur sechs Wochen. Dargestellt sind die Heilige Jungfrau als Königin des Himmels und Mittlerin der göttlichen Gnade, Personifikationen der vier Erdteile und der Höllensturz. Die berühmte silberne Monstranz in der Sakristei wurde 1708 von einem Augsburger Goldschmied geschaffen. Das äußerst wertvolle Kunstwerk erinnert an den Sieg der Christen über die heidnischen Türken in der Seeschlacht bei Lepanto: Gezeigt werden ein sinkendes Türkenschiff, ein fliehender Sultan und ertrinkende Haremsda-

men. In der Sakristei ist auch das Tillykreuz zu sehen, das der kaiserliche Heerführer angeblich bei seinen Feldzügen mitführte.

Wer sich für die Entwicklung des Waffenwesens vom späten Mittelalter bis zum Ersten Weltkrieg interessiert, kommt im Armeemuseum voll auf seine Kosten. Zu den Exponaten zählen prunkvolle Beutestücke aus den Türkenkriegen und die sogenannten „Pappenheimer", eine Serie schwarzer Reiterharnische aus dem Dreißigjährigen Krieg.

ℹ️ Asamkirche Maria de Victoria, Neubaustraße: Di–So 9–12, 13–17 Uhr.
Bayerisches Armeemuseum im Neuen Schloß: Di–So 8.45–16.30 Uhr.

Weltenburg Der Überlieferung nach entstand schon im 7. Jh. auf dem Gleithang gegenüber dem Donaudurchbruch ein Kloster. Diese zwar sehr malerische, aber hochwassergefährdete Lage sowie durch Krieg

entstandene Schäden und Mißwirtschaft brachten die Benediktinerabtei mehrmals an den Rand des Ruins. Um so verdienstvoller ist der Entschluß des Abtes Maurus Bächl, 1714 den jungen und noch wenig bekannten Cosmas Damian Asam und seinen Bruder Egid Quirin mit dem Wiederaufbau zu beauftragen.

Von einem zweijährigen Aufenthalt in Rom, wo sie viel von Gianlorenzo Bernini lernten, hatten die beiden Söhne des Freskomalers und Stukkateurs Hans Georg Asam das römische Barock mit nach Süddeutschland gebracht. In ihrer folgenden 20jährigen Zusammenarbeit sollten die Brüder die spätbarocke Baukunst in Bayern beherrschen und sie zu epochalem Rang führen, wobei Cosmas eher für die Malereien, Egid dagegen für die plastische Ausgestaltung ihrer gemeinsamen Bauwerke zuständig war.

Die 1718 geweihte Kirche des Klosters Weltenburg gehört zu den schönsten Werken der beiden begnadeten Künstler. Hinter einer dezenten Fassade schufen sie einen zwar dämmrigen, schweren, aber höchst imposanten ovalen Raum, in dem nur über dem Georgsaltar ein helles, sonnengelbes Fenster leuchtet. In der für die Asams typischen theatralischen Dramatik gibt dieser Altar einem heiligen Georg aus Gold und Silber zu Pferde seinen großen Auftritt. In römischer Rüstung reitet der tapfere Ritter als strahlender Held durch die Ehrenpforte des Altaraufsatzes. Er hat den Drachen besiegt und so die Menschheit vom Bösen befreit. Sehr effektvoll ist das Licht eingesetzt: Es kommt aus den Kulissen, von oben und von hinten. Hinter dem Reiter ist in den zartesten Farben Mariä Empfängnis dargestellt.

Einmalig in ihrer künstlerischen Vollendung ist auch die Scheinarchitektur des Deckenfreskos in der Kuppel. Die Wölbung hört auf hal-

Von Bergen nach Passau Dieser Donauabschnitt ist fast zu schön, als daß man nur historische Stätten aufsuchen sollte. Idyllische oder grandiose Landschaften laden zum Verweilen. Kunst und Natur: Auf dieser Reise sind sie vereint.

ber Höhe auf, doch die malerische Ausgestaltung erweckt die Illusion, daß sich die Wölbung bis ganz oben fortsetzt. Das Fresko zeigt die Himmelfahrt der göttlichen Jungfrau.

Weltenburg ist ein vielbesuchtes Ausflugsziel, nicht nur um seiner Lage und vortrefflichen Kunst willen, sondern auch wegen des köstlichen dunklen Klosterbiers, das in Biergarten und Klostergaststätte ausgeschenkt wird.

ℹ️ Klosterkirche: Besichtigung n. Vereinb., Tel. 0 94 41/16 62.

Aufhausen Hoch über dem Tal der Großen Laaber südwestlich von Regensburg thront die Wallfahrtskirche Maria Schnee. Jüngst renoviert, zeigt sie nun wieder jenen Glanz, der dem Oberpfälzer Baumeister Johann Michael Fischer vorgeschwebt haben muß, als er diesen Bau 1736–1751 schuf. Von außen fast kantig, schlicht, gliedert sich die Kirche innen in drei Räume: eine kleine Vorhalle, ein achteckiges Schiff und einen quadratischen Chor. Sie erscheinen dem Besucher allerdings nicht als eckig, sondern wirken durch die Kunst Fischers rund, wie weich ineinandergleitend. Strahlende Helligkeit durchflutet diese Kirche, die vergleichsweise sparsam

Kloster Weltenburg
Wo sich die Donau in Jahrtausenden einen Durchbruch durch die Kalkwände des Jura geschaffen hat, liegt auf einem schmalen Uferrand das kleinste der bayerischen Barockklöster. Fast 100 m hoch säumen steile, zerklüftete Felswände den Flußlauf. Vom Boot aus erschließt sich dem Besucher das gewaltige Naturwunder am schönsten. Das schlichte Äußere des Klostergebäudes läßt nicht vermuten, daß es im Innern wertvolle Schätze birgt.

mit Stuck ausgeschmückt ist. So ziehen die Deckenfresken und der Altar in milden Rot- und Brauntönen alle Aufmerksamkeit auf sich.

Straubing Auch wenn die bedeutendsten Bauten dieser Stadt aus dem späten Mittelalter stammen, vermochte die Barockzeit ihr doch noch das eine oder andere Glanzlicht aufzusetzen. So entstand beispielsweise zwischen 1736 und 1740 die lichtdurchflutete Ursulinenkirche, deren Errichtung die Brüder Asam leiteten: Egid Quirin als Architekt, Cosmas Damian als Maler. Sie war das letzte gemeinsame Werk der beiden. Anfang des 18. Jh. barokkisierte der Amberger Wolfgang Dientzenhofer die ursprünglich spätgotische Karmeliterkirche, und um 1753 schuf der Münchner Hoftischler Wenzel Miroffski die äußerst üppig verzierte Kanzel in der Pfarrkirche Sankt Jakob. Die beherrschenden Farben der Kanzel sind Gold, Marmorgelb und Elfenbein. Lohnend ist ein Besuch der im 17. und 18. Jh. neu gestalteten Seitenkapellen. Die Maria-Hilf-Kapelle besticht mit einer Stuckdecke, die auf das alte Netzrippengewölbe aufgetragen wurde, und die Maria-Tod-Kapelle mit einem Stuckmarmoraltar von Egid Quirin Asam.

Ein bewegendes Dokument des typisch barocken Zwiespalts zwischen extremer Diesseitsfreude und geradezu lustvoller Jenseitsangst ist der makabre Totentanzzyklus in der Seelenkapelle auf dem Friedhof von Sankt Peter östlich der Altstadt. Felix Hölzl hat ihn 1763 mit großem Realismus gemalt, bevor er bald darauf, noch jung an Jahren, starb.

In der Stadt selbst prunkt noch manche Barockfassade. Ein prächtiges Monument der Zeit ist die 1709 von Bürgern gestiftete Dreifaltigkeitssäule am Theresienplatz. Als die Stadt 1704 von den Österreichern belagert wurde, hatten sie gelobt, eine Säule zu errichten, falls die feindlichen Truppen die Stadt nicht einnehmen würden. Sie wuchs zu einem stolzen Monument von 15 m Höhe heran.

ℹ Ursulinenkirche: täglich 8.30–17 Uhr nur nach Voranmeldung, Tel. 0 94 21/1 00 77.
Seelenkapelle: Di–So 10–12, 13–17 Uhr.

Oberalteich Zwischen zwei Stilepochen entstand die Kirche dieses ehem. Benediktinerklosters, Sankt Peter, deren originelle Pläne der Abt Vitus Höser selbst entwarf. 1622–1630 ließ er sie als dreischiffige Hallenkirche erbauen, die noch deutlich Nachwirkungen der Gotik zeigt, wenngleich die Bewegtheit der Formen bereits ein Merkmal des Barock ist. In der Vorhalle befinden

sich seltsame Vogelfiguren aus Stuck. Das Kircheninnere bedeckte man rund 100 Jahre später fast völlig mit ungewöhnlich dunklen, dekorativen Malereien, die Architekturteile und Stuckelemente vortäuschen.
ℹ Besichtigung nur nach Vereinb., Tel. 0 94 22/13 55.

Metten Glanzvoller Höhepunkt des noch heute den Benediktinern gehörenden Klosters Metten, dessen Gebäude weitgehend dem frühen 17. Jh. entstammen, ist die prunkvolle Bibliothek im Ostflügel, ein Juwel des bayerischen Barock und eine der schönsten Klosterbibliotheken im süddeutschen Raum. 1706–1720 stattete Franz Josef Holzinger ihre Räume auf das prächtigste mit Stuck, farbenfrohen Fresken und wertvollen Alabasterreliefs auf schwarzem Grund aus. Die Gewölbe werden von kräftigen Stützfiguren getragen, den Atlanten. Im Zeitalter des Barock wurden diese nach dem griechischen Titanen Atlas benannten Gebälkträger, die aus der antiken Baukunst stammen, wieder sehr beliebt. Die Kirche selbst ist ein heller, freundlicher Raum, in dem in erster Linie ein Gemälde Cosmas Damian Asams am Hochaltar auffällt: Es zeigt Luzifers Sturz durch den Erzengel Michael.
ℹ Klosterbibliothek: Besichtigung n. Vereinb., Tel. 09 91/3 82 10.

Niederalteich Schon von weitem grüßen die mächtigen Doppeltürme der Klosterkirche Sankt Mauritius. Von den Klosterbauten dieser ältesten Benediktinerabtei Bayerns (gegründet im 8. Jh.) hat die Säkularisation nur wenig übriggelassen, doch die barocke Pracht der Kirche ist unzerstört erhalten geblieben. Nach schweren Bränden im 17. Jh. konnte das Gotteshaus erst ab 1718 wieder aufgebaut werden. Zwar verwendete man dabei die stehengebliebenen Umfassungsmauern für den Neubau, doch im Innern zog der Geist des Barock ein, der den Besucher vergessen läßt, daß er eigentlich in einem gotischen Raum steht. Interessant ist neben vielem anderen die Stuckierung. Hier lassen sich deutliche Unterschiede zwischen den Arbeiten der italienischen und deutschen Künstler erkennen. Die italienischen Brüder d'Aglio setzten die kräftigeren, wuchtigeren Akzente, während der Einheimische Franz Ignaz Holzinger feines Rankenwerk und Bandmuster bevorzugte.

Osterhofen Die äußerlich bescheidene ehem. Prämonstratenserklosterkirche Sankt Margaretha, im Ortsteil Altenmarkt abseits der Donau gelegen, ist eines der strahlendsten Werke der Brüder Asam. Dem von Johann Michael Fischer

Metten Riesenhafte Gestalten scheinen die farbenprächtig und aufwendig geschmückten Gewölbe der Klosterbibliothek zu tragen (oben). Die Motive der 14 Deckenbilder stehen in direktem Zusammenhang mit dem Inhalt der Bücher in den holzgeschnitzten Schränken darunter.

Straubing Einen reizvollen architektonischen Kontrast bilden die 15 m hohe barocke Dreifaltigkeitssäule und der mächtige Stadtturm aus dem 14. Jh. (rechts). Dessen vier Nebentürmchen dienten einst der Wache als Auslug.

Passau Schon Alexander von Humboldt soll das „bayerische Venedig" zu den sieben schönsten Städten der Welt gezählt haben (links). Verständlich ist das schon: Landschaftliche und bauliche Schönheit gehen eine harmonische Synthese ein. Links im Bild der alles überragende Dom.

Veste Oberhaus in Passau *Seit über 30 Jahren gehören die „Europäischen Wochen" zu den kulturellen Leckerbissen in Ostbayern (unten). Hier spielt das Theaterorchester vor einem aufmerksamen Publikum eine Serenade.*

1727–1728 errichteten Bau haben sie mit überaus reicher Stuckzier, mit bewegten Fresken und einem theatralisch inszenierten, ausgesprochen heiteren Altarraum überwältigenden Glanz verliehen. Neben viel Weiß bestimmen vor allem Gold und helle Brauntöne, dazu ein kräftiges Grün das Farbbild dieser Barocksinfonie. Unter der Westempore hat sich Cosmas Damian Asam selbst ein Denkmal gesetzt: Ein Fresko zeigt ihn neben seiner Signatur als demutsvollen Zöllner.

ⓘ Führungen Di, Do 15 Uhr und n. Vereinb., Tel. 0 99 32/12 53.

Aldersbach Auch die ehem. Klosterkirche Mariä Himmelfahrt bietet ein Bild barocker Pracht, die zu großen Teilen wieder aus der Hand der Brüder Asam stammt. Glanzpunkte im Innern sind die von zwei Pfeilern getragene Orgelempore, der wuchtige, in Gold und hellem Braun gehaltene Hochaltar und die Fresken an der Langhausdecke, den Wänden und im Chor, die Szenen aus der Heilsgeschichte erzählen. Eine Besonderheit vieler Zisterzienserklöster, so auch hier, ist die sogenannte Portenkapelle, die man im Torbereich des Klosters für die Laien errichtete. Sie ist mit einem feinfarbigen Fresko von Matthäus Günther geschmückt.

ⓘ Besichtigung Mo–Sa 10–17 Uhr (Mai–Mitte November), Juni–September auch So 10–17 Uhr, sonst n. Vereinb., Tel. 0 85 43/14 77.

Fürstenzell Hinter der etwas kühl wirkenden Fassade der ehem. Klosterkirche mit ihren zwei ungewöhnlich weit auseinander stehenden schlanken Türmen öffnet sich ein Kirchenraum von großer Helligkeit. Ihrem Architekten Johann Michael Fischer gelang es, einen lebendigen Raum voller Bewegung zu schaffen, die von Stuck und Bildern in Grau, Rosa und Gold noch betont wird. Der schöne Altar mit gedrehten Säulen und graziösen Engeln am Tabernakel (1741) stammt von dem Münchner Meister Johann Baptist Straub. Im Kloster selbst ist die hervorragende Rokokobibliothek im Ostflügel sehenswert, ein großer Saal mit geschwungenen, von Marmorsäulen getragenen Emporen und kunstvollen Regalen.

ⓘ Klosterbibliothek: Führungen n. Vereinb., Tel. 0 85 02/2 56.

Passau Abschluß und wohl auch Höhepunkt der Tour entlang der Donau ist eine der schönsten Barockstädte Deutschlands: Passau. Das vorwiegend barocke Altstadtbild verdankt Passau zwei Katastrophen, nämlich den verheerenden Stadtbränden von 1662 und 1680. Kaum ein Gebäude der Altstadt war damals vom Feuer verschont worden. Auch vom Dom Sankt Stephan blieben nur der spätgotische Ostchor und das Querhaus. Für den Neubau verpflichtete der Fürstbischof fast ausschließlich italienische und Tessiner Künstler, die ab 1668 in einer Bauzeit von rund 20 Jahren die 101 m lange und somit größte hochbarocke Kirche Süddeutschlands errichteten. Die Orgel auf der Westempore fügt sich mit ihren Ausmaßen gut in den Dom ein; sie ist mit rund 17 300 Pfei-

fen die größte ihrer Art in der Welt. Das Innere der Kathedrale beeindruckt durch die wohlstrukturierte, plastische Kraft des italienischen Barock, wirkt aber durch das hereinströmende Licht und die hellen Farben, vor allem Blautöne, in den Fresken doch leicht und heiter.

Auch der übrigen Stadt gaben die mit dem Wiederaufbau beauftragten italienischen Künstler ein beinahe einmaliges südliches Gepräge. Ganze Straßenzeilen mit aufeinander abgestimmten barocken Fassaden entstanden neu, so etwa am Rindermarkt oder an der Theresienstraße. Von barocker Pracht und Frömmigkeit künden ebenfalls die 1677 errichtete ehem. Jesuitenkirche Sankt Michael mit ihrer imponierenden Zweiturmfassade und die repräsentative Front der Neuen Bischöflichen Residenz (1730), in deren Räumen das Diözesanmuseum eingerichtet wird.

Alljährlich finden von Mitte Juni bis Anfang August in verschiedenen Gebäuden die „Europäischen Wochen" statt. Ein anspruchsvolles kulturelles Programm mit Konzerten, Ballett-, Theater- und Opernaufführungen macht die Stadt zum Forum der Begegnung.

ⓘ Dom Sankt Stephan: Mo–Sa ganztags, So nach dem Gottesdienst; Orgelkonzerte Mo–Sa 12–12.30 Uhr (Mai–Oktober).

Diözesanmuseum, Residenzplatz (ab Mai 1989): Mo–Sa 12.30–17.30, So 12–17.30 Uhr.

„Europäische Wochen": Auskunft unter Tel. 08 51/3 30 38.

Altötting Mehr als 500 000 Menschen pilgern jährlich zur Schwarzen Madonna, die im achteckigen Teil der Gnadenka- pelle aufbewahrt ist.

Altötting Schon Erzherzogin Maria Theresia und Marie Louise, die zweite Frau Napoleons, pilgerten zu diesem ältesten und berühmtesten Wallfahrtsort in Bayern. Mittelpunkt der Stadt ist die innen mit schwarzem Marmor ausgekleidete Gnadenkapelle mit der Schwarzen Madonna. Diese um 1300 entstandene Holzschnitzarbeit, von Kerzen rußgeschwärzt, hat man im 17. Jh. mit einem prächtigen Brokatornat versehen. Rechts daneben kniet die lebensgroße Silberfigur des zehnjährigen Prinzen Maximilian, ein bezauberndes Werk des Rokoko (1737), das der Vater des Kindes nach dessen Genesung aus Dankbarkeit gestiftet hat.

Augsburg Das Schaezlerpalais in der Maximilianstraße ist der prächtigste profane Barockbau der Stadt. Der um 1765 für den Bankier von Liebert errichtete Palast beherbergt heute im fein stuckierten Festsaal eine Kunstsammlung. Werke bedeutender in- und ausländischer Künstler der Zeit zwischen 1600 und 1800 vermitteln einen guten Überblick über die Entwicklung der Malerei zur Zeit des Barock.
ℹ️ Deutsche Barockgalerie: Di–So 10–17 Uhr (Mai–September), sonst Di–So 10–16 Uhr.

Bad Sooden-Allendorf Nach 1635 begann die schlimmste Zeit des Dreißigjährigen Krieges. Wie Heuschreckenschwärme fielen Söldner aller Länder in Deutschland ein. Kroatische Soldateska machte 1637 Allendorf an der Werra, das etwa 30 km östlich von Kassel liegt, regelrecht dem Erdboden gleich; Sooden kam glimpflicher davon. Mit bewundernswerter Energie gingen die Überlebenden der Massaker schon im darauffolgenden Jahr an den Wiederaufbau. Trotz der Kriegswirren entstanden prachtvolle Fachwerkhäuser, die den Straßen und Gassen der Stadt noch heute ein malerisches Gepräge geben.

Bad Wurzach Schon in den Schlössern der Renaissance gab es gelegentlich recht interessante Treppenhäuser, doch erst das Barock entdeckte sie als eigenständige, gestaltungsfähige Baukörper. Auch in kleinen Residenzen, wie dem 1723 begonnenen Schloß im oberschwäbischen Bad Wurzach, rund 11 km westlich von Memmingen, schmückte man das Treppenhaus auf das prächtigste. Durch drei Geschosse steigen die Windungen mit oval geschwungenen Läufen; die Wände und das hohe Gewölbe zieren pastellfarbene Fresken mit illusionistischen Blendfenstern und Szenen der Herkulessage.

Bad Sooden-Allendorf Die malerische Fachwerkhauszeile von Allendorfs Kirch- straße blieb fast voll- ständig erhalten. Ein zweigiebliger Erker belebt das Haus Schmidt.

Bopfingen 1718–1737 ließ Graf Öttingen Schloß Baldern, auf einer bewaldeten Anhöhe auf der östlichen Schwäbischen Alb gelegen, zu einer prachtvollen Barockresidenz ausbauen. Im Innern erhielten der Kaisersaal und die Kapelle kraftvolle Stukkaturen von Johann Jakob und Ulrich Schweizer aus Deggingen. Heute befindet sich im Schloß ein informatives Museum, das in herrschaftlichen Wohnräumen Möbel, Gemälde, Uhren und Öfen des 18. Jh. präsentiert; außerdem kann man eine stattliche Waffensammlung aus Beständen des ehem. fürstlichen Arsenals besichtigen.
ℹ️ Schloß Baldern: Di–So 9–11, 13.30–17 Uhr (Mitte März–Oktober).

Büren Als 1661 das Geschlecht der Edelherren von Büren ausstarb, fiel ihr Besitz mit Stadt und Befestigung an den Jesuitenorden. 1719–1728 entstand auf dem Platz der ehem. Burg die imposante Dreiflügelanlage des Jesuitenkollegs. Ab 1751 baute man die Kirche, die im Kern ihres Grundrisses zwar ein Kreuz bildet, aber rechtwinklig erscheint, da die Seitenschiffe die Winkel der kurzen Querarme ausfüllen. Der dem bayerischen Geschlecht der Wittelsbacher entstammende Kunstfreund Kurfürst Clemens August, Erzbischof von Köln und Bischof von Paderborn, legte persönlich den Grundstein zu dieser so süddeutsch anmutenden Barockkirche in Westfalen. Von der feinen Innenausstattung beeindrucken besonders die Stukkaturen und die perspektivische Deckenmalerei des Asamschülers Josef Gregor Winck.
ℹ️ Jesuitenkirche: täglich 9–18 Uhr, Besichtigung wegen Innenrestaurierung bis 1991 eingeschränkt.

Düsseldorf 1622 stiftete Graf Wolfgang Wilhelm von Pfalz-Neuburg den Jesuiten eine Kirche, die seiner Familie zugleich als Hof- und Grabkirche dienen sollte. Die heutige kath. Pfarrkirche Sankt Andreas ahmt nicht – wie viele andere Jesuitenkirchen des Rheinlands – romanische oder gotische Vorbilder nach, sondern ist im Stil des süddeutschen Barock gehalten, was sich schon an der nach italienischem Muster dreigeteilten Fassade zeigt. Monumentales Barock in Weiß und Gold beherrscht auch das Innere der dreischiffigen Emporenkirche. Im überkuppelten Zwölfeck des Mausoleums wurde 1716 der populäre Kurfürst Johann Wilhelm, den der Volksmund „Jan Wellem" nannte, bestattet. Vor dem Alten Rathaus

Bad Wurzacher
Schloß *Sein Treppenhaus wird oft als das schönste Stiegenhaus in Oberschwaben bezeichnet. Die oval geschwungenen weißen Läufe sind reich stuckiert.*

steht sein schon zu Lebzeiten errichtetes Reiterdenkmal.

Freiburg Das 17. und 18. Jh. waren für die ehemals reiche Zähringerstadt Freiburg im Breisgau eine harte Zeit, in der sie mehrmals erobert wurde. Trotzdem entstanden damals einige bemerkenswerte barocke Gebäude, so z. B. das Haus „Zum schönen Eck", dessen Fenster phantasievolle Steinköpfe des Bildhauers Christian Wenzinger schmücken, das ehem. Deutschordenspalais, 1768 von Franz Anton Bagnato errichtet, und die äußerlich bescheidene Adelhauser Kirche, deren reizvolles Inneres die Farbenfreude des Barock widerspiegelt.
ⓘ Adelhauser Kirche: nur n. Vereinb., Tel. 07 61/7 29 55.

Friedrichstadt Mit seinen schachbrettartig angelegten Straßen, den baumgesäumten Kanälen und den Kaufmannshäusern mit ihren hellen Giebeln weist der schleswig-holsteinische Ort typische Charakterzüge einer niederländischen Handelsstadt des 17. Jh. auf. Der erst 24jährige Herzog Friedrich III. von Gottorf ließ sie 1621 von holländischen Remonstranten, die ihres Glaubens wegen verfolgt wurden, anlegen. Der Fürst wollte die Stadt zu einem internationalen Handelszentrum ausbauen, doch der Dreißigjährige Krieg machte seine Pläne zunichte. Viele seiner neuen Untertanen zo-

Jan Wellem in Düsseldorf *Während seiner fast 40jährigen Regierungszeit förderte der Kurfürst vor allem Kunst und Kultur. Gabriel Grupello schuf das bedeutende barocke Reiterdenkmal auf dem Marktplatz.*

gen die religiöse Intoleranz der Heimat dem Kriegsterror im Asylland vor und wanderten wieder ab. Schmuckstücke des gut erhaltenen Ortsbildes sind die geschlossene Häuserfront mit schmalen Treppengebeln am Markt und das Alte Münze genannte Haus (1626) am Mittelburgwall.

Glücksburg Das barock ausgestaltete Innere des berühmten, in der Renaissance erbauten Wasserschlosses, das etwa 8 km nordöstlich von Flensburg liegt, bietet viele Sehenswürdigkeiten wie alte Kamine, Originalfußböden, Jagdwaffen und wertvolle Möbel aus dem 18. Jh. Höhepunkte sind die Gobelinsammlung mit Stücken aus Brüssel und Lille und die kostbaren Ledertapeten aus Ziegenhäuten.
ⓘ Schloß Glücksburg: Di–So 10–16.30 Uhr (Mitte Mai–September), Di–So 10–12, 14–16.30 Uhr (Oktober–Januar und März–Mitte Mai).

Hamburg „Michel" nennt man liebevoll den berühmten, sich in Stufen verjüngenden Westturm der Michaeliskirche (1751–1786). Mit seinem Aufbau in Form eines Säulenrundtempels mit Kuppelhaube ist er 82 m hoch und bietet einen herrlichen Blick über den Hafen. Leonard Prey und Ernst Georg Sonnin, der auch den Turm entwarf, waren die Baumeister der Kirche, deren Inneres mit seiner geschwungenen Empore und dem weiten Muldengewölbe hauptsächlich in Weiß und Gold gehalten ist.
ⓘ Michaeliskirche: Mo–Sa 9–17, So 12–17 Uhr (15. März–Oktober), sonst Mo–Sa 10–16, So 12–17 Uhr.

Heusenstamm Nach einem 1739 von Balthasar Neumann vorgelegten Entwurf entstand die kleine, elegante Begräbniskirche der Grafen von Schönborn. Sie ist heute kath. Pfarrkirche der Gemeinde, die etwa 21 km nordöstlich von Aschaffenburg liegt. Den zierlichen Hochaltar in dem einschiffigen Raum schuf ein Würzburger Bildhauer, aus dessen Werkstatt auch die Kanzel stammt. Die feinen Deckenfresken von Christian Scheffler aus Augsburg stellen u. a. die Auferstehung Christi und die Erweckung des Lazarus dar.

Jüchen Die von Wassergräben umzogene Anlage von Schloß Dyck, etwa 7 km nordöstlich des niederrheinischen Jüchen, umfaßt zwei ältere Vorburgen und ein barockes Herrenhaus, eine Vierflügelanlage mit fast quadratischem Innenhof. Die polygonalen Ecktürme tragen hübsche Schweifhauben. Vieles von der kostbaren Innenausstattung, wie etwa die Deckengemälde im Ostflügel, stammt noch aus der Erbauungszeit um 1656; anderes gehört dem 18. Jh. an, wie z. B. die von

Glücksburger Ledertapete *3 × 4,5 m mißt dieses Ledertapetenbild, das um 1670 vermutlich in Flandern entstand. Blattsilber, das durch Firnisauftragung wie Gold aussieht, bildet den Hintergrund für die kräftigen Farben.*

François Rousseau gemalten Tapeten, auf denen Gesellschaftsspiele des 18. Jh. dargestellt sind.
ⓘ Schloß Dyck: nur mit Führung Di–So 10, 11, 13–17 Uhr (April–Oktober).

Köln Der flämische Maler Peter Paul Rubens verbrachte einen großen Teil seiner Jugend in der Pfarre von Sankt Peter. Sein Vater, der in der Kirche (Jabachstraße) begraben ist, war aus politischen und religiösen Gründen nach Köln geflohen. 1637 erhielt Rubens den Auftrag für ein Bild, das den Hochaltar zieren sollte; das Motiv durfte er selbst wählen. Er entschied sich für die Kreuzigung Petri. Kurz vor seinem Tod im Jahr 1640 vollendete er das ausdrucksstarke Gemälde, das heute an der Ostwand des nördlichen Seitenschiffes angebracht ist.
Sankt Mariä Himmelfahrt, die 1618 errichtete ehem. Jesuitenkirche in der Marzellenstraße, ist der bedeutendste Ordensbau des Barock in Nordwestdeutschland. Ihr Aschaffenburger Architekt griff ganz bewußt auf romanisch-gotische Stilelemente zurück, verknüpfte sie aber aufs beste mit den geschwungenen Formen des Frühbarock.
ⓘ Sankt Peter: Mo–Sa 11–18, So 12–18 Uhr.
Sankt Mariä Himmelfahrt: Mo–Sa 10–12, 15–17, So 15–17 Uhr.

Hohhaus-Museum Lauterbach Der reichverzierte Schrank aus dem 18. Jh. zählt zu den Prunkstücken des Museums. Die umfangreiche Möbelsammlung informiert über das handwerkliche Schaffen der letzten 500 Jahre im Lauterbacher Raum.

Lauterbach General Freiherr Friedrich Georg Riedesel ließ sich um 1770 in Lauterbach nordöstlich des Vogelsbergs Schloß Hohhaus erbauen, das aus einem imposanten Hauptgebäude mit Mansardendach und zwei bescheidenen Seitenflügeln besteht. Im Innern beeindrucken die phantasiereichen Stukkaturen im Großen Saal und die Treppe mit den reich geschnitzten Geländern. Heute beherbergt das Schloß das Hohhaus-Museum mit seinen heimatkundlichen Sammlungen.

In der ev. Stadtkirche, einer der schönsten Rokokokirchen in Hessen, haben viele Mitglieder der Familie Riedesel ihre letzte Ruhestätte gefunden. Besonders prachtvoll sind die Ornamente an der Orgel und die Kanzelwand aus farbigem Stuckmarmor.

ℹ Hohhaus-Museum: Di–So 10–12, 14–17 Uhr.

Lich Die 1320 geweihte und im 16. Jh. umgebaute Marienstiftskirche im oberhessischen Städtchen Lich besitzt eine wunderschöne, um 1770 entstandene Kanzel, die sich von der sonst nüchternen Innenausstattung des Gotteshauses eindrucksvoll ab-

hebt. Den geschwungenen Kanzelkorb, der wie ein Tulpenkelch wirkt, umgeben sehr lebendig aussehende Figuren verschiedener Kirchenlehrer. Den Schalldeckel ziert eine stehende Figur des Moses mit den Zehn Geboten.

ℹ Ev. Marienstiftskirche: Besichtigung n. Vereinb., Tel. 0 64 04/36 66.

Mainz Drei bedeutende Kirchenbauten zeugen in Mainz vom Glanz der Barockzeit. So weist die 1771 vollendete Augustinerkirche in der Augustinerstraße mit ihrer eindrucksvollen Figurengruppe über dem Portal ins Rokoko.

Die etwas früher fertiggestellte Kirche Sankt Ignaz in der Kapuzinerstraße dagegen neigt schon dem neuen Stil des Klassizismus zu, was besonders an der nach französischen Vorbildern klar gegliederten Fassade deutlich wird.

Als schönste Barockkirche von Mainz gilt freilich Sankt Peter, ein prachtvoller Bau mit roter Sandsteinfront und zwei Zwiebeltürmen, 1749–1756 von Johann Thomann erbaut (Große Bleiche). Die schweren Schäden des Zweiten Weltkrieges konnten, soweit das Äußere betroffen war, in den 60er Jahren behoben werden.

Keramik in Mettlach Gegen Ende des 18. Jh. entstand diese luxemburgische Punchbowle aus Feinsteingut mit blau gemaltem Dekor, die im Keramikmuseum ausgestellt ist.

Mettlach 1728 entwarf Christian Kretschmar die Pläne für die neue Benediktinerabtei von Mettlach. Er schuf am Ufer der Saar die eindrucksvolle barocke Klosteranlage aus rotem Sandstein, dem naturgegebenen Baumaterial der Region. Allein die Vorderfront dieses gewaltigen Komplexes hat eine Länge von 112 m. Heute ist die ehem. Abtei im Besitz der Firma Villeroy & Boch, die hier ein Privatmuseum für Keramik eingerichtet hat.

ℹ Keramikmuseum: Di–Sa 9–12.30, 14–17.30, So, feiertags 10.30–12.30, 14–18 Uhr (April–Oktober), Januar, Februar Sa, So geschlossen, in den restlichen Wintermonaten Sa, So bei schlechtem Wetter geschlossen, Tel. 0 68 64/8 12 94.

München Kurfürstin Henriette Adelaide von Savoyen beauftragte 1663 Agostino Barelli aus Bologna mit dem Entwurf der Theatinerkirche. Die 1678 durch Enrico Zuccalli vollendete Kuppel und die Fassadentürme zählen mit ihren abschließenden Schneckenvoluten zu den originellsten Werken des bayerischen Barock. Angeregt vor allem auch durch die reiche Stuckzier im Innern, erlebte das einheimische Kunsthandwerk einen ungeahnten

Ehem. Klosterkirche Prüm Auch gotische Elemente verwendete der Trierer Hofarchitekt Johann Georg Judas beim Bau der dreischiffigen Barockkirche.

Aufschwung. Doch erst den Brüdern Egid Quirin und Cosmas Damian Asam gelang es Anfang des 18. Jh., der Vorherrschaft der italienischen Wanderkünstler ein Ende zu setzen. Die 1733 begonnene Asamkirche, eine private Stiftung des jüngeren Egid Asam, die sie in der Sendlinger Straße errichteten, ist ein kleines Rokokojuwel. In der nur 9 m breiten und 28 m langen Kirche überraschen vor allem die ungewöhnlichen Lichtverhältnisse: Über dem dunklen Langhaus beleuchten Fenster das prachtvolle Deckengemälde. Die Wände sind mit Stuckmarmor ausgekleidet, der Hochaltar wird von vier prächtigen Säulen eingeschlossen. Gleich links neben der Kirche befindet sich das Wohnhaus Egid Quirin Asams, ein spätgotischer Bau, dem Asam eine barocke Fassade mit reicher Stuckdekoration vorsetzte.

**Bürgermeister-
Hintze-Haus in Stade**
*1621 ließ der Stader
Bürgermeister seinem
Haus eine prächtige
Barockfassade nach
Art des Bremer Ge-
werbehauses vor-
bauen. Das Haus
überstand den Stadt-
brand von 1659 und
die Beschießung
durch die Dänen
1712.*

Neresheim Balthasar Neumanns
letztes Werk, die 1745 begonnene
Benediktinerklosterkirche in Neresheim auf der Schwäbischen Alb,
zählt zu den eindrucksvollsten Barockbauten Europas. Nach dem Tod
des Meisters wurde seine großzügige
Planung im Detail vereinfacht. So
wurden z. B. nur die Deckengemälde
ausgeführt, hervorragende Arbeiten
des Tirolers Martin Knoller, nicht
aber die geplanten Wandgemälde.
Auch die ovale Mittelkuppel, die die
Vierung in einer Ausdehnung von
21 × 23 m überspannt, sowie ihre
tragenden Säulen errichtete man nur
aus Holz. Die immer bedrohlicheren
Schäden, die durch das weniger dauerhafte Baumaterial entstanden,
wurden 1965–1977 durch aufwendige Restaurierungsmaßnahmen behoben. Nepomuk Holzhay schuf
1792–1797 die große Hauptorgel,
deren vier Türme und drei Verbin-
dungskästen mit über 3500 Pfeifen
ausgestattet sind.

Prüm Die 1721–1730 neu errichtete
Kirche der ehem. Benediktinerabtei
südlich der Eifel und die kurz darauf
entstandenen schloßähnlichen Klostergebäude wurden 1949 durch ein
Explosionsunglück schwer beschädigt. Das gesamte, inzwischen restaurierte Äußere der barocken Klosteranlage bezieht seinen Reiz aus
dem wirkungsvollen Zusammen-
spiel der weißverputzten Wandflächen mit der kräftigen, rostroten
Sandsteingliederung, die am Kirchenbau zurückhaltend, am Nordflügel der Klostergebäude dagegen
recht auffällig gestaltet ist.

Rohr Gerade vom Studium in Rom
zurückgekehrt und kaum 25 Jahre
alt, erhielt Egid Quirin Asam 1717
den Auftrag zu Bau und Ausgestaltung der neuen Kirche des Benediktinerklosters von Rohr, das knapp
30 km südwestlich von Regensburg
liegt. Ihr Prunkstück ist der bühnen-
ähnliche Hochaltar, auf dem überlebensgroße, vollplastische Figuren
die Himmelfahrt Mariens gleichsam
als „himmlisches Theater" darbie-
ten. Indirekte seitliche und rückwär-
tige Beleuchtung durch verdeckte
Fenster erhellt die lebendig wirkende Szenerie.
🛈 Klosterkirche Mariä Himmelfahrt: täglich 8–12, 14–18 Uhr.

Schwäbisch Hall 1945 brannte das
Rathaus, ein feudal anmutendes Ro-
kokopalais, bis auf die Umfassungsmauern nieder. Eine liebevolle Restaurierung läßt die schmucken,
zweigeschossigen Bau mit seiner
klaren Gliederung, dem fein geschwungenen Giebelaufsatz, dem

**Roter Haubarg in
Witzwort** *Unter dem
riesigen, reetgedeck-
ten Walmdach sind
außer dem Stapel-
raum Stallungen,
Tenne, Wohnräume,
Gästezimmer und Ge-
sindestuben unter-
gebracht.*

Mansardendach und dem Uhrturm,
der in eine schmiedeeiserne Krone
ausläuft, in alter Pracht erscheinen.

Stade Am 25. Mai 1659 fielen zwei
Drittel der Hansestadt an der Elbe,
die im Westfälischen Frieden den
Schweden zugesprochen worden
war, einem verheerenden Brand
zum Opfer. Der Wiederaufbau in der
Schwedenzeit drückte dem Ort, der
sich nun von einer Handels- zur Be-
amten- und Garnisonstadt entwik-
kelte, seinen Stempel auf. Erhalten
blieben das 1697 errichtete Zeughaus am Pferdemarkt und der fünf
Jahre zuvor gebaute Schwedenspei-
cher am Wasser West, der den Besatzern als Provianthaus diente. Ein
paar Schritte weiter befindet sich
das Bürgermeister-Hintze-Haus mit
seiner schmucken Barockfassade.

Steinheim Der Paderborner Dom-
herr Johann Ignaz von der Lippe
stellte 1720 den Baumeister Justus
Wehmer mit dem Auftrag, ein Wasserschloß in schöner Parklandschaft
am Südostrand des Teutoburger
Waldes zu errichten, vor ein Problem. Schloß Vinsebeck sollte außer
dem geistlichen Herrn auch dessen
drei Brüder aufnehmen; jeder sollte

aber einen Flügel für sich besitzen,
und dennoch sollte ein Bereich für
die gemeinsame Nutzung geschaffen
werden. Die Lösung war eine fünf-
flügelige Anlage in Form des Buch-
stabens H in typisch westfälischem
Barock. Im Innern bewahrt das
Schloß feine Stuckdecken, bemalte
Tapeten und barocke Möbel.

Tegernsee Im letzten Viertel des
17. Jh. erhielt das ehem. Benediktinerkloster in Oberbayern sein barockes Gesicht. Zunächst wurde der
Abteihof westlich der Kirche erneuert, dann wandelte man auch das
spätgotische Gotteshaus in eine
dreischiffige Barockkirche um. Hans
Georg Asam, der Stammvater der
berühmten Künstlerfamilie, besorgte
die Innenausschmückung. Die noch
frühbarock kleinen Bildfelder der
Deckenfresken sind von schweren
Stukkaturen gerahmt, die italienischen Einfluß verraten.
🛈 Ehem. Klosterkirche: Besichtigung n. Vereinb., Tel. 0 80 22/46 40.

Witzwort Die Haubarg genannten
Häuser, die sich die reichen Bauern
der Halbinsel Eiderstedt errichteten,
gehören zu den größten der Welt.
Ein Haubarg soll Heu bergen, und in
der Tat lagerte man im Mittelteil des
Hauses, dem Vierkant genannten,
bis zu 17 m hohen Stapelraum,
Berge von Heu oder Getreide. Der
Rote Haubarg bei Witzwort, Anfang
des 18. Jh. erbaut, bedeckt eine
Grundfläche von fast 700 m².

Westfälischer Friede

Im Herbst des Jahres 1648 kamen Kaiser Ferdinand III. und die Reichsstände in Münster und Osnabrück zusammen, um mit Schweden und Frankreich Frieden zu schließen: Der Dreißigjährige Krieg war damit beendet. Der Friedensvertrag brachte für Deutschland zahlreiche politische Veränderungen mit sich. So heißt es beispielsweise über die Stellung der Reichsstände:

§ 1. Damit aber vorgesorgt sei, daß künftig in der politischen Ordnung keine Streitigkeiten entstehen, sollen alle und jede Kurfürsten, Fürsten und Stände des Römischen Reichs in ihren alten Rechten, Vorzügen, Freiheit, Privilegien und der freien Ausübung der Landeshoheit sowohl in geistlichen als auch in weltlichen Angelegenheiten, in ihren Gebieten, Regalien und deren aller Besitz kraft dieses Vertrages so befestigt und bestätigt sein [...].

§ 2. Ohne Widerspruch sollen sie das Stimmrecht in allen Beratungen über Reichsgeschäfte haben, vornehmlich wenn Gesetze zu erlassen oder auszulegen, Krieg zu beschließen, Steuern auszuschreiben, Werbungen oder Einquartierungen von Soldaten vorzunehmen, neue Befestigungen innerhalb des Herrschaftsgebiets der Stände im Namen des Reichs zu errichten oder alte mit Besatzungen zu versehen, und auch wo Frieden oder Bündnisse zu schließen oder andere derartige Geschäfte zu erledigen sind; nichts dergleichen soll künftig jemals ohne die auf dem Reichstag abgegebene freie Zustimmung und Einwilligung aller Reichsstände geschehen oder zugelassen werden. [...]

§ 3. Es soll aber binnen sechs Monaten nach der Ratifikation des Friedens ein Reichstag abgehalten werden; nachher jedoch sooft es der gemeine Nutzen oder Notwendigkeit erfordern wird. [...]

§ 4. [...] Im übrigen sollen alle löblichen Gewohnheiten und die Verfassungs- und Grundgesetze des hl. Römischen Reichs inskünftig gewissenhaft beobachtet werden und alle Unregelmäßigkeiten, die sich durch die Ungunst der Kriegszeiten eingeschlichen haben, aufgehoben sein.

Westfälischer Friede
Zum Abschluß der monatelangen Friedensverhandlungen legten die Gesandten der Unterzeichnerstaaten im Rathaussaal zu Münster ihren feierlichen Schwur ab. Damit war der Krieg endgültig vorbei.

Heidelberg zerstört

Der französische König Ludwig XIV. strebte die Vorherrschaft in Europa an. Die Erbansprüche, die er für seine Schwägerin Liselotte auf die Pfalz erhob, führten 1688 zum Krieg mit dem Heiligen Römischen Reich Deutscher Nation, der mit der Verwüstung der Pfalz endete. Ein pfälzischer Beamter schildert die Zerstörung Heidelbergs in einem Bericht an seinen Kurfürsten:

Wie die hier gelegenen französischen Truppen des Königs Ludwig XIV. abgezogen sind und in was für einem erbärmlichen Zustand sie das hiesige Schloß und die ganze Stadt hinterlassen haben, dürfte Eurer Kurfürstlichen Durchlaucht schon berichtet worden sein. [...]

Zahlreiche Personen sind von den Franzosen hier festgenommen und weggeführt worden. Sie haben noch nach verschiedenen anderen gesucht, die sich aber, gleich mir, entweder in Sicherheit bringen oder bei den Kapuzinern verbergen konnten. Am 3. und 4. März [1689] hat man mit den eingeäscherten oder noch brennenden Häusern zu tun gehabt, damit das Feuer nicht weiter um sich griff, da in verschiedenen Gebäuden nach dem ersten Löschen der Brand erneut aufflackerte. Der Turm vom Speyerer Tor ist zwar unterminiert und innen in den vier Ecken mit Sprengladungen versehen gewesen; diese Ladungen haben aber nicht gezündet, und so ist der Turm stehengeblieben und der angerichtete Schaden läßt sich noch reparieren. Der rote Turm unten am Neckar wie auch der zwischen ihm und dem Speyerer Tor gelegene kleine Turm sind nur noch Trümmerhaufen, auch auf der anderen Seite des Speyerer Tores nach St. Anna zu wurde ein Teil der Mauer gesprengt, deshalb hat man sofort Anstalten getroffen, sie mit Hilfe von Palisaden nach bester Möglichkeit zu sichern. [...]

Zahlreiche Häuser und öffentliche Gebäude der Stadt und der Vorstadt sind eingeäschert worden. Beim Schloß gelang es uns, den Bau, in dem sich die Bibliothek und das Archiv befinden, mit Hilfe der zurückgebliebenen Bedienten vor dem Niederbrennen zu bewahren [...].

Ezéchiel Graf von Mélac *Im Auftrag des französischen Königs Ludwig XIV. verwüstete General Mélac während des Pfälzischen Erbfolgekriegs 1689 die Pfalz. Das zeitgenössische Flugblatt zeigt den als „Mordbrenner" angeprangerten Mélac.*

Eigentliche Abbildung des französischen Mordbrenners de Melac etc.

30 Jahre Krieg

Die Erinnerung an die Kriegsgreuel war noch frisch, als 20 Jahre nach dem Westfälischen Frieden in Nürnberg der Roman „Der Abentheurliche Simplicissimus Teutsch" erschien. Sein Autor Johann Jakob Christoffel von Grimmelshausen stellte den Krieg aus der Sicht eines Kindes dar:

Das erste, das diese Reiter taten und in den Zimmern meines Knans [Vaters] anfingen, war, daß sie ihre Pferde in sie einstellten; hernach hatte jeglicher seine besondere Arbeit zu verrichten, deren jede lauter Untergang und Verderben anzeigte. Denn obzwar etliche anfingen zu metzgern, zu sieden und zu braten, daß es aussah, als sollte ein lustig Bankett abgehalten werden, so waren hingegen andere, die durchstürmten das Haus unten und oben. Andere machten von Tuch, Kleidungen und allerlei Hausrat große Päcke zusammen, als ob sie irgends einen Krempelmarkt errichten wollten; was sie aber nicht mitzunehmen gedachten, wurde zerschlagen. Etliche durchstachen Heu und Stroh mit ihren Degen, als ob sie nicht Schafe und Schweine genug zu ste-

Entscheidung bei Lützen *Die Schlacht im Dreißigjährigen Krieg endete 1632 mit einem Erfolg der Protestanten, aber ihr Führer, der Schwedenkönig Gustav II. Adolf, fiel im Kampf.*

chen gehabt hätten; etliche schütteten die Federn aus den Betten und füllten hingegen Speck, andere dürres Fleisch und sonst Gerät hinein, als ob alsdann besser darauf zu schlafen gewesen wäre. [...] Den Knecht legten sie gebunden auf die Erde, steckten ihm ein Sperrholz ins Maul und schütteten ihm einen Melkkübel voll garstig Mistlachenwasser in den Leib; das nannten sie einen „schwedischen Trunk" [...].

Einem andern [Bauern] machten sie ein Seil um den Kopf und reitelten es mit einem Bengel zusammen, daß ihm das Blut zu Mund, Nas und Ohren heraussprang. [...] Allein mein Knan war meinem damaligen Bedünken nach der glückseligste, weil er mit lachendem Munde bekannte, was andere mit Schmerzen und jämmerlicher Wehklage sagen mußten [...]; denn sie [...] banden ihn [...] und rieben seine Fußsohlen mit angefeuchtetem Salz, welches ihm unsere alte Geiß wieder ablecken und [ihn] dadurch also kitzeln mußte [...]. Das kam mir so artig und anmutig vor, daß ich der Gesellschaft halber, oder weil ich's nicht besser verstund, von Herzen mitlachen mußte. In solchem Gelächter bekannte er, was er sollte, und öffnete den verborgenen Schatz [...].

Mord an Wallenstein

Der bedeutendste kaiserliche Feldherr des Dreißigjährigen Kriegs war trotz seiner Erfolge eine tragische Figur: Seine Überzeugung von der Notwendigkeit eines schnellen Friedens und seine Verhandlungen mit dem Schwedenkönig Gustav II. Adolf wurden ihm zum Verhängnis. Vom Kaiser des Hochverrats bezichtigt, wurde er 1634 in Eger ermordet. Ein Augenzeuge berichtet:

Am 24. Februar 1634 [...] ist der Herzog von Friedland, Wallenstein, [...] ganz unversehens in Eger eingetroffen [...]. Der Fürst suchte nicht sein altes Quartier auf, sondern bezog ein neues am Ende des Marktplatzes. [...]

Unterdessen wurden die Wachen auf der Burg und beim Gardecorps [am 25. 2.] zwischen neun und zehn Uhr abends rasch verstärkt, das Obertor geöffnet und in größter Stille eine Kompanie Dragoner eingelassen. Das Tor schloß man sofort wieder. Der Hauptmann der Dragoner begab sich auf die Burg, wo er den Versammlungsraum mit zwar gezogenem, jedoch verstecktem Degen betrat und rief: „Wer ist gut kaiserlich?" Darauf antworteten Oberst Butler, Oberstleutnant Gordon und Oberwachtmeister Leslie schnell: „Vivat Ferdinandus, vivat Ferdinandus!", ergriffen ihre Waffen und drangen auf die Grafen Ilow, Tertzky, Kintzky und Rittmeister Niemann ein. Ilow und Kintzky schlossen sich ihnen an, Graf Tertzky aber, so wird berichtet, wehrte sich, worauf er in den Vorraum abgedrängt wurde, so ihn die bereitgestellten Dragoner mit Musketen zu Tode schlugen. Rittmeister

Niemann erhielt zwei Stiche und flüchtete sich in die Speisekammer, wo er umfiel und starb. Das alles geschah ohne besonderen Tumult.

Sobald dieser Vorgang beendet war, begab sich der Hauptmann der Kompanie Butlerscher Dragoner ohne Gefahr mit zwanzig Musketieren, denen weitere nachfolgten, in die Stadt. Als er in das Quartier des Herzogs von Friedland kam, wurde dessen Kammerdiener, der vor der fürstlichen Wohnung wartete, nach kurzer Gegenwehr niedergestochen. [...] Auf das Geschrei der Musketiere hin öffnete man die fürstliche Wohnung. Wallenstein, der, nur im Nachthemd, an einen Tisch gestützt stand und nicht mehr als „Ah, Guardier!" sagen konnte, wurde von dem Hauptmann mit den Worten „Du schlimmer, meineidiger, alter, rebellischer Schelm" mit der Partisane durch die Brust gestochen, er fiel auf die Erde und starb.

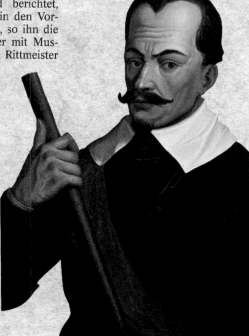

Albrecht von Wallenstein *Der Herzog von Friedland stammte aus protestantisch-böhmischem Adel, wurde mit 13 Jahren Waise und trat nach kurzem Studium in Altdorf zum Katholizismus über. Seine Verhandlungsbereitschaft während des Dreißigjährigen Krieges trug ihm viel Feindschaft ein.*

Herrscher von Gottes Gnaden

Der französische König Ludwig XIV. war das Vorbild seiner Zeit. Man baute Schlösser nach dem Muster von Versailles und kopierte den aufwendigen Lebensstil des französischen Hofes. Weitläufige Parkanlagen wie in Hannover-Herrenhausen (Foto) dokumentieren die grenzenlose Machtfülle des absolutistischen Herrschers.
Doch nicht überall triumphierte dieser unumschränkte Wille des Monarchen. Philosophen erkannten die Macht des Gedankens und setzten auf die Vernunft. So entwickelte sich auch mancher absolutistische Fürst zum aufgeklärten Landesherrn.

Historischer Überblick

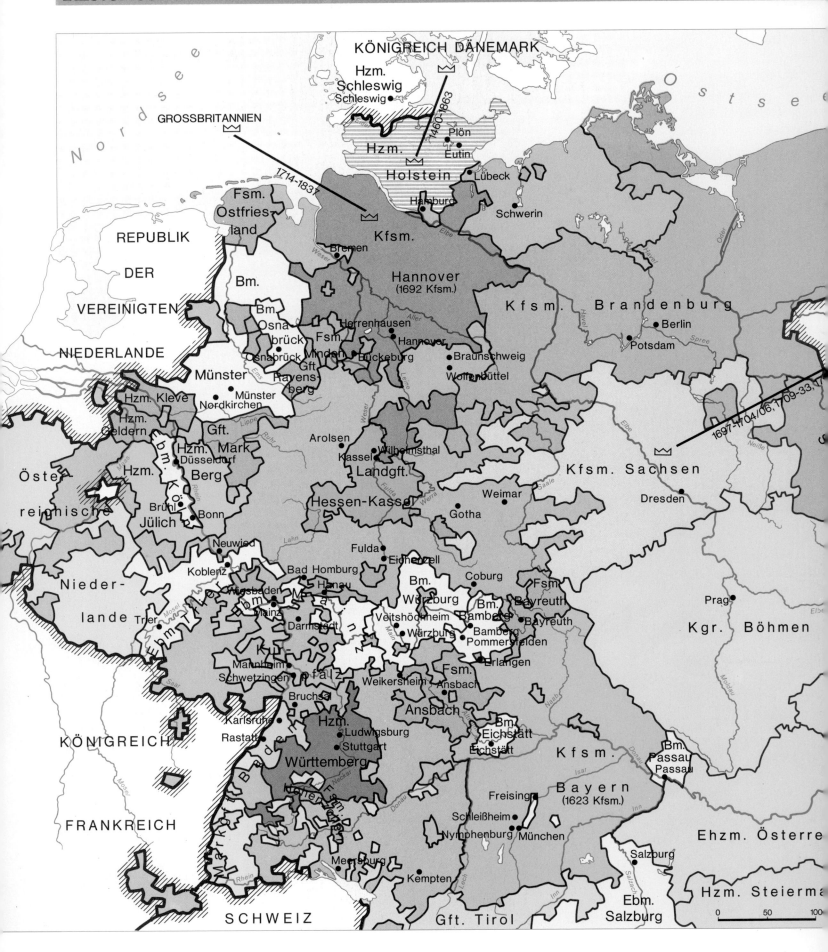

KÖNIGREICH DÄNEMARK

Hzm. Schleswig
Schleswig

GROSSBRITANNIEN

1460–1863

Plön
Eutin

Hzm. Holstein

Lübeck

1714–1837

Hamburg

Schwerin

Fsm. Ostfriesland

Kfsm.

Bremen

Bm.

Hannover (1692 Kfsm.)

Kfsm. Brandenburg

REPUBLIK DER VEREINIGTEN NIEDERLANDE

Bm. Osnabrück

Osnabrück

Fsm. Minden

Gft. Ravensburg

Herrenhausen

Hannover

Bückeburg

Braunschweig

Wolfenbüttel

Berlin

Potsdam

Münster

Münster
Nordkirchen

Hzm. Kleve

Hzm. Geldern

Gft. Mark

Arolsen

Kassel Wilhelmsthal

Landgft.

Weimar

Dresden

Kfsm. Sachsen

1697–1704/06, 1709–33, 17

Österreichische

Hzm. Berg
Düsseldorf

Hzm. Jülich

Brühl
Bonn

Hessen-Kassel

Gotha

Kgr. Böhmen

Niederlande

Neuwied

Koblenz

Fulda

Eichenzell

Coburg

Fsm.

Bm. Würzburg

Bm. Bamberg

Bayreuth

Prag

Trier

Wiesbaden

Hanau

Mainz

Veitshöchheim

Bamberg
Würzburg

Bayreuth

Pommersfelden

Darmstadt

Kur-pfalz

Mannheim
Schwetzingen

Erlangen

Weikersheim

Fsm. Ansbach

Bruchsal

Ansbach

Bm. Eichstätt

Karlsruhe

Rastatt

Hzm. Ludwigsburg

Stuttgart

Eichstätt

KÖNIGREICH

Württemberg

Kfsm.

Bm. Passau
Passau

FRANKREICH

Markgft. Baden

Freising

Bayern (1623 Kfsm.)

Ehzm. Österre

Schleißheim

Meersburg

Nymphenburg
München

Salzburg

Kempten

Ebm. Salzburg

Hzm. Steierma

SCHWEIZ

Gft. Tirol

0   50   100

390

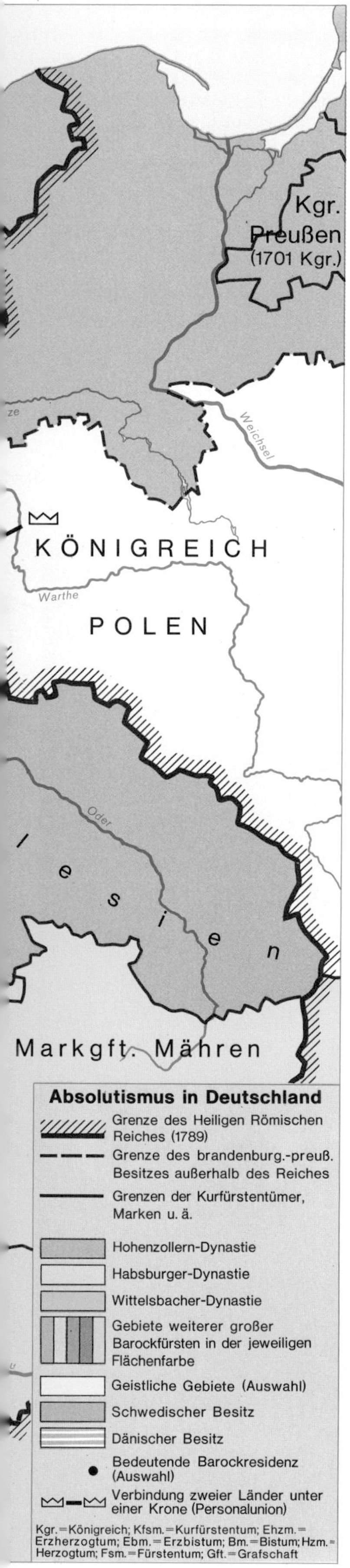

Die Fürsten – Deutschlands kleine Sonnenkönige

Der Dreißigjährige Krieg ließ Deutschland weitgehend verwüstet zurück. Der Westfälische Frieden von 1648 höhlte die kaiserliche Macht vollends aus und gestand den zahlreichen großen und kleinen Reichsfürsten weitgehende Selbständigkeit zu. Selbst ausländische Mächte verfügten über Reichsbesitz. So regierte Schweden bis 1815 weite Teile Vorpommerns, während Dänemark ab 1773 endgültig über Holstein herrschte. Die außenpolitische Bedrohung durch den Pfälzischen Erbfolgekrieg (1688–1697) und die zahlreichen Türkenkriege im 17. und 18. Jh. beschleunigten den Untergang des Heiligen Römischen Reiches. Den Schlußpunkt setzte Napoleon, als er 1806 den Kaiser zwang abzudanken, während Bayern und Württemberg von ihm zu Königreichen erhoben wurden.

Nach dem Vorbild des französischen Königs Ludwig XIV. regierten die Landesherren in ihren Fürstentümern allein und unumschränkt. Losgelöst von allen irdischen Gesetzen, fühlten sie sich niemandem außer Gott verantwortlich. „Der Staat bin ich!" Dieser dem Sonnenkönig zugeschriebene Satz charakterisiert das absolutistische Herrschaftsprinzip wohl am treffendsten.

Wenn auch die meisten geistlichen wie weltlichen Reichsfürsten nicht viel politische Macht besaßen und die wirtschaftlichen Mittel weit hinter ihren Ansprüchen zurückblieben, so wollte doch keiner der rund 300 souveränen Herrscher im Reich auf den aufwendigen Lebensstil eines absolutistischen Fürsten verzichten. Prunkvolle Schloßbauten und kostspielige Hofhaltung brachten manches Land an den Rand des Bankrotts. Auch Herrscher mittlerer Länder wie die Herzöge von Württemberg, die Markgrafen von Baden oder die Fürstbischöfe von Münster und Würzburg entfalteten in ihren Residenzen barocken Prunk.

Einige Fürsten hoben sich jedoch aus der Masse heraus und versuchten, durch Einmischung in die europäische Politik ehrgeizige dynastische Ziele zu erreichen. So gelang es dem Wittelsbacher Maximilian I., die Kurwürde, die ihn in den erlauchten Kreis der Königswähler aufnahm, zu erringen. Kurfürst Maximilian II. Emanuel verbündete sich im Spanischen Erbfolgekrieg (1701–1713/14) sogar mit Ludwig XIV. gegen das Reich und das Haus Habsburg, um für Bayern die begehrte Königskrone zu gewinnen, was jedoch mißlang. Seine Bautätigkeit und sein Kunstsinn machten München zum Mittelpunkt des süddeutschen Barock. Bei anderen Häusern gingen die hochgesteckten Wünsche in Erfüllung. Für die Welfen in Hannover erlangte Ernst August 1692 die Kurwürde, sein Sohn Georg Ludwig bestieg 1714 als Georg I. den britischen Thron. Der sächsische Kurfürst August der Starke aus dem Haus Wettin trat eigens zum Katholizismus über, um sich zum König von Polen wählen zu lassen. Der Gewinn der polnischen Krone brachte ihm jedoch mehr äußeren Glanz als tatsächliche Macht.

Die herausragenden Mächte in Deutschland waren Brandenburg-Preußen und Österreich. Beide Länder bestimmten vom 18. Jh. an die Politik im Reich und wurden zu Wegbereitern der Aufklärung, einer von Westeuropa ausgehenden Geisteshaltung. Der Königsberger Philosoph Immanuel Kant definierte die Aufklärung als den „Ausgang des Menschen aus seiner selbstverschuldeten Unmündigkeit". Vernunft, Mut zur Kritik, Freiheit und religiöse Toleranz waren die Werte, nach denen die absolutistischen Herrscher ihr Land und ihre Untertanen regieren sollten. Mittelpunkt der norddeutschen Aufklärung wurde die preußische Stadt Halle.

August der Starke
Der Kurfürst von Sachsen und König von Polen war der Barockfürst schlechthin. Dresden machte er neben Warschau zu einer der schönsten deutschen Barockstädte. In beiden Residenzen hielt er nach dem Vorbild Ludwigs XIV. hof.

(Map legend and labels, left column)

Kgr. Preußen (1701 Kgr.)

KÖNIGREICH

POLEN

Warthe

Weichsel

Oder

Schlesien

Markgft. Mähren

Absolutismus in Deutschland

- Grenze des Heiligen Römischen Reiches (1789)
- Grenze des brandenburg.-preuß. Besitzes außerhalb des Reiches
- Grenzen der Kurfürstentümer, Marken u. ä.
- Hohenzollern-Dynastie
- Habsburger-Dynastie
- Wittelsbacher-Dynastie
- Gebiete weiterer großer Barockfürsten in der jeweiligen Flächenfarbe
- Geistliche Gebiete (Auswahl)
- Schwedischer Besitz
- Dänischer Besitz
- ● Bedeutende Barockresidenz (Auswahl)
- Verbindung zweier Länder unter einer Krone (Personalunion)

Kgr.=Königreich; Kfsm.=Kurfürstentum; Ehzm.= Erzherzogtum; Ebm.=Erzbistum; Bm.=Bistum; Hzm.= Herzogtum; Fsm.=Fürstentum; Gft.=Grafschaft

Prunkvolle Schlösser und Gärten

Die absolutistischen Fürsten sahen in ihrem Schloß und dem dazugehörigen Garten eine Einheit. Das Schloß sollte die Wirkungsstätte ihrer Prachtentfaltung sein und den glanzvollen Rahmen abgeben für das ausgeklügelte höfische Zeremoniell und die rauschenden Feste. Der weiträumige, nach einem exakten Plan angelegte Garten hob den Glanz des Schlosses hervor und unterstrich symbolisch – als gebändigte Natur – den Herrschaftsanspruch des Fürsten.

Ahaus 1689–1695 ließ der Münsteraner Fürstbischof Friedrich Christian von Plettenberg die alte Landesburg Ahaus durch einen barocken Neubau ersetzen, in dem die mittelalterliche Kastellform erkennbar blieb. Im Zweiten Weltkrieg brannte er aus, doch kann man heute im wieder aufgebauten Fürstensaal Konzerten lauschen.
ℹ️ Schloß: Konzertkarten und Führungen n. Vereinb., Tel. 02861/821350.

Nordkirchen Ihrer Pracht und Ausdehnung wegen wird die barocke Wasserschloßanlage Nordkirchen mit ihrem weiträumigen Park das „westfälische Versailles" genannt. Der Westgarten mit der Oranienburg, ein Werk Johann Conrad Schlauns, ist als geometrisch angelegter Barockgarten französischen Stils in den Grundzügen noch erhalten. Die Plastiken lassen die einstige aufwendige Ausschmückung dieser Gartenanlage erkennen.

Mittelpunkt der Anlage aber war die Schloßinsel, und auf dieser bildete der dominierende Hauptbau den Rahmen der absolutistischen Machtentfaltung, erst des Münsteraner Fürstbischofs Friedrich Christian von Plettenberg, dann seines Neffen Ferdinand. Die Innenausstattung ist teilweise erhalten – geschnitzte Täfelung, Stuckdecken, schwarzmarmorierte Wandsäulen und Gemälde bezeugen die einstige Pracht.

Barock ausgestaltet ist auch die Schloßkapelle mit dem Deckengemälde der Himmelfahrt Mariens. Heute befindet sich im Schloß die Landesfinanzschule von Nordrhein-Westfalen.
ℹ️ Wasserschloß Nordkirchen: Führungen So stündlich 10–16 Uhr, Park ganzjährig zugänglich.

Nordkirchen *Majestätisch ruht das Schloß, dessen Fassade das Wechselspiel von rotem Backstein und hellem Sandstein belebt, inmitten seines weiträumigen Parks (oben).*

Fürstliches Mausoleum in Stadthagen *Vier schlafende Wächter umrahmen den siegreich auferstandenen Christus auf dem erhöhten Sarkophag (rechts).*

Schloß Bückeburg *Der prächtige Festsaal des Schlosses wird erhellt durch nobel wirkende hohe Fenster, vor denen die kostbaren Sessel gruppiert sind. Die reich stukkierte Decke wetteifert an Schönheit mit den prunkvollen Lüstern, und die üppig verzierten Türen und der kunstvoll geometrisch gestaltete Fußboden vollenden das Bild einstiger fürstlicher Pracht (oben).*

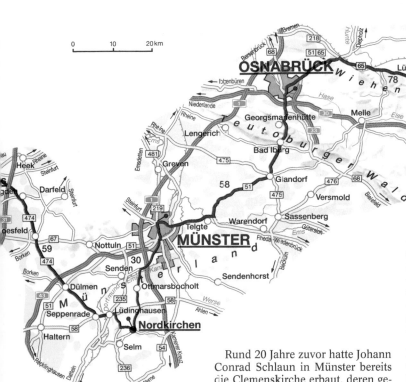

Münster Das 1767 begonnene Fürstbischöfliche Residenzschloß ist das letzte und aufwendigste Werk von Johann Conrad Schlaun, dem bedeutendsten Barockbaumeister Westfalens. Er plante auch den von einer Graft, einem Wassergraben, umgebenen französischen Garten, den man aber in einen englischen Landschaftspark mit botanischem Garten umwandelte. Das Schloß, im Zweiten Weltkrieg zerstört, wurde äußerlich wiederhergestellt und ist heute Teil der Universität (Schloßplatz 2). Die Fassade des imposanten dreiflügligen Gebäudes mit auffallend vielen Fenstern ist durch den Farbkontrast von rotem Backstein und hellem Haustein aufgelockert.

Rund 20 Jahre zuvor hatte Johann Conrad Schlaun in Münster bereits die Clemenskirche erbaut, deren geschwungene Fassade eine Straßenecke einnimmt. Zu dem kraftvoll wirkenden Gotteshaus war er durch seine Italienreise 1722 inspiriert worden.

Osnabrück Fürstbischof Ernst August I. von Braunschweig-Lüneburg, der spätere Kurfürst von Hannover, ließ das Schloß 1667–1675 nach dem Vorbild des römischen Palazzo Madama errichten. Die Gartengestaltung im französischen Stil übertrug seine Gemahlin Sophie von der Pfalz dem Architekten Martin Charbonnier. Nur noch einige Plastiken aus dem 18. Jh. erinnern in der heutigen Grünoase am Neuen Graben an diese Zeit. 1945 brannte das wuchtige, vierflügelige Schloß aus. Wiederhergestellt, beherbergt es heute die Pädagogische Akademie.

Vom Münsterland nach Hannover Die zumeist landschaftlich reizvolle Tour streift auf ihrem Weg die Höhen von Teutoburger Wald, Wiehengebirge, Wesergebirge und Deister.

Bückeburg Nachdem Graf Ernst von Schaumburg die Stadt Bückeburg zu seiner Residenz erhoben hatte, verlieh er ihr durch die Ausstattung des Schlosses, die Gestaltung eines Lustgartens und die Errichtung der Stadtkirche höfischen Glanz. Das Wasserschloß im Renaissancestil ließ er äußerlich unberührt, legte in den Innenräumen jedoch Wert auf größte Pracht. Höhepunkte sind der Goldene Saal mit der üppig ornamentierten Götterpforte und die Schloßkapelle mit ihrer überreich verzierten Kanzelwand und dem von Engeln getragenen Altar.

Die frühbarocke Schaufassade der Stadtkirche (1611–1615) präsentiert sich in der Art eines großen Altarretabels. Aus der Erbauungszeit stammen die Kanzel und im Zentrum des Kirchenraumes die mit Figuren geschmückte Bronzetaufe; der frühbarocke Orgelprospekt wurde originalgetreu erneuert.

ℹ️ Schloß Bückeburg: Führungen täglich 9–12, 13–18 Uhr.
Ev. Stadtpfarrkirche, Lange-/Schulstraße: Mi 14–16 Uhr.

Stadthagen Hier ließ Fürst Ernst von Schaumburg 1609–1625 das für sich und seine Familie geplante Fürstliche Mausoleum errichten, das an der Ostseite dem Chor der Martinikirche angefügt ist. Vorbild für das

Hannover-Herrenhausen Verschiedene Künstler verfremdeten im Jahr 1987 anläßlich einer Theaterveranstaltung einige Barockfiguren im Schloßpark.

Siebeneck des 24 m hohen Raumes war die Grabeskuppel der Medici am Chor von San Lorenzo in Florenz. Im Mittelpunkt steht das frühbarocke Grabmonument mit den Figuren von Adriaen de Vries.

ℹ️ Ev. Stadtpfarrkirche Sankt Martini, Mausoleum: Anmeldung beim Kirchenvogt, Tel. 0 57 21/7 11 60.

Hannover-Herrenhausen Den geometrisch angelegten, weitläufigen Großen Garten um die Sommerresidenz Herrenhausen gestaltete um 1696 Sophie, die Gemahlin von Kurfürst Ernst August. Dabei beriet sie der Philosoph und Hofrat Gottfried Wilhelm Leibniz, während Martin Charbonnier die Pläne ausführte.

Labyrinth und Parterres, die Luststücke genannt wurden, Boskette und Heckenquartiere, die heute verschiedene Stile der Gartengestaltung zeigen, sind von geraden Wegen und Alleen eingefaßt; an drei Seiten umgibt den Park, in dem Georg Friedrich Händel konzertierte, eine lindengesäumte Graft. Mit dieser Gartensinfonie verschmolzen die künstlichen Werke wie Kaskaden, Wasserspiele und Fontänen, Sonnenuhr und Figurenschmuck, Grotte, Pavillons und Heckentheater zu einer phantasievollen Einheit.

Zu den Herrenhauser Gärten gehören darüber hinaus der Berggarten, der heute botanischer Garten ist und früher dem Schloß als Küchengarten diente, und der ab 1818 zu einem englischen Landschaftspark umgestaltete Georgengarten.

Die Sommerresidenz Herrenhausen war der weitgerühmte Musenhof Sophies. Das 1943 zerstörte Schloß allerdings genügte den fürstlichen Repräsentationsbedürfnissen nicht, und so wurde die Orangerie im erhaltenen Galeriegebäude mit Fresken ausgeschmückt und zu einem prachtvollen Festsaal ausgestaltet. Heute nutzt man sie für Aufführungen und die große Deutsche Antiquitätenmesse.

ℹ️ Großer Garten: täglich 8 Uhr bis zum Einbruch der Dunkelheit; Wasserspiele Mo–Fr 11–12, 15–17, Sa, So und feiertags 10–12, 15–18 Uhr (April–September).

Französische Eleganz in englischen Parks

Nach dem leuchtenden Vorbild von Versailles, der Verkörperung absolutistischen Lebensstils, erbauten die deutschen Fürsten ihre Schlösser und Gärten. Sie bildeten die grandiose Kulisse für das tägliche Hoftheater, bei dem der Souverän Hauptdarsteller und Regisseur war und die Untertanen ihre festgelegten Rollen spielten. Die allmähliche Auflösung der starren Regeln spiegelten später die englischen Landschaftsparks wider, in denen man der Natur scheinbar freien Lauf ließ.

Arolsen Der 1711 in den Reichsfürstenstand erhobene Graf Anton Ulrich von Waldeck wollte seiner neuen Würde einen glanzvollen Rahmen geben und beauftragte Julius Ludwig Rothweil mit der Planung und dem Bau eines Gesamtkomplexes von Schloß, Stadt und Kirche. Diese einheitliche Anlage vermittelt dem Ort bis heute den Charakter einer fürstlichen Residenzstadt des 18. Jh.

Als Verwaltungszentrum von Stadt und Land sollte das Schloß den absolutistischen Herrschaftsanspruch dokumentieren. Um dem gesteigerten Repräsentationsbedürfnis zu genügen, ließ der Fürst eine hufeisenförmig um einen Ehrenhof angelegte Dreiflügelanlage nach dem Vorbild von Versailles errichten. Dieses Vorhaben überstieg jedoch die finanziellen Möglichkeiten des kleinen Fürstentums bei weitem. Und so wurde die Residenz zwar 1728 im Rohbau fertiggestellt, die Gestaltung aller Innenräume war jedoch erst 1811 vollendet.

Typisch für barocke Schloßbauten ist die Betonung des Hauptgebäudes, das die Repräsentationsräume enthielt. In Arolsen geschieht es durch einen fünfachsig vorspringenden Bauteil, den ein auffälliger Giebel krönt. Glanzpunkte der barokken Innenräume sind das stuckierte und ausgemalte Treppenhaus und der ebenfalls durch Stuckdekorationen belebte Gartensaal. Hinter der Fensterfront lenkt die prächtige Lindenallee den Blick zum ehem. Tiergarten. Diese Nord-Süd-Achse verwirklicht die barocke Vorstellung der harmonischen Verbindung zwischen dem Schloß als „Innenraum" und dem Park als „Außenraum".

Neptunsgrotte in Kassel In einer Grotte unterhalb der großen Kaskade thront inmitten einer gewaltigen Muschel Gott Neptur, voll bemalt mit Graffiti (oben links).

Schloß Wilhelmsthal bei Calden Viele Gemälde von Johann Heinrich Tischbein d. Ä. schmücken die in zartem Blau gehaltene Schönheitsgalerie (oben).

Kassel Mit der Löwenburg (links) wollte Landgraf Wilhelm IX. der von Revolutionen unbehelligten Ära der mittelalterlichen Herrscher ein Denkmal setzen. Die künstliche Ruine im neugotischen Stil bietet mit Burggraben, Bergfried, Türmen und Zinnen das Bild einer typischen Ritterburg.

Die als Ost-West-Achse geplante Schloßstraße wurde nur westlich des fürstlichen Domizils realisiert. Sie führt auf die Stadtkirche zu, mit deren Bau man 1735 begann. Ihr Orgelgehäuse ist reich mit geschnitzten Rokoko-Ornamenten überzogen.

Als Witwensitz sollte das um 1770 errichtete Neue Schloß an der Großen Allee dienen. Es wurde später klassizistisch umgestaltet und ist heute ein Hotel.

ℹ Schloß Arolsen: Führungen täglich 10–16.15 Uhr (Mai–September), sonst n. Vereinb., Tel. 0 56 91/30 44.

Ev. Stadtkirche: täglich 8–12, 14–18 Uhr (Ostern–Oktober).

Calden Ein Juwel deutscher Rokokoarchitektur, nach dem Vorbild französischer Lustschlösser geschaffen, ist Schloß Wilhelmsthal. Die in ländlicher Abgeschiedenheit gelegene Sommerresidenz des Landgrafen Wilhelm VIII. von Hessen-Kassel wurde ab 1747 als Dreiflügelanlage mit Betonung der Gartenseite von den besten Architekten der Zeit ausgeführt, dem Münchner Hofbaumeister François de Cuvilliés d.Ä. und dem späteren Kasseler Hofbaumeister Simon Louis du Ry. Den intim-wohnlichen Charakter des Schlosses unterstreicht die elegante farbige Rokokodekoration. Vor allem das Treppenhaus, die beiden Festsäle, der Musiksaal und das Papageienkabinett sind üppig mit Stuck- und Schnitzarbeiten verziert. Die erlesenen Ausstattungsstücke fügen sich harmonisch ein. Hervorgehoben seien die Bildnisse von Johann Heinrich Tischbein d. Ä. in der Schönheitsgalerie und die Pfauenfederkommode im Kabinett des Landgrafen.

Im unvollendeten, später umgestalteten Rokokogarten blieb die von einem Teich umschlossene Grotte erhalten. Auf der 9 km langen Rasenallee kann man zur Kasseler Wilhelmshöhe wandern.

ℹ Schloß Wilhelmsthal: Di–So 10 bis 16 Uhr (März–Oktober), sonst 10–15 Uhr.

Kassel Am Ostrand des steil zum Kasseler Becken abfallenden Habichtswaldes erstreckt sich eine großartige Parkanlage talwärts bis zum Schloß Wilhelmshöhe. Von Landgraf Karl von Hessen-Kassel 1701–1710 geschaffen, ist sie eine in ihrer Kühnheit und Größe nahezu einzigartige Verbindung von Architektur und Landschaft, ein Gesamtkunstwerk im Sinne des Barock. Der Bergpark wird an seinem höchsten Punkt von einem auf künstlichen Felsen errichteten riesigen Oktogon überragt. Dieses Phantasieschloß krönt eine obeliskartige Pyramide

mit einer gewaltigen Herkules-Statue – Symbol des über die Giganten siegenden Heros. Darunter ergießt sich aus einem Grottenhof eine mächtige Kaskade in mehreren Stufen talwärts.

Die nachfolgenden Landgrafen Friedrich II. und Wilhelm IX. gestalteten den Park aus und um. Dem romantisch-klassizistischen Stilempfinden des ausgehenden 18. Jh. entsprechen im Park verstreute Tempel und Grotten, Wasserfall, Aquädukt und Fontäne sowie die zinnenbewehrte künstliche Ruine der Löwenburg. Wilhelm IX. ließ sie sich 1793–1798 als Refugium errichten und gab ihr auch im Innern ein „gotisches" Ambiente. Die Kapelle bestimmte er zu seiner Grablege.

Majestätisch präsentiert sich Schloß Wilhelmshöhe, als Sommersitz dieses Landgrafen 1786–1798 von Simon Louis du Ry erbaut. Besonders eigenwillig ist der Grundriß: Die den Mittelbau flankierenden Seitenflügel sind schräg gestellt, so daß der Ehrenhof sich in Trapezform öffnet. Das Barock dokumentiert allerdings nur der südliche Weißensteinflügel. Im Hauptflügel sind die Antikensammlung und die Gemäldegalerie Alte Meister der Staatlichen Kunstsammlungen zu sehen.

Unter Landgraf Karl wurde nach 1700 auch die Karlsaue neu gestaltet, ein weitläufiger Barockpark, dessen drei Achsen auf die um 1702–1710 errichtete Orangerie zulaufen. Der langgestreckte Bau mit zwei Eckpavillons und figurengeschmückter Balustrade war zugleich Gewächshaus und Sommerresidenz. Heute wird er für die documenta, die alle 4–5 Jahre stattfindende Weltaus-

Von Arolsen nach Aschaffenburg Diese Tour führt über Calden nach Kassel und dann in südlicher Richtung am Knüllgebirge vorbei nach Fulda. Anschließend erreicht man Hanau. Bei der Weiterfahrt verläßt man Hessen und gelangt nach Aschaffenburg, dem Endpunkt der Tour im nordwestlichen Zipfel von Bayern.

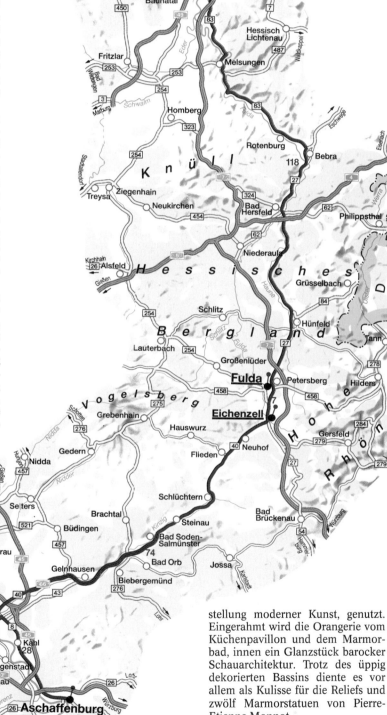

stellung moderner Kunst, genutzt. Eingerahmt wird die Orangerie vom Küchenpavillon und dem Marmorbad, innen ein Glanzstück barocker Schauarchitektur. Trotz des üppig dekorierten Bassins diente es vor allem als Kulisse für die Reliefs und zwölf Marmorstatuen von Pierre-Etienne Monnot.

Westlich der Karlsaue schließt sich die Oberneustadt an, die Landgraf Karl für Hugenotten gründete.

Ihren Mittelpunkt bildet der Karls-platz mit Karlskirche (1689–1710) und dem Standbild des Landgrafen von 1768 (Kopie). Das Bellevue-Schlößchen an der Schönen Aussicht ist eines der letzten erhaltenen Barockpalais. Es wurde 1714 als Sternwarte für den Landesherrn erbaut und beherbergt heute das Brüder-Grimm-Museum.

Als Verbindung zwischen barokker Oberneustadt und Altstadt ließ dann Friedrich II. den rechteckigen, weiträumigen Friedrichsplatz anlegen, den sein 1783 aufgestelltes Marmorstandbild schmückt. Er ließ sich für seine Kunstsammlungen und seine Bibliothek 1769–1779 von du Ry an diesem Platz das Museum Fridericianum errichten, eines der frühesten Bauwerke des Klassizismus in Deutschland. Heute befindet sich hier alle 4–5 Jahre das Ausstellungsforum für die documenta.

ℹ️ Schloß Wilhelmshöhe, Weißensteinflügel: Di–So 10–17 Uhr; Löwenburg Di–So 10–16 Uhr; Staatliche Kunstsammlungen: Di–So 10–17 Uhr; Wasserspiele im Park: Himmelfahrt–September Mi, So, feiertags 14.30–15.30 Uhr.
Marmorbad und Orangerie: Besichtigung n. Vereinb., Tel. 0561/11809.
Brüder-Grimm-Museum, Schöne Aussicht 2: Di–So 10–17 Uhr.

Fulda Der einige Jahrzehnte nach dem Ende des Dreißigjährigen Krieges einsetzenden Baufreudigkeit seiner Fürstäbte (später Fürstbischöfe) verdankt Fulda ein geschlossenes Barockviertel mit Dom und Schloß als herausragenden Zentren.

Der Domneubau (1704–1712) von Johann Dientzenhofer zeigt sich mit säulengegliederter Doppelturmfassade und mächtiger, dem Petersdom in Rom nachempfundener Vierungskuppel. Festlich-kühl wirkt das mit weißen Stukkaturen und einigen farbigen Fresken geschmückte In-

Aschaffenburg Den Glanz einstiger kurfürstlicher Pracht spiegelt das Schlößchen zwischen See und Kanal im Park Schönbusch wider. Der Besucher kann hier auf zahlreichen stillen Spazierwegen, bei Bootsfahrten auf dem von Enten bevölkerten Weiher und auf ausgedehnten Wiesen Erholung finden.

nere. Besonders hervorzuheben sind der Hochaltar mit holzgeschnitzter Himmelfahrtsgruppe sowie in der Bonifatiusgruft der Bonifatiusaltar mit einem Alabasterrelief, das Martyrium und Auferstehung des Apostels der Deutschen darstellt.

Zwischen Dombezirk und Stadt liegt das ehem. Residenzschloß, das Johann Dientzenhofer von 1706 bis 1720 zu einem Barockschloß mit hufeisenförmigem Ehrenhof und rückseitig angrenzendem Binnenhof umgestaltete. Im Mittelbau erhalten sind u.a. der reich stuckierte Kaisersaal mit Portraits habsburgischer Kaiser, die die Lehnsherren der Fürstäbte waren, und der Fürstensaal, der mit mythologischen Deckengemälden und Bildnissen der Fürstäbte geschmückt ist. Im Südflügel prunkt das Spiegelkabinett mit

üppiger Rokokodekoration. Die Hauptachse des barocken Schloßgartens führt vom Kaisersaal zur Orangerie, deren Mittelbau durch Pilaster und Giebelschmuck hervorgehoben wird. Sie wird heute als Hotel genutzt.

Das Barock war eine hohe Zeit der Manufakturgründungen. Im Schloß sind noch Exponate der im 18. Jh. ins Leben gerufenen Fuldaer Fayence- und Porzellanmanufaktur ausgestellt.

Ein Werk der Barockzeit ist auch der vom Paulustor (1771) im Norden und von Kavaliershäusern (um 1737) im Süden eingefaßte Bereich. Dem Schloß gegenüber steht die Hauptwache (1757–1759). Dahinter zeigt sich das ehem. Palais von Buseck (1731) mit hohen Mansarddächern, das zu den schönsten erhaltenen Adelspalästen der Hofbeamten gehört.

Die stadteinwärts führende Friedrichstraße bietet ein einheitliches Bild barocker Bebauung, und einen Besuch lohnt auch die spätbarocke Stadtpfarrkirche Sankt Blasius mit ihrer original erhaltenen Ausstattung. Südöstlich dieses Gotteshauses befinden sich noch zwei weitere barocke Bauten, die ehem. Universität (1731–1735) sowie der Nordflügel des ehem. Jesuitenseminars (1731–1732), der heute als Museumsbau genutzt wird.

ℹ️ Dom mit Dommuseum in der Bonifatiusgruft: Mo–Fr 10–17.30, Sa 10–14, So, feiertags 12.30–17.30 Uhr (April–Oktober), sonst Mo–Fr 10–12, 13.30–16, Sa 10–14, So, feiertags 12.30–16 Uhr.

Ehem. Residenzschloß, Schloßstraße 1: Mo–Do 10–12.30, 14.30–17, Fr 14.30–17, Sa, So 10–12.30, 14.30–16.30 Uhr.
Eichenzell Eine lange, schnurgerade Allee durch die anmutige Parklandschaft eines einstigen Barockgartens führt auf das ferne Schloß Fasanerie zu, Hessens schönstes Barockschloß. Pfeilerbetonte, von Wachhäuschen eingefaßte Toranlagen begrenzen den Blick und lenken ihn auf den durch Mittelrisalit, Durchfahrt und hohes Mansarddach herausgehobenen Saalpavillon des Schlosses. Erst im inneren Ehrenhof entfaltet der Dreiflügelbau mit den dreigeschossigen Eckpavillons und den zweigeschossigen Mittel- und Längstrakten seine volle Wirkung. Hinter diesem Gebäudeteil öffnet sich der Binnenhof, gesäumt von den weitergeführten Längstrakten und dem Querbau des 30 Jahre früher erbauten Alten Schlößchens. Und noch einmal setzen sich die Längstrakte zum Marstallhof fort, den wiederum ein Querbau einfaßt. Dahinter schließt sich ein Wirtschaftshof an.

Im Südflügel, dem eigentlichen Wohntrakt, richtete man eine auffällig große Hofkirche ein, für eine geistliche Residenz unabdingbar. Das zweigeschossige Innere war sowohl von den im ersten Stock liegenden repräsentativen Wohnräumen – der sogenannten Beletage – als auch von den im Erdgeschoß befindlichen, im Sommer benutzten Gartenzimmern gleichermaßen bequem zu erreichen.

Diese beeindruckende Anlage, die

Barocke Möbel im Schloß Philippsruhe

Wie in der Architektur, so liebte man im Barock auch im Interieur die gediegene Pracht. Aus dieser Epoche erhaltene Möbel wie die unten abgebildeten Stücke aus Hanau strahlen vornehme Eleganz und Solidität aus. Zierlich geschwungene Sofas, prächtige Sessel und Stühle überzog man gern mit Damast oder Brokat, die kleinen Kaffeetischchen oder den repräsentativen Eßtische schmückte man häufig mit kostbaren, farblich kunstvoll abgestimmten Intarsien oder Schnitzereien. Möbelbildhauer, die sich durch Können und Geschmack hervortaten, gehörten zu den gefragtesten Künstlern der damaligen Zeit, wie beispielsweise Nicolas Vallois.

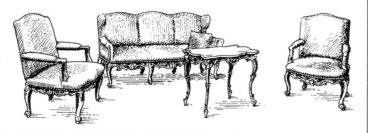

deckt hatten, entstanden ab 1777 die Kur- und Badeanlagen inmitten eines Parks, der zu den ältesten englischen Landschaftsgärten Deutschlands gehört. Wilhelm IX. hatte die ursprüngliche Waldlandschaft umgestalten lassen, um für die anspruchsvollen Kurgäste geeignete Spazierwege zu schaffen. Gebäude und Einrichtungen spiegeln noch heute die heiteren Geselligkeitsformen im Zeitalter des Absolutismus wider. An einer Allee liegt der Kurkomplex, dessen Mittelpunkt der Arkadenbau des Kurhauses sowie das Comoedienhaus, eines der wenigen Scheunentheater Deutschlands, bilden. In diesem renovierten kleinen Theater werden heute jedes Jahr zwischen September und März Schauspiele, Konzerte und kleine Opern aufgeführt. Zu den Hauptattraktionen des mit vielen kleinen Bauten dekorierten Parks gehören u.a. eine mehrstöckige künstliche Burgruine, eine Pyramideninsel und eine Eremitage.

ⓘ Schloß Philippsruhe, Historisches Museum: Di–So 10–17 Uhr.

Aschaffenburg Südlich der Stadt erlebt der Besucher im Landschaftspark Schönbusch ein weiteres Beispiel englischer Gartenbaukunst in Deutschland. 1785 übernahm der berühmte Gartenbauarchitekt Friedrich Ludwig Sckell die Umgestaltung des Parks und schuf eine Anlage, in der Wälder, Wiesen, Lichtungen und Wasserflächen wie natürlich entstanden erscheinen. Am Seeufer ließ Kurfürst Friedrich Carl von Erthal 1778 das noble frühklassizistische Schlößchen errichten. Die Renovierungsarbeiten sind frühestens 1990 abgeschlossen. Sein Glanzpunkt ist der Große Saal im ersten Stock, dessen schlicht gegliederte Wände und hohe Türen und Fenster vornehme Zurückhaltung ausstrahlen.

Im Park verstreut liegen als Pavillons Speise- und Tanzsaal, dazu Freundschaftstempel und „Dörfchen" – Ausdruck für den höfischintimen Charakter barocker Festlichkeit, als deren Stimmungsträger die Landschaft diente.

Hanau-Wilhelmsbad Diese naturgetreu modellierten Pferdeköpfe (links) gehören zu dem 1779 im Kurpark fest installierten Karussell in Form eines Rundtempels.

absolutistisches Empfinden widerspiegelt und absolute Macht demonstriert, ließ sich nach 1739 Amand von Buseck, der 1752 zum ersten Fürstbischof des Bistums Fulda aufstieg, errichten. Als Baumeister wählte er einen ehemaligen Stukkateur, Andrea Gallasini. Das heute im Schloß eingerichtete Museum höfischer Wohnkultur vermittelt einen Einblick in den einstigen Glanz fürstlicher Hofhaltungen.

Den heute als englischen Garten gestalteten Park betritt man über eine geschwungene barocke Treppe von der Terrasse vor der südlichen Fassade. Der in der Achse liegende Chinesische Pavillon und das japanische Teehaus in einem ein wenig abseits liegenden Parkteil sind Reste der ehem. barocken Gartenanlage, die der Hofgärtner Benediktus Zick gestaltete.

ⓘ Museum Schloß Fasanerie: Di–So 10–17 Uhr (März–Oktober).

Hanau An exponierter Stelle über dem Mainufer erhebt sich Schloß Philippsruhe, nach seinem Bauherrn, Graf Philipp Reinhard von Hanau, der es als Sommerresidenz benutzen wollte, so benannt. 1701–1712 wurde es von Julius Ludwig Rothweil nach französischem Vorbild erbaut. Querflügel mit Eckpavillons leiten zum hufeisenförmig um einen Ehrenhof gruppierten Schloßkomplex über. Dahinter erstreckt sich der einst französisch angelegte Garten, den man im 19. Jh. zu einem englischen Park umgestaltete. Vom Schloß gehen drei Alleen aus; auf einer, die in Richtung Osten verläuft, gelangt man in die Innenstadt. Die beiden anderen weisen nach Norden. Eine führt zur Burgruine im Wilhelmsbad, die zweite zur Fasanerie, die 1715 errichtet wurde.

Im Schloß befindet sich heute das Historische Museum der Stadt Hanau. Es zeigt u.a. wertvolle Möbel und Fayencen der von 1661 bis 1806 bestehenden Hanauer Manufaktur.

Um zu kuren und vergnügliche Unterhaltung zu pflegen, trafen sich die Hofgesellschaft und das Großbürgertum des Fürstentums Hessen-Kassel in Wilhelmsbad. Bei einer Heilquelle, die Anfang des 18.Jh. zwei Hanauer Kräuterfrauen ent-

Lustschlösser am Rhein

Die höfische Baukunst des Barock war bestimmt durch das Vorbild der französischen Schlösser. Der Ehrgeiz der baulustigen Souveräne begnügte sich jedoch nicht mit plumpen Kopien; gefragt war vielmehr die geistvolle Umsetzung der Idee des Absolutismus in der vorgegebenen Landschaft – auf dieser Tour ist es die Rheinebene. Erfolgreiche Architekten und Gartenkünstler waren heiß begehrt. Einige ihrer Meisterwerke zieren noch heute die Ufer des Rheins.

Wiesbaden Der ehem. Residenz der Herzöge von Nassau in Wiesbaden-Biebrich sieht man heute nicht mehr an, daß die stattliche Dreiflügelanlage ohne einheitlichen Bau- und Nutzungsplan in mehreren Bauphasen zwischen 1698 und 1744 entstanden ist. Der Jagdpavillon aus dem Ende des 17. Jh. im Westen des heutigen Schlosses erhielt zwei Jahrzehnte später durch einen zweiten Pavillon im Osten sein Pendant. Die Verbindung der beiden Flügel durch Saalkorridore mit leicht vorspringender Rotunde ist ein architektonisches Glanzstück des Baumeisters Maximilian von Welsch. Erst 1744 war der Aus- und Umbau des Ostflügels zu Marstall und Kavalierswohnungen sowie des Westteils zum „Winterbau" abgeschlossen. Den barocken Schloßpark, ein Werk desselben Architekten, gestaltete man 1811 in einen englischen Landschaftspark um.

ℹ️ Schloß Biebrich, Rheingaustraße: Di, Mi, Fr 9–12 Uhr nach Voranmeldung beim Gemeinnützigen Kur- und Verkehrsverein Wiesbaden e.V., Tel. 0 61 21/30 66 55.

Koblenz Zu Füßen der Burg auf dem Ehrenbreitstein erbaute Kurfürst Philipp Christoph von Sötern, Erzbischof von Trier, 1626–1629 sein Schloß. Baumeister der hufeisenförmigen Anlage gegenüber der Moselmündung war Georg Riedinger. Bis 1777 residierten die Trierer Fürstbischöfe in dem mehrmals erweiterten Schloß Philippsburg, in dem heute Verwaltungsämter untergebracht sind. Der Torbau über dem Felsenweg, ein Dikasterialbau – ein Verwaltungsgebäude – von Balthasar Neumann sowie der Marstall von Johannes Seitz sind die einzigen

Düsseldorf Ein vorspringender Mittelteil mit Freitreppe, große Fenster und ein elegant geschwungenes Dach prägen die Südseite von Schloß Benrath (oben).

„Rhein in Flammen" Dieses farbenprächtige Ereignis, das wie hier bei Ehrenbreitstein (oben) an vielen Orten am Rhein regelmäßig stattfindet, war schon in der sinnenfrohen Barockzeit ein geschätztes Vergnügen der Adligen. Zur musikalischen Abrundung erklangen damals wie heute oft noch eigens zu diesem Zweck komponierte Werke wie z. B. die berühmte Feuerwerksmusik von Georg Friedrich Händel.

Schloß Augustusburg in Brühl Das für offizielle Empfänge benutzte repräsentative Gebäude birgt in seinem Innern reizvolle Malereien wie z. B. dieses Detail aus dem Audienzsaal (rechts).

Von Wiesbaden nach Düsseldorf *Vom Fuß des Taunus geht es ab Koblenz rheinabwärts über Bonn bis zum Endpunkt Düsseldorf.*

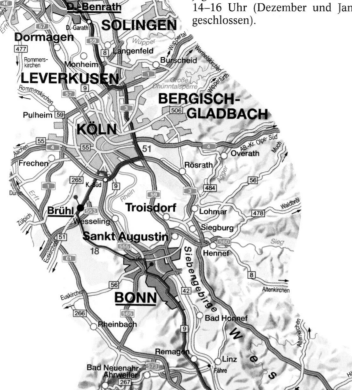

heute noch erhaltenen Reste dieses Komplexes, der 1801 mit der Sprengung der Festung Ehrenbreitstein weitgehend unterging.

Bonn Kurfürst Joseph Clemens vergab 1697 den Bauauftrag für ein neues Schloß, nachdem das alte erzbischöfliche Schloß 1689 durch Beschuß zerstört worden war. 1715 bis 1723 entstand unter der Anleitung des Oberbaumeisters Ludwigs XIV., Robert de Cotte, die nach Südosten offen angelegte Residenz, die 1777 abbrannte. Im vereinfachten Wiederaufbau des 19. und 20. Jh. ist die Universität untergebracht.

Von den sternförmig angelegten Alleen, die einst die Residenz mit den umliegenden Lustschlössern verbanden, führt noch heute die Poppelsdorfer Allee zum in Sichtweite gelegenen Schloß Clemensruhe, heute Poppelsdorfer Schloß. Von Balthasar Neumann, der hier von 1744 bis 1756 als Baumeister wirkte, ist nur ein Wachhäuschen des vorgelagerten Rondells erhalten. In den Park des nicht zugänglichen Schlosses ist heute ein Botanischer Garten integriert.

ℹ Botanischer Garten: Mo–Fr 9–18, So 9–13 Uhr (April–September), sonst 9–16 Uhr.

Brühl Unter den vielen Lustschlössern im Rheinland gehören Augustusburg und Falkenlust zu den schönsten. In Brühl sollte nach ersten Plänen des Kurfürsten Joseph Clemens ein Wasserschloß entstehen, doch sein Nachfolger Clemens August gab das wehrtechnisch überholte Vorhaben auf. Die schon bestehenden Teile konnte François de Cuvilliés d.Ä. beim Weiterbau geschickt nutzen. Er betonte die Südseite der dreiflügligen Anlage durch eine große Terrasse, die zum sogenannten Gartensaal hinunterleitet. Der Garten wurde schon während der Bauarbeiten am Schloß Augustusburg durch den Gartenkünstler Dominique Girard gestaltet. Wasserspiele und Pavillons lockern die weitgehend in ihrer barocken Form erhaltene geometrische Anlage auf.

Über eine Allee erreicht man in etwa 15 Minuten das südöstlich gelegene kleine Jagdschloß Falkenlust, das Kurfürst Clemens August, ein leidenschaftlicher Falkner, erbauen ließ. Von einer Aussichtsplattform auf dem Dach des Gebäudes konn-

ten seine Gäste als Zuschauer am Jagdvergnügen teilhaben.

ℹ Schloß Augustusburg: Di–So 9–12, 14–16 Uhr (Dezember und Januar geschlossen); Park ganztägig geöffnet.

Jagdschloß Falkenlust: Di–So 9–12, 14–16 Uhr (Dezember und Januar geschlossen).

Düsseldorf 800 000 Taler soll der Neubau des Benrather Schlosses gekostet haben, den Kurfürst Karl Theodor 1755 in Auftrag gab. Es entstand anstelle einer zum Landschloß ausgebauten Wasserburg der Grafen von Berg. Der Baumeister Nicolas de Pigage brachte hier auf einer Fläche von nur 42 × 27 m 80 Räume und sieben Treppenhäuser in vier Geschossen unter, von denen von außen nur zwei sichtbar sind. Vor dem Mittelflügel erstreckt sich der 800 m lange „Gartensaal" mit Spiegelweiher.

Auch in der Residenzstadt Düsseldorf selbst wurde Karl Theodor als Bauherr tätig. Dort, wo bereits Kurfürst Jan Wellem ein Zeughaus errichten ließ und wo sich ab 1694 der Amtssitz der Bergischen Oberjägermeister befand, entstand das Schloß Jägerhof, heute Goethemuseum. Ein großer Park, der heutige Hofgarten, und eine Allee verbanden es mit dem Residenzschloß am Rheinufer.

ℹ Schloß Benrath: Di–So 10–17 Uhr (April–Oktober), sonst 10–16 Uhr.

Goethemuseum im Schloß Jägerhof, Jägerhofstraße 2: Di–So 10–17, Sa 13–17 Uhr.

Eine glänzende Karriere

Der Baumeister Balthasar Neumann, am 30. Januar 1687 als Sohn eines Tuchmachers in Eger getauft, war schon mit 35 Jahren Ingenieurhauptmann, Artilleriemajor sowie Schöpfer später weltberühmter Repräsentationsbauten und Kirchen. In Koblenz entstand nach seinen Plänen der Dikasterialbau unterhalb der Feste Ehrenbreitstein.

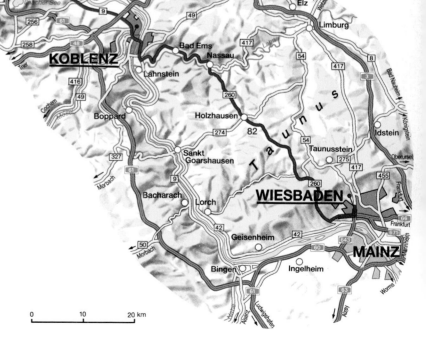

Fürstbischöfe als Bauherren

Rund ein Jahrhundert lang beeinflußten die zahlreichen Mitglieder der Familie von Schönborn als geistliche Landesfürsten die Entwicklung des deutschen Reiches. Durch seine geschickte Hauspolitik gelangte das ursprünglich aus Schönborn in Nassau stammende Adelsgeschlecht zu beträchtlichen Gütern und Vermögen. Vor allem im Würzburger und Bamberger Raum entfalteten die geistlichen Herren den Lebensstil barocker Fürstenherrlichkeit.

Veitshöchheim Die Fürstbischöfe wußten den Aufenthalt auf dem Land, fernab von ihren Repräsentationspflichten in der Stadtresidenz, sehr zu schätzen, denn hier konnten sie sich, befreit von schweren Kirchengewändern, als privatisierende und philosophierende Gutsherren fühlen. So entstanden in Veitshöchheim zunächst ein Tierpark, eine Fasanerie und ein kleines Jagdschloß – der jetzige Mittelbau mit Eckrisaliten, je zwei an Vorder- und Rückseite. Mitte des 18. Jh. jedoch beschloß Fürstbischof Karl Philipp von Greiffenklau, ein Mitglied der Familie von Schönborn, den Ausbau zur Sommerresidenz. Balthasar Neumann entwarf die Erweiterungsbauten, zwei Eckpavillons, und gab den Dächern ihre bewegten, vielfach geschwungenen Formen. Der bereits bestehende Garten wurde unter

Fürstbischof Adam Friedrich von Seinsheim, ebenfalls ein Angehöriger derer von Schönborn, 1763 im Rokokostil durchgestaltet. Er ist einer der wenigen nach französischem Vorbild geschaffenen Gärten, die noch erhalten sind. Mauerartig beschnittene Hecken zeichnen geometrische Muster. Quer und diagonal verlaufende Nebenachsen durchschneiden die schnurgerade Hauptachse und laufen auf Rondells, Heckensäle, Bassins, Pavillons, das Grottenhaus und das Oval des Großen Sees zu, in dessen Mitte sich der felsige Parnaß mit dem springenden Pegasus auf der Spitze erhebt.
ⓘ Führungen täglich Di–So 9–12, 13–16.30 Uhr (April–September).

Würzburg Etwa über der Stelle, wo 689 Kilian, der erste Missionar Frankens, und seine Gefährten, der Priester Kolonat und der Diakon Tot-

Haus zum Falken in Würzburg *Die Witwe eines betuchten Kaufmanns verlieh dem nach dem Dreißigjährigen Krieg errichteten Haus, das sie als Gasthof nutzte, um 1750 sein prächtiges*

Aussehen. Die nach dem Zweiten Weltkrieg wiederhergestellten glanzvollen Stuckarbeiten an den Fenstern geben ihm ein heiter beschwingtes Flair (oben).

Würzburger Residenz *Diese prächtig verzierte Türfüllung im Venezianischen Zimmer (oben rechts) zeigt anschaulich die barocke Liebe zum Detail.*

Veitshöchheim *Lauschige Lauben und Pavillons (rechts) laden im französisch gestalteten Schloßpark zum Verweilen ein.*

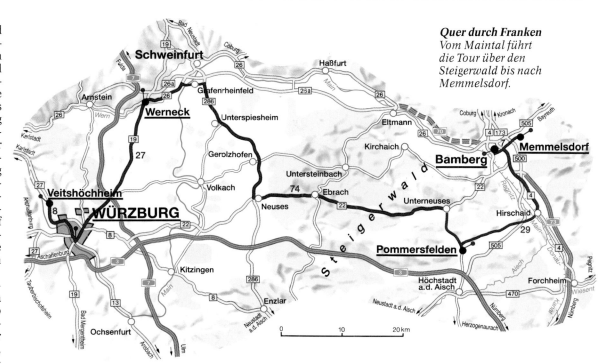

Quer durch Franken
*Vom Maintal führt
die Tour über den
Steigerwald bis nach
Memmelsdorf.*

nan, erschlagen wurden, entstand der erste Würzburger Dom, der früheste Vorgängerbau des jetzigen Neumünsters. Ihr barockes Gewand erhielt die Kirche ab 1711: die konkav geschwungene, durch vielfältige Gliederungen, Zierformen, Reliefs und plastische Figuren sehr lebendig wirkende Fassade von Joseph Greising, den weiten, lichten, von einer mächtigen Kuppel gekrönten Eingangsraum und die strenge Wölbung der Kiliansgruft in der Krypta darunter, die Fresken in Kuppel, Langhaus und Chor und die beiden grazilen Altäre im Kuppelraum. Auf Drängen des Domdechanten erhielten auch Querschiff und Chor eine reiche Stuckzier im italienischen Stil.

Die Bistümer waren Wahlfürstentümer, da die geistlichen Herren ja keine Erben hatten. Johann Philipp Franz von Schönborn war nach seinem Großonkel Johann Philipp der zweite aus dem Hause Schönborn, der sich dem Würzburger Domkapitel zur Wahl stellte. Der schon fast 50jährige siegte 1719 über eine starke Konkurrenz und entschloß sich sogleich zum Bau einer Residenz, die größer und schöner als die anderer Fürsten sein sollte. Die Bauleitung übertrug er einem noch ziemlich unbekannten und unerfahrenen Architekten, dem erst 32jährigen Balthasar Neumann, dessen Genialität er frühzeitig erkannt hatte. Um den Fortgang der Arbeiten an seiner Großbaustelle ständig beobachten zu können, bezog er ein Palais nebenan, den 1695 von Antonio Petrini erbauten Rosenbachhof (Residenzplatz 3, jetzt Staatsweingut).

Das gewaltige Schloßbauprojekt fand besonderes Interesse bei einigen ebenfalls baubesessenen Verwandten der Familie Schönborn, und sie knüpften Verbindungen zu den führenden Architekten der Zeit, Lukas von Hildebrandt, kaiserlicher Baumeister in Wien, Maximilian von Welsch in Mainz und Cotte und Boffrand, Baumeister des Königs von Frankreich. Ihre Ideen sind in den Bau eingeflossen und noch deutlich sichtbar. Sie alle zu einer Einheit verbunden zu haben ist Balthasar Neumanns Verdienst. Seine ureigenen Schöpfungen sind die in drei Ovalen schwingende Hofkirche und das größte und schönste Treppenhaus der Barockzeit. Es ist frei in den Raum gestellt und wird von einem einzigen Gewölbe überfangen – ohne statische Berechnungen im heutigen Sinn ein technische Meisterleistung und ein Wagnis, doch hielt selbst den Erschütterungen des Zweiten Weltkriegs stand. Nach dem Tod des Bauherrn 1724 vollen-

deten seine Verwandten den Bau der Residenz.

Die Innenausstattung dieses „wahrlich stattlichen Pfarrhauses", wie Napoleon sagte, der zweimal in den Paradezimmern Quartier nahm, besorgten größtenteils die Schönbornverwandten und Fürstbischöfe Karl Philipp von Greiffenklau und Adam Friedrich von Seinsheim. Der große Giovanni Battista Tiepolo aus Venedig wurde 1750 für die Ausmalung des Kaisersaals sowie des Gewölbes im Treppenhaus gewonnen, wo der selbstbewußte Künstler sich selbst und seinen Architekturkollegen Neumann ins Bild setzte, zusammen mit der gesamten irdischen und himmlischen Welt dem Landesherrn huldigend.

Von Johann Philipp Franz von Schönborn erging 1721 ein weiterer Auftrag an das Baumeisterkollektiv der Residenz mit Balthasar Neumann als Koordinator: der Bau der Schönbornschen Begräbniskapelle. Sie wurde ein Kleinod barocker Kunst. In dem überkuppelten, mit Stukkaturen und Fresken geschmückten Rundbau ruhen unter vergoldeten Grabdenkmälern drei Würzburger Fürstbischöfe aus dem Hause Schönborn sowie Lothar Franz, Fürstbischof von Bamberg und Kurfürst von Mainz.

1660 ließen sich die unbeschuhten Karmeliter, der strengere, der heiligen Teresa von Ávila folgende Zweig dieses Bettelordens, von dem Trientiner Baumeister Antonio Petrini eine neue Kirche bauen. Sie ist die älteste Barockkirche der Stadt. Die in die Straßenfront einbezogene

Fassade wirkt durch ihre Sims- und Pilastergliederung – jeglicher Prunk widersprach dem Geist des Ordens.

Vom Nikolausberg grüßt mit seiner heiteren Fassade das Käppele, eine barocke Wallfahrtskirche mit einem eindrucksvollen Kreuzweg, dessen Figuren von Peter Wagner stammen.

Barockes Heckentheater

Das Ideal barocker Gartengestaltung bestand darin, die Natur auf das kunstvollste, doch streng geometrisch zu konstruieren und „Gartensäle" als wirkungsvolle Bühne für die beliebten mythologischen Geschichten zu schaffen. So bevölkert eine Fülle anmutiger Steinfiguren den weitläufigen Schloßpark in Veitshöchheim: liebevoll vermenschlichte Götter der Antike, Faune, reizende Schäferinnen, Putten und Allegorien der Jahreszeiten, wie die hier abgebildete Herbst, ein Meisterwerk des Bildhauers Ferdinand Dietz (um 1770). Vor einer stehenden Frauengestalt kniet ein Faun und überreicht ihr einen Korb mit Trauben.

Das Juliusspital (1576–1580), eine wohltätige Gründung des Fürstbischofs Julius Echter von Mespelbrunn für „Arme, Bresthafte und Kranke" und noch heute Krankenhaus und Altersheim, wurde 1699 von einem schweren Brand heimgesucht, der besonders den langgestreckten Südtrakt der Vierflügelanlage zerstörte. Petrini führte diesen sogenannten Fürstenbau neu auf, in klarer Gliederung mit Arkaden im Erdgeschoß und einem hohen Mittelpavillon, den früher die Fürstbischöfe gelegentlich als Wohnung und zu Repräsentationszwecken benutzten (heute Spitalkirche). Aus der Rokokozeit erhalten blieb eine Apotheke (rechts im Fürstenbau) mit allem Zubehör, den Deckenfresken und den Jahreszeitenfigürchen von Peter Wagner. Der kleine Garten im Rücken des Fürstenbaus zeigt noch Spuren seiner ehemals barocken Gestalt. Auf der Kreuzung der Hauptachsen steht ein prächtiger Brunnen; die vier Götterfiguren, die die Flüsse Frankens symbolisieren, tragen das Wappen des Fürstbischofs Johann Philipp von Greiffenklau. Für ihn baute Joseph Greising den höchst eigenartigen, von zwei hochragenden Kuppeltürmchen bekrönten Pavillon am Rand des Gartens. Etwa 15 Jahre später wurde er der medizinischen Fakultät überlassen, daher sein Name Alte Anatomie. In dem reich stuckierten Saal hielt noch Mitte des 19. Jh. der berühmte Pathologe Rudolf Virchow seine anatomischen Vorlesungen.

Auch die mittelalterlichen Bauten des zweiten großen Spitals, des von der reichen Patrizierfamilie von Steren gegründeten Bürgerhospitals zum Heiligen Geist, erhielten als barocke Zutat eine stattliche Dreiflügelanlage mit Arkaden im Erdgeschoß. Gebaut hat sie vermutlich der Hofzimmermann Joseph Greising. Er war auch der Architekt des Rückermainhofs, eines der bedeutendsten der vielen barocken Höfe Würzburgs, einst Amtssitz des alten Stifts Sankt Burkhard.

Von den vielen stattlichen Häusern wohlhabender Bürger – einige von Balthasar Neumann erbaut –, die von der Blütezeit der Stadt während der Ära der Familie von Schönborn und ihrer verwandten Nachfolger zeugen, seien zwei besonders erwähnt: der ehem. Gasthof „Haus zum Falken" am Markt und der „Hof zum Rebstock" (Neubaustr. 7, jetzt Hotel) mit seiner beschwingten Rokokodekoration.

Das Mainfränkische Museum auf der Festung Marienberg bewahrt zahlreiche Stücke aus der Barockzeit Würzburgs, darunter Skizzen von Tiepolo für den Kaisersaal der Residenz, Originalfiguren von Ferdinand Dietz u. a. aus dem Veitshöchheimer Rokokogarten, kostbares Mobiliar der Fürstbischöfe – so ein besonders wertvoller Schrank von Friedrich Karl von Schönborn – und ihre Portraits.

ℹ️ Residenz, Residenzplatz 2: Führungen Di–So 9–17 Uhr (April–September), sonst 10–16 Uhr; Hofkirche: Di–So 9–12, 13–17 Uhr (April–September), sonst 10–12, 13–16 Uhr. Apotheke des Juliusspitals: Mo–Fr 14–17 Uhr oder n. Vereinb., Tel. 09 31/3 08 41 28. Mainfränkisches Museum auf der Festung Marienberg: täglich 10–17 (April–Oktober), sonst 10–16 Uhr.

Werneck Fürstbischof Friedrich Karl von Schönborn wünschte sich eine große repräsentative Sommerresidenz – der Wettbewerb unter den Schönborns war groß, auch wenn die, mit denen man konkurrierte, schon nicht mehr unter den Lebenden weilten. 1733 entwarf Balthasar Neumann für ihn eine weiträumige, klar gegliederte und dennoch locker wirkende Dreiflügelanlage, die, wie das für den Baumeister typisch war, wiederum keinem seiner anderen Schloßbauten gleicht. Ihr vorgelagert sind zwei große, vierflügelige Wirtschaftshöfe, deren konkav geschwungene Innenflügel einen weiten halbrunden Platz schaffen, der zum Ehrenhof überleitet. Es herrscht vollkommene Symmetrie: alle Eckpavillons und Türme sind spiegelgleich. Da jeder Bauteil jedoch sein eigenes, immer anders geformtes Dach besitzt, wirkt das Ensemble spannungsvoll und ab

wechslungsreich. Eine doppelte Terrasse leitet über zu dem in geometrischen Formen angelegten Parterre, doch der große, ehemals französische Garten wurde im 19. Jh., der Mode folgend, in einen englischen Park verwandelt. Schloß Werneck ist seit 1856 Heil- und Pflegeanstalt. In den Innenräumen kündet nur noch die ehem. Schloßkirche (jetzt Spitalkirche) mit ihrem blühenden wohlgesetzten Rokokostuck vom Geist früherer Zeiten. Sie ist zwar tagsüber geöffnet, jedoch nicht vom Schloß aus, sondern durch einen Nebeneingang zugänglich.

Pommersfelden Etwa ab Ende des 17. Jh. pflegten die Fürstbischöfe sich immer häufiger auf dem Land aufzuhalten. Man liebte Ruhe, Gemächlichkeit und die Jagd, und schließlich konnte man auch beim Lustwandeln über Amtsgeschäfte nachdenken. Dabei sollte aber das Auge stets Schönes erblicken, drinnen wie draußen, sollte barockhafter Rausch die Gedanken beflügeln. Ein solcher Landsitz mußte auch ausreichend groß für den gesamten Hofstaat sein und repräsentativ genug, um die Höchsten des Reiches empfangen zu können. Lothar Franz von Schönborn, der Onkel der beiden baulustigen Würzburger Fürstbischöfe, war Fürstbischof von Bamberg und Kurfürst-Erzbischof von Mainz und als solcher Erzkanzler des Kaisers, der wichtigste aller deutschen Fürsten. Neben seinen Residenzen in Bamberg, Mainz und Aschaffenburg leistete er sich 1711

Memmelsdorf Das repräsentative Lustschloß Seehof mit den mächtigen, kuppelgekrönten Ecktürmen liegt inmitten eines symmetrisch angelegten Parks (oben).

Pommersfelden Verschwenderisch üppig ist das Treppenhaus, das Herzstück von Schloß Weißenstein (rechts), gestaltet, das mit seiner Raumfülle und großzügigen Pracht ganz dem barocken Lebensgefühl entspricht. Die Pläne dazu beruhen teilweise auf den Ideen des geistlichen Bauherrn, Lothar Franz von Schönborn.

sozusagen als Privatmann Schloß Weißenstein bei Pommersfelden, das er sich als Sammelpunkt für die gesamte Familie dachte – es ist noch heute im Besitz der Linie Schönborn-Wiesentheid.

Für diesen Bau mußten neue Geldquellen erschlossen werden. 100 000 Gulden erhielt Lothar Franz von Kaiser Karl VI., zu dessen Wahl er entscheidend beigetragen hatte. Als es dennoch einmal knapp wurde, verkaufte er August dem

Starken, Kurfürst von Sachsen und König von Polen, einen Teil seiner wertvollen Gemälde. Mit diesen Mitteln entstand ein herrschaftliches Schloß. Sein Baumeister war Johann Dientzenhofer, Sohn eines Maurers und Hofbesitzers in Brannenburg am Inn und einer von sechs erfolgreichen Architektenbrüdern. Mitgewirkt haben ferner der Wiener Lukas von Hildebrandt, der den beschwingten Fensterschmuck des Mittelpavillons sowie das berühmte Treppen

Das Bamberger Rathaus Mitsamt seinem barocken Torturm steht das Gebäude auf Pfahlgittern inmitten der Regnitz. Die Fresken zeigen zwischen Architekturmalerei auch Allegorien der schönen Künste und der bürgerlichen Tugenden.

große, weitgespannte Formen aber dennoch einheitlich. Die Wände im Innern sind mit lebensgroßen Statuen der Ordensheiligen versehen.

Manche alte Bamberger Kirche erhielt zur Barockzeit neue schmückende Teile und Ausstattungen, so Sankt Jakob, Sankt Stephan, die Karmeliterkirche und die Michaelskirche, die im Innern eine der schönsten Rokokokanzeln des Frankenlandes und ein reichgeschnitztes Chorgestühl bekam.

Aus der Fülle der Barockbauten in Bamberg, viele mit Hausmadonnen geschmückt, ragen einige profane heraus, wie das des schnell reich gewordenen Geheimrats am Bischofshof, Johann Böttinger, in der Judengasse, das verschwenderisch mit quellenden Stuckranken und vollplastischen Figuren verziert ist und heute ein Restaurant beherbergt. Ebenfalls sehenswert sind das Wasserschloß Concordia, in dem heute Institute untergebracht sind, auch ein ehem. Böttingerpalast, und das Raulinohaus am Grünen Markt. Die Wände des mittelalterlichen Rathauses, wirkungsvoll auf einer künstlichen Insel im linken Regnitzarm erbaut, erhielten durch Johann Jakob Michael Küchel ein barockes Freskenkleid. Ferner sind der Rathausturm mit seinem anmutigen Rokokoschmuck und das Erdgeschoß mit dem schönen Rokokosaal sehenswert.

ℹ️ Neue Hofhaltung (Residenz), Domplatz 8: Führungen täglich 9–12, 13.30–17 Uhr (April–September), sonst 9–12, 13.30–16 Uhr.

Memmelsdorf Aus dem Fürstenbau, der ein älteres Seehaus ersetzte, ging das imposante Schloß Seehof hervor, das der Bamberger Fürstbischof Marquard Sebastian von Stauffenberg 1686 in kraftvollen barocken Formen von Antonio Petrini erbauen ließ. Mit Hingabe widmeten sich die nachfolgenden Schönborner Fürstbischöfe Lothar Franz und Friedrich Karl der Ausgestaltung des Parks und des Schloßinnern. Wegen Renovierung ist in den nächsten Jahren nur bei besonderen Anlässen eine Innenbesichtigung möglich.

---

haus mit seiner doppelläufigen Treppe und den zweigeschossigen offenen Galerien schuf, und der Kronacher Maximilian von Welsch. Er entwarf den Marstall, einen Gebäudekomplex, der die ganze Hofseite einrahmt. Erlesen bis ins kleinste Detail ist die Ausstattung vieler Räume des Schlosses, vor allem im Marmorsaal, dem Blumenzimmer und dem sinneverwirrenden Spiegelkabinett, das in kaum einem großen Schloß dieser Zeit fehlt. Die Gemäldegalerie des leidenschaftlichen Sammlers enthält hervorragende europäische Werke des 16. bis frühen 18. Jh.

ℹ️ Führungen Di–So 9, 10, 11, 11.30, 14, 15, 16, 16.30 Uhr (April–Oktober).

Bamberg Als 1693 die Wahl des erst 39jährigen Lothar Franz von Schönborn zum Fürstbischof von Bamberg anstand, ließen es sich die Domherren schriftlich geben, daß er keine neuen Schlösser errichten oder alte

kostspielig umbauen werde. Zwei Jahre später erklärte der Papst derartige Abkommen für nichtig. Nichts hinderte Lothar Franz nunmehr daran, die schon insgeheim geplante Residenz von Johann Dientzenhofer bauen zu lassen, die mit ihren ruhigen, klargegliederten Fassaden zwei Seiten des Domplatzes umfaßt (die zwei westlichen Flügel der sogenannten Neuen Residenz sind älter). Eine Besonderheit sind die architektonischen Kaminaufbauten. Die fürstbischöflichen Wohnräume im ersten Obergeschoß enthalten ein chinesisches Kabinett – zum erstenmal wird damit in Franken diese Mode aufgenommen. Die Kaiserappartements im zweiten Obergeschoß boten prominenten Besuchern Quartier. Im Kaisersaal verherrlichen Bildnisse von Königen und Kaisern, angefangen bei den Römern, die Reichsidee und dokumen-

tieren die Legitimität des Kaisertums.

Die Gegenreformation fand in der Bischofsstadt Bamberg ein nachhaltiges Echo. Die wohl eifrigsten Verfechter der alten katholischen Lehre waren die Jesuiten, oft aber auch grausame Vollstrecker der Inquisition. Sie und andere geistliche Herren überführten Hunderte von Männern und Frauen, alte und junge, nach speziellen Foltermethoden der Hexerei und übergaben sie dem Feuer. Häufig fiel ihnen das Vermögen der begüterten Opfer zu. Als Leiter des gesamten höheren Schulwesens und des Klerikalseminars erlangten sie großen Einfluß in der Stadt. Die Fassade ihrer 1693 geweihten Kirche am Grünen Markt (jetzt Sankt Martin) gilt nach der vom Neumünster in Würzburg als eine der schönsten des Hochbarock. Sie wirkt wuchtig, vielgliedrig, durch

Markgrafen halten hof

Der Nürnberger Burggraf Friedrich IV. wurde 1415 Markgraf von Brandenburg. Seitdem trugen auch die fränkischen Herren den Markgrafentitel. Als die fränkische Linie 1603 ausstarb, begann die Zeit der Brandenburger in Kulmbach-Bayreuth und Ansbach; sie führten den Stil des Barock und des Rokoko in den beiden Städten ein. Es entstanden kostbar ausgestattete und dennoch wohnliche Schlösser, deren Fassaden oft mit Muschelwerk verziert waren.

Bayreuth Markgraf Christian, der erste hohenzollerische Markgraf von Brandenburg, verlegte seinen Hof 1603 von Kulmbach nach Bayreuth; die Kanzlei war bereits 1542 übergesiedelt. 1621 begann man mit der Errichtung eines repräsentativen Kanzleigebäudes, das heute die Regierung von Oberfranken beherbergt. In drei Bauabschnitten erhielt es seine heutige Länge, und trotzdem präsentiert es sich heute mit einer einheitlich gestalteten Barockfassade. Über dem Portal sind allegorische Figuren zu sehen, die u.a. Mäßigung, Gerechtigkeit, Weisheit und Kraft symbolisieren. Auch das Alte Schloß wurde unter Einbeziehung des achteckigen Renaissanceturms mehrmals umgebaut. Die Fassaden erhielten durch einen wirkungsvollen bauplastischen Schmuck – kräftige Pilaster und 43 Medaillonbüsten über den Erdgeschoßfenstern – ein einheitliches Gesicht. Da sich hier die Räume des Finanzamts befinden, ist das Schloß nur teilweise zugänglich.

Mit dem Markgrafenpaar Friedrich und Wilhelmine zog Anfang des 18. Jh. höfischer Glanz in die Residenzstadt ein. Mehr noch als ihr Gemahl war es die Markgräfin, eine preußische Prinzessin und Schwester Friedrichs des Großen, die Bayreuth mit ihrem Geist und ihrem Kunstsinn – ohne Rücksicht auf die Kosten – zu seiner kulturellen Blüte führte. Die mit zauberhaftem Rokokostuck verzierte Schloßkirche, die jetzige kath. Stadtpfarrkirche, enthält die Sarkophage des Markgrafenpaars. Bedeutende Künstler der Zeit schufen das Markgräfliche Opernhaus in den pathetischen Formen des italienischen Spätbarock. Das Dek-

Markgräfliches Opernhaus Bayreuth Üppiger Schmuck, teils geschnitzt, teils aufgemalt, bedeckt die Brüstungen der drei Logenränge in dem Musentempel (links). Über der Fürstenloge schwebt der brandenburgische Adler.

Park des Erlanger Schlosses Der Hugenottenbrunnen vor der Orangerie (unten) erinnert an die Verdienste des Markgrafen Christian Ernst bei der Ansiedlung der Franzosen. So nimmt der Fürst denn auch die Spitze der Pyramide ein. Unten sind die Figuren von Hugenotten zu sehen.

Wonsees-Sanspareil Ausdruck der Naturromantik des Rokoko und der Schwärmerei für die Antike ist das als künstliche Ruine angelegte Naturtheater im Felsengarten (links). Mit Masken besetzte steinerne Bogen überspannen den „Bühnenraum".

kengemälde zeigt den griechischen Musenberg Parnaß. Dieses herrliche Opernhaus mit der damals größten Bühne Deutschlands soll Richard Wagner in die Stadt gelockt haben. Auch heute noch finden hier Theaterinszenierungen und Konzerte statt.

Große Teile des Alten Schlosses fielen 1753 den Flammen zum Opfer. Die Baulust Friedrichs soll daran nicht ganz unschuldig gewesen sein: Er hatte – vielleicht absichtlich – unachtsam mit Kerzenleuchtern hantiert. Noch im selben Jahr begann man mit dem Bau des Neuen Schlosses. Die Fassaden des asymmetrisch angelegten Gebäudes wirken bis auf den barocken Mittelrisalit sehr nüchtern; viel Phantasie und Kunstsinn verwandte man dagegen auf die Ausgestaltung des Inneren. Japanisches Kabinett, Pagodenzimmer, Spiegelscherbenkabinett und Teezimmer sind Schöpfungen erlesener Raumkunst. Der Schmuck von Garten- und Spalierzimmer erweckt die Illusion, man befinde sich in einem kunstvollen Garten. Ein Großteil der Entwürfe stammt von der Markgräfin; manches Pastellgemälde und Portrait hat sie selbst gefertigt.

Bürgerliches Barock zeigt sich in der Friedrichstraße. In den stattlichen Wohnhäusern mit sparsamem, aber wohlgesetztem Fassadenschmuck wohnten nicht nur Minister und Kammerherren, sondern auch Maurermeister und Musiker. Die aufwendigeren Bauten am Anfang und am Ende des Straßenzugs waren einst Adelspalais. Auch in der Maximilianstraße findet man Palais mit Barock- und Rokokozier.

Die Eremitage, vor der Stadt an einer Schleife des Roten Mains gelegen, bestand zunächst nur aus einem Tiergarten und einem Grotten- und Brunnenhaus (1666–1669). Markgraf Georg Wilhelm ließ hier ab 1715 das Alte Schloß erbauen (nicht zu verwechseln mit dem Alten Schloß in der Innenstadt), dessen Seitenteile und das Grottenhaus wie aus Stein gewachsen erscheinen. Im Innern sind aus dieser Zeit noch der Marmorsaal und der mit Glasschlakken und Muscheln ausgekleidete Grottenraum erhalten. Markgräfin Wilhelmine verwandelte die bescheidenen Wohnräume in kostbare Raumschöpfungen. Die Lackreliefs an den Wänden des japanischen Kabinetts hat sie selbst geschaffen. So wurde aus der einstigen Einsiedelei ein aufwendiger Sommersitz, der um die Mitte des Jahrhunderts noch ein Neues Schloß (nur von außen zu besichtigen) erhielt. Der Park überrascht stets aufs neue mit Figurengruppen, Ruinenarchitektur, Grotten und Wasserspielen und gehört zu den bedeutendsten Schöpfungen europäischer Gartenkunst.

Mit dem Tod des Markgrafen Friedrich endete die kulturelle Blütezeit der Stadt. Die Staatskasse war leer, und der ohnehin amusische Nachfolger Friedrich Christian mußte alle Hofkünstler entlassen.

An einem inzwischen trockengelegten See hatte Georg Wilhelm, damals noch Erbprinz, 1701 Sankt Georgen gegründet, das unweit des markgräflichen Sommersitzes liegt. Hier fanden die aus Frankreich geflohenen Hugenotten Zuflucht. Sankt Georgen blieb eine Miniaturstadt mit zwei langen Häuserzeilen, einer Ordenskirche, einem Spital und einem Altenstift mit einer kleinen Stiftskirche im Innern. 1725 ließ Georg Wilhelm ein dreigeschossiges Schloß mit Mittelpavillon in kraftvollen barocken Formen erbauen, wo sich die Mitglieder des von ihm gegründeten Roter-Adler-Ordens versammelten. Heute ist es Justizvollzugsanstalt.

ℹ️ Markgräfliches Opernhaus: Besichtigung nur bei Führungen Di–So 9–11.30, 13.30–16.30 Uhr (April bis September), sonst 10–11.30, 13.30–15.00 Uhr.
Neues Schloß: Di–So 10–12, 13.30–17 Uhr (April–September), sonst nur bis 15.30 Uhr.
Altes Schloß der Eremitage: Di–So 9–11.30, 13–16.30 Uhr (April–September), sonst Di–So 10–11.30, 13–14.30 Uhr.
Auskunft über die Richard-Wagner-Festspiele (Ende Juli–Ende August) unter Tel. 09 21/88 50.

Donndorf Erinnerungen des Markgrafenpaars Friedrich und Wilhelmine an eine Italienreise schlugen sich beim Bau ihres Landsitzes Fantasie 1758 nieder: Der Mitteltrakt gleicht einem Florentiner Palazzo. Von der Gartenterrasse blickt man über einen romantischen Park auf den See. Das Schloß ist nur von außen zu besichtigen.

Von Bayreuth nach Beilngries Auf dieser Tour kann man die Vielfalt der Landschaften Frankens kennenlernen: die Fränkische Schweiz, Mittelfranken, das malerische Altmühltal und die Fränkische Alb.

Wonsees-Sanspareil Wirklich „ohnegleichen" erschien den Zeitgenossen das von Markgräfin Wilhelmine von Bayreuth zu einem Felsengarten umgestaltete hügelige Waldstück im Stil eines englischen Gartens. Steintrümmer, Felsgruppen, Grotten, Höhlen und künstliche Ruinen wie das Felsentheater schufen ein romantisches Szenarium. Die Fassade des Morgenländischen Baus, eines steinernen Pavillons, ist mit roten, blauen und weißen Steinen mosaikartig verziert. Im Innern befindet sich ein überkuppelter Speisesaal mit zierlicher Stuckverzierung.

ℹ️ Morgenländischer Bau: Besichtigung nur mit Führung Di–So 9–12, 13.20–17 Uhr (April–September). Der Garten ist ganzjährig geöffnet.

Erlangen Als Ludwig XIV. mit der Aufhebung des Toleranzedikts von Nantes 1685 die Hugenotten, Anhänger der Lehre Calvins, in Frankreich wieder der Verfolgung aussetzte, öffneten die lutherischen Hohenzollern den Flüchtenden ihr

Land. Markgraf Christian Ernst von Bayreuth ließ den Hugenotten südlich der kleinen Stadt Erlang auf schachbrettartigem Grundriß eine neue Stadt samt Kirche erbauen, in der bis 1822 noch französisch gepredigt wurde. Der massive Sandsteinbau steht am Hugenottenplatz. Bald schon zogen auch – angelockt von zahlreichen Steuerfreiheiten – deutsche Reformierte aus der Pfalz zu. Neben der französischen entstand eine deutsche Neustadt. Ihre Kirche mit dem unvollendeten Turm steht auf dem Bohlenplatz; 1720 entstand die repräsentativere Neustädter Stadtpfarrkirche.

Bereits kurz nach 1700 hatte Christian Ernst damit begonnen, sich im französischen Stadtteil eine zweite Residenz – neben Bayreuth – zu bauen. Der Plan wurde aber nur unvollständig ausgeführt. Der ausgedehnte, nach französischem Geschmack gestaltete Garten wurde mehrmals verkleinert und in einen englischen Park umgewandelt. Reizvolle Akzente setzen die 1705–1706 errichtete Orangerie, die zunächst zur Überwinterung von Orangenkulturen genutzt wurde, und der eigenwillige Hugenottenbrunnen, den Markgräfin Elisabeth Sophie von dem Bayreuther Hofbildhauer Elias Räntz zu Ehren ihres Gatten anfertigen ließ. Ein Brand vernichtete 1814 die Inneneinrichtung des Schlosses. Heute ist hier der Sitz der Universitätsverwaltung.

1743 ließ Wilhelmine, die Gemahlin des Markgrafen Friedrich, das alte Comödienhaus von einem italienischen Architekten zum Markgrafentheater ausbauen und ihm die festliche barocke Ausstattung geben. Rund 20 Jahre später wurde es einem breiteren Publikum zugänglich gemacht. Es ist das älteste noch bespielte Barocktheater Bayerns.

Bald begannen auch Adlige, zumeist Hofbeamte, in der Neustadt ihre Palais zu erbauen; Beispiele findet man vor allem in der Friedrichstraße. Die Architektur der Reformierten und Lutheraner ist recht nüchtern. Pilaster, Gesimskanten und geschwungene Fensterverdachungen lockern die Fassaden etwas auf. Barocke Zierfreude entfaltete sich hingegen häufig im Innern. Schöne Beispiele sind die Aula der heutigen Fachoberschule im Egloffsteinschen Palais (Friedrichstraße 17) und das Besoldsche Haus (Hauptstraße 26).

1706 brannte die Erlanger Altstadt nieder. Nun konnte auch sie im Sinne einer barocken Planstadt wieder aufgebaut werden. Auch die Altstädter Kirche wurde im „Markgrafenstil" neu errichtet. Charakteristisch sind der saalartige Innenraum mit Emporen, ein Kanzelaltar und der in die Fassade eingebaute Turm. In den 30er Jahren des 18. Jh. entstand das stattliche barocke Rathaus.

ⓘ Ev. Pfarrkirche, Hugenottenplatz: Besichtigung nur n. Vereinb., Tel. 0 91 31/2 10 28.
Ehem. Schloß: Besichtigung jeden zweiten Sonntag im Monat 10–13 Uhr (Oktober–Juli).
Markgrafentheater: Besichtigung n. Vereinb., Tel. 0 91 31/86 22 62.
Altstädter Pfarrkirche, Martin-Luther-Platz: Besichtigung n. Vereinb., Tel. 0 91 31/2 27 76.
Schillingsfürst Im 13. Jh. erwarben die Grafen von Hohenlohe, eine der bedeutendsten Dynastien Frankens, die stark befestigte Wehrburg auf ei-

Ansbacher Hofgarten
Einen stimmungsvollen Rahmen finden die Rokokofestspiele im Hofgarten der Markgräflichen Residenz vor der Orangerie (oben). Bei den historischen Aufführungen entsteht ein heiteres Bild dieser Epoche. Die Damenmode der damaligen Zeit mit Reifrock und enger Schnürtaille war aber alles andere als bequem.

Fliesen im Ansbacher Schloß Schmuck des Speisesaals sind nicht weniger als 2800 in feinen Farben bemalte Fliesen – ein großes Werk der Ansbacher Fayencenmanufaktur (rechts).

nem Bergsporn. Sie wurde im Dreißigjährigen Krieg zum drittenmal zerstört und blieb 100 Jahre als Ruine stehen, bis sich 1723 Graf Philipp von Hohenlohe-Waldenburg vom Darmstädter Hofarchitekten Louis Remy de la Fosse ein dreiflügliges Barockschloß mit 70 Gemächern und 365 Fenstern erbauen ließ. In vielen Räumen ist die barocke Einrichtung erhalten.

ⓘ Besichtigung täglich 9–11.30, 14–17.30 Uhr.

Ansbach Mitte des 15. Jh. erhoben die Markgrafen von Brandenburg Ansbach zur Residenz. Ihre barocke Prägung verdankt die Stadt vor allem der Markgräfin Christiane Charlotte von Württemberg und ihrem Sohn Karl Wilhelm Friedrich, aber auch der durch sie angeregten Baulust der Bürger. Mit der Umgestaltung der Markgräflichen Residenz wurde der Graubündener Baumeister Gabriel de Gabrieli beauftragt. Die großartige Südostfassade und

Schloß Hirschberg bei Beilngries Ein schmaler Bergkamm bestimmte die Form der Schloßanlage: Zwei Seitenflügel flankieren einen 150 m langen Ehrenhof.

der reizvolle Arkadeninnenhof sind sein Werk. Seine Nachfolger vollendeten den Schloßkomplex in schlichteren Formen. Hervorragende europäische Künstler, unter ihnen der Stukkateur Diego Carlone und sein Bruder Carlo, der Maler, schufen die Ausstattung der Räume: Ihre Handschrift tragen der repräsentative Große Saal, das virtuose Spiegelkabinett sowie die erlesenen Wohn- und Audienzräume von Karl Wilhelm Friedrich und seiner Gemahlin Friederike Luise, die eine Schwester Friedrichs des Großen war.

Daß Ansbach eine vorzügliche Fayencenmanufaktur besaß, beweisen u. a. die Bildfliesen im Speisesaal. Die Fayencen- und Porzellansammlungen im Gotischen Saal der Residenz und im Markgrafenmuseum bieten einen Überblick über das künstlerische Schaffen der Manufaktur. Die Gründung der Staatlichen Porzellanmanufaktur in Schloß Bruckberg 1763 allerdings bewirkte ihren Niedergang.

Der weitläufige Hofgarten, an dessen Längs- und Querachsen sich die ursprüngliche Anlage im französischen Stil erkennen läßt, wird im Norden von der Orangerie begrenzt. In diesem Park finden alljährlich im Sommer die Ansbacher Rokokospiele statt. Musik, Hof- und Gesellschaftstänze des 18. Jh., Aufzüge in historischen Kostümen und ein prächtiges Barockfeuerwerk versprechen kurzweilige Unterhaltung.

Am Karlsplatz, in der Maximilianstraße und an der Promenade mit dem ehem. Jagdzeughaus und dem einstigen Gesandtenhaus hat sich das barocke Stadtbild nahezu vollständig erhalten. Das anmutige Prinzenschlößchen (1697–1699) in der Schloßstraße war zeitweise der Wohnsitz des Erbprinzen. Heute ist es in Privatbesitz.

Karl Wilhelm Friedrichs einziger Sohn Alexander, auch Regent von Bayreuth, war der letzte Markgraf. 1791 dankte er ab, übergab seine beiden Fürstentümer Ansbach und Bayreuth dem erbberechtigten preußischen Staat und lebte fortan in England, der Heimat seiner zweiten Frau.

ℹ️ Markgrafenschloß: Besichtigung nur mit Führung Di–So stündlich 9–11, 14–16 Uhr (April–September), sonst 10–11, 14–15 Uhr. Gotischer Saal: Di–So 9–12, 14–17 Uhr (Sommer), sonst 10–12, 14–16 Uhr. Markgrafenmuseum, Schnaitbergstraße 14: Di–Sa 10–12, 14–17 Uhr. Ansbacher Rokokospiele: Programm beim Städtischen Verkehrsamt, Tel. 09 81/5 12 43.

Ellingen Ein Spital, eine gotische Wasserburg und ein bedeutendes Renaissanceschloß gingen der weitläufigen Schloßanlage voraus, zu der auch Wirtschaftsgebäude, eine Reitschule und eine Brauerei gehörten. Kaiser Friedrich II. hatte das Spital 1216 dem Deutschen Orden überlassen, der darin zunächst eine Kommende einrichtete. Dann hatte hier der Landkomtur der Ballei (Provinz) Franken seinen Sitz und 1788–1796 der Deutschmeister, der Herr über die 12 Balleien im Deutschen Reich war.

Die schönste Seite des Ellinger Schlosses ist die Südfront mit ihrem reichen Skulpturenschmuck und Eckpavillons, die von eigenartig geschweiften Hauben gekrönt sind. Im Innern beeindrucken ein prächtiges Treppenhaus und die barock ausgestatteten Wohnräume des Landkomturs. Das Deutschordensmuseum zeigt Kunstgegenstände des Ordens, darunter Wappentafeln und Portraits von Deutschmeistern. Auch die Schloßkirche hat ihr barockes Gesicht innen wie außen bewahren können.

Die Bau- und Zierkunst der Residenz beeinflußte auch die Stadt. Schönstes Beispiel hierfür ist das mit Reliefs und Figuren geschmückte Rokokorathaus von 1744. Die Neubaustraße bietet noch ein geschlossenes Bild barocker Bürgerhäuser.

ℹ️ Deutschordensschloß mit Museum: Besichtigung nur mit Führung Di–So 9–12, 13–17 Uhr (April–September), sonst 10–12, 14–16 Uhr.

Kinder im Rokoko

Der Hang der Rokokozeit zum Überfeinerten und zur sinnbetäubenden Dekoration äußerte sich in allen Bereichen des Lebens. Die Ideale der Zeit legte man den Kindern bereits in die Wiege. Diese Wiegen – hier ein Prunkstück in der Ansbacher Residenz – waren ihrerseits Ausdruck der schwelgerischen Dekorationsfreude. Dem Babyalter entwachsen, wurden die Kleinen zu Miniaturausgaben der Erwachsenen ausstaffiert. Sie wurden parfümiert, geschminkt und gepudert und trugen die gleiche Kleidung wie die Älteren.

Eichstätt Die Stadt des heiligen Willibald wurde 1634 von einem schweren Brand heimgesucht. Diese Katastrophe, aber auch das Repräsentationsstreben der Bischöfe gaben den Anstoß zu neuer Bautätigkeit. Als fürstbischöflicher Baudirektor wurde Gabriel de Gabrieli berufen, der damals seine Arbeiten am Ansbacher Markgrafenschloß noch gar nicht beendet hatte. Gabrieli verlieh der geistlichen Stadt ihre festlich heitere Note. Die von ihm rund um den Residenzplatz geschaffenen fürstbischöflichen Bauten – der Südflügel der Residenz, das Generalvikariat, die Kanzlei, die vier Kavaliershöfe und die vier Kurien der Willibaldskanoniker – bilden, weit genug auseinandergerückt, einen der schönsten Plätze des deutschen Barock. Strenger gliederte Gabrieli das Bischofspalais, wohl um den älteren, aber barock überarbeiteten Bauten nicht die Wirkung zu nehmen. Der Westflügel der ehem. fürstbischöflichen Residenz enthält zwei bemerkenswerte Räume: das Stiegenhaus des späteren Baudirektors Pedetti mit Rokokoschmuck und den Spiegelsaal. Die Spiegel sind mit Stuckreliefs besetzt, die Szenen kindlicher antiker Götter darstellen.

Anmutig gestaltete Gabrieli die Gartenfront der fürstbischöflichen Sommerresidenz, die im Innern hervorragende Stuckdekorationen birgt. Heute hat hier, in der Ostenvorstadt, die Universitätsverwaltung ihr Domizil.

ℹ️ Ehem. bischöfliche Residenz: Besichtigung nur mit Führung täglich 9, 10, 11, 14, 15 Uhr (Mai–Oktober).

Beilngries Die Grafen von Grögling nutzten den Bergvorsprung über dem Altmühltal im 12. Jh. zum Bau der Burg Hirschberg. Nachdem das Geschlecht ausgestorben war, fiel die Burg 1305 an die Lehnsherren, die Bischöfe von Eichstätt, zurück. Sie verstärkten die Befestigungen und ließen ein Herrenhaus erbauen. 1760 beauftragte man dann den Hofbaudirektor Pedetti, durch Zusammenfügen einzelner Bauten eine symmetrische Anlage zu schaffen. Es entstand ein spätbarockes Schloß im höfischen Geist der Zeit. Die Fassade des Mitteltrakts erhielt ein elegantes Portal, Balustradenzier und schwungvolle Fensterumrahmungen. Die Innenräume, darunter Kaisersaal, Rittersaal, Schloßkapelle und Tafelzimmer, schmücken Deckenbilder und Stuckdekorationen, die meist Jagdmotive zeigen. Das Schloß ist heute Exerzitien- und Bildungsstätte des Bistums Eichstätt.

ℹ️ Innenbesichtigung an kursfreien Tagen n. Vereinb., Tel. 0 84 61/72 77.

Geburtstagsfeier eines Barockfürsten

Herzog Eberhard Ludwig von Württemberg wartet im Schatten eines Baldachins auf den Beginn des Damenkarussells. Zu seinen Füßen liegt sein Leibwolf, der ihm auf Schritt und Tritt folgt. Der Herzog genießt nach der Jagd am Vormittag den Augenblick der Ruhe. Er ist an diesem Tag – es ist der 19. September 1721 – mit sich und der Welt zufrieden. Gestern beging er seinen 45. Geburtstag. Mit Genugtuung kann der Herzog die prachtvolle Schloßanlage bewundern, die hier in den vergangenen 17 Jahren buchstäblich aus dem Nichts entstanden ist. Sein Traum vom eigenen Versailles hat sich, wenn auch in kleinerem Rahmen, endlich erfüllt. Zu seiner Linken erhebt sich auf der Anhöhe das Schlößchen Favorite, das in frischem Glanz erstrahlt. Noch ist die Innenausstattung nicht ganz vollendet, aber der Mittelsaal mit seinem prächtigen Ausblick hätte schon für das Fest genutzt werden können, wenn das Wetter nicht mitgespielt hätte.

Auf der anderen Seite ragt über den Gartenterrassen das Corps de logis des Ludwigsburger Schlosses auf. Der Herzog schaut zum Fenster an der rechten Ecke hoch, hinter dem sich das Spiegelkabinett befindet. Sein Hofmarschall Forstner hatte ihm während der Bauarbeiten mehr als einmal versichert, es werde königliche Pracht ausstrahlen, und tatsächlich rühmen es alle hohen Gäste und Kenner als den Höhepunkt barocker Kunst. Doch immer wieder regt ihn der Anblick seines Schlosses auch zum Nachdenken über die Erweiterungspläne an. Bei allem Glanz bleibt neben den Repräsentationsräumen und den Wohnungen des Hofstaates wenig Raum für die fürstlichen Gemächer. Daran ändert auch der von seinem Architekten Donato Giuseppe Frisoni vorgelegte Erweiterungsplan nicht viel. Er muß unbedingt noch in diesem Jahr einen Beschluß über weitere Bauten fassen.

Dort oben im Speisesaal hat er am Vorabend seinen Geburtstag mit einem Festmahl begangen. Die Tafel war üppig gedeckt. Der Herzog saß wie meist zwischen seiner Mätresse, der Landhofmeisterin Wilhelmine Gräfin von Würben, einer geborenen von Grävenitz, und der Erbprinzessin Henriette Marie. Sein Oberkapellmeister Brescianello dirigierte Kompositionen des Erbprinzen Friedrich Ludwig. Anschließend begab sich die Gesellschaft in den Festsaal im Ordensbau und tanzte bis spät in die Nacht.

Aber jetzt machen sich die Teilnehmer des Damenkarussells bereit. Kavaliere lenken die kleinen Turnierwagen, von denen aus die Damen ihre Treffsicherheit beweisen wollen. Sie müssen zuerst in voller Fahrt einer ausgestopften Henne, die im Maul eines toten Fuchses liegt, einen Degenstich versetzen, dann mit dem Wurfpfeil das Herz eines Cupidos treffen und schließlich mit einem Ball nach dem Schild eines Soldaten werfen. Die Kämpferinnen sind ernsthaft bei der Sache, sie lassen sich anfeuern und erhalten viel Beifall, aber da es ein vergnügliches Spiel ist, nehmen sie auch das Gelächter hin, wenn ihre Pfeile oder Bälle gar zu weit das Ziel verfehlen. Der Herzog läßt es sich nicht nehmen, die Siegespreise selbst zu überreichen. Sie entsprechen dem ländlichen Rahmen des Festes: Die beiden Siegerinnen erhalten einen Kopf Salat, in dem eine kostbare Repetieruhr versteckt ist, und ein Stück Butter, zu dem es ein goldenes Besteck gibt.

Inzwischen haben Doppelgespanne drei Bauernwagen herangezogen. Das ist das Zeichen, daß die Gesellschaft sich zu Tisch begeben kann. Unterhalb des Schlosses ist eine Schenke aufgebaut, davor stehen reichlich gedeckte Tische. Von den Wagen tragen Hofpagen, die als Bauernburschen gekleidet sind, Feldfrüchte, Blumengebinde und Ährenkränze herbei. Während Musikanten ländliche Tänze spielen, nehmen die Gäste ihre Plätze ein. Der Oberhofmarschall Graf von Grävenitz, der Bruder der Landhofmeisterin, hat die Rolle des Wirtes übernommen, die der Herzog bei früheren Festen selbst gern spielte. Diesmal möchte er jedoch lieber nur Zuschauer sein. Die Grävenitz spielt die Wirtin. Der Erbprinz und seine Gemahlin treten als Schäfer und Schäferin auf. Alle anderen Rollen – Bauersleute, Handwerker, Zigeuner, Schultheiß oder Jäger – sind vor Tagen unter den Höflingen ausgelost worden. Beispielsweise hat der Oberstallmeister, ebenfalls ein Bruder der Grävenitz, das Los des Hausknechts gezogen und der Geheime Rat von Schütz das des Schulmeisters. Der Obermundschenk darf sich ausnahmsweise einschenken lassen, denn er selbst spielt heute den Gärtner.

Gartenfest in Schloß Ludwigsburg Herzog Eberhard Ludwig von Württemberg feiert am Tag nach seinem 45. Geburtstag im Schloßpark seiner Residenz ein ländliches Fest. Die Höflinge sind als einfaches Landvolk kostümiert. Erbprinz und Erbprinzessin treten als Schäferpaar verkleidet auf, die Mätresse des Herzogs schenkt den Wein aus.

Die große Gesellschaft läßt sich die auf das Landleben abgestimmten deftigen Gerichte und Getränke in ausgelassener Stimmung munden. Zwischen den Tischen ist die Grävenitz unermüdlich mit dem Weinkrug unterwegs und schenkt eifrig nach. Sie bedient die Anwesenden vorzüglich, aber in einem unterscheidet sie sich doch von einer Dorfwirtin: Auf ihren kostbaren Schmuck konnte und wollte sie nicht verzichten. Und auch am Hals mancher Bäuerin oder Schäferin blitzen die Juwelen.

Bis lange nach Einbruch der Dunkelheit wird an den Tischen gespeist und getrunken, geplaudert und gelacht. Hier darf man sich einmal anders geben als gestern an der Tafel oben im Festsaal. Als es kühler wird, begibt sich die Gesellschaft ins Corps de logis, um den Tag mit einem Ball zu beschlie-

ßen, zu dem wieder Brescianello aufspielen läßt. Zum krönenden Abschluß seiner Geburtstagsfeier hat der Herzog ein Feuerwerk vorbereiten lassen. Als Kanonenschüsse den Beginn anzeigen, begeben sich die Anwesenden in die Galerie im zweiten Obergeschoß und treten an die Fenster, die den Blick zum Schlößchen Favorite freigeben. Da steigen von allen Seiten Schwärmer und Springkugeln in die Luft, sprühen Feuerräder, schießen Raketen in den Himmel und werfen oben ihre Sternfunken aus. Lichtröhren in den verschiedensten Farben zeichnen überraschende Bilder in die Dunkelheit. Als Huldigung an Herzog Eberhard Ludwig erleuchten zum Schluß des Feuerwerks sein Namenszug und die drei Hirschhörner, das württembergische Wappen, den Nachthimmel.

Das kunstreiche Erbe der Kleinstaaterei

Ab dem späten Mittelalter verlor der Kaiser immer mehr an politischem Einfluß, während die Macht der vielen Territorialherren beständig zunahm. Dieser Zersplitterung des Reichs in zahlreiche kleine und kleinste Grafschaften, Herzog- und Fürstentümer sowie kirchliche Herrschaftsgebiete verdanken wir – vor allem im Südwesten – eine stattliche Anzahl von repräsentativen Barockschlössern. In einigen von ihnen finden im Sommer stimmungsvolle Konzerte statt.

Mannheim Zwischen den Flußläufen von Rhein und Neckar ließ Kurfürst Friedrich IV. von der Pfalz ab 1606 nach Plänen des Niederländers Bartel Janson eine mächtige Festung anlegen. Nach ihrer Zerstörung im Dreißigjährigen Krieg errichtete sein Enkel Karl Ludwig rund 50 Jahre später in Anlehnung an die neue französische Schloßbaukunst die Friedrichsburg, die allerdings 1689 im Pfälzischen Erbfolgekrieg ebenfalls geschleift wurde. Zu einem Wiederaufbau kam es erst, als 1720 Kurfürst Karl Philipp den Entschluß faßte, seine Residenz von Heidelberg nach Mannheim zu verlegen.

1731 war der erste Teil der weitläufigen Schloßanlage, an deren Ausgestaltung französische und italienische Künstler mitwirkten, bezugsfertig. Im selben Jahr fand die Weihe der Schloßkirche statt, die

Cosmas Damian Asam mit kunstvollen Fresken ausschmückte. In den nächsten Jahren folgte der Westflügel mit dem Opernhaus. Nach dem Tod Karl Philipps 1742 baute erst zehn Jahre später sein Nachfolger Karl Theodor von Lothringen weiter. Unter ihm entstanden der Ostflügel und die Bibliothek. Nach insgesamt 40jähriger Bauzeit diente das Schloß allerdings nur knapp 20 Jahre als Residenz, denn 1778 mußte Karl Theodor seine Erbschaft in Bayern antreten und siedelte nach München über.

Bis auf die Zeit von 1806 bis 1860, in der die Großherzogin Stephanie de Beauharnais das Schloß als Witwensitz nutzte, stand es leer und wurde schließlich im Zweiten Weltkrieg völlig zerstört. Beim Wiederaufbau restaurierte man im Innern nur das Treppenhaus mit den Wandmalereien von Asam, den reich mit Stuck ausgestatteten Rittersaal, in dem 1777 Mozart ein Konzert gegeben hatte, und die Schloßkirche mit einem Deckengemälde von Asam. Die übrigen Räume sind heute von Studenten bevölkert: Hier ist die Universität untergebracht.

Kurfürst Karl Philipp, der bereits 1720 Jesuiten aus Heidelberg nach Mannheim gerufen hatte, wollte 1733 mit dem Neubau der Jesuitenkirche den Übertritt seines Hauses zum Katholizismus dokumentieren. Von der Ausstattung dieser „Großen Hofkirche" in unmittelbarer Nähe des Schlosses, einer der bedeutendsten barocken Kirchen in Süddeutschland, ist außer der Orgel und einer Silbermadonna im Strahlen-

Schwetzinger Schloß-garten *Die großzügige Parkanlage mit ihren kunstvollen Wasserspielen (oben) ließ Kurfürst Karl Theodor von dem Franzosen Nicolas de Pigage und einem Zweibrückener Hofgärtner* *nach französischem Muster, also streng geometrisch gegliedert, ausführen. Ab 1778 wurden der nördliche und westliche Teil der Anlagen in einen englischen Garten umgewandelt. Wer heute durch die* *weitläufige Kunst- und Gartenlandschaft mit ihren Beeten, Bäumen, Bächen und Seen spaziert, vermag sich leicht vorzustellen, wie hier einst eine feine Hofgesellschaft entlang-flanierte.*

Schloß Bruchsal *Die doppelläufige Treppe von Balthasar Neumann auf ovalem Grundriß gilt als eine der bedeutendsten Raumschöpfungen des europäischen Barock (rechts).*

Mannheim Dieser Kupferstich von 1758 im Reiß-Museum zeigt eine Ansicht der Planstadt zwischen Rhein und Neckar (unten).

Von Mannheim nach Ludwigsburg Die Tour führt rheinaufwärts durch Baden nach Rastatt und über Ettlingen ins Schwabenland.

Auftrag zur Neuplanung. Der Baudirektor und Obristleutnant Maximilian von Welsch erstellte den Plan für die Gesamtanlage. Auffallend ist, daß die Dreiflügelanlage aus Feuerschutzgründen aus lauter einzelnen Gebäuden zusammengefügt wurde, die aber gleichwohl Wand an Wand stehen. Man kann also nicht von einem Seitenflügel über den Mittelbau in den zweiten Flügel gehen, sondern jedes der Gebäude bildet einen eigenen Baukörper: in der Mitte das Corps de logis, der Fürstentrakt, daneben zwei kleinere Verbindungsbauten sowie an den Seiten der Kirchenflügel und der Kammerflügel.

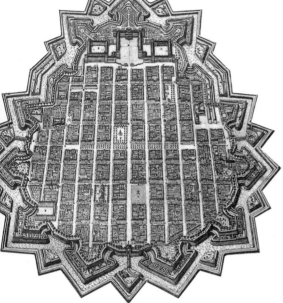

kranz leider nur wenig erhalten. 1777 wurde als letzter kurfürstlicher Bau das Zeughaus in Auftrag gegeben. Es beherbergt heute einen Teil des Städtischen Reiß-Museums, in dem eine wertvolle Porzellan- und Fayencensammlung sowie Plastiken aus der Zeit des Absolutismus zu sehen sind.

ℹ Kurfürstliches Residenzschloß: Di–So 10–12, 15–17 Uhr (April–Oktober), Sa, So 10–12, 15–17 Uhr (November–März).
Jesuitenkirche: täglich 7.30–12, 14 bis 18.45 Uhr.
Reiß-Museum im Zeughaus: Di–Sa 10 bis 13, 14–17, Mi bis 20, So 10–17 Uhr.

Schwetzingen Um 1700 erstand unter Kurfürst Johann Wilhelm auf den Resten einer mittelalterlichen Wasserburg das Schloß Schwetzingen. Unter Kurfürst Karl Theodor begann die Blütezeit der Stadt, und viele Künstler von Rang zog es an die Sommerresidenz, zu der er das Schloß ab 1742 ausgebaut hatte. 1748–1755 ließ er von dem Architekten Franz Wilhelm Rabaliatti rechts und links vom eigentlichen Schloßgebäude die beiden Zirkelbauten errichten und holte den bekannten, erst 29 Jahre alten französischen Architekten Nicolas de Pigage an seinen Hof. Dieser erhielt 1752 den Auftrag, das schon seit sechs Jahren geplante kurfürstliche Theater endlich zu realisieren. Der in nur

wenigen Monaten im Stil des Rokoko fertiggestellte Bau verursachte Kosten in Höhe von 22 790 Gulden, mehr als das Vierfache dessen, was man ursprünglich veranschlagt hatte. Er ist heute das einzige unverändert erhaltene kurfürstliche Hoftheater in Deutschland. Ein Deckengemälde zeigt Wolfgang Amadeus Mozart und seine Schwester Nannerl beim Musizieren. Im Mai und Juni werden hier Festspiele mit Bühneninszenierungen und konzertanten Aufführungen veranstaltet.

Die Parkanlage gilt als eine der schönsten Europas. Besondere Anziehungspunkte sind u. a. der Merkurtempel – nach dem Geschmack der damaligen Zeit als Kunstruine aus Tuff errichtet –, die Moschee mit ihren zierlichen Minaretten und einem reichverzierten Innenhof und der Apollotempel mit seinen Grotten und Wasserspielen.

ℹ Schloß: Die Gebäude bleiben wegen Renovierungsarbeiten voraus-

sichtlich bis 1991 geschlossen. Schloßpark: täglich 8–20 Uhr (April bis September), 8–18 Uhr (Oktober und März), sonst 8–17 Uhr. Schloßtheater: Besichtigung nach der Festspielzeit (Juni–September), Führungszeiten zu erfragen unter Tel. 0 62 02/8 14 81. Festspiele: Auskunft unter Tel. 06202/4933.

Bruchsal Die Entstehungsgeschichte des Bruchsaler Schlosses ist eng verbunden mit dem Fürstbischof Damian Hugo von Schönborn, der den Streit zwischen der protestantischen Reichsstadt Speyer und der katholischen Kirche leid war und nach der Zerstörung des Doms und der Bischofspfalz in Speyer durch französische Truppen seine dortige Residenz nicht wieder aufbauen wollte. Vielmehr sollte Bruchsal, wo die Kirche über Grundbesitz verfügte, neuer Standort werden; und so gab der Fürstbischof noch im Jahr seiner Inthronisierung (1720) den

Ebenso konsequent erstellte man auch alles andere getrennt voneinander, so daß das Schloß am Ende annähernd 50 Einzelgebäude zählte, unter ihnen zwei Pavillons am Rand des Ehrenhofs, in denen einst das Hofkontrollamt und das Hofzahlamt untergebracht waren.

Der Bauherr überwachte alle Arbeiten genau und stieg auch schon einmal den Brüdern Asam auf dem Baugerüst nach, um die Malereien in der Hofkirche zu begutachten. Kein Wunder, daß dadurch immer wieder Meinungsverschiedenheiten auftraten und mancher gehen mußte oder selbst seinen Dienst kündigte. Zum spektakulärsten Bruch kam es mit dem Baudirektor Freiherr von Ritter zu Grünstein, als der Bischof eigen-

***Türkische Schabracke in Karlsruhe** Markgraf Ludwig Wilhelm von Baden ging als Türkenlouis in die Geschichte ein: Als Oberbefehlshaber im Türkenkrieg war er 1689–1692 maßgeblich an der Vertreibung der Türken beteiligt. Zu seiner reichen Beute gehörten u. a. Waffen, Schmuck und Teppiche. Diese türkische Prunkschabracke aus Samt ist stolze 1,42 m lang. Sie ist im Badischen Landesmuseum ausgestellt.*

mächtig im Hauptgebäude ein weiteres Zwischengeschoß einziehen ließ. Er übersah dabei allerdings, daß hierdurch das geplante runde Treppenhaus nicht mehr zu realisieren war. In seiner Verlegenheit wandte er sich schließlich an Balthasar Neumann, der damals bei den Schönbornern in Würzburg im Dienst stand. Der entwarf, um „das Loch in der Mitten" zu schließen, eine Treppe, die sich in ovalem Grundriß aus dämmriger Enge nach oben schwingt und von einer lichten Kuppel überwölbt wird.

Als der Fürstbischof 1743 starb, war das Schloß fertig Mit der Verfeinerung der Innenausstattung wurden der bekannte Stukkateur Johann Michael Feichtmayr und der Freskenmaler Johannes Zick beauftragt. Als Höhepunkt ihres Schaffens gilt der Marmorsaal, der eine seltene Harmonie von Architektur und Dekorationskunst ausstrahlt.

ℹ️ Schloßbesichtigung Di–So 9–13, 14–18 Uhr. Von September bis Mai werden Schloßkonzerte veranstaltet.

Karlsruhe Der Legende nach verdankt das Schloß seine Entstehung einer Laune des Markgrafen Karl

__Karlsruhe__ Die barocke Stadtanlage wirkt wie ein riesiger Fächer. Der Viertelkreis nach Süden mit seinen neun Fächerstraßen bestimmt noch heute das Stadtbild. In der Fächerform spiegelt sich das absolutistische Prinzip, das den Herrscher in den Mittelpunkt rückte.

Wilhelm von Baden-Durlach. Er soll sich auf der Suche nach dem verlorenen Fächer seiner Frau im Hardtwald verirrt haben und unter einem Baum eingeschlafen sein. Dabei träumte er von einem Schloß, das mitten im Wald gelegen, über neun Straßen erreicht werden konnte, die gleich einem Fächer angeordnet waren. Ob diese Geschichte nun stimmt oder nicht, Tatsache ist jedenfalls, daß er seine Residenz von Durlach, das im 17. Jh. der Zerstörung durch die Truppen des Sonnenkönigs anheimgefallen war, in die Rheinebene verlegen wollte. 1715 legte er im Hardtwald den Grundstein für sein neues Schloß „Carolsruhe", dessen Plan seinem Wunsch nach „künftiger Ruhe und Gemütsergötzung" entsprang. Der Gesamtanlage liegt die Idee eines Jagdgartens mit radialem Wegesystem zugrunde, in dessen Zentrum das Schloß liegen sollte. Als Ausgangspunkt wählte der Bauherr allerdings nicht, wie sonst üblich, den Fürstentrakt, sondern einen achteckigen Turm, von dem aus insgesamt 32 Alleen sternförmig auseinanderlaufen, neun in Richtung Stadt, die übrigen in die umliegenden Wälder. Da der Markgraf trotz allem aber ein sparsamer Mann war, ließ er die damalige Anlage in einfacher Fachwerkbauweise erstellen.

Sein kunstsinniger Nachfolger Karl Friedrich beschloß jedoch, diese abzureißen und repräsentativ in Stein wieder aufzubauen. 1752 ließ er sich von den Ideen des Stuttgarter Hofbaumeisters Philippe de la Guêpière überzeugen, dem es gelang, den Grundriß und sogar Teile der Außenmauern des Vorgängerbaus mit einzubeziehen. Mit der Bauleitung beauftragte man seinen

Schüler, den Hofjunker Friedrich von Keßlau. Unter seiner Regie entstanden in Anlehnung an Pläne von Balthasar Neumann um einen trapezförmigen Ehrenhof die weit ausgreifende Flügelanlage und das Fasanenschlößchen. 1944 wurde das Karlsruher Schloß weitgehend zerstört. Nach der Restaurierung ist hier das Badische Landesmuseum mit bedeutenden Münz-, Skulpturen- und Keramiksammlungen untergebracht. Besondere Beachtung verdienen die Exponate aus der Durlacher Fayencemanufaktur, die zwischen 1723 und 1847 gefertigt wurden.
ⓘ Schloß mit Museum: Di–So 10–17.30, Do 10–21 Uhr.
Rastatt 1690 heiratete Markgraf Ludwig von Baden, wegen seiner siegreichen Feldzüge Türkenlouis genannt, die Herzogin Sibylla Augusta von Sachsen-Lauenburg. Nach der Zerstörung seines Bergschlosses in Baden-Baden im Spanischen Erbfolgekrieg lebte das Paar zunächst am Hof der Schwiegereltern in Nordböhmen. Dank der reichen Mitgift seiner Frau sah Ludwig sich dann in der Lage, ab 1697 im Rheintal genau auf der Achse zwischen Fort Louis im Elsaß und dem markgräflichen Schloß Ettlingen eine Festung zu bauen. In ihrer Mitte ließ er nach Plänen des italienischen Architekten Domenico Egidio Rossi ein Jagdschlößchen errichten. Als im selben Jahr offensichtlich wurde, daß Ludwig seine Hoffnungen auf die polnische Königskrone begraben mußte, beschloß er, Rastatt zu seiner Residenz auszubauen. Wie vielen Herrschern in der Zeit des Barock erschien ihm die weite, bewaldete Ebene als Baugrund geeignet, da nur dort geräumige und repräsentative Schloßanlagen entstehen konnten und die Jagd als eine der Hauptvergnügungen gesichert war.

Um 1700 ließ er deshalb von Rossi nach dem Vorbild von Versailles eines der ersten Barockschlösser auf deutschem Boden erbauen, eine großzügige Anlage, die deutlich italienischen Einfluß zeigt. Als der Markgraf 1707, ein Jahr nach Vollendung der Arbeiten, starb, setzte seine Witwe den weiteren Ausbau fort. Sie ließ den Nordflügel mit der Kirche anfügen und, dazu symmetrisch, den Südflügel errichten. Ein Bild in der Schloßkirche, das die heilige Helena darstellt, ist ein Portrait dieser bedeutenden Frau. Heute beherbergt das Schloß zwei informative Ausstellungen: das Wehrgeschichtliche Museum und die Erinnerungsstätte für die Freiheitsbewegungen in der deutschen Geschichte.

Weil ihr das Rastatter Schloß zu groß war, ließ Sibylla Augusta ab 1710 murgaufwärts, etwa 5 km südlich von Rastatt, das kleine Lustschlößchen Favorite erbauen. Die Entwürfe dazu lieferte sie selbst, da sie hier eine Anlage nach Vorbildern aus ihrer böhmischen Heimat verwirklichen wollte. Die vornehme Strenge des Baus wird auf der Gartenseite durch eine doppelläufige Freitreppe etwas aufgelockert.

Im Innern ließ die Markgräfin die kleinen Gemächer äußerst kostbar ausstatten. Chinesische, italienische und niederländische Elemente dominieren. Besonders erwähnenswert sind die wertvollen Porzellansammlungen, die Fayencen mitteleuropäischer Manufakturen und eine Kollektion böhmischer Gläser. Das Schloß wurde nach ihrem Tod nur noch selten bewohnt. Anfang des 19. Jh. erst legte man den englischen Landschaftsgarten an.
ⓘ Schloß Rastatt, Wehrgeschichtliches Museum: Di–So 9.30–17 Uhr;

Ettlinger Schloß
Stimmungsvolle Kulisse der sommerlichen Schloßfestspiele ist die sorgsam restaurierte Fassade des Südflügels mit ihrer barocken Scheinarchitektur (rechts). Hier werden alte und moderne Klassiker inszeniert.

Residenzschloß Ludwigsburg Das prachtvolle Bauwerk, üppige Blumenbeete und hübsche Wasserspiele vereinen sich von Frühjahr bis Herbst auf einer Fläche von 30 ha zu einer wahren Sinfonie: dem „Blühenden Barock" (unten).

Erinnerungsstätte: Di–So 9.30–12, 14–17 Uhr; Schloßkirche: Besichtigung n. Vereinb., Tel. 0 72 22/ 3 64 76.
Schloß Favorite: Di–So 9–11, 14–17 Uhr (Mitte März–Oktober), 9–12, 13–16 Uhr (bis Mitte November).
Ettlingen Die Schloßanlage geht auf eine Wasserburg zurück, die Mitte des 16. Jh. bis auf das Untergeschoß des Hohen Turms niederbrannte. Von Markgraf Philibert von Baden für seine Gemahlin als Witwensitz wieder aufgebaut, wurde auch dieses Schloß im Spanischen Erbfolgekrieg völlig zerstört. Rund 40 Jahre später

erst sollte die heutige Anlage erstehen, als 1728–1733 Markgräfin Sibylla Augusta von Sachsen-Lauenburg, die Witwe des Türkenlouis, sich dort ihren Alterssitz einrichten wollte. Sie ließ das Schloß nach einem Gutachten von Balthasar Neumann und Plänen des Architekten Johann Michael Ludwig Rohrer zu einer Vierflügelanlage mit runden Türmen am Südflügel erweitern. Hauptblickfang ist der auf vier Säulen ruhende Balkon vor dem Südportal. Die Architekturmalerei an den Fassaden wurde 1977 wiederhergestellt. Für die Innenraum-

gestaltung verpflichtete sie den Baumeister und Stukkateur Donato Riccardo Retti, der auch das Allianzwappen Baden-Baden/Sachsen-Lauenburg über dem Portal schuf.

Die länglich-ovale Kapelle am östlichen Abschluß des Nordflügels, 1733 vollendet, gilt heute als kunsthistorisch wertvollster Teil der Anlage. Sie birgt ein großartiges Kuppelfresko, das Cosmas Damian Asam 1732 in wenigen Wochen malte. Es zeigt in Scheinarchitektur Darstellungen aus dem Leben des heiligen Johann Nepomuk. Die zwei oberen Geschosse der ursprünglich dreistöckigen Kapelle – Asamsaal genannt – bilden den festlichen Rahmen für die Ettlinger Schloßkonzerte (März–Juli), und der Schloßhof ist alljährlich von Juni bis August Schauplatz der Schloßfestspiele.

ⓘ Schloßbesichtigung Di–So 10–17 Uhr. Schloßfestspiele und Schloßkonzerte: Kartenverkauf unter Tel. 0 72 43/7 79 79.

Stuttgart-Solitude Auf einer Jagd entdeckte Herzog Karl Eugen 1763 einen abgeschiedenen Hügel in der Nähe von Stuttgart, der einen weiten Blick ins württembergische Unterland bot. Hier wollte er ein neues Lustschloß bauen, das – als Stätte der Einsamkeit – den Namen Solitude erhielt. Es sollte ihm fernab der Hauptstadt ein freieres, unbeaufsichtigteres Leben gestatten. Die Pläne dazu lieferte der Herzog vermutlich selbst. In sieben Jahren entstand ein repräsentatives Schloß mit zwei halbrund angelegten Flügelbauten und zahlreichen Kavaliers-

häuschen. Zum Hauptgebäude führt eine Freitreppe hinauf. Die Kuppel des erhöhten Mittelteils wird von der Figur der Wirtembergia bekrönt. Die 15 km lange, schnurgerade Allee, die Karl Eugen von Schloß Solitude zu seiner neuen Residenz Ludwigsburg anlegen ließ, ist heute als Solitudestraße in Teilen noch erhalten.

ⓘ Schloßbesichtigung Di–So 9–12, 13.30–17 Uhr (Ende März–Mitte Oktober), sonst 10–12, 13.30–16 Uhr.

Stuttgart 1744 übernahm Herzog Karl Eugen mit 16 Jahren in Württemberg die Regierung. Zehn Jahre zuvor hatte man den Hof von Ludwigsburg wieder nach Stuttgart zurückverlegt, doch der in Preußen erzogene Prinz wollte nicht in das düstere Gemäuer des Alten Schlosses einziehen. So entschloß man sich zum Bau einer neuen Residenz, mit deren Realisierung der Ludwigsburger Baumeister Leopold Retti 1746 begann. Als Retti 1751 starb, beauf-

Kostbarkeiten aus Porzellan

Nachdem man 1708 in Dresden die Formel des Mischungsverhältnisses von Kaolin, Feldspat und Quarz für die Herstellung von Porzellan entdeckt hatte, gründete der württembergische Herzog Karl Eugen am 5. April 1758 die Ludwigsburger Porzellanmanufaktur. Namhafte Künstler, die u.a. aus Wien und Meißen gekommen waren, schufen verspielte, zerbrechliche Kostbarkeiten – Kannen, Dosen, Schalen, Teller, Tassen, Vasen und Figuren –, die sie auf das feinste mit Blumen, Vögeln und Landschaften bemalten. Der bedeutendste Porzellanmaler war wohl Gottlieb Friedrich Riedel, der in 20 Jahren das Bild des Ludwigsburger Porzellans am entscheidendsten prägte. Ihre Blütezeit erlebte die Manufaktur in den Jahren 1760–1770. Als die Residenz 1817 wieder nach Stuttgart ver-

legt wurde, verblich der einstige Glanz der Manufaktur, die sieben Jahre später geschlossen wurde.

Erst seit dem Zweiten Weltkrieg entstehen hier wieder, ganz in der Tradition des 18. Jh., kleine Kunstwerke. Im Rahmen einer ständigen Ausstellung zur höfischen Kunst des Barock sind diese feinen Porzellanarbeiten im Ludwigsburger Schloß zu bewundern.

tragte man Philippe de la Guêpière aus Paris mit der Fortführung des Baus, der sich am Versailler Vorbild orientierte. 1762 brannten jedoch der Gartenflügel und das Corps de logis nieder, worauf der Herzog das Interesse an diesem Schloß verlor. Sein Nachfolger Friedrich II. trieb die Vollendung des Komplexes voran und überließ Anfang des 19. Jh. den Innenausbau dem Architekten Nikolaus von Thouret.

Heute ist das Neue Schloß, das 1944 völlig ausbrannte, der Sitz mehrerer Ministerien; der Weiße Saal im linken Flügel ist zeitweilig für Konzerte zugänglich. Das Württembergische Landesmuseum im Alten Schloß zeigt den Schatz der Herzoglichen Kunstkammer und den württembergischen Kronschatz.

ⓘ Württembergisches Landesmuseum im Alten Schloß: Di–So 10–17, Mi bis 19 Uhr.

Ludwigsburg Für den Bau des Barockschlosses bestand ursprünglich keine Notwendigkeit, da das Stuttgarter Schloß von Herzog Eberhard Ludwig nicht, wie diejenigen der Markgrafen von Baden und der Kurfürsten von der Pfalz, im Spanischen Erbfolgekrieg zerstört worden war. Er verwirklichte das neue Schloß dennoch, und dies verdanken wir der Prachtliebe des Herzogs und vor allem dem dringenden Wunsch seiner Mätresse, der Gräfin Wilhelmine von Würben. Für den Neubau eines Schlosses eignete sich nach Meinung des Herzogs die Ebene am Rand des Neckartals, wo früher sein Jagdschloß gestanden hatte.

1704 begann man mit den Bauarbeiten; das Schloß wuchs zu einer stattlichen Dreiflügelanlage heran. 1720 erweiterte man es auf Betreiben der Gräfin von Würben um den Bau des zierlichen Schlößchens Fa-

vorite, das eine enge Verwandtschaft mit dem kaiserlichen Lustschloß in Wien zeigt und als nördlicher Abschluß der Anlage gedacht war. 1725 begann man schließlich, im leicht ansteigenden Gelände des Südgartens einen neuen Fürstentrakt zu errichten. Durch Galerien verband man die alten Teile mit dem Neubau. So entwickelte sich ein vierflügliger Komplex um einen ausgedehnten Hof.

Das „Schwäbische Versailles", mit 18 Gebäuden, 452 Zimmern und drei Höfen das größte Barockschloß in Deutschland, erhielt eine kostbare Ausstattung, so z.B. in der westlichen und östlichen Spiegelgalerie, im Spielpavillon und im Ordenssaal, wo im Sommer Konzerte stattfinden. Eine Ausstellung informiert über höfische Kunst im Barock. Der weitläufige Park verwandelt sich von März bis Oktober in eine prächtige Gartenschau, das „Blühende Barock". Anziehungspunkt für kleine Besucher ist der spannende Märchengarten.

Nach dem Tod Eberhard Ludwigs 1733 ließ Herzog Karl Eugen u.a. die Ordenskapelle zu einer Rokokohofkirche umbauen, was der protestantische Zeitgeschmack, der schlichte Formen bevorzugte, für anstößig hielt: Anlaß genug, daß einige Württemberger aus Protest nach Amerika auswanderten.

ⓘ Residenzschloß: Führungen täglich 9–12, 13–17 Uhr (April–Oktober), sonst Mo–Fr 10.30, 15, Sa, So und feiertags 10.30, 14 und 15.30 Uhr; Ausstellung Höfische Kunst des Barock: Di–Sa 13–17, So 10–12, 13–17 Uhr (April–September), sonst Mi, Sa 13–16, So 10–12, 13–16 Uhr. Schloß Favorite: täglich 9–12, 13.30–17 Uhr (Mitte April–Oktober), sonst Di–So 10–12, 13.30–16 Uhr.

Bildnis Karl Eugens in Ludwigsburg In der Bildergalerie des Schlosses findet sich natürlich auch ein Portrait von Herzog Karl Eugen (links). Während er in Stuttgart sein Neues Schloß errichten ließ, wohnte er mehrmals für längere Zeit in Ludwigsburg. Hier veranstaltete er rauschende Feste, und zahlreiche Künstler von Rang gaben sich hier ein Stelldichein.

Stuttgart: Franziska von Hohenheim 1785 heiratete Herzog Karl Eugen die aus einer verarmten Landadelsfamilie stammende Franziska von Hohenheim. Sie übte einen mäßigenden Einfluß auf die despotischen Neigungen ihres Gatten aus. Ihr Bildnis ist im Württembergischen Landesmuseum zu sehen (rechts).

Fürstliches Schloß in Bad Berleburg Noch immer residieren die Fürsten von Sayn-Wittgenstein im Berleburger Schloß, das in einer herrlichen Parkanlage liegt.

Bad Berleburg Seit dem frühen 16. Jh. ist die kleine Stadt am Südhang des Rothaargebirges Residenz der Grafen und späteren Fürsten zu Sayn-Wittgenstein. Das Schloß, das auf eine Burg des 13. Jh. zurückgeht, wurde von Graf Casimir 1731–1733 um den stattlichen Mittelflügel mit seinem reich stuckierten Musiksaal erweitert. Der Graf machte Berleburg auch zu einem religiösen Zentrum des Protestantismus: Er gewährte verfolgten Pietisten Zuflucht und verfaßte selbst eine achtbändige kommentierte Bibelübersetzung.

Zwölf Räume der dreiflügligen Schloßanlage dienen heute als Museum. Die Geschichte der fürstlichen Familie wird u. a. durch Waffen, Uniformen, Möbel, Gläser, Porzellan und Teile der Kunstsammlung vor Augen geführt.

ℹ️ Museum Schloß Berleburg: Führungen täglich 10.30 und 14.30 Uhr.

Bad Homburg v. d. Höhe Als Heinrich von Kleist in seinem Schauspiel „Prinz Friedrich von Homburg" Landgraf Friedrich II. von Hessen-Homburg ein literarisches Denkmal setzte, da machte er von seiner dichterischen Freiheit nur zu reichen Gebrauch. Der echte „Landgraf mit dem silbernen Bein", der als 26jähriger bei der Belagerung Kopenhagens in schwedischen Diensten das linke Bein eingebüßt hatte und eine Prothese trug, war ein entschlossener, praktisch denkender Mann, der wenig mit dem romantisch-verträumten Dramenhelden gemein hatte. 1675 führte er als brandenburgischer General die preußische Kavallerie in der Schlacht bei Fehrbellin zum Sieg über die Schweden. 1680 begannen die Bauarbeiten an seinem neuen Schloß. Fünf unterschiedlich lange Flügel umschließen zwei unterschiedlich große Höfe. Die prunkvoll ausgestalteten Portale sind der einzige Schmuck der schlichten Fassaden. Am Portal des oberen Schloßhofes hat sich Friedrich mit seinem Reiterstandbild selbst ein Denkmal gesetzt. Der Architrav trägt einen verschwenderisch dekorierten Wappenaufbau mit Allegoriendarstellungen, aus dessen Mitte der Landgraf selbst hoch zu Roß regel-

Der Prinz von Homburg Hoch zu Roß scheint Landgraf Friedrich II. aus der Wand über einem der Portale seines Schlosses zu springen.

recht herausprescht. Das gegenüberliegende Portal am Archivgebäude trägt eine Kopie der im Schloß gezeigten Bronzebüste Friedrichs, die 1704 gegossen wurde. Ein Schmuckstück im Innern ist u. a. das Spiegelkabinett, das Landgraf Friedrich III. 1728 von Homburger Tischlern zur Hochzeit geschenkt wurde. Die meisten Schauräume sind zwar von dem Einrichtungsstil des 19. Jh. geprägt, doch finden sich hier auch zahlreiche Kunstwerke des 17. und 18. Jh.

ℹ️ Schloß Homburg: Di–So 10–17 Uhr (März–Oktober), sonst Di–So 10–16 Uhr.

Darmstadt Das Schloß am Nordwestrand der Altstadt war ab 1567 Residenz der Landgrafen von Hessen-Darmstadt, die es so großzügig ausbauten, daß man heute zwischen dem Altschloß und dem ab 1716 gebauten Neuschloß unterscheidet. Das Altschloß, das aus einer Wasserburg des 14. Jh. hervorging, gruppiert sich mit drei Binnenhöfe. Landgraf Ludwig VI. ließ 1664 den vierstöckigen Glockenbau errichten, um seine vielköpfige Familie besser unterbringen zu können. Ein holländischer Meister schuf das Glockenspiel mit seinen 35 Glocken, das jede halbe Stunde mit einem Choral oder einem Volkslied ertönt. Heute ist hier das Schloßmuseum mit einer Sammlung zur Geschichte der ehem. Landgrafschaft Hessen-Darmstadt untergebracht. Der verantwortliche Baumeister des Neuschlosses, Louis Remy Delafosse, hatte eine gewaltige Anlage geplant, doch aus Geldman-

gel konnten nur die Flügel mit ihren Eckpavillons ausgeführt werden, die im Süden und Südwesten dem Altschloß vorgelagert sind.

ℹ️ Schloßmuseum im Glockenbau: Mo–Do 10–13, 14–17, Sa, So 10–13 Uhr.

Diez Nördlich des Lahnstädtchens liegt auf steilem Felsenhang Schloß Oranienstein, ein über den Fundamenten einer romanischen Kirche errichteter fünfflügliger Bau um einen Ehrenhof. 1672–1684 ließ Prinzessin Albertine Agnete von Nassau-Diez den Mittelflügel als Witwensitz errichten. Ab 1697 erfolgte auf Anordnung ihrer Schwiegertochter, der Fürstin Amalie, ein erheblicher Ausbau. Der Niederländer Daniel Marot lieferte die Pläne, die der Hugenotte Johann Coulon ausführte – es verwundert also nicht, daß der Bau mit seinen vornehmen, aber etwas kühlen Formen in Einzelheiten dem niederländischen Barock verhaftet ist. In seinem Innern bewahrt das Schloß, das heute eine Dienststelle der Bundeswehr beherbergt, feinste Stukkaturen der italienischen Meister Eugenio und Cypriano Castelli sowie Antonio Genone. Das Deckengemälde von Jan van Dyck in der Schloßkapelle hat das Pfingstwunder zum Thema. Einen Schwerpunkt des Nassau-Oranien-Museums, das heute im Schloß untergebracht ist, bildet die Malerei des 17. Jh.

ℹ️ Schloß Oranienstein mit Nassau-Oranien-Museum: täglich 9.30 bis 11.30, 14–16.30 Uhr, Anmeldung an der Pforte, Oraniensteiner Straße.

Dresdner Zwinger
Die nahe westliche Stadtbastion gab dem berühmtesten Barockbauwerk Dresdens seinen Namen. Bei den Pavillons verschmelzen Bauform und Skulptur zu einer kunstvollen Einheit.

Schrezheimer Fayence in Ellwangen
Im Schloßmuseum ist dieser 29,5 cm hohe Birnkrug mit Jagdmotiven und Zinndeckel aus dem Jahr 1780 ausgestellt. Bis heute ist das genaue Herstellungsverfahren der berühmten Fayencen ein Geheimnis geblieben.

Eutiner Schloß *Auf einer Landzunge am Großen Eutiner See erhebt sich die ehem. Residenz der Lübekker Fürstbischöfe.*

Dresden „Die Fürsten schaffen sich Unsterblichkeit durch ihre Bauten", war ein Wahlspruch Augusts des Starken, der sich gern als „sächsischer Herkules" bezeichnen ließ, und er handelte danach. Der König von Polen und Kurfürst von Sachsen ließ sich 1711–1717 von Matthias Daniel Pöppelmann in der Elbestadt einen einzigartigen Festplatz erbauen: den Zwinger. Als Arena für höfische Galaaufzüge gedacht, waren die sonst für solche Anlagen üblichen Holzbauten hier in Stein ausgeführt. Der von Bogengalerien gesäumte, offene Festplatz ist nach Westen und Osten durch schmale Höfe verlängert, deren halbkreisförmige Abschlüsse mit zweistöckigen, aufwendig gestalteten Pavillons besetzt sind. An den Französischen Pavillon schließt sich hinter der westlichen Zwingergalerie das Nymphenbad an. Der Zusammenklang von Architektur, Plastik und Natur verleiht dieser Brunnengrotte unter freiem Himmel ihren einzigartigen Reiz. Von der Südseite her gibt das Kronentor den Eingang zum Festplatz frei. Einem antiken Triumphbogen nachempfunden, trägt es über seiner Kuppel die polnische Königskrone. Der reiche Figurenschmuck des Zwingers ist heute meist durch Kopien ersetzt.
ℹ️ Dresden-Information, Prager Straße 11, DDR-8000 Dresden.

Ellwangen Über der Stadt am Rand der Schwäbischen Alb erhebt sich die ehem. Residenz der Fürstpröpste, das Schloß „ob Ellwangen". Die auf den Resten einer Stauferburg errichtete, Anfang des 17. Jh. zum Renaissanceschloß umgestaltete Anlage brannte 1720 aus und wurde danach zum Barockpalast ausgebaut. Ein kunstvoll dekoriertes Treppenhaus führt ins Schloßmuseum. Beispiele des Wasseralfinger Eisenkunstgusses, Krippen, Drucke und Zeichnungen des Barock sind hier ausgestellt. Einen Schwerpunkt bilden die hervorragenden Erzeugnisse der Fayencenmanufaktur, die 1752 von Fürstpropst Franz Georg von Schönborn und dem Weinhändler Johann Bux im heutigen Stadtteil Schrezheim gegründet wurde und bis 1865 bestand.
ℹ️ Schloßmuseum: Di–Fr 14–17, Sa, So und feiertags 10–12, 14–17 Uhr sowie für Gruppen n. Vereinb., Tel. 0 79 61/5 20 35.

Eutin Seit dem 12. Jh. war die Stadt im Herzen der Holsteinischen Schweiz Hauptort des Territoriums der Bischöfe von Lübeck. In der ersten Hälfte des 18. Jh. schufen sie sich hier eine kleine fürstliche Residenz nach dem Vorbild großer Schloßanlagen. Der vierflüglige Bau mit seinem charakteristischen Eingangsturm umschließt einen trapezförmigen Hof. Unter den reich ausgestatteten Innenräumen dominiert der Blaue Salon mit seinen prachtvollen Stukkaturen. Das Schloß beherbergt eine interessante Sammlung von Fürstenportraits des 16. bis 19. Jh., die die verwandtschaftlichen Beziehungen des europäischen Adels deutlich werden lassen. Daneben befinden sich hier einige große Schiffsmodelle des 18. Jh. aus dem Besitz des Zaren Peter III. Ab 1774 waren die Lübecker Fürstbischöfe gleichzeitig Herzöge von Oldenburg. Unter Herzog Peter Friedrich Ludwig erhielt Eutin Ende des 18. Jh. den Beinamen „Weimar des Nordens". Im Schloß, das noch immer im Besitz der jetzigen Großherzöge von Oldenburg ist, trafen sich Geistesgrößen aus Kunst und Wissenschaft wie der Philosoph Johann Gottfried Herder oder die Dichter Friedrich Gottlieb Klopstock und Matthias Claudius. Zu Ehren des 1786 in Eutin geborenen Komponisten Carl Maria von Weber finden alljährlich im Juli und August auf der Freilichtbühne im Schloßpark die „Eutiner Sommerspiele" mit Opernaufführungen statt.
ℹ️ Schloßmuseum: Besichtigung nur mit Führung Di–So 10, 11, 14, 15, 16 Uhr (Mai–Oktober).
Eutiner Sommerspiele: Informationen beim Verkehrsamt, Tel. 0 45 21/ 31 55.

Herzberg Wer heute auf dem Amtsgericht von Herzberg am Südwestrand des Harzes etwas zu erledigen hat, der begibt sich in die ausgedehnten Zimmerfluchten des Schlosses, das ab 1617 dem Stammvater des Hauses Hannover, Herzog Georg, als Residenz diente. Der Vierflügelbau mit seinen Fachwerkgeschossen über steinernem Unterbau umschließt einen rechteckigen Innenhof. Dieser sogenannte Stammhausflügel mit seiner rundbogigen Toreinfahrt geht in seinem Kern auf die Burganlage zurück, die 1510 abbrannte. In der Nordostecke steht der um 1650 gebaute Uhrturm mit seinen reichen figürlichen Schnitzereien am Fachwerk. Bemerkenswert sind auch die kupfernen, drachenköpfigen Wasserspeier am Nordflügel.

Kempten Die Fürstäbtliche Residenz, in der heute die Justizverwaltung untergebracht ist, bildet im Kern eine großzügige Vierflügelanlage, die Fürstabt Roman Giel von Gielsburg 1651–1674 errichten ließ. Fürstabt Anselm von Meldegg ließ sich dann ab 1730 im zweiten Geschoß des Westflügels Prunkräume mit Stuck, Schnitzwerk und Malereien ausstatten, die zum Besten gehören, was das Rokoko im Allgäu zu bieten hat. Die 1780 errichtete Orangerie am nördlichen Ende des Hofgartens beherbergt heute die Stadtbibliothek.
ℹ️ Fürstäbtliche Residenz: Besichtigung Sa nachmittags und So vormittags n. Vereinb., Tel. 08 31/20 32 23.

417

Marstallmuseum München *Für die Kaiserkrönung von Kurfürst Karl VII. Albrecht 1742 war diese in Paris angefertigte Prunkkarosse bestimmt.*

Neues Schloß in Meersburg *Der Gartenpavillon der unteren Schloßterrasse ist nah am Steilhang gebaut. Die Decke in diesem Lusthäuschen wurde um 1760 von Johann Wolfgang Baumgarten mit einer Darstellung der vier Jahreszeiten bemalt.*

Meersburg Ab dem 16. Jh. war Meersburg das Verwaltungszentrum des kirchlichen Fürstentums Konstanz. Auf einer hoch über dem Bodensee gelegenen Terrasse ließ der architekturbegeisterte Fürstbischof Damian Hugo von Schönborn den 1712 errichteten „Neuen Bau" ab 1740 zu einem Barockschloß ausbauen. Balthasar Neumann, der nie in Meersburg war, reichte die Pläne für den dreigeschossigen Einflügelbau mit der zweiarmigen Freitreppe und den Eckpavillons aus der Ferne ein. Die Stukkaturen des Stiegenhauses und des Festsaals schuf Joseph Anton Feichtmayr, die Deckengemälde Joseph Appiani.
ℹ️ Neues Schloß: täglich 10–13, 14–18 Uhr (April–Oktober).

München Als Adelaide von Savoyen, Gattin des Kurfürsten Ferdinand Maria, 1662 den Erbprinzen Max Emanuel zur Welt brachte, da ließ der stolze Vater nicht nur die Theatinerkirche errichten, sondern er schenkte seiner Gattin auch ein Sommerschloß. Die vom Architekten Agostino Barelli entworfene kubusförmige Villa bildet heute das Herzstück der Anlage von Schloß Nymphenburg. Die Gesamtfront mißt mit Mittelbau, anschließenden Galerien und Pavillons sowie den im rechten Winkel angefügten Bauten 605 m. Mit den gewaltigen Ausbauten begann der inzwischen 40 Jahre alt gewordene Erbprinz 1702. Der in Frankreich ausgebildete Joseph Effner schuf den großzügigen Barockpark mit der Badenburg, einem aufschlußreichen Beispiel fürstlicher Badekultur, und der gegenüberliegenden Pagodenburg. Auch die künstliche Ruine der Magdalenenklause, als romantische Betstätte für den Kurfürsten gedacht, ist ein Bau Effners. Ihr gegenüber liegt eines der zierlichsten Kleinode des bayerischen Rokoko: die Amalienburg. Kurfürst Karl VII. Albrecht ließ sie 1734–1739 für seine Gattin Amalia bauen und von bedeutenden Malern, Stukkateuren und Bildhauern ausgestalten.

Im Südflügel von Schloß Nymphenburg ist heute das Marstallmuseum mit seiner Sammlung historischer Kutschen, Schlitten und Prunkwagen des Hauses Wittelsbach untergebracht.
ℹ️ Schloß Nymphenburg und Marstallmuseum: Di–Fr 9–12.30, 13.30 bis 17 Uhr.

Plön Als nach 1635 das Eingreifen Frankreichs und Schwedens den Dreißigjährigen Krieg erneut aufflammen ließ, gehörte das heutige Schleswig-Holstein zu jenen glücklichen Landstrichen, die weitgehend verschont blieben. So konnte Herzog Joachim Ernst sein Residenzschloß fertigstellen lassen. Die Schloßkapelle der Dreiflügelanlage birgt die herzogliche Gruft. Dort steht der Marmorsarkophag des eigentlichen Bauherrn des Schlosses, des Herzogs Friedrich Carl. Erst unter ihm wurde nach 1745 das Schloß zu einer typischen kleinen Barockresidenz ausgebaut. Heute ist hier ein Internat untergebracht.
ℹ️ Plöner Schloß: Schloßgebietsführungen n. Vereinb. mit der Kurverwaltung Plön, Tel. 0 45 22/27 12.

Schleißheim Das größte Schloß Deutschlands hatte Kurfürst Max Emanuel von Bayern um 1683 wenige Kilometer nördlich von München bauen wollen, doch nur der Ostflügel der projektierten Anlage konnte vollendet werden. Das geschnitzte Ostportal (1763) ist eine Arbeit von Ignaz Günther, das Gewölbefresko im Treppenhaus – Venus bei Vulkan – schuf Cosmas Damian Asam. Das von 1597 stammende schlichte Alte Schloß, dessen Äußeres nach schweren Kriegsschäden in der alten Form wiederhergestellt wurde und das heute eine Sammlung religiöser Volkskunst beherbergt, hätte in den Westflügel einer geschlossenen Vierflügelanlage integriert werden sollen. Enrico Zuccalli, der mit der Planung beauftragte Architekt, hatte schon 1684 das Schlößchen Lustheim am Ostende des heutigen Parks gebaut, das mit dem Schloß verbunden werden sollte. Der zweigeschossige Bau Lustheims, der in der Tradition des italienischen Barock steht, birgt einen durch beide Geschosse reichenden Saal mit einem von bemalten Atlanten getragenen Spiegelgewölbe. Im Sommer finden im Neuen Schloß Konzerte statt.
ℹ️ Neues Schloß und Schloß Lustheim: Di–So 10–12.30, 13.30–17 Uhr (April–September), sonst Di–So 10–12.30, 13.30–16 Uhr.
Altes Schloß: Di–So 10–17 Uhr.
Auskunft über die Schloßkonzerte unter Tel. 0 89/3 15 61 30.

Schleswig Auf einer Insel im Burgsee, einem Ausläufer der Schlei, liegt Schloß Gottorf, dessen Anfänge bis ins 12. Jh. zurückreichen. Herzog

Schloß Schleißheim
*Mit ihrem Mittelbau,
den Verbindungs-
galerien und den
anschließenden
Pavillons weist die
unvollendete Schloß-
anlage eine Länge
von 300 m auf.*

Friedrich IV. begann 1698 mit einem Neubau der Vierflügelanlage, die heute den größten Schloßkomplex Schleswig-Holsteins bildet. Hier ist heute das Schleswig-Holsteinische Landesmuseum untergebracht. Die Kultur des Adels in Barock und Rokoko wird anhand von Möbeln, Gemälden und Fayencen in würdigem Rahmen vorgestellt.
ℹ Schleswig-Holsteinisches Landesmuseum: Di–So, 9–17 Uhr (April–Oktober), sonst 9.30–16 Uhr.

Trier Als Kurfürst Lothar von Metternich Anfang des 17. Jh. den Baumeister Georg Riedinger beauftragte, ihm einen Entwurf für ein Stadtpalais zu liefern, da kam der Meister auf die Idee, die Reste von Westwand und Apsis der um 300 n. Chr. unter Kaiser Konstantin errichteten Palastaula in seinen Schloßbau einzubeziehen. Die Ost- und Südwand – soweit sie noch über der Erde standen – sollten abgerissen werden. Kein leichtes Unterfangen, immerhin war das römische Mauerwerk 2,70 m dick. Schließlich wurde aus dem einstigen kaiserlichen Gebäude der Westflügel eines Renaissanceschlosses. Bis 1623 waren der Nord- und Ostflügel – die noch heute stehenden Teile – vollendet. Der die Palastaula einschließende Westflü-

**Chinesisches Zimmer
in Weilburg** *Schwere,
asiatischen Formen
nachempfundene
Stuckdekorationen
und ein Fußboden mit
Einlegearbeiten aus
Zinn sind die Beson-
derheiten dieses Re-
präsentationsraums
im Nordflügel des
Schlosses.*

gel des Schlosses wurde im 19. Jh. wieder abgerissen, als man den Römerbau rekonstruierte. Zwischen 1757 und 1761 lebte die Bautätigkeit erneut auf. Johannes Seitz, ein Schüler Balthasar Neumanns, ersetzte den Südflügel durch einen – nicht vollendeten – Rokokobau, dessen prächtiger figürlicher Schmuck am Mittelrisalit die Blüte des Trierer Landes unter der Regierung des Bauherrn, Kurfürst Johann IX. Philipp von Walderdorff, symbolisiert. So befinden sich z. B. auf dem Balkon die Allegorien der vier Jahreszeiten. Das Treppenhaus mit seinem großartigen Rocaillegeländer aus Sandstein ist eines der letzten des Rokoko. Heute ist im Palais der Sitz des Regierungspräsidenten untergebracht.
ℹ Kurfürstliches Palais: Besichtigung des Treppenhauses n. Vereinb., Tel. 06 51/7 10 82 77.

Weilburg 1972 wurden die unteren Wirtschaftsgebäude des Weilburger Schlosses durch einen Brand schwer beschädigt. Man entschloß sich, gleich den ganzen Komplex umfassend zu renovieren, so daß heute das Schloß in alter Pracht über der Lahnschleife etwa 20 km südwestlich von Wetzlar thront. Kern der weitläufigen Schloßanlage ist das vierflüglige Renaissanceschloß, das einen fast quadratischen Innenhof umschließt. Hier reicht die Vielfalt der Bauformen vom rustikalen Fachwerk bis zur Eleganz des Nordflügels mit seinen schmucken Fachwerkgiebeln und Hofarkaden. Im frühen 18. Jh. erfolgte unter Fürst Johann Ernst der großzügige Ausbau der Burgstadt zur prächtigen Barockresidenz. Heute betritt man den Komplex zwischen der ehem. Kanzlei (1703) und der Rentkammer (1700). Im Schloß werden 35 Räume mit der Originalausstattung aus der Residenzzeit gezeigt – darunter eine komplett eingerichtete Küche aus dem 17. Jh. und das Bad mit einer Wanne aus schwarzem Lahnmarmor, das sich Johann Ernst einbauen ließ. Direkt an den Südflügel schließt sich die Obere Orangerie an, deren Festsaal mit herrlichen Stukkaturen Carlo Maria Pozzis geschmückt ist. Die Untere Orangerie ahmt das Vorbild in Versailles nach. Der lange, gerade Bau (1710–1714) hat eine durch Arkaden gegliederte Vorderseite und gibt den Blick auf eine rekonstruierte barocke Gartenlandschaft frei.
ℹ Schloß Weilburg: Di–So 10–17 Uhr (März–Oktober), sonst Di–So 10–16 Uhr.

Herzog-August-Bibliothek Wolfenbüttel
*Das wahrscheinlich
1656 entstandene Öl-
gemälde zeigt Herzog
August d. J., den be-
deutendsten Sammler
der nach ihm benann-
ten Bibliothek, in sei-
nem Studierzimmer.*

Wolfenbüttel Das ehem. herzogliche Residenzschloß ist das größte erhaltene Schloß in Niedersachsen. Der niedersächsische Baumeister Hermann Korb blendete ab 1714 den alten Gebäuden des Schlosses gleichmäßig durchgegliederte Fassaden vor. Diese Ummantelung besteht aus Holz, das durch Verputz den Eindruck eines monumentalen Steinbaus erweckt. 14 Schloßräume sind heute als Museum eingerichtet und geben mit ihren Deckengemälden, Stuckarbeiten, Keramiköfen und Portraits einen umfassenden Einblick in die Wolfenbütteler Schloßkultur des frühen 18. Jh. 135 000 Schriften in 31 000 Bänden sammelte der gelehrte Herzog August d. J. Seine berühmte Bibliothek ist heute in den Museumsräumen der Herzog-August-Bibliothek am Lessingplatz zu besichtigen.
ℹ Historische Räume im Residenzschloß Di, Do, So 10–13, Mi 10–13, 15–17, Fr, Sa 10–13, 15–18 Uhr.
Herzog-August-Bibliothek, Museumsteil: täglich 10–17 Uhr.

Fürstliches Fest

Feste gehörten zum Alltag der Barockfürsten. Anlässe für die aufwendigen, oft mehrtägigen Feiern fanden sich das ganze Jahr über: Ob Geburt, Taufe, Verlobung, Hochzeit, Geburtstag, Namenstag oder Karneval, man ließ keine Gelegenheit aus, sich wirkungsvoll in Szene zu setzen. Einen Besuch des Markgrafen Johann Friedrich von Ansbach in der fürstbischöflichen Residenz Würzburg schildert 1680 der Berliner „Dienstagische Mercurius":

Würzburg, vom 7. Maji. Vergangenen Sonnabend nachmittag ist der herrliche Einzug des Herrn Marggraffen von Anspach [Johann Friedrich] allhier gehalten worden, welcher prächtiger und magnifiquer nicht seyn können, aber doch ist er nicht ohne Spaß und Gelächter abgelauffen, denn nachdem den gantzen Tag das schöneste Wetter, und die Cavalliere und andere sich auf das herrlichste außgeputzet, gleich wie des Herrn Marggraffen seine auch, weilen sie beederseits das schöneste Wetter sahen, hat der meiste Theil, umb sich recht sehen zu lassen, die Capute und Mäntel zu Hause gelassen. Als sie nun etwan eine gute halbe Stunde von hier einander empfangen, ist auff einmal ein solcher erschrecklicher Regen kommen, daß nicht zu beschreiben, unterzustehen war keine Gelegenheit, weil kaum für 2 Mann Platz, wil geschweigen für 3000 Personen und mehr, so mit draussen gewesen, sind also in aller Gravität mit ihrem köstlichen Auffzug im schrecklichen Regen unter Lösung von 100 Stücken und der gantzen Soldatesca angekommen. Lächerlicher ist denenselben, so im trockenen von weiten zu-

sehen kunten, nichts noch fürkommen, als wie die schönen Baruquen so vorhin auff das schöneste gepudert waren possirlich außsahen, wie auch die Federn auff den Hüten, im übrigen keinen trockenen Faden am Leibe, einer fluchte, daß der grösseste Schloßthurn hätte einfallen mögen, andere lachten, und andere schickten nach andere Kleider, alle Winckel waren voll außziehens, schmälens, und das ärgste, was sie verdroß, war, daß, so bald sie ankommen, sich das Gewölcke augenblicklich wieder verlohren, verzogen, und das schönste Wetter, wie zuvor, wiederkommen [...].
Wie Tractamenten, Lustspiele, Schiessen und Ringelrennen abgelauffen [...], ist nicht zu beschreiben.

***Residenzstadt Würzburg** Die Bauleidenschaft der Schönborner Fürstbischöfe machte die Stadt am Main im 17. und 18. Jh. zu einem kulturellen Zentrum, dessen Anziehungskraft heute noch wirkt.*

Modekritik

König Ludwig XIV. von Frankreich wurde zum Vorbild der zahlreichen souveränen deutschen Fürsten. Ungeachtet der beschränkten Mittel ihrer Länder versuchten sie, ihn in allen Fragen der Mode und Kultur nachzuahmen. Gegen die Übermacht des Französischen wandten sich viele Schriften. In einem Flugblatt von 1689 heißt es:

Wer ist bisher unter uns verkehrten und leider! ganz verblendeten Teutschen gewesen, der sich nicht durch die Irrlichter unserer Feinde der Franzosen Art verführen lassen? Wer ist, der sein väterlich Geld und Gut, das Blut seiner Unterthanen, Bürger und Bauern nicht in Frankreich getragen, verkehrt, und einen Spinnen-Webengleichen Lappen, einen Katzenkrummen Rücken, ein Taschen-Messer-artiges Compliment, absonderlich aber ein leichtfertig-falsches Gemüt, leeren Beutel und, welches das allerschlimmste, ein sehr böses Gewissen mit gebracht hat? [...]
Die Teutschen sind des Französischen Laster-Teufels Meerkatzen und Affen, und zwar auf eine erznärrische und lächerliche Art, mehrenteils überflüssiger Weise, oder in excessu, zum Exempel: Als vor etlichen Jahren die Franzosen aus einem Feldzuge mit großen, weiten Stiefeln, so sie im Kriege vor Bewahrung Regens und Schnees erdacht hatten, zurückkamen, stracks trug ein Stutzer oder Gassentreter, so weder zu reiten noch zu Felde zu liegen hatte, dergleichen Stiefel von einer Stube zur andern: also gieng es mit den langen Röcken, oder wie sie sie insgemein Lothringer Kappen nenneten, so die Pistolen und Unterkleider auf dem Pferde zu verwahren, erfunden worden. Jeder mußte alsobald dergleichen haben, ob er schon weder Pistolen noch Pferd hatte. Die weiten Reithosen mußten auch den Kindern, die auf Stecken ritten, angezogen werden. Die breite Leib-Gehenke gürten wir Teutsche in der Stuben um, die im Wetter vor dem Wind die Kleider zusammen zu halten dienen sollen. Die Peruquen

oder Parucken, ich weiß nicht, von was ich sie her derivire, von Peruquet oder Papageyen, von Eulen-Nestern, Mützen und dergleichen; diese soll ein Franzos, der den bösen Grind [...] gehabt, erdacht haben, andere geben auch für, daß es einer gewesen, dem die Französische oder Neapolitanische Krankheit die Haare vom Schädel gefressen. Als solches ein Teutscher gesehen, daß es ein wenig das Gesicht bildet, gleich habe er seine schöne Haare vom Kopf geschnitten, und eine solche Walepanze (Walepanze soll auf alt Teutsch eine Parucken, von pantzen, putzen oder zieren, und Wala, so auf bayrisch ein Kopf genennet worden) aufgesetzet [...]
Da mochte man wohl sagen, [...] daß es bei uns Teutschen Narren gäbe: Immaginations-Haare, Patienz-Bärte (welche bald lang, bald kurz, bald wie die Säuborsten, bald wie ein paar Nasenpöpel überm Maul kleben, bald was, bald gar nichts), Responsions-Hüte, Indifferent-Hutschnuren, Legations-Federn, Variat-Krausen, Accordant-Kamisol, Malcontent-Wämmser, A la mode-Hosen [...].

***Höfische Kleidung** Im 18. Jh. hatte der Jahrmarkt der Eitelkeiten besonderen Zulauf. Französische Lockenperücken, Puder und Rüschen waren für die Herren selbstverständlich.*

Kaiserkrönung

Längst war die Stellung des Kaisers im Reich bedeutungslos geworden: Selbständig und oft selbstsüchtig verfolgten die Fürsten ihre politischen Ziele. Dennoch feierte Frankfurt die Krönung Josephs II. zum deutschen Kaiser mit allem Pomp. Der junge Goethe war Zaungast und erinnert sich später in „Dichtung und Wahrheit":

Der Krönungstag brach endlich an, der 3. April 1764; das Wetter war günstig und alle Menschen in Bewegung. [...] Was nun zuerst die Aufmerksamkeit aller, die von oben herab den Platz übersehen konnten, erregte, war der Zug, in welchem die Herren von Aachen und Nürnberg die Reichskleinodien nach dem Dome brachten. [...]

Nunmehr begeben sich die drei Kurfürsten in den Dom. Nach Überreichung der Insignien an Kur-Mainz werden Krone und Schwert sogleich nach dem kaiserlichen Quartier gebracht. Die weiteren Anstalten und mancherlei Zeremoniell beschäftigten mittlerweile die Hauptpersonen sowie die Zuschauer in der Kirche, wie wir andern Unterrichteten uns wohl denken konnten.

Vor unsern Augen fuhren indessen die Gesandten auf den Römer, aus welchem der Baldachin von Unteroffizieren in das kaiserliche Quartier getragen wird. [...] und als nunmehr die Wahlbotschafter, die Erbämter und zuletzt unter dem reichgestickten, von zwölf Schöffen und Ratsherrn getragenen Baldachin der Kaiser in romantischer Kleidung, zur Linken, etwas hinter ihm, sein Sohn in spanischer Tracht langsam auf prächtig geschmückten Pferden einherschwebten, war das Auge nicht mehr sich selbst genug. Man hätte gewünscht, durch eine Zauberformel die Erscheinung nur einen Augenblick zu fesseln; aber die Herrlichkeit zog unaufhaltsam vorbei [...].

Was in dem Dom vorgegangen, die unendlichen Zeremonien, welche die Salbung, die Krönung, den Ritterschlag vorbereiten und begleiten, alles dieses ließen wir uns in der Folge gar gern von denen erzählen, die manches andere aufgeopfert hatten, um in der Kirche gegenwärtig zu sein.

Krönungsmahl zu Ehren Josephs II. Der Zeremonie folgte das Fest im ehrwürdigen Römersaal. Alles, was in Europa Rang und Namen hatte, traf sich in Frankfurt zu den Krönungsfeierlichkeiten.

„Der Staat bin ich"

Die Herrschaftsmethoden der absolutistischen Fürsten in den deutschen Staaten wurden schon früh beanstandet. Einer der Kritiker war Johann Michael Moscherosch. In seinem satirischen Werk „Die Gesichte Philanders von Sittenwald" findet sich die Klage eines jungen Fürsten in der Hölle, der seine Sünden zu spät bereut:

O wehe, wie hab ich meiner armen Undertanen Schweiß und Blut, ja auch die Geistliche und Klostergüter nicht zur Ehre Gottes, nit zu Underhaltung armer Stiftschuler, nit zu Trost der betrübten Witwen und Waisen, Siechenhäuser und Spitälen, sondern mit Hofgefreß, mit Pracht, mit Kurzweil, mit Jägereien, mit Narreien durchgejagt und indeme dich zu allem ärgerlichem Leben und Wollüsten auferzihen lassen. Wehe mir und ewig wehe, daß ich meine arme Bürger und Bauren mit unerträglichen Schatzungen bis auf den innersten Blutstropfen ausgesogen und solch Blutgeld zu Panketieren, Stolzieren, Turniren, leichtfertigem Spilen und Üppigkeit auf Argeben meiner Fuchsschwänzer und Schmeichler angewendet! Wehe mir und ewig wehe, daß ich meine arme Bürger und Bauren mit unerträglichen Frondiensten zu dem tyrannischen und mehr dan teuflischen Jagen und unnötigem Bauen beschweret! Wehe mir und ewig wehe, daß ich meinen henkerischen, teuflischen Jägern gestattet, meine arme, hungerige, nackete, kranke, gebrechliche Bauren bei heißem Sommer und eiskaltem Winter auf die Berge, in die Täler und Felder zu zwingen, und, wo sie langsam kommen, die Alten wie Schulkinder mit Dornen zerstreichen, die Haut mit Peitschen zerhauen, wie Frösche mit Füßen zertreten, wie Bären mit Spießen zerstechen; die Mägdlein zu beschlaffen, die Eheweiber zu verunreinigen, die Knaben zu lähmen, die Dürftigen mit Geltstrafen zu verderben, und zwar solchen Jägern verhänget, gegen welchen der Nimbrod ein Engel zu achten! Wehe mir und ewig wehe, weil ich zugegeben, daß meine Amtleute, Schösser, Rentmeister der armen Leut Güterlein zu sich und in meinen Kasten gerissen; den Schaft, Gewerf, Gülte und Renten erhöhet; die Priester schnödiglichen gehalten, in Kriegslegung und Contribution [...] zihen lassen; daß ich Witwen und Waisen würgen und ihnen das Recht biegen lassen [...]. Wehe mir und ewig wehe, daß ich meinen Hofschranzen und Fuchsschwänzern zur Tafel blasen und nicht vil mehr armen Witwen und Waisen zu ihrem Rechten rufen lassen!

Johann Michael Moscherosch Der elsässische Jurist und Satiriker kämpfte als christlich-bürgerlicher Moralist gegen alles ausländische Modewesen, gegen den Sieg des gekünstelten Scheins über das echte Sein. In einer lockeren Bilderfolge entfaltete er in seinen Satiren eine Revue der Torheiten aller Stände, ihrer Laster und Falschheit.

421

Berlin in Glanz und Gloria

Die Wiege der preußischen Monarchie stand in Königsberg. Als sich Friedrich I. 1701 dort zum König in Preußen krönte, war Berlin noch ein Dorf. Doch in der Folgezeit entwickelte sich der ehemalige Jagdsitz brandenburgischer Kurfürsten zur glanzvollen Residenzstadt preußischer Könige. Durch ihr Großmachtstreben rückte Berlin in den Mittelpunkt europäischer Politik. Prachtstraßen, Repräsentationsbauten und pompöse Schlösser, wie in Charlottenburg (Foto), zeugen bis heute von der Bedeutung seiner Herrscher.

KÖNIGREICH DÄNEMARK

Nordsee

Ostsee

Stralsund

Vorpommern (1720)

Hinterpom. (1720)

Stettin

Fsm. Ostfriesland (1744)

Hamburg

Mecklenburgische Gebiete (1725-87)

REPUBLIK DER VEREINIGTEN NIEDERLANDE

Bremen

Weser

Elbe

Kfsm. Brandenburg

Gft. Lingen (1702)

Hannover

Aller

Brandenburg

Berlin

Bm. Minden (1648)

Gft. Tecklenburg (1707)

Ebm. Magdeburg

Potsdam

Havel

Spree

X 1757 Kunersdorf

Gft. Ravensberg (1614/66)

Ems

Leine

Magdeburg

Bm. Halberstadt (1648)

Hzm. Kleve (1614/66)

Lippe

Weser

Kfsm.

Hzm. Geldern (1713)

Ruhr

Gft. Hohnstein (1648)

Gft. Mansfeld (1780)

Sachsen

Elbe

Neiße

Moers (1702)

Gft. Mark (1614/66)

Kassel

Fulda

Saale

Roßbach 1757 X

Leipzig

Krefeld (1702)

Düsseldorf

Köln

Rhein

Dresden

1745 X Kesselsdorf

Hohenfriedbe

Österreichische

Aachen

Lahn

Werra

Koblenz

Mosel

Frankfurt

Main

Niederlande

Mainz

Fsm. Bayreuth (1791)

Prag

Kolin X 1757

Elbe

Moldau

Trier

Würzburg

Habsburger

Saar

Fsm. Ansbach (1791)

Nürnberg

Monarchi

KÖNIGREICH

Stuttgart

Neckar

Donau

Naab

Regensburg

Donau

FRANKREICH

Fsm. Hohenzollern

Isar

München

Inn

Mosel

Freiburg

Rhein

Lech

Salzburg

Salzach

SCHWEIZ

0   50   100 k

424

Vom kleinen Kurfürstentum zur europäischen Großmacht

Der Aufstieg Preußens

⧄⧄⧄	Grenze des Heiligen Römischen Reiches (1789)
– – –	Grenze des brandenburg.-preuß. Besitzes außerhalb des Reiches
——	Grenzen der Fürstentümer, Marken u.ä.
▨	Ehem. Kerngebiet der Hohenzollern
▧	Kfsm. Brandenburg bis 1618

Erwerbungen Preußens (mit Jahresangabe)

	Unter Friedrich Wilhelm, dem Großen Kurfürsten (bis 1688)
	Unter Friedrich I. und Friedrich Wilhelm I., dem Soldatenkönig (bis 1740)
	Unter Friedrich dem Großen (bis 1786)
	Unter Friedrich Wilhelm II. (bis 1797)
	Habsburger-Dynastie
1757 ✗	Bedeutende Schlacht Friedrichs des Großen
●	Wichtige Stadt

Kgr.=Königreich; Kfsm.=Kurfürstentum; Fsm.= Fürstentum; Hzm.=Herzogtum; Gft.=Grafschaft; Ebm.=Erzbistum; Bm.=Bistum.

Als Friedrich Wilhelm, der Große Kurfürst, 1640 die Regierung in dem vom Dreißigjährigen Krieg besonders stark betroffenen Kurfürstentum Brandenburg antrat, bestand der hohenzollerische Besitz aus mehreren fast selbständigen politischen Gebilden, die nicht einmal alle geographisch zusammenhingen. Das Herzogtum Preußen lag sogar außerhalb der Reichsgrenzen. Von Anfang an betrieb der Große Kurfürst den Aufbau eines zentralistischen Staates. Er brach den Widerstand der Stände und nahm 20 000 Hugenotten, Glaubensflüchtlinge aus Frankreich, auf, um die Wirtschaftskraft seines Landes zu stärken. Als erster brandenburgischer Herrscher schuf er ein stehendes Heer, um eine unabhängige Außenpolitik betreiben zu können. Seine wechselnden Bündnisse dienten allein den eigenen machtpolitischen Interessen, ohne Rücksicht auf das Reich. Als er 1688 starb, gehörten Hinterpommern, Magdeburg, Halberstadt und weitere Gebiete zum kurfürstlichen Besitz.

Sein Sohn Friedrich suchte, wie viele deutsche Fürsten seiner Zeit, die Hofhaltung Ludwigs XIV. von Frankreich nachzuahmen und strebte nach äußerem Glanz. Für die Teilnahme am Spanischen Erbfolgekrieg gestattete ihm der Kaiser 1701 die Annahme des Königstitels, der jedoch nur für das Gebiet außerhalb des Reiches galt (König in Preußen).

König Friedrich Wilhelm I. schaffte die aufwendige barocke Hofhaltung des Vaters ab und widmete sich dem inneren Ausbau des Staates. Er vollendete gegen die Widerstände des Adels das absolute Königtum. 1723 richtete er das Generaldirektorium als oberste Behörde ein und führte ihren Vorsitz, so daß er alle Vorgänge persönlich kannte und sämtliche Entscheidungen selbst traf, für deren Ausführung er ein pflichtbewußtes, unbestechliches Beamtentum heranzog. Kern des Staates wurde das Heer, dessen Offiziere dem König zu persönlicher Treue verpflichtet waren und dessen Mannschaften hart gedrillt und einer strengen Disziplin unterworfen wurden. Dies brachte ihm den Beinamen „Soldatenkönig" ein, obwohl er keineswegs kriegslüstern war, sondern eine vorsichtige Außenpolitik verfolgte. 1720 kaufte er für zwei Millionen Taler Vorpommern von den Schweden.

Friedrich II. versuchte sofort nach seinem Regierungsantritt 1740, das schlagkräftige Heer zur Vergrößerung des Staatsgebiets zu nutzen. Er stürzte sein Land in zwei Kriege (1740–1742 und 1744–1745) gegen Maria Theresia um den Besitz Schlesiens. Diese Beute mußte er im Siebenjährigen Krieg (1756–1763) gegen die erdrückende Übermacht Österreichs, Rußlands und Frankreichs verteidigen. Nach der Niederlage bei Kunersdorf 1759 retteten der Tod der Zarin Elisabeth und das Ausscheiden Rußlands aus der Koalition den König vor der Katastrophe. Aus dem Krieg ging Preußen schließlich gestärkt als eine europäische Großmacht hervor.

Nach 1763 widmete sich Friedrich der Große dem Aufbau des zerstörten Landes. Er hielt an der absolutistischen Regierungsform fest, verstand sich jedoch als „erster Diener seines Staates" und entwickelte einen Regierungsstil des aufgeklärten Absolutismus, zu dem auch eine Justizreform mit der Garantie richterlicher Unabhängigkeit gehörte. 1772 gewann er bei der ersten polnischen Teilung eine Landbrücke zwischen Brandenburg und Ostpreußen.

Der Nachfolger des Alten Fritz, Friedrich Wilhelm II., konnte Preußen durch die zweite und dritte polnische Teilung erheblich vergrößern, doch seine aufwendige Hofhaltung machte das Königreich zu einem hoch verschuldeten Land. Friedrich Wilhelm III. erlebte dann den Zusammenbruch Preußens in den Napoleonischen Kriegen. Am 27. Oktober 1806 zog der Franzosenkaiser als triumphaler Sieger durch das Brandenburger Tor.

Friedrich der Große
Der preußische König Friedrich II., der seine Regierung mit Kriegen begann und wegen seines Sieges bei Roßbach 1757 „der Große" genannt wurde, gehörte zu den gebildetsten Monarchen seiner Zeit. Er dichtete in französischer Sprache, liebte die Musik und war ein bewunderter Flötenspieler und Komponist.

Schlösser, Parks und Musentempel

Die sanfte Landschaft der Mark Brandenburg mit ihren vielen Seen, Flußläufen und ausgedehnten Wäldern bot den Hohenzollernkönigen besonders schöne Bauplätze für ihre Schlösser. Hervorragende Baumeister gestalteten hier Landschaftsarchitektur, bei der die Gebäude mit der Umgebung zu einer harmonischen Einheit verschmolzen. Von diesem Kunstverständnis zeugt neben Rheinsberg vor allem die ehem. Residenzstadt Potsdam mit ihren großen Parkanlagen.

Königs Wusterhausen Das Gebiet der heutigen Kreisstadt südöstlich von Berlin erwarb der Preußenkönig Friedrich I. 1698 noch während seiner Kurfürstenzeit und schenkte es seinem Sohn. Friedrich Wilhelm I., der spätere Soldatenkönig, ließ die vorhandene Burg 1718 in ein Jagdschloß umbauen, in dem auch die berühmten Tabakskollegien stattfanden, bei denen sich der König fast jeden Abend mit engen Vertrauten und prominenten Gästen traf. Im Schloß, das von außen besichtigt werden kann, befindet sich heute der Rat des Kreises.
🛈 Rat des Kreises, DDR-1609 Königs Wusterhausen.

Potsdam Die reizvolle Lage der Stadt zwischen Hügelketten, flachen Wiesen, Seen und der Havel sowie der Wildreichtum der Gegend bewogen Kurfürst Friedrich Wilhelm

dazu, Potsdam 1660 neben Berlin zu seiner zweiten Residenz zu erwählen. Damit begann die Entwicklung zur Garnison-, aber auch zur Kunststadt von europäischem Rang. Im 18. Jh. prägte der Architekt Georg Wenzeslaus von Knobelsdorff das Bild der Stadt.

Die einstige Winterresidenz der preußischen Könige, das Stadtschloß, wurde 1945 fast vollständig zerstört. Nur der langgestreckte Marstall blieb erhalten. Er bildet den nördlichen Abschluß des ehem. Lustgartens, den der Soldatenkönig zum Exerzierplatz bestimmte und der im 19. Jh. zu einem Landschaftspark umgestaltet wurde. Dem 1685 als Orangerie errichteten Gebäude, in dem heute das Filmmuseum der DDR untergebracht ist, gab Knobelsdorff 1746 seine heutige Gestalt. Friedrich Christian Glume schuf die

Schloß Sanssouci in Potsdam *Über sechs Terrassen führt der Weg zum Rokokoschloß auf einem ehem. Weinberg (oben). In den verglasten Nischen gedeiht Edelobst.*

Tabakskollegium in Königs Wusterhausen *Dismar Daegen malte 1736 die Reverenz der Prinzen Friedrich und Heinrich. Das Bild (oben rechts) gehört zu den Sammlungen der Schlösser und Gärten Potsdams.*

Schloß Rheinsberg *Als König kehrte Friedrich II. nie wieder auf sein idyllisches Barockschloß (rechts) zurück, in dem er sich als Kronprinz den Wissenschaften und Künsten gewidmet hatte.*

Pferdebändiger- und Reitergruppen auf den Attiken.

Der Alte Markt war einst das Zentrum der Stadt. Friedrich II. ließ hier nach 1750 die einfachen Bürgerhäuser abreißen und an ihrer Stelle repräsentative Bauten, teils nach italienischen Vorbildern, errichten. Das Alte Rathaus, ein dreigeschossiger Bau, entstand zu dieser Zeit; es ist jetzt das Kulturhaus „Hans Marchwitza". Zusammen mit dem durch einen Neubau mit ihm verbundenen Knobelsdorffhaus von 1750 wurde es nach den schweren Zerstörungen des Zweiten Weltkriegs in den 60er Jahren außen originalgetreu wiederhergestellt. Der dominierende Bau am Alten Markt ist die klassizistische Nikolaikirche, die 1830–1849 nach den Plänen Karl Friedrich Schinkels in Anlehnung an die Saint Paul's Cathedral in London entstand.

Das Brandenburger Tor auf dem heutigen Platz der Nationen wurde 1770 von Gontard und Unger geschaffen. Der Triumphbogen erinnert an den Siebenjährigen Krieg, der Preußens Rolle als europäische Großmacht festigte.

Friedrich II. ließ nach 1744 am Nordwestrand Potsdams den heute 290 ha großen Park Sanssouci anlegen. Hier wollte der an Wissenschaften, Künsten und Philosophie interessierte König nicht repräsentieren, sondern „ohne Sorge", wie der Name sagt, privatisieren. Auf einem Weinberg wurde 1745 mit dem Bau des Schlosses unter Leitung Knobelsdorffs begonnen; der König selbst steuerte Entwurfsskizzen bei. Einen Tempel für den Weingott sollte der Bau darstellen; die Satyrn, Hermen und Nymphen an der Gartenseite, die Friedrich Christian Glume schuf, stammen aus dem Gefolge des Bacchus. Die Innenräume wie z. B. der ovale Marmorsaal, das Konzertzimmer des Königs mit mythologischen Wandbildern von Antoine Pesne oder das Zimmer, in dem der Philosoph Voltaire zeitweilig wohnte, vermitteln einen umfassenden Eindruck vom Lebensstil Friedrichs des Großen. 1755–1763 entstand die Bildergalerie, die als ältestes deutsches Gemäldemuseum gilt, heute u. a. mit Werken von Rubens und van Dyck. Das imposante Neue Palais, das Friedrich II. selbst als Prahlerei bezeichnete, wurde 1769 vollendet. Ein Jahr später entstand das Drachenhaus, eine Pagode im chinesischen Stil. Sanssouci war der Lieblingsaufenthalt des Monarchen, der 1786 hier starb.

Das heutige Aussehen des Parks verdanken wir dem Wirken Lennés 1819–1825, die Bauwerke des 19. Jh. Schinkel und seinen Schülern. Als ab 1826 das von römischen Villenbauten beeinflußte Schloß Charlottenhof, die Neue Anlage und die Römischen Bäder hinzukamen, entstand ein weiterer Landschaftspark, abgerundet durch die Orangerie mit ihren beiden 90 m langen Hallen (1851–1860), den Sizilianischen und den Nordischen Garten.

Elemente des Berliner Klassizismus weist das Marmorpalais auf, das am Ufer des Heiligen Sees steht. Es wurde von Friedrich Wilhelm II. selbst als Sommersitz entworfen und von Gontard 1787–1792 ausgeführt. Heute befindet sich hier das Armeemuseum. Kleine Gebäude mit zum Teil exotischem Aussehen prägen die Stimmung des umgebenden Neuen Gartens.

Prinzessin Augusta, die Frau Wilhelms I., beauftragte 1833 Karl Friedrich Schinkel mit dem Entwurf des Schlosses Babelsberg im Stil der englischen Neugotik. Johann Heinrich Strack vollendete 1849 das Schlößchen im Osten der Stadt. Hier ist heute das Museum für Ur- und Frühgeschichte untergebracht. Mit Baubeginn in Babelsberg begann auch die Umgestaltung des Forstes zu einem Landschaftspark durch Peter Joseph Lenné.

ℹ️ Reisebüro, Friedrich-Ebert-Straße 115, DDR-1500 Potsdam.

Oranienburg Kurfürstin Luise Henriette, geborene Prinzessin von Oranien, verliebte sich in die reizvolle Landschaft an der Havel. Deshalb schenkte ihr Kurfürst Friedrich Wilhelm Mitte des 17. Jh. die Ortschaft Bötzow, ließ dort ein Schloß errichten und nannte beides zu Ehren seiner Gemahlin Oranienburg. Ab 1688 wurde das frühbarocke Gebäude, das von außen besichtigt werden kann, unter Friedrich I. durchgreifend umgestaltet und erweitert. Die Symbolfiguren der vier Jahreszeiten auf der Attika des Haupttrakts stammen vermutlich von Jeremias Süßner. Ein Denkmal von Wolff von 1858 auf dem Schloßvorplatz erinnert an die Kurfürstin Luise Henriette.

ℹ️ Rat der Stadt, Abteilung Kultur, DDR-1400 Oranienburg.

Rheinsberg Aus dem 20 km südlich gelegenen Neuruppin, wo er Regimentskommandeur war, kam Friedrich II. als junger Kronprinz 1736 nach Rheinsberg. Hier verbrachte er vier glückliche Jahre bis zum Antritt seiner Regentschaft 1740. Ein eingeschossiges Renaissancewasserschloß wurde zur barocken Dreiflügelanlage umgebaut, über die der Kronprinz schrieb: „Ich bin glücklich, diese Stätte zu besitzen, wo man nur Ruhe kennt, die Blumen des Lebens pflückt und die kurze Zeit genießt, die uns auf Erden geschenkt ist." Besonders reizvoll sind die beiden Rundtürme an der Wasserseite. Friedrichs Bruder Prinz Heinrich übernahm 1740 das Anwesen, in dem heute ein Diabetikersanatorium untergebracht ist, und ließ den Park in einen großen, heute zugänglichen Landschaftsgarten umgestalten. Kurt Tucholsky setzte dem Schloß mit seiner Erzählung „Rheinsberg – ein Bilderbuch für Verliebte" ein bezauberndes literarisches Denkmal.

ℹ️ Rat der Stadt, Kurverwaltung, DDR-1955 Rheinsberg.

Durch die Mark Brandenburg In Königs Wusterhausen, dem Mittelpunkt der Seenlandschaft südöstlich von Berlin, beginnt diese Tour auf dem Gebiet der DDR. Sie führt durch das Havelland und endet im Seengebiet um Rheinsberg.

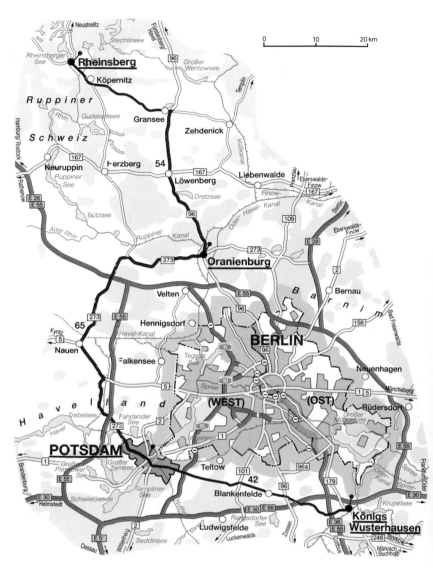

Die Residenz der Preußenkönige

Berlin zählte immer zu den schönsten Städten Europas. Besonders gerühmt wurde die Prachtstraße Unter den Linden, die Friedrich der Große zum repräsentativen Mittelpunkt der preußischen Residenz bestimmte. Ein monumentales Forum Fridericianum sollte hier das kulturelle Zentrum bilden. Spätere Herrscher nahmen den Gedanken auf. Karl Friedrich Schinkel schuf hier die bedeutendsten Bauwerke des 19. Jh. Heute erstrahlt die im Krieg zerstörte Straße in neuem Glanz.

Brandenburger Tor Als die Straße Unter den Linden Ende des 17. Jh. verlängert wurde, entstand hier an ihrem westlichen Ende das Stadttor zum Tiergarten, das nachts mit einem Holzgitter versperrt wurde. Mitte des 18. Jh. begann Friedrich der Große den Ausbau der Straße zum kulturellen Mittelpunkt. 1789 erhielt sie ihren architektonischen Blickfang: Das in Anlehnung an die Propyläen der Akropolis in Athen entworfene Brandenburger Tor ist das einzige erhaltene Stadttor Berlins. Das 63 m breite Tor hat fünf Durchfahrten; die mittlere war bis 1918 dem königlichen Hof vorbehalten. Die fast 5 m hohe Quadriga entstand nach Entwürfen des Bildhauers Schadow beim Kupferschmied Jury in Potsdam. Sie wurde 1794 auf dem Wasserweg herbeigeschafft. Napoleon ließ sie nach seinem Sieg bei Jena und Auerstedt (1806) nach Paris schaffen; ihre Rückführung 1814, nach den Befreiungskriegen, glich einem Triumphzug. 1956 bis 1958 wurde die Quadriga neu getrieben, heute blickt sie nach Berlin (Ost).

Humboldt-Universität Durch den Grundriß seiner Dreiflügelanlage, die Frontlänge und das relativ flache Dach unterschied sich das Gebäude der heutigen Universität schon immer von den übrigen Palaisbauten Unter den Linden. Nach den Plänen von Georg von Knobelsdorff und Friedrich dem Großen wurde es 1766 als Stadtresidenz für den Prinzen Heinrich, einen Bruder Friedrichs, errichtet. Seit der Eröffnung der Höheren Lehranstalt 1810 auf Initiative von Wilhelm von Humboldt dient es als Universitätsgebäude. Die Marmorsitzbilder der

Reiterstandbild Friedrichs des Großen Am Sockel sind berühmte Künstler, Gelehrte, Staatsmänner, Offiziere und Generäle seiner Zeit dargestellt (links). Das Denkmal steht seit 1980 wieder Unter den Linden.

Brandenburger Tor Nur von fern läßt sich das Brandenburger Tor (oben) sowohl vom Osten als auch vom Westen aus betrachten. Die Siegesgöttin Viktoria lenkt als Friedensbringerin das Viergespann auf der Attika.

Brüder Humboldt wurden im späten 19. Jh. am Haupteingang aufgestellt. Links ist Wilhelm, der das preußische Bildungswesen reformierte, mit einem Buch dargestellt, rechts Alexander, der Forscher und Weltreisende, mit einer exotischen Pflanze.

Am östlichen Ende der Lindenreihen erhebt sich seit 1980 wieder das Reiterstandbild Friedrichs des Großen. Ehe es 1851 etwa 6 m vom heutigen Standort entfernt enthüllt wurde, hatte es drei Generationen königlicher Auftraggeber und etwa 40 Künstler beschäftigt. Nach der Entscheidung für den Entwurf von Christian Daniel Rauch führte die Königliche Eisengießerei Berlin den Bronzeguß im Jahr 1846 aus. Rauchs populäres Werk diente in der Folgezeit als Vorbild vieler Fürstendenkmäler. Das über 13 m hohe Denkmal zeigt Friedrich II. zu Pferde in Uniform und mit umgehängtem Königsmantel. Die schmale, obere Stufe des Unterbaus aus Granit zieren Reliefs mit Szenen aus dem Leben Friedrichs. Vier Sitzfiguren an den Ecken stellen die Kardinaltugenden Klugheit, Gerechtigkeit, Mäßigkeit und Tapferkeit dar.

Neue Wache Der kleine, aber sehr bedeutende Bau von Schinkel (1818) ist heute ein Mahnmal für die Opfer des Faschismus und Militarismus. Schinkel gab mit dem durch klare Formen beeindruckenden Gebäude für die Königliche Wache ein Beispiel für seine klassizistische Architektur. Den quadratischen Baukörper schmückt ein Giebelrelief aus Zinkguß mit Allegorien von Kampf und Sieg, Flucht und Niederlage – der gesamte bildnerische Schmuck soll an die Befreiungskriege gegen Napoleon erinnern. Früher wurde die Wache von den Denkmälern der Generäle Scharnhorst und Bülow flankiert, die Christian Daniel Rauch 1822 vollendete. Sie stehen heute in der Anlage zwischen Operncafé und Oper.

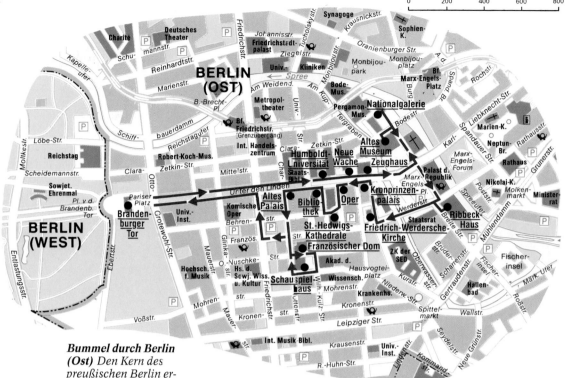

Bummel durch Berlin (Ost) Den Kern des preußischen Berlin erschließt man am besten zu Fuß. Der Weg führt vom Brandenburger Tor zunächst entlang der linken, nördlichen Hälfte der Straße Unter den Linden zur Museumsinsel. Danach geht es zum Ribbeck-Haus, zur Friedrich-Werderschen-Kirche und zurück zur Straße Unter den Linden, auf der man nach einigen Abstechern schließlich zum Brandenburger Tor zurückkehrt.

Alexander von Humboldt Fast alle Naturwissenschaften der Zeit wurden durch das Werk und die Reisen des großen Naturforschers (1769–1859) gefördert. Friedrich Weitsch porträtierte ihn 1806 bei botanischen Studien; das Gemälde ist in der Nationalgalerie von Berlin (Ost) ausgestellt.

Zeughaus Der größte erhaltene Berliner Bau des Barock stammt aus der Zeit Friedrichs I. 1695 begann dessen Baumeister Johann Arnold Nering mit den Arbeiten. Jean de Bodt vollendete 1706 das prunkvolle Gebäude, das als Waffenarsenal diente. Der Innenhof des doppelgeschossigen Vierflügelbaus ist nach dem Bildhauer Schlüter benannt, der die dort befindlichen berühmten Kriegermasken schuf. Die 22 Gesichter

sterbender Krieger sind ein Hauptwerk europäischer Barockskulptur. In den Schlüterhof gelangt man durch das Museum für Deutsche Geschichte, das sich im ehem. Zeughaus befindet.

Den Anfang der Prachtstraße Unter den Linden bildete der von Schinkel entworfene und 1824 fertiggestellte Spreeübergang, die heutige Marx-Engels-Brücke. Sie löste die hölzerne Hundebrücke ab, auf der sich einst die höfische Gesellschaft aus dem nahe gelegenen Schloß samt Hundemeute zur Jagd versammelte. Schinkels Entwürfe der Figuren aus der griechischen Mythologie wurden erst 1853 auf Anweisung Friedrich Wilhelms IV. verwirklicht und aufgestellt.

ℹ️ Museum für Deutsche Geschichte: Mo–Do 9–19, Sa, So 10–17 Uhr (April–September), sonst Mo–Do 9–18, Sa, So 10–17 Uhr.

Nationalgalerie Die Nationalgalerie und das Neue Museum, Entwürfe von Friedrich August Stüler, bildeten gemeinsam mit dem von Kolonnaden eingefaßten Gartenhof ein einzigartiges Ensemble auf der Museumsinsel. Mit großem Aufwand

wird das im Zweiten Weltkrieg stark beschädigte Neue Museum voraussichtlich bis Ende der 90er Jahre wiederhergestellt. Trotz dieser Bauarbeiten kommt die Sandsteinfassade der Nationalgalerie (1866–1876) nordöstlich des Lustgartens voll zur Geltung. Auf einem hohen Sockelbau erhebt sich das Gebäude im Stil eines korinthischen Tempels mit einer achtsäuligen Vorhalle, die über eine Freitreppe mit zwei symmetrischen Läufen betreten wird. Auf dem oberen Podest über einem triumphbogenartigen Portal steht ein 1866 aufgestelltes Reiterstandbild Friedrich Wilhelms IV. Er gründete das Museum 1861 anläßlich der Stiftung einer Gemäldesammlung durch den Konsul Wagener. Die Galerie zeigt vorwiegend deutsche Gemälde und Plastiken vom Ende des 18. Jh. bis zum frühen 20. Jh.

ℹ️ Nationalgalerie, Bodestraße: Mi bis So 10–18 Uhr.

Altes Museum Dieses bedeutende klassizistische Bauwerk von Schinkel bildet den repräsentativen nördlichen Abschluß des ehem. Lustgartens (heute Marx-Engels-Platz). Das 87 m lange Gebäude, dessen Vorhalle von 18 Säulen getragen wird, entstand 1824–1830. Der Gedanke an einen Museumsbau tauchte schon 1815 auf, als die von Napoleon geraubten und wieder zurückgeführten Kunstschätze aus den preußischen Schlössern der stark interessierten Öffentlichkeit gezeigt wurden. Friedrich Wilhelm III. ent-

429

schloß sich nach der Erweiterung der königlichen Kunstsammlung zur Verwirklichung der Museumsidee. Die Ausstellungsräume sind um zwei Freihöfe gruppiert. Der etwas erhöhte Mitteltrakt enthält den Kuppelsaal, der sich über zwei Geschosse erstreckt. Diese Rotunde, eine der schönsten Raumschöpfungen Schinkels, schließt sich dem Eingang an. Sie ist dem Pantheon in Rom nachempfunden und enthält eine ringförmige, von 20 korinthischen Säulen getragene Skulpturengalerie. Die vom Lustgarten zur Säulenhalle führende Treppe wird von zwei Reiterfiguren beherrscht. Die rechte, eine Amazone, die mit einem Panther kämpft (1837–1841), stammt von August Kiss; der Jüngling, der sich gegen einen Löwen behauptet (1854–1861), von Albert Wolff. Im Alten Museum befindet sich u. a. das Kupferstichkabinett mit seinem einzigartigen Bestand an altdeutschen und niederländischen Zeichnungen. Die Granitschale vor der Freitreppe des Museums wurde 1831 aufgestellt. Sie hat einen Durchmesser von fast 7 m und wurde aus einem einzigen Stein aus den Rauenschen Bergen geschaffen.

ⓘ Altes Museum, Marx-Engels-Platz: Mi–So 10–18 Uhr.

Ribbeck-Haus „Herr von Ribbeck auf Ribbeck im Havelland, ein Birnbaum in seinem Garten stand …" So lautet der Anfang des berühmten Gedichtes von Theodor Fontane. Ein Mitglied der bedeutenden märkischen Familie, der kurfürstliche Kammerrat Hans Georg von Ribbeck, ließ 1624 das Haus Breite Straße Nr. 35 für seine Frau Katharina errichten, seit 1659 ist es in den anschließenden Alten Marstall einbezogen. Über dem Portal des seit dem 19. Jh. dreigeschossigen Hauses befinden sich die Wappen des von Ribbeck und seiner Frau. Der Weg zu diesem einzigen erhaltenen Spätrenaissancebau Berlins, in dem heute Behörden untergebracht sind, führt am Palast der Republik vorbei, wo früher das Berliner Stadtschloß stand.

Friedrich-Werdersche-Kirche Am Staatsratsgebäude vorbei, dessen Haupteingang mit der Nachbildung eines Portals vom 1950 abgerissenen Stadtschloß geschmückt wurde, führt der Weg zu der Kirche am Werderschen Markt. Sie wurde 1824 nach den Entwürfen Schinkels begonnen. Als erster neugotischer Backsteinbau Berlins wurde sie zum Vorbild für den Kirchenbau des 19. Jh. Im nach den Zerstörungen des Zweiten Weltkriegs rekonstruierten Gebäude befindet sich das Schinkelmuseum.

ⓘ Friedrich-Werdersche-Kirche, Werderstraße: Sa–Do 9–18, Fr 10–18 Uhr.

Kronprinzenpalais Das heutige Gästehaus des Magistrats gehört mit dem benachbarten Operncafé zu den ältesten Häusern Berlins. 1663 als Wohngebäude errichtet, wurde es 1732 von Philipp Gerlach in barockem Stil zu einem zweigeschossigen Palais für den Kronprinzen, den späteren König Friedrich II., umgebaut. Sein heutiges Erscheinungsbild entspricht der Umgestaltung von 1856–1857 durch den Schinkel-Schüler Strack.

Als 1811 drei Töchter Friedrich Wilhelms III. in das benachbarte langgestreckte, 1733–1737 erbaute Barockgebäude einzogen, erhielt es den Namen Prinzessinnenpalais und einen klassizistischen Kopfbau mit einem Verbindungsbogen zum Kronprinzenpalais. Beim Wiederaufbau 1962 wurde das Äußere originalgetreu wiederhergestellt. Der zum Palais gehörende Garten ist heute eine Grünanlage und beherbergt die Denkmäler von Generälen der Befreiungskriege, die Christian Daniel Rauch geschaffen hat.

Oper 1743 wurde das Opernhaus endgültig fertiggestellt. Pläne dafür waren schon in Rheinsberg während Friedrichs Kronprinzenzeit entstanden. Ab 1733 war der ehem. Offizier Knobelsdorff der Mal- und Zeichenlehrer des späteren Königs. Er war ein konsequenter Anhänger der italienischen Renaissance. Der Schöpfer des friderizianischen Rokoko war lange Zeit der führende preußische Baumeister. Der als Opern- und Festhaus gebaute Musentempel bildete einen Teil der von Friedrich

Platz der Akademie Tragödie, Komödie und Musik versinnbildlicht der Figurenschmuck des Schinkelschen Schauspielhauses (links im Bild oben). Die Plastiken am mächtigen Kuppelturm des Französischen Doms (rechts im Bild) stellen u. a. Szenen aus der Bibel dar.

Luise und Friederike von Preußen Das Originalmodell, nach dem das berühmte Doppelstandbild der beiden Prinzessinnen (links) 1795 von Johann Gottfried Schadow angefertigt wurde, ist eines der schönsten Exponate des Schinkelmuseums in der Friedrich-Werderschen-Kirche.

geplanten Residenzanlage und war das erste frei stehende Theater in Deutschland. Der Wiederaufbau 1952–1955 berücksichtigte die Formensprache Knobelsdorffs weitgehend.

Sankt-Hedwigs-Kathedrale Schon bei der Planung der katholischen Kirche als Teil des Forum Fridericianum dachte Friedrich II. an einen kreisförmigen Grundriß. Die Vollkommenheit der runden Form und die Nachahmung des römischen Pantheons sollten Ausdruck seiner philosophischen Gedanken und Symbol absolutistischer Toleranzvorstellungen sein. 1747 war das Jahr der Grundsteinlegung für das Gottes-

Flötenkonzert Friedrichs des Großen Der preußische König war leidenschaftlicher Musikliebhaber und selbst ein guter Flötist. Mehr als 120 Flötensonaten hat er komponiert, und Johann Sebastian Bach wurde 1747 zu einem Konzert nach Sanssouci gerufen. 66 Jahre nach dem Tod Friedrichs schuf Adolph von Menzel sein berühmtes Gemälde „Flötenkonzert Friedrichs II. in Sanssouci". Es ist in der Nationalgalerie in Berlin (Ost) zu bewundern.

haus, dessen Bau sich bis 1773 hinzog. Probleme bereitete die Kuppelkonstruktion. Bis 1887 blieb das Dach deshalb ohne die krönende Laterne. Nach dem Zweiten Weltkrieg wurde das Äußere rekonstruiert und die Inneneinrichtung der heutigen Kathedrale des Bistums Berlin modern gestaltet. Die Wahl der schlesischen Heiligen Hedwig zur Schutzpatronin der Kirche war Ausdruck des Bestrebens Friedrichs II., den Adel Schlesiens nach dem Zweiten Schlesischen Krieg (1744–1745) enger an sich zu binden.

Der Schöpfer des Berliner Klassizismus

Der Maler, Innenraumgestalter und Architekt Karl Friedrich Schinkel (1781–1841) wurde im Atelier der Baumeister Gilly ausgebildet. Er unternahm mehrere Studienreisen nach Frankreich und Italien und trat 1810 in den preußischen Staatsdienst unter König Friedrich Wilhelm III. ein. 1815 wurde er Oberbaurat, 1838 Oberlandesbaurat. In diesen Funktionen prägte er das Stadtbild Berlins und Potsdams entscheidend. Während seine Frühwerke noch von der romantischen Hinwendung zur Gotik beeinflußt sind, wandte er sich später dem Schönheitsideal der Antike zu und entwickelte seinen weltbekannten klassizistischen Stil. Daneben schuf er auch Gemälde, Grafiken und sogar Bühnenbilder, wie z. B. eines zu Mozarts Oper „Die Zauberflöte". Er ist auch der Begründer der staatlichen Denkmalpflege Preußens.

Bibliothek Die ehem. Königliche Bibliothek birgt heute Räume der Universität und bestimmt baulich die Westseite des Bebelplatzes. Das Gebäude heißt im Volksmund wegen seiner geschwungenen Fassade „Kommode". Es entstand ab 1775 unter der Leitung von Johann Boumann und seinem Sohn. Ihr Rückgriff auf die Formensprache des Barock ist für den späten Stil der friderizianischen Architektur kennzeichnend.

Altes Palais Unter den Linden, an der Ecke zum Bebelplatz, befindet sich das ehem. Palais von Kaiser Wilhelm I., der es schon 1829 als Prinz von Preußen besaß. Sein vornehm-schlichtes, klassizistisches Gesicht erhielt das Gebäude 1834–1837 durch den Umbau zum Stadtpalais durch Carl Ferdinand Langhans, heute beherbergt es Seminarräume der Universität.

Französischer Dom An der Nordseite des Platzes der Akademie erhebt sich der 1701 begonnene Französische Dom, zu dem die gegenüberliegende, gleichzeitig entstandene Deutsche Kirche das Pendant bildet. An beide Gotteshäuser wurden 1780–1785 prächtige Kuppeltürme angebaut, deren symmetrische Anordnung auf barocke Vorbilder zurückgeht. Im Französischen Dom befindet sich das Hugenottenmuseum; sehenswert ist hier u. a. die Marmorbüste Friedrichs II. von Emanuel Bardou aus dem Jahr 1793. Die Kirche wurde nach dem Vorbild der 1685 zerstörten Kirche der Pariser Hugenotten in Charenton für die aus Frankreich geflohenen Mitglieder dieser protestantischen Glaubensgemeinschaft errichtet. Sie durften sich aufgrund des vom Großen Kurfürsten 1685 erlassenen Ediktes von Potsdam in der Mark Brandenburg niederlassen.

Mit den drei einzelnstehenden, aber einander symmetrisch zugeordneten Monumentalbauten, den beiden Domen und dem Schauspielhaus, zählt der Platz der Akademie, der wiederhergestellte ehem. Gendarmenmarkt, zu den schönsten Plätzen Europas. Das in sich geschlossene Ensemble wirkt wie das Ergebnis einer architektonischen Idee, obwohl die Gebäude über einen Zeitraum von 130 Jahren, von etwa 1690 bis 1820, entstanden. Als Ende des 17. Jh. die Berliner Friedrichstadt in dem für diese Zeit typischen rasterförmigen Straßensystem angelegt wurde, sparte man den Raum für den Gendarmenmarkt aus. ℹ Hugenottenmuseum im Französischen Dom: Di, Mi, Sa 10–17, Do 10–18, So 11.30–17 Uhr.

Schauspielhaus Das großartige klassizistische Gebäude auf dem Platz der Akademie ist eines der Hauptwerke Schinkels und dient seit dem 1984 abgeschlossenen Wiederaufbau als Konzertsaal. Es entstand 1818–1821 unter Benutzung von Mauerteilen und sechs Portikussäulen des 1817 abgebrannten Nationaltheaters. Der plastische Schmuck spiegelt die Funktion des Gebäudes wider: Apollo auf der Giebelspitze ist von den neun Musen, den Göttinnen der Kunst aus der griechischen Sage, umgeben.

Promenade Unter den Linden

Als die Kutsche durch ein tiefes Schlagloch rollt, schreckt der junge Mann aus seinem Halbschlaf auf. Er schaut hinaus. Draußen flüchtet schnatternd eine Entenschar. Die Sonne steht schon ganz niedrig am Himmel. Das Dörfchen scheint nur aus wenigen Häusern zu bestehen. Der Reisende schiebt das Fenster hoch und fragt den Kutscher, wo sie sind. Tempelhof, lautet die Antwort. Der Wagen rollt auf staubigen Straßen durch Kiefernwälder und an Kornfeldern vorbei in Richtung Berlin, der Residenz der preußischen Könige. Wilhelm Spalding kommt aus Torgau. Sein Vater, ein angesehener Kaufmann, hat ihm ein Empfehlungsschreiben an einen Geschäftspartner in Berlin mitgegeben. Der Sohn soll in der modernen Kattunmanufaktur erste Berufserfahrung sammeln.

Endlich hält die Kutsche am Halleschen Tor. Die Wachen grüßen, und nach kurzem Aufenthalt geht es weiter über das Rondell und durch die Friedrichstraße – zum Hotel de Russie an der Promenade Unter den Linden. Das Gebäude ist erst wenige Jahre alt. Der Alte Fritz, wie man den 73jährigen preußischen Herrscher inzwischen im Volksmund nur noch nennt, ließ zwischen 1771 und 1776 insgesamt 44 Häuser abreißen, die ihm nicht prächtig und repräsentativ genug erschienen. An ihrer Stelle wurden drei- und vierstöckige Bauten errichtet, die er den Besitzern der früheren Häuser schenkte. Eines davon ist das Hotel, das mittlerweile zu den besten Adressen in Berlin gehört.

Den nächsten Tag, einen Sonntag, nutzt Wilhelm, um sich die Stadt anzuschauen. Für ihn ist Berlin mit seinen über 100 000 Einwohnern die große Welt. Der junge Mann aus der Provinz kommt aus dem Staunen nicht mehr heraus, als er die großzügig angelegte Lindenallee entlangspaziert. Links und rechts der Allee verläuft je eine Fahrstraße. Die Mitte ist ungepflastert; sie ist den Spaziergängern vorbehalten und mit doppelten Holzschranken eingefaßt. Die Allee ist insgesamt 2688 Fuß lang und 170 Fuß breit. In kurzen Abständen hat man Bänke zum Ausruhen aufgestellt. Einige Linden sind noch klein, denn nach den beiden Überschwemmungen von 1771 und 1773 gingen manche der alten Bäume ein, und die letzten Linden wurden erst in diesem Jahr, 1785, gepflanzt.

Sein Weg führt den jungen Torgauer zum Platz am Opernhaus, dem Forum Fridericianum, der als einer der schönsten Plätze der Welt gerühmt wird. Von hier aus reicht der Blick bis zum königlichen Schloß, zur Domkirche und zum Lustgarten. Friedrich der Große, so hat ihm der Wirt am Morgen erzählt, sei in den letzten Jahren immer we-

Berlins Prachtstraße *Ein Spaziergang auf der Promenade Unter den Linden gehört für die preußischen Offiziere, den Hofadel und die Berliner Bürger im Sommer zum sonntäglichen Vergnügen. Neben dem* *Zeughaus (im Vordergrund rechts) befindet sich das Palais des Prinzen Heinrich. Gegenüber erhebt sich das Opernhaus.*

niger in seiner Berliner Residenz anzutreffen. Der alternde und von Gicht geplagte König lebe zurückgezogen draußen in Potsdam in seinem Lieblingsschloß Sanssouci.

Drüben auf der anderen Seite der Lindenallee steht das Zeughaus mit den vier toskanischen Säulen, an dessen Bau Andreas Schlüter, der überragende Baumeister des kurfürstlichen Hofes im vorigen Jahrhundert, beteiligt war. Nicht weit davon, auf der-

selben Seite, steht das dreiflüglige Palais des Prinzen Heinrich, des zweitältesten Bruders Friedrichs des Großen; mit den sechs korinthischen Säulen harmoniert es vollkommen mit dem Opernhaus, vor dem gut und gerne 1000 Kutschen auf einmal vorfahren können, so großzügig ist der Vorplatz angelegt. Von seinem Vater weiß Wilhelm: Die Opernvorstellungen sind unentgeltlich, da sie der Bildung des Publikums dienen sollen. Aller-

dings gibt es eine feste Sitzordnung. Das Parterre ist dem Militär vorbehalten, das den Vorführungen stehend in Paradeuniform zuschaut, die Logen dem Hof und dem Adel, den Bürgern bleibt der dritte Rang; voll besetzt faßt das Haus etwa 5000 Besucher.

Die große katholische Sankt-Hedwigs-Kathedrale mit ihrer imponierenden Kuppel hinter der Oper ließ ebenfalls der Alte Fritz bauen, um der stark angewachsenen katholischen Gemeinde Berlins ein Gotteshaus zu bieten – ein sichtbares Zeichen seiner religiösen Toleranz. Dann fällt Wilhelm die mit der Strenge des Opernhauses kontrastierende Königliche Bibliothek auf, in der sich die mittlerweile stark erweiterte Büchersammlung des Großen Kurfürsten aus dem Schloß befindet.

Inzwischen ist es Mittag geworden, und die beliebteste Berliner Flanierstraße hat sich gefüllt: Vornehme Damen mit Begleitern in Uniform fahren langsam in offenen Kutschen vorbei; eine Abteilung Gardehusaren reitet in leichtem Trab in Richtung Tiergarten. Man sieht französische Gouvernanten mit Kindern im Sonntagsstaat, und ganze Familien schlendern von der Schloßbrücke her durch die Mittelallee. Schon die zehnjährigen Zöglinge der Kadettenanstalt in der Neuen Friedrichstraße tragen „des Königs Rock" spazieren. Wilhelm wechselt auf die andere Straßenseite zum Königlichen Marstall, der bereits Ende des 17. Jh. im aufwendigen Barockstil entstand. Unten sind die Ställe der königlichen Maultiere und die Pferdeställe des Kürassier-Regiments Gens d'Armes; oben befindet sich jetzt die Königliche Akademie der Wissenschaften und der Künste. Ebenfalls an der Lindenallee liegt ein Treffpunkt der künstlerischen und geistigen Berliner Elite. Im Palais der Prinzessin Amalie, einer Schwester des Königs, finden regelmäßig musikalische Soireen statt, die vor allem den Werken älterer Komponisten wie Johann Sebastian Bach und Friedrich Händel gewidmet sind.

Das viele Schauen und Umherschlendern macht ihn müde, und so freut sich Wilhelm, als er unerwartet auf ein Zelt stößt, das im Sommer etwa in der Mitte der Lindenallee aufgeschlagen wird und in dem man Eis und Limonade kaufen kann. Er drängt sich zwischen Gouvernanten und lebhaften Kindern zur Theke durch, um sich eine Erfrischung zu gönnen. Seinen Spaziergang beschließt er mit einem Besuch im Tiergarten, dem Ausflugsziel der Berliner. Die Kaffeegärten und Weinlokale, die bei dem herrlichen Sommerwetter überfüllt sind, liegen hinter dem unscheinbaren Stadttor am Ende der Lindenallee. Vier Jahre später, im Jahr der Französischen Revolution, wird sich dort das Sinnbild preußischer Größe, das Brandenburger Tor, erheben.

Preußenkönige und ihre Baumeister

Als sich Kurfürst Friedrich III. 1701 zum ersten König in Preußen krönte, endete seine Residenzstadt noch vor der Stelle, wo später das Brandenburger Tor errichtet wurde. Wo heute West-Berlin liegt, erstreckten sich ausgedehnte Wälder, in denen einst die Herrscher auf die Jagd gingen. Hier hatten sie auch ihre Sommerschlößchen, die nach der Sprengung des Stadtschlosses der Hohenzollern in Ost-Berlin 1950 zu den wichtigsten Zeugnissen höfischer Kultur in Berlin gehören.

Tiergarten Der erste schriftliche Nachweis für die Existenz eines Tiergartens auf dem Gelände des heutigen, 3 km² großen Erholungsparks stammt aus dem Jahr 1530: Eine Verkaufsurkunde belegt den Erwerb mehrerer Wiesen durch den brandenburgischen Kurfürsten Joachim I., der damit das zum damaligen Cöllner Schloß (heute Berliner Schloß) gehörende Gebiet erweiterte.

Eingezäunte Tiergärten waren ein fester Bestandteil fürstlicher Residenzen. Sie dienten in erster Linie der Wildhege, der Jagd und nicht zuletzt der Erbauung. Typisch waren auch den Wald durchschneidende Sichtachsen, die oft strahlenförmig von einem Zentrum ausgingen. Der Große Stern war ein solcher, damals achtstrahliger Mittelpunkt. Er wurde Ende des 17. Jh. angelegt; heute steht hier die Siegessäule (19. Jh.), die an die preußischen Siege von 1864, 1866 und 1870/1871 erinnert. Steinerne Adler tragen die obere Plattform, auf der die vergoldete Statue der Victoria steht.

Unter Friedrich dem Großen veränderte sich der Charakter des Tiergartens zu einem von Georg Wenzeslaus von Knobelsdorff gestalteten Park. Um den Großen Stern herum ließ der König Statuen aufstellen, welche die Berliner Puppen nannten; sie sind leider nicht mehr erhalten. Weil der Weg von der Stadt zum Tiergarten weit und sandig war, entstand die Redensart „bis in die Puppen" für eine langwierige Angelegenheit. Ab 1745 gab es die ersten Ausschankzelte; die Straße In den Zelten erinnert noch daran.

Nordöstlich des Großen Sterns erwarb Prinz August Ferdinand, ein

Schloß Bellevue im Tiergarten Ein Risalit gliedert den Hauptbau des Schlosses, das heute der Berliner Sitz des Bundespräsidenten ist (oben).

Luisendenkmal im Tiergarten Zur Erinnerung an die 1810 verstorbene Königin Luise, die von ihren Zeitgenossen sehr verehrt wurde, ließ man Ende des 19. Jh. ein Monument im neubarocken Stil errichten (links).

Porzellan in Schloß Charlottenburg Die Vorliebe des 18. Jh. für Chinoiserien findet im Porzellankabinett Friedrichs I. einen glanzvollen Ausdruck. Durch verschiedene Spiegel sollte die Illusion entstehen, als befänden sich unendlich viele Porzellanobjekte im Raum, so daß der Besucher von der verwirrenden Fülle fast erschlagen wird (oben).

Bruder Friedrichs des Großen, 1784 ein Gelände an der Spree, auf dem der Architekt Michael Philipp Boumann ein Jahr später als Wohnsitz der Prinzenfamilie Schloß Bellevue errichtete. Es war der erste königlich-preußische Schloßbau mit eindeutig klassizistischem Charakter. Die Innenausstattung, u. a. des anderthalbstöckigen Festsaals, besorgte Carl Gotthard Langhans. Den 1790 fertiggestellten Schloßpark bezog man in die Gestaltung des Tiergartens mit ein. Das renovierte Gebäude ist heute der Berliner Amtssitz des Bundespräsidenten.

Mit Beginn der frühklassizistischen Epoche, noch unter Friedrich Wilhelm II., entstand südlich des Kleinen Sterns die romantische Rousseau-Insel mit einer Nachbildung der Pariser Ruhestätte des französischen Philosophen Jean-Jacques Rousseau. In Verehrung Königin Luises ließen Berliner Bürger 1810 südöstlich davon die Luiseninsel errichten. 1833–1839 schließlich gestaltete Peter Joseph Lenné den Tiergarten zu einem englischen Landschaftspark um.

ⓘ Schloßpark Bellevue: Bei Abwesenheit des Bundespräsidenten ist der Park tagsüber bis Einbruch der Dunkelheit zu besichtigen.

Schloß Charlottenburg Kurfürst Friedrich III., der sich später in Königsberg zum ersten König in Preußen krönte und als Friedrich I. in die Geschichte einging, schenkte 1695 seiner zweiten Frau Sophie Charlotte das Schloß Lietzenburg als Sommerresidenz. Johann Arnold Nering entwarf das Schloß, das sich mit seiner klaren Gliederung heute deutlich als Mittelteil der erweiterten Anlage abhebt. Um 1700 versammelte die kulturbegeisterte Charlotte hier bedeutende Künstler und Wissenschaftler; festliche Veranstaltungen und Theateraufführungen machten das Schloß zum Musenhof. Zu den engsten Freunden der Königin gehörte der Philosoph Leibniz, der mehrmals im Schloß weilte. Er zählte die Jahre ihrer Freundschaft zu den erfülltesten seines Lebens. Friedrich der Große schrieb später über die Zeit der Hofhaltung Sophie Charlottes: „Er [der Hof] war ein Tempel, wo das heilige Feuer der Vestalinnen gehütet wurde, die Wohnstätte der Weisen und der Sitz der Bildung."

Unter der Leitung des schwedischen Baumeisters Eosander von Göthe wurde der strenge, blockartige Bau bald in eine langgestreckte Flügelanlage umgewandelt. Die Seitenflügel an der Eingangsseite verband man mit dem Hauptbau, so daß sich ein großer geschlossener

Ehrenhof bildete. Als Zeichen königlicher Macht und Würde entstand eine neue, architektonisch ausgereifte Kuppel auf dem mächtigen Rundturm des Kernbaus. Im Innern beeindruckt das harmonische Treppenhaus aus dieser Zeit.

Im Ehrenhof des Schlosses ist seit den 50er Jahren unseres Jahrhunderts ein 1696–1709 von Andreas Schlüter geschaffenes barockes Standbild des Großen Kurfürsten Friedrich Wilhelm aufgestellt. Es gilt als das bedeutendste erhaltene Rei-

Von Tiergarten nach Zehlendorf Über Charlottenburg geht es durch den Grunewald zum gleichnamigen Jagdschloß und weiter zur Pfaueninsel (Überfahrt mit der Fähre). Schloß Kleinglienicke und Jagdschloß Glienicke liegen an der Grenze zur DDR.

terdenkmal nördlich der Alpen. Ursprünglich hatte es seinen Platz auf der Langen Brücke beim ehem. Berliner Stadtschloß. Im Zweiten Weltkrieg wurde es auf einem Kahn geborgen und versank dann im Tegeler See, aus dem es später gehoben werden konnte.

Nach dem Tod Sophie Charlottes 1705 wurden die Erweiterungsarbeiten fortgesetzt, und Schloß wie Ort erhielten ihren Namen: Charlottenburg. Doch der „Soldatenkönig" Friedrich Wilhelm I., der eine Abscheu gegen alles Prunkvolle hatte, ließ die Arbeiten unterbrechen. Erst unter der Regentschaft seines Sohnes, Friedrichs des Großen, der am 31. Mai 1740 die Regierung übernahm, wurde der Ostflügel errichtet. Der nach außen schlicht wirkende Neue Flügel im Stil des friderizianischen Rokoko überrascht durch die glanzvolle Innenausstattung u. a. der Wohnräume des Herrschers. So sollte der Architekt Georg Wenzeslaus von Knobelsdorff auf ausdrückliche Weisung des Königs die Goldene Galerie so prachtvoll wie

nur möglich gestalten. Es entstand einer der prunkvollsten Festsäle des 18. Jh. Die stuckmarmorierten Wände und die Decke der Goldenen Galerie sind in Grün gehalten; beherrschendes Element ist die vielfältige Goldornamentik der Fensternischen, Wandpfeiler und Spiegelrahmen. Allerdings war der Saal erst zu einem Zeitpunkt fertiggestellt, als Friedrich bereits nicht mehr in Charlottenburg weilte. Schon bald hatte Friedrich sein Interesse an dem Schloß verloren, und 1745 verlegte er seine Residenz nach Potsdam.

Hatte Friedrich der Große bis zu seinem Tod beharrlich am Stil des Rokoko festgehalten, so zogen mit seinem Neffen Friedrich Wilhelm II. klassizistische Formen in Charlottenburg ein. Für ihn schuf der Erbauer des Brandenburger Tores, Carl Gotthard Langhans, den wuchtigen Theaterbau und im englischen Teil des Gartens 1788 das Belvedere, ein Teehaus – in seiner Abgeschiedenheit eine geeignete Stätte für die mystischen Veranstaltungen der Rosenkreuzer, deren Anhänger Fried-

rich Wilhelm II. war. In den Räumen des ovalen, dreistöckigen Gebäudes, das nach seiner Zerstörung im Zweiten Weltkrieg wieder aufgebaut wurde, ist heute eine bedeutende Sammlung Berliner Porzellans vom Rokoko bis zum Biedermeier untergebracht. Auf der Kuppel des Schlößchens hält eine Kindergruppe einen vergoldeten Blumenkorb in die Höhe.

1797 übernahm Friedrich Wilhelm III. im Alter von 27 Jahren die Regierung. Schloß Charlottenburg wurde für ihn und seine Gattin Luise zum sommerlichen Lieblingsdomizil. Während seiner 43jährigen Herrschaft ließ der bescheidene Mann nur wenig für seinen persönlichen Bedarf errichten. Der damals noch relativ unbekannte Karl Friedrich Schinkel gestaltete 1809–1810 Luises Schlafzimmer im Neuen Flügel. Ihr Bett und zwei Blumentische aus Birnbaumholz sind neben einigen anderen Einrichtungsgegenständen vor den Zerstörungen des Zweiten Weltkriegs verschont geblieben. Ab den 50er Jahren dieses Jahrhunderts wurde das Schloß wieder aufgebaut; auch die historischen Räume, darunter das kostbare Porzellankabinett Friedrichs I., erstanden originalgetreu. Im Obergeschoß des Neuen Flügels werden französische Meisterwerke des 18. Jh. gezeigt, und im Erdgeschoß ist jetzt die Galerie der Romantik untergebracht. Neben anderen Bildern dieser Epoche sind hier auch die beiden Gemälde „Abtei im Eichwald" und „Mönch am Meer" zu sehen, die Caspar David Friedrich zu Beginn des 19. Jh. schuf. Seine metaphysischen Seelenlandschaften riefen bei den Zeitgenossen entweder begeisterte Anerkennung oder aber heftige Ablehnung hervor.

Am 19. Juli 1810 starb Königin Luise. Am Ende einer Tannenallee entstand im westlichen Teil des Schloßgartens nach Entwürfen ihres Gatten ein an einen dorischen Tempel erinnerndes Mausoleum; Schinkel und Heinrich Gentz realisierten den Bau. Christian Daniel Rauch, der vor seiner Bildhauerausbildung Diener bei Luise gewesen war, gelang mit seiner Darstellung der ruhenden Königin ein Kunstwerk, das die Verehrung der von den Zeitgenossen idealisierten Herrscherin gut zum Ausdruck bringt. Später wurde die Grabstätte erweitert, um auch Friedrich Wilhelm III. und dem Kaiserpaar Wilhelm I. und Augusta hier ihre letzte Ruhestätte zu geben. Die Idee, Königin Luise nicht im Dom, sondern quasi in der Natur beizusetzen, entsprang einer durchweg romantischen Haltung.

Östlich des Neuen Flügels, direkt am Ufer der Spree, errichtete Karl Friedrich Schinkel 1824–1825 einen Pavillon im Stil eines italienischen Landhauses, der Friedrich Wilhelm III. und seiner zweiten Frau als Sommerhaus diente. Das durch seine klassischen Proportionen beeindruckende Gebäude scheint der bescheidenen, bürgerlichen Lebensweise des Königs angemessen. Auch heute noch vermittelt der im Krieg zerstörte und danach wieder aufgebaute Schinkel-Pavillon den Eindruck eines bewohnten Hauses, obwohl er mittlerweile als Museum eingerichtet ist. Es zeigt Möbel, Bilder und kunstgewerbliche Gegenstände von Schinkel und einigen seiner Zeitgenossen.

Am Ende der Schloßstraße, einer von Süd nach Nord auf das Charlottenburger Schloß zuführenden Achse, ließ Friedrich Wilhelm IV. 1851–1859 zwei Kasernenbauten für die Garde du Corps errichten, in deren Räumen heute das Antikenmuseum und das Ägyptische Museum untergebracht sind. Friedrich Au-

Pfaueninsel Die Vorliebe des romantischen Zeitalters für historisierende Bauten inmitten der Abgeschiedenheit der Natur spiegelt auch das Schloß auf der Insel im Wannsee wider. Der Baumeister gestaltete es als ein verfallenes römisches Landhaus mit zwei Rundtürmen, die 1807 durch eine gußeiserne Brücke im neugotischen Stil verbunden wurden.

gust Stüler, ein Schüler Schinkels, entwarf dafür zwei gleiche Gebäude, deren Kuppeln optisch mit der des Schlosses korrespondieren. Zwischen beiden Häusern steht auf der Mitte der Achse ein Denkmal für Prinz Albrecht von Preußen (1901). ℹ Schloß mit Museen: Di–So 9 bis 17 Uhr.

Jagdschloß Grunewald Vom Parkplatz an der Gaststätte „Forsthaus Paulsborn" führt ein Fußweg am Grunewaldsee entlang direkt zur Schloßanlage. Auf der Seeseite von 150 Jahre alten Buchen umrahmt, erhebt sich das 1542 für den brandenburgischen Kurfürsten Joachim II. im Renaissancestil errichtete Gebäude. Trotz des barocken Umbaus unter Friedrich I., der nach seiner Königskrönung 1701 auch diesem Anwesen ein repräsentatives Aussehen geben ließ, sind heute noch ursprüngliche Teile erkennbar. Deutlich hebt sich der zweigeschossige Vorbau mit Turm ab. Der große Saal wurde bei der Renovierung 1973 wieder in seinen ursprünglichen Zustand versetzt. Zu den Wirtschaftsgebäuden von 1593 ließ Friedrich der Große 1770 gegenüber dem Schloß ein Magazin zur Aufbewahrung der Jagdutensilien erbauen. In diesem Sinn wird es heute als Jagdmuseum genutzt, in dem u. a. eine Waffensammlung sowie Trophäen zu sehen sind.

Große Jagden veranstaltete hier allerdings erst wieder Prinz Karl von Preußen, ein Sohn Friedrich Wilhelms III. Am 8. Februar 1828 fand hier die erste Parforcejagd im Grunewald seit 1740 statt. Einige Bilder in der Gemäldegalerie deutscher und niederländischer Meister des 15.–19. Jh. erinnern daran. Auch heute noch treffen sich im Herbst auf dem Jagdschloß die Berliner Reiter, um ihre nun schon traditionellen Fuchs- und Hubertusjagden zu veranstalten.

ℹ Schloß mit Jagdmuseum: Di–So 10–17.30 Uhr (April–September), 10–16.30 Uhr (März, Oktober), sonst 10–15.30 Uhr.

Pfaueninsel Über den Nikolskoer Weg erreicht man die Anlegestelle der Fähre, von der die Besucher – allerdings ohne Auto – über die Havel auf die Insel gelangen. Begrüßt wird man, wie könnte es anders sein, von den Schreien der Pfauen. Mit ihrem prächtigen Gefieder sind sie ein Symbol für dieses romantische Fleckchen Natur, das aber auch ein Kunstwerk mit fast 200jähriger Geschichte ist. Theodor Fontane nannte die Insel einst den „Blumenteppich der Mark Brandenburg". Der preußische König Friedrich Wilhelm II. hatte das bis dahin kaum genutzte, mit Eichen bestandene Land 1793 erworben, um hier, nur wenige Kilometer von seiner Potsdamer Residenz entfernt, in eine fremde, gleichsam exotische Welt eintauchen zu können. Nur den nordöstlichen und den westlichen

Teil der Insel ließ der König gärtnerisch gestalten; sonst blieb der alte Baumbestand erhalten.

Die einzelnen Gebäude, vor allem das weiße Schlößchen an der Südwestecke der Insel, erinnern stark an eine Theaterkulisse. Der Holzbau wurde 1794–1797 von dem Hofzimmermeister Johann Gottlieb Brendel errichtet. Illusionistische Malereien verwandelten ihn in ein verfallenes römisches Landhaus. Die Innenausstattung entwarf zum großen Teil die Geliebte des Königs, die Gräfin von Lichtenau. Auch das Interieur, das unversehrt erhalten blieb, sollte fremde Welten vorspiegeln, u. a. chinesische und römische. Doch nach dem Tod Friedrich Wilhelms II. im Jahr 1797 entzog die königliche Familie der Gräfin alle Besitztümer. An heißen Sommertagen kamen nun Friedrich Wilhelm III. und seine Frau Luise auf die Insel. Dieser König war es auch, der 1822 dem Gartenarchitekten Peter Joseph Lenné den Auftrag gab, die Insel in einen

Park von Schloß Kleinglienicke *Vor dem 1850 von Ferdinand von Arnim errichteten Klosterhof liegt ein Kreuzgang im venezianischen Stil (oben).*

Jagdstilleben in Schloß Grunewald *Im weitläufigen „grünen Wald" veranstalteten die Preußenherrscher ihre beliebten Jagden. Jagdwaffen und -gerät sind auch auf diesem Gemälde von Franz de Hamilton dargestellt (links).*

englischen Landschaftspark umzuwandeln; weite Teile des Waldbestands wurden gerodet. Mit der Zeit entstand auch eine regelrechte Menagerie mit zahlreichen Tierhäusern für die zum Teil exotischen Tiere. Später kamen sie dann in den Zoologischen Garten.

An die von ihren Zeitgenossen verehrte Königin Luise erinnert ein kleiner dorischer Tempel aus gelbem Sandstein am Wiesenrand gegenüber der Meierei. Säulen, Architrav und andere Teile bildeten einst die Fassade des Mausoleums im Schloßgarten von Charlottenburg. Die Sandsteinteile dort wurden 1828 gegen Granitsteine ausgetauscht und hierhergebracht.

Wie das Schloßgebäude ist auch die Meierei von 1795 am nördlichen Ende der Insel eine künstliche Ruine. Die Ruine war im Zeitalter der Romantik ein Symbol des verklärten Mittelalters und der Suche nach Verbundenheit mit der Natur. Durch den Bau künstlicher Ruinen wollte man wohl auch der oftmals überzogenen höfischen Kultur eine deutliche Absage erteilen.

Das größte Haus in der Mitte der Insel ist das Kavaliershaus, im Kern ein Gutshaus aus den Jahren 1803–1804. Seine Sandsteinfassade zierte einst die Front eines Danziger Patrizierhauses aus dem 15. Jh. Der kunstsinnige und denkmalpflegerisch ambitionierte Friedrich Wil-

helm III. hatte sie beim Abbruch des Danziger Hauses erworben, nach Berlin transportieren und 1824 von Schinkel am Kavaliershaus anbringen lassen.

ℹ️ Landschaftsgarten: täglich 8–20 Uhr (Mai–August), 8–18 Uhr (April, September), 9–17 Uhr (März, Oktober), sonst 10–16 Uhr; Schloß: Di–So 10–17 Uhr (April–September), Oktober 10–16 Uhr.

Schloß Kleinglienicke 1747 erwarb der Arzt Dr. Mirow ein ausgedehntes Gelände oberhalb der Havel und ließ sich dort ein Wohnhaus bauen. 1814 gelangte der Besitz an Fürst Hardenberg, der das Gebäude umgestalten ließ. Künstlerische Bedeutung erhielten das Schloß und der Park jedoch erst nach 1824, als Prinz Karl von Preußen, ein Sohn Friedrich Wilhelms III. und ein Kunstsammler aus Leidenschaft, das Gelände kaufte. Die drei von ihm bevorzugten Architekten Schinkel, Persius und Ferdinand von Arnim sowie die Landschaftsgestalter Lenné und Fürst von Pückler-Muskau schufen über den Zeitraum von einem Vierteljahrhundert eine Anlage, in der sich vielfältige bauliche Ideen und die Stile von Klassizismus und Romantik zu einer harmonischen Einheit fügen. Der 83 ha große Volkspark Glienicke gehört heute mit seinem zum Teil sehr alten Baumbestand zu den schönsten in Berlin.

Vom Haupteingang, dem Johannitertor an der Königstraße, führt ein Weg zu dem Schloß mit Gartenhof, Kavaliershaus und Stallhof hinauf; letzterer dient heute als Restaurant. 1825–1828 gestaltete Schinkel die Dreiflügelanlage als Umbau eines frühklassizistischen Landhauses. Flach gestreckt, nur von einer breiten Dachterrasse in der Fassadenmitte überragt, liegt das Schlößchen auf der kleinen Anhöhe. Sparsame klassizistische Formen, aufgelockert lediglich durch einige Zinngußornamente, betonen seinen ländlichen Charakter. Den auffallend hohen Turm und die Löwenfontäne vor dem Schloß fügte Schinkel später hinzu. Die vergoldeten Bronzelöwen, Sinnbild ungebändigter Naturkraft, wiederholen ein Motiv aus der Villa Medici in Rom.

Die ursprüngliche Inneneinrichtung des Schlosses existiert heute nicht mehr. Von der Sammelleidenschaft des Prinzen zeugen aber noch Relieffragmente antiker Originale, die der Italienliebhaber in die Mauer des Innenhofs einsetzen ließ. Er hatte sie von seinen Reisen in den klassischen Süden mitgebracht.

Entlang der Parkbegrenzung gelangt man auf dem Weg zur Havel

zur Großen und zur Kleinen Neugierde. Die Große Neugierde vor der Glienicker Brücke ist ein 1835–1837 von Schinkel geschaffener, dem antiken Athener Lysikratesmonument nachempfundener Rundbau mit überdachtem Säulenkranz, von wo aus sich der einst rege Verkehr auf der Verbindungsstraße zwischen Berlin und Potsdam in Ruhe beobachten ließ – daher vielleicht der etwas seltsam anmutende Name. Angesichts der deutsch-deutschen Grenzlage braucht man heute allerdings schon etwas Phantasie, um sich in die ehemals einheitliche Kulturlandschaft hineinzudenken. Die Grenze verläuft mitten über die Brücke.

Auf einer kleinen Anhöhe über der Havel liegt das Kasino, das mit seiner heiteren Ausstrahlung an eine klassische italienische Villa erinnert. Vor dem Umbau durch Schinkel 1824 war es ein kleines Billardhaus gewesen. Von der Terrasse bietet ein schöner Blick über das Wasser bis zu den Hügeln bei Potsdam und dem Schloß Friedrich Wilhelms IV. auf dem Pfingstberg. Die von Schinkel gestalteten Pergolen schaffen eine ideale Verbindung zwischen Natur und Landschaft. Früher waren in dem zweistöckigen Bau Statuen und Plastiken aufgestellt. Einige römische Portraitköpfe und zwei Torsen stehen heute noch hier.

Wegen Renovierungsarbeiten bleibt das Schloß voraussichtlich bis 1991 geschlossen und ist daher nur von außen zu besichtigen. Der Park ist frei zugänglich.

Jagdschloß Glienicke Südlich der Königstraße liegt das Jagdschloß Glienicke, das im Jahr 1683 unter der Leitung von Charles Philippe Dieussart entstand. Der dreigeschossige Bau war das Jagdhaus des Großen Kurfürsten Friedrich Wilhelm von Brandenburg. Später wurde das Schloß eine Zeitlang als Lazarett und dann als Fabrik genutzt, bevor Prinz Karl von Preußen es schließlich 1859 erwarb. Von Ferdinand von Arnim ließ er das schlichte Gebäude in den schmuckreichen Formen des französischen Barock für seinen Sohn Friedrich Karl ausbauen. Unter anderem wurde dabei das Walmdach durch ein Mansarddach ersetzt.

30 Jahre später wurde die Anlage erneut erweitert. Albert Geyer fügte einen Turm hinzu und verlieh dem Schloß den Charakter eines süddeutschen Barockhauses. Der Mittelbau erhielt noch ein weiteres Stockwerk. Im Schloß ist eine Internationale Begegnungsstätte untergebracht; daher ist es nur von außen zu besichtigen.

Uniformrock in Braunschweig Das im Landesmuseum ausgestellte Kleidungsstück soll Friedrich der Große in den Jahren vor seinem Tod 1786 täglich getragen haben.

Braunschweig Das Herzogtum Braunschweig war eng mit dem Königreich Preußen verbunden: Friedrich der Große wurde mit der braunschweigischen Prinzessin Elisabeth Christine verheiratet, der braunschweigische Herzog und seine Söhne dienten im Siebenjährigen Krieg als preußische Heerführer. Im Braunschweigischen Landesmuseum befindet sich neben einem Offiziersrock Friedrichs des Großen und den dazugehörigen Lederhandschuhen, Stiefeln sowie dem Dreispitz auch eine Büste des Königs. Das Bildnis schuf Johannes Eckstein 1786 aus Wachs und Gips nach der Totenmaske des Herrschers.
ⓘ Braunschweigisches Landesmuseum, Burgplatz 1: täglich 10–17 Uhr.

Burg Hohenzollern bei Hechingen Die preußische Königskrone wurde 1889 gefertigt, da die mit kostbarem Schmuck versehene von 1701 verschollen ist. Die Nachfolger Friedrichs I. hatten auf eine Krönungszeremonie verzichtet.

Dresden Im Jahr 1759 besetzten österreichische Truppen das von Preußen 1756 zu Beginn des Siebenjährigen Kriegs eingenommene Dresden. Friedrich der Große versuchte, die Stadt im Sommer 1759 wiederzugewinnen. Bei diesem erfolglosen Unternehmen zerstörte die preußische Artillerie große Teile der Stadt, darunter auch die Kreuzkirche. Der italienische Künstler Canaletto, der zu dieser Zeit Hofmaler in Dresden war, malte die Trümmer des zerschossenen Gebäudes – sein Werk ist im Museum für Stadtgeschichte ausgestellt.
ⓘ Dresden-Information, Prager Straße 11, DDR-8000 Dresden.

Hechingen Die Särge von Friedrich Wilhelm I. und Friedrich dem Großen, die 1945 vor der anrückenden Roten Armee aus der Gruft der Garnisonskirche in Potsdam entfernt worden waren, brachte man im September 1952 endgültig auf die Burg Hohenzollern, etwa 4 km südlich der schwäbischen Stadt Hechingen. Hier auf dem Stammsitz der Hohenzollern, wo sich im 12. Jh. die ersten Grafen des schwäbischen Adelsgeschlechts niedergelassen hatten, fanden die beiden größten Könige der Dynastie in der Christuskapelle ihre letzte Ruhestätte. An Friedrich den

Großen erinnern auch zeitgenössische Portraitstiche der Edwin-von-Campe-Sammlung und Gemälde von Antoine Pesne. In der früheren Schloßküche richtete man eine Schatzkammer mit Kleinodien aus dem Besitz des preußischen Königshauses ein. Darunter befinden sich u. a. drei Brillanttabatieren Friedrichs des Großen, eine Speisetafel mit Tellern, Gläsern und Besteck sowie eine Tabaksdose, an der in der Schlacht bei Kunersdorf (12. August 1759) eine Kugel abprallte. Von der Courschleppe der Königin Luise wird berichtet, daß sie diese 1807 während ihres Bittgangs für Preußen bei Kaiser Napoleon in Tilsit trug.
ⓘ Burg Hohenzollern: täglich 9 bis 17.30 Uhr (April–Oktober), sonst täglich 9–16.30 Uhr.

Kleve In der niederrheinischen Stadt Kleve, die bereits seit dem frühen 17. Jh. zu Brandenburg-Preußen gehörte, veranstaltete 1652 der Große Kurfürst Friedrich Wilhelm die Hochzeitsfeier für seine Schwägerin, Prinzessin Albertina-Agnes von Oranien, bei der die Schlacht zwischen Hannibal und Scipio (202 v. Chr.) nachgespielt wurde. Friedrich Wilhelm übernahm persönlich die Rolle des siegreichen Römers. Ein um 1660 entstandenes Gemälde im Städtischen Museum zeigt ihn in seinem Kostüm „glitzernd von Gold und Edelsteinen".
ⓘ Städtisches Museum Haus Koekkoek, Kavariner Straße 33: Di–So 10–13, 14–17 Uhr.

Regensburg An eine der berühmtesten Schlachten des Siebenjährigen Krieges erinnert das Bild „Der Choral von Leuthen" in der Städtischen Galerie. Im Hintergrund ist Preußenkönig Friedrich II. zu erkennen.

Neuruppin Anfang 1732 endete die Küstriner Festungshaft Friedrichs des Großen, die er als Kronprinz aufgrund seines Fluchtversuchs 1730 in Sinsheim verbüßen mußte. Anschließend lebte er bis 1736 als Kommandant eines Regiments in der damaligen Garnisonstadt Neuruppin, etwa 60 km nordwestlich von Potsdam. Hier kam er erstmals mit dem Architekten Georg Wenzeslaus von Knobelsdorff zusammen, der 1732–1736 den Tempelgarten anlegte. In ihm errichtete der berühmte preußische Baumeister 1735 auch sein frühestes Werk, den Apollotempel. Das flachkupplige Gebäude zeugt mit seinem klassischen Charakter von der Antikenverehrung des Kronprinzen und seines Architekten. An den wichtigsten Kollegen Knobelsdorffs im 19. Jh., an Karl Friedrich Schinkel, erinnert eine Tafel in der Fischbänkenstraße 8. In diesem Haus seiner Geburtsstadt verlebte Schinkel seine Jugend. Er war Augenzeuge des großen Brands von 1787, in dessen Folge der Ort nach einem einheitlich konzipierten Grundriß wieder errichtet wurde – neben Potsdam das bedeutendste Beispiel von Stadtbaukunst an der Schwelle vom Spätbarock zum Frühklassizismus. In einem der damals entstandenen

Häuser ist heute das Kreisheimatmuseum untergebracht. Hier befinden sich u. a. Gedenkräume für Schinkel und den ebenfalls in Neuruppin geborenen Dichter Theodor Fontane.

ℹ Reisebüro, Karl-Marx-Straße 88, DDR-1950 Neuruppin.

Regensburg Im „Leeren Beutel", dem ehem. städtischen Getreidekasten, befindet sich u. a. eine Zweiggalerie der Bayerischen Staatsgemäldesammlungen. Hier ist das 1887 entstandene Ölgemälde von Arthur von Kampf „Der Choral von Leuthen" zu sehen, das eine Begebenheit nach der Schlacht vom 5. Dezember 1757 darstellt. Gegen Ende des zweiten Jahres des Siebenjährigen Krieges gewann Friedrich II. bei Leuthen eine für die Rückeroberung Schlesiens entscheidende Schlacht. An der böhmischen Grenze gelang den 35 000 Preußen der Sieg über das fast doppelt so starke österreichische Heer. In der Nacht darauf blieb die preußische Armee auf dem Schlachtfeld; in der Dunkelheit erscholl, von Trupp zu Trupp aufgenommen und anschwellend, der Choral „Nun danket alle Gott".

ℹ Städtische Galerie im „Leeren Beutel", Bertholdstraße 9: Di–Sa 10–16, So 10–13 Uhr.

Reichardtswerben In der Nähe des kleinen Ortes im heutigen DDR-Kreis Weißenfels, etwa 30 km westlich von Leipzig, fand beim Gut Roßbach am 5. November 1757 die erste der drei für das preußische Heer bedeutendsten siegreichen Schlachten im Siebenjährigen Krieg statt. Vor allem diesen Erfolgen verdankte Friedrich II. seinen Beinamen „der Große". In Roßbach un-

terlagen die Franzosen, in Leuthen die Österreicher und am 25. August 1758 bei Zorndorf die Russen. In einem Gebäude neben der Dorfkirche von Reichardtswerben befindet sich ein Diorama mit 4500 Zinnfiguren, bei dem die Schlacht bei Roßbach nachgestellt ist.

ℹ Ev. Pfarramt, Ernst-Thälmann-Straße 53, DDR-4851 Reichardtswerben.

Schleswig Schloß Gottorf, die einstige Residenz der Herzöge von Schleswig, nutzten im 19. Jh. zunächst die Dänen und später die Preußen als Kaserne – nach dem Deutschen Krieg wurde Schleswig-Holstein 1866 preußische Provinz. Die äußere Schlichtheit der Schloßanlage kündet noch heute von seiner einstigen Zweckentfremdung. Seit 1947 sind die Landesmuseen in der Schloßanlage untergebracht, die kontinuierlich wiederhergestellt wurde. Im Bestand finden sich auch einige Exponate, die durch die verwickelten Verwandtschaftsbeziehungen der deutschen Adelshäuser nach Schleswig gekommen sind – z. B. ein Bild vom späteren Großen Kurfürsten Friedrich Wilhelm von Brandenburg, das der Maler Broder Matthisen um 1639 anfertigte, und ein Portrait von Elisabeth Christine

Schloß Sigmaringen
Als erster Hohenzoller bezog 1535 Graf Karl I. die Burg auf dem Donaufelsen. Durch Umbauten im 19. Jh. und den Wiederaufbau nach dem Brand von 1893 erhielt sie ihr heutiges Aussehen.

von Braunschweig, der ungeliebten Gemahlin Friedrichs des Großen, das Antoine Pesne um 1740 schuf.

ℹ Schleswig-Holsteinisches Landesmuseum in Schloß Gottorf: Di–So 9–17 Uhr (April–Oktober), sonst Di–So 9.30–16 Uhr.

Sigmaringen 1849 entschlossen sich die selbständigen Schwabenfürsten der Hohenzollern zu einer politischen Einheit mit den Verwandten aus dem Norden: Die „Hohenzollernschen Lande" waren nunmehr der südlichste preußische Regierungsbezirk und Sigmaringen Sitz des preußischen Regierungspräsidenten. Daran erinnert der preußische Grenzpfahl vor dem Runden Turm (15. Jh.), der heute das Heimatmuseum mit verschiedenen Exponaten zur Stadtgeschichte beherbergt. An die Preußenzeit erinnern u. a. Stadtpläne, Wappen, Orden und ein Schild „Preußisches Standesamt". Fürst Karl Anton ließ 1848–1885 am Schloß in Sigmaringen umfangreiche Um- und Ausbauten vornehmen. Für seine berühmten Kunstsammlungen errichtete er aus behauenen Bruchsteinen anstelle der alten Wagenremise einen Galeriebau. Hier werden bedeutende Kunstwerke und kulturgeschichtliche Dokumente vor allem aus dem schwäbischen Raum gezeigt. Sehenswert sind u. a. auch die umfangreiche Waffensammlung und die im Marstall untergebrachte Ausstellung von Jagd-, Reise- und Galakutschen.

ℹ Fürstliche Hohenzollernsche Sammlungen, Schloß Sigmaringen: täglich 8.30–12, 13–17 Uhr.
Heimatmuseum im Runden Turm, Antonstraße 22: Mi, Sa, So und feiertags 10–12, 14–17 Uhr.

Sinsheim *Einen Einblick in das Leben Friedrichs des Großen erhält man im Museumshof „Lerchennest". Friedrich verlieh dem Bauerngehöft diesen Namen während seiner Kronprinzenzeit.*

Sinsheim Der heutige Museumshof „Lerchennest" im Ortsteil Steinsfurt (etwa 25 km südöstlich von Heidelberg) war Schauplatz eines einschneidenden Ereignisses aus der Jugendzeit Friedrichs des Großen. Auf dem Gehöft übernachtete der Kronprinz mit der Reisegesellschaft seines Vaters, Friedrich Wilhelms I., vom 4. zum 5. August 1730. Von hier aus wollte der damals 18jährige nach England fliehen, um so den ständigen Demütigungen und harten Erziehungsmaßnahmen des „Soldatenkönigs" zu entkommen. Das Unternehmen scheiterte schon an der Scheune. Eine Folge des Fluchtversuchs war die Hinrichtung des engen Freundes des Kronprinzen, Leutnant Katte, am 6. November 1730 in Küstrin. Heute ist im Museumshof eine kleine Gedenkstätte eingerichtet. Originalexponate, z. B. ein Kinderhemd Friedrichs des Großen, Dokumente und Abbildungen geben ein umfassendes Bild vom Preußenkönig und seiner Zeit.

ℹ Museumshof Lerchennest: So und feiertags 14–17 Uhr, sonst n. Vereinb., Tel. 0 72 61/39 34.

Rekrut in Berlin

Die zahlreichen Kriege zwangen Friedrich den Großen, seine Soldaten nicht nur in Preußen, sondern auch im Ausland anwerben zu lassen. Der Schweizer Ulrich Bräker wurde in Schaffhausen von preußischen Werbeoffizieren angeblich als Diener verpflichtet und unter einem Vorwand nach Berlin geschickt; er fand sich als Rekrut im preußischen Heer wieder. Seine abenteuerlichen Erlebnisse schildert er 1789 in seiner Autobiographie „Lebensgeschichte und natürliche Ebentheuer des Armen Mannes im Tockenburg":

Labrot [ein Weber] [...] wies mir ein Quartier an und [...] ein Soldat [...] nahm mich mit auf seine Stube [...]. Nun ging's an ein Wundern und Ausfragen [...]. Ich antwortete kurz, ich komme aus der Schweiz und sei Seiner Exzellenz des Herrn Leutnant Markoni Lakai; die Sergeanten hätten mich hierher gewiesen, ich möchte aber lieber wissen, ob mein Herr schon in Berlin angekommen sei und wo er wohne. Hier fingen die Kerls ein Gelächter an [...] und keiner wollte das Geringste von einer solchen Exzellenz wissen. Mittlerweile trug man eine stockdicke Erbsenkost auf. Ich aß mit wenigem Appetit. Wir waren kaum fertig, als ein alter hagerer Kerl ins Zimmer trat, dem ich doch bald ansah, daß er mehr als Gemeiner sein müsse. Es war ein Feldweibel. Er hatte eine Soldatenmontur auf dem Arm, die er über den Tisch ausspreitete, legte ein Sechsgroschenstück dazu und sagte: „Das ist für dich, mein Sohn! Gleich werd' ich dir noch ein Kommißbrot bringen." „Was? für mich?" versetzt' ich, „von wem, wozu?" „Ei, deine Montierung und Traktement, Bursche! Was gilt's

da Fragens? Bist ja ein Rekrute." [...] Jetzt führte man mich in die Montierungskammer, paßte mir Hosen, Schuh' und Stiefeletten an und gab mir einen Hut, Halsbinde und Strümpfe. Dann mußt' ich mit noch etwa zwanzig andern Rekruten zum Herrn Oberst Latorf. Man führte uns in ein Gemach, so groß wie eine Kirche, brachte etliche zerlöcherte Fahnen herbei und befahl jedem, einen Zipfel anzufassen. Ein Adjutant, [...] las uns einen ganzen Sack voll Kriegsartikel her und sprach uns einige Worte vor, welche die mehrern nachmurmelten; ich regte mein Maul nicht, dachte dafür, was ich gern wollte, ich glaube an Ännchen; er schwung dann die Fahne über unsre Köpfe und entließ uns. [...] Ich ging in der Stadt herum, auf alle Exerzierplätze, sah, wie die Offiziere ihre Soldaten musterten und prügelten [...].

Werbemethoden *Teilweise mit Gewalt wurden die „Freiwilligen" zum Militärdienst gepreßt.*

Potsdamer Edikt

Der Große Kurfürst nahm in sein dünnbesiedeltes Land 20 000 Hugenotten auf, die wegen ihres Glaubens aus Frankreich vertrieben worden waren. Diese großzügige Geste diente allerdings auch der Förderung der preußischen Wirtschaft, denn die Hugenotten waren geschickte Handwerker und tüchtige Kaufleute. Das „Potsdamer Edikt" vom 8. November 1685 bot ihnen günstige Arbeitsbedingungen:

Wir, Friedrich Wilhelm, von Gottes Gnaden, Marggraf zu Brandenburg, des Heil. Römisch. Reichs Ertz-Cammerer und Chur-Fürst [...] Thun kund und geben Männiglichen [...] zu wissen, nachdem die harten Verfolgungen und rigoureusen proceduren, womit man eine zeithero in dem Königreich Franckreich wider Unsere der Evangelisch-Reformirten Religion zu gethane Glaubens-Genossen verfahren, viel Familien veranlasset, ihren Stab zu versetzen, und aus selbigem Königreich hinweg in andere Lande sich zu begeben, daß Wir dannenher aus gerechten Mitleiden, welches wir mit solchen Unsern, wegen des heiligen Evangelii und dessen reiner Lehre angefochtenen und bedrengeten Glaubens-Genossen billig haben müssen, bewogen werden, vermittels dieses von Uns eigenhändig unterschriebenen Edicts denenselben eine sichere und freye retraite [Zuflucht] in alle unsere Lande und Provincien in Gnaden zu offeriren, und

ihnen dabeneben kund zu thun, was für [Vorrechte] Wir ihnen zu concediren gnädigst gesonnen seyn [...].

3. Weilen Unsere Lande [...] sonderlich auch zu etablirung allerhand manufacturen, Handel und Wandels zu Wasser und zu Lande sehr bequem, als stellen Wir denen, die darinn sich werden setzen wollen, allerdings frey, denjenigen Ort, welchen sie [...] zu ihrer Profession und Lebens Art am beqvemsten finden werden, zu erwählen. [...]

8. Diejenige welche einige Manufacturen von Tuch, Stoffen, Hüten oder was sonsten ihre Profession mit sich bringet, anzurichten willens seyn, wollen Wir nicht allein mit allen desfals verlangeten Freyheiten, Privilegiis und Begnadigungen versehen, sondern auch dahin bedacht seyn und die Anstalt machen, daß ihnen auch mit Gelde und andern Nothwendigkeiten, deren sie zu Fortsetzung ihres Vorhabens bedürffen werden, so viel müglich assistiret und an Hand gegangen werden soll.

Friedrich Wilhelm *Der Große Kurfürst – sein Reiterstandbild steht heute im Hof des Charlottenburger Schlosses – schuf mit dem Ausbau eines stehenden Heeres und mit der Ansiedlung von französischen Glaubensflüchtlingen die Voraussetzungen zum Aufstieg Preußens. Ganz im Sinne des Absolutismus stärkte er die Zentralgewalt des Staates nach innen und außen.*

Königskrönung

Kaiser Leopold I. gestand dem Kurfürsten Friedrich III. von Brandenburg vertraglich zu, ein souveränes Königtum in dem außerhalb des Heiligen Römischen Reiches Deutscher Nation liegenden Herzogtum Preußen zu proklamieren. Dafür verpflichtete sich Friedrich zu militärischer Unterstützung im Spanischen Erbfolgekrieg. Am 18. Januar 1701 krönte sich Friedrich in Königsberg zum König in Preußen. Über die Proklamationsfeierlichkeiten berichtet der preußische Hofdichter Johannes von Besser:

Nach allen den großen und herrlichen Solennitäten, die dem Kurbrandenburgischen Hofe bisher vorgegangen, folgt nun eine ganz neue und an diesem Hofe noch nie gesehene Zeremonie: nämlich die Krönung seines Allerdurchlauchtigsten Oberhauptes [...].

Die erste Publikation geschah im Schloßplatze, die andere vor dem Schloß auf der Burgfreiheit und die drei übrigen geschahen vor den Rathäusern der drei Städte Altstadt, Kneiphof, Löbenicht [...]. Der erste Herold las die Publikation von einem gedruckten Zettel in diesen Worten abgefaßt:

„Demnach es durch die allweise Vorsehung Gottes dahin gediehen, daß dieses bisher gewesene souveräne Herzogtum Preußen zu einem Königreich aufgerichtet und desselben Souverän, der Allerdurchlauchtigste Großmächtigste Fürst und Herr, Herr Friedrich König in Preußen geworden: so wird solches hiermit männiglichen kundgetan, publiziert und ausgerufen: Lang lebe Friedrich, unser Allergnädigster König. Lang lebe Sophie Charlotte, unsere Allergnädigste Königin."

Alle Umstehenden beantworteten mit Schwenkung der Hüte und einem oft wiederholten Vivat den Wunsch des Heroldes.

König Friedrich I.
Im preußischen Königsberg krönte sich Kurfürst Friedrich III. zum ersten König in Preußen. Sein Repräsentationsbedürfnis machte Berlin zu einem Mittelpunkt barocker Kultur.

Die Langen Kerls

Die Potsdamer Riesengarde war ein Renommierregiment besonderer Art. Dafür rekrutierte der preußische König Friedrich Wilhelm I. seine Langen Kerls aus aller Herren Länder und schreckte dabei vor keiner List zurück. Ständig herrschte daher Unzufriedenheit in der Elitetruppe, die nach 1740 aus wirtschaftlichen und politischen Gründen aufgelöst wurde. Über Meutereien und Hinrichtungen berichtet der Dominikaner Bruns aus Halberstadt, ab 1731 Seelsorger der Langen Kerls, in seinem Tagebuch:

Unter ungeheuren Kosten war diese Leibgarde, die man mit Recht Riesengarde nennen konnte, aus allen vier Erdteilen zusammengeworben. Sie zählte gegen 4000 Mann und war in vier Regimenter geteilt. Die Katholiken bildeten mindestens die Hälfte davon. [...] Es gibt fast keine Nation auf der Erde, welche in Potsdam nicht vertreten gewesen wäre. Wir hatten unter den unsrigen Kanoniker, Priester, Diakone, Welt- und Ordensgeistliche der verschiedensten Gattung, promovierte Doktoren des Rechts und der Medizin, Fürsten, Grafen und Adlige, die zumeist durch Gewalt, List und Versprechungen angeworben worden waren. Daher kam es, daß zu Potsdam fast fortwährend Meutereien ausbrachen und geheime Verschwörungen sich bildeten, in der Absicht, die Stadt in Brand zu stecken und den König zu ermorden, um dann zu desertieren. Gott fügte es aber immer, daß einer oder der andere der Verschworenen im Gewissen geängstigt zu mir kam und das Vorhaben entdeckte. So habe ich denn glücklicherweise mit Gottes Hilfe die Verschwörung vereitelt und zwar alles in Frieden und ohne Aufsehen [...]. Indessen war auch die Lage der mit Gewalt und List geworbenen Soldaten eine verzweifelte. Sie konnten nicht entfliehen und die Freiheit erlangen. Daher stürzten sich viele ins Wasser, andere verstümmelten sich, hingen sich auf, begingen Selbstmord, noch andere, ihres Lebens überdrüssig, mordeten, um wieder gemordet zu werden.

Solche nun ließ der König aufs grausamste Spießruten laufen, von unten nach oben rädern, mit glühenden Zangen zerfleischen oder mit dem Beil hinrichten.

Riesengarde König Friedrich Wilhelm I. verstärkte die Armee, unterwarf die Soldaten einer unmenschlichen Disziplin und legte damit den Grundstein zum preußischen Militarismus. Mit der Einrichtung der Langen Kerls als Leibgarde bekam seine Vorliebe für das Militär skurrile Züge.

Siegeszug der Technik

*Erfindergeist und Forschungsdrang ver-
änderten im 18. und 19. Jh. die Arbeitswelt
grundlegend. Maschinen übernahmen die
Aufgaben der Menschen. Aus dem Agrarstaat wurde eine Industrienation. Hochöfen
und Fördertürme wie in Bochum (Foto)
prägten das Bild einer ganzen Region.
Der Glaube an den Fortschritt und die
technische Entwicklung führten zu
ungeahnten Leistungen. „Made in
Germany" wurde zum Gütezeichen in
der ganzen Welt.
Doch die Industrialisierung hatte auch
ihre Kehrseite. Es bildete sich ein
Industrieproletariat, rechtlos und ohne
soziale Sicherung in Not und Armut.*

Technik und Erfindergeist: mit Volldampf in die neue Zeit

Die Erfindung der Dampfmaschine (1769) und des mechanischen Webstuhls (1785) kennzeichnet im allgemeinen den Beginn des industriellen Zeitalters. Ausgehend von Großbritannien, erreichte die industrielle Revolution, die zu nachhaltigen wirtschaftlichen und sozialen Veränderungen in Europa führte, um die Mitte des 19. Jh. auch Deutschland. Mit dem Einsatz von Maschinen entstanden neue Arbeits- und Herstellungstechniken. Für die maschinelle Massenproduktion brauchte man viele Arbeitskräfte und rasch wachsende Absatzmärkte. Die Förderung und Verarbeitung natürlicher Rohstoffe wie Kohle und Erz waren nur mit riesigem Kapitaleinsatz möglich. So waren Unternehmer mit Eigeninitiative und Risikobereitschaft gefragt.

Die Zersplitterung Deutschlands in zahllose Einzelstaaten mit Sonderinteressen verhinderte lange Zeit den freien Handel und verzögerte die Entwicklung vom Agrarstaat zur Industrienation. Der schwäbische Ökonom Friedrich List bemühte sich schon 1819 darum, die 38 verschiedenen Zollsysteme innerhalb des Deutschen Bundes zu vereinheitlichen. Auf Initiative Preußens entstand dann 1834 der Deutsche Zollverein, dem sich in den folgenden Jahren die anderen deutschen Staaten anschlossen.

Während in Großbritannien Textil- und Eisenindustrie die Motoren der Industrialisierung waren, kam in Deutschland dem Eisenbahnbau entscheidende Bedeutung zu. 1835 wurde die erste deutsche Eisenbahnstrecke zwischen Nürnberg und Fürth eröffnet. Vier Jahre später folgte die über 100 km lange Fernverbindung Leipzig–Dresden. Um 1850 gab es in Deutschland ein Eisenbahnnetz von fast 5500 km; 1873 waren es bereits über 20000 km. Die Eisenbahn verbilligte und beschleunigte den Gütertransport und ließ die Städte enger zusammenwachsen. Zahlreiche Kanalbauten, wie z. B. der 1895 eröffnete Nord-Ostsee-Kanal, verkürzten in der Folgezeit die Transportwege entscheidend.

Die Kohle- und Erzvorkommen im Ruhrgebiet, in Sachsen, Oberschlesien und an der Saar führten ab den 50er und 60er Jahren zur Konzentration der Schwerindustrie in diesen Gebieten. Auch die Textil- und Metallindustrie nahm einen ungeahnten Aufschwung. Vor allem der Berliner Raum und die Gebiete um Stuttgart, Augsburg, München, Leipzig und am Niederrhein entwickelten sich zu leistungsfähigen Wirtschaftszentren.

Der siegreiche Krieg gegen Frankreich 1870/71 löste in Deutschland eine Periode der Hochkonjunktur aus, die man als Gründerzeit bezeichnet. Innerhalb von zwei Jahren entstanden in einem Spekulationsfieber fast 800 neue Aktiengesellschaften, von denen die meisten allerdings in der Krise 1873 wieder in Konkurs gingen. Die Erfindungen im Automobilbereich (Benz, Daimler, Otto) und die ersten Flugversuche Lilienthals in den 90er Jahren zeugen vom Erfindergeist des jungen Deutschen Reichs, das um die Jahrhundertwende zu den führenden Industrienationen Europas zählte.

Doch der Fortschritt brachte auch soziale Probleme mit sich. Die Arbeiter lebten am Rand des Existenzminimums, von den Unternehmern ausgebeutet und ohne Rechte. Die Wohnverhältnisse in den Städten, die durch die Landflucht rasch anwuchsen, waren miserabel. Das Elend der Proletarier führte 1844 zum Aufstand der schlesischen Weber, der aber ohne Erfolg blieb.

Im Kampf um Versammlungsfreiheit, Streikrecht und Kündigungsschutz entstand ab den 60er Jahren eine organisierte Arbeiterbewegung (Gewerkschaften, Sozialdemokratische Partei), die vom Staat mit allen Mitteln bekämpft wurde. Erst in den 80er Jahren gab es zaghafte Ansätze einer staatlichen Sozialgesetzgebung (1883 Kranken-, 1884 Unfall- und 1889 Rentenversicherung).

Karte: Zeitalter der Industrialisierung

Danzig
Dirschau
Elbing
Bromberg
(1774)
Weichsel
Posen
KAISER-
REICH
RUSSLAND
Breslau
Oder
Oppeln
ankenstein
Neiße
Kattowitz
M **Ober-** **E**
schlesien
Oderberg

Zeitalter der Industrialisierung

- ///// Grenze des Deutschen Reiches (1871)
- •••••• Grenze des Deutschen Bundes (1815–1866)
- Sonstige Staatsgrenzen
- Ländergrenzen
- Deutscher Zollverein am 1. 1. 1834
- 1842 Beitritt zum Deutschen Zollverein mit Jahresangabe
- Kanalbauten (mit Eröffnungsdatum)
- Eisenbahnlinien (bis 1845)
- Eisenbahnlinien (bis 1866)
- ○ Wichtige Eisenbahnstation
- ■ Großstadt (über 100000 Einwohner) um 1850
- ● Großstadt (über 100000 Einwohner) um 1880
- **Ruhr** Wichtige Industriegebiete um 1850

Bedeutende Industriezweige:
- ⚒ Bergbau
- E Erzförderung
- M Metallindustrie
- T Textilindustrie

Kgr.=Königreich; Kfsm.=Kurfürstentum; Ghzm.=Großherzogtum; Hzm.=Herzogtum; Fsm.=Fürstentum

Der Erfinder und sein Automobil *Die historische Aufnahme stammt aus dem Jahr 1893, als Carl Benz mit seiner Frau Clara auf dem Benz-Victoria-Wagen eine Ausfahrt unternahm. Mit seiner Erfindung erfüllte er sich seinen Traum von einem „Fahrzeug ohne Pferd".*

Im Revier des schwarzen Goldes

Mit der Industrialisierung begann der Aufstieg des Ruhrgebiets. Zechenanlagen und hohe Förder-türme prägten alsbald das Bild des Reviers, und die harte Arbeit unter Tage bestimmte das Leben seiner Bewohner. Der Zustrom Hunderttausender von Arbeitsuchenden und der Einsatz von Maschi-nen brachten tiefgreifende Veränderungen mit sich, die die technischen Kulturdenkmäler und sozialgeschichtlichen Museen dieser Tour vor Augen führen.

Balve Die Wasserkraft, vom Men-schen schon Jahrtausende vor der Erfindung der Dampfmaschine zur Arbeitserleichterung genutzt, spielte auch noch in der Frühzeit der Indu-strialisierung eine wichtige Rolle. In der Luisenhütte im Stadtteil Wock-lum, die 1748 errichtet wurde, trieb ein Wasserrad das Gebläse an, das die Zufuhr von Luft in den Hoch-ofen regulierte, doch häufiger Was-sermangel und Eisbildung im Winter behinderten nicht selten den Be-trieb. Bei der Modernisierung 1853 bis 1854 erhielt die Hütte ein weite-res Gebläse, das nun von einer Dampfmaschine angetrieben wurde, die mit Abgasen des Hochofens be-heizt werden konnte.

Die Luisenhütte ist die älteste vollständig erhaltene Eisenhütte Deutschlands, die mit Holzkohle be-trieben wurde. Den Hochofen hiel-

ten ein Hüttenmeister, ein Meister-knecht und zwei Aufgeber in Gang. Sie arbeiteten jeweils zu zweit in ei-nem Schichttakt von zwölf Stunden. Um 12 und um 24 Uhr fand täglich der Abstich statt, bei dem das Roh-eisen und die Schlacke aus dem Hochofen abliefen. Als nach dem Bau der Ruhr-Sieg-Bahn Kohle als Brennstoff billiger wurde, war der Holzkohle-Hochofen nicht mehr rentabel und wurde 1865 stillgelegt.
ⓘ Luisenhütte, Balve-Wocklum: Di–Sa 10–18, So 11.30–18 Uhr (Mai–Oktober), sonst n. Vereinb., Tel. 0 23 75/31 34.

Menden Über 200 Jahre trieb das Wasser der Hönne den Oberröding-hausener Hammer im gleichnami-gen Ortsteil an, einen der ältesten Frisch- und Rohstahlhämmer in Westfalen. Zeitweise dienten hier ein 300 kg schwerer, noch erhalte-

Luisenhütte in Balve
Auf dem Gelände einer früheren Eisen-schmelzhütte wurde 1748 der noch voll-ständig erhaltene, 10 m hohe Hochofen errichtet. Zum heuti-gen Museum gehören auch Gießerei, Ma-schinenhaus mit Was-serrad und Dampfma-schine (1853), Schrei-berhäuschen und Hüttenteich (rechts).

Dortmund-Bodel-schwingh *In den mar-kanten Ecktürmen des Malakoffturms der Zeche Westhau-sen (links) befanden sich die Fluchttreppen für den Brandfall.*

Schiffshebewerk Hen-richenburg *Der na-türliche Auftrieb der fünf Hohlzylinder, auf denen das Ge-wicht des Schiffstrogs ruht, wird bei dem ebenso einfachen wie genialen Konstruk-tionsprinzip dieser technischen Pionier-leistung ausgenutzt. Ein Elektromotor mit einer Leistung von 150 PS reichte aus, um das Schiffshebe-werk zu betreiben.*

ner Stabhammer, ein Reckhammer, drei Wasserräder und fünf Feuer zur Herstellung von Pflugscharen, Roststäben und Geschirreisen für Puddelwerke. Nach der Stillegung 1955 wurde der Hammer als Museum eingerichtet.

ℹ️ Oberrödinghausener Hammer, Hönnetalstraße 151: Besichtigung n. Vereinb., Tel. 0 23 79/71.

Dortmund-Bodelschwingh Neben den stählernen Fördergerüsten gehören auch ihre Vorläufer, die steinernen Malakofftürme, zu den Wahrzeichen des Bergbaus im Ruhrgebiet. Diese mächtigen Schachttürme entstanden etwa zwischen 1850 und 1880. Aufgrund des wachsenden Kohlebedarfs und der Einsatzmöglichkeit von Maschinen zum Abpumpen des Grundwassers konnte man damals vom fast horizontalen Abbau zur Tiefenförderung übergehen. Man stellte immer mehr Förderwagen übereinander – die Schachtgebäude wuchsen zu Türmen. Die Ähnlichkeit mit dem Fort Malakoff der Festung Sewastopol, die im Krimkrieg von entscheidender Bedeutung war, verhalf ihnen zu ihrem Namen.

1872 wurde der erste Schacht der Zeche Westhausen in die Tiefe getrieben, ihr Malakoffturm ein Jahr später fertiggestellt. Die beiden Ecktürme, die den viergeschossigen Turm noch überragen, werden jeweils von einem Zinnenkranz abgeschlossen.

Gegenüber liegt ein Anfang des 20. Jh. in Form einer Basilika errichtetes Gebäude, in dem sich vor der Stillegung der Zeche (1955) die Lohnhalle, die Waschkaue (der Wasch- und Umkleideraum) und die Zechenverwaltung befanden. Besonders aufwendig ist die Lohnhalle mit ihren riesigen Fenstern, aufstrebenden Giebeln und Jugendstilelementen. Die einst repräsentativen Gebäude werden heute von Firmen genutzt und sind nur von außen zu besichtigen.

Dortmund-Mengede Die Zeche Adolf von Hansemann wurde nach dem Direktor der Berliner Diskontogesellschaft benannt, der sich tatkräftig für die Industrialisierung des Ruhrgebiets einsetzte: Seine Gesellschaft kaufte 1873 die bereits 20 Jahre zuvor errichtete Zeche in der Nähe des Bahnhofs von Mengede.

Die repräsentative Lohnhalle, die 1898–1899 als neogotischer Backsteinbau im typischen Zechenstil dieser Zeit entstand, hat ein historisches Vorbild. Die Bogenfriese, Konsoltürmchen, Zinnenkränze und der runde Turm, der das Gebäude abschließt, erinnern stark an das Uenglinger Stadttor in Stendal aus der zweiten Hälfte des 15. Jh. Kaiser Wilhelm II. lieferte wohl den Anlaß für die Prachtentfaltung: Er sollte 1899 die gerade fertiggestellte Lohnhalle auf seiner Fahrt zur Einweihung des Schiffshebewerks Henrichenburg vom Zug aus wohlwollend bewundern können.

Henrichenburg Für Schwer- und Massentransporte zur Nordsee wurde 1892–1899 der Dortmund-Ems-Kanal gebaut. Am schwierigsten war die Überwindung eines Höhenunterschieds von 14 m bei Waltrop. An dieser Stelle entstand das Schiffshebewerk Henrichenburg, das bei seiner Einweihung durch Kaiser Wilhelm II. am 11. August 1899 als technische Pionierleistung gerühmt wurde. Anstelle der bisher üblichen Schachtschleusen wählte man die erst 1887 entwickelte Trogschleuse, die den Schleusenvorgang auf knapp zwölf Minuten verkürzte. Die Schiffe fuhren in einen 70 m langen, 8,6 m breiten und 2,5 m tiefen wassergefüllten Schiffstrog, der auf fünf Hohlzylindern ruht, die in Brunnen von 30 m Tiefe schwimmen. Wenn eine bestimmte Wassermenge hinzugefügt oder abgelassen wird, hebt oder senkt sich der Trog und bringt das Schiff auf die gewünschte Höhe. Das Hebewerk wird zur Zeit zum Museum ausgebaut. Die Eröffnung ist für 1990 vorgesehen, bis dahin ist es nur von außen zu besichtigen. Nach dem gleichen Prinzip arbeitet jedoch in unmittelbarer Nähe die moderne Anlage, die das historische Hebewerk 1962 ersetzte.

Dortmund-Bövinghausen Bereits kurz nach ihrer Errichtung wurde die Zeche Zollern II/IV als Musterzeche gepriesen. Verwaltungsgebäude, Lohnhalle, Waschkaue, Werkstätten und Pferdestall gruppieren sich wie bei einer feudalen Schloßanlage um einen Innenhof. Der Architekt Paul Knobbe entwarf diese 1898–1902 errichteten Backsteingebäude im Stil der Neugotik. Doch auch romanisierende, barocke und klassizistische Elemente finden sich neben den Staffelgiebeln und Spitzbogenfenstern.

Ihre überragende Bedeutung erlangte die Zeche jedoch mit ihrer 1902–1903 erbauten Maschinenhalle, der ersten Industriehalle des Ruhrgebiets mit Stahlskelettkonstruktion. Das fast 100 m lange Gebäude mit den großen Glasflächen läßt den baugeschichtlichen Wandel von der historisierenden zur funktionsgerechten Industriearchitektur des beginnenden 20. Jh. deutlich erkennen.

Der Architekt Bruno Möhring versah die Halle mit Schmuckformen im Jugendstil, unter denen vor allem die farbigen Glasmalereien am Hauptportal hervorstechen.

Auch technisch stand die Halle auf der Höhe ihrer Zeit. Erstmals wurden Energie- und Drucklufterzeugung, Fördermaschine und Hilfsaggregate in einer Halle zentral zusammengefaßt, und 1903 installierte man hier auch eine der ersten großen elektrischen Fördermaschinen der Welt. Mit ihren beiden Elektromotoren von jeweils 1030 kW Leistung konnte sie innerhalb von 25 Sekunden 4 t Nutzlast aus 500 m Tiefe hinaufbefördern. Seit einigen Jahren wird die 1966 stillgelegte Zeche zur Zentrale des Westfälischen Industriemuseums ausgebaut. Neben den technischen Anlagen eines Bergwerks sollen hier auch die Lebens- und Arbeitsbedingungen der Kumpel veranschaulicht werden.

Vor dem Zechengelände liegt die ab 1904 errichtete Wohnkolonie Landwehr, eine der frühen Gartenstadtsiedlungen des Reviers. Ihr kam aufgrund der Wohnraumknappheit und ihrer vergleichsweise billigen Mieten eine wichtige sozialpolitische Bedeutung zu. Sie diente aber auch dazu, die Arbeiter an den Betrieb zu binden, denn Miet- und Ar-

Kreuz und quer durch den Ruhrpott Nicht nur Bundesstraßen führen vom Ausgangspunkt Balve ins Ballungsgebiet um Dortmund, Bochum, Essen und Wuppertal. Besonders reizvoll ist z. B. die Nebenstraße zwischen Langschede und Schwerte.

beitsvertrag waren gekoppelt. Die Kolonie Landwehr bestand aus dem Wohnhaus für den Betriebsführer, sieben Beamten- und 23 Arbeiterhäusern. Die Ausführung der Gebäude im Villenstil galt damals als besonders fortschrittlich.

ℹ Maschinenhalle der Zeche Zollern II/IV, Grubenweg: Sa, So 10–18 Uhr, Gruppen n. Vereinb., Tel. 02 31/6 37 50.

Bochum Weithin sichtbar ist der 68 m hohe Förderturm des Deutschen Bergbaumuseums. Seine Aussichtsplattform bietet einen weiten Rundblick über die von Industrieanlagen geprägte Stadt.

Wie der Arbeitsplatz der Kumpel tatsächlich aussieht, führt das in einer Tiefe von 15–20 m gelegene Anschauungsbergwerk des Museums vor Augen. Eine Grubenfahrt in das fast 2,5 km lange Stollennetz mit Steinkohleflözen und Originalmaschinen gibt einen Eindruck von der harten Arbeit unter Tage.

Die oberirdischen Etagen dieses größten Bergbau-Fachmuseums der Welt vermitteln einen Überblick über die jahrtausendealte Geschichte des Bergbaus. Die Besucher können Originalmaschinen und Modelle in Betrieb setzen, um ihre Funktionsweise zu erkennen; Querschnitte durch Schachtmodelle demonstrieren z. B., wie die Bergleute auf einer Rutsche oder an Seilen in den Schacht „einfuhren"; Schautafeln zeigen die Bevölkerungsentwicklung im Ruhrgebiet, die durch den Zustrom von Hunderttausenden in der Zeit der Industrialisierung des Bergbaus geprägt wurde.

ℹ Deutsches Bergbaumuseum, Am Bergbaumuseum: Di–Fr 8.30–17.30, Sa, So 9–13 Uhr.

Bochum-Hordel 1857 begannen die Abteufarbeiten der Zeche Hannover I/II/V in Bochum-Hordel, d. h., man trieb ihre ersten beiden Schächte senkrecht in die Tiefe. In den beiden folgenden Jahren entstand das imposante Kernstück der Anlage: eine Maschinenhalle, die an den Querseiten von zwei riesigen Malakofftürmen flankiert wurde und über deren Mitte sich ein riesiger Kesselhauskamin erhob. Diese symmetrische Konstruktion prägte zahlreiche Zechenbauten in der Zeit zwischen 1850 und 1880. Die historisierende Architektur mit ihren Anklängen an Ritterburgen demonstrierte das Selbstbewußtsein und den Herrschaftsanspruch der Zechenbarone, des industriellen Bürgertums, das zunehmend an Macht und Einfluß gewann. Obwohl einer der beiden Malakofftürme und der Kamin nicht mehr erhalten sind, vermittelt die Anlage doch immer

noch einen Eindruck von einer der ersten Großzechen des Reviers.

1872 erwarb Alfred Krupp die Zeche, um seine Betriebe selbständig mit Kohle versorgen zu können. Er baute die Anlage zu einer Musterzeche mit modernster Technik aus. Der technische Betriebsleiter Friedrich Koepe entwickelte hier ein wegweisendes neues Förderverfahren. 1878 nahm bei Schacht I die erste Koepemaschine ihren Betrieb auf. Sie wurde 14 Jahre später durch eine Trommelfördermaschine ersetzt, die heute noch als älteste Dampffördermaschine, die in einem Revierbergwerk am Originalstandort erhalten blieb, in der Maschinenhalle steht. 1973 wurde Hannover I/II/V als letzte Bochumer Zeche stillgelegt. Sie wird restauriert und in ein Museum umgewandelt. Voraussichtlich ab Mitte 1989 kann sie auch wieder innen besichtigt werden.

ℹ Zeche Hannover I/II/V, Hannoverstraße, Tel. 02 31/6 37 50.

Essen-Altenessen Efeubewachsen erhebt sich der Malakoffturm in der Hömannstraße über die Schachtanlage Carl; durch ein Loch im Mauerwerk sieht man noch die alten Fördergerüste. Der wuchtige, relativ schlichte steinerne Bau ist neben jenem der Zeche Carolinenglück in Bochum-Hamme der älteste der 14 im Ruhrgebiet erhaltenen Malakofftürme. Er wurde 1856–1861 errichtet. In den beiden an den Seiten angrenzenden Gebäuden standen die Dampfmaschinen. Im Kasinogebäude der ehem. Zeche wurde inzwischen ein Jugend- und Kulturzentrum eingerichtet.

ℹ Zeche Carl: Besichtigung n. Vereinb., Tel. 02 01/35 79 22.

Essen Wie Kohle entstanden ist und wie die Menschen im Revier um die Jahrhundertwende gelebt haben, führt das Ruhrlandmuseum seinen Besuchern vor Augen. Ein nachgebautes Kontor mit alten Schreibmaschinen- und Telefonmodellen, der repräsentative Schreibtisch eines Prinzipals und die verstaubten Klamotten der Kumpel an einem nachgebildeten Personenförderkorb vermitteln einen Einblick in ihre Arbeitswelt. Unterschiedlich eingerichtete Wohnküchen demonstrieren soziale Unterschiede auch innerhalb der Arbeiterschaft. Weiteres Mobiliar, Familienfotos und eine Kneipe runden das Bild vom Alltagsleben der Menschen ab.

Das Ruhrlandmuseum betreut auch ein Ensemble vor- und frühindustrieller Denkmäler, das im Deilbachtal in Essen-Kupferdreh erhalten ist. In der Nierenhofer Straße, im Gebäude des einstigen Kupferhammers, ist ein Informationsraum über

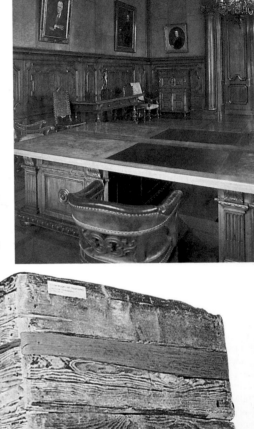

Villa Hügel in Essen-Bredeney Von diesem Arbeitszimmer (rechts) im Haupthaus aus regierte die Industriellendynastie der Familie Krupp einen der größten Konzerne des 19. Jh., dem zahlreiche Verarbeitungsbetriebe, Kohlezechen, Erzgruben und Hüttenwerke gehörten.

Deutsches Bergbaumuseum Bochum Noch 1930 war dieser hölzerne Förderwagen (unten) mit Spurenkranzrädern im Siebenbürger Goldbergbau im Einsatz. Er lief auf Holzschienen.

die Stationen des Rundwanderwegs eingerichtet. Dieser führt zunächst zum Deilbachhammer, der im 16. Jh. gegründet wurde. Die heutige Einrichtung stammt aus dem 19. Jh. Ein Wasserrad treibt eine Eisenschere und die beiden 50 und 100 kg schweren Hämmer an. Über die Hundebrücke, eine Gitterbrücke aus der Mitte des 19. Jh., wurden mit kleinen Wagen – Hunde genannt – aus dem Deilbachhang gebrochene Steine transportiert. Die Deilbach-

mühle (18./19. Jh.) und die Reste der Zeche Viktoria runden das Bild ab.

ℹ Ruhrlandmuseum, Goethestraße 41: Di–So 10–18, Do 10–21 Uhr; Museumslandschaft Deilbachtal: Öffnungszeiten des Informationsraums und Vorführungen des Deilbachhammers unter Tel. 02 01/88 84 11.

Essen-Bredeney Hoch über dem Baldeneysee, umgeben von einem reizvollen Waldpark mit seltenen Bäumen, liegt die Villa Hügel. Alfred Krupp ließ sie nach eigenen Entwür-

Dampfhammer in Hagen-Selbecke In nur anderthalb Stunden entwarf der englische Ingenieur Nasmith 1838 den nach ihm benannten Dampfhammer, mit dem weit größere Teile als bisher geschmiedet werden konnten. Hier das Exemplar im Westfälischen Freilichtmuseum.

fen 1870–1873 im klassizistischen Stil errichten. Die Innenräume wurden von seinen Nachfolgern mit Holzkassetten- oder Stuckdecken, Marmortürrahmen und flämischen Gobelins ausgestattet. Im Tanzsaal fanden Feste und Empfänge statt, in der unteren Halle hängen Familienbildnisse und Portraits deutscher Kaiser. Bis 1945 diente diese bürgerliche Residenz der Familie Krupp als Wohn- und Repräsentationssitz. 1953 wurde die Villa in ein Kulturzentrum umgewandelt, in dem Ausstellungen, Konzerte und Empfänge stattfinden. Im Kleinen Haus, dem ehem. Logierhaus, gibt die Historische Sammlung Krupp Einblick in die Firmen- und Familiengeschichte.

1811 gründete Friedrich Krupp in Essen eine Gußstahlfabrik. 40 Jahre später präsentierte sein Sohn Alfred auf der Weltausstellung in London den größten in einem Stück gegossenen Gußstahlblock der Welt, der fast doppelt so schwer war wie das Exponat der bis dahin führenden Engländer. Der nahtlose Radkranz für die Eisenbahn, den Krupp 1853 entwickelte, wurde zur Basis für die Expansion der Firma zum Konzern von Weltrang. Bis 1914 verkaufte Krupp 2,75 Millionen Radkränze, seit 1875 sind drei aufeinandergelegte Ringe als Symbol für die Räder das Firmenzeichen. Das umfangreiche Engagement des Konzerns in der Rüstungsindustrie brachte Alfred

Krupp den Beinamen „Kanonenkönig" ein.

Krupp erkannte früh den sozialen Zündstoff, der sich aus der Industrialisierung ergab, und führte in seinem Konzern wegweisende soziale Neuerungen ein. Er richtete u. a. eine Kranken- und eine Pensionskasse ein, gründete ein Krankenhaus und ließ mehrere Siedlungen mit billigen, aber damals vorbildlichen Werkswohnungen bauen.
ℹ️ Villa Hügel, Essen-Bredeney: Di–So 10–18 Uhr.
Wuppertal Die Orte im Tal der Wupper, in denen bereits im Spät-

mittelalter Garne gebleicht, gewebt, geflochten und gefärbt wurden, entwickelten sich nach der Aufstellung der ersten Garnverarbeitungsmaschinen in der zweiten Hälfte des 18. Jh. zum bedeutendsten Industriebezirk Westfalens.

Das Museum für Frühindustrialisierung, das 1983 in einem ehem. Lagerhaus im Stadtteil Barmen eröffnet wurde, führt die technischen und sozialen Veränderungen in der Zeit von 1750 bis 1850 vor Augen. Es zeigt historische Spinnmaschinen und Webstühle sowie Modelle anderer Maschinen, an denen sich die Ent-

wicklung von der Handarbeit zur maschinellen Fertigung ablesen läßt. Schautafeln, Tabellen und Fotos dokumentieren die Verelendung breiter Bevölkerungsschichten, die die industrielle Produktion nach sich zog. Die technische Entwicklung ermöglichte den verstärkten Einsatz von Frauen und Kindern im Herstellungsprozeß; zum Teil wurden Maschinen sogar so konstruiert, daß nur Kinder sie bedienen konnten. Gleichzeitig drückte die schlechte Bezahlung von Frauen und Kindern den Lohn der Männer. Nach Berechnungen von 1849 war ein Wochenlohn von vier Talern und vier Silbergroschen notwendig, um eine fünfköpfige Familie zu unterhalten; die größte Spinnerei in Wuppertal, Jung, zahlte jedoch nur zwei Taler und elf Silbergroschen pro Woche. Der Teufelskreis war geschlossen, denn Frauen und Kinder mußten mitarbeiten, um die Familie zu ernähren. Die tiefen sozialen Unterschiede verdeutlichen auch die Vergleiche zwischen den Wohnungen und den Speiseplänen von Fabrikanten- und Arbeiterfamilien.

Seine Auseinandersetzung mit der Lage der arbeitenden Klasse hat Friedrich Engels, der 1820 in Barmen als Sohn eines Textilfabrikanten geboren wurde, dazu gebracht, zusammen mit Karl Marx den wissenschaftlichen Sozialismus, eine der zentralen politischen Theorien des 19. Jh., zu begründen. Die Ausstellung im Engelshaus, einer Villa im bergischen Spätbarock, die früher der Familie Engels gehörte, informiert über den Lebensweg von Friedrich: Der erfolgreiche Kaufmann, der empörte junge Liberale, der politische Agitator und Teilnehmer an der Revolution von 1848/1849 wird ebenso beleuchtet wie der Verfasser zahlreicher Schriften zum Sozialismus und der bedeutende Politiker in der internationalen Arbeiterbewegung des 19. Jh.
ℹ️ Engelshaus und Museum für Frühindustrialisierung, Engelsstraße 10: Di–So 10–13, 15–17 Uhr.
Hagen-Selbecke Einen Überblick über die Geschichte des Handwerks

Im Schatten von Karl Marx

Eine lebenslange Freundschaft verband den Industriellensohn Friedrich Engels mit Karl Marx – und sein Einfluß auf das Werk des großen Theoretikers des Kommunismus ist nicht zu unterschätzen, wie die Ausstellung im Engelshaus in Wuppertal-Barmen eindrucksvoll belegt. In England, dem damals technisch am weitesten entwickelten Land der Welt, schloß Engels 1844 seine Ausbildung als Kaufmann ab. Hier hatte er das Elend der Arbeiter kennengelernt und war zum Sozialrevolutionär geworden. Gemeinsam mit Marx verfaßte er 1847 das „Kommunistische Manifest", die erste zusammenfassende Darstellung der marxistischen Theorie. Nach dem Scheitern der Revolution von 1848/1849 gingen beide ins Exil nach England. Engels wurde Kaufmann in Manchester – nicht zuletzt, um seinen

von schweren Geldsorgen geplagten Freund materiell unterstützen zu können. Engels war es auch, der das unvollendete Hauptwerk von Karl Marx, das berühmte „Kapital", nach dessen Tod fertigstellte.

und der technischen Entwicklung von den Waldschmieden zur Zeit Karls des Großen bis zum Riemenfallhammerwerk aus den Werkstätten des Industriepioniers Harkort in Wetter vermittelt das Westfälische Freilichtmuseum Technischer Kulturdenkmale. In einem 2,5 km langen Abschnitt des idyllischen Mäkkingerbachtals wurden in kleinen Fachwerkhäusern historische Werkstätten aus hauptsächlich westfälischen Orten zusammengetragen und originalgetreu und voll funktionsfähig wieder aufgebaut. Mehrere Schmieden zeigen die Stahl- und Eisenverarbeitung mittels Wasserkraft. Eine Messinggießerei, eine Kuhglokkenschmiede und ein Kupferhammer geben u. a. Einblick in die Verarbeitung von Nichteisenmetallen. Das malerische Rathaus von Neunkirchen von 1756 wurde hier nach den Originalplänen wieder aufgebaut; es beherbergt die Sammlungen des Deutschen Schmiedemuseums. Weitere Häuser widmen sich der Holz- und Papierverarbeitung, der Bearbeitung von Stoffen, Fellen und Leder. Die Palette der Mühlen reicht von einer Turmwindmühle bis zur Dampfmahlmühle. Außerdem gibt es eine Brauerei, eine Obstbrennerei, eine Tabakfabrik und einen Krämerladen. Aus der historischen Bäckerei kann man sich mit frischem Brot versorgen und in der Gold- und Silberschmiede selbst eine Silbermünze herstellen.

🛈 Westfälisches Freilichtmuseum Technischer Kulturdenkmale, Mäkkingerbachtal: Di–So 9–17 Uhr (April–Oktober).

Wetter Wie der Turm einer romantischen Phantasieburg erhebt sich der zinnenbewehrte Harkortturm auf dem Harkortberg bei Alt-Wetter. Freunde und Bewunderer haben ihn 1884 zu Ehren des Industriepioniers Friedrich Harkort (1793–1880) errichtet, wie die Inschrift am Reliefbild Harkorts berichtet, das in die Wand des Eingangsraums eingelassen ist. Der Aufstieg über die Wendeltreppe wird mit einem herrlichen Blick über die Ruhraue und den

Dortmund-Bövinghausen Jugendstildekoration und Stahlskelettbauweise verschmelzen in der Maschinenhalle der Zeche Zollern II/IV zu einer Einheit. Auf 2150 m² wurden hier erstmals die wichtigsten Aggregate für die Kohleförderung zentral zusammengefaßt.

Harkortsee belohnt. Auch sieht man die Reste von Burg Wetter, die im wesentlichen aus einem erhaltenen Turm und dem Amtsgebäude bestehen. Auf dem Gelände dieser bis ins 13. Jh. zurückreichenden einstigen Verteidigungsanlage richtete Harkort 1819 seine Mechanischen Werkstätten ein, deren maschinelle Ausstattung bahnbrechend wirkte. Leider ist vor Ort nichts von den Fabrikationseinrichtungen erhalten.

Harkort schlug außerdem als Abgeordneter sozialpolitische Maßnahmen vor, die lange Zeit aktuell blieben. Schon früh forderte er u. a. die Abschaffung der Kinderarbeit, Maßnahmen gegen die hohe Kindersterblichkeit, bessere Wohnungen, günstige Kredite und Krankengeld für die Arbeiter sowie eine Arbeitszeitbegrenzung.

🛈 Harkortturm, Alt-Wetter: Sa, So 11–16 Uhr (Mai–September).

Witten In die Frühzeit des Kohleabbaus führt der etwa 9 km lange bergbaugeschichtliche Rundweg im Muttental, dessen Ausschilderung am Parkplatz Steinhausen in Witten-Bommern beginnt (zu erreichen über die Nachtigallstraße). Die Kohleförderung ist hier ab der Mitte des 16. Jh. nachgewiesen. Die Flöze reichten bis an die Erdoberfläche, so daß man oft nur ein trichterförmiges Loch graben mußte, um auf Kohle zu stoßen. Einige solcher „Pingen" sind auf dem Weg zu sehen. Verschiedene mechanische Hilfsmittel, die die Arbeit vor dem Einzug der Maschinen erleichterten, wurden rekonstruiert: Über eine mächtige Seiltrommel kurbelten einst Knechte mit der Haspelanlage die Fördertonnen herauf; die Göpelanlage wurde durch ein im Kreis laufendes Pferd angetrieben.

Die Zeche Nachtigall war eine der ersten Tiefbauzechen des Ruhrgebiets. Ihre 1833 und 1844 abgeteuften Schächte erschlossen Kohlevorkommen unterhalb des Wasserspiegels der Ruhr. Die Gebäude der 1892 stillgelegten Zeche werden gegenwärtig restauriert und sollen danach als Außenstelle des Westfälischen Industriemuseums dienen.

Eines der ungewöhnlichsten Gebäude im Muttental ist das Bethaus (um 1823). Hier fanden sich die Bergleute vor Schichtbeginn zu einer kurzen Andacht ein, die zugleich als Anwesenheitskontrolle diente. Verspätung oder Fehlen wurde geahndet, aber auch aus Sicherheitsgründen mußte man die Zahl der ein- und ausfahrenden Bergleute feststellen. Das Bethaus enthält heute ein kleines Museum mit Modellen und Arbeitsgeräten.

🛈 Bethaus: Di–Sa 9–12, 14–16, So 9–13 Uhr.

Erze und Erdöl in Niedersachsen

Die industrielle Revolution veränderte das Leben der Menschen tiefgreifend. Moderne Maschinen und bahnbrechende technische Erfindungen drängten die traditionellen Erwerbszweige – Landwirtschaft und Handwerk – in den Hintergrund. Der Bergbau, der jahrhundertelang die Haupterwerbsquelle für die Bevölkerung im Harz darstellte, bekam durch die Industrialisierung ein anderes Gesicht. Neue Perspektiven eröffnete auch die Förderung von Erdöl in der Lüneburger Heide.

Wietze 1859 schloß man hier mit einem 35,5 m tiefen Bohrloch die erste Erdölbohrung der Welt erfolgreich ab. Bis 1964, als der Betrieb wegen Unwirtschaftlichkeit eingestellt werden mußte, wurden in Wietze 2,7 Mio. t Erdöl gefördert. Die Originalförderanlagen aus der Pionierzeit stehen auf dem Gelände des Wietzer Erdölmuseums: hölzerne Fördertürme, Pumpen und eine Kehrradwinde aus dem Jahr 1904, die sich sogar noch ächzend in Bewegung setzen läßt. Schauräume ergänzen die Freilichtausstellung.
ℹ Erdölmuseum, Schwarzer Weg 7–9: Mi, Sa, So und feiertags 13.30 bis 16.30 Uhr (April–Oktober).

Hösseringen Ob im repräsentativen Brümmerhof oder im schlichten Kötnerhaus: früher lebten Mensch und Tier auf dem Land unter einem Dach, konzentrierte sich das Leben im Haus rund um die einzige Feuerstelle, schliefen oftmals bis zu vier Personen in einem schmalen Kastenbett. Wohnen und Arbeiten vor der industriellen Revolution werden im Museumsdorf des Suderburger Ortsteils Hösseringen lebendig.
ℹ Landwirtschaftsmuseum Lüneburger Heide, Museumsdorf am Landtagsplatz: Di–Sa 14–17.30, So und feiertags 10.30–17.30 Uhr (April–14. Juni, 16. September bis Oktober), Di–So 10.30–17.30 Uhr (15. Juni–15. September), sonst So und feiertags 10.30 Uhr bis Einbruch der Dunkelheit.

Gifhorn Der Ausstellungsraum unterhalb der 1988 nach etwa 200 Jahre alten, ukrainischen Vorbildern errichteten Windmühle „Natascha" ist dem Thema „Energie" gewidmet. Unter anderem belegen Zeitungsartikel aus dem 19. Jh., daß man schon

Sankt Andreasberg Das 9 m durchmessende Kehrrad (oben) der Grube Samson diente der Silbererzförderung.

Wietze Die zum Teil über 100 Jahre alten Anlagen des Erdölmuseums werden für Besucher in Betrieb gesetzt (rechts).

Gifhorn Originalgetreu wurde die 1788 bis 1789 in Sanssouci, der Potsdamer Residenz der Preußenkönige, errichtete Holländergaleriemühle (links) im Mühlenmuseum nachgebaut.

damals die Erzeugung von Elektrizität mit Windkraft in großem Maßstab für möglich hielt. Neben sieben echten Mühlen auf dem Freigelände sind in einer 800 m² großen Ausstellungshalle etwa 40 Modelle aus aller Welt zu sehen.

ℹ Internationales Wind- und Wassermühlenmuseum, Bromer Straße 2: täglich 10–18 Uhr (15. März–Oktober), Di–So 10–17 Uhr (November bis Dezember).

Salzgitter Auf dem Freigelände vor dem ehem. Stallgebäude, das zum Schloßmuseum Salder gehört, ist eine der vier großen Seilscheiben des ehem. Schachts Georg aufgebaut. Daneben steht ein Untertageszug aus dem hiesigen Bergbau. Im Stallgebäude werden Betriebsabläufe des Bergbaus dargestellt. Im Kellergewölbe des Schlosses informieren Arbeitsgeräte, Schautafeln und Modelle über die industrielle Entwicklung Salzgitters.

ℹ Städtisches Museum Schloß Salder, Museumsstraße 34: Di–Sa 10 bis 17, So und feiertags 10–15 Uhr.

Goslar „Schwarze Höhle – Erleuchtete Kammern – Flammengeprassel – Rauch, Zug, Glut – Funken, Sprühen, Knall. Dumpfes Getöse der springenden Felsen – Zusammenstürzende Flammen – Getös, Hitze." So beschrieb Goethe 1784 eine Fahrt in das Erzbergwerk Rammelsberg, wo über 1000 Jahre lang – bis zur endgültigen Stillegung 1988 – Silber, Blei, Kupfer, Gold und Zink gefördert und gewonnen wurden. Aber auch ohne Rauch und Hitze ist ein Besuch des Bergwerks erlebnisreich genug. Vom Mundloch des Roederstollens führt ein 400 m langer Kurs hinab. An den Wänden glänzen farbige Kristalle, und über die alte Seilstrecke gelangt der Besucher zu dem großen Kehrrad, das Erz aus der Tiefe des Schachts förderte.

Bergmannstrachten, Öl- und Karbidlampen sind im Goslarer Museum zu sehen, wo mit Modellen die Entwicklung der Erzförderung im Rammelsberg aufgezeigt wird.

ℹ Roederstollen im Rammelsberg: Besichtigung nur n. Vereinb., Tel. 0 53 21/28 46.

Goslarer Museum, Königstraße 1: Mo–Sa 10–17, So und feiertags 10–16 Uhr (Mai–September), sonst Mo–Sa 10–16, So und feiertags 10–13 Uhr.

Lautenthal Zünftig mit Schutzhelm ausgestattet, fährt der Besucher mit der Grubenbahn ins Schaubergwerk „Tiefer Sachsenstollen" ein. Vor Ort werden die Arbeitsstationen der Bergleute erklärt, die in der unterirdischen Bergkapelle jeden Tag vor der Arbeit beteten. Die Multivisionsschau „Terramagica" im zugehörigen Museum zeigt Faszination und Gefahren der Arbeit unter Tage.

ℹ Historisches Besucherbergwerk „Tiefer Sachsenstollen", Wildemannstraße 11–17: täglich 9–12, 14–18 Uhr.

Clausthal-Zellerfeld Auf dem Freigelände des ältesten niedersächsischen Bergwerksmuseums kann man noch einen original erhaltenen Pferdegöpel, eine mit Pferdekraft angetriebene Förderanlage, besichtigen. Dem Schaubergwerk ist eine bergbau- und kulturkundliche Sammlung angegliedert, die u.a. Einblick in Wohnkultur und Brauchtum der Bergleute gibt.

ℹ Oberharzer Bergwerksmuseum, Bornhardtstraße 16: Di–So 9–13, 14–17 Uhr.

Sankt Andreasberg Im historischen Silbererzbergwerk „Grube Samson", das eine gute Übersicht über die Technik des Erzbergbaus bietet, ist noch eine alte Fahrkunst in Betrieb. Die 1833 erfundene Vorrichtung zum Ein- und Ausfahren ersparte den Bergleuten kostbare Zeit, denn der vormals langwierige Ein- und Ausstieg auf Leitern wurde nicht auf die Zwölfstundenschicht ange-

Von Wietze nach Sankt Andreasberg Landschaftlich reizvoll ist das Teilstück der B 191 zwischen Celle und Hösseringen, das durch den Naturpark Südheide führt. Weitere Höhepunkte bieten die Harz-Heide-Straße (B 4) nach Braunschweig und die Fahrt durch den Harz zwischen Goslar und Sankt Andreasberg.

Die hohe Kunst des Geldmachens

Der heilige Andreas, der das Martyrium der Kreuzigung erlitt und deshalb immer mit einem Kreuz dargestellt wird, zierte ab etwa 1535 die Münzen, die aus Andreasberger Silber geschlagen wurden. Ab 1593 hatte die Bergbaustadt sogar eine eigene Hammermünze. Im Silberbrennhaus wurde das Ausgangsmaterial erst fein gebrannt. Das entstandene Brandsilber goß man im Schmelzgewölbe zu sogenannten Zainen, Metallstreifen, die anschließend durch ein mit einem Pferdegöpel betriebenes Walzwerk auf die vorgeschriebene Stärke gebracht wurden. In der Durchschnittkammer schnitt man die Silberzaine zu sogenannten Blättern zurecht. Die Prägung und die Aus-

stanzung der Münzrohlinge erfolgten schließlich in der Prägestube. Der Münzmeister und seine Stempelschneider, Münzschmiede, Probierer, Silberbrenner, Göpelknechte und Münzjungen unterstanden einem Münzwardein, einem Aufsichtsbeamten.

rechnet. Die technische Weiterentwicklung ist so richtig erst zu würdigen, wenn man Heinrich Heines Beschreibung von 1824 liest: „...Und nun soll man auf allen vieren hinabklettern, und das dunkle Loch ist so dunkel, und Gott weiß, wie lang die Leiter sein mag. Aber bald merkt man doch, daß es nicht eine einzige, in die schwarze Ewigkeit hinablaufende Leiter ist, sondern daß es mehrere von fünfzehn bis zwanzig Sprossen sind, deren jede auf ein kleines Brett führt, worauf man stehen kann und worin wieder ein neues Loch nach einer neuen Leiter hinableitet ..." Darüber hinaus sind Göpel, Kunst- und Kehrradstube zu besichtigen.

ℹ Historisches Silbererzbergwerk „Grube Samson": nur mit Führung täglich 11 und 14.30 Uhr.

Grauer Arbeitsalltag im Revier

*E*s herrscht noch tiefe Dunkelheit, als in den Wohnungen der Arbeitersiedlung die ersten Lampen angezündet werden. Um halb fünf steht auch die Familie Keller auf. Während die Frau in der Küche Feuer macht und Wasser auf den Herd stellt, zieht Jakob sich an und weckt die Kinder. Die zwei Jungen, 11 und 13 Jahre alt, teilen sich ein Bett in der Küche. Die beiden Mädchen, 10 und 14, schlafen in der Stube bei den Eltern und dem Jüngsten. Müde und frierend sitzen die Kinder um den Tisch, trinken den dünnen Malzkaffee und essen ein Stück trockenes Brot. Viel Zeit haben sie nicht, der Weg in die Fabrik ist weit.

Die Mutter arbeitet im Haushalt eines Tuchfabrikanten. Ihr bleibt noch ein wenig Zeit, sich um den eigenen Haushalt und den Jüngsten zu kümmern, der gerade erst in die Schule gekommen ist. Die anderen brechen inzwischen gemeinsam auf. Der Schneematsch ist in der Nacht gefroren, und man muß auf den Weg achten. Aus fast jedem Haus kommen Männer und Kinder, und schließlich bewegt sich ein ganzer Zug vom Dorf zum Stadtrand, wo die Fabriken stehen. Nach einer halben Stunde biegen die beiden Mädchen zur Stecknadelfabrik ab. Fast 80 Kinder sind dort beschäftigt. Ihre Arbeit ist nicht schwer, aber doch ermüdend, und besonders das Gießen der Stecknadelköpfe ist auch nicht ganz ungefährlich, wenn sie nicht ständig aufpassen. Die Kinder sitzen dort nebeneinander in Reih und Glied, und die Bewegungen, die ihnen in Fleisch und Blut übergegangen sind, geschehen so gleichförmig, daß man sie selbst für kleine Maschinen halten könnte.

Vater Keller und die beiden Söhne gehen in Richtung Hüttenwerk weiter. Die Straße ist nun auf beiden Seiten von Schlackenhalden gesäumt, die von Woche zu Woche höher werden. Am Hochofen bleiben die Jungen zurück. Sie werden nun, wie jeden Tag, elf Stunden lang bis um fünf Uhr abends Koks auf kleine Holzwagen laden und von der Halde zum Hochofen fahren. Zwar verstößt ihre Arbeitszeit gegen das preußische Kinderschutzgesetz, das 1839, vor nun bereits neun Jahren, erlassen wurde und in dem festgelegt ist, daß Kinder höchstens zehn Stunden täglich arbeiten dürfen und am Mittag eine Freistunde bekommen müssen. Doch an die Bestimmungen halten sich die Unternehmer bisher nur selten. Eine 1845 von der preußischen Regierung durchgeführte Erhebung über den Erfolg dieses ersten Kinderschutzgesetzes in Deutschland zeigte, daß es letztlich unwirksam geblieben ist.

Jakob Keller kommt nun am Hochofen vorbei und nähert sich dem Walzwerk. Das Vorkommen von Kohle und Eisenerz in dieser Region macht das Ruhrgebiet zu einer wirtschaftlich attraktiven Industriezone. Die Verhüttung und Weiterverarbeitung

kann in einer großen Fabrikanlage stattfinden, ohne daß die Rohstoffe auf langen Wegen herbeigeschafft werden müssen. Die Arbeiter, die zu ihren Arbeitsplätzen strömen, beeilen sich, denn jedes Zuspätkommen wird vom Lohn abgezogen. Zehn Minuten

Schwerarbeit im Walzwerk Mit einer großen Zange greift ein Arbeiter nach dem weißglühenden Eisenblock, während zwei Männer darauf warten, das gefrischte Eisen zur Walzanlage zu bringen.

nach sechs wird das Tor geschlossen. Wer später kommt, verliert den ganzen Vormittag. So steht es in der Fabrikordnung, deren Einhaltung streng überwacht wird.

In der engen Vorhalle drängen sich die Arbeiter der Tagschicht und ziehen ihre warmen Jacken aus. Als sie die Tür zu der weiträumigen Werkhalle aufmachen, schlagen ihnen Hitze und Lärm entgegen. Jakob Keller arbeitet mit seiner Gruppe an der Vorwalzanlage. Es ist wenige Minuten vor sechs Uhr, als sie die Arbeiter der Nachtschicht ablösen.

Bevor das Roheisen nach dem Verlassen des Hochofens im Walzwerk bearbeitet werden kann, muß es gefrischt, d. h. von Verunreinigungen befreit werden. Das geschieht im Puddelverfahren, das in England, der führenden Industrienation, entwickelt wurde. Das gefrischte Eisen kommt als weißglühender Block zur Vorwalzanlage. Der Block wird zunächst mit Hilfe eines von Hand betriebenen Krans auf einen Wagen gehoben. Keller und ein anderer Arbeiter stehen mit großen Zangen bereit, um den Block am Kran zu dirigieren. Zwei andere schieben den Wagen vor die Walze. Drei Arbeiter sind nötig, um den Block auf die Walze zu befördern. Alle Handgriffe sind 100mal geübt und werden wortlos und flink erledigt. Die schweißnassen Gesichter glühen rot im Widerschein des Eisens. Beim Vorwalzen wird der Eisenblock in eine längliche Form gebracht. Hinter der Walze wird das vorgeformte Werkstück von anderen Arbeitern in Empfang genommen und auf das nächste Walzgerüst gebracht, auf dem es gestreckt und auf eine kleinere Stärke geformt wird. Danach wird es über eine andere Walze zurückgereicht, wobei die Männer ungeheure Kräfte aufwenden müssen, um das schwere und glühende Stahlband zu bewegen. In einem weiteren Durchlauf wird es dann in die endgültige Form gebracht. Eine neue Eisenbahnschiene ist fertig.

Der Arbeitsgang läuft ohne Unterbrechung, und die Arbeiter müssen sich abwechseln, um ihre Frühstückspausen machen zu können. Zwölf Stunden haben sie jeden Tag durchzustehen, und doch reicht der Lohn zum Leben nur, wenn die Kinder mitarbeiten. Es sind schwere Zeiten. Die Mißernten der vergangenen Jahre haben Tausende von Landarbeitern brotlos gemacht. Und noch sind Jakob Keller die Ereignisse von 1844 gut in Erinnerung, als die schlesischen Weber sich vergeblich gegen die unmenschlichen Arbeitsbedingungen gewehrt haben. Aber immer wieder, wenn ihn die Müdigkeit überkommt, sagt er sich, daß die Fabrik ein Segen für ihn ist, da sie ihm regelmäßige Arbeit bietet, während er früher als Tagelöhner oft nicht wußte, ob er am nächsten Tag noch Arbeit haben würde.

Abends um sechs Uhr, als es schon längst wieder dunkel ist, drängen sich die Arbeiter um die Holzzuber, um den gröbsten Schmutz von Gesicht und Händen zu waschen. Kellers Hausnachbar, der an einem anderen Walzgerüst arbeitet, erzählt ihm, daß er fest entschlossen ist auszuwandern. Er werde zu seinem Bruder nach Pittsburgh, einer Stadt in Pennsylvanien, gehen. Dort gebe es Kohle, Eisen und vor allem einen großen Bedarf an Arbeitskräften. Die Löhne seien höher, und außerdem seien schon viele Deutsche dort, man werde sich also nicht so fremd fühlen. Aber Jakob Keller winkt gleich ab. Rund 5000 km Eisenbahnlinien sind in Deutschland in den letzten Jahren gebaut worden, und er ist davon überzeugt, daß diese stürmische Entwicklung weitergehen wird. Das bedeutet Arbeit für ihn und für seine Kinder, bedeutet Hoffnung auf die Zukunft.

Die Schätze des Hunsrücks

Der Hunsrück und seine Ausläufer hatten geologisch eine bewegte Geschichte, was in Jahrmillionen zur Ausbildung reicher Bodenschätze führte. Edelsteine, Schiefer, Kupfer, Mangan, Salz und Quecksilber finden sich hier auf engem Raum. Zwar wurden sie schon seit Jahrhunderten genutzt, doch erst die Industrialisierung ermöglichte den Abbau in großem Maßstab. Die meisten Vorkommen sind heute erschöpft, doch Besucherbergwerke künden noch von der einstigen Bedeutung.

Idar-Oberstein Der Steinkaulenberg westlich von Idar begründete mit seinen reichen Achatvorkommen den Ruf der deutschen Edelsteinstadt. Seit dem 15. Jh. ist der Achatabbau hier nachweisbar, noch 1845 arbeiteten hier 40 Achatgräber. 1870 kam der kommerzielle Abbau zum Erliegen. Er war unrentabel geworden, da viele Idar-Obersteiner Auswanderer die Heimat vor allem aus Südamerika mit Rohsteinen belieferten. Drei Stollen des ehem. Edelsteinbergwerks, das man über einen Waldweg vom gut ausgeschilderten Parkplatz Steinkaulenberg aus erreicht, sind teilweise zur Besichtigung freigegeben: der Besucherstollen auf insgesamt 600 m Länge, der Schürfstollen, in dem auch der Laie sein Glück bei der Edelsteinsuche erproben kann, und der Erforschungsstollen, in dem auf 84 m Länge das Berginnere studiert werden kann.

In der historischen Weiherschleife am Idarbach wird dem Besucher die einstige Arbeitsweise der Edelsteinschleifer vor Augen geführt, die, bäuchlings auf Kippstühlen liegend, den Rohstein gegen große, wasserbetriebene Sandsteinräder preßten. Alte Werkstätten der Achatschleiferei und des Goldschmiedehandwerks zeigt das Museum Idar-Oberstein neben Mineraliensammlung, Glyptothek und Fluoreszenzkabinett. Im Deutschen Edelsteinmuseum im Haus der Diamant- und Edelsteinbörse spiegelt sich die Bedeutung der Stadt als internationales Zentrum des Edelsteinhandels wider. Auf zwei Stockwerken entfaltet sich das Spektrum der auf der Erde vorkommenden Edelsteine und ihrer Verarbeitungsmöglichkeiten.

Quecksilberbergwerk Niederhausen *In historischer Tracht präsentieren sich die Fremdenführer des Schmittenstollens (rechts). Er wurde 1981 als einziges der einst etwa 80 westeuropäischen Quecksilberbergwerke Besuchern teilweise zugänglich gemacht.*

Bad Kreuznacher Saline *Ein heilkräftiges Inhalatorium bilden die insgesamt 1000 m langen Gradierwerke im Salinental (unten).*

Edelsteinbergwerk Idar-Oberstein *Mühevoll war die Arbeit der Achatgräber unter Tage, die seit dem 15. Jh. im Steinkaulenberg Edelsteine förderten. Im Schürfstollen (oben) werden die 1776 erstmals ausführlich beschriebenen Arbeitstechniken eindrucksvoll vorgeführt. Der Fels ist noch immer mineralhaltig, doch der Abbau in großem Maßstab lohnt sich nicht mehr, dafür kommen Sammler hier voll auf ihre Kosten.*

ℹ️ Schaubergwerk Steinkaulenberg: täglich 9–17 Uhr (Mitte März–Mitte November), Schürf- und Erforschungsstollen Mo, Di, Do–Sa 9–12, 13–16 Uhr nach Anmeldung, Tel. 0 67 81/4 74 00.
Historische Weiherschleife, Tiefensteiner Straße: Mo–Fr 9–12, 13–17 Uhr (März–November) und n. Vereinb., Tel. 0 67 81/40 40.
Museum Idar-Oberstein, Hauptstraße 436: täglich 9–17.30 Uhr.
Deutsches Edelsteinmuseum, Mainzer Straße 34: täglich 9–18 Uhr (Mai–September), sonst täglich 9–17 Uhr.

Fischbach Etwa 3 km hinter Fischbach liegt in Richtung Berschweiler die Grube Hosenberg, das einzige in mittelalterlichem Zustand erhaltene Kupferbergwerk Deutschlands. In den großen Abbauhöhlen vermitteln lebensgroße Figurengruppen mit originalgetreuer Ausrüstung früherer Jahrhunderte den Besuchern eine Vorstellung vom Bergbau der Vergangenheit und seiner Mühsal. Scheinwerfer bringen die Schönheit der Wände zur Geltung, in denen unzählige kleine Kristalle in verschiedenen Farben schillern. Mit 300 Bergleuten und einer Fördermenge von 3–3,5 t reinen Kupfers pro Woche war die Grube im 16. Jh. ein Großbetrieb. Während der Französischen Revolution wurden die Förderarbeiten eingestellt und später wegen Unrentabilität nicht wiederaufgenommen.
ℹ️ Historisches Kupferbergwerk Fischbach: täglich 10–17 Uhr (März bis Mitte November), sonst n. Vereinb., Tel. 0 67 84/3 04.

Bundenbach Der Hunsrück ist mit rund 300 bekannten Fundstellen besonders reich an Schiefervorkommen; sie konzentrieren sich im Raum Bundenbach, wo der Abbau seit dem 16. Jh. nachweisbar ist. Ab 1820 erlebte die Förderung einen Aufschwung, da beim Hausbau verstärkt Schieferbedeckungen statt der feuergefährlichen Strohdächer vorgeschrieben wurden. Das Besucherbergwerk Grube Herrenberg (Beschilderung ab Friedhofsweg) verdeutlicht Schiefergewinnung und Abraumbeseitigung. Ein kleines Museum in der ehem. Pulverkammer birgt Werkzeuge des Schieferbergbaus vom primitiven Gezähe der Anfangszeit bis zu den modernen Geräten der Gegenwart. Interessierte können sich sogar Tischplatten, Schieferuhren, Gravurplatten und andere Schieferprodukte anfertigen lassen. Etwa 350 Millionen Jahre alte Versteinerungen, die im Schiefer eingeschlossen sind, zeigt das Fossilienmuseum Bundenbach.

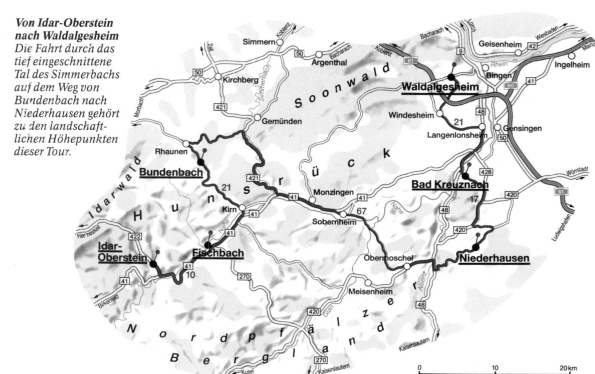

Von Idar-Oberstein nach Waldalgesheim
Die Fahrt durch das tief eingeschnittene Tal des Simmerbachs auf dem Weg von Bundenbach nach Niederhausen gehört zu den landschaftlichen Höhepunkten dieser Tour.

ℹ️ Besucherbergwerk Herrenberg bei Bundenbach: täglich 10–13, 14–17 Uhr (April–Oktober).
Fossilienmuseum, Schulstraße 25: täglich 14–16 Uhr.
Niederhausen Eines der seltensten Elemente der Erde, das Quecksilber, wurde ab dem 16. Jh. im Lemberg bei Niederhausen gewonnen (von Feilbingert Zufahrt bis zum Waldparkplatz, dann 500 m Fußweg). Vom etwa 15 km langen Stollenlabyrinth sind etwa 700 m für Besucher zugänglich, darunter auch spätmittelalterliche Grubenbaue, die nur mit Schlägel und Eisen in den Berg getrieben wurden. Bis 1942 wurde das quecksilberhaltige Zinnobererz hier gefördert, mit der Seilbahn nach Niederhausen transportiert und dann in der 8 km westlich gelegenen Hütte von Obermoschel „geröstet", um das Quecksilber zu gewinnen. In Obermoschel ist auf dem Burgberg noch ein Bet- und Zechenhaus von 1758 erhalten. Quecksilber ist bei der Läuterung von Gold nötig, es diente auch als Desinfektions- und Arzneimittel, z. B. gegen Läuse und Syphilis.
ℹ️ Quecksilberbergwerk Schmittenstollen: täglich 10–18 Uhr (April bis Oktober), sonst Sa, So und feiertags 10–18 Uhr.
Bad Kreuznach Die Salzgewinnung aus Salinen, d. h. aus Salzwasserquellen, durch Sudanlagen war während des gesamten Mittelalters ein bedeutender Wirtschaftsfaktor. Schon seit Jahrhunderten wird auch im Tal der Nahe bei Bad Kreuznach Salz

gewonnen. 1732–1742 entstanden hier die damals hochmodernen Salinen Karlshalle und Theodorhalle. Ihre Gradierwerke arbeiten nach einem Anfang des 18. Jh. vom sächsischen Bergingenieur Freiherr von Beust entwickelten Prinzip. Sole wird auf hohe Gerüste gepumpt und läuft von dort über dichte Reisigwände ab; überflüssiges Wasser verdunstet dabei in der Luft. Noch heute wird in den sechs etwa 8 m hohen Gradierwerken des Salinentals auf diese Weise Sole konzentriert. Eines stammt noch aus der Gründungszeit. Allerdings ist die

Im Zeichen von Schlägel und Eisen

Der Schlägel, ein an beiden Enden stumpfer Hammer, und das Bergeisen mit der einseitigen Spitze gehören seit alters zum Gezähe (Werkzeug) des Bergmanns. Erste Abbildungen über Kreuz als Zeichen, das Gefahr abwenden soll, finden sich bereits im 16. Jh. Seit dem Kaiserreich gehört der Schachthut zur Paradetracht der deutschen Bergleute – die Farben der Hutbüschel kennzeichnen die verschiedenen Länder.

Salzgewinnung inzwischen nur noch Nebensache.
Schon die Römer sollen die heilsame Wirkung der Inhalation von zerstäubter Sole gekannt haben. 1817 setzte der Arzt Dr. Johann Erhard Preger das Bad Kreuznacher Salzwasser erstmals zur Badebehandlung von Kindern ein. Der Apotheker Dr. Karl Aschoff entdeckte 1904 das radioaktive Element Radon in der Sole – Bad Kreuznach wurde so zum ältesten Radon-Solbad der Welt.
Waldalgesheim Das größte Manganerzvorkommen Deutschlands wurde erst 1840 entdeckt und ab 1883 ausgebeutet; 1971 schloß die Grubenanlage auf der Amalienhöhe bei Waldalgesheim wegen Erschöpfung der Erzvorkommen. Der erhöhte Manganerzbedarf der stahlerzeugenden Industrie während des Ersten Weltkriegs ermöglichte dem damaligen Grubenbesitzer den vollständigen Neubau seines Betriebs: 1916–1918 entstand eine der schönsten Tagesanlagen eines Bergwerks in ganz Europa. Die Architekten Eugen Seibert und Georg Marquard schufen einen schloßartigen Gebäudekomplex in neubarockem Stil, bei dem Fabrik, Büro und Wohnanlagen sich äußerlich nicht unterscheiden. Die Innenarchitektur und Ausstattung stellte ebenfalls bei aller Funktionalität ästhetische und arbeitsplatzpsychologische Erwägungen in den Vordergrund. Eine Außenbesichtigung des repräsentativen Komplexes ist jederzeit möglich.

Reichtümer in Schwarz und Weiß

Mit Bodenschätzen ist Bayern nicht besonders reich gesegnet. Edelmetalle finden sich in seinen Böden und Bergen kaum, und der Abbau von Pechkohle lohnt sich seit den 60er Jahren nicht mehr, als sie durch das – damals noch billige – Erdöl verdrängt wurde. Dafür kommt Salz in schier unerschöpflicher Fülle vor. Die Silbe „hall" in den Ortsnamen weist auf den Salzabbau hin, der seit über 1000 Jahren eine bedeutende Rolle in Wirtschaft und Geschichte des Landes spielt.

Peißenberg Als vor rund 25 Millionen Jahren die Alpen aufgefaltet wurden, entstanden an deren Nordrand auch einige kohleführende Gesteinsschichten. Durch den ungeheuren Druck wurde die ältere Braunkohle zu einer neuen, dichteren Kohleform, der Glanzkohle, in Bayern Pechkohle genannt. Entdeckt wurden die Vorkommen vor etwa 400 Jahren, doch erst im 19. Jh. hatte man die technischen Mittel, die Kohle in großem Maße zu fördern. In Peißenberg begann im Jahr 1840 der planmäßige Abbau. 131 Jahre später wurde er eingestellt, nach einer Gesamtförderung von rund 32 Millionen t. Heute erinnern an den Bergbau noch zwei Abraumhalden, einige Stolleneingänge und vor allem ein sehr informatives Bergbaumuseum. Es ist in der 1979–1983 renovierten ehem. Zechenschenke untergebracht. Gleich daneben liegt der Eingang zum Tiefstollen, der ebenfalls besichtigt werden kann.
ℹ️ Bergbaumuseum: Öffnungszeiten unter Tel. 0 88 03/22 36.

München Bereits 1903 gründete Oskar von Miller in der bayerischen Landeshauptstadt das größte technische Museum der Welt, das Deutsche Museum. Der Neubau konnte 1925 endgültig eröffnet werden. Es ist das erste und noch heute bedeutendste Museum, das die Entwicklung der gesamten Technik und Naturwissenschaften anhand von Originalen, Modellen und Versuchsanordnungen darzustellen versucht. Es ist aber auch ein Monument der Technik- und Fortschrittsgläubigkeit der ersten Hälfte des 20. Jh. 15 000 Exponate, in 30 Bereiche aufgeteilt, können in einem 15 km langen Rundgang besichtigt werden.

Pumpwerk in Bad Reichenhall *Seit 1840 ist die Pumpanlage (oben) der 1777 entdeckten Karl-Theodor-Quelle in der alten Saline in Betrieb.*

100 m lang sind die Gestänge, die die Kraft der mächtigen Wasserräder auf die Pumpe übertragen.

Fluggleiter in München *Ab 1891 unternahm Otto Lilienthal mit seinen selbstkonstruierten Gleitern Flüge bis 350 m Länge. Sein Doppeldecker, der im Deutschen Museum ausgestellt ist (links), stammt von 1895. Ein Jahr später starb Lilienthal an den Folgen eines Absturzes.*

Salzbergwerk Berchtesgaden *Mehr als 3000 m² Deckenfläche besitzt die riesige unterirdische Halle des Kaiser-Franz-Sinkwerks (oben).*

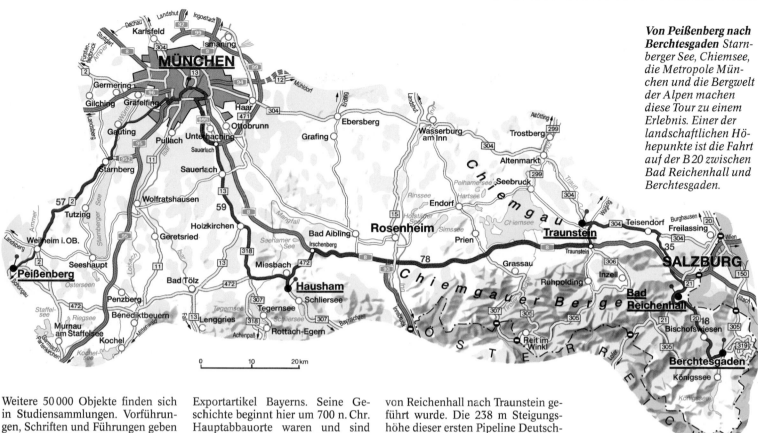

Von Peißenberg nach Berchtesgaden Starnberger See, Chiemsee, die Metropole München und die Bergwelt der Alpen machen diese Tour zu einem Erlebnis. Einer der landschaftlichen Höhepunkte ist die Fahrt auf der B 20 zwischen Bad Reichenhall und Berchtesgaden.

Weitere 50 000 Objekte finden sich in Studiensammlungen. Vorführungen, Schriften und Führungen geben Orientierungshilfen in dieser fast unübersehbaren Fülle. Die Geschichte des Bergbaus seit etwa 6000 Jahren wird mit Modellen und naturgetreu nachgebauten Stollen veranschaulicht.

Die Entwicklung des Landverkehrs dokumentieren Kutschen, frühe Fahrräder, Lokomotiven und Automobile. Die Luftfahrtschau wartet mit Ballons, Gleitern, Luftschiffen und Flugzeugen auf. Wind- und Wasserräder, Dampfmaschinen und Motoren findet man in der Abteilung Kraftmaschinen.
ℹ Deutsches Museum, Museumsinsel: täglich 9–17 Uhr.
Hausham Im Jahr 1860 begann auch in der Nähe des Schliersees die Zeit des Bergbaus. Aus einer Tiefe von bis zu 960 m wurde die hochwertige Pechkohle gefördert, zeitweise bis zu 400 000 t im Jahr. Nach der Stillegung der Grube (1966) wurden die Stollen und Schächte geflutet. Der Förderturm und das Haushamer Bergwerksmuseum erinnern an die vergangene Zeit. Es ist im Rathaus der einst bäuerlichen Gemeinde untergebracht und zeigt in einem nachgebildeten Stollen Arbeitsweise und Werkzeuge der Bergleute. Fotos und Dokumente erläutern die geschichtliche Entwicklung.
ℹ Bergwerksmuseum Hausham: jeden ersten Sa im Monat 14–17 Uhr.
Traunstein Salz, das weiße Gold, war jahrhundertelang der wichtigste

Exportartikel Bayerns. Seine Geschichte beginnt hier um 700 n. Chr. Hauptabbauorte waren und sind Berchtesgaden und Bad Reichenhall. Da das Sieden von Salz an Ort und Stelle zu Beginn des 17. Jh. wegen des fehlenden Brennholzes zunehmend schwieriger wurde, kam man auf eine kühne Idee: Unter Herzog Maximilian I. baute man 1617–1619 aus über 9000 ausgehöhlten Baumstämmen eine 31 km lange Leitung, durch welche die Sole

Die Kraftquelle der Industrialisierung

Bereits Ende des 17. Jh. wurden in englischen Bergwerken mit Dampf betriebene Pumpen eingesetzt, doch erst James Watt gelang 1765 die Konstruktion einer auf breiter Ebene verwendbaren Dampfmaschine – das abgebildete Exemplar aus dem Deutschen Museum baute er um 1800. Die großen Fabrikanlagen des 19. Jh. wurden durch diese von der Witterung unabhängige enorme Kraftquelle erst ermöglicht, und in Gestalt von Eisenbahn und Dampfschiff revolutionierte sie auch das Verkehrswesen.

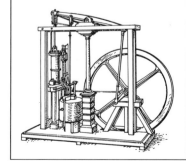

von Reichenhall nach Traunstein geführt wurde. Die 238 m Steigungshöhe dieser ersten Pipeline Deutschlands überwand man mit sieben Pumpwerken, die von Gebirgsbächen angetrieben wurden. Bis 1912 war die Soleleitung in Betrieb. Danach wurde die Saline in Traunstein wegen Unwirtschaftlichkeit aufgegeben. Ihre Spuren sind heute nur noch im Heimathaus zu besichtigen. Vom alten Salinenkomplex rund um den Karl-Theodor-Platz sind noch die alten Behausungen der Salinenarbeiter aus dem frühen 17. Jh. zu sehen, ein seltenes Beispiel einer vorindustriellen Arbeitersiedlung. Daneben steht die frühbarocke Salinenkapelle Sankt Rupert (1630).
ℹ Heimathaus, Stadtplatz 2–3: Öffnungszeiten zu erfragen unter Tel. 08 61/6 52 58.
Bad Reichenhall Heute sprudeln in Bad Reichenhall, wo die Salzgewinnung schon auf die Kelten und Römer zurückgeht, 29 Solequellen, die mit einem Salzgehalt von bis zu 26,5 % die stärksten in Europa sind. Da sie tief im Boden verborgen liegen, mußte die Sole im Mittelalter recht mühsam in Handarbeit gefördert werden. Im 15. Jh. erfand ein Büchsenmacher ein Paternoster-Schöpfwerk, dessen Gliederkette heute im Hauptbrunnenhaus des Quellenbaus ausgestellt ist. Hier halten zwei Wasserräder mit je 13 m Durchmesser die Pumpanlage, die 1839 gebaut wurde, in Bewegung – ein Meisterwerk der damaligen Technik. Auf einem Wanderweg kann man den Verlauf der hölzer-

nen Soleleitung nach Traunstein eine Zeitlang verfolgen. Der Pfad führt vom Parkplatz Thumsee im Ortsteil Karlstein zu den Resten der Doppelröhren. Die Sole wird als Bad, zum Trinken und im Gradierwerk zur Therapie bei Atemwegserkrankungen verwendet.
ℹ Alte Saline, Quellenbau: täglich 10–11.30, 14–16 Uhr (April–Oktober), sonst Di, Do 14–16 Uhr.
Berchtesgaden Seit 1517 wird im ältesten Salzbergwerk Deutschlands – inzwischen mit den modernsten Methoden – Salz gewonnen. In einem stillgelegten Teil wird den Besuchern auf eindrucksvolle Weise die Geschichte des Salzabbaus nahegebracht. Mit einer alten Grubenbahn fährt man durch einen 600 m langen Stollen ins Kaiser-Franz-Sinkwerk, eine gewaltige unterirdische Halle. Von hier rutscht man auf der Bergmannsrutsche 34 m hinab zu einer herrlichen Salzgrotte. Auf einem Floß gleitet man über den 100 m langen und 30 m breiten Salzsee. Anschließend ist die berühmte Solehebemaschine von 1817 zu besichtigen. Ein Film und eine umfangreiche Ausstellung im Salzmuseum unter Tage ergänzen den Anschauungsunterricht.
ℹ Salzbergwerk Berchtesgaden, Bergwerkstraße 83: täglich 8.30–17 Uhr (Mai–Mitte Oktober), sonst Mo–Sa 12.30–15.30 Uhr.

Gießhalle in Bendorf-Sayn Die gußeiserne Halle ist eine Meisterleistung der Technik. Der berühmte Architekt Karl Friedrich Schinkel wirkte beim Entwurf beratend mit.

Bad Friedrichshall König Friedrich I. von Württemberg ließ hier am Neckar 1812 erfolgreich nach Salz bohren – danach konnten erstmals umfangreiche Salzlager in Württemberg erschlossen werden. In 150 m Tiefe beginnen die Vorkommen des Steinsalzbergwerks im Stadtteil Kochendorf, das noch immer in Betrieb ist. Attraktion für den Besucher unter Tage ist u. a. der 25 m hohe, in das Salz gesprengte Kuppelsaal mit seinen ins Salz gehauenen Reliefs, die Themen zu Arbeit und Sagenwelt des Bergbaus darstellen. Voraussichtlich im Verlauf des Sommers 1989 soll das Bergwerk nach langwierigen Sicherungsarbeiten wieder für die Öffentlichkeit zugänglich werden.
🛈 Steinsalzbergwerk: Öffnungszeiten unter Tel. 0 71 31/13 71.

Bayreuth Anno 1887 gründeten die Brüder Eberhard und Hans Maisel in der damals noch außerhalb des Stadtgebiets gelegenen Kulmbacher Straße eine Bierbrauerei, die noch heute floriert – allerdings in modernen Betriebshallen. Das Stammhaus wurde zu Maisels Brauerei- und Büttnerei-Museum. Hier kann man die alte Kunst des Bierbrauens in all ihren Phasen studieren und auch einen Blick in die komplett nachge-

stellte Werkstatt der aussterbenden Büttnerzunft tun. Ein frisch gezapftes Freibier in der alten Abfüllerei rundet die Führung ab.
🛈 Brauerei- und Büttnerei-Museum: nur mit Führung Mo–Do 10 Uhr und n. Vereinb., Tel. 09 21/ 40 12 34.

Bendorf-Sayn Zu Füßen der Burg Sayn ließ der letzte Trierer Kurfürst 1769–1770 eine Eisenhütte bauen. Die beachtlichen Eisenerzvorkommen im Westerwald, der Wasserreichtum des Saynbachs und die Möglichkeit der Holzkohlegewinnung in der Umgebung ließen diesen Platz günstig erscheinen. 1828–1830 entstand die neue Halle in ihrer heute wieder sichtbaren Form. Die filigran wirkende Kombination aus Glas und gußeisernen Rippen und Sprossen der Westfront läßt eher an eine gotische Kirche als an eine Fabrikhalle denken. Ab etwa 1930 verfiel die stillgelegte Anlage. Vor etwa zehn Jahren begann man mit der Restaurierung der Gießhalle, die inzwischen voll in den Fabrikationsbetrieb des neuen Inhabers einbezogen ist. Die Seitenflügel dienen als Ausstellungsräume für Kunstgußerzeugnisse und historische Dokumente.
Blumenschalen, Gartenzäune, Balkonteile und Treppenstufen aus der einstigen Produktion der Sayner Hütte kann man gelegentlich noch heute im Umkreis von Bendorf sehen – wie z. B. den gußeisernen Brunnen von 1850 gegenüber dem alten Schulgebäude von Sayn.
🛈 Sayner Hütte: Mo–Fr 12–12.30, 16–18 Uhr.

Bergisch Gladbach Im Museum für Bergbau, Handwerk und Gewerbe werden auf über 800 m² Ausstellungsfläche dem Besucher die Anfänge des Bergbaus im Bergischen ebenso nahegebracht wie die Lebens- und Arbeitsverhältnisse der Bergleute. Schaustollen im Keller des Museums runden den Informationsgang ab. Wie es um die Bildung bestellt war, zeigt eine historische Schulklasse, die als Kindermuseum eingerichtet ist. Das Handwerk stellt sich mit einer historischen Huf- und Wagenschmiede, einer Stellmacherei, einem Backhaus, einer Bandweberei und einem Wasserhammer im Freigelände dar. Vorführungen zeigen, wie früher Brot gebacken, mit dem Wasserhammer geschmiedet, Leder bearbeitet und Webwaren gefertigt wurden.
🛈 Bergisches Museum für Bergbau, Handwerk und Gewerbe, Burggraben: Di–So 10–17 Uhr, Tel. 0 22 04/ 5 55 59.

Berlin Durch das Fehlen von Rohstoffen und Bodenschätzen hatte die Industrialisierung in Berlin Startschwierigkeiten – doch mit seinem ausgezeichneten Verkehrssystem und seiner Attraktivität als Regierungssitz, Banken-, Börsen- und Forschungszentrum entwickelte es sich schließlich doch noch zur größten deutschen Industriestadt des 19. Jh. Den entscheidenden Durchbruch brachte 1837 die Gründung der Borsigschen Maschinenfabrik. Das Unternehmen wurde zum größten Lokomotivenhersteller des europäischen Kontinents. Nachdem die innerstädtischen Betriebe zu eng geworden waren, verlagerte Borsig

Ehem. Borsigwerke Berlin Mit seinem Figurenschmuck, seinen Rundtürmen und Zinnen erinnert das Werkstor von 1898 an eine Ritterburg.

1898 seine Produktion in die neuerbaute Fabrikanlage nach Tegel. Aus dieser Zeit stammt noch das romantisch-verspielte Werkstor. Das 1922–1924 erbaute, zwölfgeschossige Verwaltungsgebäude war das erste Hochhaus Berlins.
Um die Versorgung der wachsenden Bevölkerung sicherzustellen, ließ 1886–1892 der Berliner Magistrat 19 Markthallen errichten. Hinter dem Rathaus des Bezirks Tiergarten, im Ortsteil Moabit, wo sich ein neuer Schwerpunkt der Industrie gebildet hatte, ist noch eine davon erhalten. Bei der Einweihung wies die Arminiusmarkthalle 425 Stände auf, darunter 160 für Gemüse und 90 für Fleisch. Noch heute herrscht hinter der Backsteinfassade mit dem reichen Terrakottaschmuck reger Marktbetrieb.
Zum Vorbild für die Berliner Bahnhöfe in der zweiten Hälfte des 19. Jh. wurde der 1847 eingeweihte Hamburger Bahnhof am Ende der Invalidenstraße. Quadratische Seitentürme, große Rundbogenöffnungen der Fassade und schlanke Pfeilerarkaden erinnern an eine italienische Renaissancevilla. Der Bahnhof wurde bereits 1884 geschlossen.
Die Montagehalle der AEG-Turbinenfabrik in der Huttenstraße (heute Kraftwerk-Union Berlin) gilt als bahnbrechendes Modell der funktio-

Hammerschmiede in Blaubeuren Noch aus der Gründungszeit stammt das wasserge- triebene Hammerwerk am Blautopf. Original- werkzeuge und Figuren in historischer Tracht runden das Bild ab.

nellen Industriearchitektur dieses Jahrhunderts. Zum erstenmal wur- den hier bei einem Industriebau Kon- struktionsteile ohne Verkleidung als architektonisches Gestaltungsmittel gezeigt. Peter Behrens, der die ur- sprünglich 123 m lange Halle 1909 baute, war der künstlerische Berater der AEG. Er entwarf auch das alte sechseckige Firmenemblem am Be- tongiebel und war für das Design der Produkte von der Glühlampe bis zum elektrischen Wasserkessel zuständig.

Die Industrialisierung hat in ganz Berlin sehenswerte Zeugnisse hin- terlassen; sie selbst aufzuspüren macht Spaß, ist aber mühsam. Das Kultur Kontor am Savignyplatz ver- anstaltet deshalb mehrstündige Sightseeing-Touren unter dem Aspekt „Industrialisierung in Berlin". ℹ️ Das Kultur Kontor, Savignyplatz 9/10, Tel. 0 30/31 08 88.

Bexbach Die enge Verknüpfung der Stadt in der Nähe von Neunkirchen mit dem Steinkohlebergbau doku- mentiert das Saarländische Bergbau- museum im 40 m hohen Hinden- burgturm. Schrifttafeln mit Gebeten und Liedern, Bergmannstrachten, Bohrgeräte und vieles mehr geben einen Einblick in Alltag und Arbeit der Bergleute. Ein Schwerpunkt der technischen Abteilung ist das Thema

Sicherheit im Bergbau. Im Erdge- schoß befindet sich der Eingang zur unterirdischen Bergwerksanlage. Kohlegewinnung und -transport werden hier eindrucksvoll demon- striert. ℹ️ Saarländisches Bergbaumuseum, Hindenburgturm: täglich 9–19 Uhr (April–September), sonst Gruppen n. Vereinb., Tel. 0 68 26/52 90.

Bielefeld Zwei architektonisch in- teressante Industriebauten sind in Bielefeld erhalten: Die Adler-Näh- maschinenfabrik in der Teichstraße ist ein 1897 fertiggestellter Jugend- stilbau in Skelettbauweise. Neugoti- sche und klassizistische Stilele- mente dagegen prägen die Architek- tur der Ravensberger Spinnerei in der Heeper Straße (1855–1862). Ein Mittelrisalit gliedert die 103 m lange Front des Hauptgebäudes, das mit Zinnen und Ecktürmchen ge- schmückt ist. Der Schornstein erin- nert an den Turm einer Ritterburg. Heute dient die Ravensberger Spin- nerei als Kultur- und Bildungszen- trum.

Blaubeuren Die Quelle des Blau- topfs sprudelt mit solcher Kraft hervor, daß sie die 1804 errichtete historische Hammerschmiede mü- helos antreiben kann. Hier, etwa 20 km westlich von Ulm, sind auch Reste einer Waffenschmiede des 18. Jh. zusammengetragen. Schmie- dewerkzeuge runden das Bild der kleinen Werkstatt ab. ℹ️ Historische Hammerschmiede: täglich 10–18 Uhr (11. März–Mai), Mo–Fr 9–18, Sa, So 10–18 Uhr (Juni bis Oktober), sonst Sa, So 11–16 Uhr.

Bodenmais Der Ort am Westrand des Naturparks Bayerischer Wald wird von dem 955 m hohen Silber- berg überragt. 60 verschiedene Mi- neralien findet man im Berg, in dem seit dem frühen 14. Jh. Bergbau be- trieben wird. Bis zur Mitte des 16. Jh. galt das Hauptinteresse der Gewin- nung von Silber aus Bleiglanz. Insgesamt sind die im Lauf der Jahr- hunderte in den Berg getriebenen Stollen rund 20 km lang – 500 m da- von sind für Besucher im Rahmen einer Führung zugänglich. ℹ️ Historisches Erzbergwerk: täglich 10–16 Uhr (April–Mai, Oktober, 25. Dezember–8. Januar und Ostern), täglich 9–17 Uhr (Juni–September), sonst Di, Fr 13–15 Uhr.

Fichtelberg Schon vor mehr als 500 Jahren erregte das seltene, sil- berglänzende Eisenerz des Ochsen- kopfmassivs Aufsehen. Eine Gru- benfahrt in das historische Silber- eisenbergwerk Gleißinger Fels im Naturpark Fichtelgebirge führt zu diesen funkelnden Schätzen der Unterwelt. Herrliche Gesteinszeich- nungen sowie teilweise noch mittel- alterliche Stollen und Schachtkam- mern sind hier zu besichtigen. ℹ️ Silbereisenbergwerk Gleißinger Fels: täglich 10–17 Uhr (April bis 10. Oktober), sonst nur Gruppen n. Vereinb., Tel. 0 92 72/8 48.

Georgsmarienhütte Die Geschichte und der Name der Stadt im Teuto- burger Wald sind eng mit den 1856 gegründeten Georgsmarienwerken verbunden, aus denen der Klöckner- konzern noch heute Schienen für Eisen- und Straßenbahnen in alle Welt liefert. Eine lückenlose Schie-

Speicherstadt Ham- burg Noch wie vor 100 Jahren wird die Ware per Winde in die Speicherräume ge- hievt. Zollfrei lagert hier im Wert von über einer Milliarde Mark fast alles, was der Welthandel zu bieten hat: von Kaffee bis zu Orientteppichen.

nensammlung von 1800 bis heute ist ein Kernstück des Heimatmuseums Villa Stahmer. Darüber hinaus ge- ben originalgetreu eingerichtete Werkstätten – Schuster-, Schneider-, Tischlerwerkstatt, Schmiede, Back- stube und Webkammer – ein umfas- sendes Bild vom Handwerk vergan- gener Jahrhunderte. ℹ️ Heimatmuseum Villa Stahmer, Carl-Stahmer-Weg 13: Di, Do 9–12, 15–18, So 10–13, 15–18 Uhr.

Hamburg Die traditionelle Einheit von Handels-, Wohn- und Speicher- haus löste sich im Lauf des 19. Jh. auf – die Steigerung des Warenum- schlags erforderte gewaltige Lager- kapazitäten. 1882–1888 entstand der Freihafen – für ihn riß die Frei- hafenlagerhaus-Gesellschaft auf der Brookinsel zwischen Zollkanal und Brooktorhafen mehr als 500 Wohn- häuser ab und errichtete auf Tausen- den von Eichenpfählen die Spei- cherstadt. Sie ist mit über 300 000 m² Lagerfläche immer noch der größte zusammenhängende Lagerkomplex der Welt. Die langgestreckten, mit neugotischen Stilelementen verzier- ten Ziegelbauten faszinieren durch ihre einzigartige Geschlossenheit.

Mannheimer Wasserturm *Mehr als 2000 m³ faßt der Hochbehälter, der seit 1888 nahezu ununterbrochen im Einsatz ist.*

Kümmersbruck-Theuern Einst erzeugte die Oberpfalz rund 20 % der europäischen Eisenproduktion; sie wird deshalb heute gern „das Ruhrgebiet des Mittelalters" genannt. Die Betreiber der Hammerschmieden wurden reich und konnten sich prächtige Häuser bauen. Das Hammerherrenschloß in Theuern (etwa 6 km südöstlich von Amberg) ist heute Sitz des Bergbau- und Industriemuseums Ostbayern, in dem die industrielle Entwicklung der Oberpfalz seit dem Mittelalter dokumentiert wird. Zum Museumsareal im Vilstal gehören außerdem ein Hammerwerk, ein Glasschleif- und -polierwerk, eine Getreidemühle sowie eine Schachtanlage.

ℹ️ Bergbau- und Industriemuseum Ostbayern, Portnerstraße 1: Di–Sa 9–17, So und feiertags 10–17 Uhr.

Mannheim Mitten auf der Jugendstilanlage des Friedrichsplatzes steht als Wahrzeichen der Stadt der von Heinrich Halmhuber 1886 gebaute Wasserturm. Auf der Spitze dieses 60 m hohen technischen Monumentalbaus im Stil der Gründerzeit thront die Seegöttin Amphitrite. Seit 1986 liegt unterhalb der Kurpfalzbrücke das Museumsschiff „Mannheim" am Neckarufer vor Anker. In diesem Schaufelraddampfer von 1928 informieren Schiffsmodelle, Dokumente und Ausstellungen über die Geschichte der Rheinschiffahrt, die für die Industrialisierung der Stadt an der Einmündung des Nekkars von entscheidender Bedeutung war. Das Museumsschiff gehört zum Landesmuseum für Technik und Arbeit (Auf dem Friedensplatz), dessen Eröffnung für Ende 1989 geplant ist. Es wird die technische Entwicklung und Sozialgeschichte der letzten 200 Jahre im südwestdeutschen Raum darstellen.

ℹ️ Museumsschiff Mannheim: Di bis Sa 10–13, 14–17, So 10–17 Uhr.

Müngstener Brücke Das tiefeingeschnittene Tal der Wupper zwischen Remscheid und Solingen überspannt die 1894–1897 als höchste Eisenbahnbrücke Europas gebaute Stahlkonstruktion. Allein der charakteristische Stahlfachwerkbogen ist 180 m lang. Mehr als 950 000 Nieten und fast 5000 t Stahl wurden bei dieser technischen Meisterleistung verarbeitet. Mit bis zu 80 km/h fahren noch heute Züge über die Brücke, die eine maximale Seitenschwankung von lediglich 3 cm aufweist.

Münstertal Erzgänge mit Bleiglanz, Quarzit, Pyrit, Flußspat und anderen Erzen sind im stillgelegten Schindlerstollen des Besucherbergwerks Teufelsgrund, etwa 16 km südlich von Freiburg, zu sehen. Daneben vermitteln Fördermaschinen und Werkzeuge einen Eindruck vom Silberbergbau, der im südlichen Schwarzwald seit dem frühen Mittelalter betrieben wird.

ℹ️ Besucherbergwerk Teufelsgrund: Di, Do, Sa, So 14–17 Uhr (April–15. Juni und 16. September–Oktober), Di–So 14–17 Uhr (16. Juni–15. September), sonst Sa, So 14–17 Uhr.

Oberkaufungen Nur wenige Kilometer östlich von Kassel ist einer der wenigen noch erhaltenen Pferdegöpel für den Bergbau zu besichtigen. Der Göpel, ein waagrecht liegendes Seilrad, das zum Heben von Lasten durch Pferdekraft gedreht wurde, kam auch im Zeitalter der Dampfmaschine noch häufig zum Einsatz. Der Roßgöpel von Oberkaufungen war 1824–1884 in Betrieb.

ℹ️ Museum Roßgang, Freudentalstraße: So 11–12 Uhr (April–Oktober), sonst n. Vereinb., Tel. 0 56 05/ 80 20.

Rheine-Bentlage Seit dem 11. Jh. wußte man, daß es an der Ems Salzvorkommen gibt, doch erst im frühen 17. Jh. begann man sie planmäßig zu erschließen. In der Saline Gottesgabe wurde 1745 das erste Gradierwerk Westfalens fertiggestellt. Hier wurde die an einem Dornengeflecht herabtropfende Sole durch Verdunstung so weit konzentriert, daß der anschließende Siedeprozeß verkürzt werden konnte. Ursprünglich hatte das Gradierwerk eine Länge von 293 m; 1940 wurde es durch schwere Stürme stark beschädigt, so daß heute nur noch Teile erhalten sind. Im Siedehaus, einem bereits 1745 errichteten Fachwerkbau, sind noch zwei Siedepfannen mit jeweils 10 m Länge und der dazugehörende Feuerungsraum erhalten.

ℹ️ Saline Gottesgabe: Führungen n. Vereinb. beim Verkehrsverein Rheine, Tel. 0 59 71/5 40 55.

Rottweil Im Unteren Bohrhaus, das idyllisch im Primtal liegt, ist ein Museum eingerichtet, das nahezu alles zeigt, was zur Salzgewinnung aus der Saline Wilhelmshall nötig war: Soleförderpumpen, Bohrgerät, Werkzeuge usw. Auch Bohrkerne, die Aufschluß über die geologischen Verhältnisse der Salzlager geben, werden gezeigt. 1824 wurde man bei Probebohrungen nahe der schwäbischen Stadt fündig; bis 1969 war die Rottweiler Saline in Betrieb. Besonderer Stolz des Museums ist eine Kopie der Salzkrone, die als Wahrzeichen der Saline schon kurz nach der Gründung angefertigt wurde. Das Original ist im Städtischen Museum unter Verschluß.

ℹ️ Salinenmuseum Unteres Bohrhaus: Mi, So 14.30–17 Uhr (Mai bis September), sonst n. Vereinb., Tel. 07 41/49 42 55.

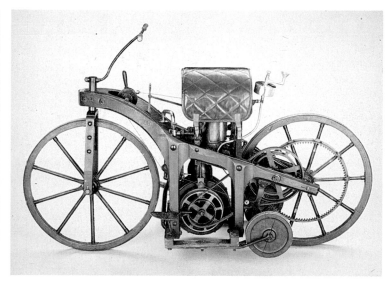

Müngstener Brücke
495 m lang und 107 m hoch ist die Eisenbahnbrücke über das Tal der Wupper. Bei einem neuen Anstrich ist Farbe für 75 000 m² Fläche erforderlich.

Rötz Am Beispiel vollständig eingerichteter Werkstätten (u. a. Bäcker-, Schuster-, Sattler-, Wagner-, Uhrmacherwerkstatt und Schmiede) wird im Oberpfälzer Handwerksmuseum an der Schwarzach zwischen Rötz und Neunburg Einblick in Technik und Arbeitsweise des Handwerks zu Beginn des Industriezeitalters gegeben. Auch der sogenannte Seebarnhammer, eine Hammerschmiede, die im 15. Jh. erstmals erwähnt und im 19. Jh. zu einer Waffenschmiede umgebaut wurde, sowie die wassergetriebene Brettsäge Saxlmühle sind hier in Betrieb zu sehen.
ℹ Oberpfälzer Handwerksmuseum: Di–So 10–12, 13.30–17 Uhr (April bis Mitte November).

Rüsselsheim In der Festung, die bis auf das 14. Jh. zurückgeht, ist das Museum der Mainstadt untergebracht. Es widmet sich der Aufgabe, den Zusammenhang zwischen Technik-, Sozial- und Kulturgeschichte darzustellen. Großangelegte räumliche Dokumentationen, bewegliche Inszenierungen der Ausstellungsstücke und Großfotos zeigen z. B. die Entwicklung des Dorfs und der bäuerlichen Arbeit vom Mittelalter bis zur Industrialisierung der Landwirtschaft. Der Übergang von der frühindustriellen Fertigung zum Fließband wird vor allem am Beispiel der Firma Opel dokumentiert, die 1862 als Nähmaschinenfabrik in Rüsselsheim gegründet wurde, später als erste deutsche Fabrik Fahrrä-

Salzkrone in Rottweil
Die Nachbildung der württembergischen Königskrone wurde aus einem Drahtgeflecht, an dem man Salz kristallisieren ließ, hergestellt. Bei Prozessionen wurde sie von der Delegation der Salinenbeschäftigten vorangetragen.

der produzierte und seit 1898 Kraftfahrzeuge herstellte. Auch die Hintergründe und Ziele der Rüsselsheimer Arbeiterbewegung werden z. B. anhand von Wohnverhältnissen gezeigt: Die eingerichtete Arbeiterwohnküche steht dem großbürgerlichen Wohnzimmer gegenüber. Den Bogen zur Kunst schlagen u. a. Werke von Daumier, Kollwitz und Arndt, die industrielle Arbeits- und Lebensverhältnisse zum Inhalt haben.
ℹ Museum der Stadt: Di–Fr 9–12.30, 14.30–17, Sa, So 10–13, 14–17 Uhr.

Schillingsfürst Auf einem Sporn der Frankenhöhe, etwa 12 km südöstlich von Rothenburg ob der Tauber, liegt das prachtvolle Barockschloß der Fürsten von Hohenlohe, das in der ersten Hälfte des 18. Jh. neu errichtet wurde. Die Wasserversorgung stellte ein 1,5 km entfernter Brunnen sicher, für den 1702 der „Pronnenmeister" Martin Löhner aus Nürnberg eine Tretscheiben-Pumpmaschine entwarf, die von einem Ochsen angetrieben wurde und immerhin etwa 0,7 PS leistete. Sie ist heute das bedeutendste Exponat des Heimatmuseums, das im 1729 über dem Brunnen gebauten Wasserturm eingerichtet wurde.
ℹ Heimatmuseum: Besichtigung n. Vereinb., Tel. 0 98 68/8 77.

Solms Noch 1919 förderte der Bergbau an Lahn und Dill 21 % des deutschen Eisenerzbedarfs – 1983 wurde die Grube Fortuna als letztes hessisches Eisenerzbergwerk stillgelegt und für Besucher zugänglich gemacht. Ehem. Bergleute leiten die Führungen, bei denen Originalmaschinen, Bohrwagen und Radlader vorgeführt werden. Das Bergbaumuseum im ehem. Zechenhaus besitzt die letzte Grubenrettungsstelle des Lahn-Dill-Reviers.
ℹ Besucherbergwerk Fortuna: Di–Fr 9–16, Sa, So 9–17 Uhr (März bis November), sonst n. Vereinb., Tel. 0 64 43/4 01.

Stuttgart Dem Traum von einem handlichen, selbstfahrenden Wagen konnten Ende des 19. Jh. zwei Männer unabhängig voneinander konkrete Gestalt geben: Mit seinem dreirädrigen Motorwagen, dem ersten funktionsfähigen Automobil der Welt, fuhr am 3. Juli 1886 Carl Benz mit 16 km/h erstmals durch Mannheim; noch im gleichen Jahr erprobte Gottlieb Daimler im heutigen Stuttgarter Stadtteil Bad Cannstatt seine gleich schnelle vierrädrige Motorkutsche.

Beide Erfinder bauten in den folgenden Jahren erfolgreiche Fahrzeugfabriken auf, die sich 1926 zur Daimler-Benz AG zusammenschlossen. Das Daimler-Benz-Museum im Stammwerk Stuttgart-Untertürkheim spiegelt die Entwicklung des Automobil- und Motorenbaus von den ersten Anfängen bis zur Gegenwart wider. Die ersten Vehikel von Daimler und Benz fehlen ebensowenig wie Rennwagen, Motorboote, Flugzeuge und Luftschiffmotoren.
ℹ Daimler-Benz-Museum, Mercedes-Straße 137a: Di–So 9–17 Uhr.

Daimler-Reitwagen in Stuttgart *Zu Versuchszwecken bauten Daimler und sein engster Mitarbeiter Maybach 1885 erstmals einen Verbrennungsmotor in ein Fahrzeug ein – es entstand der Urahn des Motorrads.*

Trier Das Haus Brückenstraße 10 ist das Geburtshaus von Karl Marx (1818–1883), der die internationale Arbeiterbewegung entscheidend prägte. Anhand von mehr als 1300 Exponaten, darunter Handschriften und wertvolle Erstausgaben der Bücher von Marx und seinem Freund Friedrich Engels, werden Leben und Werk des revolutionären Denkers anschaulich dokumentiert.
ℹ Karl-Marx-Haus: Mo 15–18, Di bis So 10–13, 15–18 Uhr.

Weilburg Vom 15. Jh. bis in die 30er Jahre dieses Jahrhunderts war die Stadt Mittelpunkt des Bergbaus im Lahn-Dill-Kreis – heute erinnert daran fast nur noch das Bergbaumuseum in Weilburg. In ihm wurde ein kleines Erzbergwerk nachgebaut, in dem Maschinen und Geräte auch im Einsatz vorgeführt werden. Der einzige Schiffstunnel Deutschlands wurde 1847 in der Stadt in Betrieb genommen, mit ihm wurde der Lahnwasserweg zum Rhein erschlossen. Seine Bedeutung verlor er durch den Bau der Eisenbahnlinie Koblenz–Gießen (1862). Heute steht der 195 m lange Tunnel mit seiner Doppelkammerschleuse noch den Lahnpaddlern zur Verfügung.
ℹ Heimat- und Bergbaumuseum, Schloßplatz 1: Di–So 10–12, 14–17 Uhr (April–Oktober), sonst Mo–Fr 10–12, 14–17 Uhr.

Krieg den Palästen

Der Medizinstudent und Dramatiker Georg Büchner war Mitherausgeber der sozialrevolutionären Flugschrift „Der Hessische Landbote". Sie wurde in Offenbach illegal gedruckt, im Juli 1834 veröffentlicht und von der Obrigkeit sofort als staatsgefährdendes Pamphlet konfisziert. Der steckbrieflich gesuchte Büchner floh nach Straßburg. Die Schrift, die in einer Auflage von 300 Exemplaren erschien, wendet sich gegen die staatliche Willkür im Großherzogtum Hessen und geißelt die Unterdrückung und Ausbeutung des Volkes:

Friede den Hütten! Krieg den Palästen! Im Jahre 1834 siehet es aus, als würde die Bibel Lügen gestraft. Es sieht aus, als hätte Gott die Bauern und Handwerker am fünften Tage und die Fürsten und Vornehmen am sechsten gemacht, und als hätte der Herr zu diesen gesagt: „Herrschet über alles Getier, das auf Erden kriecht", und hätte die Bauern und Bürger zum Gewürm gezählt. Das Leben der Vornehmen ist ein langer Sonntag: Sie wohnen in schönen Häusern, sie tragen zierliche Kleider, sie haben feiste Gesichter und reden eine eigne Sprache [...]. Das Leben des Bauern ist ein langer Werktag; Fremde verzehren seine Äcker vor seinen Augen, sein

Georg Büchner *Der engagierte Dichter kämpfte u. a. auch gegen die Unterdrückung des Volkes. 1834 gründete er die „Gesellschaft für Menschenrechte".*

Leib ist eine Schwiele, sein Schweiß ist das Salz auf dem Tische des Vornehmen.

Im Großherzogtum Hessen sind 718 373 Einwohner, die geben an den Staat jährlich an 6 363 436 Gulden [...]. Dies Geld ist der Blutzehnte, der von dem Leib des Volkes genommen wird. An 700 000 Menschen schwitzen, stöhnen und hungern dafür. Im Namen des Staates wird es erpreßt, die Presser berufen sich auf die Regierung, und die Regierung sagt, das sei nötig, die Ordnung im Staat zu erhalten. Was ist denn nun das für gewaltiges Ding: der Staat? Wohnt eine Anzahl Menschen in einem Land und es sind Verordnungen oder Gesetze vorhanden, nach denen jeder sich richten muß, so sagt man, sie bilden einen Staat. Der Staat also sind alle; die Ordner im Staate sind die Gesetze, durch welche das Wohl aller gesichert wird und die aus dem Wohl aller hervorgehen sollen. – Seht nun, was man in dem Großherzogtum [Hessen] aus dem Staat gemacht hat; seht, was es heißt: die Ordnung im Staate erhalten! 700 000 Menschen bezahlen dafür 6 Millionen, das heißt sie werden zu Ackergäulen und Pflugstieren gemacht, damit sie in Ordnung leben. In Ordnung leben heißt hungern und geschunden werden. Wer sind denn die, welche diese Ordnung gemacht haben und die wachen, diese Ordnung zu erhalten? Das ist die Großherzogliche Regierung. Die Regierung wird gebildet von dem Großherzog und seinen obersten Beamten. Die andern Beamten sind Männer, die von der Regierung berufen werden, um jene Ordnung in Kraft zu erhalten. Ihre Anzahl ist Legion: Staatsräte und Regierungsräte, Landräte und Kreisräte, geistliche Räte und Schulräte [...].

Arbeitsordnung

Das enorme Wachstum der Industrie im 19. Jh. wurde nicht zuletzt dadurch möglich, daß die weithin verarmten Bauern in großer Zahl vom Land in die Städte zogen und als billige Arbeitskräfte den Gewinn der Fabrikbesitzer steigern halfen. Strenge Arbeitsvorschriften regelten die Pflichten der Arbeiter, wie die Fabrikordnung der Maschinenfabrik Esslingen vom 1. August 1846 zeigt:

Da Subordination, Ordnung und Regelmäßigkeit für das Gedeihen eines jeden Etablissements unumgänglich notwendig sind, so wird gegenwärtige Verordnung für die Werkstätten der Maschinenfabrik Esslingen erteilt, von welcher sämtliche Arbeiter und Angestellten sich in Kenntnis zu setzen haben, um sich danach zu richten:

Art. 1:
Jeder angestellte Arbeiter ist gehalten sich mit einem polizeilichen Arbeitsbüchlein zu versehen, und dasselbe bei seinem Eintritt dem Aufseher seiner Werkstätte abzugeben.

Art. 2:
Die Arbeitszeit ist für das ganze Jahr folgende: Von sechs Uhr morgens bis zwölf Uhr mittags, von ein Uhr mittags bis sieben Uhr abends, mit Ausnahme des Montags nach einem Zahltage, wo die Arbeitsstunden folgende sind, von sechs Uhr morgens bis zwölf Uhr mittags. [...]

Art. 11:
Das Raufen in den Werkstätten und überhaupt im ganzen Etablissement ist strengstens verboten. Der Zu-

widerhandelnde unterliegt einem Abzug von 30 Kreuzern. Wird ein Betrunkener im Etablissement angetroffen, so wird derselbe für die Dauer des Tages aus demselben verwiesen und um 1 fl [Gulden] bestraft. [...]

Art. 14:
Jedem Arbeiter ist es zur strengen Pflicht gemacht, seinen Vorgesetzten pünktlich Folge zu leisten und deren Anordnungen in Betreff der Arbeit, Behandlung der Werkzeuge zu vollziehen. Derjenige welcher schlechte Arbeit liefert wird mit einem der Beschaffenheit der Arbeit angemessenen Abzuge unterworfen, oder er kann angehalten werden, die fehlerhafte Arbeit durch gute wieder zu ersetzen, ohne hierfür eine Bezahlung ansprechen zu können.

Maschinensaal einer Spinnerei *Der Holzstich aus der Zeit um 1860 zeigt Frauen bei der Herstellung von Garn.*

Spinnerelend

Unter unvorstellbar schlechten Bedingungen lebten und arbeiteten um die Mitte des 19. Jh. die Flachsspinner. Als Zulieferer der Textilindustrie verdienten sie gerade genug, um dem Hungertod zu entgehen. Der Bericht des preußischen Regierungsrats Carl Hermann Bitter aus dem Jahr 1853 gibt ein erschütterndes Bild von der sozialen Not der Spinner in der Senne bei Bielefeld:

Man trete in die Hütten hinein! In kleinen elenden Gemächern von Rauch geschwärzt, ohne Hausrath und irgend welche Zeichen eines Besitzes, der auf ein mehreres als das bloße nackte Leben hindeutet, erblickt man einen Kreis blasser Menschen, Männer, Frauen, Mädchen, Kinder am Spinnrade sitzen und unverwandt die Fäden von dem Rocken durch die abgemagerten Hände ziehen. Wohl ihnen, wenn das Dach, das sich über ihrer Hütte breitet, sie vor Sturm und Regen schützt, wenn an Fenstern und Wänden Balken und Simsen nicht wucherische Pilze hervor schießen, ein trauriges Zeichen ungesunder, widriger Feuchtigkeit. Mit kaum befremdetem Blick sehen sie auf die fremden Erscheinungen, die sich durch die enge Thür in den kleinen Raum drängen. Vergebens sucht das Auge während der Mittagszeit nach dem Zeichen des nothdürftigsten Mahles, nach einem Brode, nach dem Kartoffelbrei oder nach dem braunen Cichorientrank, dem steten Nahrungsmittel der armen Bevölkerung in übersetzten Landstrichen. Nur in einem schmutzigen Winkel entdeckt man endlich den bescheidenen Napf, in dem die Reste von Steckrüben oder Wurzeln erkennbar sind. (Bei meiner Anwesenheit [...] vermochte ich den Ekel zu überwinden, den die Unreinlichkeit und Schmutz in den Speisen rechtfertigen, und kostete von dem Mittagsmahle einer solchen Familien, welches aus einem Brei bestand, der von grünen Kartoffelblättern, einigen alten Bohnen und wenigem Braunkohl mit etwas Salz, ganz ohne Fett, bereitet war. Man möge sich den Geschmack dieser elenden kraftlosen Speise denken. Fett kennen diese Leute nicht. Kaum daß sie mitunter ein Stückchen von einem Talglicht benutzen, um ihren Speisen einige Bindung zu geben. Kartoffeln und Brod sind in der größeren Theile des Jahres fast unbekannt.) Zwischen Spinnrad und Haspel aber und zwischen die zerlumpten Jammergestalten hindurch erblickt man die Bibel und das aufgeschlagene Gesangbuch, aus dem der hungernde Spinner hin und wieder bei der Arbeit sich Trost und Zuspruch erholt. Unter dem Simsbrett hängen einige Stücken Garn und der karge Vorrath schlecht gereinigten Flachses [...]. Ein Blick in die Kammer vermehrt die traurige Einsicht [...]. Kein Bett, nur in Bretter eingeschlagen, auf bloßer Erde ein Lager von altem Stroh [...].

Soziale Not *Kehrseite des bis dahin unbekannten wirtschaftlichen Aufschwungs im 19. Jh. war die Not der arbeitenden Bevölkerung. Diese Zeichnung aus dem Jahr 1848 klagt die sozialen Auswirkungen der rasch wachsenden Industrialisierung an. Der Lohn für Arbeiter orientierte sich am absoluten Existenzminimum.*

Die erste Eisenbahn

Großes öffentliches Interesse erregte die erste Fahrt eines dampfgetriebenen Schienenfahrzeugs in Deutschland. Die Strecke führte von Nürnberg nach Fürth und wurde am 7. Dezember 1835 eröffnet. Wenige Jahre später galt die Eisenbahn als Symbol des rasanten technischen Fortschritts. Über die erste Fahrt berichtet das Stuttgarter Morgenblatt vom 8. Dezember 1835:

Schon um sieben Uhr machte sich Nürnberg zu Fuß, zu Pferde und zu Wagen auf den Weg, um zur rechten Zeit an Ort und Stelle zu sein. Gegen acht Uhr waren bereits die meisten Aktionäre und Direktoren, sowie die zur Feierlichkeit eingeladenen Gäste von nah und fern versammelt. [...]

Man betrachtete lange Zeit den soliden Bau der Bahn, die zum Teil elegant gebauten Passagierwagen, 9 an der Zahl; aber die freudigste und nicht zu erschöpfende Aufmerksamkeit widmete man dem Dampfwagen selbst, an welchem jeder so viel Ungewöhnliches, Rätselhaftes zu bemerken hat, den aber in seiner speziellen Struktur nach äußerem Anschein selbst ein Kenner nicht zu enträtseln vermag.

Auf der Achse von Vorder- und Hinterrädern, wie ein anderer Wagen ruhend, hat er mitten zwischen diesen zwei größere Räder, und diese sind es, welche von der Maschine eigentlich in Bewegung gesetzt werden. Wie? läßt sich zwar ahnen, aber nicht sehen. Zwischen den Vorderrädern erhebt sich, wie aus einem verschlossenen Rauchfang, eine Säule von ungefähr fünfzehn Fuß Höhe, aus welcher der Dampf sich entladet. [...]

Überdies nahm das ruhige, umsichtige, Zutrauen erweckende Benehmen des englischen Wagenlenkers uns ebenso in Anspruch [...]. Jede Schaufel Steinkohlen, die er nachlegte, brachte er mit Erwägung des rechten Maßes, des rechten Zeitpunktes, der gehörigen Verteilung auf den Herd. Keinen Augenblick müßig, auf alles achtend, die Minute berechnend, da er den Wagen in Bewegung zu setzen habe, erschien er als der regierende Geist der Maschine und der in ihr zu der ungeheuren Kraftwirkung vereinigten Elemente. [...]

Der Wagenlenker ließ die Kraft des Dampfes nach und nach in Wirksamkeit treten. [...] Die Wagen [...] fingen an, sich langsam zu bewegen; [...] die erste Fahrt war in 9 Minuten vollendet [...].

Von Nürnberg nach Fürth *Die Eröffnung des Eisenbahnzeitalters am 7. Dezember 1835 wurde stürmisch gefeiert. Ein Kanonenschuß kündigte die Abfahrt des mit 200 Personen besetzten Zuges an.*

Mit Pomp und Pathos

Der allgemein erwachte Patriotismus der Befreiungskriege brach Napoleons Herrschaft in Deutschland. Die Forderung nach Einheit und Freiheit blieb jedoch trotz der Revolution von 1848 unerfüllt. Erst Bismarcks „Blut-und-Eisen-Politik" brachte 1871 die lang ersehnte nationalstaatliche Einigung. Die deutsche Geschichte erschien fortan in einem neuen, nationalen Licht. Man verehrte die Staatsgründer und setzte ihnen gewaltige Denkmäler wie das Reiterstandbild Kaiser Wilhelms I. in Köln (Foto).

Historischer Überblick

KÖNIGREICH DÄNEMARK

Düppeler
Schanzen 1864

N o r d s e e

Helgoland
(1890 deutsch)

Kiel

Ghzm.
Mecklenburg-
-Schwerin

Strelitz

Stettin

Lübeck

Altona
Hamburg

Ghzm.
Olden-
burg

Bremen

Berlin

KÖNIGREICH

NIEDERLANDE

Fsm.
S.-L.

Hannover
Braunschweig

Hzm.

Magdeburg

Hzm.

Anhalt

Halle

Fsm.
L.-D.

Braunschweig

Gelsenkirchen
Duisburg Essen Dortmund
Krefeld
Düsseldorf Elberfeld
Köln

Fsm.
Waldeck

Kassel

Langensalza
1866

Erfurt

Leipzig

Dresden

KGR.

BELGIEN

Aachen

Thüringische

Staaten

Kgr. Sachsen

Chemnitz

Plauen

Gitschin

X 1866

GHZM.

LUXEMBURG

(1839 an
Belgien)

(1867
neutral)

Sedan

Hessen

Frankfurt

Mainz

Kissingen
1866

Aschaffenburg
1866

Königgrätz
1866

Prag

ÖSTERREICHISCH-

Gravelotte
1870
Metz
1870
1870
Spichern

Saarbrücken

Mannheim

Nürnberg

Kgr.

Lothringen

Weißenburg

Wörth

Karlsruhe

Kgr.

Württemberg

Bayern

UNGARISCH

Straßburg

Stuttgart

REPUBLIK

Ghzm.

Augsburg

München

MONARCH

FRANKREICH

SCHWEIZ

Zürich

0   50   100
km

Deutschland unter Preußens Führung – ein König wird Kaiser

Das Heilige Römische Reich Deutscher Nation zerbrach unter den Angriffen der Armeen der Französischen Revolution und Napoleons. Erst die katastrophale Niederlage der „Grande Armée" in Rußland 1812 entflammte den nationalen Widerstand gegen die französische Fremdherrschaft. Die Befreiungskriege (1813–1815) unter Preußens Führung endeten mit der Verbannung Napoleons und erweckten in Deutschland die Hoffnung auf eine neue staatliche Ordnung, die sowohl die politische Einheit als auch die individuelle Freiheit gewährleisten sollte.

Der Wiener Kongreß machte jedoch diese Vorstellungen zunichte. Anstelle eines Nationalstaats bekamen die Deutschen 1815 einen Bund unter Führung Österreichs, der anfangs 38 souveräne Staaten umfaßte. Nach dem Willen Fürst Metternichs, der die Geschicke Österreichs lenkte, sollten durch eine strenge Pressezensur und die Verfolgung An-

dersdenkender die freiheitlichen Bestrebungen unterdrückt werden, die die Herrschaft der Fürsten gefährdeten. Die liberal-demokratische Bewegung ließ sich jedoch nicht mehr mundtot machen.

Die Revolution von 1848 bedeutete dann zwar das Ende des Metternichschen Systems, doch die Hoffnung der Liberalen, mit der vom Parlament in der Frankfurter Paulskirche ausgearbeiteten Verfassung eine neue Grundlage für das staatliche und gesellschaftliche Leben errichtet zu haben, scheiterte an der militärischen Macht der Fürsten.

Der Wunsch nach nationaler Einheit blieb aber trotz dieser bitteren Niederlage in der deutschen Bevölkerung lebendig. In der Folgezeit übernahm Preußen die führende Rolle in der Frage der Reichseinigung und drängte Österreich in die politische Defensive. Dem Realpolitiker

Otto von Bismarck gelang es in drei Kriegen, den kleindeutschen Nationalstaat zu vollenden. Im Streit um Schleswig-Holstein kämpften Preußen und Österreich im Deutsch-Dänischen Krieg 1864 noch Seite an Seite. Über die weitere Entwicklung ihrer Beziehungen zueinander konnten sie allerdings keine Einigung mehr erzielen, was 1866 zum Deutschen Krieg zwischen beiden Staaten führte. Nach der Niederlage der Österreicher und Sachsen bei Königgrätz und der verbündeten Hannoveraner bei Langensalza hatte Bismarck freie Hand für seine Deutschlandpolitik. Er löste den Deutschen Bund auf, annektierte Hannover, Kurhessen, Nassau, Schleswig und Holstein und gründete 1867 den Norddeutschen Bund unter preußischer Führung. Die Entscheidung zugunsten eines deutschen Nationalstaats fiel vier Jahre später im Deutsch-Französischen Krieg gegen Napoleon III. Der Sieg der mit Preußen verbündeten süddeutschen Staaten fand seinen krönenden Abschluß in Versailles, wo die deutschen Fürsten das zweite Kaiserreich ausriefen.

Das Deutsche Reich 1871

/////	Grenze des Deutschen Reiches (1871)
———	Sonstige Staatsgrenze
———	Grenzen der deutschen Einzelstaaten
••••••	Grenze des Deutschen Bundes (1815-1866)
–·–·–	Südgrenze des Norddeutschen Bundes 1867
	Kgr. Preußen 1864
	Preußische Erwerbungen 1864-66
	Deutsche Erwerbung 1871
→	Entscheidender Feldzug Preußens in den Reichseinigungskriegen
1866 ✕	Wichtige Schlacht mit Datum
●	Großstadt über 100000 Einwohner (um 1910)
■	Großstadt über 1000000 Einwohner (um 1910)
○	Freie Stadt

Kgr. = Königreich; Ghzm. = Großherzogtum; Hzm. = Herzogtum; Fsm. = Fürstentum; L.-D. = Lippe-Detmold; S.-L. = Schaumburg-Lippe

Kaiserproklamation in Versailles Der Gründungsakt des Deutschen Reiches fand im besetzten Frankreich statt. Am 17. Januar 1871, noch bevor der Krieg zu Ende war, wurde der preußische König Wilhelm I. im Spiegelsaal des Versailler Schlosses zum deutschen Kaiser gekürt. Die Reichsgründung war das Werk seines Kanzlers Otto von Bismarck.

Ein Bayernkönig als Baulöwe

König Ludwig I. von Bayern war nicht nur – im Rahmen seiner Möglichkeiten – politisch höchst liberal eingestellt, er förderte auch die technischen Entwicklungen der Zeit. Unter seiner Regierung fuhr 1835 Deutschlands erste Eisenbahn von Nürnberg nach Fürth, und 1845 wurde der erste Schiffahrtskanal zwischen Donau und Main fertiggestellt. Vor allem aber lagen ihm Kultur und Architektur am Herzen. Viele klassizistische Bauten dokumentieren seine Bauleidenschaft.

Donaustauf Ludwig I. war zwar König der Bayern, doch „allzeit teutsch gesinnt". Geprägt durch die Befreiungskriege gegen Napoleon, ersehnte er die Einheit der Nation und beschwor immer wieder die jahrtausendealte geistige und kulturelle Vergangenheit der Deutschen. Diesem „Genius der Deutschen" wollte er schon als Kronprinz eine Ruhmeshalle errichten. Allerdings konnte er erst 1830 mit der Ausführung seines Vorhabens beginnen. Ludwigs bevorzugter Baumeister Leo von Klenze gestaltete die Walhalla als griechischen Tempel, denn die Schwärmerei für alles Griechische war Teil der deutschen Nationalbewegung: Im Freiheitskampf der Hellenen von 1821–1829 gegen die türkische Fremdherrschaft sahen viele Deutsche eine Parallele zu ihrem eigenen Traum von einem deut-

schen Vaterland, dessen Realisation jedoch von den Fürsten als Hochverrat geahndet wurde.

Als deutsches Nationaldenkmal geplant, erhebt sich die Walhalla in prächtiger Lage hoch oben auf dem südlichen Steilufer der Donau, mit weitem Blick ins Land. Eine breite Treppenterrasse führt vom Ufer hinauf. 1842 weihte Ludwig den hellen Bau mit den Worten ein: „Möchte Walhalla förderlich sein der Erstarkung und Vermehrung teutschen Sinnes! Möchten alle Teutschen, welchen Stammes sie auch seien, immer fühlen, daß sie ein gemeinsames Vaterland haben ..." Und weil er wollte, daß „teutscher der Teutsche aus ihr trete, als er gekommen", wurden auf die Konsolen entlang den rotmarmornen Wänden die weißen Marmorbüsten berühmter Deutscher gestellt: eine eigentümliche Mischung

Befreiungshalle bei Kelheim *Rund um den Marmorboden des Kuppelraums stehen 34 marmorne Siegesgöttinnen. Als Verkörperung der damals 34 deutschen Staaten halten sie 17 vergoldete Tafeln mit den Namen der wichtigsten Siege des deutschen Befreiungskampfes in den Händen: vom Treffen bei Danigkow am 5. April 1813 bis zur Schlacht bei Waterloo am 18. Juni 1815.*

aus Fürsten, Helden und Feldherren, Komponisten, Dichtern und Malern, Theologen, Philosophen und Wissenschaftlern. Ludwig selbst stiftete u. a. die Büsten von Erasmus von Rotterdam, Goethe, Ulrich von Hutten, Kant und Klopstock.

Auch wenn sich der Traum des Königs nicht erfüllt hat – die Walhalla wurde nicht zum Nationaldenkmal der Deutschen –, so hat sich aber zumindest seine Idee durchgesetzt, hier an die führenden Köpfe der Nation zu erinnern. Noch heute werden vor allem Künstler und Wissenschaftler, frühestens zehn Jahre nach ihrem Tod, durch eine Marmorbüste geehrt. Besonders reizvoll ist es, die Walhalla von Regensburg aus mit dem Schiff anzufahren.

ⓘ Besichtigung täglich 9–18 Uhr (April–September), sonst 10–12, 13–16 Uhr.

Kelheim Die Hoffnung des jungen Kronprinzen Ludwig – und mit ihm vieler Deutscher –, die Befreiungskriege würden zur Bildung eines deutschen Nationalstaats führen, erfüllte sich nicht. Als zu stark erwiesen sich 1815 die Eigeninteressen der europäischen Großmächte und die regionalen Belange der einzelnen deutschen Staaten, Bayern eingeschlossen. Dennoch ließ Ludwig zur Erinnerung an die Freiheitskriege und als Mahnung an die Einheit der deutschen Stämme ein Monument errichten. Friedrich von Gärtner entwarf dafür einen Rundtempel in byzantinischem Stil. Als Standort wählte der König 1842 die alte Wittelsbacherstadt Kelheim am Zusammenfluß von Altmühl und Donau.

Nach Gärtners Tod 1847 übernahm Leo von Klenze die Bauleitung, der die Pläne in römisch-antikem Stil veränderte. Am 18. Oktober 1863, dem 50. Jahrestag der Völkerschlacht bei Leipzig, wurde der 45 m hohe Monumentalbau eingeweiht. An der Außenwand tragen 18 überlebensgroße germanische Jungfrauen Schilder mit den Namen der an der Völkerschlacht beteiligten deutschen Stämme. Überwältigend ist die Gestaltung des Innenraums mit einer Nischenkette unten und einer Empore oben. Nur edelste Materialien wurden hier verwendet. Die 34 Siegesgöttinnen symbolisieren die 34 Staaten des Deutschen Bundes; bei seiner Gründung 1815 waren es noch 41 Mitgliedsstaaten gewesen. Von der Galerie bietet sich eine schöne Fernsicht auf Donau und Altmühltal, die der Rotunde an Großartigkeit nicht nachsteht.

ⓘ Besichtigung täglich 8–18 Uhr (April–September), sonst 9–12, 13–16 Uhr.

Bavaria in München
Vor der Ruhmeshalle am Rand der Theresienwiese erhebt sich die kranzschwingende, löwenbändigende Bavaria aus Bronze zur stolzen Höhe von 27 m (mit Sockel).

München Von Deutschlands Größe sollten nach dem Willen Ludwigs I. nicht nur die Walhalla, die Befreiungshalle und andere klassizistische Bauwerke in Bayern und der – damals noch bayerischen – Pfalz zeugen, sondern vor allem auch seine Residenzstadt. Ihrem Ausbau galt darum sein besonderes Augenmerk. Getreu seinem Ausspruch: „Ich will aus München eine Stadt machen, die Teutschland so zur Ehre gereichen soll, daß keiner Teutschland kennt, der nicht München gesehen hat", begann er bereits als Kronprinz mit der Planung von Prachtstraßen und Plätzen, Repräsentativbauten und Ausstellungsgebäuden, in denen vornehmlich Werke der römischen und griechischen Kunst präsentiert werden sollten. Besonders Griechenland, dem „Vaterland der herrlichst größten Helden", fühlte er sich stark verbunden. Mit beträchtlichen Geldmitteln unterstützte er den Freiheitskampf der Hellenen gegen die türkische Fremdherrschaft. Sein Sohn Otto wurde 1832 sogar nach der Befreiung zum König Griechenlands nach der Befreiung. Darüber hinaus förderte Ludwig archäologische Ausgrabungen in Griechenland und betätigte sich als Sammler antiker griechischer Kunstwerke. Seine Be-

geisterung führte so weit, daß er die Schreibweise seines Landes änderte: Aus Baiern, wie bis dahin seit Jahrhunderten üblich, wurde das griechisch anmutende Bayern, und aus München wollte er ein zweites Athen machen.

Die klassische Antike sollte die architektonische Neugestaltung Münchens prägen. Dabei ging es Ludwig nicht um das bloße Kopieren antiker

Gebäude – er wollte mit seinen Bauten vielmehr den freiheitlichen Geist über die Alpen nach Norden holen, wollte den Menschen hier ein südliches, „antikisches", erhabenes Lebensgefühl vermitteln. Schlendert man an einem strahlenden Sommertag durch die Ludwigstraße oder über den Königsplatz, so muß man zugeben, daß dem König dieses Vorhaben voll und ganz gelungen ist.

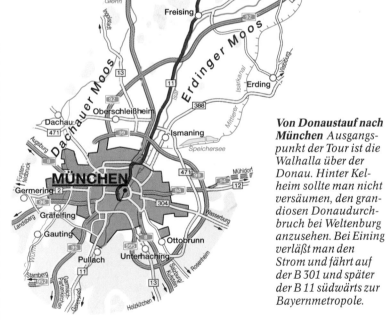

Von Donaustauf nach München *Ausgangspunkt der Tour ist die Walhalla über der Donau. Hinter Kelheim sollte man nicht versäumen, den grandiosen Donaudurchbruch bei Weltenburg anzusehen. Bei Eining verläßt man den Strom und fährt auf der B 301 und später der B 11 südwärts zur Bayernmetropole.*

Siegestor Der Bummel durch das München Ludwigs I. beginnt in der Ludwigstraße. Quasi das Eingangsportal zu der fast genau 1 km langen Prachtstraße ist das Siegestor, mit dem Ludwig abermals an die Befreiungskriege erinnern wollte: Er widmete es dem damals beteiligten bayerischen Heer. Im Zweiten Weltkrieg wurde das Tor stark beschädigt und später nur teilweise restauriert. Die neue Inschrift von 1958 lautet: „Dem Siege geweiht, vom Krieg zerstört, zum Frieden mahnend".

Universität Die Ludwigstraße führt zur Universität, deren Gebäude so angeordnet sind, daß sie einen großen Platz bilden. 1826 hatte Ludwig die Landesuniversität von Landshut nach München verlegt. 1835–1840 ließ er von Friedrich von Gärtner einen geschlossenen Komplex errichten. Die beiden Brunnen wurden nach Vorbildern auf dem Petersplatz in Rom geschaffen.

Ludwigskirche Gegenüber der Einmündung der Schellingstraße in die Ludwigstraße ragen linker Hand die beiden hellen, spitzbehelmten Türme der Pfarr- und Universitätskirche Sankt Ludwig empor. Daß es Ludwig auch gelang, Traditionen weiterzuentwickeln, zeigt sich hier u. a. an dem monumentalen Chorfresko von Peter Cornelius, mit dem die Wiederbelebung der Freskomalerei im 19. Jh. eingeleitet wurde. Die 18,3 × 12,3 m große Darstellung des Jüngsten Gerichts ist eines der größten Wandgemälde der Welt.

Bayerische Staatsbibliothek In der Ludwigstraße 16, neben der Kirche, steht breit und wuchtig das Gebäude der Bayerischen Staatsbibliothek, die Gärtner 1832–1842 im Stil italienischer Palastarchitektur der Frührenaissance errichtete. Sie ist mit annähernd fünf Millionen Bänden die größte Universalbibliothek der Bundesrepublik. Mit diesem Gebäude endet der von Friedrich von Gärtner beherrschend gestaltete Nordteil der Ludwigstraße.
ℹ️ Besichtigung Mo–Fr 9–20, Sa 9–17 Uhr (Januar–Juli, Oktober–Dezember), sonst Mo–Fr 9–17 Uhr.

Alte Pinakothek Nun biegt man rechts in die Theresienstraße ein und erreicht nach etwa zehn Minuten die an der Barer Straße gelegene, von Grünflächen umsäumte Alte Pinakothek. Leo von Klenze erbaute sie 1826–1836 im Stil der venezianischen Renaissancepaläste für die königliche Galerie. Die Summe, die der König für die Sammlung vor allem altdeutscher Meister ausgab, wollte er tunlichst geheimhalten: „Denn wenn man das Geld im Spiel verliert oder für Pferde ausgibt, meinen die Leute, es wäre recht, wenn man es

aber für die Kunst verwendet, sprechen sie von Verschwendung." Heute gehört die Alte Pinakothek zu den bedeutendsten Gemäldesammlungen der Welt.
ℹ️ Alte Pinakothek, Barer Straße 27: Di–So 9–16.30, Di, Do 19–21 Uhr.

Glyptothek Über Gabelsberger und Arcisstraße gelangt man zum nahe gelegenen Königsplatz, der von drei monumentalen Bauten in unterschiedlichen griechischen Stilformen eingefaßt wird. „Man ist dermaßen griechisch in München", so schrieb 1840 der französische Dichter Gérard de Nerval, „daß man in Athen notgedrungen bayerisch sein müßte." An der Nordseite des Platzes steht die Glyptothek, 1816–1830 von Leo von Klenze mit ionischer Säulenvorhalle errichtet. Ludwig hatte dieses Museumsgebäude bereits als Kronprinz in Auftrag gegeben, um die von ihm erworbene Sammlung griechischer Skulpturen aufzunehmen und den Bürgern zugänglich zu machen. Die Glyptothek wurde zum ersten für die Öffentlichkeit bestimmten Museum für Plastiken in Deutschland.
ℹ️ Glyptothek, Königsplatz 3: Di, Mi, Fr, So 10–16.30, Do 12–20.30 Uhr.

Propyläen An der Westseite des Platzes ragen monumental die Propyläen empor, ein Torbau mit Säulenhallen im dorischen Stil. Von Klenze schuf mit diesem Bauwerk 1846–1862 das letzte echte Dokument des Klassizismus in München vor dem Aufkommen der Gründerzeitarchitektur. Die Giebelskulpturen und Reliefs verherrlichen den griechischen Freiheitskampf gegen

Siegestor in München
Rom läßt grüßen: Nach dem Vorbild des Konstantinbogens in Rom hat Friedrich von Gärtner im Auftrag Ludwigs I. dieses Monument als Eingangsportal zur Ludwigstraße gestaltet. Es ist von einer bronzenen Bavaria mit Löwenquadriga bekrönt (oben).

Alte Pinakothek München Das Gemälde (rechts) zeigt Ludwig I. in seinem Krönungsornat: 1825 hatte er die Regierungsnachfolge seines Vaters angetreten. Die Affäre um die schöne Tänzerin Lola Montez und die Revolution von 1848 bereiteten seiner Herrschaft ein Ende: Am 20. März 1848 dankte er ab.

die Türken. Die Propyläen sollten den von Westen kommenden Besucher Münchens repräsentativ empfangen, bevor er durch die pachtvolle Brienner Straße in die Stadt gelangt.

Staatliche Antikensammlungen Die Südseite des Königsplatzes begrenzen die Staatlichen Antikensammlungen. Georg Friedrich Ziebland hatte den spätklassizistischen

Komplex im korinthischen Stil für eine „Kunst- und Industrie-Ausstellung" 1838–1848 als Pendant zur Glyptothek erbaut.
ℹ️ Staatliche Antikensammlungen, Königsplatz 1: Di, Do–So 10–16.30, Mi 12–20.30 Uhr.

Karolinenplatz Die Brienner Straße führt vom Königsplatz zum strahlenförmig angelegten Karolinenplatz, dessen Obelisk an die 30 000 Bayern

Münchner Residenz
In welch glanzvoller Umgebung die Töchter des hohen Adels residierten, zeigt sich u. a. in diesem

Appartement, das im 19. Jh. die Tochter König Maximilian I. Josephs, Charlotte Auguste, bewohnte (oben).

erinnert, die bei Napoleons Rußlandfeldzug umkamen. Leo von Klenze schuf das Denkmal 1833.

Wittelsbacherplatz Wenige hundert Meter weiter öffnet sich links der rechteckige Wittelsbacherplatz, eine der schönsten Platzanlagen Münchens. Das Palais Arco von 1820 an der Westseite und das Palais Ludwig Ferdinand von 1825 im Norden verleihen dem Platz seine klassizistische Geschlossenheit. Die Mitte nimmt ein Reiterstandbild Kurfürst Maximilians I. ein.

Odeonsplatz Man überquert den Wittelsbacherplatz schräg nach Nordosten und wendet sich rechts in ein kurzes Gäßchen. Jetzt hat man wieder die Ludwigstraße vor sich, und zwar diesmal den südlichen Teil, den Leo von Klenze gestaltete. Zur Rechten sieht man das ehem. Odeon, heute Innenministerium, und zur Linken das Leuchtenbergpalais, heute Finanzministerium, das von Klenze 1816–1821 nach dem Vorbild des römischen Palazzo Farnese erbaute. Auf dem Platz davor erhebt sich das Standbild Ludwigs I.

Residenz Die Hofgartenstraße südöstlich des Odeonsplatzes liegt an der Südseite des Hofgartens; rechter Hand sieht man den klassizistischen Festsaalbau der Residenz, den von Klenze 1832 im Stil Florentiner Paläste errichtete. In die Räume der Residenz gelangt man durch den Eingang Max-Joseph-Platz. Im Innern der Anlage ließ sich Ludwig 1826–1837 von seinem Hofbaumei-

ster die Allerheiligenhofkirche erbauen. Sie sollte der einzige Sakralbau Leo von Klenzes bleiben. Im Zweiten Weltkrieg wurde sie schwer beschädigt und seither nicht wiederhergestellt. Den südlichen Gebäudetrakt bildet der Königsbau. Die Nibelungensäle im Innern tragen diesen Namen, weil hier Fresken mit Motiven aus der Nibelungensage zu sehen sind. Sie entstanden 1831–1867. Hier ist auch das Residenzmuseum untergebracht, in dem neben anderen Kunstschätzen auch kostbare Porzellane zu sehen sind. Der älteste Teil der Residenz stammt aus dem 16. Jh., die ganze Anlage vereint so mit ihren verschiedenen Gebäuden mehrere Baustile.

Am Max-Joseph-Platz erhebt sich das Nationaltheater, 1811–1818 von Karl von Fischer errichtet, einer der schönsten klassizistischen Theaterbauten Deutschlands. Nun geht es durch die Residenzstraße wieder zurück Richtung Odeonsplatz.

ℹ Residenz mit Residenzmuseum: Di–Sa 10–16.30 Uhr, So 10–13 Uhr.

Feldherrnhalle Die südliche Begrenzung des Odeonsplatzes und gleichzeitig der Ludwigstraße bildet die Feldherrnhalle, das einzige Bauwerk, das Friedrich von Gärtner in diesem Teil der Straße errichtete. Er gestaltete die offene Bogenhalle 1841–1844 nach dem Vorbild der Loggia dei Lanzi in Florenz. Mit ihr ehrte Ludwig I. die bayerischen Feldherren Tilly und Karl Philipp von Wrede durch Bronzedenkmäler.

Bavaria Mit der U 5 kann man nun noch zu einer der populärsten Schöpfungen Ludwigs gelangen (Bahnhof Theresienwiese oder Messegelände), zur Bavaria mit der Ruhmeshalle. Freilich erregt die offene Säulenhalle von Klenzes mit den Marmorbüsten berühmter Bayern weniger Interesse als die riesige bronzene Bavaria, die sich davor erhebt. Bei der Enthüllung des damals größten Erzstandbilds der Welt 1850 rief Ludwig aus: „Gesehen! Und doch unglaublich!"

Zu Füßen der Bavaria findet alljährlich das Oktoberfest statt. Urhe-

ber dieses größten Volksfests der Welt war – ungewollt allerdings – Ludwig I. Anläßlich seiner Hochzeit 1812 organisierte die Münchner Bürgerschaft ein Pferderennen, aus dem sich schließlich diese urmünchnerische „Gaudi" entwickelte. Dieses Fest – und gar nicht so sehr Ludwigs Bauten – hat München eigentlich erst zu seiner Weltberühmtheit verholfen.

ℹ Bavaria mit Ruhmeshalle: Di–So 10–12, 14–17.30 Uhr (April–September), sonst nur bis 16 Uhr.

Spaziergang durch München Ausgangspunkt der Besichtigungstour ist das Siegestor, Endpunkt die Feldherrnhalle am Odeonsplatz. Zur Bavaria an der Theresienwiese fährt die U 5.

Stationen der deutschen Revolution

Nach der französischen Julirevolution von 1830 wuchs das politische Interesse des deutschen Volkes und damit auch der Druck der öffentlichen Meinung. Das aus biedermeierlichem Schlaf erwachte politische Bewußtsein breiter Schichten fand seinen Ausdruck im Hambacher Fest 1832. Der mißglückte Sturm auf die Frankfurter Hauptwache ein Jahr später stärkte noch einmal die reaktionären Kräfte, und 1848/1849 scheiterte der Versuch einer deutschen Revolution erneut.

Mainz Im Verbindungshaus der Alten Jenaischen Burschenschaft „Arminia auf dem Burgkeller" findet man die älteste existierende Fahne mit den Farben Schwarz-Rot-Gold. Die Burgkellerburschenschaft hat ihren Ursprung in der nach den Befreiungskriegen gegen Napoleon am 12. Juni 1815 in Jena gegründeten Urburschenschaft. Die Einigung der Studenten sollte der politischen Einigung der deutschen Nation als Vorbild dienen. Bis zur Gründungsveranstaltung konnte man jedoch aus Zeitmangel keine repräsentative Fahne herstellen, so daß nur eine schlichte rot-schwarze Fahne mit goldener Paspelierung mitgeführt wurde. Wahrscheinlich ist die in Mainz aufbewahrte Fahne mit dieser identisch. Die Uniformfarben des Lützowschen Freikorps dienten dabei als Vorbild. Die Verfassungsurkunde vom 12. Juni 1815 erläutert die Bedeutung der Farben: „Eingedenk, daß bey den jugendlichen Freuden auch stets der Ernst des Lebens zu bedenken sey, bestimmten sie (die Burschenschafter) die Farben rot und schwarz zu den Farben ihres Paniers." Eine repräsentativere Fahne, die sogenannte Wartburgfahne, stand erst am 31. März 1816 zur Verfügung.

Erstmals beim Hambacher Fest von 1832 wurde das burschenschaftliche Schwarz-Rot-Gold als Farbe gefeiert und mit den republikanischen Zielvorstellungen in Verbindung gebracht. Die Frankfurter Bundesversammlung erklärte unter dem Eindruck der Pariser Februarrevolution am 9. März 1848 Schwarz-Rot-Gold zu den Bundesfarben, die aber in der Folgezeit noch manch wechselvollem Schicksal unterliegen sollten. 1949 schließlich wurden die Farben der alten Burschenschaft für die neu gegründete Bundesrepublik Deutschland übernommen.

ℹ Alte Jenaische Burschenschaft, Ritterstraße 6: Besichtigung der Fahne n. Vereinb., Tel. 06131/ 51012.

Fahne der Jenaischen Burschenschaft *Die älteste Fahne mit den Farben Schwarz-Rot-Gold ist im Mainzer Verbindungshaus der „Arminia auf dem Burgkeller" zu sehen; Gold erscheint auf dieser schlichten Fahne allerdings nur in der Paspelierung (oben). 1848 avancierten die Farben zu den deutschen Nationalfarben.*

Frankfurter Paulskirche *Ursprünglich sollte der 1787 begonnene Bau eine protestantische Predigtkirche werden; doch am 18. Mai 1848 versammelten sich hier Abgeordnete aus ganz Deutschland zur ersten Deutschen Nationalversammlung. An jenem Tag war die ganze Stadt einschließlich der Kirche mit schwarzrotgoldenen Fahnen geschmückt. Heute dient die Paulskirche festlichen Anlässen; hier wird u. a. jedes Jahr der Friedenspreis des Deutschen Buchhandels verliehen (oben).*

Mannheim *Ein kolorierter Kupferstich im Städtischen Reiß-Museum zeigt die Ermordung von Kotzebues durch einen jungen Studenten (rechts). Kotzebues „Literarisches Wochenblatt" war ein Sprachrohr der Gegner der deutschen Einheit.*

Frankfurt Nach dem Sieg über Napoleon 1815 schlossen sich 38 deutsche Staaten zum Deutschen Bund zusammen. Gegenüber dem 18. Jh. war das ein Fortschritt, denn damals hatte die Zahl der deutschen Einzelstaaten noch etwa 300 betragen. Sitz des Bundestags war Frankfurt. Der Bundestag verfolgte jedoch eindeutig restaurative Ziele. Unzufrieden mit dieser Situation, versuchten am 3. April 1833 rund 50 Verschwörer, darunter 40 Burschenschafter, unter der Führung des ehem. Göttinger Dozenten Dr. Rauschenplatt einen Anschlag auf den Bundestag: Sie erstürmten die Hauptwache, das Symbol des Polizeistaats, mit dem Ziel, eine allgemeine Erhebung in Deutschland auszulösen. Doch der Aufstand war bereits verraten und wurde nach einem anfänglichen Erfolg vom Militär niedergeschlagen. Die Bevölkerung hatte sich geweigert, Gewehre anzunehmen und sich am Sturm zu beteiligen; so mußte der Aufstand scheitern. Der einstökkige Barockbau der Hauptwache am Anfang der Geschäftsstraße Zeil ist heute ein Café. Ein Dreiecksgiebel mit Stadtwappen bildet den oberen Abschluß.

Im Historischen Museum dokumentieren die Abteilungen 36–38 dieses Ereignis sowie die Zeit zwischen Vormärz und der bürgerlichen Revolution 1849 mit Flugschriften, Pamphleten, Karikaturen und Revolutionsliedern. Es entsteht ein lebendiges Bild davon, wie sehr das Leben der Stadt mit den Stationen der gescheiterten Revolution von 1848 verwoben ist. Besonderen Raum nimmt die Darstellung der Nationalversammlung in der Paulskirche ein. Dieser frühklassizistische Bau diente der Deutschen Nationalversammlung vom 18. Mai 1848 bis zum März 1849 als Tagungsort. Der Versuch, dem neu zu schaffenden deutschen Nationalstaat eine neue Verfassung zu geben, war allerdings nicht von Erfolg gekrönt. Die Geister entzündeten sich u.a. an der Frage, ob der künftige Bundesstaat auch die österreichischen Länder einschließen sollte oder nicht – Zeit genug für das Wiedererstarken der reaktionären Kräfte. An der rückwärtsgerichteten Politik Preußens und Österreichs scheiterte das Parlament schließlich.

Im Zweiten Weltkrieg ausgebrannt, wurde das Gebäude 1948–1949 wieder aufgebaut und war zunächst als Parlamentsgebäude der zukünftigen Bundesrepublik Deutschland vorgesehen. Heute dient die Kirche der Stadt als repräsentative Stätte für besondere Anlässe. Vor der Paulskirche erinnert

das 1903 errichtete Einheitsdenkmal an die Wegbereiter der deutschen Einheit. Auf dem Obelisken ist die Statue der griechischen Muse der Geschichte, Klio, zu sehen.
🛈 Historisches Museum, Saalgasse 19: Di, Do–So 10–17, Mi 10–20 Uhr. Paulskirche: Öffnungszeiten zu erfragen unter Tel. 0 69/2 12 40 00.

Mannheim Weil der russische Staatsrat und Schriftsteller August von Kotzebue ein erklärter Gegner der deutschen Einheit war und die demokratischen Ideen der Burschenschaft öffentlich lächerlich machte, fand er in der Stadt ein gewaltsames Ende: Der Theologiestudent und engagierte Burschenschafter Karl Ludwig Sand stach ihn am 23. März 1819 nieder. Der junge Mann bezeichnete Kotzebue als „Schänder der deutschen Geschichte, als russischen Spion im deutschen Vaterlande". Sands Tat gab den Anlaß für die repressiven Karlsbader Beschlüsse vom September 1819.

Zahlreiche Originaldokumente aus der 48er Revolution finden sich im Städtischen Reiß-Museum, darunter eine Darstellung des Gefechts von Mannheim im Juni 1849: Damals trafen Regierungstruppen und badische Revolutionseinheiten am Rhein bei Mannheim aufeinander. Ein zeitgenössischer Bericht erzählt: „Die Badenser zogen sich über die Rheinbrücke zurück und eröffneten von Mannheim aus 18 Kanonen ein mörderisches Feuer, welches die Preußen, obwohl mit Verlust, erwiderten. Bei dieser Gelegenheit wurde Ludwigshafen in Brand geschossen, und die ganze Häuserreihe längs dem Rhein ward zu Ruinen." Eine Portraitreihe der wichtigsten Revolutionäre, ein Verzeichnis der bei den Standgerichten im Jahr 1849 gefällten und vollzogenen Strafurteile sowie ein Flugblatt mit dem berühmten Heckerlied – so benannt nach dem Führer der radikalen Republikaner, der in Baden die Republik zu errichten versuchte – dokumentieren den Erfolg und schließlich das Scheitern der badischen Revolution. Das Heckerlied entstand vermutlich in studentischen Kreisen Badens; bald hörte man es an den verschiedensten Universitäten Deutschlands: „Sollte Jemand fragen / Lebet Hecker noch, / Sollt ihr ihm nur sagen, / Hecker hänget hoch, / Er hängt an keinem Baume, / Er hängt an keinem Strick, / Er hängt nur an dem Traume / Der deutschen Republik!" Eine anonyme Lithographie zeigt Friedrich Hecker und General von Gagern auf der Brücke von Kandern vor dem Gefecht am 20. April 1848. Nach der Schlacht, in der Hecker

mit seinen rund 1200 Freischärlern von den Regierungstruppen geschlagen wurde, floh der überzeugte Demokrat in die Schweiz und wanderte dann 1849 in die Vereinigten Staaten aus. Auch heute noch erinnert man sich in Baden dieses volkstümlichen Revolutionärs.
🛈 Städtisches Reiß-Museum, Zeughaus C 5: Di–Sa 10–13, 14–17, Mi 14–20, So 10–17 Uhr.

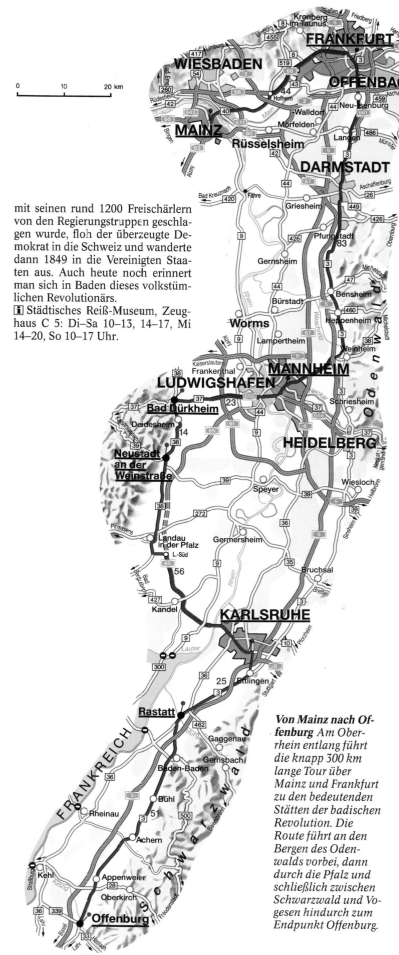

Von Mainz nach Offenburg Am Oberrhein entlang führt die knapp 300 km lange Tour über Mainz und Frankfurt zu den bedeutenden Stätten der badischen Revolution. Die Route führt an den Bergen des Odenwalds vorbei, dann durch die Pfalz und schließlich zwischen Schwarzwald und Vogesen hindurch zum Endpunkt Offenburg.

Bad Dürkheim Im ehem. Gutshof der Familie Catoir (erbaut 1781) befindet sich heute das Heimatmuseum. In der Stadtgeschichte spielen die Ereignisse um das Hambacher Fest 1832 und die Revolution von 1848 eine besondere Rolle; entsprechend umfangreich sind sie im Museum dokumentiert. Die Dürkheimer Teilnehmer am Hambacher Fest waren in der Hauptsache Weinbauern, die besonders stark unter den hohen Steuern und Zöllen litten. Angeführt wurden sie von Johannes Fitz – auch der „rote Fitz" genannt –, der zusammen mit einem Lehrer einen Presseverein gegründet hatte und das Lied der Dürkheimer druckte, das sie beim Marsch nach Hambach sangen: „Die Winzer ziehen mit schwarzer Trauerfahne / Zum deutschen Feste heut. / Zu reißen die Regierung aus dem Wahne / wir seien reiche Leut'."

Ergänzt wird die Dokumentation des Hambacher Fests durch zeitgenössische Druckschriften: Forderungen nach freier Presse, Aufrufe zum Fest, ein Festprogramm, Lieder und Reden, die auf dem Schloß gehalten wurden, sowie Schriften über die Auswirkungen des Fests aus der Sicht von Teilnehmern und Gegnern. In einem Flugblatt heißt es: „Die freie Presse, Brüder, sie soll leben / Sie macht von Zoll uns frei. / Denn wo man darf die Stimme frei erheben, / Kommt alles noch in Reih." Diese Forderung indessen erfüllte sich zunächst nicht, vielmehr wurden die Rechte der Landtage eingeschränkt und die Presse einer stärkeren Zensur unterworfen. Eine breite Auswanderungswelle in die USA war die Folge.

ℹ️ Heimatmuseum, Römerstraße 20: Mi, Sa 14–17, So 9–12, 14–17 Uhr.

Neustadt an der Weinstraße Das Hambacher Schloß war vom 27. bis 30. Mai 1832 Schauplatz der ersten Volksversammlung der neueren deutschen Geschichte. 30 000 Menschen kamen auf dem Schloß zusammen, um für die Einheit und Freiheit Deutschlands zu demonstrieren. Unter den Teilnehmern des Fests befanden sich viele namhafte Vertreter der seit 1819 verbotenen Burschenschaften. Die Veranstalter, darunter der politische Schriftsteller Johann G. A. Wirth, proklamierten die Volkssouveränität, die „vereinigten Freistaaten Deutschlands" in einem „konföderierten republikanischen Europa". Auch Gäste aus Polen waren anwesend, Teilnehmer an den Freiheitskriegen gegen Rußland, die jetzt im Exil in Frankreich oder Baden lebten. Der Pole Oranski sagte in seiner Grußadresse: „Das unläugbare Zeichen der Reife eines

Volkes ist das Bedürfniß des öffentlichen Lebens. Das deutsche Volk fühlt das großartige Bedürfniß, versammelt sich zu berathen über das Interesse des gemeinsamen Vaterlandes. Das heutige Fest ist der erste Akt der Mündigkeit des deutschen Volkes."

Nach 1842 wurde das Schloß in neugotischem Stil teilerneuert; auf mittelalterlichen Fundamenten entstanden zwei neue Wohnflügel. Als nationale Gedenkstätte wurde das Schloß vor wenigen Jahren umfassend restauriert. Die hervorragend aufbereitete ständige Ausstellung „Freiheit und Einheit – Deutschland und Europa" führt die Ereignisse um das Hambacher Fest mit Tonbildschau und Filmbeiträgen plastisch vor Augen und stellt das lokale Geschehen in Zusammenhang mit der politisch-sozialen Situation in den Nachbarstaaten. Das Schloß liegt etwa 3 km von der Stadt entfernt.

ℹ️ Hambacher Schloß: täglich 9–17 Uhr (März–November).

Karlsruhe 1818, kurz vor seinem Tod, unterzeichnete Großherzog Karl den von Staatsrat Karl Friedrich Nebenius vorgelegten Entwurf der badischen Verfassung, die allen Bürgern Gleichheit vor dem Gesetz und das Recht auf persönliche Frei-

„Deutschland könnte frei sein"

Diesem Ziel – einem demokratischen, fortschrittlichen Deutschland – hatte sich der Dichter Heinrich Heine bereits als Student verschrieben. Als begeisterter Anhänger der französischen Julirevolution ging er 1831 nach Paris, und nur zweimal kehrte er zu Besuchen nach Deutschland zurück, wo in der Zwischenzeit seine Werke wie auch die der anderen Dichter des Jungen Deutschland verboten worden waren. In seiner Versdichtung „Deutschland. Ein Wintermärchen" stellte er mit satirischem Witz und polemischem Spott die politischen, kirchlichen und sozialen Verhältnisse in seinem Vaterland an den Pranger. Heine war stets durch eine starke Haßliebe mit seiner Heimat verbun-

den: Er haßte den Patriotismus, die reaktionären Kräfte im Land, doch er liebte die Vorstellung von einem revolutionären Volk, das vollenden könne, was die Französische Revolution schuldig geblieben war.

Neustadt an der Weinstraße Auf einem bewaldeten Bergkegel erhebt sich das gewaltige Hambacher Schloß. Die beiden Wohnflügel sind ein Werk des 19. Jh., die Ringmauer hingegen stammt noch aus dem Mittelalter.

heit gewährte. Zur Erinnerung daran wurde 1832 am Rondellplatz die Verfassungssäule errichtet.

Im stilvoll renovierten Prinzessinnenbau (16. Jh.) des Durlacher Schlosses, der einstigen Residenz der Markgrafen von Baden, ist das Pfinzgaumuseum untergebracht. Hier findet man in Wort und Bild eine nahezu lückenlose Dokumentation der kurzen badischen Revolution; sie währte nur von Mai bis Juli 1849. Einen Schwerpunkt bilden die teilweise kolorierten Stiche und Lithographien mit Darstellungen der Gefechte bei Waghäusel (21. Juni), Durlach (25. Juni) und Rastatt (23. Juli). Sie dokumentieren, wie sich im Frühsommer 1849 ein rund 100 000 Mann starkes Heer preußischer, bayerischer und württembergischer Truppen in der Pfalz konzentrierte und die etwa 45 000 Mann starke badische Revolutionsarmee von Nord nach Süd

Friedrich Hecker
Eine Zeitlang war in Deutschland kein Mann so populär wie der Führer der radikalen Republikaner in Baden. Seine verwegen-romantische Erscheinung trug sicher dazu bei, daß er zu einer der Symbolfiguren der Revolution wurde. Ein Schlapphut mit roter Hahnenfeder war sein Markenzeichen. Im Karlsruher Pfinzgaumuseum sind Abbildungen Heckers zu sehen.

Rastatt *Auf der Festung Rastatt entschied sich das Schicksal der badischen Revolution. Die Aufständischen mußten am 23. Juli 1849 kapitulieren. In der Erinnerungsstätte läßt sich der Verlauf der Revolution nachvollziehen (oben).*

gleich Durlach – nach Meinung des Berichterstatters – ein wahrer „Tummelplatz der Blutroten" war. Am 25. Juli 1849, zwei Tage nach dem Fall der Festung Rastatt begrüßte der Kommandeur der Karlsruher Bürgerwehr vor dem Durlacher Tor den damaligen preußischen Befehlshaber Prinz Wilhelm, der später als Kaiser Wilhelm I. in die Geschichte eingehen sollte. Bald darauf wurde der Ausnahmezustand ausgerufen; es kam zu Hausdurchsuchungen, Verhaftungen und Standgerichten.

In der Handschriftenvitrine des Museums ist der Abschiedsbrief Konrad Lenzingers, eines der Durlacher Verurteilten, ausgestellt, den er am 25. August an seine Familie schrieb: „Liebe Eltern, seid so gut und schreibt es meinem Bruder Karl aber lieber daß ich bei einem Gefecht gefallen bin, denn wenn Ihr schreiben thut, ich wäre als Rebelle […] erschossen worden, wird er sich gewiß gar keinen Begriff davon machen können, indem er weiß und Jedermann, daß ich […] meinen Dienst rechtschaffen gethan habe."
🛈 Pfinzgaumuseum im Durlacher Schloß: Sa 14–17, So 10–12, 14–17 Uhr.

Rastatt In der „Erinnerungsstätte für die Freiheitsbewegungen in der deutschen Geschichte" im Rastatter Schloß beleuchten zahlreiche Exponate, Modelle und Ton-Bild-Schauen die Geschichte der organisierten Freiheitsbewegungen Deutschlands und Europas seit dem Mittelalter. Unter anderem sind hier ein Diorama der Belagerung von Rastatt sowie einige Hampelmänner ausgestellt, die verschiedene Mitglieder der Deutschen Nationalversammlung darstellen.

In Rastatt begann und endete die badische Revolution: Am 11./12. Mai 1849 meuterten die hier stationierten Soldaten und gaben so das Signal für die Volksversammlung in Offenburg am 12. und 13. des Monats, bei der die Forderungen des revolutionären „Landesausschusses" formuliert wurden. Knappe zweieinhalb Monate später, am 23. Juli 1849, ergaben sich in der Festung Rastatt nach dreiwöchiger Belagerung die Reste der Revolutionsarmee, 5596 Mann und 171 Offiziere. Die Besatzung lieferte sich auf Gnade und Ungnade dem Großherzog von Baden aus und ergab sich den vor der Festung stehenden preußischen Truppen, die bis 1851 im Land blieben. „Ruhe und Ordnung" waren wiederhergestellt.

Standgerichte urteilten die Aufständischen ab, denen als Rebellen nicht der Status von Kriegsgefangenen zustand. Willkür, Rachsucht

wie eine Walze überrollte. Bereits das Gefecht bei Waghäusel trug entscheidend zum Scheitern der Revolution bei: Die Preußen rückten trotz der beherzten Gegenwehr der Badener unaufhaltsam vor. Nach einem Bericht des preußischen Oberstleutnants Staroste zeigten sich die Durlacher Einwohner den einrückenden Preußen gegenüber sehr freigebig mit Wein, sogar Champagner, Bier und Zigarren, ob-

und Gewalttätigkeit traten bei den Gerichten allzuoft an die Stelle der sachlichen Rechtsprechung. Todesurteile und Zuchthausstrafen erhielten so auch ungezählte Mitläufer. Hunderte von Republikanern starben in den Kasematten von Rastatt an den Folgen von Haft, Verwundungen und Krankheiten.

Vor diesem Hintergrund ist die zweite Strophe des „Badischen Wiegenlieds" von Ludwig Pfau zu verstehen. Man kann es im Heimatmuseum in einer der badischen Revolution gewidmeten Abteilung hören: „Schlaf, mein Kind, schlaf leis, / Dort draußen geht der Preuß! / Zu Rastatt auf der Schanz, / Da spielt er auf zum Tanz, / Da spielt er auf mit Pulver und Blei, / So macht er alle Badener frei. / Schlaf, mein Kind, schlaf leis, / Dort draußen geht der Preuß!" Zu den erschütternden Dokumenten im Heimatmuseum gehören außerdem die Liste der Todesurteile sowie Bilder von Revolutionären und Angehörigen der Belagerungsarmee. Ein Gedenkstein auf dem Alten Friedhof erinnert an die Hingerichteten.
🛈 Erinnerungsstätte im Schloß: Di–So 9.30–17 Uhr.
Heimatmuseum, Herrenstraße 11: Mi, Fr, So und feiertags 10–12, 15–17 Uhr.

Offenburg Bereits am 12. September 1847 stellte eine Volksversammlung der Radikalen hier u. a. die Forderungen nach Pressefreiheit, Gewissens- und Lehrfreiheit, gerechter Besteuerung, allgemeiner Zugänglichkeit des Unterrichts, nach Ausgleich des Mißverhältnisses zwischen Kapital und Arbeit und nach Abschaffung aller Privilegien. Die badische Regierung antwortete mit Hochverratsprozessen. Die für den Ausbruch der Revolution entscheidende Volksversammlung vom 12./13. Mai 1849 fand ebenfalls hier statt. In einem langen Katalog von Forderungen wurde die badische Regierung für abgesetzt erklärt, und der an ihrer Stelle eingesetzte „regierende Landesausschuß" fuhr in einem für damalige Verhältnisse riesigen Sonderzug nach Rastatt, um sich mit dem meuternden Militär zusammenzuschließen. Im Ritterhausmuseum finden sich Dokumente und Bilder zur badischen Revolution, u. a. ein Flugblatt zur Offenburger Versammlung mit dem Titel „34 Fürsten oder eine Republik?" und ein Hut des Offenburger Bürgermilitärs.
🛈 Ritterhausmuseum, Ritterstraße 10: Das Museum bleibt bis voraussichtlich September 1989 wegen Renovierung geschlossen; Tel. 07 81/ 8 22 55.

Für die Freiheit auf die Barrikaden

Der 18. März 1848, ein Sonnabend, ist ein ungewöhnlich warmer Frühlingstag. Über Berlin mit seinen rund 420 000 Einwohnern scheint die Sonne am strahlend blauen Himmel. Trotz des herrlichen Ausflugswetters herrscht eine gespannte Atmosphäre. Seit Tagen ist es in der Stadt unruhig, finden Volksversammlungen statt und werden vom Militär auseinandergetrieben. So versammelten sich am 13. März Bürger, Arbeiter, Handwerker und Studenten, insgesamt 20 000–30 000 Menschen, im Tiergarten und applaudierten den Rednern, die ein frei gewähltes deutsches Parlament und die Pressefreiheit forderten. Als die Scharen in die Stadt zurückströmten, kam es zu schweren Zwischenfällen mit dem preußischen Militär, das am Brandenburger Tor Stellung bezogen hatte. In den folgenden Tagen wuchs die Unruhe, und immer wieder hörte man von Zusammenstößen. Für den 18. März nun ist eine Massendemonstration geplant.

Unter dem Druck der Ereignisse ringt sich König Friedrich Wilhelm IV. dazu durch, den für Ende April vorgesehenen Landtag schon am 2. April einzuberufen; sein Berufungspatent am 18. März entspricht den liberalen Forderungen nach Reform des Deutschen Bundes, ein zweites Patent gewährt Pressefreiheit in Preußen.

Wie ein Lauffeuer verbreitet sich die Neuigkeit in der Stadt. Fremde rufen einander auf der Straße zu, der König habe „alles bewilligt", und bald darauf haben es die Berliner auch schwarz auf weiß in einem Extrablatt der „Allgemeinen Preußischen Zeitung". In ihrer Freude strömen Tausende auf den Schloßplatz. Zu ihnen stoßen auch noch diejenigen, die von der Nachricht bisher nichts gehört haben und sich an der geplanten Demonstration beteiligen wollen. Alle verlangen, den König zu sehen, und als er schließlich auf den Balkon tritt, empfängt ihn die Menge mit Hochrufen. Dann bittet Innenminister von Bodelschwingh die Versammelten, sie möchten nach Hause gehen, der König habe zu arbeiten. Doch das Gedränge vor dem Schloß wird größer, und der König muß sich zum zweitenmal zeigen. Diesmal mischen sich in den Jubel auch unüberhörbar die Rufe: „Militär zurück! Fort mit den Soldaten!" Denn es ist nicht zu übersehen, daß seit dem Morgen Verstärkung herangezogen worden ist. Gegen 14 Uhr dann, als die Unruhe sich steigert, gibt der König den Befehl, den Platz zu räumen. Während die Soldaten vorrücken, fallen plötzlich Schüsse. Die eben noch „Hoch!"

gerufen hatten, schreien jetzt enttäuscht und wütend „Verrat!"

Wenig später werden bereits in der ganzen Innenstadt Barrikaden aufgebaut. Vorbeifahrende Droschken und Fuhrwerke werden umgestürzt, Baugerüste umgelegt, Pflastersteine herausgerissen; Torflügel, Balken, Stangen – alles, was nicht niet- und nagelfest ist, wird auf die Sperren gehäuft. Bürger, Handwerker, Arbeiter, Frauen, Kinder, Greise arbeiten Hand in Hand. Die Soldaten auf der anderen Seite der Barrikaden versuchen, sich von Sperre zu Sperre vorzukämpfen. Durch die Stadt hallt Kanonendonner. Bei den Barrikadenkämpfern sind dagegen Feuerwaffen knapp. Ein Schwerpunkt der Kämpfe ist das Cöllnische Rathaus, keine 500 Meter vom Schloß entfernt. Eine Batterie Zwölfpfünder rückt hier auf die Barrikade vor, auf der die schwarzrotgoldene Fahne aufgepflanzt ist. Die meisten Verteidiger flüchten vor dem massiven Artilleriebeschuß in die Häuser. Frauen schleppen Steine in Körben nach oben, um sie auf die Soldaten zu werfen. Glasscherben regnen herunter, kochendes Wasser ergießt sich aus den Fenstern. Die hereinbrechende Nacht wird von Bränden erhellt. Unter anhaltendem Infanteriefeuer stürmen königliche Truppen das Rathaus. Die im Ratssaal versammelten Verteidiger werden niedergemacht. Um das Rathaus zählt man später 97 Leichen.

Ähnliche Szenen spielen sich am Oranienburger Tor nahe dem Borsigwerk, beim Schauspielhaus und am Alexanderplatz ab. Obwohl die Bevölkerung auf der Seite der Barrikadenkämpfer steht und ihnen hilft, so gut es geht – die meisten Bäcker backen in der Nacht, um die Kämpfenden zu versorgen –, entscheidet die Überlegenheit der Waffen. Im Lauf der Nacht erobert das Militär die gesamte Innenstadt zurück. Nur in den Vorstädten halten die Barrikadenkämpfer noch ihre Stellungen. Gegen Morgen führt man die zunächst in den Schloßkeller gesperrten Gefangenen in die Spandauer Festung ab.

Während der Gefechtslärm noch zum Schloß herüberdringt, verfaßt der König den Aufruf „An meine lieben Berliner". Um drei Uhr nachts ist er fertig, und am Morgen können die Berliner lesen, daß sich auf dem Schloßplatz versehentlich zwei Gewehre entladen hätten, ohne jemanden zu treffen; doch „eine Rotte von Bösewichten, meist aus Fremden bestehend", habe diesen Vorfall ausgenutzt. Die Berliner werden aufgefordert, die Barrikaden zu räumen; das Mili-

tär soll aus der Stadt abziehen. Gleichzeitig gibt der König die Ernennung neuer, liberaler Minister bekannt. Während die ersten Regimenter aus der Stadt marschieren, tragen Berliner Bürger die Leichen von Barrikadenkämpfern in den Schloßhof. Der König erscheint und verneigt sich vor den Opfern. Am Tag darauf wird eine Amnestie erlassen; der Marsch der Spandauer Gefangenen zurück nach Berlin gerät zu einem Triumphzug. Am Vormittag des 21. März zeigt sich der König zu Pferd seinen Untertanen. Mit ihm im Zug marschieren ein Bürger mit der schwarzrotgoldenen Fahne und drei Studenten mit dem Reichsbanner. In einer Proklamation verkündet der König feierlich: „Ich habe heute die alten deutschen Farben angenommen und mich und mein Volk unter das ehrwürdige Banner des Deutschen Reiches gestellt. Preußen geht fortan in Deutschland auf."

Am folgenden Tag bestattet man die „Märzgefallenen" im Friedrichshain. Der

Barrikadenkämpfe in Berlin *Besonders heftig sind die Gefechte zwischen königlichen Truppen und Aufständischen im Stadtteil Cölln. Den Revolutionären mangelt es vor allem an Waffen und Munition. Sie sind sogar gezwungen, im Schutz der Barrikaden Bleikugeln zu gießen.*

Trauerzug führt am Schloß vorbei, wo König Friedrich Wilhelm IV. barhäuptig auf dem Balkon steht und den Toten die letzte Ehre erweist. Diese Geste des Königs und die Proklamation vom Vortag lassen die rund 20 000 Menschen, die den Särgen folgen, hoffen, daß die Opfer der Nacht zum 19. März nicht vergebens gewesen sind. Doch diese Hoffnung sollte sich als trügerisch erweisen: Ein Jahr später lehnt der preußische Monarch die Kaiserkrone, die ihm eine Delegation der Frankfurter Nationalversammlung im Namen der Mehrheit anträgt, ab. Die Krone, so äußert sich Friedrich Wilhelm IV. gegenüber Vertrauten, trage den „Ludergeruch der Revolution". Fortan geht Deutschland in Preußen auf, und es sollte nun noch 22 Jahre bis zur Reichsgründung dauern – dann allerdings unter anderen Vorzeichen.

Die Traumschlösser des Märchenkönigs

Schon zu Lebzeiten genoß Ludwig II. von Bayern schwärmerische Verehrung. Nach seinem Tod 1886, dessen Umstände bis heute noch nicht ganz geklärt sind, wurde er vollends zum Mythos. Dabei hat sich kein anderer bayerischer Monarch so wenig um sein Land gekümmert wie er. Doch gerade seine Entrücktheit und die Ausschließlichkeit, mit der er für die Musik Wagners und den Bau seiner Schlösser lebte, haben ihn zum beliebtesten aller Bayernherrscher gemacht.

Herrenchiemsee Ludwig II. ist der einzige bayerische König, der in München so gut wie keine Bauten errichten ließ. Vielmehr floh er die Stadt, wann immer er konnte, und schuf sich im Alpenvorland eine Reihe von Schlössern, zumeist nach historischem Vorbild. Sie sollten ihm die Flucht aus der Realität in eine schönere Welt erlauben. Schloß Herrenchiemsee, nach dem Vorbild von Versailles erbaut, sollte ihn dabei in die Welt seines Idols Ludwig XIV. von Frankreich entführen, dessen Auffassung von absolutem Herrschertum dem bayerischen Ludwig sehr entgegenkam.

Baubeginn war 1878; vollendet waren beim Tod Ludwigs jedoch nur der Mitteltrakt sowie der Rohbau des Nordflügels, der 1907 abgerissen wurde. Eigentlich wollte der König dieses Schloß gar nicht auf der Chiemseeinsel errichten. Da er sie aber nun einmal gekauft hatte – um den Waldbestand vor dem Abholzen zu bewahren –, ließ er sich von seinen Beratern dazu überreden, hier ein Schloß zu bauen. Aber er erschien nicht einmal zur Grundsteinlegung, und bis zu seinem Tod verbrachte er nur zehn Nächte auf der ungeliebten Insel.

Im Innern beeindrucken am meisten das Paradeschlafzimmer und die überwältigende Spiegelgalerie. 44 Kandelaber und 33 Lüster verleihen dem Prunksaal einen glanzvoll-festlichen Zauber. So vergangenheitsverliebt Ludwig auch war, für die Realisierung seiner Schloßträume bediente er sich doch all jener Mittel, die ihm die technische Entwicklung der verhaßten Gegenwart bot. Das berühmte versenkbare „Tischleindeckdich" z.B. ist

Schloß Herrenchiemsee *Ursprünglich sollte die Insel ein einziger Park werden. Daß nur ein Teil davon verwirklicht wurde – mit Brunnen und Wasserspielen –, tut der Schönheit des Eilands keinen Abbruch (oben).*

Schloß Linderhof *Terrassen und Beete, Bassins, Fontänen, Statuen und Vasen prägen das Bild des herrlichen Schloßparks (links).*

Schloß Hohenschwangau *Eine Gouache zeigt Ludwig II. mit seinem Schützling Richard Wagner (oben). Kurz vor dessen 51. Ge-* *burtstag berief ihn der frisch gekrönte König nach München und unterstützte ihn fortan großzügig, was allerdings auf heftigen Widerstand stieß.*

Vom Chiemsee zum Starnberger See
Wechselnde Aus-
blicke nach Süden be-
stimmen die Tour auf
den Spuren Lud-
wigs II.: Sie führt
an den Chiemgauer
Bergen, dem öster-
reichischen Kar-
wendelgebirge, den
Ammergauer und den
Allgäuer Alpen
vorbei.

eine Art Speiseaufzug, mit dem die Gerichte von der Küche in das darüberliegende Speisezimmer transportiert werden konnten. Das mit vielfarbigem Marmor und weißem Stuck verkleidete Treppenhaus erhielt ein für das 19. Jh. typisches Glasdach. Im König-Ludwig-II.-Museum erinnern zahlreiche Ausstellungsstücke an den schwermütigen Bayernkönig. Von Prien aus verkehren ganzjährig Boote zur Insel.

ℹ️ Besichtigung nur mit Führung täglich 9–17 Uhr (April bis September), sonst 10–16 Uhr.

Linderhof Im langgestreckten Graswangtal besaß Ludwigs Vater, König Maximilian II. Joseph, ein Jagdhaus. Ludwig liebte diesen Ort wegen seiner Abgeschiedenheit und spielte schon bei seinem Regierungsantritt 1864 mit dem Gedanken, hier selbst etwas zu bauen. 1870 begann man mit dem Bau eines Schlößchens, das acht Jahre später fertiggestellt war. Die Innenausstattung gestalteten u.a. der Hoftheaterdirektor Seitz und etliche Theatermaler – ein Zeichen dafür, wie sehr der König aus und in den Illusionen lebte, die ihm das Theater vermittelte. Linderhof, in perfekt nachempfundenem Rokokostil errichtet, wurde die maßvollste und geschlossenste Schöpfung Ludwigs und zugleich die ein-

zige, die tatsächlich fertiggestellt wurde. Anmutig hell erhebt sich das Schloß inmitten dunkler Wälder. Ludwig nannte es „Meicost Ettal": Anders angeordnet ergeben die Buchstaben den berühmten Ausspruch des Sonnenkönigs Ludwig XIV.: „L'état c'est moi."

Linderhof ist auch das einzige Schloß, das Ludwig II. längere Zeit bewohnte. Von hier aus unternahm er häufig jene nächtlichen, von fakkeltragenden Reitern begleiteten Kutsch- und Schlittenfahrten, die nicht unwesentlich dazu beitrugen, im Herzen des Volkes das Bild vom unwirklichen Märchenkönig entstehen zu lassen.

Die in ihrer Überfülle verwirrende Innenausstattung spiegelt den Geschmack ihres Erbauers. So beeindrucken Schlafzimmer und Spiegelsaal durch die hohe handwerkliche Qualität der Ausstattung und den schier unerschöpflichen Reichtum der Dekoration. Diese Leidenschaft Ludwigs für eine repräsentative Ausstattung prägte das hohe Niveau des Münchner Kunsthandwerks ganz entscheidend.

Phantasievoll wie das Schloß ist auch der Park. Den strengen, durchkomponierten Gartenteil mit französischen Parterres und italienischen Terrassengärten umschließt ein eng-

lischer Landschaftspark. Hier steht der Maurische Kiosk, den Ludwig 1876 von einem böhmischen Schloß erwarb; ihn faszinierte das märchenhafte Ambiente aus „Tausendundeiner Nacht". In dem kleinen Bauwerk mit plätscherndem Brunnen und Pfauenthron feierte er zuweilen mit seinem Gefolge orientalische Feste.

Des Königs Träume spiegelt auch die blaue Grotte im oberen Teil des Parks wider. Hinter einer Felsentür, deren Öffnungsmechanismus nur Eingeweihten bekannt war, verbirgt sich ein künstlicher See mit Wasserfall. Hier schuf sich Ludwig die Venusgrotte aus Richard Wagners „Tannhäuser". Nachts ließ er sich gern in einem vergoldeten Kahn über den See rudern, während wechselnde Beleuchtung die Szenerie in unwirkliches Licht tauchte.

ℹ️ Besichtigung nur mit Führung täglich 9–12.15, 12.45–17.30 Uhr (April–September), sonst 10–12.15,

Exotische Feste in der Bergeinsamkeit

Landschaftlich reizvoll liegen alle Schlösser Ludwigs II. Das Königshaus auf dem Schachen aber steht einzigartig inmitten der herrlichen Szenerie des Wettersteingebirges. Der Aufstieg (Bergausrüstung erforderlich) – entweder durch die wilde Partnachklamm bei Garmisch-Partenkirchen (fünf Stunden) oder vom reizvollen Hochtal Elmau aus (drei Stunden) – lohnt sich: In dem 1869–1872 ganz aus Holz errichteten Jagdhaus hat sich Ludwig einen verschwenderisch ausgestatteten „Maurischen Saal" einrichten lassen. Hier oben in der einsamen Bergwelt weilte der mit den Jahren immer menschenscheuer gewordene König häufig, immer aber an seinem Geburtstag, dem 25. August,

und hier feierte er oftmals, orientalisch kostümiert, rauschende Feste mit seinem Gefolge. Führungen täglich 11, 14 Uhr sowie für Gruppen n. Vereinb., Tel. 0 88 22/5 87.

12.45–16 Uhr. Wasserspiele (nur im Sommer) jeweils zur vollen Stunde.

Hohenschwangau Schon als Kronprinz war Maximilian von Bayern, der spätere König und Vater Ludwigs, von der herrlichen Lage zwischen Alp- und Schwansee so begeistert, daß er die Burgruine südlich von Schwangau kaufte und zu seinem Sommersitz ausbauen ließ – in neugotischem Stil mit Türmen und Zinnen. Im Innern ließ er die Räume nach Entwürfen Moritz von Schwinds mit romantischen Motiven aus der deutschen Sagen- und Heldenwelt ausschmücken. Ludwig verbrachte als Kind viele Sommer auf dem Schloß seines Vaters. Besonders die Wandbilder im Schwanenrittersaal, die die Sage Lohengrins erzählen, übten eine starke Faszination auf ihn aus. Schon damals soll er davon geträumt haben, auf einem benachbarten Felssporn eine mittelalterliche Ritterburg zu errichten, ein Plan, den er ab 1868

Neuschwanstein und Hohenschwangau
Ein solcher Blick aus der Vogelperspektive war Ludwig II. nicht vergönnt, dafür aber die Sicht von seinem Märchenschloß auf den Sommersitz seines Vaters und den Alpsee.

mit dem Bau von Neuschwanstein in die Tat umsetzte.

ℹ️ Besichtigung täglich 9–17.30 Uhr (April–September), sonst 10–16 Uhr.

Neuschwanstein Ludwigs Eindrücke von einem Besuch der Wartburg und die Liebe zu Richard Wagners Opernwerk flossen in den Entwurf des hoch über der Pöllatschlucht gelegenen Schlosses ein. Mit seinen Türmen und Zinnen hat das weiße Schloß tatsächlich große Ähnlichkeit mit einer mittelalterlichen Burg. Das Innere ist mit zahlreichen Darstellungen aus der deutschen Sagenwelt und mit viel Gold, Marmor und Schnitzwerk ausgestattet. Kultischer Mittelpunkt dieser Ritterburg aus der Opernwelt war der Sängersaal. Hier wurden die hehren Ideale von Kunst, Geist und Tugend beschworen, wie die Wandmalereien aus dem Bereich der Parzivalsage verdeutlichen. Die sakrale Stimmung, die diesen Raum prägt, findet ihren Höhepunkt im Thronsaal. Mit ihm verwirklichte Ludwig II. seinen Traum von einer „Gralsburg". Hier verband er seine Vorstellungen vom Gottesgnadentum des Herrschers mit der Idee des heiligen Grals.

Auch sein innig geliebtes Märchenschloß Neuschwanstein blieb wie so viele andere unvollendet, doch hat es der König immer wieder bewohnt. So auch 1886, als sich in München sein Schicksal entschied. Schon lange hatte man mit Sorge beobachtet, wie Ludwig seinen konstitutionellen Pflichten als Monarch immer weniger nachkam und sich statt dessen nur noch um den Fortgang seiner Bauvorhaben kümmerte. Zudem hatte er nicht allein die Finanzen des Hauses Wittelsbach bedrohlich in Unordnung gebracht, er hatte auch den Staatssäckel durch immer neue Darlehensforderungen bis an den Rand seiner Möglichkeiten strapaziert. So wurde denn von der Regierung im Zusammenwirken mit dem Königshaus nach Einholung etlicher medizinischer Gutachten beschlossen, den König für geisteskrank zu erklären und abzusetzen. In der Nacht vom 11. zum 12. Juni 1886 wurde Ludwig auf Neuschwanstein von einer Delegation seine Entmündigung eröffnet. Er wurde gefangengesetzt und in einer Kutsche nach Schloß Berg gebracht.

ℹ️ Besichtigung nur mit Führung täglich 9–17.30 Uhr (April–September), sonst 10–16 Uhr.

Roseninsel Auf der einzigen Insel im Starnberger See ließ sich König Maximilian II. Joseph ein Herrenhaus im pompejanischen Stil errichten, inmitten unzähliger Rosenstöcke, die der Insel den Namen Roseninsel gaben. Hierher zog sich auch Ludwig II. oft zurück. 1866, in den Tagen vor dem Ausbruch des Kriegs zwischen Preußen und Österreich, versteckte sich der 21jährige König auf der Insel, als eigentlich seine Entscheidung gefordert gewesen wäre. Hier traf er auch des öfteren seine Cousine Sissi und Richard Wagner. Das Haus befindet sich in baufälligem Zustand und wird derzeit saniert. Eine Bootsfahrt auf die Insel lohnt trotzdem allemal.

Possenhofen In dem kantig und abweisend wirkenden neugotischen Schloß Possenhofen am Westufer des Starnberger Sees verbrachte Sissi, die Cousine Ludwigs II. und spätere Kaiserin von Österreich, ihre Jugend. Zwischen ihr und Ludwig bestand eine enge Seelenverwandtschaft. Nicht umsonst kam nach seinem Tod im See die Spekulation auf, er habe schwimmend zu ihr fliehen wollen. Das im 19. Jh. durch Herzog Maximilian erneuerte Schloß von 1536 ist inzwischen in eine Luxuswohnanlage umgestaltet worden und nicht mehr zugänglich. Der nördliche Teil des ehem. Schloßparks aber wurde in den 60er Jahren in ein Erholungsgebiet umgewandelt.

Berg In dem schlichten kleinen Landschloß am Ostufer des Starnberger Sees, das König Maximilian II. im Stil der englischen Neugotik umgestalten ließ, wurde der entmündigte König gefangengesetzt. Hier vollendete sich sein Schicksal am 13. Juni 1886, einen Tag nach seiner Ankunft. Mit seinem Psychiater Dr. von Gudden unternahm er einen Spaziergang durch den Park zum See, von dem sie beide nicht zurückkehrten. An der Stelle, an der man im See die Leichen fand, ragt ein schlichtes Holzkreuz aus dem Wasser, und etwas oberhalb des Unglücksorts erhebt sich eine stets liebevoll geschmückte Votivkapelle. Alljährlich wird am Abend des 13. Juni zum Gedenken an den König eine Lichterprozession auf dem See veranstaltet. Das Schloß ist heute noch in Wittelsbacher Besitz und nicht zu besichtigen. Die Unglücksstelle jedoch ist öffentlich zugänglich.

Kaiserherrlichkeit im Rheinland

Das Rheinland wurde auf dem Wiener Kongreß 1815 Preußen zugesprochen. Anfangs war es eine ungeliebte Neuerwerbung, doch dann begannen sich die Hohenzollernprinzen für das Land zu interessieren und die mittelalterlichen Burgen zu romantischen Schlössern auszubauen. Auf die Erneuerung des Kaisertums folgte eine Welle des begeisterten Patriotismus, der in dieser denkmalfreudigen Zeit überall im Land durch Standbilder zu Ehren des Kaisers Ausdruck fand.

Rüdesheim Zur Erinnerung an die Gründung des neuen Deutschen Reichs unmittelbar nach dem Ende des Deutsch-Französischen Kriegs wurde 1871 hoch über dem Rhein das monumentale, fast 38 m hohe Niederwalddenkmal errichtet – ein Sinnbild des Zusammenschlusses aller deutschen Volksstämme. Die 10,5 m hohe und 32 t schwere Figur der Germania hält mit der rechten Hand stolz die wiedererworbene Kaiserkrone hoch, und mit der linken stützt sie sich selbstbewußt auf das Reichsschwert. Sechs Jahre dauerte die Bauzeit, und die Kosten beliefen sich auf über eine Million Goldmark – eine stattliche Summe, die zu einem Drittel durch Spenden der Bevölkerung finanziert wurde.

Im Unterbau erinnern Daten und Wappen an die Zeit der Reichsgründung. Auf dem größten Relief ist Kaiser Wilhelm I. hoch zu Roß inmitten von Landesfürsten, Heerführern und Soldaten aller Truppengattungen dargestellt. Zuunterst übergibt Vater Rhein sein Wachhorn an die Mosel, denn von nun an war er ja ein innerdeutscher Strom. Von der Terrasse bietet sich ein großartiger Blick auf das Rheintal und über die Höhen des Hunsrücks. Das Denkmal ist mit dem Auto, zu Fuß oder mit der Kabinenseilbahn zu erreichen.

Trechtingshausen Die stark vom Verfall bedrohte Burg Rheinstein gelangte 1825 an Prinz Friedrich Ludwig von Preußen. Er ließ das Gemäuer nach Plänen des Architekten Karl Friedrich Schinkel im Stil der

Schloß Stolzenfels bei Koblenz *Wahrhaft stolz thront die romantische Burg über dem Rhein (oben). Karl Friedrich Schinkel achtete beim Wiederaufbau darauf, daß die mittelalterliche Bausubstanz weitgehend geschont* wurde. So stammen die Mauern der dem Strom zugewandten Gebäudeteile noch aus dem 14. Jh. König Friedrich Wilhelm IV. nutzte die weitläufige Burg als Sommersitz.

Niederwalddenkmal bei Rüdesheim *Den Unterbau flankieren die Figuren Krieg und Frieden. Der Engel des Krieges (rechts oben) bläst mit der Posaune zum Gefecht. In der anderen Hand hält er ein gezücktes Schwert.*

Schloß Drachenburg bei Königswinter *Glanz und Prunk bestimmen nicht nur die Außenansicht des eigenwilligen Schlößchens, sondern auch das Innere. Die Wandbilder im Jagdzimmer zeigen Jagdszenen (rechts).*

damaligen Zeit als romantische Burg wieder aufbauen und kostbar ausstatten, so z. B. mit mittelalterlichen Glasmalereien. Kaiser Wilhelm I. weilte mehrmals auf Burg Rheinstein. Im Turm ist sein ehem. Schreibzimmer noch mit Originalmöbeln eingerichtet. Prinz Friedrich Ludwig liegt in der neugotischen Burgkapelle zusammen mit seiner Familie begraben.

ℹ Besichtigung täglich 9–19 Uhr (März–Anfang November).

Bad Ems Zu Recht nennt man die Lahnstadt auch das Kaiserbad, da Kaiser Wilhelm I. dort zwischen 1867 und 1887 regelmäßig zur Kur weilte – ausgenommen 1878, als ein Attentat auf ihn verübt wurde. Zahlreiche Kurgebäude stammen noch aus dieser Zeit.

Im Juli 1870 war die Stadt Schauplatz eines öffentlichen Wortgefechts auf der Kurpromenade zwischen Wilhelm I. und dem französischen Botschafter Graf Benedetti. Bismarck verstand diesen Vorfall diplomatisch geschickt auszunutzen und veröffentlichte die als Emser Depesche in die Geschichte eingegangene Note des Kaisers in verkürzter und damit verschärfter Form. Dadurch provozierte er sechs Tage später die französische Kriegserklärung. Die Bevölkerung begrüßte den Krieg. Ein Standbild Wilhelms I. von 1893 in den Kuranlagen der Stadt erinnert noch an die Kaiserzeit.

Koblenz Am Deutschen Eck, dem Zusammenfluß von Mosel und Rhein, wurde 1897 zu Ehren Kaiser Wilhelms I. ein Reiterdenkmal enthüllt. Im Zweiten Weltkrieg zerstört, gilt der wieder aufgebaute Unterbau heute als Mahnmal der deutschen Einheit.

Jenseits des Rheins erhebt sich auf einem Felsen die mächtige Festung Ehrenbreitstein. Die Anlage geht auf eine frühmittelalterliche Burg zurück und wurde später zur wehrhaften Residenz der Trierer Erzbischöfe ausgebaut. Durch Aushungern gelang es den Franzosen 1799, sie in ihren Besitz zu bringen. Als Frankreich 1801 durch den Frieden von Lunéville das linke Rheinufer erhielt, wurde Ehrenbreitstein von den Franzosen völlig zerstört: 30 000 Pfund Pulver benötigten sie für die Sprengung. Nachdem das Rheinland auf dem Wiener Kongreß Preußen zugesprochen worden war, begann man ab 1815 mit dem Wiederaufbau der Festung zu einer etwas nüchterner wirkenden Anlage.

Rund 4 km flußaufwärts thront Burg Stolzenfels über dem Strom. Sie wurde im 13. Jh. erbaut und 1688 im Pfälzer Erbfolgekrieg durch die

Franzosen zerstört. 1802 kam die Ruine an Koblenz und wurde 1823 dem preußischen Kronprinzen und späteren König Friedrich Wilhelm IV. zum Geschenk gemacht. Dieser verpflichtete 1835 für einen Neubau im romantischen Stil den Architekten Karl Friedrich Schinkel, der jedoch 1841, noch vor Abschluß der Bauarbeiten, starb. Ein Jahr nach seinem Tod war das Schloß schließlich vollendet.

Zuerst betritt man die große Terrasse des äußeren Burghofs, wo ein vergoldeter Adler, Symbol der Herrschaft Preußens, den Blick auf sich zieht. Dann führt der Weg durch den inneren Burghof zum südlich-heiter anmutenden Pergolagarten, den Schinkel in Anlehnung an die Alhambra in Granada schuf. Innen ist die Burg kostbar ausgestattet. Zur Einrichtung gehören Originalmöbelstücke und ein Portrait des Bauherrn. Das Schloß ist nur zu Fuß erreichbar (etwa 15 Minuten).

ℹ Schloß Stolzenfels: Besichtigung nur mit Führung Di–So 9–12, 14–17 Uhr (April–September), sonst Di–So 10–12, 14–16 Uhr, Dezember geschlossen.

Königswinter Am Hang des sagenumwobenen Drachenfels liegt Schloß Drachenburg. Man kann es zu Fuß, auf Eselsrücken oder mit der Zahnradbahn erreichen. Der neugotische Bau ist ein weiteres Zeugnis für die Vorliebe des 19. Jh., durch historisierende Bauten das Mittelalter

Von Rüdesheim nach Köln Die knapp 200 km lange Tour folgt dem Lauf des Mittelrheins, der mit seiner abwechslungsreichen und stellenweise dramatischen Landschaft im 19. Jh. zum Inbegriff der Rheinromantik wurde.

Brühl Das Bahnhofsgebäude im Stadtteil Kierberg wurde 1874 deshalb so groß und repräsentativ gebaut, weil Kaiser Wilhelm I. von hier mit seinem Stab zu den Manövern in die Eifel aufzubrechen pflegte. Der „Kaiserbahnhof" liegt an der Strecke Köln–Trier und ist heute noch in Betrieb.

Köln König Friedrich Wilhelm IV. legte 1855 den Grundstein für die erste, 409 m lange Eisenbahnbrücke über den Rhein nach Deutz. Ihm zu Ehren errichtete man ein Reiterstandbild, dem 1867 ein weiteres von König Wilhelm I. folgte. Zu Beginn des 20. Jh. wurde die Brücke neu erbaut; bei der Einweihung 1910 wurde ein Bronzedenkmal Kaiser Friedrichs III. enthüllt. Ein Jahr später vervollständigte ein Standbild Kaiser Wilhelms II. das Quartett der „Hohenzollernreiter".

An die Hohenzollern erinnert auch 3 km flußaufwärts die Ruine eines ehem. preußischen Forts, die im

in verklärter Weise wiederzubeleben. Baron Stephan von Sarter ließ das Märchenschlößchen 1882–1884 erbauen und mit Kunstwerken schmücken, die man aus der ganzen Welt zusammengetragen hatte. Das im Zweiten Weltkrieg stark zerstörte Schloß wurde inzwischen von seinem neuen Besitzer restauriert. Unter den zahlreichen Historienbildern befinden sich auch Portraits von Mitgliedern der Kaiserfamilie.

ℹ Besichtigung mit Führung täglich 10–18 Uhr (Sommermonate).

heutigen Hindenburgpark unmittelbar am Rheinufer zu sehen ist. Solche Forts wurden nach 1815, als Köln zu Preußen kam, am Rand der späteren Neustadt angelegt. 1888 wurden sie geschleift; übrig blieb nur diese eine Ruine, an deren große Zeit noch ein Reichsadler erinnert.

Kurhaus in Bad Homburg *Die Fassade des Kaiser-Wilhelms-Bades inmitten des Kurparks wird aufgelockert durch den Farbkontrast von gelbem Klinker und rotem Sandstein. Das eindrucksvolle Gebäude vermittelt eine Vorstellung von der Pracht eines herrschaftlichen Bades aus der Kaiserzeit.*

Arnsberg Ernst Zwirner, ab 1833 Kölner Dombaumeister, erhielt 1848 vom Grafen von Fürstenberg den Auftrag, in Herdringen in der Nähe von Arnsberg im Sauerland ein Schloß zu errichten. Das 1852 fertiggestellte vierflüglige Herrenhaus mit Ecktürmen, ein imposantes Wasserschloß, das sich in Privatbesitz befindet, gehört mit seinen Zinnen und Staffelgiebeln zum Besten, was die westfälische Neugotik zu bieten hat. Diese damals populäre Strömung, die den gotischen Stil des 12.–16. Jh. nachahmte, kam aus England. Sie faßte aber im Deutschen Reich, in dem man an die Tradition des Mittelalters anknüpfen wollte, bald Fuß und wurde zu einem nationalen Stil.

Aschaffenburg Einen Hauch von mediterraner Antike verspürt der Besucher von Aschaffenburg in Unterfranken, wenn er durch den Schloßgarten mainabwärts zum Pompejanum geht. Umgeben von Zedern, Feigen- und Mandelbäumen, steht hier die von Friedrich von Gärtner für König Ludwig I. von Bayern errichtete Nachbildung des in Pompeji ausgegrabenen Hauses der Castor und Pollux. 1944 zer-

bombt, wurde die um 1850 in antikem Stil erbaute Villa inzwischen wieder vollständig renoviert.

Bad Homburg v. d. Höhe Ein Dutzend seit 1834 entdeckte Heilquellen und die Errichtung einer Spielbank machten im 19. Jh. den Ort in Hessen zu einem Kurbad des Hochadels. Auch Kaiser Wilhelm II. weilte häufig hier. Der schlichte Bau des heutigen Spielkasinos, früher der Brunnenkursaal, entstand schon 1838. Doch erst 20 Jahre danach nahm man die planmäßige Gestaltung eines Kurparks in Angriff, in dem später einige heute etwas kurios anmutende Bauten errichtet wurden. So entstanden beispielsweise 1899 die byzantinisch geformte Russische Kapelle und 1907 der Siamtempel, ein Holzbau mit vergoldetem Schnitzwerk, gestiftet von König Chulalongkorn von Siam. Den Rundtempel um die Augusta-Viktoria-Quelle baute man 1910 nach eigenhändigen Entwürfen von Kaiser Wilhelm II. Besonders beachtenswert ist das Kaiser-Wilhelms-Bad von 1890, dessen Mittelbau von einer hohen Kuppel überwölbt ist; unter ihr nimmt sich die antik gestaltete Eingangshalle verhältnismäßig klein aus.

Reichstagsgebäude in Berlin *Vor der imposanten Kulisse des 1884–1894 im Stil der Neurenaissance errichteten Reichstags veranstaltete der Wiener Künstler André Heller im Juli 1984 ein grandioses festliches Spektakel.*

Berlin Unmittelbar an der Mauer im Bezirk Tiergarten erhebt sich das Reichstagsgebäude. 1884–1894 wurde diese repräsentative Versammlungsstätte nach Plänen von Paul Wallot für das Nationalparlament errichtet. Sie sollte ein Symbol für die Einheit und Größe des Deutschen Reiches darstellen. Damals wurde der Monumentalbau in den Formen der italienischen Hochrenaissance noch von einer riesigen Stahlglaskuppel bekrönt. Beim Wiederaufbau des Reichstagsgebäudes, das 1933 durch Brandstiftung beschädigt und 1945 vollends zerstört worden war, ließ man dieses Architekturelement weg. Doch sowohl Kuppel als auch Portal und Fassadenschmuck sollen nach neuesten Plänen bis 1994 originalgetreu wiederhergestellt werden. Das Gebäude wird heute von Gremien des Deutschen Bundestags sowie für andere Veranstaltungen genutzt.

An der Nordseite des Großen Sterns, der von der Straße des 17. Juni, der Hofjägerallee, dem Spreeweg und der Altonaer Straße gebildet wird, erheben sich die Standbilder von drei Männern, deren politische und militärische Erfolge die Schaffung des Kaiserreichs ermöglichten: Reichskanzler Otto von Bismarck, der Chef des Großen Generalstabs, Helmut Graf von Moltke, sowie der preußische Kriegs- und Marineminister Albrecht von Roon.

Coburg Die gesamte Anlage des Schloßplatzes der kleinen oberfränkischen Stadt ist ein Werk des 19. Jh. Man errichtete die Arkaden, in deren Mitte sich seit 1849 das Denkmal Ernsts I., Herzog von Sachsen-Coburg und Gotha, erhebt. Schon 1840 war der klassizistische Bau des Landestheaters, dessen Originalausgestaltung mit großartigen Malereien erhalten ist, am Nordende des Platzes fertiggestellt. 40 Jahre später gesellte sich das Palais Edinburgh dazu, in dem heute die Industrie- und Handelskammer untergebracht ist. Der Bau des im 16. Jh. errichteten Schlosses Ehrenburg wurde neugotisch und klassizistisch verändert, und den Hofgarten, der über den Schloßplatzarkaden zur Veste aufsteigt, gestaltete man nach 1855 aus. 1860 veranstaltete Herzog Ernst II. von Sachsen-Coburg und Gotha, der ganz von der Idee der deutschen Einheit durchdrungen war, hier das erste Deutsche Turn- und Jugendfest und ließ zu diesem Zweck den neugotischen Quaderbau der Reithalle errichten. Hier fand zwei Jahre später auch das erste Treffen des Deutschen Sängerbundes statt.

ℹ️ Landestheater: Besichtigung n. Vereinb., Tel. 0 95 61/9 50 21.

Hermannsdenkmal bei Detmold *Das Schwert hoch erhoben, blickt Hermann der Cherusker weit über das Land. Die Kolossalstatue steht auf einem Rundtempel, dessen Plattform eine herrliche Aussicht bietet.*

Detmold Als Symbol der Einheit des Reiches errichtete man 1838 bis 1875 nahe Detmold im Teutoburger Wald das Hermannsdenkmal. Der Cheruskerfürst Hermann hatte im Jahr 9 n. Chr. hier die Römer in die Flucht geschlagen und somit einen Sieg errungen, der das Deutschland des 19. Jh. mit Stolz erfüllte. So kam auch Kaiser Wilhelm I. zur Einweihung des von Ernst von Bandel geschaffenen Monuments.
ℹ Besichtigung täglich 9–18.30 Uhr (Sommer), sonst 9.30–16.30 Uhr.

Edenkoben König Ludwig I. von Bayern wünschte sich „eine Villa italienischer Art, nur für die schöne Jahreszeit und in des Königreiches mildestem Teil". So entstand in Edenkoben in der Pfalz von 1843 bis 1852 unter der Leitung des rheinländischen Baumeisters Friedrich von Gärtner am Berghang unterhalb der Rietburg das Sommerschloß Ludwigshöhe. Die zweigeschossige Anlage, deren Terrasse auf die Rheinebene hinausgeht, ist im klassizistischen Stil erbaut, der römisch-antiken Formen nachempfunden ist. Dem Äußeren entsprechend hat man auch das Innere antikisierend gestaltet; die Wandmalereien im Speisesaal etwa ahmen pompejanische Vorbilder nach.
ℹ Besichtigung Di–So 9–13, 14–18 Uhr (April–September), sonst 9–13, 14–17 Uhr, Dezember geschlossen.

Arbeitszimmer Bismarcks *Hier in diesem Raum in Friedrichsruh bei Hamburg vollendete der Eiserne Kanzler seine „Gedanken und Erinnerungen".*

Friedrichsruh Im Gutspark Friedrichsruh östlich von Hamburg befindet sich das Mausoleum des Fürsten und Reichskanzlers Otto von Bismarck und seiner Gattin. In dem achteckigen Raum einer neugotischen Anlage, die 1890 als zweigeschossiges Tuffsteingebäude auf einem Granitsockel errichtet wurde, stehen die Marmorsarkophage.
Im Landhaus Friedrichsruh, dem Alterssitz des Reichskanzlers, ist seit 1951 ein Museum eingerichtet, das persönliche Gegenstände Bismarcks – Stiefel, Schlapphut, Pistole, Handschriften u. a. – ausstellt.
ℹ Museum und Gruftkapelle: Mo 14–18, Di–Sa 9–18, So 10–18 Uhr (April–September), sonst Di–Sa 9 bis 16, So 10–16 Uhr.

Frücht Karl Reichsfreiherr vom und zum Stein, einer der bedeutendsten Staatsmänner Preußens, der sich für die grundlegende Reform des preußischen Staatswesens einsetzte, ließ für sich und seine Familie südöstlich von Koblenz auf dem Hohen Malberg bei Frücht eine Gruftkapelle errichten. Das 1821 fertiggestellte Gebäude, das nach Plänen von Johann Claudius von Lassaulx entstand, ist eines der schönsten Beispiele jener Baukunst, die mit moderneren Mitteln die Gotik nachahmte. Die Grabmäler sind mit figürlichen Reliefbildern aus Marmor geschmückt.
ℹ Besichtigung n. Vereinb., Tel. 0 26 03/57 99.

Göttingen Otto von Bismarck zog zu Ostern 1832 nach Göttingen, um an der dortigen Universität drei Semester Jura zu studieren. Das Haus am Wall, in dem der nicht sehr eifrige Student lebte, ist heute durch eine Gedenktafel gekennzeichnet.
Östlich der Stadt errichtete man 1897 dem Reichskanzler den sogenannten Bismarck-Stein, ein Denkmal in Form eines polygonalen, dreigeschossigen Bauwerks, dem ein höherer Rundturm angesetzt ist. Von hier hat man eine herrliche Aussicht auf die alte Universitätsstadt.

Hamburg Gewappnet und gepanzert steht seit 1906 der Eiserne Kanzler, Otto Fürst von Bismarck, als fast 15 m hohes Granitstandbild auf dem mächtigen Unterbau des Monumentaldenkmals in der Holstenwallanlage und überblickt den Hafen. Emil Schaudt schuf den Rundbau mit den Relieffiguren, über dem sich die Kolossalstatue des Bildhauers Hugo Lederer erhebt. Die dem Roland von Bremen nachempfundene Figur soll ein Symbol des Reichsschutzes für den Hamburger Welthandel darstellen.

Hanau Im Barockschloß Philippsruhe im Stadtteil Kesselstadt ist das Historische Museum der Stadt eingerichtet, das eine besondere Abteilung der Geschichte der Revolutionen von 1830 und 1848/49 widmet. Karikaturen und Flugblätter, aber auch Waffen demonstrieren, wie die republikanisch eingestellten Hanauer um mehr Demokratie und Mitbestimmung kämpften.
ℹ Historisches Museum: Di–So 10 bis 17 Uhr.

Burg Hohenzollern bei Hechingen Von weitem schon grüßen die vielen Türme der malerischen Burg den Wanderer. Das Stammschloß des Hauses Hohenzollern, Mitte des vorigen Jahrhunderts wieder errichtet, erhebt sich auf der Schwäbischen Alb auf dem 855 m hohen Zollernberg.

Hannover 1826 lieferte der Oberhofbaudirektor Georg L. Laves den Entwurf für die Waterloosäule, die auf dem gleichnamigen Platz aufgestellt wurde. Das würfelförmige Postament trägt die Namen der Hannoveraner, die in der Schlacht von Waterloo 1815 gefallen sind. Auf einer toskanischen Säule ruht eine Kugel, über der die Siegesgöttin aus vergoldetem Kupfer gleichsam zu schweben scheint.

Hechingen König Friedrich Wilhelm IV. von Preußen, der „Romantiker auf dem Thron", war ein großer Förderer der Architektur, der am liebsten Vergangenes wieder erstehen ließ. Schon 1819 hatte er als junger Prinz die vermutlich bis ins 11. Jh. zurückreichende Stammburg des Geschlechts der Hohenzollern auf der Schwäbischen Alb besucht, die freilich zu jener Zeit verfallen war, und von ihrem Wiederaufbau geträumt. Erst 1850 konnte er diesen Wunsch in die Tat umsetzen. Er dachte zunächst daran, eine verteidigungsfähige Anlage aufzubauen, und so zog man den Festungsbaumeister Moritz von Prittwitz aus Ulm hinzu, der aber lediglich die in-

teressanten Auffahrtsschnecken gestaltete. Der eigentliche Baumeister der Anlage, die bis 1867 entstand, wurde nun, neben dem König und seinem Vetter, Fürst Karl Anton von Hohenzollern, Friedrich August Stüler. Er schuf einen beeindruckenden Burgkomplex, dessen Hauptbau mit zahlreichen Türmen verziert ist. Wenn die romantische, stolz die Landschaft beherrschende Anlage auch nicht wirklich mittelalterlichen Burgbauten entspricht, so erfüllt sie doch die Absicht des Bauherrn, die historische Kontinuität des Hauses Hohenzollern, seine Tradition und seinen Glanz zu repräsentieren. Die Ausstattung im Innern ist größtenteils ein Erbe des 19. Jh. Besondere Beachtung verdienen einige Prachträume wie der Grafensaal, das Königin- und das Markgrafenzimmer.
ⓘ Besichtigung täglich 9–17.30 Uhr (April–Oktober), sonst 9–16.30 Uhr.

Heidelberg „Sprengmine 1849" – diese in die linke Brüstung eingemeißelte Inschrift und blaues Basaltpflaster kennzeichnen auf der Alten Brücke die Lage einer Sprengkammer. Badische Revolutionäre legten sie 1849 an, als sie den Angriff der Preußen erwarteten. Das „Pulverfäßle" wurde allerdings nicht gezündet, als die Freischärler abzogen, und so blieb dem preußisch besetzten Heidelberg die Alte Brücke erhalten.

Kandern Im Heimatmuseum von Kandern bei Lörrach werden eine Freischärlerfahne und Darstellungen vom Gefecht auf der Scheideck aufbewahrt, das am Gründonnerstag 1848 zwischen badischen Aufständischen unter Friedrich Hecker und den Truppen des Generals Friedrich von Gagern stattfand. 6 km südöstlich des Ortes, auf der Paßhöhe der Straße nach Schlächtenhaus, erinnert ein Gedenkstein an diese Kampfhandlung der Revolution, bei der von Gagern fiel, während Hekker sich nach Muttenz bei Basel flüchten konnte.
ⓘ Heimatmuseum, Ziegelstraße 21: So 10–12.30, Mi 15–17.30 Uhr (April–November).

Kaub In der Metzgergasse 6 steht ein 1780 erbautes Haus, das einst der Gasthof „Zur Stadt Mannheim" war. In der denkwürdigen Neujahrsnacht des Jahres 1813/14 leitete von hier aus der Oberbefehlshaber der Schlesischen Armee, Gebhard Leberecht Fürst Blücher von Wahlstatt, den Übergang der preußischen und russischen Truppen über den Rhein. Heute ist in dem Haus ein Blüchermuseum eingerichtet, das persönliche Gegenstände dieses volkstümlichsten Helden der deutschen Befreiungskriege – Tabaksdose, Handschuhe, Schreibmappe, Briefe – sowie Erläuterungen zum militärischen Geschehen der Zeit bewahrt.
ⓘ Besichtigung Mi–Mo 10–12, 14–16 Uhr (April–November), sonst Mi–Mo 10–12, So auch 14–16 Uhr.

Fürst Blücher in Kaub Der im Volk sehr beliebte „Marschall Vorwärts", der sich sehr für die preußische Heeresreform einsetzte, besiegte bei Leipzig und Waterloo Napoleon und trug damit entscheidend zur Befreiung Europas bei.

Kyffhäuser Wie die Sage erzählt, wartet im Kyffhäuser, einem Bergrücken am Nordrand des Thüringer Beckens in der DDR, Kaiser Friedrich I. Barbarossa in der Barbarossahöhle auf seine Wiederkehr. Oben auf dem Bergkamm zeigt er sich schon: als Reiterstandbild vor dem Kyffhäuserdenkmal, das das geschichtsbewußte Kaiserreich 1896 errichtete.

Lichtenstein Zwischen dem Schloß Lichtenstein und dem romantischen Dichter Wilhelm Hauff besteht eine enge Beziehung: 1802, im Geburtsjahr des Dichters, wurde die mittelalterliche Burg abgebrochen. 1826 machte Hauff die Burg zum Schauplatz eines seiner historisch-phantastischen Romane und damit berühmt. Zwölf Jahre nach dem Tod des schon 1827 verstorbenen Dichters ließ Wilhelm Graf von Württemberg auf dem steilen Felsen über dem Echaztal südöstlich von Reutlingen die Anlage wieder aufbauen und daneben ein Denkmal für Hauff errichten. Die Burg sollte nach den Wünschen des Grafen „eine deutsche Ritterburg im edelsten Stil des Mittelalters" werden. Der Architekt Ernst Heideloff aus Stuttgart und der

Denkmal Barbarossas auf dem Kyffhäuser
Kaiser Friedrich I. Barbarossa mit dem gewaltigen Bart wird der Sage nach alle 1000 Jahre von einem Raben aus seinem tiefen Schlaf geweckt, um zu hören, ob das Reich geeint sei und er zurückkehren könne.

Bauleiter Rupp aus Reutlingen versuchten, diesem Anspruch gerecht zu werden. Sie schufen zum Teil noch auf den mittelalterlichen Mauern ein neugotisches Schlößchen, das mit seinen Türmen und Zinnen an ein Märchenschloß erinnert.
i Besichtigung Mo–Sa 9–12, 13–17.30 Uhr, So und feiertags durchgehend geöffnet (April–Oktober), November, Februar und März nur Sa und So 9–12, 13–17 Uhr, Dezember und Januar geschlossen.

Minden Südlich der Stadt überwölbt auf dem Wittekindsberg ein monumentaler Baldachinbau auf hohem Sockel die Bronzestatue Kaiser Wilhelms I. Vom Denkmal aus, das 1892–1896 zu Ehren des Kaisers geschaffen wurde, hat man einen herrlichen Blick auf die Porta Westfalica, den Durchbruch der Weser durch Weser- und Wiehengebirge.

Nassau Karl Reichsfreiherr vom und zum Stein ließ 1814 an das Stammschloß seiner Väter in Nassau an der Lahn einen achteckigen Turm in neugotischem Stil anfügen, der u.a. eine Gedächtnisstätte für die Befreiungskriege sein sollte. Der Koblenzer Architekt Johann Claudius von

Lassaulx, eigentlich studierter Rechtsgelehrter und Mediziner, schuf hier sein erstes bedeutendes Werk. Der dreistöckige Turm mit verzierten Spitzbogenfenstern trägt oben eine Dachterrasse mit steinerner Maßwerkbrüstung. Der Figurenschmuck im zur Ehrenhalle ausgebauten Obergeschoß stammt von Hofbildhauer Christian Daniel Rauch. Die Marmorbüsten stellen die verbündeten Monarchen der Heiligen Allianz dar. Der Bildhauer Peter Imhoff fertigte die Figuren an den Wandstreben des Erdgeschosses. Sie verkörpern die Heiligen Adalbert, Leopold, Alexander Newski und Georg, die Schutzpatrone von Preußen, Österreich, Rußland und England, die himmlischen Mitstreiter der gegen Napoleon verbündeten Länder.

Pattensen Mitte des 19. Jh. ließ Georg V. von Hannover für seine Gemahlin Königin Marie am Rand des Leinetals südlich von Hannover das Schloß Marienburg errichten. Der imposante Bau inmitten von ausgedehnten Wäldern geht auf einen Entwurf des Architekten Conrad Wilhelm Hase zurück, der damit eines der Hauptwerke der neugotischen Architektur in Niedersachsen schuf. Da an dieser Stelle noch keine Burg gestanden hatte, konnte man nicht auf historische Bauteile zurückgreifen. Die zweigeschossige Vierflügelanlage, die von dem gewaltigen Bergfried beherrscht wird, wurde nach dem Vorbild mittelalterlicher und im Lauf der Jahrhunderte gewachsener Burgen gestaltet, jedoch so geometrisch angelegt, daß sie trotz ihrer Formenvielfalt einen wohlproportionierten Eindruck macht. Im Innern beeindrucken die fast vollständig er-

haltene Ausstattung und zahlreiche Sammlungen, u.a. von Bildern, Porzellan und Waffen.
i Besichtigung Mo–Sa 9–12, 14–18, So und feiertags 8–18 Uhr.

Volkach Auf dem Sonnenberg bei Schloß Gaibach in Unterfranken wurde ein herrlicher Park angelegt, in dem die 32 m hohe Konstitutionssäule steht. Der Architekt Leo von Klenze, der auch um 1820 Räume im Nordflügel des Schlosses ausstattete, entwarf die klassizistische Säule als Denkmal für die 1818 von König Maximilian I. Joseph erlassene bayerische Verfassung.

Wiesbaden 1835 entwarf Georg Moller die Pläne für den noblen dreigeschossigen Eckbau des Schlosses der Herzöge von Nassau, der 1837–1841 unter der Leitung von Richard Goerz verwirklicht wurde. Obgleich der Bau, in dem heute der Hessische Landtag seinen Sitz hat, im Zweiten Weltkrieg nicht verschont blieb, sind die edel ausgestatteten Innenräume doch weitgehend unversehrt erhalten. Dem Geschmack und Stil der Zeit entsprechend, ist das Dekor – Malereien und Statuen antiker Göttergestalten nach pompejanischen Vorbildern –

Marienburg in Pattensen *Das Bild zeigt die fahnengeschmückte Treppenhalle des Bergfrieds, die durch den kunstvoll gestalteten Fußboden und die weißen Pfeiler ein festliches Aussehen erhält.*

dem klassischen Altertum entlehnt.
i Besichtigung n. Vereinb., Tel. 0 61 21/3 52 24.

Wolfsburg Zum Gedenken an den Dichter des Deutschlandlieds, August Heinrich Hoffmann, der sich nach seinem Geburtsort von Fallersleben (heute Ortsteil von Wolfsburg) nannte, ist 1982 im dortigen Küsterhaus ein Museum eingerichtet worden. Anhand von Urkunden, Schriften und Fotos wird hier ein Einblick in das Leben des 1798 geborenen Dichters vermittelt, der, obgleich Patriot, zeitweise im eigenen Land nicht wohlgelitten war. Das Deutschlandlied schrieb er 1848 im Exil auf Helgoland, das bis 1890 zu Großbritannien gehörte.
i Küsterhaus, Schloßplatz Fallersleben: Di, Do 9–12, 16–18 Uhr und n. Vereinb., Tel. 0 53 62/5 26 23.

„An mein Volk"

Napoleons Niederlage in Rußland 1812 bot dem preußischen König Friedrich Wilhelm III. eine günstige Gelegenheit, sein Land von der französischen Herrschaft zu befreien. Sein Aufruf zum Kampf vom 17. März 1813 beschwört den Patriotismus und die Opferbereitschaft der Preußen:

So wenig für Mein treues Volk als für Deutsche bedarf es einer Rechenschaft über die Ursachen des Kriegs, welcher jetzt beginnt. Klar liegen sie dem unverblendeten Europa vor Augen.

Wir erlagen unter der Übermacht Frankreichs. Der Frieden, der die Hälfte Meiner Untertanen Mir entriß, gab uns seine Segnungen nicht; denn er schlug uns tiefere Wunden als selbst der Krieg. Das Mark des Landes ward ausgesogen, die Hauptfestungen blieben vom Feinde besetzt, der Ackerbau ward gelähmt [...]. Die Freiheit des Handels ward gehemmt [...]. Das Land ward ein Raub der Verarmung.

Durch die strengste Erfüllung eingegangener Verbindlichkeiten hoffte Ich Meinem Volke Erleichterung zu bereiten und den französischen Kaiser endlich zu überzeugen, daß es sein eigener Vorteil sei, Preußen seine Unabhängigkeit zu lassen. Aber Meine reinsten Absichten wurden durch Übermut und Treulosigkeit vereitelt, und nur zu deutlich sahen wir, daß des Kaisers Verträge mehr noch wie seine Kriege uns langsam verderben mußten. Jetzt ist der Augenblick gekommen, wo alle Täuschung über unsern Zustand aufhört.

Brandenburger, Preußen, Schlesier, Pommern, Litauer! Ihr wißt, was Ihr seit fast sieben Jahren erduldet habt, Ihr wißt, was Euer trauriges Los ist, wenn wir den beginnenden Kampf nicht ehrenvoll enden. Erinnert Euch an die Vorzeit, an den großen Kurfürsten, den großen Friedrich. Bleibt eingedenk der Güter, die unter ihnen unsere Vorfahren blutig erkämpften: Gewissensfreiheit, Ehre, Unabhängigkeit, Handel, Kunstfleiß und Wissenschaft. [...]

Große Opfer werden von allen Ständen gefordert werden: denn unser Beginnen ist groß und nicht geringe die Zahl und die Mittel unserer Feinde. Ihr werdet jene lieber bringen für das Vaterland, für Euren angebornen König als für einen fremden Herrscher, der, wie so viele Beispiele lehren, Eure Söhne und Eure letzten Kräfte Zwecken widmen würde, die Euch ganz fremd sind. [...]

Es ist der letzte entscheidende Kampf, den wir bestehen für unsere Existenz, unsere Unabhängigkeit, unsern Wohlstand; keinen andern Ausweg gibt es als einen ehrenvollen Frieden oder einen ruhmvollen Untergang. Auch diesem würdet Ihr getrost entgegengehen um der Ehre willen, weil ehrlos der Preuße und der Deutsche nicht zu leben vermag. Allein wir dürfen mit Zuversicht vertrauen: Gott und unser fester Willen werden unserer gerechten Sache den Sieg verleihen, mit ihm einen sicheren glorreichen Frieden und die Wiederkehr einer glücklichen Zeit.

König Friedrich Wilhelm III. Der pflichttreue Monarch nutzte die Gunst der Stunde: Sein Aufruf löste die Befreiungskriege aus, die das Ende der Herrschaft Napoleons brachten.

Völkerschlacht

Drei Tage tobte die Völkerschlacht bei Leipzig, bis die Entscheidung gefallen war: Preußen triumphierte, und Napoleon war geschlagen. Über 100 000 Soldaten wurden auf beiden Seiten getötet oder verwundet. Der Berliner Arzt Professor Reil berichtet über das Elend in den Lazaretten:

Ich kam am 25. Oktober [1813] früh in Halle an, fand diesen von allen Seiten gepreßten Ort mit mehr als 7000 Kranken überladen, und noch strömten immer neue vom Schlachtfelde bei Leipzig zu. [...] Auf dem Wege [nach Leipzig] begegnete mir ein ununterbrochener Zug von Verwundeten, die wie die Kälber auf Schubkarren, ohne Strohpolster, zusammengeklumpt lagen [...]. In Leipzig fand ich ohngefähr 20 000 verwundete und kranke Krieger von allen Nationen. Die zügelloseste Phantasie ist nicht imstande, sich ein Bild des Jammers in so grellen Farben auszumalen, als ich es hier in der Wirklichkeit vor mir fand. Das Panorama würde selbst der kräftigste Mensch nicht anzuschauen vermögen; daher gebe ich

*Schlacht bei Leipzig
Anfang Oktober 1813
zog sich das Netz um
Napoleon und sein
Heer in Sachsen zusammen. An der Völkerschlacht waren
über eine halbe Million
Soldaten beteiligt.*

Ihnen nur einzelne Züge dieses schauderhaften Gemäldes, von welchem ich selbst Augenzeuge war, und die ich daher verbürgen kann. Man hat unsere Verwundete an Orte niedergelegt, die ich der Kaufmännin nicht für ihren kranken Möppel anbieten möchte. Sie liegen entweder in dumpfen Spelunken, in welchen selbst das Amphibienleben nicht Sauerstoffgas genug finden würde, oder in scheibenleeren Schulen und wölbischen Kirchen, in welchen die Kälte der Atmosphäre in dem Maße wächst, als ihre Verderbnis abnimmt, bis endlich einzelne Franzosen noch ins Freie hinausgeschoben sind, wo der Himmel das Dach macht, und Heulen und Zähnklappen herrscht. An dem einen Pol der Reihe tötet die Stickluft, an dem andern reibt der Frost die Kranken auf. Bei dem Mangel öffentlicher Gebäude hat man dennoch auch nicht ein einziges Bürgerhaus den gemeinen Soldaten zum Spitale eingeräumt. An jenen Orten liegen sie geschichtet wie die Heringe in ihren Tonnen, alle noch in den blutigen Gewändern, in welchen sie aus der heißen Schlacht hereingetragen sind.

Diplomat Bismarck

Nach dem Deutsch-Französischen Krieg 1870/71 nutzte Bismarck die nationale Kriegsbegeisterung zur Gründung des zweiten deutschen Kaiserreichs am 18. Januar 1871 in Versailles. Das schwierige diplomatische Vorspiel dazu schreibt er in seinen Memoiren nieder:

Außer den bayrischen Unterhändlern befand sich in Versailles als besondrer Vertraunsmann des Königs Ludwig der ihm als Oberststallmeister persönlich nahestehende Graf Holnstein. Derselbe übernahm auf meine Bitte in dem Augenblick, wo die Kaiserfrage kritisch war und an dem Schweigen Bayerns und der Abneigung König Wilhelms zu scheitern drohte, die Überbringung eines Schreibens von mir an seinen Herrn, das ich, um die Beförderung nicht zu verzögern, sofort an einem abgedeckten Eßtische auf durchschlagendem Papier und mit widerstrebender Tinte schrieb. Ich entwickelte darin den Gedanken, daß die bayrische Krone die Präsidialrechte, für die die bayrische Zustimmung geschäftlich bereits vorlag, dem Könige von Preußen ohne Verstimmung des bayrischen Selbstgefühls nicht werde einräumen können; der König von Preußen sei ein Nachbar des Königs von Bayern, und bei der Verschiedenheit der Stammesbeziehungen werde die Kritik über die Konzessionen, welche Bayern mache und gemacht habe, schärfer und für die Rivalitäten der deutschen Stämme empfindlicher werden. Preußische Autorität innerhalb der Grenze Bayerns ausgeübt, sei neu und werde die bayrische Empfindung verletzen, ein deutscher Kaiser aber sei nicht der im Stamme verschiedne Nachbar Bayerns, sondern der Landsmann; meines Erachtens könne der König Ludwig die von ihm der Autorität des Präsidiums bereits gemachten Konzessionen schicklicherweise nur einem deutschen Kaiser, nicht einem König von Preußen machen. […] Der Graf trat seine Reise nach Hohenschwangau binnen zwei Stunden, am 27. November, an und legte sie […] in vier Tagen zurück. Der König war wegen eines Zahnleidens bettlägrig, lehnte zuerst ab, ihn zu empfangen, nahm ihn aber an, nachdem er vernommen hatte, daß der Graf in meinem Auftrage und mit einem Briefe von mir komme. Er hat darauf im Bette mein Schreiben in Gegenwart des Grafen zweimal sorgfältig durchgelesen, Schreibzeug gefordert und das von mir erbetne und im Konzept entworfene Schreiben an den König Wilhelm zu Papier gebracht.

***Otto von Bismarck**
19 Jahre lang bestimmte Bismarck als Reichskanzler und preußischer Ministerpräsident die deutsche Außenpolitik. Sein Ziel war die Sicherung der machtpolitischen Stellung des jungen Deutschen Reichs in Europa. Den Erfolg seiner Politik garantierte ein kompliziertes Bündnissystem, das nur er zu handhaben wußte.*

Hambacher Fest

Etwa 30 000 Teilnehmer, darunter zahlreiche Mitglieder der verbotenen Burschenschaft, versammelten sich im Mai 1832 auf dem Hambacher Schloß in der Pfalz zu einer Massenkundgebung. Unter dem Eindruck der Julirevolution in Frankreich verurteilten sie die politische Zersplitterung Deutschlands und forderten eine deutsche Republik. Der Festredner Dr. Hepp aus Neustadt erklärt:

Nur Bekanntes, aber dennoch ewig Wahres […] spreche ich aus, wenn ich behaupte, daß die ganze Schmach, der namenlose Jammer, der auf Deutschland lastet, nur aus der Vereinzelung und Getrenntheit der deutschen Stämme, aus Mangel an Volksthum, aus der Unentschlossenheit herrühre, für die heilige Sache des Vaterlandes alles Andere zu opfern.

Nur Einheit giebt einem Volke Kraft und Sicherheit, mögen einzelne Theile in sich noch so schwach seyn, sie werden in einem gemeinsamen Mittelpunkt stark und mächtig. […]

Auf darum, ihr deutschen Männer und Brüder, vereinigt euch Alle, die ihr wahre Freunde des Vaterlandes seyd, vereinigt euch! nicht im Geheimen und Verborgenen, sondern wie heute im Angesicht des Vaterlandes, und wirkt, daß […] die öffentliche Meinung in Wahrheit sich ausspreche. Nur auf diese Weise kann dem theuren Vaterlande Hilfe und Rettung kommen, nur auf diesem Wege werden in ihm Ruhm und Glück, Ehre und Wohlstand auferstehen. Gelingt es uns zu handeln, wie es Pflicht, Zeit und Lage gebieten – gelingt es uns, die vereinzelten Kräfte zu vereinigen und die vereinigten klug zu gebrauchen – welche Macht dürfte es dann wagen, unserem […] Willen entgegen zu treten?

Darum allen deutschen Männern, welche für die Wiedergeburt des Vaterlandes entschlossen sind jedes Opfer zu bringen, ein dreimaliges Lebehoch!

Es lebe Deutschlands Einheit!

Deutschlands Freiheit – und durch sie, Deutschlands Wiedergeburt!

***Kundgebung für die Demokratie** Das Hambacher Schloß war 1832 Treffpunkt von Demokraten und Liberalen aus ganz Deutschland. Fahnenschwingend zogen die Patrioten zum Schloß.*

Geschichte auf einen Blick

Historische Ereignisse kommen niemals isoliert vor, sie stehen immer in größeren Zusammenhängen. Die folgende Übersicht soll das Nebeneinander von nationalem und internationalem Geschehen verdeutlichen. In der Spalte „Deutschland" finden sich die wichtigsten Daten der deutschen Geschichte, in der Spalte „Europa/Welt" sind die markantesten Ereignisse in anderen Staaten aufgeführt. Die Zeitspanne reicht vom ersten vorchristlichen Jahrtausend bis zum Ende des 19. Jh.

Zeit	Deutschland	Europa/Welt
1000 v. Chr.	**um 1000–750** Letzte Periode der Bronzezeit in Mitteleuropa. **ab 800** Beginn der Eisenzeit. Nach dem keltischen Gräberfeld bei Hallstatt im Salzkammergut auch Hallstattzeit genannt.	**um 1000** Die Phönizier gründen vom Libanon aus Kolonien im westlichen Mittelmeer. **um 1000–926** In Palästina herrschen die Könige David und Salomo. **776** Erste Olympische Spiele. **753** Sagenhafte Gründung Roms.
500 v. Chr.	**ab 450** Den Höhepunkt der Eisenzeit bildet die La-Tène-Kultur in Süddeutschland. **um 120** Die Kimbern und Teutonen verlassen Jütland in Richtung Süden. Sie unterliegen 102 und 101 v. Chr. den Römern.	**490–448** Perserkriege. **336–323** Alexander der Große gründet das griechische Weltreich. **264–146** In den drei Punischen Kriegen und anderen Kämpfen entsteht das römische Weltreich.
100 v. Chr.	**72** Germanen überqueren den Rhein und fallen in Gallien ein. **58** Cäsar drängt die Germanen über den Rhein zurück. Der Rhein wird römische Reichsgrenze. **15** Die Römer besetzen das Alpenvorland bis zur Donau und gründen Augsburg. **12–9** Germanenkrieg des Drusus, der bis zur Elbe vorstößt. **um 8** Erste germanische Reichsbildung unter dem Markomannen Marbod.	**88–84** Bürgerkrieg in Rom. **73–71** Sklavenaufstand unter Führung des Spartakus. **58–51** Cäsar erobert Gallien. **49–45** Bürgerkrieg in Rom (Parteien: Pompejus, Cäsar). **15.3.44** Ermordung Cäsars. **27** Oktavian, der neue Herrscher Roms, ordnet den Staat neu und erhält den Ehrennamen Augustus. **2** Senat und Volk verleihen Augustus den Titel *pater patriae*, Vater des Vaterlandes.
1 n. Chr.	**9** Arminius besiegt in der Schlacht im Teutoburger Wald die Römer. **50** Die Römer erheben Köln zur Stadt. **69–71** Der Aufstand der Rheingermanen wird von den Römern niedergeschlagen. **ab 80** Die Römer beginnen mit dem Bau des Limes. **um 90** Gründung der römischen Provinzen Niedergermanien (Köln) und Obergermanien (Mainz).	**14–37** Kaiser Tiberius wird Nachfolger des Augustus. **um 30** Tod Jesu. **54–68** Willkürherrschaft des Kaisers Nero in Rom. **64** Brand Roms. Anlaß der ersten Christenverfolgung. **70** Zerstörung Jerusalems durch Titus. **79** Herculaneum und Pompeji werden durch den Vesuvausbruch vernichtet. **98–117** Unter Kaiser Trajan erreicht das Römische Reich seine größte Ausdehnung.
100	**um 120** Unter Kaiser Hadrian wird der Limes ausgebaut. Es entstehen zahlreiche Kastelle, u.a. die Saalburg. **162** Die germanischen Chatten stürmen den Limes und plündern Obergermanien. **166** Germanische Stämme unter der Führung der Markomannen beginnen einen Krieg gegen die Römer. **180** Kaiser Mark Aurel beendet die Markomannenkriege.	**117–138** Kaiser Hadrian verzichtet auf kostspielige Eroberungen und läßt die Städte sowie das Straßen- und Wasserleitungsnetz im Reich ausbauen. **161–180** Mark Aurel, der „Philosoph auf dem Kaiserthron". **162–167** Siegreicher Krieg der Römer gegen das Partherreich in Mesopotamien. **166** Eine römische Gesandtschaft erreicht zum erstenmal China. **193–211** Kaiser Septimius Severus.
200	**um 200** Kleine westgermanische Verbände schließen sich zusammen und bilden allmählich Stämme: Zuerst erscheinen die Alemannen, später die Franken und Sachsen. **um 250** Alemannen setzen sich in Süddeutschland fest. **290** Franken besetzen das Gebiet um die Rheinmündung.	**212** Alle freien Bewohner des Römischen Reichs erhalten das römische Bürgerrecht. **226** Gründung des Neupersischen Reichs unter der Sassaniden-Dynastie, das zur ständigen Bedrohung der römischen Ostgrenze wird. **ab 235** Soldatenkaiser mit meist kurzer Regierungszeit. **284–305** Diokletian läßt das Reich in zwölf Verwaltungsbezirke (Diözesen) einteilen.
300	**ab 300** Trier wird zur Kaiserresidenz ausgebaut. **352/53** Erste Anzeichen der Völkerwanderung: Alemannen und Franken zerstören mehr als 40 Städte (u.a. Xanten, Köln) am linken Rheinufer. **368–374** Die Römer stellen die Kastellkette am Rhein wieder her. **395** Die weströmische Residenz wird von Trier nach Mailand verlegt.	**324–337** Konstantin der Große ist Alleinherrscher im römischen Reich. **330** Byzanz wird als Konstantinopel Reichshauptstadt. **375** Hunnen vernichten das Ostgotenreich in Südrußland. Beginn der Völkerwanderung. **380** Das Christentum wird römische Staatsreligion. **395** Das Römische Reich wird in ein Ost- und ein Westreich geteilt.
400	**um 400** Die Burgunder überqueren den Rhein und gründen ein Reich mit der Hauptstadt Worms. Die Alemannen lassen sich am Oberrhein nieder. **406** Die Römer geben die Rheingrenze auf. **436** Der Römer Aëtius und die Hunnen vernichten das Burgunderreich. **450** Slawen siedeln in dem von Germanen verlassenen Gebiet östlich der Elbe und Saale. **486** Der fränkische Gaukönig Chlodwig aus dem Geschlecht der Merowinger erobert das ehem. römische Gallien und gründet das Frankenreich. **496** Chlodwig unterwirft die Alemannen und läßt sich taufen.	**410** Die Westgoten unter Alarich plündern Rom. **429** Die Wandalen unter Geiserich erobern das römische Nordafrika. **445–453** Attila, König der Hunnen. **um 450** Die Jüten, Angeln und Sachsen erobern Britannien. **um 470** Die Hunnen erobern das Gupta-Reich in Indien. **476** Odoaker, Führer eines germanischen Söldnerheeres, stürzt den letzten römischen Kaiser. Ende des Weströmischen Reiches. **493** Theoderich der Große begründet das Ostgotenreich in Italien.
500	**511** Tod Chlodwigs. Das Reich wird unter den vier Söhnen geteilt. **531** Die Franken erobern das Thüringerreich. **558–561** Vereinigtes Frankenreich unter dem Merowinger Chlothar I.	**528–534** Der byzantinische Kaiser Justinian läßt das römische Recht aufzeichnen. **535** Byzanz zerstört das Wandalenreich. **552** Byzanz vernichtet das Ostgotenreich in Italien. **568** Die Langobarden gründen in Ober- und Mittelitalien ein eigenes Reich. Damit endet die Völkerwanderungszeit.

Zeit	Deutschland	Europa/Welt
600	**629–639** Dagobert regiert als letzter Merowingerkönig selbständig. Nach seinem Tod kommt es zu neuen Reichsteilungen. Die Macht üben die Hausmeier, die Leiter der königlichen Verwaltung, aus.	**610** Mohammed tritt als Prophet in Mekka in Erscheinung. **15.6.622** Hedschra (Übersiedlung) Mohammeds nach Medina. Beginn der islamischen Zeitrechnung. **627–649** Größte Machtentfaltung Chinas: 88 asiatische Völker erkennen die chinesische Oberhoheit an. **674–678** Araber belagern erfolglos Konstantinopel.
700	**714–741** Karl Martell regiert als Hausmeier das Frankenreich. **722** Der Mönch Bonifatius missioniert in Hessen, Thüringen, Bayern und Friesland. **751** Der Karolinger Pippin setzt den letzten merowingischen Schattenkönig ab und wird mit dem Segen des Papstes zum König der Franken erhoben. **768–814** Karl der Große. **772–804** Sachsenkriege Karls des Großen. **785** Widukind, Führer der Sachsen, unterwirft sich und wird getauft. **788** Herzog Tassilo III. von Bayern wird als letzter Stammesfürst abgesetzt.	**711** Die Araber erobern die Iberische Halbinsel. **732** Karl Martell schlägt die Araber zwischen Tours und Poitiers und beendet ihren Siegeszug in Europa. **750** Gründung des Kalifats der Abbasiden in Bagdad. Mit der neuen Dynastie geht die Macht von den Arabern auf die Perser über. **754** Die Pippinsche Schenkung, das bis 751 byzantinische Exarchat Ravenna, legt den Grund zum Kirchenstaat. **786–809** Unter Harun al-Raschid erlebt das Kalifat von Bagdad eine kulturelle Blüte. **793** Normannen plündern Kloster Lindisfarne in England.
800	**25.12.800** Kaiserkrönung Karls des Großen in Rom. **814–840** Ludwig der Fromme. **840** Beginn der Nachfolgekämpfe der Söhne Ludwigs des Frommen. **843** Teilungsvertrag von Verdun: Ludwig der Deutsche erhält das Ostfrankenreich, Karl der Kahle das Westfrankenreich, Lothar I. das Land dazwischen und Italien. **885–887** Karl der Dicke eint noch einmal das Reich Karls des Großen, wird aber 887 abgesetzt.	**802–839** König Egbert von Wessex unterwirft die angelsächsischen Reiche in England. **827** Die Araber beginnen mit der Eroberung Siziliens. **859** Die Normannen dringen bis ins Mittelmeer vor. **882** Oleg der Weise vereinigt die Wikingerherrschaften im Norden und Süden Rußlands und gründet das Kiewer Reich. **886** König Alfred der Große von England entreißt den Dänen London.
900	**911** Nach dem Aussterben der Karolinger in Deutschland wird Konrad I. von Franken zum König gewählt. **919** Der Sachse Heinrich I. wird deutscher König. **933** Sieg über die Ungarn bei Riade an der Unstrut. **936–973** Otto I., der Große. **955** Sieg über die Ungarn auf dem Lechfeld bei Augsburg. **962** Kaiserkrönung Ottos des Großen in Rom. **972** Heirat Ottos II. mit der byzantinischen Prinzessin Theophano. **973–983** Otto II. **983** Slawenaufstand. Verlust der Marken im Nordosten. **983–1002** Otto III. erstrebt die Erneuerung des Römischen Reiches mit der Hauptstadt Rom. **995** Otto wird mit 15 Jahren für mündig erklärt und regiert von nun an ohne Vormund.	**911** Der Normanne Rollo erhält vom französischen König das Gebiet an der Seinemündung (Normandie) als Lehen. **917–918** Im Krieg gegen Byzanz gewinnt Simeon von Bulgarien die Balkanhalbinsel. **929** Die Araber errichten in Spanien das Kalifat Córdoba. **nach 955** Die Ungarn werden in der Donauebene seßhaft und treten zum Christentum über. **966** Mieszko I. von Polen tritt zum Christentum über. **975** Großfürst Geisa von Ungarn läßt sich taufen. **976–1025** Unter Kaiser Basileios II. erreicht das Byzantinische Reich seine größte Machtentfaltung. **987** Mit dem Aussterben der Karolinger in Frankreich beginnt der Aufstieg der Kapetinger. **988** Großfürst Wladimir von Rußland läßt sich taufen.
1000	**1002–1024** Heinrich II. sichert auf drei Italienzügen die Hoheit des Reichs über die langobardischen Fürstentümer. **1024–1039** Konrad II., Beginn der Salierdynastie. **1033** Konrad II. erwirbt das Königreich Burgund. **1039–1056** Unter Heinrich III. werden Böhmen und Ungarn zu deutschen Lehen. **1056–1105** Verfall der Königsmacht unter Heinrich IV. **1075** Beginn des Investiturstreits: Papst und König kämpfen um die Einsetzung der Bischöfe im Reich. **1077** Bußgang Heinrichs IV. nach Canossa, um sich aus dem päpstlichen Bann zu lösen.	**um 1000** Wikinger aus Grönland erreichen mit ihren Schiffen Amerika. **1016–1035** Der Däne Knut der Große wird König von England. **1031** Beginn der Reconquista, der Rückeroberung Spaniens von den Arabern. **1054** Spaltung der Kirche in orthodoxe Ost- und katholische Westkirche. **1059** Die Normannen gründen ein Reich in Unteritalien. **1066** Wilhelm der Eroberer besiegt bei Hastings die Engländer und unterwirft die Insel. **1085** Kastilien erobert Toledo von den Arabern. **1096–1099** Erster Kreuzzug. Errichtung von Kreuzfahrerstaaten im Heiligen Land.
1100	**1105** Heinrich IV. wird von seinem Sohn gefangengenommen und zur Abdankung gezwungen. **1106–1125** Heinrich V. **1122** Das Wormser Konkordat beendet den Investiturstreit. **1125** Lothar von Süpplingenburg wird gegen den Staufer Friedrich von Schwaben zum König gewählt. **1138–1152** Konrad III., Beginn der Herrschaft der Staufer im Reich. **1152–1190** Friedrich I. Barbarossa. Er verhilft dem Königtum wieder zu seiner Machtstellung zurück. **1180** Heinrich der Löwe wird geächtet und verliert seine Lehen, weil er dem Kaiser die Gefolgschaft verweigert. **1190** Friedrich I. ertrinkt auf dem dritten Kreuzzug in Kleinasien. **1190–1197** Heinrich VI. Durch die Ehe mit Konstanze von Sizilien gewinnt er Unteritalien. **1198** Beginn des zehnjährigen Kriegs zwischen Staufern und Welfen um den Thron.	**1130** Der Normanne Roger II. vereinigt Apulien, Kalabrien und Sizilien zum Königreich Sizilien. **1138** Boleslaw III. teilt Polen unter seinen fünf Söhnen und schwächt die Königsherrschaft. **1139** Portugal wird Königreich. **1147–1149** Zweiter Kreuzzug zur Rückeroberung der christlichen Grafschaft Edessa. **1154** Heinrich II. gründet das Haus Plantagenet in England. Durch Erbschaft und Heirat vereint er ganz Westfrankreich mit England. **1189–1192** Dritter Kreuzzug zur Rückeroberung Jerusalems, die fehlschlägt, doch erhalten Pilger Zugang zur Stadt. **1189–1199** Richard I. Löwenherz wird König von England. **1192** In Japan übernehmen die Schogune (Heerführer) die Macht. **1196** Der mongolische Stammesfürst Temudschin wird zum Dschingis-Khan erhoben.
1200	**1212–1250** Friedrich II. Der Staufer beendet die Thronwirren und bringt das Reich zu neuem Ansehen. **1226** Der Deutsche Orden erhält Preußen als Ordensland. **1228–1229** Fünfter Kreuzzug. Friedrich II. krönt sich zum König von Jerusalem. **1254–1273** Interregnum, eine Zeit ohne tatsächliche Königsmacht im Reich. **1268** Hinrichtung des letzten Staufers Konradin durch Karl von Anjou in Neapel. **1273–1291** Rudolf I. von Habsburg. **1278** Rudolf besiegt seinen Widersacher Ottokar II. von Böhmen: Österreich, Kärnten, Steiermark und Krain fallen an Rudolf. Begründung der habsburgischen Hausmacht.	**1202–1204** Vierter Kreuzzug. Kreuzfahrer erobern Konstantinopel und errichten das Lateinische Kaiserreich. **1215** Der englische König verbrieft den Baronen in der Magna Charta ihre Rechte. **1236** Kastilien erobert Córdoba. Den Arabern bleibt in Europa nur Granada. **1248–1254** Erfolgloser sechster Kreuzzug. **1251** Mongolisches Reich der Goldenen Horde in Rußland. **1270** Siebter Kreuzzug nach Tunis. **1275** Marco Polo in China. **1284** Genua besiegt Pisa und gewinnt die Vorherrschaft im westlichen Mittelmeer. **1291** Mamelucken erobern Akkon, das letzte christliche Bollwerk im Heiligen Land.

Zeittafel

Zeit	Deutschland	Europa/Welt	Zeit	Deutschland	Europa/Welt
1300	**1308** Albrecht I. von Habsburg wird ermordet. **1314** Doppelwahl: Der Wittelsbacher Ludwig IV., der Bayer, und der Habsburger Friedrich der Schöne werden zum König gewählt. **1322** Sieg Ludwigs bei Mühldorf am Inn über Friedrich. **1346–1378** Karl IV. von Luxemburg, als Gegenkönig gewählt, nach Ludwigs Tod (1347) anerkannt. Seine Residenz ist Prag. **1356** Die Goldene Bulle bestätigt den Kurfürsten das alleinige Recht der Königswahl. **1358** Norddeutsche Städte gründen formell die Hanse. **1370** Friede von Stralsund endet mit einem Sieg der Hansestädte über Dänemark. **1370** Nach dem Sieg über Litauen steht der Deutsche Orden auf dem Höhepunkt seiner Macht. **1376** Gründung des Schwäbischen Städtebundes, dem sich 1381 der Rheinische Städtebund anschließt. **1376–1388** Süddeutscher Städtekrieg gegen König und Fürsten. **1378–1400** König Wenzel, Sohn Karls IV. **1388** Schlacht bei Döffingen, Sieg der Fürsten über die Städte. **1389** Landfriede zu Eger verbietet Städtebündnisse.	**um 1300** Osman I. begründet die türkische Dynastie der Osmanen. **1309** Avignon wird Residenz der Päpste. **1314** Schottland erkämpft sich seine Unabhängigkeit in der Schlacht von Bannockburn. **1328** In Frankreich regiert nach dem Aussterben der Kapetinger das Haus Valois. **1339** Beginn des Hundertjährigen Krieges zwischen England und Frankreich. **1347–1352** In Europa herrscht der Schwarze Tod (Pest). Ein Drittel der Bevölkerung stirbt. **1354** Die Türken errichten ihren ersten Stützpunkt in Europa. **1363** Philipp der Kühne erhält das Herzogtum Burgund. In der Folge entsteht ein Reich zwischen Frankreich und Deutschland. **1375** Azteken gründen ihre Hauptstadt Tenochtitlán. **1378–1417** Großes Schisma: Wahl zweier Päpste in Rom und Avignon. **1381** Venedig besiegt Genua und beherrscht allein den Orienthandel. **1386** Die Eidgenossen behaupten sich in der Schlacht bei Sempach gegen Habsburg. **1397** Zusammenschluß Norwegens, Schwedens und Dänemarks in der Kalmarer Union.	1500	**1502** Erhebung der Bundschuh-Bauern in Baden. **1512** Das Reich wird in zehn Landfriedenskreise eingeteilt. **1514** Herzog Ulrich von Württemberg schlägt den Aufstand des Bauernbundes „Armer Konrad" nieder. **1517** Martin Luther veröffentlicht seine 95 Thesen. Beginn der Reformation. **1519–1556** Kaiser Karl V. **1521** Ächtung Luthers auf dem Wormser Reichstag. **1522–1523** Erhebung der Reichsritter unter der Führung Franz von Sickingens. **1524–1525** Bauernkrieg im Südwesten und in Thüringen. **1530** Die protestantischen Reichsstände legen auf dem Augsburger Reichstag ihr Glaubensbekenntnis vor. **1531** Die protestantischen Reichsstände bilden den Schmalkaldischen Bund gegen den Kaiser. **1546–1547** Sieg des Kaisers im Schmalkaldischen Krieg. **1551–1552** Fürstenverschwörung gegen Karl V. **1555** Gleichberechtigung des katholischen und lutherischen Bekenntnisses im Augsburger Religionsfrieden. **1556** Karl V. dankt resigniert ab. Die Kaiserwürde erhält sein Bruder Ferdinand I. **1576–1612** Unter Kaiser Rudolf II. setzt sich die Gegenreformation im Reich durch. **1585** Der Kölnische Krieg endet mit einem Sieg der Katholiken: Die Wittelsbacher werden als Kurfürsten von Köln anerkannt.	**um 1506** Portugal gründet Faktoreien an der Küste Ostafrikas. **1515** Frankreich besiegt bei Marignano die Eidgenossen, die seitdem Neutralität wahren. **1519–1521** Hernando Cortez erobert das Aztekenreich in Mexiko für Spanien. Erste Weltumsegelung durch Magellan. **1526** Die Türken vernichten bei Mohacz das ungarische Heer und nehmen den größten Teil Ungarns in Besitz. **1529** Die Türken belagern Wien ohne Erfolg. **1531–1534** Pizarro erobert das Inkareich in Peru für Spanien. **1533–1584** Zar Iwan IV., der Schreckliche. **1534** Ignatius von Loyola gründet den Jesuitenorden. **1534** Heinrich VIII. wird Oberhaupt der englischen Kirche. **1556** Der islamische Mogulkaiser Akbar erobert Nordindien. **1558–1603** Königin Elisabeth I. begründet Englands Weltstellung. **1572** In der Bartholomäusnacht werden in Paris Tausende von Hugenotten ermordet. **1581** Die Jesuiten beginnen in China zu missionieren. **1581** Die nördlichen Provinzen der Niederlande sagen sich von Spanien los. **1588** Untergang der spanischen Armada im Seekrieg gegen England. **1598** Das Edikt von Nantes gewährt den Hugenotten in Frankreich bedingte Religionsfreiheit.
1400	**1400** Die Kurfürsten setzen König Wenzel wegen Unfähigkeit ab und wählen Ruprecht von der Pfalz zum neuen König. **1410–1437** Kaiser Sigismund stärkt die Zentralgewalt im Reich. **1414–1418** Konzil von Konstanz beendet das Schisma. **1415** Johannes Hus als Ketzer verbrannt. **1415** Die Hohenzollern erhalten das Kurfürstentum Brandenburg. **1419–1436** Hussitenkriege in Böhmen. **1438–1439** König Albrecht II. **1440–1493** Kaiser Friedrich III. legt mit seinen Erb- und Heiratsverträgen den Grundstein zur habsburgischen Weltmacht. **1445** Erster Buchdruck durch Johannes Gutenberg. **1452** Friedrich III. als letzter deutscher Kaiser in Rom gekrönt. **1471** Verbot der Fehde im Reich. **1477** Erzherzog Maximilian heiratet Maria, Erbin von Burgund und der Niederlande. **1493–1519** Kaiser Maximilian I., der „letzte Ritter auf dem Thron". **1495** Verkündung des „Ewigen Landfriedens" im Reich.	**1410** Der Deutsche Orden unterliegt Polen–Litauen in der Schlacht bei Tannenberg. **1415** Englischer Sieg über Frankreich bei Azincourt. **1429** Jeanne d'Arc zwingt die Engländer zur Aufgabe der Belagerung von Orléans. Wende im Hundertjährigen Krieg. **1434–1464** Cosimo de Medici regiert Florenz. **1438–1493** Expansion des Inkareichs bis zum Pazifik. **1453** Die Osmanen erobern Konstantinopel. Ende des Byzantinischen Reichs. **1455–1485** Rosenkriege zwischen den Häusern Lancaster und York um den englischen Thron. Heinrich VII. aus dem Haus Tudor wird neuer König. **1462–1505** Iwan III. nennt sich „Zar von ganz Rußland" und beginnt mit der Unterwerfung der russischen Fürstentümer. **1466** Im 2. Frieden von Thorn wird der Ordensstaat polnisches Lehen. **1479** Kastilien und Aragón schließen sich zum spanischen Staat zusammen. **1487** Bartolomeu Diaz umsegelt das Kap der Guten Hoffnung. **1492** Christoph Kolumbus entdeckt Amerika. **1498** Vasco da Gama entdeckt den Seeweg nach Indien.	1600	**1608** Gründung der protestantischen Union. **1609** Gründung der katholischen Liga. **1618–1648** Dreißigjähriger Krieg. **1619–1637** Kaiser Ferdinand II. **1620** Die Liga besiegt Böhmen in der Schlacht am Weißen Berg. **1622** Tilly stürmt Heidelberg. **1625** Wallenstein stellt dem Kaiser sein Söldnerheer zur Verfügung. **1629** Restitutionsedikt: Alle von den Protestanten seit 1552 eingezogenen geistlichen Güter müssen zurückgegeben werden. Der Kaiser befindet sich auf der Höhe seiner Macht. **1630** Schweden greift auf seiten der Protestanten in den Kampf ein. **1632** Gustav II. Adolf von Schweden fällt in der Schlacht bei Lützen. **1634** Ermordung Wallensteins. **1635** Friede von Prag. Der Kaiser hebt das Restitutionsedikt wieder auf. **1635** Frankreich unterstützt die katholische Liga.	**1603** Schottische Dynastie der Stuarts kommt auf den englischen Thron. **1610–1689** Kosaken erschließen dem Zarenreich Sibirien. **1620** Englische Puritaner („Pilgerväter") wandern auf der „Mayflower" nach Nordamerika aus. **1624–1642** Kardinal Richelieu leitet Frankreichs Politik. **1639** Japan schließt bis 1854 alle Häfen für Ausländer. **1639** Madras wird die erste englische Niederlassung in Indien. **1640** Portugal befreit sich durch einen Volksaufstand von der spanischen Herrschaft (seit 1580). **1642–1648** Bürgerkrieg in England zwischen Anhängern der Krone und des Parlaments. **1643–1715** Ludwig XIV. von Frankreich. **1649–1660** England ist Republik unter Lordprotektor Cromwell. **1659** Mit dem Pyrenäenfrieden geht die spanische Großmachtstellung an Frankreich über.

Zeit	Deutschland	Europa/Welt
	1637–1657 Kaiser Ferdinand III. **1648** Der Westfälische Friede besiegelt den Machtverlust des Reiches gegenüber den Territorien. **1658–1705** Kaiser Leopold I. **1663** Regensburg wird Sitz des ständig tagenden Reichstags. **1675** Der Sieg Friedrich Wilhelms, des Großen Kurfürsten, über die Schweden bei Fehrbellin begründet die preußische Militärtradition. **1681** Die Reichsstadt Straßburg fällt an Frankreich. **1683** Die Türken belagern vergeblich Wien. **1689** Im Pfälzischen Erbfolgekrieg verwüstet Frankreich die Pfalz. **1697** Der sächsische Kurfürst August I., der Starke, erwirbt die polnische Königskrone.	**1679–1681** Reunionspolitik Ludwigs XIV.: Frankreich annektiert einen großen Teil des Elsaß. **1685** Nach Aufhebung des Edikts von Nantes flüchtet eine halbe Million Hugenotten aus Frankreich. **1688** „Glorreiche Revolution" in England. Wilhelm III. von Oranien besteigt den Thron. **1689** Die Bill of Rights begründet den englischen Parlamentarismus. **1689–1725** Zar Peter I., der Große, von Rußland. **1699** Der Friede von Karlowitz beendet den Großen Türkenkrieg. Österreich wird europäische Großmacht.
1700	**1701** Kurfürst Friedrich III. von Brandenburg krönt sich zum König in Preußen. **1705–1711** Kaiser Joseph I. **1711–1740** Kaiser Karl VI. Er erläßt die Pragmatische Sanktion, die seinen Töchtern die Erbfolge in den habsburgischen Ländern sichern soll. **1713–1740** Friedrich Wilhelm I. von Preußen („Soldatenkönig") schafft ein starkes Berufsheer und einen gut verwalteten Beamtenstaat. **1740–1780** Maria Theresia tritt gemäß der Pragmatischen Sanktion das habsburgische Erbe an. **1740** Der preußische König Friedrich II., der Große, fällt in Schlesien ein. **1740–1748** Österreichischer Erbfolgekrieg um die Geltung der Pragmatischen Sanktion. **1742–1745** Kaiser ist der Wittelsbacher Karl VII. **1745** Friede von Dresden: Preußen behält Schlesien. Friedrich II. erkennt Maria Theresias Gemahl Franz Stephan von Lothringen als Kaiser an. **1745–1765** Kaiser Franz I. **1756–1763** Siebenjähriger Krieg Preußens, Großbritanniens u.a. gegen Österreich, Frankreich, Rußland u.a. Preußen behauptet sich als Großmacht in Europa. **1765–1790** Kaiser Joseph II., Sohn Maria Theresias. **1776** Landgraf Friedrich II. von Hessen-Kassel verkauft 12000 Soldaten an die Briten für den Krieg in Nordamerika. **1790–1792** Kaiser Leopold II. **1792–1806** Kaiser Franz II. **1792** Österreich und Preußen werden in die französischen Revolutionskriege verwickelt. **1794** Französische Truppen besetzen Bonn und Köln. **1797–1840** König Friedrich Wilhelm III. von Preußen.	**1700–1721** Nordischer Krieg Schwedens gegen Rußland, Polen, Sachsen und Dänemark. Schweden verliert seine Großmachtstellung. **1701–1714** Spanischer Erbfolgekrieg um die Nachfolge des letzten spanischen Habsburgers. **1707** Union Schottlands und Englands unter dem Namen Großbritannien. **1714** Der Kurfürst von Hannover wird als Georg I. König von Großbritannien. **1717** Prinz Eugen erobert Belgrad. **1757** Der Sieg über Frankreich sichert Großbritannien die Vorherrschaft in Indien. **1762–1796** Zarin Katharina II., die Große, von Rußland strebt Reformen und zugleich Vergrößerung des Russischen Reiches an. **1763** Im Frieden von Paris, der den Siebenjährigen Krieg beendet, gewinnt Großbritannien u.a. Kanada und Louisiana von Frankreich sowie Florida von Spanien. **1772** Erste polnische Teilung. **1775–1783** Unabhängigkeitskrieg der 13 nordamerikanischen Kolonien. **1776** Unabhängigkeitserklärung der Vereinigten Staaten und Erklärung der Menschenrechte. **1789** Sturm auf die Bastille in Paris. Beginn der Französischen Revolution. **1793** Hinrichtung Ludwigs XVI. von Frankreich und Beginn der Schreckensherrschaft unter Robespierre. Zweite polnische Teilung. **1795** Aufteilung Restpolens unter Preußen, Österreich und Rußland. **1795–1799** Frankreich wird von einem Direktorium regiert. **1799** Napoleon übernimmt als Erster Konsul die Macht.
1800	**1806** 16 süddeutsche Fürsten gründen den Rheinbund und treten aus dem Reich aus. Napoleon erzwingt die Abdankung Kaiser Franz' II.: Ende des Heiligen Römischen Reichs Deutscher Nation. Napoleon, der Preußen bei Jena und Auerstedt schlägt, marschiert in Berlin ein. **1807–1812** Reformen Steins und Hardenbergs in Preußen. **1813–1815** Befreiungskriege gegen Napoleon. **1815** Die deutschen Fürsten gründen den Deutschen Bund unter Österreichs Führung, der an die Stelle des alten Reichs tritt. **1817** Wartburgfest der deutschen Burschenschaften. **1819** Karlsbader Beschlüsse verbieten die Burschenschaften und führen die Zensur ein. **1832** Hambacher Fest der süddeutschen Demokraten führt zum Verbot politischer Vereine. **1833** Preußen gründet zur wirtschaftlicher Einigung Deutschlands den Zollverein. **1840–1861** König Friedrich Wilhelm IV. von Preußen. **1844** Weberaufstand in Schlesien. **1848** Revolution in Frankreich erfaßt Wien und Berlin. Es kommt zu Barrikadenkämpfen. **1849** Die in Frankfurt tagende Nationalversammlung legt eine Reichsverfassung vor. Der preußische König lehnt deutsche Kaiserkrone ab. Die Revolution wird niedergeschlagen. **1861–1888** König Wilhelm I. von Preußen. **1862** Bismarck wird preußischer Ministerpräsident. **1864** Im Deutsch-Dänischen Krieg tritt Dänemark Schleswig, Holstein und Lauenburg an Preußen und Österreich ab. **1866** Preußen besiegt Österreich im Kampf um die Vorherrschaft in Deutschland. **1867** Gründung des Norddeutschen Bundes unter preußischer Führung. **1870–1871** Deutsch-Französischer Krieg. Wilhelm I. wird am 18. Januar 1871 in Versailles zum Deutschen Kaiser ausgerufen. **1873** Dreikaiserbündnis zwischen Deutschland, Österreich und Rußland. **1875** Gründung der Sozialistischen Arbeiterpartei Deutschlands. **1878** Sozialistengesetz verbietet die Sozialdemokratie. **1879** Deutsch-Österreichischer Zweibund. **1887** „Rückversicherungsvertrag" Bismarcks mit Rußland. **1888** Kaiser Friedrich III. regiert drei Monate. Ihm folgt Wilhelm II. auf den Thron. **1890** Reichskanzler Bismarck wird entlassen.	**1804** Napoleon krönt sich zum Kaiser. **1805** Seesieg bei Trafalgar bestätigt britische Seeüberlegenheit. **1806** Napoleon verhängt die Kontinentalsperre gegen britischen Handel. **1814** Nach dem gescheiterten Rußlandfeldzug muß Napoleon abdanken. Erste Verbannung nach Elba. **1815** Neuordnung Europas auf dem Wiener Kongreß. Napoleons erneute „Herrschaft der Hundert Tage" endet mit der Niederlage bei Waterloo und seiner Verbannung auf die Atlantikinsel Sankt Helena. **1821–1829** Freiheitskampf der Griechen gegen türkische Herrschaft. **1823** US-Präsident James Monroe verwahrt sich gegen die Einmischungsversuche der europäischen Großmächte in Nord- und Südamerika. **1830** Julirevolution in Paris. **1837–1901** Königin Victoria von Großbritannien. **1839–1842** Opiumkrieg. Hongkong wird britisch, China muß seine Häfen dem europäischen Handel öffnen. **1848** Februarrevolution in Frankreich. Ausrufung der Republik. **1852** Napoleon III. gründet nach seinem Staatsstreich das zweite Kaiserreich. **1853–1856** Im Krimkrieg unterliegt Rußland Frankreich und Großbritannien. **1854** Amerikaner erzwingen die Öffnung Japans für den Handel. **1861** Das geeinte Italien wird Königreich. **1861–1865** Bürgerkrieg in den USA. **1867** USA kaufen für 7,2 Millionen Dollar Alaska von Rußland. **1868–1912** Meiji-Ära in Japan schafft durch Annahme westlicher Einflüsse den modernen Staat. **1869** Einweihung des Suezkanals. **1870** Frankreich wird erneut Republik. **1871** Aufstand der Pariser Kommune niedergeschlagen (30000 Tote). **1881** Zar Alexander II. von Rußland wird ermordet. **1894–1895** Chinesisch-Japanischer Krieg endet mit einem Sieg Japans. **1896** Niederlage Italiens im Krieg gegen Abessinien. **1898** Krieg der USA gegen Spanien, das die Philippinen und Puerto Rico abtreten muß. Die Vereinigten Staaten werden Weltmacht. **1899** Erste Haager Friedenskonferenz über Abrüstung. **1900** Boxeraufstand in China.

Kunst als Ausdruck ihrer Zeit

Jeder Kunststil ist ein Spiegel seiner Zeit – in ihm zeigen sich ihre Ideale und Vorstellungen, ihr technisches Niveau und ihr handwerkliches Können. In knappen Zügen werden hier die großen Epochen der deutschen Kunstgeschichte skizziert: von der monumentalen Kunst der Romanik im 10. Jh. bis hin zum ornamentreichen Jugendstil der Jahrhundertwende. Erklärungen von Fachausdrücken (meist unter dem jeweiligen Oberbegriff zusammengefaßt) runden die kleine Stilkunde ab.

Zum Barockschloß gehört ein repräsentatives Treppenhaus.

Akanthus Antikes Ornament aus stark gezackten Blättern, das später vielfach abgewandelt wurde; typisch für das korinthische Kapitell.

Altan Balkonartiger offener Vorbau, der im Gegensatz zu Balkon und Erker von Mauern, Säulen oder Pfeilern gestützt wird.

Amphitheater Antikes Theater mit elliptischer Arena und ringsum laufenden, aufsteigenden Sitzreihen.

Apsis Meist halbrunder, mit einer Halbkuppel überwölbter Raum, der sich an einen Hauptraum anschließt, in der romanischen Baukunst beispielsweise an das Langhaus der Basilika.

Aquädukt Römische Gefällwasserleitung, die durch eine oberirdische, von hohen Bogen getragene Rinne Quellwasser in die Städte transportierte.

Arabeske In der Renaissance wiederaufgenommenes Blatt- und Rankenornament der hellenistisch-römischen Antike. In Deutschland wurden auch Köpfe, Masken und Figuren eingefügt.

Architrav Auf Säulen oder Pfeilern ruhender waagrechter Balken, der den Oberbau trägt.

Archivolte Profilierte Stirnseite eines Rundbogens; mit Ornamenten und Figuren versehener Bogen des romanischen und gotischen Portals.

Arkade Auf Säulen oder Pfeilern ruhender Bogen.

Astwerk Spätgotische Ornamentform aus blattlosen, verschlungenen Ästen, z. B. an Sakramentshäuschen, Kanzeln und Taufbecken.

Atlant Männliche Gestalt, die – wirklich oder scheinbar – ein Gebälk auf Kopf und Nacken trägt.

Atrium Innerer Wohnhof des römischen Privathauses.

Attika Niedriger, fensterloser Aufbau über dem Hauptgesims eines Gebäudes.

Auslucht Meist mehrgeschossiger Vorbau, der im Unterschied zum Erker vom Boden aufsteigt; häufig in der Weserrenaissance.

Backsteingotik Sonderform der Gotik in Norddeutschland. Kennzeichnend sind Schaugiebel mit Spitzbogenblenden und Maßwerk sowie dunkel glasierte Steine.

Baldachin Auf Säulen ruhende Überdachung eines Altars oder Grabmals, in der Gotik auch das Schutzdach über einer Statue.

Balustrade Aus kleinen, gedrungenen Säulen gebildetes durchbrochenes Geländer an Treppen und Balkonen oder als Dachabschluß, häufig in Renaissance und Barock.

Baptisterium Frühchristliche Taufkapelle mit großem Taufbassin.

Barock Von etwa 1600 bis 1750 in Europa vorherrschender Stil, der sich in Deutschland ab dem Ende des 17. Jh. voll entfaltete. Kennzeichnend sind der Eindruck von Bewegung, eine durch theatralische sowie Farb- und Lichteffekte erzeugte Spannung und ein überschwengliche Formen- und Figurenreichtum an der Außenseite wie im Innern der Gebäude. Ideal der Zeit war das Gesamtkunstwerk, das mit seiner verschwenderischen Pracht und Fülle Sinne und Gefühl anspricht. Es entstanden üppig ausgestattete Kirchen und prunkvolle Schlösser nach dem Vorbild des französischen Hofs, in denen dem Treppenhaus und der Galerie als Repräsentationsräumen besondere Bedeutung zukam. Illusionistische Malereien an Decken und Wänden erzeugten eine verwirrende Scheinarchitektur und ein Gefühl von Weite und Unendlichkeit. Einen Höhepunkt erlebte die Städtebaukunst; ganze Stadtteile entstanden neu und wurden auf große Achsen ausgerichtet. Viele ältere Kirchen wurden im Innern barockisiert.

Basilika Bevorzugte Kirchenbauform im Mittelalter, bei der das Mittelschiff höher ist als die Seitenschiffe und in einer Apsis mit dem Altar endet. Das Mittelschiff wird durch Fenster in den Hochwänden erleuchtet; bei einer Pseudobasilika fehlen diese Fenster. Bei der Pfeilerbasilika ruhen die Wände des Mittelschiffs auf Pfeilern, bei der Säulenbasilika auf Säulen. Eine Emporenbasilika hat über den Seitenschiffen Emporen.

Bastion Vorspringender Teil einer Festung, Bollwerk.

Belvedere Architektonisch gestalteter Aussichtspunkt in Parkanlagen; schön gelegenes Gartenpalais oder Lustschloß.

Bergfried Hauptturm einer Burg, Wachturm und letzte Zuflucht bei einer Erstürmung der Burganlage.

Bering Dem Gelände angepaßte Ringmauer, meist um eine Höhenburg.

Beschlagwerk Plastisches, symmetrisch angeordnetes Ornament, das an Metallbeschläge erinnert.

Biedermeier In Deutschland Stilrichtung und Geisteshaltung der Zeit des Vormärz (1815–1848), die von der Hinwendung zum Kleinen, zu bürgerlicher Bescheidenheit und dem Streben nach Geborgenheit geprägt ist. In der Wohnkultur findet dies seinen Ausdruck in sparsam verzierten, aber hochwertig verarbeiteten Möbeln aus edlem Holz. Beliebtes Dekorationsmuster war die Blume.

Blattwerk Aus naturgetreuen oder stilisierten Blättern zusammengesetztes Ornament an Kapitellen, Friesen und Bogenfeldern.

Blende Unmittelbar auf einer Mauerfläche aufliegender Bauteil zur Gliederung und Verzierung der Mauer, z. B. Blendbogen, Blendarkade, Blendfassade.

Bogen Im Steinbau Konstruktion zur Überbrückung einer Öffnung von größerer Spannweite. Die Grundformen sind Rund- und Spitzbogen. Der halbkreisförmige Rundbogen wurde von den Römern für Fenster- und Türöffnungen, bei Aquädukten und im Monumentalbau verwendet; in der Romanik wurde er zum bestimmenden Stilelement. Die Gotik ging fast ausschließlich zum Spitzbogen über, dessen Schenkel spitz zusammenlaufen. Vom Rund- und Spitzbogen wurden weitere Formen abgeleitet, z. B. Fächerbogen (kleine Halbkreise fügen sich girlandenförmig aneinander), Hufeisenbogen (Rundbogen mit nach innen gezogenen Schenkeln; dadurch entsteht die Form eines Dreiviertelkreises) und Kielbogen (die konkave Rundung geht oben in eine konvexe über; so entsteht die Form einer Zwiebel).

Bogenfries Fortlaufende Reihe kleiner, der Wand vorgeblendeter Bogen, hauptsächlich in der Romanik.

Bossenwerk Mauerwerk aus Quadern, deren Vorderseite unbearbeitet bleibt oder nur roh bearbeitet wird; auch Rustica genannt.

Brunnenhaus Meist kleiner Zentralbau, der aus dem Kreuzgang eines Klosters in den Hof vorspringt und einen aufwendig gestalteten Brunnen für die vorgeschriebenen Waschungen birgt.

Chor Ursprünglich der Geistlichkeit vorbehaltener Teil der Kirche vor dem Hauptaltar, oft durch Schranken vom Kirchenschiff getrennt. Den mehrschiffigen Chor einer Hallenkirche nennt man Hallenchor; besonders häufig in der Spätgotik.

Edles Holz und unaufdringlicher Zierat: Biedermeiermöbel.

Figurenschmuck und Maßwerk zieren das gotische Chorgestühl.

Chorgestühl Sitze für Geistliche und Mönche an den Langseiten des Chors, die besonders in der Spätgotik und im Barock mit reichen Schnitzereien verziert wurden.

Chörlein Vieleckiger oder halbrunder erkerartiger Vorbau an Burgen, Schlössern, Patrizier- und Rathäusern, in dem sich der Altarraum einer im Obergeschoß eingebauten Hauskapelle befand.

Chorschranken Brüstungen, die in romanischen und gotischen Kirchen den Chor vom Laienschiff trennen, meist aus Stein, Stuck oder Schmiedeeisen und mit Reliefs verziert.

Chorumgang Gang um den Chor, häufig von einem Kranz von Chorkapellen umgeben.

Corps de logis Mitteltrakt des Barockschlosses mit Wohn- und Repräsentationsräumen.

Cour d'honneur Von drei Flügeln umgebener Ehrenhof des Barockschlosses.

Dachformen Verbreitetste Dachart ist das Satteldach aus zwei gegeneinander geneigten, in einem First zusammenstoßenden Flächen; dadurch bilden sich zwei Giebel. Werden diese auch an den Giebelseiten durch schräge Dachflächen ersetzt, entsteht ein Walmdach. Beim Krüppelwalmdach werden die Flächen an den Schmalseiten nicht ganz heruntergezogen, so daß ein Teil des Giebels erhalten bleibt. Über quadratischem Grundriß ist das Zeltdach errichtet, dessen vier Flächen zu einer Spitze zusammenlaufen. Die zwiebelähnliche Form gab dem Zwiebeldach seinen Namen.

Dachreiter Auf dem Dachfirst sitzendes Glockentürmchen bei sonst turmlosen Kirchen, Kathedralen und Profanbauten.

Doppelchoranlage Meist größere Kirche mit zwei Chören, vor allem in der karolingischen, ottonischen und hochromanischen Baukunst. Der zweite Chor wurde gegenüber dem im allgemeinen nach Osten weisenden Hauptchor am Ende des Langhauses errichtet.

Doppelkapelle Bei Burgen, Pfalzen und Palästen zwei übereinanderliegende Kapellen, die oft durch eine Öffnung in der Zwischendecke verbunden waren. Die untere war für das Hofgesinde, die obere für die Herrschaft bestimmt.

Doppelturmfassade Seit der Romanik verbreitete Kirchenanlage mit einer Fassade, die von zwei gleichartigen Türmen flankiert wird.

Dormitorium Schlafsaal im Kloster.

Dreiflügelanlage Eine vor allem im Barock verwendete Bauweise, bei der sich an den Haupttrakt des Schlosses im rechten Winkel je ein Flügel anschließt.

Dreipaß Maßwerkfigur aus drei Kreisbogen in einem Kreis oder Dreieck.

Empirestil Zur Zeit Napoleons ausgebildete Stilrichtung des Klassizismus, die von 1800 bis 1830 dauerte. Kennzeichen sind die Nachahmung römischer und ägyptischer Formen.

Empore Zum Innenraum geöffnetes, auf Stützen ruhendes galerieartiges Obergeschoß; in Kirchen vor allem über den Seitenschiffen oder auch über dem Eingang. Oft dienten Emporen zur Trennung der Geschlechter oder der Stände. Auf der Nonnenempore in einer Klosterkirche konnten die Nonnen dem Gottesdienst beiwohnen, ohne von den anderen Kirchenbesuchern gesehen zu werden. Der künstlerischen Gliederung des Langhauses dienten die nichtbegehbaren Scheinemporen.

Enfilade Anordnung von Räumen und Türen in einer Flucht, so daß man bei offenen Türen durch alle Räume blicken kann; vor allem in Barockschlössern.

Epitaph Gedenktafel für einen Verstorbenen, meist mit Inschrift und figürlicher Darstellung, an der Kirchenaußenwand oder im Innern an einer Wand bzw. einem Pfeiler.

Rückzug in Natur und Abgeschiedenheit: die Eremitage.

Eremitage Garten- oder Lustschlößchen der Barockzeit, meist in ländlicher Abgeschiedenheit oder in einer weitläufigen Parkanlage gelegen.

Erker Frei vorkragender oder von Konsolen getragener ein- oder mehrgeschossiger Anbau an der Fassade oder Ecke eines Hauses.

Fachwerk Skelettbauweise, bei der ein tragendes Holzgerüst errichtet wird, dessen Zwischenräume mit Lehm oder Backsteinen gefüllt werden. Oft kragen die oberen Stockwerke vor. Gelegentlich werden Fachwerk- und Steinbau kombiniert; die Untergeschosse sind aus Mauer-, die oberen aus Fachwerk. Die Holzteile sind häufig mit figürlichen oder ornamentalen Schnitzereien verziert und bemalt. Ihren Höhepunkt erlebte diese Bauweise im 16. und 17. Jh. Die unterschiedlichen deutschen Landschaften entwickelten jeweils ihren eigenen Stil.

Fayence Gebrannte Tonware, die mit einer farbigen oder weißdeckenden Glasur überzogen ist.

Fensterrose Großes rundes Fenster an spätromanischen und gotischen Kirchen, meist über dem Westportal, mit Glasmalerei und radial angeordnetem Maßwerk. Sie ist auch in den Ziergiebeln der norddeutschen Backsteingotik zu finden.

Feston Dekorationsmotiv in Form einer durchhängenden Girlande aus Früchten, Blumen und Blättern, in der Antike aus Stein, in Renaissance, Barock und Klassizismus auch aus Stuck oder Metall.

Fiale In der Gotik ein schlankes, spitzes Türmchen, vor allem als Bekrönung von Strebepfeilern, aber auch von Tür- und Fensterbedachungen.

Flügelaltar Altaraufsatz mit meist zwei beweglichen Flügeln, durch die der Schrein (Mittelteil) verschlossen werden kann. Sind Schrein und Flügel mit Schnitzwerk versehen, spricht man von einem Schnitzaltar; die Flügelaußenseiten sind meist nur bemalt. Einen mehrflügligen Aufsatz nennt man Wandelaltar.

Flüstergewölbe Überwölbter Raum, in dem geflüsterte Worte an einer vom Sprecher weit entfernten Ecke des Raums ungewöhnlich klar zu hören sind, in unmittelbarer Nähe jedoch kaum und an anderen Stellen gar nicht.

Forum Marktplatz und Versammlungsort der römischen Stadt.

Fresko Wandmalerei, bei der die Farbe auf den noch feuchten Putz aufgetragen wird. Sie verbindet sich beim Trocknen fest mit dem Putz und ist daher besonders haltbar. Einen künstlerischen Höhepunkt erreichte die Freskomalerei in den Deckengemälden des Barock.

Fries Bandartiger, gemalter oder halbplastischer Querstreifen am oberen Teil einer Wand als Schmuck oder zur Gliederung.

Galerie Langgestreckter, überdachter, seitlich offener Gang; an der romanischen Kirche als Zwerggalerie unter dem Dachansatz zur Gliederung des Außenbaus, im Renaissance- und Barockschloß der Festsaal, in dem oft Bilder aufgehängt wurden.

Gesims Waagrechter, meist aus der Mauer hervortretender Bauteil zur Gliederung der Außenwand eines Gebäudes.

Gesprenge Zierlicher, holzgeschnitzter, mit kleinen Figuren besetzter Aufbau über dem Mittelschrein vor allem spätgotischer Flügelaltäre.

Gewände Schräg nach innen geführte Mauerfläche an den Seiten eines Fensters oder Portals, oft auch profiliert und verziert.

Gewölbe Bogenförmig gekrümmte Decke eines Raums, die aus sich gegenseitig stützenden Steinen besteht. Die einfachste Form ist das Tonnengewölbe, das meist einen halbkreisförmigen Querschnitt hat; es kann durch einen vorspringenden Bogen, den Gurtbogen, gestützt werden (Gurtgewölbe). Aus der rechtwinkligen Durchdringung zweier gleich hoher Tonnengewölbe ergibt

Das Netzwerk des Sterngewölbes war typisch für die Hochgotik.

sich das Kreuzgewölbe. Die Flächen eines Kreuzgewölbes schneiden sich in Graten; daher spricht man auch von einem Kreuzgratgewölbe. Werden die Grate durch tragende Rippen verstärkt, entsteht das Kreuzrippengewölbe. Besonders die Gotik entwickelte einen großen Formenreichtum bei den Rippengewölben, so z. B. das Fächergewölbe (zahlreiche Rippen strahlen fächerförmig von einem Punkt aus), das Sterngewölbe (die Rippen sind nicht mehr durchgehend, sondern verzweigen sich in Form eines Sterns) und das Netzgewölbe (parallel verlaufende Rippen bilden ein netzförmiges Muster). Die nichttragenden Teile

Kleines ABC der Baukunst

eines Gewölbes werden Kappen genannt.

Giebel Die von den beiden Flächen eines Satteldachs begrenzte Fläche an der Schmalseite eines Hauses, meist in der Form eines Dreiecks. In der Gotik wurden die Schrägen mit Blattornamenten verziert und das dreieckige Giebelfeld durch Maßwerk gegliedert; außerdem kamen reichgeschmückte Ziergiebel auf. Beliebt war auch der Treppen- oder Staffelgiebel, ein treppenartig abgestufter Giebel, der das Dach überragt und besonders in der norddeutschen Backsteingotik oft aufwendig verziert war. In der Renaissance und im Barock wandte man sich vor allem dem Volutengiebel zu; er ist an den Seiten durch Voluten aufgelockert. Manchmal, vor allem im Barock, ist das rahmende Gesims im Mittelteil des Giebels weggelassen; man spricht dann von einem gesprengten Giebel. Seit der Renaissance wurde der Giebel auch als Fensterbedachung verwendet, z. B. als halbrunder Segmentgiebel und als Dreiecksgiebel.

Gigant Architektonisches Stützglied in Form einer riesenhaften menschlichen Figur.

Glyptothek Sammlung antiker Skulpturen.

Gotik Stilepoche des Mittelalters, in Deutschland etwa von 1220 bis 1520. Man unterscheidet Früh-, Hoch- und Spätgotik. Das Streben zu Gott hin ließ hohe, fast vergeistigt wirkende Kirchenbauten entstehen, die den Blick des Betrachters nach oben ziehen und trotz ihrer Höhe leicht und schwerelos wirken. Ermöglicht wurde diese Bauweise durch das Kreuzrippengewölbe. Weitere Neuerungen waren der Spitzbogen, Strebewerk und reiches Maßwerk. Hohe Spitzbogenfenster bewirkten fast eine Auflösung der Wände, und besonders die Westfas-

In der gotischen Kirche trennt ein Lettner den Chor vom Mittelschiff.

sade wurde aufwendig gegliedert. Der Kircheninnenraum war nicht mehr wie in der Romanik eine Gruppierung von Teilräumen, sondern ein Einheitsraum: Das Querschiff wurde kürzer und schloß sich enger an das Langhaus an. In der Spätgotik löste die Hallenbauweise die Basilika ab. Vom Kirchenbau gingen die gotischen Formen auch auf Klöster und Burgen, auf Rathäuser und Bürgerhäuser über. Durch das zunehmende Bedürfnis nach Ausschmückung besonders der Portale nahm die Skulptur einen starken Aufschwung. In der angewandten Kunst erlebten die Glas- und Buchmalerei sowie die Goldschmiedekunst einen Höhepunkt.

Grisaille Malerei nur in Grautönen; häufig zur Nachahmung plastischer Bildwerke benutzt.

Groteske In der Hochrenaissance und im Frühbarock beliebtes Ornament aus Ranken, Blumen, Früchten, Tieren und Fabelwesen.

Grotte Künstliche Höhle, oft mit Wasserspielen und Brunnen, die vor allem in der Gartenbaukunst von Renaissance und Barock auftaucht; häufig mit Fels- und Muschelwerk dekoriert.

Hallenkirche Im Gegensatz zur Basilika sind alle Schiffe gleich hoch; das Mittelschiff wird nur durch die Fenster der Seitenschiffe beleuchtet. Besonders häufig in der Spätgotik. Bei der Staffelhalle (Pseudobasilika) ist das Mittelschiff ein wenig höher als die Seitenschiffe.

Haustein Ein an der Oberfläche bearbeiteter Stein, den man zur Verblendung von Mauerwerk benutzt.

Historismus Epoche der Kunstgeschichte der zweiten Hälfte des 19. Jh., die infolge des von der Romantik geweckten Geschichtsbewußtseins auf historische Stile zurückgreift und sie nachahmt. Vor allem die Gotik wurde zum großen Vorbild: Im neugotischen Stil entstanden Kirchen, Schlösser und Rathäuser, doch auch die Romanik hat man besonders im Kirchenbau wiederbelebt. Die Neurenaissance findet vor allem in Theatern und Opernhäusern, aber auch in Bahnhofsgebäuden ihren Ausdruck. Die Repräsentationsbauten des Großbürgertums, Banken und Luxushotels sind häufig im Stil des Neubarock erbaut, das im letzten Drittel des 19. Jh. vorherrschte und oft als Wilhelminischer Stil bezeichnet wird. Manchmal wurden auch alle Stilelemente gleichzeitig verwendet.

Hochchor Oberer Teil des Chores einer Basilika.

Hypokaustum Römisches Heizungssystem, bei dem die erhitzte Luft durch Kanäle und Räume ge-

Der Historismus greift historische Stile auf – hier die Gotik.

leitet wird, die sich unter dem Fußboden befinden (Fußbodenheizung).

Illusionistische Malerei Maltechnik, die durch die Perspektive und die Verteilung von Licht und Schatten räumliche Wirkung erzielt. So kann z. B. die Deckenmalerei an einer geraden Decke ein Gewölbe vortäuschen. Erstmals aufgekommen in der Renaissance, wurde sie im Barock zur Vollendung geführt.

Intarsie Einlegearbeit aus verschiedenfarbigen Holzfurnieren bei Möbeln, Wänden und Böden.

Joch Gewölbefeld eines Bauwerks.

Jugendstil Kunstrichtung mit Blütezeit 1894–1914, die – zunächst im Kunsthandwerk – eine neue Ornamentik entwickelte (geometrische

Klare, harmonische Gliederung: das Jugendstilhaus.

und florale, an Wasserpflanzen erinnernde Formen). Eine stilvolle Schönheit war das Ideal der Zeit. In der Architektur entstanden zweckorientierte Bauten mit klarer Gliederung und schmückender Fassadendekoration. Da ein Skelett aus Stahlbeton nunmehr die tragende Funktion übernahm, konnte die Außenwand durch große Glasflächen ersetzt werden.

Juliusstil Sonderform der Baukunst in Unterfranken um die Wende zum 17. Jh., benannt nach dem Würzburger Fürstbischof Julius Echter von Mespelbrunn. Kennzeichnend ist die Verbindung von spätgotischen Maßwerk- und Gewölbeformen mit dem Raumgefühl der Renaissance.

Kämpfer Vorspringende Abschlußplatte einer Säule oder eines Pfeilers, die den Druck eines aufsteigenden Bogens oder Gewölbes auffängt.

Kapitell Ausladendes Kopfstück einer Säule, eines Pfeilers oder Pilasters zwischen dem Schaft und dem darüberliegenden Bogen oder Gewölbe, das zwischen Stütze und Last vermittelt. Eine Deckplatte bildet den Abschluß. Die griechische Säulenordnung kannte drei Formen: das schmucklose dorische Kapitell mit wulstartigem Polster, das ionische mit zwei Voluten und das korinthische mit zwei übereinander angeordneten Kränzen von Akanthusblättern. Die frühe Romanik entwickelte das Würfelkapitell, das Kugel- und Würfelform verbindet und so von der runden Säule zur quadratischen Deckplatte überleitet. Danach kam das Figurenkapitell auf, und in der Spätromanik erfuhr das antike Akanthuskapitell viele Abwandlungen. In der Gotik überwog das Blattkapitell. Die Renaissance griff alle drei Formen der griechischen Säulenordnung wieder auf.

Kapitelsaal Meist an der Ostseite des Kreuzgangs gelegener Versammlungsraum im Kloster.

Karolingische Kunst Epoche von Ende des 8. bis Ende des 9. Jh., in der man im Reich Karls des Großen begann, sich auf die Spätantike zu besinnen. Die karolingische Baukunst leitete über zur romanischen.

Kartusche Ovaler Rahmen aus Rollwerk für Inschriften oder Wappen.

Karyatide Gebälkträger in Form einer weiblichen Gestalt.

Kassettendecke Decke aus vertieften quadratischen oder vieleckigen Feldern, die bemalt oder mit Reliefs verziert sein können.

Kavaliershaus Wohnhaus für im Hofdienst stehende Adlige.

Kemenate Heizbarer Raum einer Burg, vor allem Frauengemach.

Kirchenschiff Teil des Kirchenraums. Bei mehrschiffigen Anlagen verlaufen parallel zum Mittelschiff, das von einem Querschiff durchkreuzt wird, zwei Seitenschiffe. Den oberen Teil des Mittelschiffs einer Basilika nennt man Hochschiff.

Klassizismus Stilepoche von etwa 1770 bis 1830, welche die Antike in neuer Sicht zum Vorbild nahm. Die Hinwendung zur strengen, klaren Form, zum Monumentalbau mit äußerst sparsamem Dekor bedeutete eine bewußte Abkehr vom barocken Überschwang. Man ahmte die antike Architektur jedoch nicht nach, sondern griff einzelne Bauelemente und Motive auf, z. B. griechische Tempelfassaden als Portikus repräsentativer Bauten. Auch die Skulptur, die den kühlen weißen Marmor bevorzugte,

Kleines ABC der Baukunst

Anklänge an die Antike zeigt der strenge Klassizismus.

war nicht mehr dynamisch bewegt wie im Barock, sondern orientierte sich am klassisch antiken Ideal. Denkmäler, Tore und Monumente dienten der Verherrlichung politischer Ideen.

Klausur Den Ordensmitgliedern vorbehaltener Teil des Klosters.

Knagge Im Fachwerkbau Dreiecksholz zur Verstärkung des Gerüsts oder zur Abstützung vorkragender Geschosse.

Kolonnade Säulengang, dessen Decke auf geradem Gebälk ruht.

Konsole Aus einer Wand oder einem Pfeiler vorspringender Kragstein, der als Basis für Bogen, Statuen, Erker u.a. dient.

Kopfreliquar Reliquar in Form eines menschlichen Kopfes.

Kragstein Vorkragender Stein, der eine Last aufnehmen kann.

Kreuzgang Viereckiger Umgang um einen Klosterhof. Zusammen mit der Kirche Mittelpunkt einer Klosteranlage.

Krypta Unter dem Chor einer Kirche liegender Kapellenraum für Gräber oder Reliquienschreine. Am häufigsten findet man die mehrschiffige Hallenkrypta aus romanischer Zeit, die in vielen Fällen sehr säulenreich ist. Da die Krypta nicht immer ganz versenkt angelegt werden konnte, waren Chorboden und Altar oft erhöht.

Laibung Innere, gewölbte Fläche eines Bogens oder eines Gewölbes.

Langhaus Meist in Ost-West-Richtung verlaufender, für die Gemeinde bestimmter Hauptteil einer Kirche, der bei Basilika und Hallenkirche aus dem Mittelschiff und den dazu parallelen Seitenschiffen, bei der Saalkirche aus einem Schiff besteht.

Laube Einem Gebäude vorgebaute überdachte, offene Halle, z.B. die Gerichtslaube an Rathäusern.

Lettner Halbhohe Wand zwischen Chor und Mittelschiff, die den Raum der Geistlichen von dem der Laien abtrennt. Er entwickelte sich aus den Chorschranken und wurde in der Gotik reich ausgeschmückt.

Lisene Aus der Wand vortretender senkrechter Streifen zur Gliederung der Fassade, im Unterschied zum Pilaster ohne Basis und Kapitell.

Loggia Säulenhalle eines Gebäudes, die sich nach außen öffnet; manchmal auch selbständige Bogenhalle.

Lünette Halbkreisförmiges, oft dekoriertes Feld über Fenstern und Türen, besonders häufig im Barock.

Manierismus Stilform zwischen Renaissance und Barock (etwa 1530–1600), die sich vom Ideal der ausgewogenen Harmonie abwendet. Zu ihren Kennzeichen gehören eine starke Künstlichkeit, die Streckung und Entkörperlichung der Figuren, der jähe Wechsel von Hell und Dunkel, das Nebeneinander von extremer Idealisierung und ungeschönter Realität sowie die Übersteigerung des Ausdrucks bis zum Grotesken, Bizarren. Bei der Baukunst äußern sich diese Merkmale vor allem in der Dekoration.

Maßwerk Geometrisch konstruiertes Bauornament der Gotik, welches das obere Bogenfeld großer Fenster gliedert. Später tauchte es auch an Kanzeln, Sakramentshäuschen und Schnitzaltären auf.

Mausoleum Monumentaler Grabbau in Haus- oder Tempelform.

Mittelschiff Der mittlere, von mehreren Seitenschiffen flankierte Raum des Kirchenlanghauses.

Monstranz Kunstvoll geformter Behälter aus Edelmetall zum Tragen und Zeigen der geweihten Hostie.

Mortuarium Bestattungsort in Klöstern, meist im Kreuzgang.

Neidkopf Steinerner oder hölzerner Kopf eines Tiers oder Ungeheuers, der ursprünglich als Abwehrzauber gegen feindliche Mächte dienen sollte. Man findet ihn an Giebeln oder Türen von Wohnbauten, vor allem Fachwerkhäusern, aber auch an romanischen Kirchen, an Taufsteinen und am Chorgestühl.

Obelisk Quadratischer, sich nach oben leicht verjüngender, schlanker Steinpfeiler, der von einer kleinen Pyramide bekrönt ist.

Obergaden Oberer Teil des Mittelschiffs einer Basilika, der die Seitenschiffe überragt und von Fenstern durchbrochen ist, auch Lichtgaden genannt.

Oktogon Achteck; Zentralbau mit achteckigem Grundriß.

Orangerie Gewächshaus zum Überwintern empfindlicher Pflanzen, besonders im Barock in die Schloß- und Parkanlage einbezogen.

Oratorium Gegen den Kirchenhauptraum durch Fenster abgeschlossene Empore im Chor; für höhere Würdenträger vorgesehen.

Orgelprospekt Schauseite, sichtbares Pfeifengehäuse der Orgel.

Palais Palast; Königs- oder Fürstensitz, auch städtisches Wohnhaus.

Palas Wohn- und Saalbau einer mittelalterlichen Burg oder Pfalz.

Palmette Abstrahierte Darstellung eines Palmenwipfels als Ornament.

Paradies Vorhalle einer mittelalterlichen Kirche.

Parlatorium Klosterraum, in dem sich die Mönche unterhalten dürfen, auch Sprechzimmer für Besucher.

Pavillon Rundes oder vieleckiges Gartenhäuschen, das entweder frei steht oder mit einem Schloß verbunden ist; ganz oder teilweise offen.

Pechnase Kleiner erkerartiger Ausbau an mittelalterlichen Festungsmauern, von dem siedendes Pech oder Öl auf Feinde gegossen wurde.

Pergola Offener Laubengang mit Pfeilern, die ein Gerüst für Rankpflanzen tragen.

Peristyl Einen Hof umgebende Säulenhalle.

Pfeiler Meist eckige Mauerstütze zwischen Öffnungen (Türen, Fenstern), die Decken, Wände oder Gewölbe trägt.

Pieta Andachtsbild mit der Darstellung Mariä und des toten Christus.

Pilaster Nur wenig aus der Wand vorspringender Halbpfeiler mit Basis und Kapitell.

Portal Monumentales Eingangstor mit spezieller Rahmung. Das Stufenportal zeigt ein von außen nach innen zurückgestuftes Gewände. Erweiterte Formen ergeben sich durch eingestellte Säulen und Skulpturen zwischen den Säulen. Man unterscheidet Haupt- und Seitenportal.

Figurenschmuck und Ornamente zieren dieses romanische Portal.

Portikus Antike Säulenhalle; in Renaissance, Barock und Klassizismus Vorbau vor der Hauptfassade eines Gebäudes.

Predella Sockelstück eines Flügelaltars, auf dem der Altarschrein steht.

Presbyterium Raum in der Kirche, in dem sich der Hochaltar befindet und der den Priestern vorbehalten bleibt.

Putto Kleiner nackter Knabe, oft mit Flügeln; sehr beliebt im Barock.

Querhaus Das Langhaus einer Kirche rechtwinklig durchschneidender Raum.

Refektorium Speisesaal der Mönche im Kloster.

Relief Bildhauerarbeit auf flachem Grund, bei der die Figuren mit der Fläche, aus der sie herausgearbeitet wurden, verbunden sind.

Reliquiar Kunstvoller Schrein, in dem die Gebeine oder Asche eines Heiligen aufbewahrt werden.

Reich gegliedert ist die Giebelfassade des Renaissancehauses.

Renaissance Ab etwa 1400 von Italien ausgehende, als Wiedergeburt der Antike verstandene Epoche der Kunstgeschichte. In der deutschen Architektur setzte sich der Stil erst um die Wende zum 16. Jh. durch. Hauptanliegen war eine harmonische Gliederung der Gebäude, die oft symmetrisch war. Kennzeichnend sind beim Kirchenbau die Neigung zum oft mit einer Kuppel versehenen Zentralbau, zu Rundbogen und Tonnengewölbe und beim Palastbau die axial gebundene Anlage, bei der Türen, Korridore, Treppen und Höfe aufeinander bezogen sind. Die Fassaden sind durch Säulen und Pilaster mit antiken Kapitellen gegliedert; Giebel, Erker und Treppentürme dienen zur Verschönerung der Gebäude. Auch bei der Stadtplanung wurde Wert auf ein geschlossenes, harmonisches Bild

499

Kleines ABC der Baukunst

gelegt. In der Malerei war die Entdeckung der Perspektive von bahnbrechender Bedeutung.

Retabel Geschnitzter oder in Stein gemeißelter Altaraufsatz mit bemalten Tafeln und Schmuckgiebeln, der in der Spätgotik besonders aufwendige Formen entwickelte.

Rippe Verstärkender Teil eines Gewölbes, aber auch nichttragender Zierteil. Nach der Form des Querschnitts unterscheidet man Band-, Stab- und Birnstabrippen.

Risalit Vorspringender Bauteil eines Gebäudes, der bis zum Dach oder noch höher hinausreichte. Er kommt als Mittel-, Eck- und Seitenrisalit vor und ist besonders häufig im Profanbau des Barock vertreten.

Rocaille Muschelähnliches Hauptornament des Rokoko, nach dem dieser Stil benannt ist.

Rokoko An das Spätbarock anschließender Stil, etwa 1720–1770. Die wuchtigen, pathetischen Formen des Barock wurden feiner und eleganter, die Stukkatur der Innenräume leichter. Statt großer Residenzen baute man Lusthäuser in Parks, repräsentativen Sälen zog man intime Räume in hellen Farben mit grazilem, verspieltem Dekor vor. In der Ornamentik waren Muschelwerk und Groteske bestimmend. Im Kirchenbau herrschten Zentralräume vor, deren Gewölbe den Raum für große illusionistische Deckengemälde schufen.

Zerbrechlich und verspielt wie die Epoche: Rokokoporzellan.

Roland Rittergestalt mit Schwert auf dem Marktplatz einer Stadt; wahrscheinlich ein Rechtssymbol.

Rollwerk Ornament mit verschlungenen und aufgerollten Bandformen, häufig in der Renaissance.

Romanik Mittelalterliche Stilepoche, von Anfang des 10. bis Mitte des 13. Jh. Die Frühromanik wird auch als ottonische, die Hochromanik als salische und die Spätromanik als staufische Kunst bezeichnet. Vornehmste Aufgabe der Baukunst war der Kirchenbau, für den die Wölbung des gesamten Innenraums (vor allem durch Kreuzgrat- und Kreuzrippengewölbe), Rundbogen,

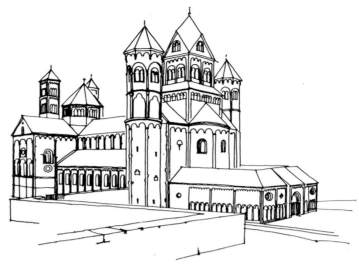

Monumental, fast wie eine Burg wirkt die romanische Basilika.

Stützenwechsel sowie eine klare Gliederung des Schiffs kennzeichnend sind. Langhaus, Querhaus und Chor sind kreuzförmig um die Vierung angeordnet. Besondere Bedeutung bekamen Stufenportale sowie das Westwerk, das oft eine Doppelturmfassade besaß; viele Kirchen erhielten eine Krypta. Die Bildhauerkunst entwickelte vor allem beim Kapitell einen erstaunlichen Formenreichtum.

Rosette Ziermotiv in Blütenform.

Rotunde Zentralbau mit kreisförmigem Grundriß.

Saalkirche Einschiffige, nur durch Emporenpfeiler unterteilte Kirche.

Sakramentshaus Kleines, turmartiges Bauwerk zur Aufbewahrung der geweihten Hostien, in der Spätgotik oft besonders kunstvoll verziert.

Sakristei Neben dem Chor einer Kirche liegender Raum, in dem Meßgewänder und liturgische Geräte aufbewahrt werden.

Sarkophag Prunksarg, meist aus Stein oder Metall, der in einer Grabkammer oder Krypta aufgestellt wird. Er ist oft mit Reliefs und manchmal mit der Bildnisgestalt des Bestatteten geschmückt.

Säule Mauer- oder Gewölbestütze mit kreisförmigem Grundriß, die sich im Unterschied zum Rundpfeiler nach oben verjüngt. Sie besteht aus Basis, Schaft und Kapitell. Neben frei stehenden gibt es auch teilweise aus der Wand hervortretende Halb- und Dreiviertelsäulen.

Scheinarchitektur Durch illusionistische Malerei oder Reliefs perspektivisch angedeutete Architektur, die besonders im Barock ein beliebtes Element der Innendekoration war.

Schildmauer Hohe und besonders dicke Mauer an der Angriffsseite einer Burg.

Schlußstein Stein im Kreuzungspunkt zweier Gewölberippen.

Sgraffitomalerei Besondere Art der Wandmalerei. Mehrere Schichten verschiedenfarbigen Putzes werden

auf die Wand aufgetragen; durch Abkratzen der oberen Schichten entstehen Dekorationen von großer Haltbarkeit.

Spolie Bauteil, z. B. Kapitell, Fries oder Gesims, eines zerstörten Gebäudes, das in einem anderen Bauwerk erneut verwendet wird.

Strebewerk System von Baugliedern, die den Seitenschub der Gewölbe auffangen und auf das Fundament ableiten. Strebebogen sind schräg aufsteigende Bogen, die den Druck der Hochschiffwände z. B. einer gotischen Basilika auf die Strebepfeiler übertragen. Diese sind den Umfassungsmauern der Seitenschiffe vorgebaut.

Stuck Leicht formbare, nicht wasserfeste Masse aus Gips, Kalk, Sand und Wasser. Wichtiges Element der Innenraumdekoration, vor allem in Barock und Rokoko.

Stuckmarmor Marmorimitation in Innenräumen. Dem Stuck werden Pigmentfarben zugesetzt, und anschließend wird er geschliffen und poliert.

Stützenwechsel Regelmäßiger Wechsel von Pfeilern und Säulen vor allem in der romanischen Basilika.

Tabernakel Behältnis für die Hostien; von Stützen getragener Überbau über Statuen.

Terrakotta Gebrannter, unglasierter Ton, aus dem Figuren und Reliefs hergestellt werden.

Triforium In der Wand ausgesparter Laufgang unter den Fenstern von Chor, Mittel- und Querschiff, der sich in dreifachen Bogen zum Kircheninnern öffnet.

Triptychon Dreiteiliger Flügelaltar.

Triumphbogen Bogen, der den Chor vom Mittelschiff einer Kirche trennt.

Triumphkreuz Monumentales Kreuz unter dem Triumphbogen einer Kirche.

Tumba Sarkophagähnliches Grabmal, bestehend aus einem rechteckigen Unterbau, der eine Grabplatte trägt; im Spätmittelalter von einem Baldachin überwölbt.

Tympanon Bogen- oder Giebelfeld über dem Portal einer Kirche, das oft reichen Reliefschmuck trägt.

Verdachung Vorspringender Bauteil über einer Maueröffnung wie Tür oder Fenster.

Vierung Meist quadratischer Raumteil der Kirche, der durch die Durchdringung von Langhaus und Querhaus entsteht. Darüber kann sich ein Turm, der Vierungsturm, erheben.

Volute Ornament in Spiral- oder Schneckenform, oft an Kapitellen oder Giebeln.

Vorkragend Aus einer Fläche herausragend, z. B. Erker oder Balkon.

Votivbild Bildliche Bekräftigung eines frommen Gelübdes.

Wandpfeilerkirche Saalartige, einschiffige Kirche mit Wandpfeilern, zwischen denen statt der Seitenschiffe Kapellen liegen; sehr beliebt in Renaissance und Barock.

Wange Seitlicher Abschluß des Chorgestühls.

Weserrenaissance Für die Profanbauten im Gebiet der oberen Weser typischer Baustil des späten 16. und frühen 17. Jh., bei dem Renaissancefassaden mit spätgotischen Ornamenten versehen sind. Die meist mehrflügligen Schloßanlagen besitzen oft einen Wendeltreppenturm. Weitere Charakteristika sind formenreiche Giebel, Ausluchten und ornamentierte Zierquader.

Westwerk Turmartiger Bau, der den großen frühmittelalterlichen Kirchen vorgelagert wurde. Es besteht aus einer Eingangshalle, über die sich ein zum Langhaus hin geöffneter Raum befindet, der an drei Seiten von Emporen umgeben ist. Von außen ist es als breiter Turm erkennbar, der von zwei Treppentürmen flankiert wird. Es diente u. a. als Gastkirche für Kaiser und Könige.

Wimperg Oft mit Blendmaßwerk gefüllter Ziergiebel über Portalen und Fenstern der Gotik.

Zentralbau Bauwerk auf quadratischem, vieleckigem oder rundem Grundriß mit gleich langen Hauptachsen. Meist ist er von einer Kuppel oder einem Zeltdach überwölbt.

Zopfstil Bürgerlich-nüchterne Stilstufe im Übergang vom Rokoko zum Klassizismus (1760–1780).

Zwerchhaus Über der Fassade aufsteigendes, nicht zurückgesetztes Dachhäuschen mit Walmdach, dessen Giebel quer (zwerch) zu dem des Daches liegt.

Zwinger Zwischen zwei Mauerringen einer Stadt- oder Burgbefestigung liegender freier Umgang.

Register

Ortsnamen sind **halbfett** gedruckt, *kursive* Seitenzahlen beziehen sich auf die Abbildungen und Bildunterschriften. Die Buchstaben in Klammern hinter den Seitenzahlen bei den Ortsnamen verweisen auf die jeweiligen Kapitel und werden ganz oben auf jeder Seite des Registers erklärt. Die Personennamen sind in normaler Schrift gedruckt und wurden bei Namensgleichheit nach historischen Gesichtspunkten geordnet. An erster Stelle stehen die Kaiser und Könige des Reichs, danach folgen die anderen Herrscher in der alphabetischen Reihenfolge ihrer Territorien.

Quellenangaben zu den „Zeitzeugen"

34/35: *Keltische Druiden:* Gajus Julius Cäsar, Der Gallische Krieg, 8. Auflage 1986, Artemis, München; *Germanen:* Publius Cornelius Tacitus, Germania, Übersetzung Curt Woyte, Reclams Universalbibliothek Nr. 726, Philipp Reclam jun., Stuttgart 1951. **68/69:** *Eroberungskrieg:* Die Geschichtsschreiber der deutschen Vorzeit Band 1,1, Die Urzeit, Bearbeitung D.J. Horkel, Berlin 1847, unter leichter sprachlicher Überarbeitung von E. Rotter; *Roms Rache:* Publius Cornelius Tacitus, Germania – Die Annalen, Übersetzung W. Harendza, Wilhelm Goldmann, München 1960; *Germanensturm:* Wolfgang Seyfarth (Hg.), Ammianus Marcellinus, Römische Geschichte, Schriften und Quellen der Alten Welt, Akademie-Verlag, Berlin 1978; *Landeskunde:* Geschichtsschreiber der deutschen Vorzeit, Band 1,1, a.a.O., unter leichter sprachlicher Überarbeitung von E. Rotter. **90/91:** *Normannen:* Reinhold Rau (Hg.), Quellen zur karolingischen Reichsgeschichte, Zweiter Teil: Jahrbücher von St. Bertin, Jahrbücher von St. Vaast, Xantener Jahrbücher. Unter Benutzung der Übersetzung von J. von Jasmund und C. Rehdantz neu bearb. (FSGA, A., Band 6). Darmstadt: Wissenschaftliche Buchgesellschaft 1958. Reprogr. Nachdr. 1980; *Karl der Große:* Reinhold Rau (Hg.), Quellen zur karolingischen Reichsgeschichte, Erster Teil: Die Reichsannalen. Einhard, Leben Karls des Großen. Zwei „Leben" Ludwigs, Nithard, Geschichten. Unter Benutzung der Übersetzungen von O. Abel und J. Jasmund neu bearb. (FSGA, A., Band 5). Darmstadt: Wissenschaftliche Buchgesellschaft 1955. Reprogr. Nachdr. 1987; *Herzog Tassilo III.:* ebd.; *Ludwig der Fromme:* Reinhold Rau (Hg.), Quellen zur karolingischen Reichsgeschichte. Dritter Teil: Jahrbücher von Fulda. Regino, Chronik. Notker, Taten Karls. Unter Benutzung von Übersetzungen von C. Rehdantz, E. Dümmler und W. Wattenbach neu bearb. (FSGA, A., Band 7). Darmstadt: Wissenschaftliche Buchgesellschaft 1960. Reprogr. Nachdruck 1982. **122/123:** *Otto der Große:* Widukind von Corvey, Sachsengeschichte, Übersetzung E. Rotter, Reclams Universalbibliothek Nr. 7699 (4), Philipp Reclam jun., Stuttgart 1981; *Heinrich IV.:* Franz-Josef Schmale/Irene Schmale-Ott (Hg.), Quellen zur Geschichte Kaiser Heinrichs IV. Die Briefe Heinrichs IV. Das Lied vom Sachsenkrieg. Brunos Sachsenkrieg. Neu übers. von Franz-Josef Schmale. Das Leben Kaiser Heinrichs IV. Neu übers. von Irene Schmale-Ott. (FSGA, Band 12). Darmstadt: Wissenschaftliche Buchgesellschaft³ 1974; *Heinrich der Löwe:* Die Geschichtsschreiber der deutschen Vorzeit Band 3, Die Chronik Arnolds von Lübeck, Übersetzung J. C. M. Laurent, Berlin 1853, unter leichter sprach-

licher Überarbeitung von E. Rotter; *Friedrich II.:* Klaus J. Heinisch (Hg.), Kaiser Friedrich II., Sein Leben in zeitgenössischen Berichten, Artemis, München 1987. **150/151:** *Verfall und Reform:* Johannes Bühler, Klosterleben im Mittelalter, Insel Verlag, Leipzig 1923; *Klosterregeln:* ebd., *Klöster in Gefahr:* ebd.; *Sonderrechte:* ebd. **184/185:** *Schwarzer Tod:* Die Geschichtsschreiber der deutschen Vorzeit Band 6, Die Chronik des Matthias von Neuenburg, Übersetzung G. Grandaur, Leipzig 1892, unter leichter sprachlicher Überarbeitung von E. Rotter; *Doppelwahl:* Die Geschichtsschreiber der deutschen Vorzeit Band 81, Quellen zur Geschichte Ludwigs des Bayern, Übersetzung W. Friedensburg, Leipzig 1898; *Goldene Bulle:* Die Goldene Bulle, Übersetzung Konrad Müller, Die bibliophilen Taschenbücher Band 84, Harenberg Kommunikation, Dortmund 1978; *Hussiten:* Bernhard Pollmann (Hg.), Lesebuch zur deutschen Geschichte Band 1, Chronik Verlag in der Harenberg Kommunikation, Dortmund 1984. **222/223:** *Tod beim Turnier:* Johannes Bühler, Fürsten und Ritter, Insel Verlag, Leipzig 1928; *Lob der Frau:* Die Gedichte Walthers von der Vogelweide, Walter de Gruyter, Berlin 1964; *Burgleben:* Hedwig Heyer (Hg.). Spätmittelalter, Humanismus, Reformation: Texte und Zeugnisse Band 2, 2, C. H. Beck, München 1978; *Ritterregeln:* Johannes Bühler, Fürsten und Ritter, a.a.O. **248/49:** *Zunftkämpfe:* Wolfang Lautemann/Manfred Schlenke. Geschichtliche Quellenhefte, Heft 3, Moritz Diesterweg, Frankfurt 1976; *Bürgermeister:* Bernhard Pollmann (Hg.), Band 1, a.a.O.; *Städtekrieg:* Johannes Bühler, Fürsten und Ritter, a.a.O.; *Meistersinger:* A. von Keller/E. Goetze (Hg.), Hans Sachs, Georg Olms Hildesheim 1964, ins Neuhochdeutsche übertragen von E. Rotter. **268/269:** *Gründung Lübecks:* Heinz Stoob (Hg.), Helmold von Bosau: Slawenchronik (FSGA, A., Band 19). Darmstadt: Wissenschaftliche Buchgesellschaft⁴ 1983; *Handel mit Rußland:* Phillippe Dollinger, Die Hanse, 2. Auflage 1976, Kröner Verlag Stuttgart; *Störtebekers Ende:* Zeitgenössisches Flugblatt, ins Neuhochdeutsche übertragen von A. Lenz; *Hanserecht:* Philippe Dollinger, a.a.O. **286/287:** *Universität Freiburg:* Bernhard Pollmann (Hg.), Band 1, a.a.O.; *Kosmographie:* Heinz Burmeister (Hg.), Briefe Sebastian Münsters, Insel Verlag, Frankfurt 1964; *Humanist Erasmus:* Hedwig Heger (Hg.), a.a.O.; *Kopernikus:* Walter Wulf (Hg.), Geschichtliche Quellenhefte, Heft 4/5, a.a.O. **306/307:** *Wider die Rotten:* Walter Wulf (Hg.), Geschichtliche Quellenhefte, Heft 4/5 a.a.O.; *Zwölf Artikel:* Günter Franz (Hg.), Quellen zur Geschichte des Bauernkrieges (FSGA, B., Band 2). Darmstadt:

Wissenschaftliche Buchgesellschaft 1963; *Hexenwahn:* Bernhard Pollmann (Hg.), Band 2, a.a.O.; *Bewegliche Lettern:* Weltgeschichte im Aufriß, Arbeits- und Quellenbuch 2, Moritz Diesterweg, Frankfurt 1971. **346/347:** *Dürers Idealstadt:* Albrecht Dürer, Etliche Underricht zu befestigung der Stett, Schloß und Flecken, Faksimile 1971 der Ausgabe von 1527, modernes Deutsch von A. E. Jaeggli, Verlag Bibliophile Drucke, Dietikon-Zürich; *Türken vor Wien:* Fritz Dickmann, Geschichte in Quellen Band 3, Bayerischer Schulbuch-Verlag, München 1966; *Landsknechte:* Heinrich Pleticha (Hg.), Deutsche Geschichte Band 6, Bertelsmann Lexikothek Verlag, Gütersloh 1984; *Karl V. in Augsburg:* Heinrich Pleticha, Geschichte aus erster Hand, Arena, Würzburg 1979. **386/387:** *Westfälischer Friede:* Bernhard Pollmann (Hg.), Band 2, a.a.O.; *Heidelberg zerstört:* Heinrich Pleticha, Bernhard Pollmann (Hg.), Band 2, a.a.O.; *30 Jahre Krieg:* Bernhard Pollmann (Hg.), Band 2, a.a.O.; *Mord an Wallenstein:* Heinrich Pleticha, a.a.O. **420/421:** *Fürstliches Fest:* Peter Lahnstein, Leben im Barock, Kohlhammer, Stuttgart 1974; *Modekritik:* Hans von Zwiedineck-Südenhorst, Die öffentliche Meinung in Deutschland im Zeitalter Ludwigs XIV., Cotta, Stuttgart 1888; *Kaiserkrönung:* Heinrich Pleticha, a.a.O.; „*Der Staat bin ich*": Günther Franz (Hg.), Quellen zur Geschichte des deutschen Bauernstandes in der Neuzeit (1500–1950) (FSGA, B., Band 11). Darmstadt: Wissenschaftliche Buchgesellschaft² 1976. **440/441:** *Rekrut in Berlin:* Gottfried Guggenbühl, Quellen zur Geschichte der Neueren Zeit, erweitert und neu bearbeitet von Hans C. Huber, Schulthers Polygraphischer Verlag, Zürich 1956; *Potsdamer Edikt:* ebd.; *Königskrönung:* Bernhard Pollmann, Band 2, a.a.O.; *Die Langen Kerls:* ebd. **464/465:** *Krieg den Palästen:* Georg Büchner, Gesammelte Werke, Goldmann Klassiker Band 7510, Wilhelm Goldmann, München o.J.; *Arbeitsordnung:* Wolfgang Köllmann, Die „Industrielle Revolution", Quellen zur Sozialgeschichte Großbritanniens und Deutschlands im 19. Jh., Ernst Klett, Stuttgart 1972; *Spinnerelend:* ebd.; *Die erste Eisenbahn:* Hans Ebeling, Die Reise in die Vergangenheit Band 3, neu bearbeitet von W. Birkenfeld, Westermann, Braunschweig 1972. **490/491:** „*An mein Volk*": Eckart Kleßmann, Die Befreiungskriege in Augenzeugenberichten, Karl Rauch Verlag, Düsseldorf 1966; *Völkerschlacht:* Tim Klein (Hg.), Die Befreiung, Langewiesche-Brandt, Ebenhausen 1912; *Diplomat Bismarck:* Otto Fürst von Bismarck, Gedanken und Erinnerungen, Band 2, Stuttgart 1898; *Hambacher Fest:* J. G. A. Wirth, Das Nationalfest der Deutschen zu Hambach, 1. Heft, Neustadt a. H. 1832.

Bildnachweis